건강한 성건강 전문가를 위한 지침서

SEXUAL HEALTH

성 건 강

김계숙 지음

성건강
Sexual Health

첫째판 1 쇄 발행 | 2013년 2월 05일
둘째판 1 쇄 인쇄 | 2016년 9월 23일
둘째판 1 쇄 발행 | 2016년 9월 30일
둘째판 2 쇄 발행 | 2020년 9월 30일

지 은 이 김계숙
발 행 인 장주연
기 획 군자기획부
디 자 인 김영선, 이상희
발 행 처 군자출판사(주)
등 록 제 4-139호(1991. 6. 24)
본 사 (10881) **파주출판단지** 경기도 파주시 서패동 474-1(회동길 338)
Tel. (031) 943-1888 Fax. (031) 955-9545

ⓒ 2020 성건강
본서의 내용 일부 혹은 전부를 출판사와 저자의 허락 없이 무단으로 복제하는 것을 법으로 금지되어 있습니다.

www.koonja.co.kr

*인지는 저자와의 합의로 생략합니다.

ISBN 979-11-5955-085-0

정가 48,000원

저 자 소 개

AUTHOR

SEXUAL
HEALTH CARE

김 계 숙

약력

이화여자대학교 간호대학 이학사
이화여자대학교 대학원 간호학 석사
이화여자대학교 대학원 간호학 박사

안산대학교 총장 역임
안산대학교 간호학과 교수 역임
안산대학교 성건강증진센터장 역임

여성건강간호학회 학술이사 역임
대한성학회 이사
교육과학기술부장관 표창(대학성희롱예방)

머리말

PREFACE

우리는 성을 통해 성적 존재로 아동기, 청소년기, 부부생활을 거치면서 성과 함께 평생을 살아간다. 자신의 경험, 욕구, 지식, 가치가 무엇이냐에 따라 성행위의 선택은 다양하다. 우리는 올바른 가치가 작용하는 좋은 성행위를 할 수 있도록 준비해야 한다. 개인이 좋은 성행위를 알고, 기준을 정하고, 기준을 적용하는 일은 건강한 성행위를 하기 위한 선결조건이다. 최대한의 건강한 성행위를 위해 자신이 추구하는 성적 가치, 성적 욕구, 감정이나 행동에 대해 전문적 지식을 배우고, 삶에서 성의 역할을 통찰하면서 건강한 성의 요소와 가치가 무엇인지를 이해하는 것은 개인이 평생토록 해야 할 일이라고 생각한다.

성적 존재인 개인은 성의식에 가치를, 건강 영역에 성건강을 통합했을 때 행복하다. 때문에 우리는 다차원적 개념인 성건강 맥락 내에서 개인의 선택과 행동에 영향을 미치는 심리·사회·환경적 요인을 숙고할 필요가 있다. 성이 신체적으로 기능적인 상태는 어떤 것이며 성이 심리적으로 편안한 상태는 더욱 어떤 것인지, 사랑에 기초하는 성행위가 가족, 친족, 공동체 차원으로 확장되어 사회적 결속을 강화하는 친밀감은 어떤 것인지를 알아야 한다. 또한 성을 둘러싸고 있고 성을 통해 표출되는 문화, 역사의 영향 요인도 알아야 한다.

성건강이란 성적 존재인 인간의 신체적, 인지적, 사회적, 영적 측면의 통합과 균형으로 이루어지는 긍정적이고 풍부한 것이며 인성과 의사소통, 사랑을 성숙시키는 능력이다. 성적으로 건강한 사람은 건강과 다양한 성적표현자기 삶의 일부가 되도록 통합하면서 안녕에 대한 민감성과 삶에 대한 행복감을 실현하는 사람이다.

성건강 전문가는 성건강에 대해 가치중립의 실무원칙을 수용해야한다. 성건강 전문가로서 우리의 역할은 대상자에게 성건강 관련 지식, 태도, 기술 및 성적 자기결정을 내릴 수 있도록 통찰력을 제공하는 것이다. 대상자들의 상상력을 자극하고, 신중하게 고려되어야 할 성가치 요소들이 무엇인지 조망함으로서 그들의 성적 관계, 인간관계를 분석할 수 있도록 한다. 성건강전문가는 자신의 개인적 가치를 대상자에게 부여해서는 안 된다. 또한 자신의 가치나 사회적 가치에 비추어 판단해야 하는 상황이라 할지라도 대상자 행위에 대한 판단은 유보하는 비판적 사고를 해야 한다. 오늘날과 같은 다양한 사회에서 더 이상 절대적으로 옳고 그름이 없기 때문이다. 가치는 나와의 관계에서 그것이 갖는 의미(중요성, 유용성, 성질, 취향, 바람직한 것)이며 태도이다. 쉽지는 않지만 학습과 노력에 의해 순화될 수 있고 강력한 경험에 의해 변화될 수도 있다. 성건강전문가는 인간의 성에 대해 객관적인 가치를 정립하고, 성에 대한 의견, 편견, 고정관념 등이 없어야 한다. 또한 성에 대한 사고를 긍정적, 중립적, 객관적, 수용적, 진보적으로 전환해야 한다.

성건강전문가는 개인의 성건강에 대해 공감하고 교육하며 상담을 제공해야 할 책임이 있다. 성건강을 총체적 건강에 통합시켜야 할 책무가 있기 때문에 성건강 전문가는 먼저 자신의 성적 자아를 돌아보고 성학적 지식에 근거한 개인의 성건강을 발전시키며 의사소통 기술을 정련화하고 간호과정 내에서 성건강 간호를 제공해야 한다.

본 책은 대학교육과정의 학생들에게 그리고 성건강 관련 현장에 있는 학습자·교육자들에게 성건강 교육, 상담, 간호에 대한 구조화된 학습 경험을 제공한다.

본 책은 가치 명료화 훈련을 통해 자신의 성적 자아에 대한 자기이해를 촉진시키고자 하였다. 이 훈련은 학습자들과 교육·상담자들이 대상자의 감정과 사고, 태도와 신념을 확인하고 대상자의 성에 대한 확신과 행동을 고려하여 대상자의 성가치 체계를 이해할 수 있도록 고안하였다. 성에 대해 자신의 생각과 다른 사람의 생각이 서로 다르거나 상충하는 것을 발견하는 학습과 토론의 장은 개인의 성장을 촉진시킬 것이다. 또한 자신과 다른 사람의 성을 긍정적이고 실제적인 부분으로 인식하고 개인의 성에 대해 다양성을 인정하고 다름과 독특성을 수용하는 것은 성건강 교육·상담과정에서 필수적이며 상호간의 인간관계를 성숙시킨다.

각 장은 인간의 성에 대한 실제적인 연구에 근거한 성건강 관련 지식을 제공한다. 성건강 전문가가 대상자의 성건강 요구를 확인하고 중재하는 교육·상담 과정에서 논리적 근거가 이론과 추론에 의해서 지지를 받았을 때 대상자의 변화를 더욱 촉진시킬 수 있다.

각 장별로 성건강 문제를 확인하고 해결하기 위해 비판적 사고를 교육, 상담, 간호에 적용하였다. 간호과정 단계에서 사정, 진단, 계획, 수행에 필요한 정의적 학습과 인지 학습 및 의사소통 기술을 제시하였으며 총체적 건강의 부분으로서 성건강을 평가하였다. 특히 문제 확인을 위한 첫 단계인 주관적, 객관적 자료 수집은 대상자와의 의사소통이 매우 중요하다. 간호사의 행동, 표현된 태도, 사용된 언어에 의해 영향을 받는다. 성건강전문가는 성건강 지식에 기반을 둔 통찰력 있는 의사소통 기술로 교육·상담·간호과정에서 대상자의 성건강에 대한 요구를 공감하고, 수용하며, 긍정적인 결과가 나타날 수 있도록 중재해야 한다.

성건강 영역에서 간호사의 역할은 교육자이자 상담자이다. 교육자로서 간호사는 믿을 수 있는 정보를 제공하고 현재 또는 잠재적인 문제들을 해결하거나 경감시키고 대상자들이 그들 자신이나 다른 사람들과의 관계에서 성건강에 대해 책임 있는 결정을 내릴 수 있도록 하는 것이다. 상담자로서 간호사는 주의 깊게 경청하고 감정표현을 북돋아 주고, 수용해 주며 대상자들이 성적 문제, 성적 가치관, 기대 및 불안 등을 잘 표현할 수 있도록 지지해 주어야 한다. 성건강전문가의 역할은 대상자로 하여금 성건강 문제에 대해 자신의 성가치 체계를 사용하여 스스로의 해결을 찾도록 하는데 있다.

이 책을 통해 독사들이 성긴강에 대한 자신의 가치 기쥰이 무엇인지를 들여다봄으로서 자신의 성적 관계, 인간관계를 분석하는데 도움이 되기를 바란다. 모든 것이 노출되고 가치중립적으로 되는 투명한 정보사회에서 은밀하고 신비한 것으로 치부되었던 성은 더 이상 성스러운 것도 비밀스러운 것도 아니다. 어떤 가치 기준으로 어떤 선택에 도달하느냐는 당연히 독자인 여러분들의 몫이다.

2판 개정판은 초판의 정련화 작업에 몰두했다. 독자가 쉽게 읽을 수 있도록 오타를 바로잡고, 최근 통계자료를 삽입하고, 새 정보는 팁으로 처리하였다.

앞으로도 다양한 사회가 요구하는 성학적 지식과 독특한 개인별 대상자를 위한 실무의 경험을 제공할 수 있는 성건강 교육, 상담, 간호의 지침서가 될 수 있도록 구체화, 정련화 작업을 계속하고자 한다.

이 책이 출판되기까지 지식을 제공해주고 기술을 공유하고 격려와 시간을 할애한 많은 사람들에게 지면을 빌어 사의를 표한다. 본서를 집필하며 많은 영감을 준 『human sexuality in nursing process』는 1983년 안산대학교 간호학과 학술지도를 위해 故 강석봉 총장님이 건네준 책이다. 이 조우는 정확히 30년이 흘러 오늘의 『성건강 간호』의 출간으로 이어졌으니, 실상 강 전 총장님은 『성건강 간호』 저술의 원동력을 제공하셨다고 해도 과언이 아니다. 또한 성학에 대한 해박한 지식과 공유와 배려의 삶으로 늘 감동을 주시는 대한성학회 김원회 초대 회장님과 주옥같은 성학 지식과 최신 정보를 대한성학회 학술지를 통해 제공해 주시는 대한성학회 회원들에게도 깊은 감사의 말을 전한다. 그리고 항상 격려와 힘을 불어넣어 주는 안산대학교 간호학과 동창 여러분, 사랑하는 송영아, 김선아 교수와 군자출판사 장주연 사장님, 김봉환 과장 및 모든 직원 여러분에게 진심으로 감사를 표한다. 마지막으로 늘 기쁨을 주는 우리 집 꿈나무 민재홍, 민지홍과 이 책이 있기까지 많은 인내와 사랑으로 함께한 나의 동반자에게 진심을 담아 사랑의 말을 전한다.

2016년 9월 7일

김 계 숙

SEXUAL
HEALTH CARE

목 차

CONTENTS

CHAPTER 01 인간의 성·성건강
Human Sexuality

CHAPTER 02 여성의 성건강
Women's sexual health structure

CHAPTER 03 성건강 사정
Assessment for sexual health

CHAPTER 04 아동기 성건강
Sexual Health in Infancy and Childhood

CHAPTER 05 청소년기 성건강
Sexual Health in Adolescence

CHAPTER 06 성인(성년·중년)기 성건강
Assessment for Sexual Health

CHAPTER 07 노년기 성건강
Sexual Health in Senility

CHAPTER 08 임신·산욕·수유기의 성건강
Sexual Health during Pregnancy the postpartum period, and Lactation

성적 의사결정: 피임·난임
Sexuality and Reproductive Decision Making

문제임신과 인공유산
Problem pregnancy, Induced Abortion

CHAPTER 11 성매개 감염병
Sexually Transmitted Disease

CHAPTER 12 성기능 장애
Sexual dysfunction

CHAPTER 13 성폭력: 강간
Sexual Violence: Rape

CHAPTER 14 만성질환과 성건강
Chronic Illness & Sexual Health

CHAPTER 15 약물사용과 성건강
Drugs and Sexual Health

CHAPTER 16 수술과 성건강
Sugery and Sexual Health

CHAPTER 17 장애인의 성건강

Impaired People & Sexual Health

CHAPTER 18 성행위의 다양성

Variation in Sexuality

*SEXUAL HEALTH CARE

CHAPTER 01

인간의 성·**성건강**

Human Sexuality · Sexual Health

가치 명료화 **훈련 I**

우리는 성을 통해 성적 존재로 아동기, 청소년기, 부부 생활을 거치면서 성을 접하고 성과 함께 평생을 살아간다. 우리는 성을 어떻게 보고 있으며 어떻게 다루어야 하는가? 우리는 성을 논의할 때 불편함과 불안감을 느낀다. 아동기의 성은 논의조차도 금기시 한다. 전통적으로 우리는 인간의 성에 대해 도덕률을 적용하고 악하거나 추한 것 또는 부정적인 것으로 치부한다. 성에 대한 부정적 시각은 올바르고 건강한 성에 대한 이해를 방해한다. 성은 어떤 특정 가치나 태도에 치우치지 않는 중간의 섬을 의미한다. 가치 중심적인 성은 사회문화와 성을 사용하는 사람들에 의해 의미와 가치가 결정된다.

가치 명료화 훈련은 대상자들에게 성에 대해 자신이 가장 소중하게 여기는 것이 무엇인지를 성찰하도록 하고 스스로 바람직한 행동을 할 수 있도록 올바르고 정확한 성적 인식과 긍정적 태도를 형성하도록 하는 것이다. 대상자들이 가치를 제대로 평가하지 못할 때에는 가치들을 비판적으로 검토할 수 있도록 객관적 기준을 제공하여야 한다.

가치 명료화는 대상자에게 그들이 표명한 가치들과 개인적 행동 간의 격차를 줄이도록 힘을 북돋아준다. 또한 자신과 타인에 대해 책임 있게 행동하도록 한다.

가치 명료화 훈련에서 가장 먼저 논의할 것은 성관련 문제에 대해 자신의 마음이 편안한지, 불편한지 그 수준과 범위부터 검토하는 것이 중요하다. 이러한 훈련은 성에 대한 논의를 방해하거나 촉진시키는 환경과 감정을 발견할 수 있게 한다.

다음 문장을 읽고 빈칸을 완성해 보자. 다음의 질문을 통해 당신은 자신이 경험한 성과 관련된 환경과 감정을 인식할 수 있을 것이다.

- 어린 시절, 나는 ________때 성에 관해 이야기를 처음으로 들었다.
- 내가 성에 관해 첫 번째 하였던 질문은________.
- 청소년기에 선생님이 성에 대해 교육했을 때 나는 ________.
- 어머니가 성에 관해 얘기했을 때, 나는 ________.
- 아버지가 성에 관해 말씀하셨던 내용은 ________.
- 친구는 성을 ________ 라고 설명했다.
- 내가 가진 종교는 성을 ________ 라고 가르쳤다.
- 나는 ________ 때에 성에 관한 주제가 가장 편하게 느껴졌다.
- 나는 ________ 때에 성에 관한 주제가 가장 불편하게 느껴졌다.

4~6명으로 그룹 을 만들고 각 그룹은 각자의 답변을 내놓고 서로 논의해 보자. 그룹의 구성원이 갖는 공통적인 경험이 무엇인지를 확인해 보자. 특히 구성원의 어떤 환경이 성에 관한 논의를 촉진(방해)시켰는지? 각각의 개인들이 성에 관해 받은 개인적·사회적인 메시지는 어떤 것이었는지를 논의해 보자.

기록자는 큰 종이를 절반으로 나누어서 좌측에는 성에 관한 논의를 방해하는 환경과 이에 연결된 감정을 작성하고 우측에는 성에 관한 논의를 촉진하는 환경과 이에 연결된 감정을 작성한다. 그리고 자신의 이름들을 촉진 또는 방해 환경에 기입하고 명단을 만든다.

모든 참여자는 기록된 명단을 확인 후, 좌측(또는 우측)에 기록된 자신이 포함된 명단과 논의의 내용들을 크게 읽는다. 그룹의 구성원들은 추가적인 논평을 할 수 있다. 또한 모든 참여자들은 설명을 더 추가할 수 있고 요청할 수 있다.

기록자는 촉진 또는 방해 환경이나 감정 중에서 가장 많이 나타난 2~3가지의 환경이나 감정에 줄을 그어 본다. 모든 참여자들은 성에 관한 논의를 방해하는 환경과 감정을 유도하는 근거가 무엇인지에 대해 논의해야 한다. 또한 성에 대한 논의를 촉진시키는 환경과 이에 대한 감정도 역시 논의해 본다.

TIP

가치명료화 훈련

가치명료화란 개인으로 하여금 자신의 가치를 잘 인식할 수 있도록 도와주는 훈련이다. 개인이 자신감을 갖고 일관성 있는 선택과 결정을 하기 위해서는 훈련을 통해 자신의 가치를 발달시켜야 한다.

가치명료화 훈련은

1) 다양한 대안을 신중히 고려하여 대안을 결정하고 자신의 신념과 행동을 선택한다.
2) 선택한 신념이나 행동을 공공연하게 확언하고 그 신념과 행동을 자랑스럽게 여긴다.
3) 반복적이고 일관성 있게 자신의 신념에 근거하여 행동한다.

가치 명료화 **훈련 II**

Sexuality, sex, sexy와 같은 단어는 각각의 의미를 가지고 있으며 다른 정서를 유발한다. 대상자들은 이런 용어를 어떻게 정의하고, 묘사하고, 느끼는지를 이해하여야 한다. 다음의 질문을 읽고, 답해 보자. 답변을 쓰고 초기 감정을 적어보자. 당신이 이 장을 학습한 후에 당신의 응답이 어떻게 변화하였는지도 확인해 보자.

- 인간의 성에 대한 정의는?
- 당신이 생각한 정의와 다른 사람이 생각한 정의를 비교해 보면?
- 인간의 성의 구성 요소와 성과 관련된 차원은?
- 성적으로 건강한 사람이란?
- 성건강의 다양한 측면은?
- 성건강의 장애물은?
- 성건강 증진을 위한 성건강 전문가의 역할이란?

행동 **목표**

이 장을 마친 후

- 성 이론의 역사적 흐름을 설명할 수 있다.
- 성 개념에 대해 정의할 수 있다.
- 성 발달 영향 요인을 설명할 수 있다.
- 성건강을 정의할 수 있다.
- 성적으로 건강한 사람의 특성을 논의할 수 있다.
- 성건강 증진을 정의할 수 있다.
- 성건강 상황에 따른 문제들을 열거할 수 있다.
- 성건강 전문가의 역할을 설명할 수 있다.
- 성상담 모델을 설명·활용할 수 있다.
- 성건강 간호과정을 설명할 수 있다.

TIP

가치?

가치란 행위자가 행위를 함에 있어서 여러 가지 방법, 수단, 목적을 선택하는데 영향을 주는 것으로 바람직한 것에 관해서 개인 또는 집단이 가지고 있는 관념이다.
가치는 취향이고 원하는 것이 될 수도 있고, 그 이상의 바람직 한 것이기도 하다.
최근에 가치는 특정 대상의 성질을 의미한다는 입장과 무엇이 바람직한 것인가에 대한 관념을 가리킨다는 입장에서 '가치=태도'라는 술어를 사용하고 있다(간호학대사전,1996).

TIP

가치 중립과 가치 부여

가치 중립의 실천 원칙은 성건강 전문가 사이에 널리 받아들여진다.
성건강 전문가는 자신의 개인적 가치를 대상자에게 부여해서는 안 된다. 또한 자신의 가치나 사회적 가치에 비추어 판단해야 하는 상황이라 할지라도 대상자행위에 대한 판단은 보류해야 한다. 가치 판단을 보류하는 이유는 오늘날과 같은 다양한 사회에서 더 이상 절대적으로 옳고 그름이 없기 때문이다. 개인적으로 틀린 것처럼 보이는 것이 다른 사람에게는 옳은 것처럼 보일 수 있다. 오늘 옳은 것이 내일은 틀릴 수 있다.
가치는 나와의 관계에 있어서 그것이 갖고 있는 의미이다. 쉽지는 않지만 학습과 노력에 의해 순화될 수 있고, 강력한 경험에 의해 바뀔 수도 있다.
성건강 전문가는 인간의 성에 대한 객관적 가치를 정립하고 그 성에 대한 자기주장(opinion), 편견(bias), 고정관념(stereo type) 등이 없어야 한다. 성건강 전문가는 성에 대한 사고를 긍정적, 중립적, 객관적, 수용적, 진보적으로 전환해야 한다.

TIP

성건강 전문가(성교육자, 성상담자, 성치료자 및 성연구자)의 성에 대한 비판적 사고

개인은 성에 대해 각자 자신만의 관점과 가치관과 믿음이 있지만 성건강 전문가는 성과학적 지식을 근거한 객관성을 유지해야 한다. 성적 객관성이란 성에 대해 느끼거나 생각하는 대로 나만의 감정을 더해서 보지 않고 그것 자체를 있는 그대로, 사실 그대로 보겠다는 근본적인 확신이다. 객관성을 유지하려면 비판적 사고를 해야 하며 성 관련 주제에 대해 자기주장이나 편견 또는 고정관념을 배제하여야 한다.
우리 문화는 전통적으로 도덕적 관점에서 성을 판단했기 때문에 성에 대해 객관성을 유지하기가 어렵다. 그래서 우리는 성에 대해 이야기할 때 객관적 기준보다 도덕적 또는 윤리적 기준에 근거하여 가치를 판단하거나 평가한다. 가치 판단은 사람이 어떻게 행동해야 하는지에 대한 의무를 강조한다.
또한 가치판단은 개인의 성적 행동에 대해 판단하기 때문에 개인들이 어떤 동기에서, 어떤 방식으로 얼마나 자주 그러한 행동을 했는지, 어떻게 느끼고 경험했는지를 알 수가 없다. 오히려 상황을 모호하게 만들고 사실을 제대로 이해하지 못하게 된다. 또한 현대에 나타나는 성에 대한 개인들의 태도, 행동, 가치관의 다양성을 이해할 수가 없다.
성에 대한 비판적 사고란 긍정적, 중립적, 수용적, 진보적 사고를 의미한다. 즉, 실제로 존재하는 모습 그대로 관찰하고 설명하는 것이다. 자신의 도덕적, 윤리적 기준에 의한 감정이 개입된 판단을 하는 것이 아니다. 개인의 사적인 생각에 근거하여 마치 당연한 것처럼 생각하는 확증되지 않는 신념, 가치 등 개인적 의견이 아니고 개인의 선호성이나 선입견, 성향으로 이루어진 편견도 아니다. 또한 개인이나 집단이 가지고 있는 단순하면서도 확고하고 지나치게 일반화된 고정관념도 아니다.
성건강 전문가는 비판적 사고를 방해하는 태도와 논리적 오류를 제대로 인식해야 하며, 자기성찰적, 반성적 태도를 가져야 한다.
성건강 전문가는 태도가 행동을 반영하거나 반대로 행동이 태도를 반영한다고 생각해서도 안 되고 추론해서도 안 된다(유산을 반대하는 여성이 유산을 할 수도 있다).
비판적 사고는 추론이나 결론의 근거가 객관적으로 지지받을 수 있을 때까지 판단을 유보할 수 있는 의식적인 노력이 필요하다. 비판적 사고에서 자기중심적 오류(다른 사람도 자신의 가치관, 믿음, 태도가 같다고 생각하는 것)와 자기민족 중심적 오류(자신의 민족, 국가, 문화가 다른 민족보다 더 우수하다고 믿는 것)는 논리적 오류를 야기 시켜 사실을 왜곡시키거나 틀린 결론을 내릴 수 있기 때문에 성건강 전문가는 비판적 사고 과정을 정직하게 반성하고 성찰해야 한다.
성건강 전문가는 대상자의 태도, 동기, 행동을 설명할 때 자신의 믿음이나 가치관을 적용해서는 안 된다. 물론 자신의 경험과 가치관은 중요하다. 이들은 개인의 강점과 지식의 근원이다. 또한 타인들의 경험과 가치관에 대한 통찰력을 갖게 해준다. 그러나 개인적 경험은 제한적이고 모든 것을 대표할 수 없기 때문에 자신의 경험을 근거로 다른 사람의 경험도 비슷할 것이라고 일반화 할 수는 없다.
성은 감정이 강력하게 개입되어 있고 도덕적 양가성을 지닐 수 있다. 더욱더 개인은 성을 주관적으로 경험하기 때문에 성에 대한 객관성 유지가 어렵다. 성건강 전문가가 성을 비판적으로 생각하려면 논리적이고 객관적이어야 하며 함부로 가치관을 판단해서는 안 된다.

1. 성 이론의 변천사

성에 대한 지식, 신념, 행동은 사회문화적 변화와 밀접한 관계를 가지면서 역사와 함께 역동적으로 변화하여 왔다.

여성해방운동과 동성애에 대한 새로운 인식은 지금까지 전통적이고 보편적이었던 성에 대한 신념, 가치, 고정관념을 변화시키면서 인간의 의식변화를 주도하고 있다. 현대는 어느 시기보다 의사소통, 예술, 오락, 사회, 문화적 영역에서 인간의 성을 개방화하고, 솔직하게 대화하고, 표현한다.

성건강 전문가는 지금까지 변천해 온 성에 대한 논의와 지식체를 이해하여야 한다. 대상자의 삶의 질을 향상시키기 위해 성건강 전문가는 지금까지의 건강에 성건강을 통합하도록 해야 한다. 다음은 성 이론의 변천사이다.

1) 19세기 이전

19세기 이전까지 성 규범에 대한 논의는 Aquinas와 Kant의 종교철학이나 윤리철학 내에서 거론하였다. 즉, 성을 종교나 윤리 속에서 논의하였고 옳다, 나쁘다라는 가치를 부여하여 나쁜 것은 일차적으로 죄로 규정하였다. 간호 초기 시대에 간호사의 성에 대한 주류적 사고는 이와 같은 금욕주의에 영향을 받았다. 그래서 성적 표현을 억제하고 제한하였으며, 결혼을 통한 생식은 좋은 것이나 성 그 자체는 나쁘기 때문에 피임을 하는 것과 같은, 기타 예방적 행위에 대해 반대하였다.

성건강 전문가는 간호 대상자를 영적 존재로 보았기 때문에 현실의 자아를 부정했고 금욕을 통해 욕구를 해소하도록 도왔으며, 특히 여성은 절대로 성적 충동이나 욕망을 느껴서는 안되고 더욱이 성에 대해 알고자하는 욕구조차도 금기시하였다.

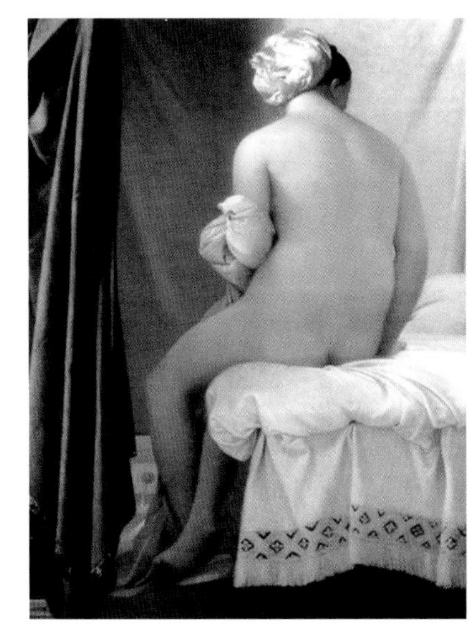

Renaissance-19c

르네상스 시대에는 매춘이 성행하는 한편, 성차별과 정조대로 성적 억압이 있었다. 예술 분야에서는 인간의 신체에 대한 아름다움을 표현하는 도구로 나체가 주 소재로 이용되었다.

2) 19세기~20세기

19세기부터 성 연구자들은 금기와 경멸의 대상이었던 성을 과학적으로 분석하였다. 그러나 성을 신체적 측면에서만 보았고 남성과 여성은 성적 본능과 행동 대부분이 매우 다르며 그 차이는 신체적인 차이에 의해 결정된다라는 생물학적 결정론이 우세하였다.

19세기 의학계를 지배했던 생물학적 결정론은 여성을 보는 의사의 일반적 태도에 영향을 크게 미쳤다. 산부인과 의사인 Meigs는 『질병과 처방』이라는 책에서 여성다움의 본질과 그 이해의 근원을 여성의 성기에서 찾았다고 하였으며, Ryan은 여성은 신체적 요인 때문에 남성보다 약하고 예민하여 질병에 더 잘 감염된다고 하였고 신체 특유의 기능인 생식주기, 임신, 출산, 수유에 의해 영향을 받는다고 하였다. 또한 여성의 자궁이 여성의 몸을 지배한다고 하였다.

인간의 몸은 성에 영향을 미친다. 생식 능력은 남성과 여성을 구별할 수 있지만 인간의 모든 행

Richard von Krafftebing

리하르트 폰 크라프트에빙(1840~1902)은 초기 성 연구자로, 성의 병리학적 측면을 연구함

Havelock Ellis

해브록 엘리스(1859~1939)는 초기 현대 성사상가이다. 남성과 여성이 성적으로 동등하며 개인의 성적 가치관은 절대적이 아닌 상대적이라고 하였다. 자위행위가 정상이고 긍정적 기능을 주장함. 또한 동성애는 선천적인 것으로 비도덕적이거나 범죄행위가 아니라고 함

Sigmund Freud

지그문트 프로이드(1856~1939)는 sexuality라는 개념을 최초로 사용하였고 인간의 성욕구는 신생아기부터 시작되어 구강기-항문기-남근기-잠재기-성기기로 발달하며 성기기에 완성된다고 하였다. 정상 성행위가 아닌 자위행위, 음핵절정감은 정신병적 행동으로 보았다.

동을 설명할 수는 없다. 인간을 생물학적 요소로만 설명하는데에 이 이론의 한계가 있다.

19세기 중반부터 20세기 초에 나타났던 성과학(sexology)은 의학자와 심리학자들이 중심이 되어 과학적 방법을 통해 성의 실체를 발견하고자 하였다. 성에 관한 모든 사고와 판단, 행동과 반응의 범위를 결정해 주는 성과학의 창시자들은 Krafft-ebing(1840~1902), Havelock Ellis(1859~1939), Sigmund Freud(1856~1939)이다. 성과학의 아버지인 Ebing은 성이란 절대적 충동으로 충족감을 얻고자 하는 자연적 본능으로 성이란 성욕과 관련된 성행동이라고 하였다. 그는 일생 동안 성행동의 원인과 결과, 충동과 만족 등을 연구하였으며 성생리학, 성생물학, 성의학 등의 구체적 성과학 발전에 기여하였다.

Ellis도 성은 억제할 수 없는 충동적 힘이라고 하면서 특히 성은 자신의 존재성과 관계되어 있음을 강조하였다. 엘리스는 자신이 어떤 성적 기질을 가졌는가는 자신이 어떤 신체적 기질을 가졌는가와 관련이 있으며 자신의 인성과 정체성으로 나타난다고 하였으며 성은 자기의식의 보편적 뿌리라고 하였다. 성을 연구할 때는 성심리학, 아동학, 노년학, 교육학, 사회학, 문화 이론 등이 성과학에 접목되어야 한다고 하였다.

Freud는 섹슈얼리티라는 포괄적 성 개념을 최초로 사용하였으니 성을 지나치게 강조했다는 점에서 비판을 받고 있다. 프로이드는 성적욕망은 긴장의 해소를 추구하는 것이며, 성적만족은 이러한 긴장의 해소를 완성하는 것이라 하였다. 또한 성적욕망은 유기체가 영양이 부족할 때 허기와 갈증을 느끼는 것과 같은 생리적인 것이라고 하였다. 성적욕망은 가려움증과 같은 참을 수 없는 욕망이며, 성적만족은 가려움증의 해소를 의미한다.

그는 성적 욕망이 개인 간의 사랑과 결속감을 위한 욕구로 인식하지 않았다. 프로이드의 성적관심은 본질적으로 남성적이었으며 여성적 성욕을 무시하였다. 이러한 관점은 「성의 이론에 대한 세 가지 공헌」이라는 저서에서 볼 수 있다. 즉 리비도(성욕)는 남성적 본성이 있다고 하면서, 여성은 거세당한 남자로, 여성은 남성적 생식기 상실에 대한 보상을 추구한다고 하였다. 그러나 여성은 거세된 남자가 아니며 여성은 여성적인 것이지 남성적 본성을 갖는 것은 아니다.

프로이드는 성을 죄로 보는 억압적 규범이 질병을 유발한다고 하여 성을 도덕적 체계와 연결시켰으며, 동성애는 영아성 퇴행이라 하여 질병으로 간주하였다. 반면에 이성애는 성숙한 관계적 사랑이지만 여성의 성은 생식에 기반을 둔 출산이라고 하였으며 폐경기 이후에도 성적 욕구가 있고 성적 활동은 활발하지만 출산을 하지 못하는 여성은

Alfred Kinsey

알프레드 C. 킨제이(1894~1956)는 미국인들이 실제로 어떤 성적 행동을 하는지를 그의 저서 「남성의 성적 행동과 여성의 성적 행동」에서 실제 통계자료를 통해 과학의 금기를 깨트렸고 성을 보는 관점을 변화시켰고 사람들을 비정상에서 해방시켰다. 성 행동은 여러 사람마다 다양하며 자위행위는 성적 행동 중의 하나라고 하였다.

Masters & Johnson

윌리엄 매스터스(1915~2001)와 버지니아 존슨(1925~2013)은 의사이고 심리학자이다. 이들은 1960년대에 임상실험을 통해 성적 반응 주기를 연구하였으며, 섹스치료요법 분야의 선구자이다.

죄책감, 수치심, 슬픔을 갖는다고 하였다.

Freud는 남근선망이론에서 여성의 질 오르가슴의 우월성에 대한 주장과 여성에 대한 가부장적 관점, 그리고 인간의 성과 사랑을 생리학적으로 설명함으로써 생물학적, 심리적, 실존적 차원을 간과했다는 면에서 현재 정신분석학자나 여성주의자들에게 비판을 받고 있다.

3) 20세기 이후

20세기 성과학은 보다 실증적인 연구방법을 택하였다. Kinsey는 생물학자로 미국인의 실제 성 행동을 통계로 내어 책으로 발표하였다. 이러한 연구 결과로 미국의 도덕성이 붕괴되었다고 비난을 지금까지도 받고 있지만 그의 연구를 통해 인간의 성적 행동은 다양한 쾌감을 확실하게 얻을 수 있는 성행위 중의 하나이며 성적 지향성을 고정된 심리적 정체성으로 보지 않았다. 그는 개인이 이성 및 동성과 하는 성적 행동의 킨제이척도를 만들었다.

Masters와 Johnson은 임상 실험을 통하여 남성과 여성의 오르가슴, 자위행위, 다중 오르가슴을 연구하였다. Masters와 Johnson은 조기사정, 발기부전, 오르가슴 장애와 같은 성적문제들의 치료과정에서 인간의 성적반응을 조사하였고 「인간의 성적반응」을 저서로 편찬하였다. 이 책에서 그들은 남성과 여성의 성적반응은 비슷하다는 것과 음핵성 오르가슴을 입증하였고, 인간의 성적무능(1970)이라는 책을 통해 성적문제는 행동요법으로 치료할 수 있다고 하였다. 또한 성의 평등성을 확인하고, 결혼의 기초가 되는 건강하고 만족할 만한 성을 증진시키고자 하였다. 그들은 연구에서 남성과 여성은 오르가슴의 수와 성적 관심과 활동의 절정 연령기가 서로 다르며, 성행위 방법 또한 다양하다고 하였다. 이들의 초기 연구는 부부의 행복을 돕는데 목적을 두었지만 점차적으로 성적 만족감에 초점을 두었다. 사실 부부관계에서 성행위의 목적을 오르가슴의 성취에 둔다면 이성애는 동성애보다 우월성을 갖지 못한다. 이러한 한계점에도 불구하고 그들의 연구는 많은 개인과 커플들이 갖는 성건강 문제를 해결하도록 도움을 주었기 때문에 현재도 새로운 성치료 방법들과 함께 혼합해서 사용하고 있다.

1960년경 근대 자본주의는 인구정책, 산아제한, 보건 정책을 통해 성에 대한 관리와 규제를 시도하였다. 출산 조절을 위한 피임약과 유산의 합법화는 많은 여성에게 성적 자유를 실현할 수 있는 것으로 보였지만, 결과적으로 성애적 성이 아닌 피임과 생식 능력을 고려한 성행위가 됨으로써 여성의 성의 영역을 제한하는 상황이 되었다.

1960년대 이후부터 철학 및 사회과학의 연구대상으로 성이 등장하기 시작하였고 사회구조이론들이 많이 나타났다. 이러한 배경에는 성 혁명과 Marcuse를 비롯한 비판철학의 영향과 여성해방운동의 물결이 큰 역할을 했다. Marcuse는 인간의 성이 성기중심적으로 국소화 되는 것은 생물학적 결과가 아니라 사회문화적인 산물이므로 우리의 행복 에너지인 성적 에너지를 회복하여 성애나 성행위뿐만 아니라 인간의 동지적 결속감이나 공동체의 유대감으로 승화시켜야 한다고 하 였다.

성에 대한 여성 및 게이와 레즈비언해방운동은 전통적인 성 관점에 근본적인 도전을 한 혁명운동이다. 즉, 동성연애가 하나의 성 유형으로 분류되면서 성적 선호, 정체성, 선택에 대한 문제들이 논의의 대상이 되었고 결과적으로 비생식적인 성 즉, 동성애의 성도 성적 다양성으로 보았다. 임신을 예방하고 출산 조절을 위해 사용된 피임 방법은 성과 생식을 분리시켰다. 또한 여성의 성과 건강에 많은 영향을 미쳤다. 그러나 에이즈가 만연되면서 동성연애자는 지탄의 대상이 되었고 쾌락만을 위한 성행동은 조심해야 하는 위험한 성이 되었다.

최근 들어 생의학적·성의학적 이론들이 아직도 주류를 이루고 있지만 성에 대한 사회구조이론들이 많이 나타나고 있다. 더욱더 여성의 성에 대한 관심과 이해가 높아지고 있다. 그러나 남녀의 차이는 인정하면서 다름에 대한 독특성을 인정하지 않고 있다. Barrett와 Roberts는 의료 전문직이 여성의 위치를 승인하고 여성에게 합법적인 태도를 취하는 지를 조사하였는데, 의료 전문직은 성별의 다름을 인정하지 않을 뿐 아니라 오히려 규제가 많은 여성의 삶을 치료과정에서 이용하고 있다고 하였다. 현재 남성의 성은 생물학적 우월성 위에 남성 권력의 측면을 강조하고 있고 여성의 성은 문화적 구성산물로써 남성의 성 영역을 보존하기 위한 남성이 만든 창조물로 보고 있다.

Spender는 "성적으로 건강한 여성"이라는 명칭을 사용한 적이 없었음을 지적하였다. 항상 여성 성은 부정적이었고 인정하지 않았다. 남자의 성만이 긍정적이었다. 남자와 여자의 성기에 사용된 이름과 성적으로 강한 남자와 여자에게 사용된 문화적 언어와 이름들을 보면 남성의 용어는 적극성과 권력의 이미지가 포함되어 있고 여성의 용어는 수동성과 복종성의 이미지가 강조되고 있다. 성적으로 적극적인 여성에게 사용된 대부분 용어는 가치가 부여되어 있고 여성의 성과 성기에 대한 용어도 무언가 쑥스럽고 거북하다. 여성의 신체에 대한 용어가 부정적이거나 여성의 성 활동이 주도적이지 않는 사회라면 여성에게 직접적으로 성건강 전문가가 성행위에 대한 논의와 질문을 한다는 것은 매우 어려운 일이다.

Foucault(1926~1984)는 성 연구의 새로운 지평

TIP

한국인의 성

한국인의 성에 영향을 미친 종교와 사상들은 유교, 불교, 도교, 성리학, 기독교 및 현대 서양문물, 사이버 문화 등이다.

2006년 한국 성과학 연구소(이윤수)가 최근 전국 5대 도시 1,000명의 기혼 여성을 조사해 기혼 남성 1,613명의 자료와 비교한 결과 성에 대한 남녀의 인식이 극명하게 차이가 났다. 남성의 91%가 결혼생활을 유지하는데 성생활은 '매우' 또는 어느 정도 중요하다고 답했지만 여성은 74.8%가 그렇지 않다고 답하였다. 통계로 본 아내의 성에서 남편 아닌 다른 남자와 섹스할 수 있다가 62.4%로 나타났다.

Michel Foucault

미셸 푸코(1926~1984)는 성은 사회적 구조로 존재하며 다양한 담론에 의해 의미가 유지된다고 하였다. 그는 성 문제를 사회문화적 배경 속에서 찾았고, 진정한 쾌락이란 자연과 보편적 이성의 규범을 따르는 것이라 하였다.

Anthony Comstock

안쏘니 컴스톡(1844~1915)은 미국의 성범죄단속법을 주장하였고, 우편물 검열관으로서 15톤의 서적, 인쇄원판 284,000매, 4백만 장의 사진을 소각했고, 4,000여 명을 감옥에 보냈으며, 그로 인하여 15명이 자살했다.

Margaret Sanger

마가렛 생어(1883~1966)는 간호사이며, 여성은 스스로 자기 육체의 완전한 주인이 되어야 하고 원하는 아이가 축복 속에서 태어나야 한다고 하였다. 또한 여성의 피임할 권리와 인간의 권리에 대한 확신을 가졌다. 1873년에 제정된 컴스톡법에 의해 감옥에 가기도 하였으며, Comstock 사후인 1916년 뉴욕에 'Family Planning Center'개소, 피임 보급에 일생을 바쳤다. 1952–59년 국제가족계획협회 회장으로 있으면서 구강 피임약 개발에 앞장섰고, 성공시켰다.

을 열었다. 그는 성 문제를 인성이 아닌 사회문화적 배경 속에서 통찰하였고 담론이라는 개념을 사용하여 성을 이론화하였다. 성은 우리의 사적, 공적인 삶을 구분하는 명백한 사회적 구조로 존재하며, 생물학적 요소, 정신적 가능성, 성적 정체성, 신체적 차이, 출산 능력, 욕구, 욕망과 환상들이 융합된 역사적 구성물이라고 하였다. 즉, 성의 의미는 사회적으로 조직되며, 성이란 무엇이고, 무엇일 수 있는가는 다양한 담론들에 의해 그 의미가 유지된다고 하였다.

Foucault는 성에 대한 연구를 통해 성에 대한 총체적 개념을 제시하였다. 지금까지의 과학적, 의학적, 심리학적, 사회학적 정의들에서 나타난 가정들과 성과 관련된 힘, 다양성, 정체성들을 어떻게 생각할지 의문을 제기하였다. 『자기애의 배려』라는 저서에서 '진정한 성적 쾌락이란 자연과 보편적 이성의 규범을 따라야 하며, 성의 차원을 넘어서서 인격과 인격의 주체로서 자기형성의 도덕성을 기반으로 하여야 한다.'고 하였다. 이 이론은 이기주의적인 자기애에 갇혀서 성적 욕망에 맹목적으로 노출된 현대인에게 좋고, 아름답고, 건강하고, 모범이 될 수 있는 윤리적 이상을 성에서 어떻게 추구할 수 있는지를 반성하도록 한다.

서구의 성 연구는 많은 학문 분야에서 다학제적으로 연구하고 있다. 1960년 Masters와 Johnson의 성에 대한 생리적 연구를 효시로, Money와

김홍도(1745~1806) 춘화

춘화는 오늘날의 포르노그래피(Pornography)와 맞먹을 정도로 매우 사실적이고 도발적이다. 성과 육체적 쾌락에 대한 호기심은 시대와 나라를 가리지 않고 지속되어 왔다.

Ehrhardt(1972), Stoller(1968) 및 Green(1972)의 성역할 발달(gender development) 연구, Lief의 성 발달 장애 연구 등, 성에 대한 생물학적, 사회적 연구들은 성에 대한 문화적 변천과 사회적 가치, 태도, 행동 등이 어떻게 변화하는지를 이해하는데 도움이 되고 있다. 임상적 연구는 주로 에이즈와 동성애, 성전환, 10대 여성(미성년자)의 성 경험에 집중되는 경향이 있다. 또한 Masters와 Johnson(1970)의 성치료 방법에 이어 성교육과 상담을 위한 표준을 확립하기 위해 미국의 성상담자, 성교육자협의회(AASEC), 미국 성정보교육협의회(SIECUS), 기타 성교육 연구소가 많이 출현하게 되었다.

성에 대한 연구는 생식 중심적이지만 남성 중심

적인 여성의 성에서 여성 중심적인 여성의 성으로 인식을 전환하는 과도기에 있다.

우리나라는 서구의 어떤 다른 사회보다도 여성이 남성과 동등한 존재가치와 능력을 지닌 인간으로서 대우와 권리를 누리는 데에 경직되어 있고 차별적 의식의 깊은 뿌리를 가지고 있다. 그 이유는 유교 전통의 가부장제 사회가 일차적 책임이 있다. 삼종지도, 여필종부, 남녀칠세부동석, 현모양처, 출가외인 등이 일상적인 삶에 반영됨으로써 남성·여성의 평등한 관계가 아닌 여성 자신의 주체적 삶의 포기를 강화하여 왔다. 성은 신체적 욕구로 추하고 저급하다고 생각하고 성적 욕망을 표출·해소하는데도 이중적 규범을 적용해 왔다. 즉 여성에게는 억제를 권장하고(정숙한 아내, 열녀, 요조숙녀, 혼전 순결 강조 등), 오직 한 남성에게서만 성적 만족을 얻는 것이 자연스럽다고 권장하는 반면, 남성에게는 성적 욕망의 표출, 해소는 본능적이고 자연스러운 것이며 어떤 방식으로든지 해소할 수 있다고 하였다.

여성의 성은 한 사람의 인간으로서 자기를 확인하고 실현할 수 없었으며 가족관계 안에서도 여성은 동양적 우주 원리에 근거한 서열적, 계층적 가족관계 질서 안에서 남성에 비해 열등하며, 남성에게 의존하고 남성을 위해 봉사하는 지위만을 강조하였다. 더욱더 여성의 본능과 성욕을 도덕적 타락과 사회적 책임으로 전가하는 유교적 스타일의 가부장적 행위는 인간으로서의 여성의 자존심을 손상시키고 있다.

현대에 들어오면서 여성의 은폐와 억압의 성에서 긍정적이고 자유롭고 다양한 성으로 진행되고 있다.

2. 성의 개념

성(sexuality)은 인간 존재의 총체성과 관련된 삶의 역동적 변화에 대한 실체로 인간 존재의 가치이고, 인간 본성의 힘이며, 개성으로 표현된다. 인간의 성은 욕구, 감정, 행동, 가치, 태도들로 구성된다.

성 개념은 자신의 삶 속에서 성에 대한 의식을 지배할 뿐만 아니라 성적 태도, 성적 상호관계에 영향을 미치기 때문에 인간의 성이 무엇을 의미하는지 이해하는 것은 매우 중요하다.

성은 출생에서 죽음에 이르기까지 존재한다. 성은 정체감으로 나타나며 인간이 되는 학습 과정으로 자아를 확립하고 수용하는 데에 영향을 미치는 매우 중요한 부분이다. 성은 개인의 인지적, 정서적, 기술적인 능력과 가치를 포함한다. 다시 말해서 성은 사고, 정서, 행동의 통합이다. 그래서 성은 고유의 자아실현화 과정이다.

성은 성적 긴장의 해소와 신체적 이완이며 관능적 쾌락의 상호 교환, 친밀감과 접촉에 대한 욕망 등을 포함한다. 성은 인간관계에서 사랑의 미묘한 감정이나 열정을 표현할 때 사용한다. 성은 두 사

TIP

성에 대한 기본철학

- 성은 아름답고 자연적인 것이다.
- 성은 인격 그 자체이며, 표현이다.
- 성학적 성 지식 및 새로운 정보를 가질 권리가 있다.
- 성에 대한 사고를 긍정적, 중립적, 수용적, 진보적으로 바꾸는 것이 좋다.
- 성에서 죄의식을 없앤다.
- 성에 대한 신비감과 과잉반응을 줄인다.
- 성건강 전문가는 자신은 물론 대상자의 성을 온유하고 인간적이며 전문적으로 이해할 수 있도록 새로운 마음가짐을 가져야 한다.

람을 함께 결합시키고 융합시키며 황홀한 경지뿐 만 아니라 영혼의 차원에까지도 도달하게 한다.

남성과 여성은 성을 다르게 경험한다. 성을 성기 활동으로 여기는 남성과는 다르게 여성은 삶의 맥락과 분리할 수 없는 총체적 몸의 경험으로 여긴다. 즉 남성은 성을 성적 활동의 양적 횟수로 생각하고 반면에 여성은 성적 활동의 의미와 관계된 감정의 깊이에 초점을 두는 질적 경험으로 생각한다.

성은 개인의 생물학적, 심리적 요소와 사회 제도 및 문화 구조가 복합적으로 함축되어 있다.

섹스, 젠더, 섹슈얼리티, 성적 정체성, 성건강, 성적 발달은 모두 성과 관련된 용어들이다.

실제로 성은 많은 의미를 가지고 있다. 그래서 모호하기도 하고 비슷하기도 해서 구별할 필요가 있다.

우리말에서 성(性)은 생물학적인 성별뿐만 아니라 사회가 남녀 각각에 기대하는 성역할, 성적 매력, 성 충동, 성적 취향, 생식 행동, 성교 등을 포함한 총체적 성을 일괄한 말이다. 성 개념의 미분화는 우리 언어에만 있는 것이 아니라 서구사회의 일상 용어에서도 sex, gender, sexuality 등으로 표현된다.

생물학적 성(sex)개념은 선천적인 성이다. 16세기에 처음 사용한 용어로 처음에는 남성집단과 여성집단을 구별(성별)하는 용어였으나 18세기 이후부터는 이성간의 신체적 관계, 성관계를 하는 것으로 확장되어 생식의 의미를 강조하였다. 이 용어는 남녀생식기의 차이를 의미하는 해부학적 요소들, 신체적·성적 기능, 성행위, 성적 감각 및 쾌락을 종합시킨 개념으로 발전하였다.

사회문화적 성/성역할/성별(gender)개념은 후천적인 성이다. 사회가 다르게 부과한 남성과 여성의 역할과 기질을 말한다. 이 용어는 자기를 남자 또는 여자로서 자각하고, 자아에 대한 인식을 공공연하게 표현하는 성역할로 나타난다. 이것은 출생 시 인식된 생물학적 성에 따라 후천적으로 양육과정을 통해 습득한다.

성(sexuality)은 19세기 이후부터 일반화된 용어로 총체적 개념을 의미하며 그 생물학적 차이를 지칭하는 성(sex)과 사회문화적으로 형성되는 차이를 일컫는 성(gender)의 의미가 통합되어 있다. 성적 존재의 특질 혹은 상태로 섹스의 필수요건이며 남성과 여성의 연합에 의해 나타나는 생식 기능상태, 성 본능의 표현, 성 활동과 관련된 개인의 잠재적 혹은 준비상태를 의미한다.

성(sexuality)은 성적 존재인 인간의 신체적, 지적, 정서적, 사회적, 영적 요소가 통합되어 있으며 삶의 맥락과 분리할 수 없다. 생물학적 생식 능력, 신체상, 성적특성, 성역할인식과 성적정체성, 성적 상호관계, 성적자아개념, 성경험으로 구성되어 있는 가장 사적이면서 공적이고, 가장 여리고 예민하면서 가장 폭력적 도구이다.

TIP

성의 개념

性=心+生

우리 마음이 머무는 곳

Sex는 둘로 나누다라는 뜻의 라틴어 Sectus에서 유래.

- **섹스 sex** : 생물학적 성으로 선천적 성이다. 남성과 여성을 구별하는 용어로 사용. 성적 기능, 성적 행위, 관능성, 쾌락, 임신을 종합시킨 개념으로 발전함.
- **젠더 gender** : 사회 문화적 성 혹은 성 역할로 후천적 성이다. 사회가 부과한 남성의 역할과 여성의 역할, 남성의 기질과 여성의 기질을 말한다. 이것은 출생 시 인식된 생물학적 성에 따라 후천적으로 양육과정을 통해 습득
- **섹스얼리티 sexuality** : 섹스, 젠더가 확장된 포괄적인 의미이다. 성적 존재인 남성과 여성은 생물학적 성(sex)과 사회 문화적 성(gender)에 의해 구별되고, 성관계를 통해 나타내는 욕구, 쾌락, 생식, 사랑, 결속감, 친밀감, 가치, 배려, 만족감 등을 나타내는 성적행동과 성적표현을 포괄한다.

성에 대한 개념적 이해를 명확히 하는 것은 성 문제의 근본적인 원인 고찰과 현실적 문제진단, 그리고 효과적인 대안제시에 도움이 되기 때문이다. 지금까지 인간의 건강을 다루는 입장에서 성을 하나의 건강 영역으로 보는 관점과 논의는 활발하지 못했다. 특히 성의 주관성과 다양성, 생물학적 성과 부정적 신념과 통념으로 쌓인 사회적 기준을 우선 시하기 때문에 대상자의 성적 경험을 사정하는 데는 어려움이 많은 실정이다.

3. 성 발달 영향 요인

인간의 성 발달은 생물학적 요인, 심리학적 요인, 사회문화적 요인과 생애 주기별 발달 요인이 영향을 미친다.

1) 생물학적 요인

인간의 성은 생물학적 요인이 성을 결정하며 심리적, 사회적 성 발달을 유도한다. 성을 결정하는 생물학적 요인은 다음과 같다.

- 성 염색체상의 성
- 호르몬상의 성
- 생식샘상의 성
- 내생식기의 성
- 외생식기의 성
- 뇌의 성

인간은 수정이 되는 순간에 유전적 성이 결정된다. 사람의 체세포에는 그 핵 속에 22쌍의 체염색체와 1쌍의 성 염색체가 있다. 여성과 남성의 성은 성 염색체에 의해 결정된다. 여성은 XX염색체, 남성은 XY염색체를 갖는다. Y염색체는 성결정과 성발달에 주도적인 역할을 한다.

태아기의 미분화된 생식샘은 Y염색체가 있으면 X염색체 수에 관계없이 고환으로 분리·발달한다. Y염색체에는 고환결정유전자(TDF)가 있기 때문인데 이 고환결정유전자에 의해 형성된 고환은 태생 8주경부터 안드로겐을 분비하며 태아는 남성화가 일어난다. 이 안드로겐은 내·외부 성기를 남성화시킨다. Y염색체가 없으면 생식샘은 태아기의 제11주경에 난소로 발달하기 시작한다.

여성 생식기의 원기는 인간 생식기의 기본형이다. 남성 호르몬이 작용하지 않으면 생식기 원기는 여성 생식기로 발달한다. 이 생식샘의 성 분화가 나타나는 단계를 생식샘의 성이라 하며 이어서 내생식기의 분화가 일어나고 외생식기의 분화도 일어난다. 태아 12주경에 외성기의 발현의 특징이 남녀에서 확실히 구별되므로 태아기에 나타나는 1차 성징이라고 한다.

출생 후 성장하여 사춘기가 되면 성 호르몬의 분비가 높아져 골격과 체모, 피하지방의 형성, 유방의 발달, 음성 등 남녀의 신체적 차이가 뚜렷해진다. 또한 성행동과 성심리 면에서도 뚜렷이 남녀차가 보이며 뇌하수체의 생식샘자극호르몬의 분비 양상에서 성의 차이가 나타난다. 이와 같은 성적인 변화와 차이를 사춘기에 나타나는 2차 성징이라고 한다.

개인의 성 분화의 열쇠는 Y염색체에 있는 고환결정유전자이다. 이 인자는 미분화 생식샘을 고환으로 분화시키고 고환에서 분비되는 호르몬에 의해 남성의 내외생식기의 발생과 성숙을 주도한다.

뇌의 성은 유전자의 성과는 독립되어 있다. 즉 형성되는 뇌가 남성인가, 여성인가는 생식기의 성과는 관계가 없다. 뇌의 성 분화과정도 고환에서 분비되는 남성 호르몬인 안드로겐에 의해 뇌가 영향을 받으면 남성의 뇌로 발달하고 영향을 받지 않으면 여성의 뇌로 발달한다. 안드로겐이 정상보다 많으면 여성 태아일지라도 뇌는 남성화가 일어나며, 반대로 안드로겐이 적으면 남성 태아일지라도 뇌는 여성화된다.

뇌의 성 분화가 중요한 것은 그 방향성에 차질이 생기면 유전적 성, 성의 자기인식, 성행동의 삼자 간에 심한 불일치가 나타나기 때문이다. 인간의 성행동에 관한 연구에서 남녀 각각의 이성애, 양성애, 동성애에 이르는 성행동의 양상의 차이는 뇌의 성 분화를 가져오는 안드로겐의 작용 강도에 의해 결정된다. 즉 남성 뇌의 성 분화 시 안드로겐 부족이나 여성에서의 안드로겐 과잉은 각각의 남성, 여성에서 동성애를 유도하는 영향 요인이 될 수 있다고 한다.

생애발달 주기별로 인간의 성은 생물학적 요소가 크게 영향을 미친다.

2) 심리적 요인

심리적 요인은 개인이 성에 대해 갖는 느낌, 태도, 인식, 행동 양식, 가치 및 인성의 특성으로 인간관계의 원동력이 된다. 심리적 요인은 자신이 어느 성별에 속해 있는지, 자기가 누구인지를 알게 되는 것으로부터 시작한다. 개인은 남자 혹은 여자로서 성 정체성을 확립하고 수용하면서 발달한다.

성 정체성은 생물학적 성정체성과 사회적 성정체성으로 구분할 수 있다. 생물학적 성정체성(sexual identity)은 생물학적 특성 즉 염색체, 생식샘, 호르몬, 내·외 생식기, 2차 성징 등을 통해서 인식하는 것이며, 반면에 사회적 성정체성(gender identity)은 사회적으로 기대되는 성역할의 개인적-심리적 표상을 의미한다. 대부분의 경우 생물학적 성정체성과 사회적 성정체성은 일치하며 자신의 성에 대해 갈등을 갖지 않고 건전한 대인관계와 이성 간의 애정관계를 형성하며 확립 발달한다.

우리의 성적 감정과 행동 양식은 의식과 무의식에 저장되어 있다. 우리의 선행 경험들은 성정체성에 영향을 미치며, 사람에 대한 긍정적, 부정적 감정과 태도, 행동, 대인관계 및 이성관계 등에 영향을 미친다.

개인의 가치관인 자아존중감은 자아개념의 구성 요소로 성적 감정과 행동에 영향을 미친다. 긍정적 자아존중감은 긍정적 성적 자아개념을 구성하며 성적 적합감과 성적 성취감을 기대할 수 있다.

자신과 타인에 대한 긍정적인 태도는 성에 대해 긍정적으로 느낄 수 있으며 이러한 긍정적인 감각은 자신의 총체적 자아존중감을 촉진시킨다. 자아존중감은 타인들과 친밀한 관계를 형성할 수 있고 또한 성적 관계에서도 충족감을 느낄 수 있다.

3) 사회문화적 요인

사회문화적 요인은 성을 형성하는 생물학적, 심리적 요소에 상호영향을 미친다. 사회의 구성원인 개인의 성에 대한 태도나 관점, 행동들은 시대와 사회문화적인 맥락 속에서 학습된다. 즉, 현대에 살고 있는 개인의 성에 대한 태도나 관점, 행동들은 대부분 이 시대에 학습되어진 사회문화적인 현상들이다.

사회문화적 요인과 결부된 성은 다양할 뿐만 아니라 같은 장소에서도 시대에 따라 다양하다. 개인의 생물학적 요인이 같다 할지라도 몸의 장식물 즉 옷, 치장방법이 다르며 성적으로 느끼는 것도 다르다. 키스나 포옹 등도 문화 마다 다른 의미를 갖는다. 한 문화에서 수용할 수 있는 행동도 다른 문화에서는 수용할 수 없는 행동이 되기도 한다.

현대에 들어 피임법들이 널리 보급되고, 여성들의 인권해방운동이 시작되면서 성행동의 목적은 물론이고 인간이 존재하는 의미마저도 변화되고 있다. 성행동의 근본 목적이었던 종족보존과 생식의 성이, 이제 친교나 사랑, 그리고 순수한 쾌락추구와 같은 인간의 정서적 측면을 더 강조하고 있다. 최근에는 개인적인 자유와 행복 추구 등의 측면이 강조되면서 전통적으로 인간을 인격적 존재(human being)로만 여기던 개념에 성적인 존재(sexual being)로 살아가는 방법에 삶의 가치와 의미를 크게 두고 있다.

인간의 정상적 성행동에 대한 사회적인 정의나 개념도 시대와 문화에 따라 변화한다. 따라서 문화적 환경과 별개로 성을 탐색한다는 것은 무의미하다. 인간의 감정과 지각에는 문화가 녹아 있으므로 우리의 대부분은 문화 중심적이라고 할 수 있다.

실제로 사회문화적 성과 생물학적 성을 우리의 사고에서 분리하는 것은 불가능하다. 생물학적 성이 남성적 혹은 여성적 특징을 결정하는데 반해, 사회문화적 성은 여성과 남성으로서 우리가 어떻게 행동해야 하는지를 구조화하며, 문화에 따라 의미가 달라지기 때문이다. 생물학적 성 자체를 결정하는 것도 때로 어렵다. 성전환자들을 보면 사회문화적 성과 생물학적 성에 대한 우리의 고정된 모든 가정들을 혼란스럽게 한다.

사회문화적 성과 생물학적 성은 복잡하며 다면적이다. 여성은 임신을 진정한 여성의 징표로 간주한다. 많은 사회는 여성의 생식 능력 여부에 대해 이러한 견해를 적용하고 강화한다. 이러한 신념은 임신을 피해야 한다는 합리적 생각과 성 정체감 확립과 사회적 승인을 얻기 위해 임신하려고 하는 욕구 사이에 갈등을 유발한다. 그래서 이러한 의식은 피임법 사용에 영향을 미친다.

우리가 남성, 여성 중에서 어느 성에 속하는지에 따라 사회적 기대가 다르다. 남성들은 성행위와 사랑을 분리하도록 기대하지만 여성들은 성과 사랑을 결부시키도록 기대한다. 또한 남성은 적극적이고 능동적인 성적 행위자로 기대하지만 이에 반해 여성은 순수하며 순종적이기를 원한다. 성적으로 적극적인 사람이 남성이기 때문에 여성이 피임을 위해 콘돔을 들고 다니거나 사용을 주도하는 것은 여성다움을 위협하는 것이 된다. 여성다움이란 수동적인 개념구조를 갖는 것이기 때문에 안전한 성행동을 하고자 하는 여성의 능력과 상충된다. 젊은 여성들은 안전한 성관계에 대해 알고 있고 콘돔을 사용하려고 하나 성행동에서 어떻게 하는 것이 적절한 여성의 행동인지를 알기 때문에 피임 방법을 주도적으로 사용할 수가 없고 안전한 성관계에 대해 위협을 받는다. 또한 여성들은 남성들이 성에 대해 더 많이 알고 있다고 생각한다.

남성은 여성의 성은 수동적이어야 한다고 기대하면서 한편으로 강력하고 위험하여 남성에게 통제할 수 없는 성욕을 일으킬 수 있다고 여긴다. 남성은 자신의 성욕은 통제할 수 없다고 가정하고 있기 때문에 자신의 성행동에 대한 책임을 회피한다. 여성은 이러한 남성의 성 뿐만 아니라 더 나아가 자신의 성까지도 통제해야 하는 이중의 책임을 갖는다. 남성에게서 느끼는 성폭력에 대한 위협은 여성의 보호심리와 안전심리를 자극하여 자신의 성을 자유롭게 표현할 수 없게 한다. 더욱더 에이즈 감염의 파급은 성행위 시 콘돔을 사용해야 하

는 의무를 증가시키고 있으나 남성의 성적 무책임한 행동으로 인해 성건강의 위험성을 더욱더 증가시키고 있다.

여성들은 자신의 몸과 성이 사회의 여기저기에서 상품으로 제시되는 것을 본다. 여성의 몸은 특별한 기준에 맞아야 상품으로 제시할 수 있다. 결과적으로 젊은 여성들은 다이어트를 하고 식욕부진에 걸리며, 사회가 원하는 미모의 기준에 맞추기 위해 성형수술에 의존한다. 우리 사회에는 환자나 장애인의 성, 노인의 성에 대한 배려는 찾을 수 없다.

성에 대한 권력이 복잡하고 미묘하게 얽혀 있다. 즉 돈과 권력을 성적 만족을 위해 사용할 수 있다. 가부장적인 가정은 여성의 권력이 상대적으로 낮기 때문에 자신의 성적 욕망을 주장할 수 없게 한다. 성폭력은 성이 지배의 의미로 사용되는 곳에서 권력으로 나타난다. 따라서 여성의 힘이 부족하거나 억압이 심한 사회문화 구조는 여성의 성건강에 근본적인 문제를 초래한다.

자신의 몸에 대한 주인의식, 자신의 성에 대한 여성 스스로의 이해, 성을 표현하는 방식은 좋은 성적 관계를 유지하기 위한 필수적 요소이다. 성에 대한 사회적 기대는 여성에게 갈등을 유발할 수 있고, 긍정적으로 성을 즐기는 여성의 능력을 제한할 수도 있다.

남성 위주의 성에서 남녀 상호관계의 성으로 변화

의료행위에서도 남성의 관점이 많은 영향을 미치고 있다. 즉 여성이 임신할 필요가 없다면 자궁을 절제하는 것이 여성에게 유익할 것이라는 산부인과 의사의 태도이다. 많은 의료행위가 여성의 건강보다는 남성의 욕구와 더 관련이 있음을 볼 수 있다. 한 병원의 제왕절개술 광고에서 '질을 신혼 때처럼 탄력 있게 유지할 수 있는 제왕절개술'이라는 의료인의 태도가 담긴 광고문으로 환자 유치를 하고 있다. 남성 파트너를 위해 분만 시 질회음근육을 탄력 있게 만들어 주는 수술인 회음절개술(episiotomy)을, 출산 후에 시술하는 여성의 질벽교정술(marriage stitch)도 좋은 예이다. 이것은 현재 의료행위 저변에 숨겨져 있는 여성의 성에 대한 사회적 편견을 상기시킨다.

4) 생애 주기별 성 발달 요인

생애 주기별 발달은 인간의 성적 기능, 성적 자아개념, 성적 상호관계 발달에 영향을 미친다. 성적 기능, 성적 자아개념, 성적 상호관계는 성의 총체적 관점으로 상호작용 한다.

성적 기능은 개인의 성적 만족을 주고받는 능력이며, 성적 자아개념은 남자 혹은 여자로서 자신의 성적 적합성에 대한 평가로 구성된 표상으로 성 정체성과 신체상이 포함된다. 성적 상호관계란 성을 공유하는 개개인간의 상호관계이다.

인간은 수정 순간부터 성적 기능을 하는 성적 존재이다. 성 염색체가 우리의 성을 최초로 결정하며 첫 번째 성발달에 영향을 미친다. 임신 7주에 남녀의 원시생식샘이 발달하여 남녀의 내생식기가 나타난다. 또한 Y염색체에 있는 고환결정유전인자에 의해 고환이 결정되고, 고환결정유전인자가 없는 경우는 난소가 된다.

개인의 성적 자아개념은 심리 성적 태도로 성 정체성이 형성된 후 경험하는 성적 삶에 영향을 미친다. 성 정체성은 개개인의 남자 혹은 여자로 느끼는 감정이다. 보통 성 정체성은 3세 때 확립되며, 부모들에 의해 아동의 남성다움과 여성다움이 강화된다. 아동은 그들 자신의 신체 변화에 반응한다. 예를 들면 성기의 발달, 아동의 남성·여성·양성의 감각 발달과 관련해서 부모로부터 나오는 메시지에 따라 반응한다. 아동은 초기에 성역할과 자신의 성별을 외부로 표현하는 것을 배 운다.

성적 상호관계는 개인 상호 간의 성적 기능과 성적 자아개념이 영향을 미친다. 성발달은 삶의 발달 주기에 따라 계속되고, 성발달의 각각의 요소들은 생물학적 발달과 동시에 사회문화적 힘에 의해 영향을 받는다. 밈스(Mims)에 의해 최초로 제시된 성적 기능, 성적 자아개념, 성적 상호관계와 관련된 중요한 발달적 경험을 표 1-1에서 제시하였다.

4. 성 발달에 대한 자아평가

인생의 현시점에서 정치, 종교, 법, 아동기, 학교교육 및 부모 등으로부터 성에 대해 긍정적인 또는 부정적인 영향을 받았다면 다음의 연속선상에서 당신은 어디에 위치하는가?

여기서는 맞거나 틀린 답이 없다.
단지 개개인별 다양한 위치들이 있을 뿐이다.

- 당신의 실제 연속선상의 위치가 동료들과 함께 성적 발달에 대해 논의할 때 도움을 주는가? 아니면 방해를 하는가?

현대의 성은 여성들이 과거의 아이 낳는 기계로부터의 변신하여 '경험'과 '공부'를 통해 성에 눈을 뜬 시대. 성은 '학습된 경험'에 의한다.

- 당신의 실제 연속선상의 위치가 대상자들과 함께 성적 발달에 대해 논의할 때 도움을 주는가 아니면 방해를 하는가?

인간의 성은 개인의 일생을 통해 다양하게 발달한다. 건강한 자기애와 자기평가, 자아존중감은 성발달에 영향을 미친다. 성발달의 자아평가 기준은 학자마다 다르다. 다음은 인간의 성발달을 연구한 주요 심리학자들이다.

프로이드(1856~1939): 인간의 성발달을 주로 생물학적 관점에서 연구하였다. 그는 인간의 발달주기 중 초기 아동기를 성 발달의 중요 시기라 하였으며 쾌감을 느끼는 성감대의 변화에 따라 구강기, 항문기, 남근기로 나누었다. 인간의 본성은 성욕을 관장하고 신생아 때부터 존재하며 우리의 삶의 에너지, 정신적 에너지라고 하였다.

우리의 성행동은 단지 표면상 나타나는 발달적 특성이므로 성발달을 이해하기 위해서는 행동의 상징적 의미를 분석함으로써 심리적(마음)으로 무슨 일이 일어나는지를 이해해야 한다. 프로이드는 인간의 가장 강력한 본능적 욕구를 성적 욕구라 하였으며, 이것은 삶의 에너지인 "리비도"라고 하였고 모든 에너지 행동의 원천이다. 라고 하였다. 성적욕구가 집중적으로 표출되고 만족을 얻는 신체부위의 변화에 따라 성발달단계를 구분하였다.

표 1-1 **발달 주기별 성적 기능, 성적 자아개념, 성적 상호관계**

발달 주기	성적 기능	성적 자아개념	성역할/상호관계
영아기	질분비물 출현 발기기능 출현 자신의 몸 탐색 잠재적 절정감 발현	성 정체성 발현 자아와 타인간의 구별 신뢰감 형성	모아 애착 성적 관계 발달
유아기	몸, 성기 탐색의 즐거움 이완감, 관능적, 감각반응	성적 정체성 형성(3세) 자율성 형성 성기를 소중히 여김	성역할 차이 습득 성역할 구별 성적 언어 습득 성기와 배설기관 동일시
학령 전기	성 놀이 – 자신의 신체 탐색 – 놀이 친구의 신체 탐색 성적 즐거움(자위행위)	창의성, 성적 정체성 확립 및 수용 지적 탐구심 발달 (사실적 정보 질문)	성역할 습득 부모에 대한 애착 습득 성역할놀이
학령기	성전환 행동	성에 대한 호기심 성적 공포와 환상 성 발달에 대한 관심 성적지향성 인식 성적 존재로서 자아인식 사실적 정보 탐구	동성 친구 또래 친구 성 놀이(동성애, 성폭력)
청소년기 –사춘기	성호르몬 분비 초경, 몽정	신체상에 대한 관심 동성애적 지향성	동성친구 교제 우정 형태의 성적 경험
–청소년 중기	첫 성행위 경험 자위행위 페딩	성적 사고 성적 환상 부적절한 불안, 죄책감 처녀성에 대한 관심	이성교제 우정형태의 성관계 데이트
–청소년 후기	성적으로 활발 혹은 그렇지 않음	성적 활동에 대한 책임감 이성애적 지향성	상호관계에서 친밀감 습득 이성교제, 성적의사결정 능력 성생활방식 탐색, 배우자 찾기
성년기	성적 체위 다양한 성적 표현 성적기술 사용	성건강에 대한 책임감 – 피임, 성병예방 성 가치체계 발달 타인에 대한 배려, 친밀감	상호 즐거움 습득 지속적인 상호관계 행위의 발달
중년기	성기능 변화에 대한 적응 – 폐경, 질 건조증 – 발기지연	신체상 수용 노화과정과 관련된 변화 갱년기 변화 대처	역할변화와 관련된 상호관계에 대한 적응
노년기	성기능의 저하	지속적인 성적 상호관계 감퇴된 성 반응 주기 수용 친밀감	성적 즐거움과 친밀감을 공유하는 성적행동 상호의존성 발달 배우자의 상실과 질병에 따른 적응

프로이드는 신체부위에서 리비도의 이동에 따라 쾌감을 추구하는 신체부분과 방법이 달라진다고 하였다. 이 리비도는 일생을 통해 연령의 변화에 따라 정해진 일정한 순서로 신체부위에 집중되는데 이 성적욕구가 충족 되는가 아닌가에 따라 사람의 성격, 성적취향, 무의식까지도 결정된다고 하였다. 프로이드는 주로 생활에서 오는 스트레스를 감소시켜주는 쾌락과 만족에 강조점을 두었다.

남근기 이후 사춘기 전기(약 6~11세)까지를 잠복기라 하였으며 이 시기는 성적인 욕구가 철저히 억압되어 성적욕구와 충동이 잠재되는 평안한 시기라고 하였다.

마지막 단계는 생식기인 사춘기 이후 시기로 성적 에너지가 분출되어 성적충동을 현실적으로 수행할 수 있는 단계이다. 이 시기 이후부터는 청년기, 성년기, 중년기, 노년기로 서서히 성 생식적 표현이 점차적으로 감소한다고 한다.

이 이론은 노년기의 원숙과 성을 제대로 평가하지 못한다. 노년기가 16세 청소년에 비해 성 생식적 표현의 빈도가 낮고, 덜 열정적이라고 해서 성적 욕구가 충족되지 않았다고 할 수 없으며, 노년기는 인생의 완숙성, 통전성을 경험하는 매우 중요한 위치에 있다. 그래서 프로이드를 고전적 성심리학자로 보고 있고 인간의 성적 욕망을 너무 지나치게 강조했다고 보고 있다.

알프레드 W. 아들러(Alfred Adler 1870~1937): 프로이드 학파에서 출발했지만 기본적인 삶의 원동력을 성적욕구에서 찾지 않고, 자신이 남보다 정신적으로나 육체적으로 뒤쳐져있다는 열등감에 대한 보상욕구와 우월성 추구에서 찾은 정신과 의사이다. 인간이면 누구나 열등감을 가지고 있으며, 사회와의 관계성을 유지하는 한 계속된다. 현실에 바탕을 두고 용기있게 자신의 열등감에 당당하게 맞설 때 열등감은 성숙한 인격으로 뛰어난 업적으로 연결되는 원동력이 된다. 또한 개인은 성적 정체성을 4-5세 때 확립하며, 의미 있는 삶의 목표를 추구하기 위해 생활방식을 발달시킨다고 하였고 일, 우정, 사랑, 영성, 자기지향이라는 인생과제를 제시하여 이 과제를 해결하는 방식을 생활양식이라 하였다. 학동기 아동은 부모와의 친밀한 관계를 통해 유대감을, 학교에서는 또래 친구들과의 상호관계를 통해 우정과 근면성을 경험한다. 이 시기 이후에는 사회적 개인으로서 성·생식적 표현의 발달을 통해 남녀의 사랑과 친밀한 관계를 유지하여 인간의 역사가 계승된다고 하였다.

아들러는 인간은 성적인 충동보다는 주로 사회적인 충동에 의해 동기화된다고 하면서 성격은 통합되고 분리할 수 없는 전체라고 하였다. 이러한 자아일치 된 통합성격 구조는 개인의 생활양식으로 표출된다고 하였다. 그는 인간의 내적 심리적 요소보다는 대인관계를 중시하였고 개인의 행복과 성공은 사회적 위치와 관련되어 있다고 하였다.

아들러는 개인은 신체의 열등감뿐만 아니라 심리적, 사회적 무능감으로 오는 열등감이 있으며 인간은 열등감을 보상하기 위해 노력하는데 이를 우월성 추구라고 하였다. 우월성에 추구란 개인으로서 완성을 위해서 노력하는 것이고 사회의 일원으로서 우리의 문화를 완성하기 위해 노력하는 것이다. 이러한 의미있는 목표를 달성하기 위해서 개

TIP

성적 자아평가 기준

- Freud 성욕구 만족
- Maslow 자아실현 욕구 실현
- Frankl 성에 대한 미학적 삶의 의미 추구
- Adler 성에 대한 인간 관계와 사회적 유대

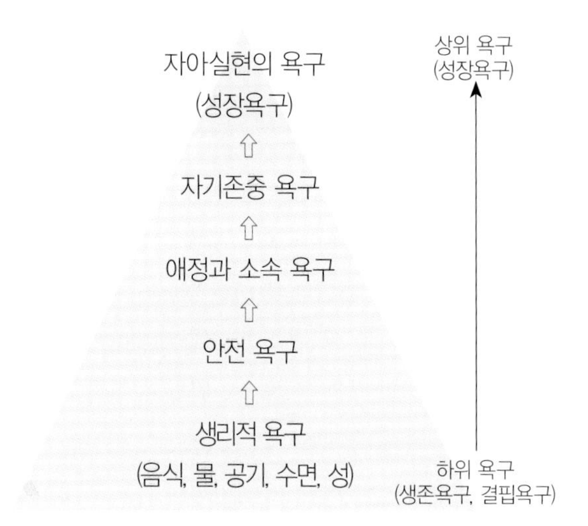

그림 1-1 Maslow의 인간의 욕구 위계설

인의 노력을 생활양식이라 한다. 생활양식이란 개인의 삶의 목적, 자아개념, 가치, 태도 등을 달성하는 독특한 방법이다.

아들러는 생활양식의 진정한 형태는 생활과제를 해결하는데 있다고 하였고, 그 생활과제를 타인과의 관계(우정), 기여(일), 친밀감의 달성(사랑과 가족관계), 자신과 잘 지내기(수용), 영적 성숙(가치관, 의미, 삶의 목표, 세상과 우주와의 관계)이라고 하였다.

빅터 프랭클(Viktor Frankl. 1905~1997): 2차 세계대전 동안 유태인으로 감옥에서 시간을 보낸 후, 삶의 의미에 대해 관심을 두었다. 프랭클은 개인의 발달적 성숙을 3가지 측면에서 조명하였는데, 첫 번째는 개인의 성취, 두 번째는 타인의 좋은 평가, 세 번째는 고난의 경험이라 하였으며 이 중 최고의 발달적 성숙은 피할 수 없는 고난의 결과에서 삶의 의미를 찾는 것이라 하였다. 그는 성을 통해 미학적인 인생의 의미를 조망하였다.

프로이드가 인간행동의 제1원동력을 성욕구라고 보고, 아들러가 인간행위의 원동력을 우월성을 추구하는 생활양식이라면, 프랭클은 원동력을 의미중심이라고 보았다. 즉 인간은 삶에 의미를 부여하고픈 강력한 욕구가 있으며 어떠한 열악한 상황에서도 환경의 문제로 보기보다는 삶에서 어떤 의미를 찾을려고 한다고 하였다.

프랭클은 생존에 의미를 두었다. 프로이드가 성욕이 인간의 본질이라 하였지만 최악의 상황에서는 그 누구도 성욕을 느끼지 못하였다고 한다. 오로지 꿈에서도 죽지 않기 위해 먹는 것에서 시작해서 먹는 것으로 끝난다고 하였다.

프랭클은 인간의 말과 생각과 행동은 환경으로부터 결정되는 것이 아니라, 우리는 자극에 대해서 반응을 선택할 수 있는 자유가 있다고 하였다. 세상이 우리를 결정하는 것이 아니다. 바람직하지 못한 환경이라면 변화시키도록 노력해야 하는 것이 당연하지만 피할 수 없는 상황이라면 인간은 의미를 찾아야 한다고 하였다. 프랭클은 자신이 어떤 종류의 사람이 되느냐는 수용소라는 환경이 아니라 자신이 내적으로 판단하여 선택하는 것이라 하였다.

에이브러험 매슬로우(A. H. Maslow 1908~1970): 매슬로우는 인간의 가치를 자아실현에서 찾고자 했던 심리학자로, 자아실현이란 개인의 본질이 가지고 있는 잠재적 능력을 완전히 발휘하는 것이고 인간능력의 상실 혹은 감퇴가 가장 적게 존재하는 상태라고 하였다.

인간의 욕구는 타고난 것이며 인간의 욕구를 강도와 중요성에 따라 5단계(그림 1-1)로 분류하여 하위단계에서 상위단계로 계층적으로 분류하여 하위단계의 욕구가 충족되어야 그 다음 단계의 욕구가 발생한다고 하였다. 인간의 욕구 중에서 성욕구를 가장 중요한 기본적 욕구에 포함시켜, 이 욕구가 충족 시에 보다 더 상위 단계인 안전, 사랑, 자존감, 자아실현의 욕구계층으로 발전할 수 있다고 하였다.

자아실현자의 성건강은 단지 찰나적 쾌락추구가 아니다. 자아실현자의 성건강은 기본적 힘과 소통의 에너지가 되며 발달 주기, 사회문화적 배경, 윤리관, 가치관, 자아존중감 및 안녕 상태에 긍정적인 영향을 미친다.

매슬로우는 인간의 가장 기본적 욕구인 생리적 욕구 내에 성욕구를 두었다. 개인의 행동을 결정짓는 동기요인으로서 다양한 욕구체계를 제시하였다.

- 인간은 만족할 수 없는 욕구를 가지고 있다.
- 인간행동은 만족하지 못한 욕구를 채우는 것을 목표로 한다.
- 인간욕구는 기본욕구(생리적, 안전욕구)에서부터 상위욕구(사회적, 존중감, 자아실현욕구)로 이루어지며 기본적 욕구가 채워져야 상위욕구를 채우려 한다.
- 만족된 욕구는 동기부여 요인이 되지 않는다.

인간은 자아실현을 위해 평생 노력하면서 개인은 전체 인격의 발달 내에서 생리적, 정서적, 성적 욕구들을 통합시킬 수 있다고 하였다.

생의 발달주기별로 인간은 성적욕구, 열등감, 삶의 의미, 인간관계와 사회와의 유대, 자아실현의 욕구를 향해 발전해 간다.

5. 성건강

세계보건기구는(1974) 인간의 성교육·상담, 성치료 그리고 성건강 간호를 위해 성건강 전문가의 훈련을 어떻게 시킬 것인가에 대해 논의하면서 성건강은 21세기의 개인의 필수적 건강차원이라고 하였다. 성건강이란 성적 존재인 인간의 신체적, 정서적, 지적, 사회적, 영적측면의 통합으로 '인간을 긍정적으로 풍요롭게 하며, 인격, 의사소통, 사랑을 증진시킨다. 성건강은 문화, 시대, 국가, 사회에 따라 다양한 다른 정의들을 갖는다(그림 1-2).

성건강의 목표는 인간의 연속성에 총체성을, 총체적 건강에 성건강의 통합을 그리고 성과 사랑의 완성에 둔다.

성건강의 정의(표 1-2)는 다양한 적용 지침과 윤리적 기준에 근거한 가치 판단이 개입되어 있다. 인간관계의 소통은 문화적, 사회적, 심리적 맥락에서 이해해야함을 볼 수 있다. 성적 상호관계를 손상시키는 심리적 요소, 문화적 요소(언어, 가치관, 믿음, 관습), 사회적 요소(성별, 성적 지향성) 등도 고려해야 한다. 성적상호관계를 증진시키는 의사소통은 언어적인 요소 외에도 비언어적 요소(근접성, 눈마주치기, 접촉)도 있다는 것을 알아야 한다. 인간의 의사소통은 생각과 감정의 일치 그리고 기대와 행동의 조화로 나타나기 때문에 성적 상호관계는 사랑 외에도 배려, 승화, 헌신, 자기공개, 존

표 1-2 성건강(WHO, 1995)

- 사회적, 개인적 윤리에 일치하는 성적·생식적 행동을 즐기고 조절할 수 있는 능력.
- 성적 반응을 억제하고 성적 상호관계를 손상시키는 두려움, 수치심, 죄책감, 오해 및 다른 심리적 요소가 없는 것.
- 기질성 장애나 질병, 그리고 성적·생식적 기능을 방해하는 기질적 장애, 질환, 결함이 없는 상태.
- 성 관련 제반상황에 노출될 때 성적인 자율성을 행사할 수 있는 능력.
- 성적 존재로서 자부심.

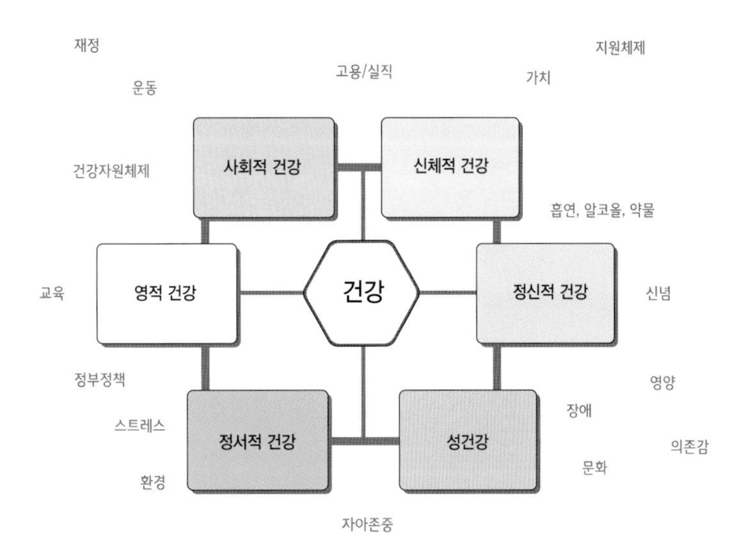

그림 1-2 총체적 건강의 구조 (Illman, 2001)

경, 심사숙고와 쾌락에 대한 개인적 책임감을 포함할 만큼 광범위한 의미로 이해해야 한다.

성건강을 누리기 위해서는 인간의 성에 대해 긍정적이고 총체적으로 접근해야 한다. 개인의 성적 권리를 누릴 수 있도록 성건강의 목적을 삶의 안녕감(wellness)과 성적 존재로서 성숙한 삶의 양식과 만족감에 두어야 한다.

6. 성적으로 건강한 사람

성적으로 건강한 사람은 다양한 생활양식과 다양한 문화에 살고 있는 개인, 삶의 다양한 발달주기에 있는 개인, 양성애자, 동성애자, 독신자, 성전환자, 정신지체인, 신체 장애인 등과 교류할 수 있다.

다음은 성적으로 건강한 사람이 형성하는 주요 특성과 실천 전략이다(표 1-3).

7. 성건강 전문가의 필수적 자질

성건강 전문가는 자신의 성 태도를 재인식(Sexual Attitude Reassessment)하고 성학적 성지식(Sexological Sexual Knowledge)과 전문적 기술(Professional Skills)을 필수적으로 갖추어야 한다.

성적 태도를 재인식 한다는 것은 현존의 성적 가치관과 태도를 완전히 지워버리고 긍정적, 중립적, 수용적인 가치관을 갖는데 있다. 성적 태도를 재인식하기 위해서는 우선적으로 성에 관한 과학적인 지식을 충분히 쌓아야 하고, 성과 관련된 의사소통 기술을 습득하여 자신의 성적인 생각과 감정을 아무 거리낌 없이 자연스럽고 편안하게 대화할 수 있어야 한다. 이러한 과정을 통해 성건강 전문가는 자신의 성에 대한 사고를 긍정적, 중립적, 수용적, 진보적으로 바꿀 수 있고 성에 대한 죄의식감을 불식시킬 수 있고 성에 대한 신비감과 과잉반응을 줄일 수 있다. 또한 자신뿐만 아니라 다른 사람의 성을 온유하고 인간적이며 전문적으로 이해할 수 있는 새로운 마음가짐을 가질 수 있다.

표 1-3 성적으로 건강한 삶

성적으로 건강한 사람의 주요 특성
• 성적 현상에 대한 풍부한 지식
• 긍정적인 신체상
• 성적 태도에 대한 자아인식
• 성적 감정에 대한 자아인식과 평가
• 성행동 결정 시 이용할 수 있는 건전한 가치체계
• 남성과 여성 간의 효과적인 대인관계를 창출하는 능력
• 성행동과 관련된 정서적 편안감, 상호 의존성, 안전성
• 성적 권리에 대한 인식과 적용능력 (2장: 성적권리)
성적으로 건강한 사람의 실천 전략
• 정기적으로 의학적 진단과 신체검사를 한다.
• 성에 대한 신체적, 정서적, 지적 사회적, 영적 측면에 대한 정확한 정보를 얻는다.
• 성에 내포된 성적 자아, 성적 태도와 성적 가치에 대한 성숙한 인식을 갖는다.
• 상호관계 시 친밀감에 대한 능력이 있다.
• 위험한 성행위와 좋은 성행위를 구분한다.
• 가치체계와 신념이 일치되는 성적 활동을 선택하는 자아존중감이 있다.
• 임신을 원하지 않을 때는 자율적으로 효과적인 피임법을 사용한다.
• 안전한 성행위를 한다.
• 성적 안녕 상태를 촉진하는 요인을 인식하고 수용한다.
• 자신의 성적 권리를 자유롭게 표현한다.

성건강 전문가로서 성에 대한 가치 또는 태도를 보편화하는 데에 장애가 되는 요소는 다음과 같다.

- 보수적, 도덕적, 종교적, 문화적인 가치관
- 성에 대한 편견 또는 표현의 제한
- 성 지식이 많으면 성적으로 문란해진다는 생각
- 성에 대한 신비감
- 성은 개인적이고 비밀스러워야 한다는 생각
- 상담자와의 세대차에 대한 의구심 등

성건강 전문가는 성적 태도 재인식에 대한 훈련을 통해 성상담, 성교육, 성치료에 있어서 자신이 편안한 마음과 비판단적인 자세를 갖고 나의 성 표현에 대한 태도, 가치, 믿음을 재정비해야 한다. 훈련을 받는 중에는 다른 피교육자들과 함께 소그룹을 이루어 많은 토론을 하는 것이 중요하다. 신체 상, 연령, 장애여부, 성 정체성, 자위행위, 언어, 잘못된 지식여부를 늘 염두에 두면서 대상자의 성문제에 따른 사실과 가치를 평가한다(표 1-4).

8. 성건강 증진

성건강 증진은 에이즈를 포함한 성매개 감염병 예방과 생식조절에 목적을 둔 건강교육에서 이제는 인간의 총체적 안녕을 증진시키는 방향으로 나가고 있다.

표 1-4 성건강 전문가의 태도

- 자신부터 성에 대한 편견이나 오해, 무지로부터 자유로워야 한다.
- 성에 대한 모든 부정적인 사고를 버리고 수용적인 태도를 가져야 한다.
- 성에 대한 신비감을 풀고 성적 자극에 대해 정서적 또는 과잉반응을 둔화시켜야 한다.
- 대상자의 성에 대해 온유하고 인간적이며 전문적으로 이해할 수 있는 새로운 마음가짐과 자세를 가져야 한다.
- 성에 관한 무지, 부정적인 시각, 좋지 않은 경험, 또는 보수적 성 개념을 바람직하게 변화 시켜야 한다.
- 성에 대해 자연스럽고 편안한 마음을 가져야 한다.
- 대상자의 가치를 판단해서는 안 된다.
- 대상자의 대화를 경청하며, 정확한 정보전달과 적절한 질문을 객관적으로 한다.
- 자신과 타인의 성 문제를 꿰뚫어 볼 수 있는 통찰력을 갖는다.
- 성학적인 지식을 터득하여야 한다.

성건강 증진을 위한 예방교육의 효능은 의사소통술과 상담기술에 달려 있다. 효과적인 성건강 교육으로 성역할의 불평등, 억압, 권력의 차별, 문화적 기대 등을 고려하여 포괄적으로 접근해야 한다.

성건강 전문가는 성건강 증진을 위해서 대상자의 성적행동과 사회, 문화적 변화를 유도해야 한다. 정확한 지식, 개인 가치체계의 자아인식, 성적 존재로써 자아수용, 성실하게 치료적으로 대상자와 의사소통하는 능력이 요구된다. 즉, 교육과 상담 시 성건강에 대한 문화적 다양성과 민감성을 증가시킬 수 있는 문화역량(cultural competence)을 개발하여야 한다. 대상자를 돌보는 옹호자적 역할을 해야 하며 대상자가 자기돌봄 능력을 갖도록 하여 성적 발달 주기 내에서 보편적이고 총체적 건강을 지향하도록 해야 한다. 성건강은 지식의 영역을 위한 용어이고 성건강 증진은 피임과 안전한 성관계와 같은 건강의 질을 향상시키는 서비스 전달, 실천적 전략을 의미한다.

9. 성건강 간호(교육 · 상담)

지난 30년 동안 인간의 성에 대한 지식이 다학제적으로 축적되었고 성에 대한 대중의 관심도 높아졌다. 최근까지도 성과 관련된 책은 베스트셀러로 자리 잡았고 성적 다양성, 성선호성을 주제로 한 영화가 가장 많이 만들어지고 널리 보급되고 있으며, 텔레비전이나 다큐멘터리, 토크쇼에서도 혼전 성교, 오르가슴, 성기능 장애, 동성애, 10대 임신, 남성과 여성의 성적환상, 성전환, 근친상간, 성폭력 등을 주제로 한 프로그램이 더욱더 증가하는 추세이다.

특히 대중은 성 문제와 성폭력에 대해 믿을 만한 정보를 더욱더 요구하고 있다. 교육자와 상담자, 치료자로서 역할을 해야 할 성건강 전문가는 대상자에게 성건강에 대한 지식, 기술, 태도와 관련된 정보와 상담 및 치료를 제공할 수 있어야 한다. 이러한 대중의 기대는 성건강 전문가에게 건강 교육 및 상담에 인간의 성과 성건강을 포함시킬 것을 요구한다. 성건강 간호의 초점은 대상자를 전인적인 한 개인으로 본다는 점이고 개인의 다양성을 인정하며 그들의 다름과 독특성을 수용한다. 성건강 전문가는 대상자의 총체적 건강에 성건강의 측면을 포함시켜야 한다.

성건강 간호란 간호사의 합법적 역할이고 필수적인 간호기능이다. 성건강 간호의 목적은 개인의 삶과 인간관계의 증진에 있다. 성건강 전문가는 우선적으로 대상자들이 침묵을 깨고 그들의 성 관련 문제를 말할 수 있도록 격려해야 한다.

간호사가 인체 생식기의 해부학적 구조와 생리적 기능에 대한 지식이 많다고 해서 청소년의 성적욕구와 감정의 문제를 해결해 주지는 못한다. 또한 유방절제술에 대한 외과적 지식만으로 유방절제술을 받은 여성의 신체상 변화로 오는 위축된 정서를 지지해 주거나 변화시켜줄 수는 없다. 간호

성건강 증진 방해요소

성적 언어

• 금지된 성적 언어

개인은 요람에서 무덤까지 성행위를 한다. 그러나 아직까지도 성을 금기시하며 성발달과 생식기계에 대해 정의할 때 성기능보다 생식기능에 초점을 맞춘다.

• 병리적 성적 언어

아직도 성건강 언어는 의학화 또는 병리적이다. '비정상', '변태', '경험이 있는', '죄가 되는 것'과 같은 용어들을 사용한다. 이것은 병리적으로 성적 이탈된 정의와 의학적 기준이 있음을 시사한다. 결과적으로 '대상자와 우리'라는 구별된 상황을 초래하여 공감형성에 어려움을 초래한다. 특히, 대상자들은 특정 이미지에 거리감을 느낀다. 유니폼, 하얀가운, 스크린 뒤에 앉는 것, 친숙한 용어 대신에 의학적 용어를 사용하는 것에 대해서 거부감을 느낀다.

• 모호한 성적 언어

성건강 전문가들은 '사랑하기(making love)', 짝짓기 같은 비공식적이거나 추상적, 어색하지 않은 완곡한 표현을 사용한다. 완곡어법은 상호 간에 오해를 일으킬 수 있다. 성 관련 용어를 사용할 때는 이해할 수 있고 편안한 용어를 정확하게 사용해야 한다. 명예 훼손, 인격 모욕적인 언어 또는 거만한 행동은 피해야 한다.

성적 신체부위에 대한 해부·생리적 용어 및 질병적 조망

성건강 전문가는 인간의 해부학과 생리학에서부터 심리사회적 요소들까지 인간발달과 관련된 많은 지식이 필요하다. 인간발달에 관한 풍부한 지식을 통해 대상자들의 문제가 무엇인지 사정을 정확하게 할 수 있기 때문이다. 개인의 생식계는 해부학적 용어들이 있고 성건강 전문가는 이러한 용어를 사용한다. 사실 신체부위에는 다양한 명칭들이 있다. 성건강 전문가는 다양한 언어를 사용할 수 있어야 하고 대상자가 표현하는 용어들을 이해하고 경청해야 한다. 이런 용어들 중 어떤 것은 웃음, 분노, 혐오 같은 다양한 정서들을 유발할 수 있다. 만족스런 교육과 상담을 하기 위해서는 다른 많은 명칭들을 생각하고 표현할 수 있는 연습이 필요하다.

최근 언어 순화 차원에서 전통적인 순수한 우리말을 버리고 한문식 용어를 쓰는 경향이 있다. 이들 대부분이 성 관련 단어들이다. 실제적이고 총체적 성을 표현하는 우리의

TIP

현대 및 과거의 성 관련 단어

- 성매매 여성, 원조교제–창녀, 갈보
- 월경–몸, 몸엣것
- 월경하다–몸하다
- 월경대–서답
- 유륜–젖꼭판
- 음모–거웃
- 음핵–공알
- 음낭–불, 고환, 불알
- 치골–불두덩
- 성교–씹

사가 당뇨병 환자를 간호할 때 당뇨병에 대한 의학적 지식을 갖는 것은 필수적이지만, 당뇨병 합병증으로 나타나는 성기능이 손상된 중년 남성의 성적·심리적 문제를 해결해 줄 수는 없다.

교육자들은 간호 교육 과정에 인간의 성건강 과목을 개설하여 교육을 통해 간호 실무의 질을 향상시킬 책임이 있다. 학생들에게 성학적 지식을 토대로 문제 상황에서 해결을 할 수 있는 자기주도적 학습이 이루어지도록 해야한다.

1) 성건강 간호 상황

우리가 현재 처해있는 성건강 실제 상황이다. 우리가 성건강에 대해 논의해야 할 필요성은 다음과 같다.

용어를 확인해 보고 표현에 대해 생각해 보고 학습해 보자.

개인의 성 발달과 성적 자극은 정상적이고 자연스러운 신체적 그리고 생리적 반응들이다. 성건강 전문가는 정상적이고 자연스러운 것으로 이해할 필요가 있다. 이러한 면에 너무 몰두 할 필요는 없다. 이들을 설명하는 의학적 용어와 개념은 성의 생리학에 기반을 두기 때문에 이것을 너무 강조하면 대상자들이 심리적, 사회문화적 차원들을 간과할 수 있다.

개인의 총체적 안녕과 발달을 증진하기 위한 목적으로 성을 강조해야 한다. 물론 성건강에는 심각한 성매개 감염, 에이즈 등의 위험에 관한 지식도 포함해야 하지만 중요한 것은 질병적 조망이 아닌 인간발달과 총체적 건강의 중요한 부분으로써 성을 논의해야 한다.

▬ 발달 주기별 성에 대한 심리적 접근의 위험성

성적 존재로서의 개인은 유전, 신체적·심리적 특성, 성장발달 주기, 그리고 부모, 교사, 동료, 잡지, 농담, 종교, 대중매체 등에 의해 영향을 받는다. 각각의 요소들은 개인의 성 발달에 긍정적, 중립적, 또는 부정적 영향을 미친다. 6세 이전의 아동이 자신의 신체를 탐색하면서 성적으로 민감해지며 자신의 몸을 알게 된다. 그러나 이러한 경험이 더럽고, 추하고, 나쁘고, 건강하지 못한 행동이라고 느끼게 된다면 이들의 성적 발달은 억제될 것이다. 학동기의 부모들은 대체로 안도의 한숨을 쉰다. 왜냐하면 잠복기에 있는 학동기 아동은 성을 친밀감으로 나타내기 때문이다. 사춘기는 많은 부모들이 '위험한 세계'로부터 자신들의 자녀들을 보호하고자 분투한다. 사춘기 이후 청소년기에서 젊은 성인기는 신체적으로 임신할 수 있고, 결혼할 수 있고, 군대에 입대하고, 선거도 할 수 있는 시기이다. 그러나 대부분의 부모들은 청소년들을 여전히 아동으로 여긴다. 그러나 사회는 청소년들이 다른 어떤 삶의 주기보다 더 많은 변화들을 수용하기를 기대한다. 심리학자들은 청소년들이 성 생식 능력에 대해 자각하고 정서적·사회적으로 적응할 수 있는 성 생식 활동을 한다면, 더 성숙한 다음 단계인 성인기 성적 존재로 이동한다고 한다.

▬ 성에 대한 부정적인 사회상

역사를 통해 대부분의 사회는 성에 부정적이고 비지지적이며 비호의적이다. 성행위에 관한 메시지에는 개인에게 수용할 수 있는 것과 수용할 수 없는 것을 암시한다. 다음의 성에 대한 사회적 의미는 개인에게 영향을 미친다.

- 섹스는 결혼한 부부들에게만 해당된다.
- 섹스는 아기를 갖기 위해서만 존재한다.
- 섹스를 지나치게 많이 경험하는 것은 나쁘며, 성을 상품화할 수 있게 한다.
- 음경과 질을 사용한 성행위가 유일한 '정상적인' 형태이다(구강 또는 항문 성교는 비정상이며, 잘못된 것이며, 불법적이다. 어떤 사회에서는 법에 의해 처벌을 받는다. 자위행위는 비생식적인 성행위로써 '이기적인' 것으로 간주된다).
- 성행위를 하기 위해서는 아름다운 외모를 가져야 한다(추하거나 늙거나 너무 뚱뚱하거나 야위면 안 된다).
- 성행위는 평생 동안 한 파트너와 해야 한다.
- 혼전 성행위나 혼외 성행위는 잘못된 것이다.
- 성행위는 젊고 신체가 건강한 사람만 할 수 있다.

- 인간은 성적 존재이며 성은 인성으로 표현된다. 인간의 삶과 발달 내에서 성건강은 가치가 있기 때문인다.
- 사회에서 성은 다양한 형태의 목적 및 방법으로 표현되기 때문이다. 성의 도구화는 심각한 문제이다. 다양한 방법으로 성을 상품화 시키고 있고 또한 어떤 성적 존재가 매력적인 것인지, 또는 어떤 형태의 성이 긍정적인 것인지에 대해 관심을 갖는다. 전통적 문화적 성적 규준에 순응하지 못하는 사람, 심신 장애인, 노년의 연령 집단, 생식이 목적이 아닌 다른 이유로 성을 원하는 사람, 동성애자, 청소년들에게도 긍정적인 관심이 높아지고 있다.
- 성은 오랫동안 이성애와 남성 위주였다. 성에 대한 금기 현상은 전형적인 남녀역할, 권력 관계, 여성의 권리와 쾌락 등과 연관이 깊다. 그래서 성교육은 가부장적인 제도의 규준에 반대하는 성향이 높기 때문이다.
- 성은 성매개 감염병과 연관이 깊다. 대상자들에게 감염에 대한 정보와 성적 자기결정권에 대한 교육은 필수적이기 때문이다.
- 성건강은 개인적 권리이며, 전인격적 총체적 발달에 공헌하기 때문이다.
- 성교육과 상담 시 대상자의 진술을 경청하고 허용과 공감을 하면서 긍정적인 교육과 행동을 변화시킬 수 있는 특별한 제안을 한다면 대상자는 다양한 대안 중에서 선택하고 결정할 수 있는 능력을 갖게 되기 때문이다.

교육과 상담은 긍정적인 의사소통을 사용하여야 한다. 부정적 소통은 대상자들에게 두려움을 야기 시킨다.

성건강 전문가는 긍정적 의사소통을 위해 당신이 이런 유사한 상황에서 어떻게 느끼고 반응할지 먼저 고려해 보아야 한다.

대상자의 성에 대해 부정적인 진술을 했을 때 대상자는 "나에게 무엇을 할 수 있고 무엇을 할 수 없다고 말하지 마세요!" 또는 "미안하지만, 나는 내가 원하는 것만 할 것이요."라고 할 수 있다. 대부분의 사람들은 자신에게 무엇을 할 수 있고 무엇을 할 수 없다고 간섭하는 것을 좋아하지 않는다. 만약 성에 대해 어떤 것은 말하도록 하고 어떤 것은 말할 필요가 없다고 한다면 간호사는 중요한 정보를 들을 수 없을 것이다.

성에 관해 의사소통하는 방법인 '성적으로 긍정적인' 진술이 대상자로 하여금 그들의 성을 발달시키고 확신하게 하며 그들의 성 활동에서 건강지향적인 대안들을 찾을 수 있는 능력을 촉진시키도록 한다.

2) 성건강 간호사의 역할

성건강 간호란 간호사의 합법적인 역할이며 주요한 간호기능이다. 간호사는 여성이 경험하는 실제적이고 잠재적인 성 건강문제를 사정하고 성건강 간호수행 즉, 성교육과 성상담을 제공해야 한다. 성건강 간호 시 대상자의 통합적 성적 발달 차원을 평가하여 전인격적 총체적 발달을 도와야 한다(표 1-5).

(1) 성건강 간호사정

성건강 간호사정은 성건강 문제를 확인하는 단계로 성 건강력에 대한 문진과 성·생식기의 신체사정 및 심리사정을 포함한다. 간호사는 간호력에 성 건강력을 통합시켜 문진하고 여성의 생식기와 유방검사, 남성의 생식기·직장검사 시행을 보조하고 지지하는 역할을 해야 한다.

▬ 성 건강력

간호사는 대상자의 간호력에 성 건강력을 포함시

표 1-5 성적 발달 차원 평가

신체적 차원
유전적 성향, 호르몬 영향, 남성과 여성의 생물학적 성의 차이, 생리적 변화들을 평가하고 개인의 삶의 주기에서 표현되는 성감대와 성적충동을 평가.
심리적 차원
개인이 자기 자신과 타인들을 어떻게 '느끼느냐'의 방식, 개인이 인생의 다양한 부분으로 성을 수용, 타인에게 해를 주지 않고 자신을 성숙시키는 방식으로 자신을 성적 존재로 표현할 수 있는 능력, 개인 간에 성적 상호작용 할 수 있는 성적 정체감 확립 및 수용을 평다.
미학적 차원
개인의 철학과 삶의 의미를 보는 관점에서 성을 보는 방식, 자아와 타인들 평가, 아름다움, 창조성, 도덕과 윤리, 문화·영적·종교적 영향, 삶의 목표들과 함께 성숙을 추구하는 것, 진·선·미의 추구 등을 평가.
인간상호관계 차원
사랑, 우정, 열정, 부드러움, 욕구, 동정, 색정주의, 몸과 성기, 자아와 타인들(사회)과의 관계, 남성성과 여성성의 고유한 성적 표현을 평가 인간의 성적 발달은 4가지 차원들 외에도 많은 차원들이 삶의 모든 영역에 포함되고 있다.

켜야 한다. 성 건강력은 대상자의 성에 대한 건강상태, 질병 유무, 지지체계, 생활상태, 성교육, 상담, 의뢰를 위한 정보를 확인하기 위해 필요하다. 성 건강력은 성문제를 확인할 수 있는 좋은 자료이다. 또한 대상자의 신체적, 정서적, 사회적, 성적 존재로서 대상자를 인식하는 데에 기초가 된다. 간호사가 대상자의 삶의 경험을 이해하고, 가치를 존중함으로써 대상자의 성 요구에 편안하게 대처할 수 있고 대상자에게 성건강 교육과 상담을 계획하고 중재하고 평가할 수 있다.

문진

성 건강력 수집을 위한 문진은 아동기에서 노년기까지, 여성과 남성 모두에게 시행한다. 성 건강력 문진은 간호사가 대상자의 요구와 문제, 대처 양상에 대해 필요한 자료를 경청하고 질문하고 수집하는 체계적이고 계획적인 과정이다. 성 건강력은 대상자의 요구, 기대, 행동에 초점을 두며 성 건강문제, 성에 대한 잘못된 인식 및 태도, 교육, 상담에 대해 확인하는 것이다. 성 건강력은 현재의 성 건강상태와 과거의 성 건강력으로 구성되며 현재나 미래의 성 건강에 영향을 미친다.

문진은 신체사정과 같은 객관적인 것이 아니다. 그것은 정보탐색과정으로 대상자의 개인적이고 사적이며 심지어 비밀스럽게 지각하고 있는 정보를 확인하는 것이다. 특히 대상자는 성적 자아개념, 성 역할, 성관계를 개방적으로 논의하거나 문진하는 것을 원치 않는다. 왜냐하면 성 건강력 문진의 결과가 판단과 비판으로 이용될 수 있기 때문에 대상자는 자신의 감정이 불편해지는 것을 원치 않는다. 그래서 대상자는 자신이 제공한 성정보가 유출되거나 개방되는 것에 대해 불안하거나 걱정할 수 있다.

간호사는 대상자를 개인적이고 순수한 성적 요구와 바램, 관심, 기대를 가진 개인으로 이해하고 각각의 대상자와 상호 신뢰관계를 유지하며, 개인

성건강 사정 시 간호사의 역할

1. 대상자의 성행동을 사정할 때 사용하는 준거기준을 확인한다.

- 개인의 스트레스와 부적응을 나타내는 임상적 증상 유무에 두는지?
- 죄라는 도덕적 기준을 사용하는지?
- 지배적 문화가 정의하는 문화적 기준을 사용하는지?
- 통계적 기준을 사용하는지?
- 개인의 만족감에 근거한 개인적 관점을 사용하는지?

2. 대상자의 성생활에서 성건강 위협 요소들을 사정한다.

- **생물학적 요소** : 해부학적 구조변화에 따른 성 반응, 생리적 기능변화로 오는 성 반응의 변화, 질병, 상해, 외상과 관련된 성 반응, 성기능을 변화시키는 노화, 질병과 치료 즉, 당뇨병, 심장병, 척수손상, 심근경색증, 시각·청각 손상, 지체장애인, 신체상의 변화, 월경통, 임신, 폐경, 수술 및 보형물 삽입, (비)처방약 등은 성문제를 야기시킬 수 있다.
- **심리적 요소** : 무의식적인 갈등, 죄의식, 불안, 우울, 분노, 실패에 대한 두려움은 심리적 성기능에 영향을 미친다. 무지, 편견, 비효과적인 의사소통도 성문제를 유발한다.
- **사회적 요소** : 사회적 요소는 개인의 성적 능력, 개인적 기회와 연관된다. 사적 분위기 결함, 남존여비적인 남성성, 수동적이고 의존적인 여성성과 같은 문화적 통념은 성적 표현을 방해한다.

3. 대상자의 성적 건강능력을 사정한다.

- 성적 현상에 대한 지식
- 긍정적인 신체상
- 성적 태도에 대한 자아인식
- 성적 감정에 대한 자아인식과 평가
- 성 행동 결정 시 이용할 수 있는 건전한 가치체계
- 남성과 여성 간에 효과적인 대인관계를 창출하는 능력

4. 개인의 성적 자유권 성취 유무를 사정한다.

- 성적 존재로서 자신을 표현할 권리
- 성과 관련된 자기 신뢰와 자기 지향에 대한 권리
- 자신이 되고 싶은 사람이 되는 권리
- 자신의 성적 파트너를 자유스럽게 선택할 권리
- 성에 미치는 영향요소를 인식할 수 있는 권리
- 성적 존재로서 개인이 상호 존중받을 수 있는 권리
- 타인의 성적 태도와 지향성에 대한 수용과 관용해야 할 권리
- 남성, 여성이 성을 인성의 통합부분으로 인정할 권리

간호사는 대상자가 그들의 성적 감정, 성적 인식, 성적 행동을 자유롭게 표현할 수 있도록 편안하고 안전한 환경을 제공하고 문제를 사정하고 해결하는 데에 비판적 사고를 적용해야 한다.

의 가치관에 의해 대상자를 판단해서는 안 된다.

수집된 대상자 정보는 주관적 또는 객관적 자료로 나눈다. 주관적 자료는 대상자 자신이 경험하는 주관적 진술이다. 대상자의 환경, 지지체계, 요구, 바램, 기대, 그리고 지각된 요구 등을 수집한다. 대상자가 언어로 표현하는 주관적 자료는 가끔 그대로 인용할 수도 있고 진술하기도 한다. 객관적 자료는 중요한 증상, 신체검사, 임상검사, 비언어적 행동을 통해 수집할 수 있다. 면담동안 대상자의 행동이나 얼굴표정과 같은 관찰 가능한 증상이나 직접 관찰한 단서들로 구성된다. 간호사는 1차 자원인 대상자에서 2차 자원인 부모, 성적 파트너, 형제자매, 친구 등 기타 지지체계로 옮겨 갈 수 있다. 간호사는 2차 자원으로부터 얻은 객관적, 주관적 자료를 분석해야 한다.

질문은 이해할 수 있는 용어를 사용하고 명확하고 개방적인 질문으로 객관성을 유지한다.

다음은 확인해야 할 질문내용이다.

- 현재 성생활을 하고 있는지, 하고 있다면 상대가 몇 명인지? 최근에 상대가 바뀌지는 않았는지를 확인한다.
- 대상자의 성적 지향성에 대해 확인한다.
- 성적 파트너가 약물복용자인지, 성매개 감염병을 가지고 있는지, 성 행동양식은 어떤지, 성적 파트너와 함께 치료받을 수 있는지 등을 확인한다.
- 대상자의 성 행동 양식과 술, 담배, 마약류를 포함한 약물 복용여부를 확인한다.
- 성매개 감염병, 에이즈의 증상 및 병력에 대해 확인한다.
- 안전한 성생활을 위해 피임방법에 대한 지식과 태도, 기술을 확인한다.

물리적 환경과 대화

대상자가 자신의 성적 감정과 생각, 성 행동에 대해 솔직하게 표현할 수 있도록 편안한 물리적 환경을 제공한다. 즉 따뜻하고 조용하며 프라이버시를 유지할 수 있는 스크린, 둥근 테이블, 편안한 의자, 편한 복장, 이해하기 쉬운 용어, 인자하고 부드러운 표정을 한다. 핸드폰은 끄고 대상자의 눈높이를 같게 하며, 대상자와의 거리는 50~70cm 간격을 유지하고 마주 앉는다. 고개를 끄덕이고 '그래서요, 네' 등으로 긍정해 준다.

대화 시에는 어떤 보장을 해서는 안 되며 대화의 한계가 설정되어야 하며 나의 주관이나 편견이 개입되지 않도록 하고 판단은 보류 또는 유보한다. 항상 질문은 쉽고 명확해야 한다. 가능한 전문용어는 피하고 구체적인 질문을 한다. 불필요한 질문은 하지 않으며 호기심은 버린다. 질문을 할 때는 '아니요'라는 말이 나오지 않도록 다른 사람들에게도 이런 식으로 묻는다고 설명하고 어색하면 말하지 않아도 된다고 한다. 가능한 대상자가 자신의 언어로 말하도록 하는 것이 좋고 간호사는 개방형 질문을 하고 능동적으로 경청한다.

성 건강력 문진 시 간호사가 대상자에 대한 공감, 존중, 진실성을 가지고 의사소통을 한다면 대상자가 있는 그대로 자신을 표현할 것이다.

(2) 성건강 교육 및 상담

성교육과 성상담은 성 건강문제 해결을 위한 간호중재이다. 간호사가 성교육과 성상담을 제공할 때에 가장 필요한 것은 성에 대한 비판적 사고이다. 개인은 성에 대해 각자 자신만의 가치관과 믿음이 있기 때문에 성교육 및 성상담을 하는 간호사는 성학적 지식에 기반을 두어야 하며 객관성을 유지하도록 한다. 객관성을 유지한다는 것은 성에 대해 내가 느끼거나 생각하는 대로 나만의 감정을 더해서 보는 것이 아니라 그것 자체를 있는 그대로 즉, 사실을 그대로 보겠다는 근본적 확신을 가져야 하며 함부로 대상자의 가치관을 판단해서는 안 된다. 간호사는 비판적 사고를 통해 객관성을 유지할 수 있으며 자기주장이나 편견 또는 고정관념을 배제할 수 있다.

성에 대한 비판적 사고란 다음을 말한다.

- 객관적 기준인 이성과 성학적 지식에 근거를 두고 사고과정에 통찰력을 연계시킨다.
- 성에 대한 현상을 긍정적, 중립적, 수용적, 진보적으로 생각한다.
- 성에 대해 도덕적, 윤리적 기준에 근거하여 평가하는 것이 아니라 성적 현상과 사실에 근거하여 설명한다.
- 확증되지 않은 주관적 신념이나 개념, 가치가 포함된 의견은 배재한다.
- 선호성과 선입견이 포함된 편견과 개인과 집단이 갖는 단순하면서도 확고한 또는 지나치게 일

반화된 생각은 배제한다.

- 대상자에 대한 판단은 보류 또는 유보하고 자신의 생각과 소통방법에 대해 성찰한다.

성교육

성교육은 명백한 성건강간호이다. 간호사는 인간의 성발달과 성건강을 이해해야 한다. 성건강은 인격적·성적 존재인 개인의 권리이며 전인격적 총체적 발달과 자아실현에 기여하는 행복가치임을 성교육을 통해 지도해야 한다.

성교육의 목표는 대상자가 스스로 성에 대해 그리고 타인과의 관계에서 책임 있는 결정을 내릴 수 있도록 믿을 만한 정보를 제공하는 데 있다.

간호사는 성과 관련된 건강문제와 예방 및 치료에 대해 광범위한 성학적 지식을 가지고 있어야 한다. 성과 성건강 관련 지식은 성치료사, 성상담사, 성교육자, 책, 팜플렛, 인터넷, 대중매체 등의 정보자료와 자원뿐만 아니라 문제에 대한 이해, 문제를 다루는 중재기술 등을 모두 포함한다.

성교육자인 간호사는 성과 관련된 정확한 정보, 자신의 성적 태도와 가치의 명료화, 성적 주제에 대한 편안함을 가져야 하며, 대상자의 성적 가치와 행동에 대해 객관성을 증가시켜야 한다. 교육은 대상자의 수준과 정도에 맞게 제공해야 하며 대상자의 문제에 따른 제한된 정보가 오히려 많은 성적 정보를 제공하는 것보다 더 효과적일 수 있다.

성상담

성상담이란 성에 대한 내담자의 내면세계를 건강하게 변화할 수 있도록 돕는 과정이다. 즉 인간의 성과 관련된 자신의 생각이나 감정 및 행동양식 등의 특성을 이해하고 수용할 수 있도록 도와주어 스스로 올바르게 생각하고, 적절한 정서 상태를 유지하고, 건전한 행동양식을 발전시킬 수 있도록 도와주는 방법이다(표 1-6).

간호사는 성상담을 통해 대상자의 성 건강문제

표 1-6 성 상담 목적, 태도와 기술

목적
개인의 자기 가치관을 정립하고 잘못된 통념은 배제하고 성적 다양성을 수용하며 자신과 타인에 대한 책임감, 자신의 생활에 대한 개인적 통제, 효과적 의사소통기술, 타인에 대한 존중, 건강한 성 정체성과 성 지향성을 확립하도록 한다.
상담태도와 기술
• 배려와 순수성이 있어야 한다. • 수용적, 비판단적, 비권위적이어야 한다. • 접근하기 쉬워야 한다. • 비밀보장과 유지에 대한 확신이 있어야 한다. • 구체적이어야 한다. • 모호한 용어는 명료화시키고, 청소년의 용어를 사용한다. • 문제에 대한 심각성을 보편화시키고 위안을 준다. • 다양한 성행위와 성문제를 표현할 수 있도록 경청한다. • 청소년의 감정과 생각이 변화가 심하므로 수용하고 격려, 지지한다. • 부모에게도 청소년의 성 건강요구를 이해할 수 있도록 지지한다. • 부모와 청소년 간의 의사소통을 증진시킨다. • 자신과 타인에 대한 성적 자기결정권을 인식하고 행사하도록 한다.

가 무엇인지를 사정하고, 문제를 해결할 수 있는 방향으로 전환하고, 행동에 대한 대안책을 공유하면서 선택하도록 도움을 주어야 한다(표 1-6).

성상담은 우선적으로 대상자가 호소하는 문제가 무엇이고, 어떤 도움을 받기를 원하는지를 명확하게 이해하는 것에서부터 출발한다. 성 건강문제가 정보나 지식을 필요로 하는 것인지, 성에 대한 태도나 가치관의 문제인지, 아니면 정서 상태나 의사소통 및 성행위기술의 부족이 원인인지 등을 파악해야 한다.

성상담 시 간호사의 편안한 태도는 가장 중요하다. 간호사가 자신의 성에 대해 올바르게 인식하고 수용했을 때 대상자에게도 다음의 내용을 교육할 수 있고 상담적 중재를 제공할 수 있다.

- 나는 나의 성적 자아와 신체를 긍정적으로 수용한다.
- 나는 적합하고 만족한 성생활 방식을 선택한다.
- 나는 성적권리를 인식하고 주장한다.
- 나는 나의 남성적, 여성적 측면을 자유롭게 표현한다.
- 나는 성적으로 유능하고 책임감이 있다.

대상자들은 간호사에게 공감, 온정, 보살핌, 진실성, 수용, 격려, 숙련성, 신뢰감, 편안함을 주는 의사소통을 기대하며, 실제적 도움을 원한다. 대상자가 상담에 긍정적으로 참여할 수 있도록 하기 위해 간호사는 대상자의 목표나 신념 등을 수용하고 인정해 주며 조절해 주어야 한다. 성에 대해 무엇을 말하고 언제, 어떻게 말하느냐에 따라 성공적인 상담을 할 수 있다. 성적 질문에 대해 논의를 시작하고 응답하고, 경청하는 것은 간호사의 책임이다. 성건강 상담 시 정서적 불안을 완화하고 개방적 의사소통과 명료성을 높일 수 있는 의사소통기술을 적용해야 한다.

다음은 상담적 중재 시 사용하는 의사소통기술이다.

- 상담은 쉬운 주제부터 어려운 주제로 진행한다. 일반적 영역이나 신체적 영역을 먼저 묻고 정서적 영역은 점진적으로 접근한다.
- 대상자의 성경험을 논의하기 전에 대상자가 어떻게 성 정보를 습득하는지, 성에 대한 현재의 감정과 태도는 어떤지 등을 먼저 확인한다. 그리고 실제 성행위의 경험에 대해 소통한다. 가능한 보편성과 정상성은 있지만 그래도 부담이 적은 성경험에 대해 먼저 질문한다.
- 성경험에 대해서 질문을 할 때는 성행위를 해 본 적이 있는가? 없는가의 유무가 아니라 범위를 물어야 한다. 즉, 처음으로 성행위를 할 때 당신의 나이는 몇 살이었는가 등이다.
- 대상자가 이해하고 편안해하는 성적 용어나 문장을 사용한다. 왜냐하면 성적 용어는 현상을 설명하는 것 외에 당혹감, 혐오감, 죄책감, 반항심, 적개심 같은 부정적 정서를 유발 할 수 있기 때문이다. 성적 언어에 유머 감각도 필요하다.
- 대상자가 표현하는 성적 용어나 의미에 대해 민감하게 반응해서는 안 되며 상처, 비난, 품위를 떨어뜨리거나 낙인이 되는 용어의 사용은 금기이다. 간호사는 비어, 속어, 표준어와 전문적인 용어 등 광범위한 성과 관련된 용어 등을 이해하고 청소년의 이해 수준에 맞추어 사용하는 것이 효과적이다.

성상담중재 모델

플리시트 모델(PLISSIT model)은 성상담을 위한 가장 일반적인 중재모형이다. PLISSIT 모델은 머리글자를 표기한 것으로 성상담의 네 단계를 나타낸다. 즉 허용, 한정적 정보, 특별 제안, 집중치료의 단계를 거친다. 첫 단계는 매우 간단하나 점차적으로 단계가 올라갈수록 어려워지며 마지막 단계인 집중치료단계는 고도의 기술과 지식을 필요로 하기 때문에 특별한 훈련을 받은 성건강 전문상담가만이 시도할 수 있다. 이들 단계 중에서 첫 단계인 허용단계는 4단계 과정동안에 항상 사용되며 불안정감과 문제 확인을 위해 공감과 허용을 제공하고 문제를 사정한다. 허용, 한정적 정보 및 특별 제안단계는 성상담의 간결요법으로 간호사는 성상담 시 활용할 수 있다.

1단계 : 허용(P: permission)

허용단계란 공감형성단계로 대상자가 자신의 성문제에 대해 이야기하도록 문턱을 낮추어 주고, 자신의 느낌을 표현하도록 격려하고, 공감하고, 허용하는 단계로 대상자가 느끼는 불안경감에 초점을 맞춘다. 대상자가 스스로 성문제를 꺼내기가 어렵기 때문에 간호사는 성문제를 질문할 수 있고 또는 질문지를 사용할 수도 있다.

대상자의 요구 등을 그대로 수용하고 허용하면 대상자들은 지금까지 문제라고 생각했던 성적 욕구, 성적 환상, 성적 지향성, 성적 행동을 계속해도 된다는 허용을 주기 때문에 자신이 정상이라고 확신하고 정상이 아니라고 생각했던 자신의 문제에 대해 불안과 죄책감을 떨쳐버릴 수 있다.

간호사가 대상자에게 효과적인 허용을 제공하기 위해서는

- 성에 대한 풍부한 지식,
- 자신의 이론적 입장에 대한 이해,
- 자신의 가치관에 대한 이해,
- 자기 자신을 있는 그대로 인정하는 허용이 준비되어야 한다.

허용단계는 상담자가 대상자의 행동과 태도의 변화를 기대하는 것이 아니고 지금까지의 행동을 계속해도 좋다는 허용과 공감을 주는 단계이다. 대상자에게 불안과 죄책감을 야기했던 성적 문제의 심각성을 경감시키는 것이고 심리적인 외상을 예방하는 데 초점을 둔다.

허용이 되면 편안해져서 문제라고 생각하는 갈등들을 쉽게 이야기할 것이다. 간호사는 이때 실제적 문제와 가치관을 사정할 수 있어야 한다.

TIP

비언어적 의사소통

의사소통에서 비언어적 의사소통이 90% 이상을 차지한다.

- 접근(proximity) : 접근은 관심이 있거나 친밀감을 느낀다는 의미
- 눈맞춤(eye contact) : 약간 오래 지속되면 관계를 갖고 싶다는 신호
- 접촉(touching) : 관심, 친밀감, 정신적 접근을 의미

2단계 : 한정적 정보(LI: limited information)

한정적 정보란 상담자가 내담자에게 필요로 하는 특정의 정보를 간단한 교육이나 책자, 안내 리플릿 등을 통해서 제공한다. 간단한 정보를 통해 대상자의 걱정, 불안을 경감시킨다. 성에 대한 무지와 정확하고 적절한 정보를 갖고 있지 않는 경우에는 불안과 걱정 및 스트레스의 원인이 된다. 한정적 정보는 허용과 마찬가지로 어떠한 장소에서도 간단하게 짧은 시간 동안 교육적 상담의 형태로 정보를 제공할 수 있다.

간호사는 대상자의 언어적, 비언어적 표현에 대해서도 문제를 확인하여 한정적 정보를 제공할 수 있다. 간호사는 임상적 지식을 토대로 대상자가 표현한 문제에 국한하여 대상자가 알고자 하는 특별한 문제 또는 관심사를 이해하면서 직접적으로 직면하면서 사실적 정보를 그 문제에 맞추어 교육한다. 대상자가 경험하는 생식생리, 해부학적 구조,

성행동, 성반응 등에 따른 문제에 대해 성학적 사실과 현재의 통계들을 제시하는 단계이다.

3단계 : 특별 제안(SS: specific suggestion)

특별 제안이란 특정의 성적 문제를 가지고 있는 내담자에게 해결할 수 있는 행동과 방법을 제안하는 단계로 대상자의 성적 태도와 행동에 대해 구체적으로 재교육하는 단계이다.

1, 2단계보다 더욱 전문적인 지식과 상담기술이 필요하다. 특별 제안단계는 독방 또는 상담실을 필요로 하고 이전 단계보다 더 많은 시간이 소요된다. 상담자가 먼저 해야 할 것은 문제에 대한 인식이고, 문제의 특성에 대한 이해이다. 상담자는 먼저 대상자가 현재 걱정하고 있는 문제는 무엇인가, 그 발생기점은 언제, 어떠한 상황이었던가, 자신이 생각하는 문제의 원인, 지금까지의 문제해결 노력과 그 결과, 상담을 통해 무엇을 기대하는지, 기대목적이 무엇인지를 알아야 한다.

문제가 확인되면 문제의 해결을 위해 도움을 주는 단계로 대상자가 표현한 목적에 도달하도록 대상자의 행동을 변화시키는 상담기술이 요청된다. "특별 제안"을 제공할 때는 자기 자신의 신체가 좋다, 나쁘다가 아니고 있는 그대로의 자기 신체를 바라보고 수용하고 기능하는 자기의 몸을 긍정적으로 생각하고 더 많이 사용하는 것이 더 중요하다. 또한 내일이 있고, 다음번이 있고, 다음 기회

성상담의 단계

플리시트 모델은 학습이론에 기초하며 성문제 치료는 행동접근을 시도한다.

1. 허용과 공감, 확신, 사정단계

대상자가 자신의 느낌을 표현하고 자신의 성 문제에 대해 편안하게 말하도록 문턱을 낮추어 주는 단계. 대상자가 느끼는 불안을 경감시키고 마음 놓고 자신의 느낌을 표현하도록 격려, 공감하고 무슨 말이든 허용한다. 대상자의 실제적 문제와 가치관을 사정한다. 허용은 대상자에게 그 행동을 계속해도 좋다라는 의미, 정상여부에 대한 불안감을 경감한다.

2. 한정적 정보

대상자가 필요로 하는 특정의 정보를 간단한 교육이나 책자, 병원 비치 리플렛 등을 통해서 제공한다. 정보를 통해 불안을 경감시킨다. 짧은 시간동안 교육적 상담의 형태로 정보를 제공한다. 문제에 대한 사정은 계속 한다. 핵심적인 간결하고 긍정적인 정보는 대상자의 태도와 행동에 의미 있는 변화를 일으킨다.

3. 특별 제안

대상자의 문제를 해결하기 위해 성적 태도와 행동에 대해 구체적으로 행동과 방법을 직접적으로 제안하는 단계이다. 1-2단계보다 전문적 지식과 상담기술이 필요하고 더 많은 시간이 요구된다. 치료적 행동제안은 대상자의 상황에 따라 이완술, 체위변화, 자극초점운동 등이 제안된다.

4. 집중 치료

대상자의 문제가 3단계에서 해결되지 않았을 때 사용된다. 전문훈련을 받아야 한다. 전문적 치료를 하거나 보다 집중적 개인치료 또는 부부 치료를 위해 의뢰하는 단계. 특히 과거의 성폭력의 경험이 있거나, 불안증, 우울증, 성 도착증이 있거나 혹은 심각한 부부간의 불화가 있을 경우는 이 분야의 전문가에게 의뢰한다.

가 있다는 태도를 갖도록 제안해야 한다.

이 단계에서 간호사는 대상자의 독특한 문제에 초점을 둔다. 성기능장애의 기질적 원인, 즉 질병, 약물, 수술, 손상, 노령으로 인한 장애 등을 상담할 수 있다. 즉 간호사는 만성폐쇄성 폐질환 대상자에게 에너지가 적게 드는 특별한 성적 체위를 제안할 수 있고, 성교 후 저혈당증을 경험할 수 있는 당뇨병 환자에게는 식이요법 상담에 성교시간 변경에 대한 특별제안을 통합하여 도움을 줄 수 있다.

4단계 : 집중치료(IT: intensive therapy)

집중치료는 위의 3단계에서 반응하지 않거나 효과적이지 않을 경우에 전문적 치료를 하거나 보다 집중적인 개인치료 또는 부부치료를 하기 위해서 의뢰하는 단계이다. 집중치료는 고도의 치료 및 상담기술과 지식을 필요로 하며 전문 성상담 및 성치료에 대한 특별한 성치료전문가 훈련을 받은 의사, 간호사, 성상담자, 성교육자, 성연구자 등으로 구성된다. 현재 성치료전문가, 성심리상담전문가, 성교육상담전문가 등이 활동하고 있다. 집중치료는 성기능부전증, 성폭력피해자, 성폭력가해자, 고도의 성적상담 및 치료가 요구되는 대상자, 심리적 성기능장애, 친밀한 인간관계상의 갈등이 있을 때에 제공된다.

간호사는 대상자를 사정하여 집중치료가 요구되는 대상자라면 집중치료를 할 수 있는 성건강 전문상담가에게 의뢰해야 한다.

성에 대한 개인적이고 사회적인 문제를 다룰때, 간호사는 대상자 스스로가 결정을 내릴 수 있도록 대상자의 요구에 민감하게 반응해야 한다. 간호사는 자신의 개인적인 경험이나 신념을 지침으로 제공해서는 안된다. 간호사는 어려운 문제 일수록 표준적이고 획일적인 해결책을 피해야 하며 사회적 기준에 순응하도록 강요해서는 안된다. 간호사는 대상자에게 성적 자기결정권의 책임이 있음을 인식시킨다.

간호사의 상담 목표는 대상자가 자신의 성적 가치체계를 사용하여 자신의 성건강 문제에 대해 자신의 해결책을 가지도록 안내하는 것이다.

대상자의 성적 문제, 불안, 갈등이 간호 교육자와 상담자의 지식과 기술을 초월한 특별한 간호나 성적 치료를 요구하는 질환이나 성기능 장애와 관련될 때는 적절한 지역사회 자원이나 전문가에게 의뢰해야 한다.

간호사는 성치료 전문가가 아니다. 성치료 전문가는 일반 전문교육을 받은 후에 특별 훈련과 성치료에 대한 교육, 전문 훈련프로그램, 임상실무경험, 개별치료와 부부 치료의 기술을 습득하여야 한다. 성치료 전문가에게 성치료를 의뢰할 때, 간호사는 성치료 전문가가 무엇인지, 치료자의 준비성과 자질, 지역사회에 있는 치료자와 치료기관의 명단에 대한 정보를 제공하여야 한다. 간호사와 대상자는 성상담과 치료가 도움이 되는 이유, 성상담과 치료를 받은 다른 사람의 결과, 상담시간의 정도에 대해 논의하여야 한다.

간호사는 성교육자, 성상담자로서 대상자를 전인격적으로 접근하여야 한다. 간호사는 대상자가 생물학적, 심리적, 사회문화적, 정신적, 성적 요소로 구분될 수 없는 통합된 인격체임을 알아야 한다. 성건강 간호를 수행하는 간호사는 대상자의 어떤 부분도 놓쳐서는 안되며 건강팀의 중요 구성원으로서의 역할을 하여야 한다.

간호·상담 과정

대상자 김OO-생명보험가입용 신체검사를 받고자 함
간호사 이OO-대학 병원 건강증진센터

사정

주관적 자료

남편은 마라톤 선수인데, 다음달 마라톤 경주에 참여할 거에요. 그는 훈련기간 동안과 경기가 있기 전 2주 동안에는 섹스를 줄여야 한다고 말했어요. 그는 큰 경기 전의 성행위는 몸을 매우 지치게 하기 때문에 마라톤 경기가 있기 전에는 성행위를 해서는 안 되고 줄여야 한다고 항상 말해요. 나는 사실 그와 하는 성교가 두려워요. 당신도 아시다시피, 성교가 그의 체력을 소모시키는 것처럼 보이거든요. 그가 말하는 의미를 당신은 아시겠죠?

객관적 자료

- 연령 25세
- 기혼자, 2살 된 한 아이가 있음
- 초등학교 1학년 교사
- 남편, 마라톤 선수
- 남편에 의해 성교 제한
- 낮은 자아존중감
- 분노
- 성행위가 운동경기에 미치는 영향에 대한 정보를 얻고자 함

간호진단

- 남편이 강요한 성교 제한과 관련된 분노
- 남편이 강요한 성교 제한과 관련된 낮은 자아존중감
- 운동경기에 따른 성교 제한과 관련된 지식 부족

계획

- 온화함과 다정함을 표현한다.
- 수용적인 분위기를 제공한다.
- 감정의 표현을 격려한다.
- 대상자의 표현된 감정에 대해 피드백을 제공한다.
- 대상자의 정서적 반응은 적절하며 일반적으로 경험하는 것이라고 설명한다.
- 의미 있는 사람들이 서로 사랑과 수용을 표현하도록 권고한다.
- 남편의 마라톤 연습에 대해 방어적 반응을 하지 않도록 권고한다.
- 남편에게 성교 제한에 대한 감정을 솔직하게 표현하도록 격려한다.
- 서로에게 정서적 지지가 중요함을 설명한다.
- 성교가 운동경기에 미치는 영향에 대한 정보를 제공한다.
  (성행위 시 느끼는 오르가슴은 일상생활의 대부분 활동과 유사하다. 특히 오르가슴은 이완감을 주며 숙면에 쉽게 이르게 하며 성적 긴장을 경감시킨다. 그러나 피로감이 있다면 부적절한 식습관, 수면, 음주, 죄책감의 결과에 더 많이 기인한다. 성 경험 후에 운동경기자가 1~5분의 회복시간을 갖는다면 보편적으로 운동경기자는 최대의 능력에 도달할 수 있을 것이다.)
- 상호 합의하여 성적 의사결정을 하도록 격려한다.
- 보다 상세한 정보와 상담의 이용가능성에 대해 가르쳐 준다.

수행

- 성교의 제한에 따른 생각과 감정에 대해 서두르지 않고 논의한다.
- 사랑과 수용의 감정을 공유한다.
- 성교가 운동에 필요한 에너지를 감소시키지 않는다는 현행 정보에 대해 논의한다.
- 성교의 제한에 대한 상호의사결정을 시작한다.

평가

- 남편과 만족스러운 의사소통을 한다.
- '성교가 운동에 미치는 긍정적 영향을 이해했다'고 한다.
- 남편과 부부 관계가 향상됐다고 이야기한다.

memo

No.

NAME
NOM

SEXUAL HEALTH CARE

여성의 **성건강**

Women's Sexual Health

가치 명료화
훈련

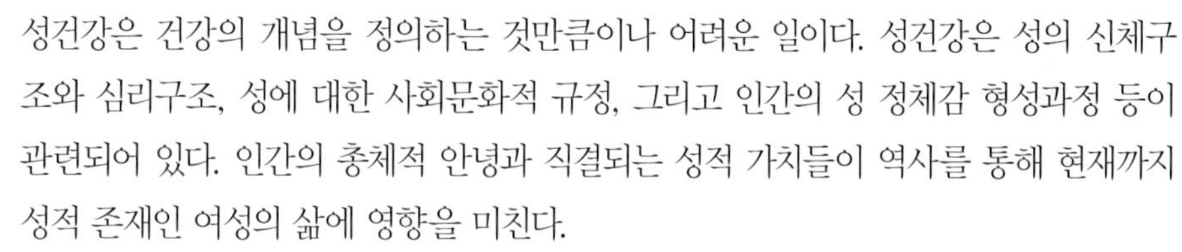

성건강은 건강의 개념을 정의하는 것만큼이나 어려운 일이다. 성건강은 성의 신체구조와 심리구조, 성에 대한 사회문화적 규정, 그리고 인간의 성 정체감 형성과정 등이 관련되어 있다. 인간의 총체적 안녕과 직결되는 성적 가치들이 역사를 통해 현재까지 성적 존재인 여성의 삶에 영향을 미친다.

최근 성 개방현상과 더불어 성적 문제가 공공연하게 회자되면서 여성의 성적 권리 주장이 남성에 비해 상대적으로 커지고 여성의 성문제가 사회문제로 대두되는 실정이다. 이러한 현상은 과거에 없었던 문제가 새롭게 발생되었거나 발견되었다기 보다는 은폐하고 억압시켰던 문제가 표면화되었고 동시에 여성의 성이 문제로 인식되기 때문이다.

여성의 성에 대한 여성주의적 접근에 의해 여성이 성적으로 느끼는 주관적 경험과 성의 의미, 성적 쾌감, 섹스와 권력, 에로물, 성적으로 위험한 행동, 여성의 피해 사례 등이 들어나고 있다. 여성주의 운동에 영향을 받아 우리사회도 여성의 성역할의 중요성이 사회 모든 분야에서 강조되고 있으나 아직도 남녀관계가 평등하기보다는 권력이 남성에게 있고 여성의 성은 평가절하되어 있다. 여성주의운동(feminism)이란 인간의 평등을 향한 운동이다. 여성주의자들(feminist)은 여성이 평등을 유지하기 위해서는 여성의 성에 대해 다음의 기본적 원칙을 해결해야 한다고 한다.

- 여성의 성역할은 사회생활 모든 분야에 매우 중요하다.
- 여성의 성 경험은 평가절하되어 있다.
- 남녀관계에서 권력은 남성에게 있다.
- 여성의 성을 이해하기 위해서는 경험적 연구, 정성적 연구, 설명적 연구를 통합할 필요가 있다.
- 민족적 다양성을 고려해야 한다.

여성의 성건강은 여성의 주관적 경험으로 평가한다.

여성의 삶의 맥락 내에서 총체적 몸의 경험으로 성적 욕구, 성적 반응을 포함한 생물학적인 측면과 여성의 자아관과 여성의 자아표현이 포함된 심리적, 사회적 측면에 대해 당신의 감정을 적어보자.

다음의 훈련에서 당신이 여성이라면, 혹은 남성이라면 대답이 다른가, 같은가, 성별에 차이가 없는가에 대해 답해 보자. 다음의 사실에 대한 가치를 논의해 보자

- 여성에게 사회가 요구하는 성각본은?
- 여성의 성적 자부심이란? 여성의 덕목이 갖는 의미는? 우리 사회의 순결 이데올로기는 무엇인가?
- 긍정적인 신체상과 성형술이 갖는 의미는?
- 다양한 성생활 레파토리를 개발해야 한다는 것은 여성에게도 해당이 되는가?
- 결혼 전에 속궁합을 맞추어 보는 것은?
- 여성이 성적으로 무지하다와 여성에게 성적환상의 중요성을 교육하는 것은?
- 난임과 피임에서 성행동은 무슨 의미를 갖는가?
- 결혼한 여성에게 혼외정사 충동이 있다면 혼외정사 충동이 남자와 다른가 아니면 같은가?
- 섹스에 대해 즐거움이 없고 책임감만 있다면 당신은 어떻게 하겠는가?
- 성행위에서 배우자의 배려와 존중이 의미하는 것은?
- 성적친밀감을 방해하는 요소는 무엇이며 당신은 어떻게 느끼는지?
- 당신에게 성적자기결정권이 의미하는 것은?
- 당신은 어떤 성경험을 하고 싶은가 그 이유는?
- 여성이 성적으로 건강하고 싶어한다. 여성의 성건강요소와 성건강 문제에 대해 논의해보자.

행동 목표

이 장을 마친 후

- 여성의 성건강에 대해 정의할 수 있다.
- 여성의 성건강 요소를 설명할 수 있다.
- 성건강을 이루는 신체적 안녕에 대해 분석할 수 있다.
- 성건강을 이루는 친밀한 인간관계에 대해 설명할 수 있다.
- 성건강을 이루는 성적 자부심을 설명할 수 있다.
- 성건강을 이루는 성적 통합성을 설명할 수 있다.
- 인간의 성적 권리를 설명할 수 있다.
- 여성의 성건강 문제를 설명할 수 있다.
- 성건강 간호 실천 전략을 설명할 수 있다.
- 성건강 전문가의 역할을 설명할 수 있다.

1. 여성의 성건강

현대 여성들은 어떻게 더 성적으로 건강하고 평등한 성을 가질 것인가에 대해 관심을 더욱더 확산시키고 있다.

성과 성건강에 대한 개인의 신념이나 태도 그리고 사회적 규범들은 역사적, 문화적 맥락속에 다양하게 포함되어 있다. 우리사회는 유교전통의 폐쇄적인 성문화와 서구의 성문화의 영향으로 진보와 보수로 특징지어져 매우 혼란스러우며 아직도 성을 성기중심적인 생각때문에 공적으로 거론하는 것을 기피하고 은폐한다. 특히 여성은 성 문제에 대한 인식과 성건강을 위한 욕구가 억압되어 성과 관련된 주관적 경험을 심도있게 표출하지 못하고 있다. 최근 성폭력에 대한 위협은 여성이 성을 자기 몸의 관리 차원으로 이해하기보다는 통제라는 보호의 차원으로 이해하도록 하여 성적 자기결정권과 존중권을 행사하지 못하게 한다.

여성의 성과 성 건강을 이해하기 위해서는 특정문화에서 여성(남성)에게 요구하는 행동, 규칙, 기대가 담긴 성각본이 무엇인지를 알아야 한다.

성각본(Sexual script)이란 사회가 성적으로 개인에게 어떻게 행동해야 하는 지를 설명하고 요구하는 것으로 여성 개인의 가치와 성을 표현하는 방식을 결정한다. 전통 여성의 성각본은 가족중심, 남성중심, 생식중심, 결혼에서의 성을 강조하고 있고 성적억압과 정숙함을 강조하고 있다. 현대인의 성각본은 여성의 성을 더 많이 인식하고 수용하며 남성중심보다는 관계중심으로 변하고 있지만 아직도 여성은 성적으로 남성에 비해 평등하지 않다.

성건강 전문가는 여성이 그들의 성적 안녕을 위해 주도적이고 적극적이기를 격려하고 여성이 사회문화가 부여하는 성각본을 인식하고 스스로 무익하고 제한적인 고정관념에서 자유로워지도록 도와야 한다. 이를 위해 여성은 성건강에 대한 지식을 넓히고, 긍정적인 성적 태도와 의미있는 성적가치를 자신의 삶에 실현할 수 있도록 한다.

여성의 성건강은 여성의 자아실현과 관련이 깊다. 여성은 성관계를 통해 행복한 모성을 경험할 수 있지만 임신이나 출산의 후유증과 더불어 유산, 성병, 난임 등과 같은 신체적인 건강문제를 경험할 수도 있다. 여성의 성건강과 관련된 심리적 문제는 불안, 우울, 긴장, 좌절, 분노, 여성 정체감의 손상 등이 있다. 이러한 심리적 요소는 여성의 자부심에 부정적인 영향을 미치므로 실질적인 부부 관계, 아내의 역할, 가사 관리, 자녀양육 등 성역할뿐만 아니라 건강행위에도 영향을 미친다.

성건강 전문가는 여성의 성건강에 관심을 기울여야 하며, 여성의 성적 억압이 습관화된 문화에서 여성이 스스로 자신의 수동적 관점을 전환하여 자신의 성건강을 위해 자율적이고 적극적으로 대처할 수 있도록 도움을 주어야 한다.

여성이 성건강을 자신의 삶에 실천하기 위해서는 사회문화적으로 인정되고 교육에 의해 선택되는 성건강에 대한 신념과 성적 행동을 이해해야 한다.

1) 성건강의 정의

세계보건기구(WHO, 1975, 1986, 1995)는 성건강을 정의하면서 지금까지 성건강의 초점과 방향을 제시하고 있다.

세계보건기구(WHO)는 개인적·문화적·사회적 차이 등 다양한 생활방식 유형, 사회적 성역할에 따라 성건강을 다양하게 표현할 수 있다고 하면서 성건강의 주요 특성을 구체적으로 강조하였다.

- 사회적, 개인적 윤리와 일치하는 성적, 생식적

행동을 즐기고 조절할 수 있는 능력이다.

- 성적 반응을 방해하고 성적 상호관계에 장애를 주는 공포, 수치감, 죄의식, 오해, 다른 부정적 심리 요소가 없는 상태이다.
- 성적, 생식적 기능을 방해하는 기질적 장애, 질환, 결함이 없는 상태이다.

'여성에게 있어서 성건강은 성적존재로써 자아 표현이며 행복을 경험하는 것이다.' 여성으로써 성 생식 관련 신체적인 문제를 경험하지 않으며, 성 생식 관련 주제에 대해 심리적으로 편안하고, 자신이 여성이라는 사실에 대하여 자부심이 있고, 성 관련 제반상황에 성적인 자율성을 행사할 수 있는 상태를 말한다.

지난 수십년 동안 성건강은 웰니스라는 다차원적인 개념에 관심을 더 집중하면서 성건강에 대한 정의에서도 행복과 자아표현이 나타나고 있다. 즉, 성적으로 건강한 여성은 자신의 성 욕구를 기쁨으로 표현하고 자신의 삶의 일부가 되도록 통합하여야 한 이때 여성은 자신의 성적 고유성에 대해 즐거움과 자연스러움을 느끼고 성과 관련된 인간적 경험을 상호 나누고 격려하고 억압하지 않는다. 여성이 성에 대해 자율성과 자부심을 갖는다면 그 개인은 삶에서 행복감을 나타낼 것이다. 실제로 여성의 성건강은 성적 자율성과 성적 배려, 성적 승화를 통해 자아실현을 도모하는 과정이기 때문이다(김계숙, 1999).'

최근에 성건강 전문가는 성건강을 총체적 건강에 통합 시켜야 한다고 하였다. 실무 현장에서는 여성의 성건강을 증진시킬 수 있도록 상담체계와 정보전달체계를 구축하여 예방과 안녕을 강조하는 여성중심의 서비스를 제공하여야 한다. 또한 성건강 간호과목을 교육과정에 개설하여 간호 실무의 이론적 틀을 제시하여야 한다고 강조한다.

여성의 성건강 문제는 여성의 생존을 위협하기보다는 여성의 삶의 질에 더 많은 영향을 미친다.

실무영역에서 간호사는 성건강 교육 및 상담의

TIP

성각본(sexual script)

여성의 성각본(Lonnie Barbach, 2001)

- 좋은 성교와 나쁜 성교가 결정되어 있다.
  좋은 성교는 결혼 내에서, 충실한 관계에서 하는 것이다.
- 성기(생식기)를 자신이 보거나 만지거나(자위행위) 시험해서는 안 된다.
- 성교는 남자를 위해서 하는 것이다.
- 성교에 대해서 말하거나 원하는 것이 무엇인지에 대해 표현해서는 안 된다.
- 성욕이 남자에 비해 강하지 않다. 또한 여자는 성적으로 순결해야 한다.
- 항상 젊게 아름답게 모델처럼 보여야 한다.
- 여자는 보살피는 사람이다.
  여자는 남자에게 그 자신, 자신의 몸을 통해 기쁨을 주어야 한다.
- 오르가슴을 느끼는 올바른 방법은 성교 하나 뿐이다.

남성의 성각본(Bernie Zilbergeld, 1992)

- 남성은 자기주장이 강하고 자부심이 있고 적극적이어야 한다.
  부드러움과 연민을 표현해서는 안 된다.
- 섹스는 친밀함보다 성취감인 오르가슴을 위한 것이다.
- 남자가 주도권을 가져야 한다. 성행위를 먼저 시작하고 오르가슴을 느끼고, 느끼게 해준다.
- 신체 접촉은 섹스를 하고 싶어하는 표현이고 성교를 향한 첫 번째 단계이다.
- 성적 접촉(키스, 안아 주기, 애무, 구강 성교)은 성교를 위한 준비 단계이다.
- 성행위의 목적은 오르가슴이다.

현대의 성각본

남녀의 성역할이 다양해지면서 현대의 성각본이 나타남. 남녀 평등 의식, 남자, 여자, 나쁜, 좋은 등 이분법적, 성 억압적 태도에서 벗어나 자유롭고 다양한 성행동으로 변화하고 있음.

- 성적 표현은 긍정적인 것이다.
- 성적 행동은 서로 사랑스러운 즐거움을 교환하는 것이다.
- 성은 평등하고 파트너 상호 동등한 책임을 갖는다.
- 성생활은 성교에만 국한되지 않고 다양한 성 표현을 한다.
- 성 행동의 시작은 남녀 누구든지 먼저 할 수 있다.
- 남녀 파트너 모두 오르가슴을 경험할 권리가 있다.
- 관계의 맥락에서 성행위는 허용된다.

책임을 인식하고 성건강과 관련된 정확한 정보, 개인 가치체계의 자아인식, 성적 존재로써 자아수용, 성실하게 치료적으로 대상자와 의사소통하는 능력 등이 준비되어야 한다고 하였다(Fogel 1990).

특히 AIDS 등 성적매개성 질환은 다 요인적 상호관계가 있으므로 성건강 맥락 내에서 중재되어야 하나(Bowman 1994) 아직도 생의학적 관점이 우세하므로 실무자들은 AIDS를 예방하기 위한 총체적 전략과 문화적 변화를 수용해야 한다

성건강 중재를 위한 PLISSIT 모델은 성건강 상담시 유용하게 사용하는 도구이다. '허용 제공(permission giving)', '한정적 정보(limited information)', '특별 제안(specific suggestion)', '집중 치료(intensive therapy)'는 대상자의 성 건강 문제의 심각도에 따라 단계의 수위를 조절한다. 이 모델은 전통적 건강모델인 예방적 모델(질병 지향적)에 비해 대상자를 성적 존재로 수용하고, 성 건강 관련 문제를 직면할 수 있도록 먼저 긍정적으로 접근하여 심리성적 편안함을 갖도록 중재하는데서부터 출발하는(Weston 1993) 모델이며 단계가 올라갈수록 대상자에게 성건강의 실제적 정보와 행동의 변화를 제공한다.

우리나라의 현실은 대한성학회를 중심으로 다학문적 영역에서 인간의 성에 대해 다양한 연구접근을 하고 있으나 아직까지 성교육, 성상담 및 성치료는 성과 관련된 사회, 병리적 요소에 초점을 맞추어 문제중심별로 진행되고 있는 실정이다. 더욱더 여성의 성건강은 다소 생소하고 혼돈스러워 여성의 주관적 경험을 심도있게 건강의 기반 위에서 논의하지 못하고 있는 실정이다.

최근(2012) 대한성학회는 성건강의 중요성을 표방하면서 대상자의 성을 신체적이고 기능적으로 다루던 수준에서 나아가 인간의 고유한 자유, 존엄성, 평등성에 근거하여 건강이 인간의 기본권리인 것처럼 성건강도 인간의 기본권리여야 한다고 하였다.

성건강 전문가는 여성을 여성의 입장에서 바라보고 여성의 입장을 존중·옹호하고 지지하고 올바른 정보를 제공함으로서 여성이 스스로 성적 권리를 누릴 수 있는 힘을 길러주어야 한다(표 2-1).

2. 성건강 구성요소

한국여성의 성건강 개념을 연구하기 위해 한국여

표 2-1 성적 권리(2012 대한성학회)

- 성적 만족, 성적 건강, 성적 권리, 성적 행복을 추구할 권리
- 사랑(결속)을 바탕으로 한 성행동이어야 한다.
- 성은 인격이다. 그 자율성과 고결성을 훼손당해서는 안 된다.
- 모든 개인은 성에서 평등하며 존중 받아야 한다.(차별과 성적 다양성)
- 성에 대해 올바른 결정을 할 수 있도록 성에 대한 객관적이고 과학적인 정보를 교육받을 권리
- 모든 성적 결정과 문제에 대해 타인에 의해 강압을 받지 않을 권리
- 성적 건강과 만족을 위해 방해 받지 않을 권리
- 자녀 출산을 자유롭게 그리고 책임감 있게 결정할 권리(자녀 수, 자녀 간 터울, 피임 선택)
- 개인과 사회의 윤리적 테두리 안에서 행해지는 모든 성행동(정당한 표현, 상호 간에 동의)은 보호(법적 책임)받아야 한다.
- 성매매행위를 배척할 권리

표 2-2 여성의 성건강에 대한 정의(김계숙, 1999)

- 여성의 성건강은 성적 존재인 여성이 삶을 살아가면서 경험하는 역동적 과정으로 부정적 혹은 긍정적 경험을 포함하는 인성중심적인 개념이다.
- 여성의 성건강은 여성으로서 성적 자아를 인식하고 수용하는 과정으로 성 정체성 확립과 수용, 가치관 확립, 긍정적 신체상, 성 발달에 따른 적응, 성건강 관념이 억압되지 않은 상태에서 나타난다.
- 여성의 성건강은 신체적 문제가 없는 상태에서 경험하는 생명 출산의 능력이며, 삶의 활력이나 즐거움을 추구하는 성적 능력으로 만족감이 있는 상태이다.
- 여성의 성건강은 성적 동기와 선택이 내재된 친밀한 성적 상호관계이며 성적 상호관계를 방해하는 요소나 성적으로 불편함이 없는 상태이다. 성적 자율성은 성건강 실천능력은 성적자율성으로 자가돌봄, 생식조절, 성 생식관련 제반상황에서 몸에 대한 자기결정권을 행사하는 것이나, 선택에 따른 책임이 있으며, 신체 기능 변화 요인 부재, 타율적 성적 관계 부재, 파괴적 성 경험 부재 상태를 나타낸다.
- 여성의 성건강은 건강한 생활 양식을 통해 성적 주체로서 자부심을 나타낸다.

표 2-3 여성의 성건강 구조(김계숙, 1999)

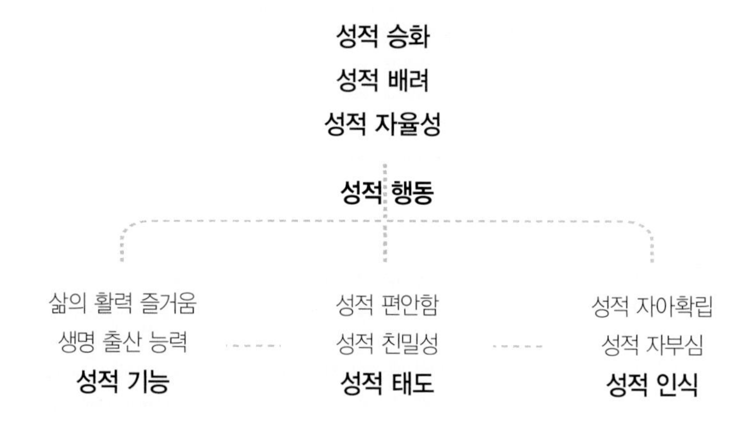

성건강 요소	성건강 내용	성건강 요소	성건강 내용
삶의 활력·즐거움	• 성적 탐색 능력 • 성적 일치감이 있는 상태 • 성적 만족감이 있는 상태 • 원활한 성적 기능 • 신체적 안녕	성적 자부심	• 건강한 생활양식 보유 • 성적 주체성 확립 • 자아실현 능력
생식 능력	• 건강한 생식 기능 • 생식 능력 • 생식 조절 능력	성적 자율성	• 성적자기결정능력 • 선택과 책임 • 자가 돌봄 능력 • 성 생식 조절 능력
성적 편안함	• 성적으로 편안한 상태	성적 배려	• 헌신적 배려 • 상호 배려
성적 친밀성	• 성적 관계 유지를 위한 성적 강화 상태(열정, 친밀감) • 성적 동기와 선택이 집중한 친밀한 인간관계(책임)	성적 승화	• 성적 각성 추구 • 영적 각성 추구
성적 자아확립	• 성 정체성 확립과 수용 • 긍정적 신체상 확립 • 성적 가치관 확립 • 건강한 성 관념 • 생애 주기별 성 발달 적응		

TIP

여성의 성건강에 대한 인식

- 여성에 대한 차별적, 억압적 인식
  - 2등 인간
  - 무성적 존재
- 수동적 관점
- 주관적 경험을 무시
  - 자부심 억압
- 성적 결정권 부정
- 성적 도구화

성 20명에게 성적으로 건강하다는 것은 무엇을 의미합니까? 그 이유는 무엇입니까? 어떻게 해야 한다고 생각합니까? 등을 질문하고 심층면섭을 통해 여성의 성건강에 대한 주관적 경험을 수집·분석하였다(표 2-2).

여성의 성건강은 성적 자아확립, 삶의 활력이나 즐거움, 생명출산 능력, 성적 편안함, 성적 친밀성, 성적 자부심, 성적 자율성, 성적 승화, 성적 배려 등의 다양한 요소들로 구성 되어 있다. 이들 요소들은 통합성 내에 호환성이 있고 삶의 균형과 긍정적인 면을 포함한다(표 2-3).

1) 성적 자아확립

성건강 요소인 성적 자아확립은 여성으로서 성적 자아를 인식하고 수용하는 것을 의미한다.

성적으로 자아가 확립되면 성 정체성, 긍정적 신체상, 가치관을 확립하고 긍정적인 성관념과 성 발달에 따른 적응이 나타난다.

- 여성의 성 정체성이란 자아정체성이며 사회문화적으로 여성적인 것으로 정의되는 행동, 감정, 태도, 가치관을 포함한다. 성 정체성은 생물학적 성 정체성(sexual identity), 사회문화적 성 정체성(gender identity), 성역할 정체성(sex role identity), 성 지향성(sexual orientation)으로 구성된다.

성 정체성은 정적인 상태가 아니며 삶을 통해서 변화한다. 자신의 성 정체성을 수용한다는 것은 자신의 성에 대해 인식하고 성역할을 확장시킬 수 있으며 자신의 선택에 대해 책임을 지는 것이다.

여성은 강한 여성적인 사회문화적 성 정체성 또는 성역할 정체성을 가질 수 있고 남·여성적인 특성이 공존하는 양성모형의 성 정체성을 갖거나 또는 남성의 특성(자기주장, 자존심, 긍정적인 가치감)이 강한 남성적인 성 정체성을 가질 수도 있다. 현대사회는 남성의 특질이 강한 남성적 성 정체성을 가진 여성을 선호하는 경향이 있다.

- 신체상(body image)이란 나 자신의 본 모습으로 뇌가 나를 어떻게 생각하느냐에 달려있다. 8세가 되면 뇌에 자신의 모습을 보는 가치가 각인된다. 신체상이란 자신의 신체를 내면화한 학습된 표상이며 신체적 외모와 신체에 대한 가치는 사회와 문화에 의해 영향을 받는다.
- 가치관 확립은 자신의 성가치에 대한 인식과 수용으로 인성적 가치가 나타난다. 가치관 확립이란 성 관련 사회적, 문화적 가치들에 대해 해석 능력을 갖는 것이다. 성에 대한 가치는 성과학을 인식하고 성에 대한 자신의 가치와 부모 및 사회적 가치까지 일치시킬수 있는 성심리 성행동을 선택하는데에 영향을 미친다.
- 긍정적 성 관념이란 성 관념이 억압되지 않고 자유로운 상태로 여성을 인격적으로 대우하는 사회, 차별이 없는 남녀평등 사회에서 누릴 수 있다. 억압적 성 관념은 여성을 인격적으로 대

우하지 않고 지배, 복종이라는 주종관계에 있는 것을 의미한다.

억압적 성 관념은 가정, 학교, 사회로부터 학습되며 여자가 지켜야 할 규범들과 단지 성차별에 따른 허용 또는 억제되는 사고방식과 행동을 부정적으로 경험함으로써 형성된다.

성과 관련된 이분법적 고정관념은 성에 대한 사고를 부정적으로 변화시켜 성을 억압시키고 고통스럽게 한다. 여성은 성에 대한 무지, 오해, 편견으로 이루어진 고정관념의 틀에서 벗어나 자유로운 의식을 가져야 한다.

- 성 발달에 따른 적응이란 여성이 삶의 발달주기에서 경험하는 생물학적 발달과 사회문화적 환경에서 오는 여성의 성각본에 적응하는 것이다. 여성은 삶의 발달 주기상에서 그들의 성적 기능, 성적 자아개념 및 성적 행동에 대해 적응 능력을 가져야 하며, 자신의 잠재성을 탐색하고 실현할 수 있는 능력이 있어야 한다. 우리사회는 이성애적성(heterosexuality), 성인 중심의 성, 결혼 내의 일부일처제의 성, 생식 중심의 성을 정상적 성행동이라는 보편적이고 차별적인 가치체계를 가지고 있다.

Freud는 비정상적 성행동의 뿌리는 유아기에 있다고 하였으며 유아기와 아동기의 발달적 위기는 성 정체성 획득과 성적 대상의 선택에 영향을 미친다고 하였다. 여성은 삶의 과정에서 성 발달의 전환기를 경험한다. 특히 사춘기, 결혼기, 임신기, 갱년기, 노년기와 같은 발달적 전환기에는 스트레스가 부가됨으로 여성은 삶의 주기별로 나타나는 성발달과 변화에 적응해야 한다.

- 사춘기는 성적 탐색기간으로 성 정체성과 신체상이 확립되고 구체화 되는 시기이다. 청소년기는 성 정체성에 대한 자아인식, 성적 사고, 성적 환상, 성적 행동과 감정을 탐색하면서 성적 상호관계에 대한 불안, 접촉하고 싶은 욕구, 성적 활동에 대한 인정, 수용 및 책임감 등을 나타내면서 적응해 간다.
- 성년기 여성은 배우자와의 성관계, 출산, 양육, 피임, 성병예방 등이 포함되며 자신의 성적 가치에 따라 선택하고 결정하며 책임진다. 임산부, 수유부로서 성적 적응이 요구된다.
- 갱년기는 여성의 호르몬의 변화와 심리적 변화에 적응하는 시기이다. 갱년기는 성적 존재에서 인격적인 존재로 더욱더 성숙해가는 자아의 시기라 할 수 있다. 폐경을 결핍과 상실로 보는 우리 사회적 관념에도 불구하고 여성은 자기존중감과 가치감을 상승시켜 갱년기가 새로운 삶을 시작할 수 있는 제2의 여성이라는 인식을 통해 적응을 강화해야 한다.
- 노년기 여성은 대부분 무성적이라는 신념을 가지고 있다. 노년기 여성들은 노화와 관련된 질병과 성기능의 저하, 성적 환상의 감소, 노화와 관련된 스트레스 등으로 그들의 성생활을 비도덕적이고 부적당한 것이라고 생각한다.

다음은 노년기 여성이 성적 자아 확립과정을 표현한 사례이다.

우리가 인생을 살아가는데는 몇 단계가 있지 않겠어요. 60대가 됐는데도 20대처럼 살 수는 없는 것이니까요. 신혼 때는 부부가 둘만의 재미있는 세상, 그게 지루해져 갈 만하니까 아기를 주시고, 아기 키우는 재미로 살다보니까, 아이들이 다 크고, 다 성장을 하면 떠나고 그 다음에는 다시 부부애로 남는 것이죠. 나이 먹으면 정신적 부부애가 있어야 하죠.

갱년기, 폐경은 그걸 알려주는 징표라고 생각해요. 폐경기다, 이제 여자로서 구실을 다했다, 이런 것보다 순리대로 나이들면 폐경기가 오게 돼 있는 것이니까 오는거다라고 생각해요. 성생활은 나이가 경계선이고 나이가 가르쳐 주는 것 같아요. 저도 나이에 구분 짓지 않고 성은 나이가 먹도록 서로 노력을 해야 한다고 생각도 하고, 그게 정상적일 수도 있어요. 건강한 생각이고요, 그런데 사실 사람이라는게 나이가 사람을 만든다고 그러잖아요, 나이 먹으면, 육체도 기운 없어지고 가족관계도 복잡해지잖아요. 아들 딸 장가가서 며느리, 사위 생기고 손자, 손녀 생기는네 그 나이에 거기까지 신경을 써야하는가, 중요하지 않다가 아니라 우선 순위가 아니죠(66세 노년기 여성).

우리의 사회는 가부장제의 성문화로 여성과 남성 또는 젊음과 늙음에 대해 각기 다른 성 인식을 가지고 있어서 이중적 성규범을 적용한다. 노년기 여성은 신체 능력과 성적 반응이 노화 때문에 저하 되지는 않는다. 단지 사회문화적 요소 때문에 능동적으로 성생활을 주도할 수 없어서 성적 표현이 제한될 뿐이다. 노년기 여성은 실질적으로 성 불평등과 성차별을 경험한다. 즉 노인의 성행위는 순리에 역행하는 비정상적인 것으로 간주한다.

노년기 여성이 성건강에 대한 자아인식을 확장할 수록 성 관념이 자유스러우며 성관계의 중요성도 알 것이고, 성적 파트너가 있다면 활발한 성행위를 할 수 있다.

2) 삶의 활력 · 즐거움

성건강 요소인 '삶의 활력이나 즐거움'은 성적 능력의 핵심표현으로 성행동에 대한 관심과 반응이며 성기능과 관련된 성 경험의 결과이다. 삶의 활력이나 즐거움은 성적 탐색능력, 성적일치감, 성적만족감이 있는 상태로 원활한 성적기능과 성과 관련된 신체적 안녕감이 나타난다.

여성의 성 활동은 성적 활동에 포함된 의미와 연루된 감정의 깊이에 초점을 두며 삶의 맥락과는 분리할 수 없는 총체적 몸으로 경험한다.

여성의 성적만족감은 친밀한 삶의 활력소, 즐거움이며, 신체적 긴장해소 의사소통을 증진시키고, 감정의 교환, 따뜻한 느낌, 유연함을 제공하며 부부간의 결혼 만족도 뿐만 아니라 여성의 안녕감을 증진시킨다.

다음은 성생활을 통해 삶의 활력이나 즐거움의 필요성을 표현한 사례이다.

성관계가 원만하기 위해서는 정신 건강과 신체적 건강이 꼭 필요하고 남편의 요구를 일방적으로 받아들이기보다는 건강 생활의 한 부분으로 우리가 살기 위해 밥을 먹는 것처럼 활력적 에너지를 얻기 위해서는 성관계를 해야 한다고 생각하거든요. 그런데 성관계가 일방적으로 남자의 주도하에, 남자위주로 남편이 하고 싶으면 하고, 별 대화도 없이 남편이 밤에 자다가도 하고, 남편이 하고싶을

TIP

여성의 성적 불만족 요인

- 상호 동의가 없는 성행위
- 성적 분위기 조성이 안됨
- 성생활에 대한 기본 지식이 없음
- 성에 대한 부정적 태도
- 부부간의 정서적 갈등
- 힘의 대결
- 부적절한 의사소통
- 신뢰감 부족

때 요구하고 거의 우리 부부는 남편의 욕구에 의해 시작하고 욕구만 채우면 끝나는 식이에요.

전혀 분비액이 나오지 않고, 그게 결국 병이 된다고 생각하거든요. 분비액이 없고 흥분되지 않는 상황에서 하게 되니까 아프기만 하고, 만족도 못하게 되죠. 그러나 가끔 성관계에서 즐거움이나 만족을 느낀다든지 하면 그 다음날은 기분이 매우 좋고 날아갈 것 같고, 이것은 부부 생활에 꼭 필요한 부분이구나 하는 그런 느낌이 들고 내 역할을 더 잘 할 수 있어요 그렇지만 성관계가 만족스럽지 않으면 온 몸이 아프고, 짜증이 나고, 다른 방법으로 스트레스를 해소하고 싶은 생각도 들어요. 사람들이 이혼하는 이유가 성격이 맞지 않아서라고 하지만 실제는 성적 불만족때문이 아닌가 싶어요(중년 여성).

성건강은 성적행동을 즐기고 삶의 활력을 경험하는 것이다. 그러나 상기 사례는 자신의 욕구를 상대방에게 표현을 못하고, 만족감을 느끼지 못하여 삶의 활력이나 즐거움을 제대로 못 느끼는 사례이다.

다음은 부부상호간의 칠밀한 의사소통과 상호배려를 통해 아내의 성적관능성을 높이고 상호 성적만족감을 누리는 사례이다.

잠자리에 대해서 만족하지 못했다고 내가 말하면 이 남자가 혹시 기가 꺽이지 않을까 염려했는데 이것은 불필요한 걱정이더라구요. 서로 알고 노력한다는 것이 정말 중요해요. 나는 감각이 굉장히 예민한 데가 있거든요. 우리 신랑은 삽입을 해서 만족하기보다는 내가 전희를 느낄 수 있도록 노력하는 사람이에요. 나는 가만히 있고, 그때 절대로 안 움직여요. 그저 가만히 있으면서 음미하죠, 왜냐하면 내 몸이지만 좋은 데를 내가 모르잖아요. 그래서 그걸 음미하며 알기 시작하는 거에요. 아– 이 남자가 어디를 해줬을 때 참 좋더라, 그러면 다음에는 그 쪽만 해 달라고 얘기만 해도 달아오르기 시작하는 거에요. 그래서 되는 거지 무조건 해서 얻는 것은 절대로 없어요(40세 여성).

3) 생식능력

성건강 요소인 '생식 능력'은 성 욕구에 의해 생명출산의 기쁨을 누리는 것을 의미한다. 생명출산능력은 여성의 성 생식기능과 관련되어 있으며 성적 능력의 최고 표현이다.

생식 능력은 생식 기능의 활성화, 생식조절 능력이 포함된다. 생식 기능의 활성화란 생식건강을 의미한다. 생식조절 능력은 성적 자기결정권과 생식에 대한 자율성을 의미한다.

생식은 인간의 가장 보람있는 가치를 실현하는 것으로 생식조절 능력은 가족과 사회의 안녕을 추구 할 수 있는 인간의 기본권리이다. 원하지 않는 출산은 사회경제적 또는 신체적, 정서적으로 많은 문제를 초래한다.

TIP

여성의 성·생식권리(IPPF, 1995)

여성이 누려야 할 12가지 권리중에서 발췌

- 생명권과 평등권
  생명출산 능력과 태아 생명의 존귀성을 강조하는 것으로 모든 인간은 인간적 존엄성과 인간적 권리가 평등하기 때문에 생명을 유지할 권리가 있으며 누구의 생명도 임의로 손상을 시키거나 박탈할 수 없는 권리를 의미한다.
- 자녀출산여부와 출산시기의 결정권리
  자녀희망 여부, 출산시기, 가족계획 방법 등을 결정할 권리를 의미한다.
- 건강관리와 권리 보호권
  성과 생식보건에 관련된 건강관리와 함께 최상의 건강관리를 받을 권리가 있음을 의미한다. 모든 여성은 안전한 유산, 난임, 성병진단과 치료, 수태조절 방법 등 포괄적인 건강관리 서비스를 받을 권리가 있음을 말한다.

여성의 성건강은 생식기능을 방해하는 기질적 장애, 질환, 결함이 없는 상태이다.

여성의 생식 능력을 향상시키기 위해서는 여성의 성 생식 권리를 인식하고 추구하도록 도와야 한다. 국제가족계획연맹(IPPF, 1995)은 성 생식권리헌장에서 여성이 평생동안에 성 생식과 관련하여 누려야 할 권리를 발표하였다. 이 중 생명권과 평등권, 자녀출산 여부와 출산시기의 결정권리, 건강관리와 권리보호권은 생명출산 능력과 관련이 깊다.

여성의 성건강은 임신과 출산의 과정을 경험하는 것이다. 이때 비로소 여성의 성 정체감이 완성되고 지속된다. 여성의 성건강이란 생명출산의 기쁨을 경험하는 것이며 생식기능과 양육의 능력이 있는 것이라고 표현한 사례이다.

여성으로 태어났으면 생명 출산 과정을 경험해야 한다고 생각해요 이것은 남성에 비해 여성이 지속적인 성을 행사하고 있다는 표현이죠, 남성은 어떤 순간적인 성쪽으로 강해요, 여성의 성 정체감은 주로 출산을 통해서 완성된다고 생각해요. 피임도 얼마든지 요구할 수 있고 정말 서로 이렇게 여러가지 상황이나 조건이나 몸의 건강상태를 고려해서 임신도 결정할 수 있어요. 별탈 없이 아이 둘 다 잘 낳고, 아직까지 생식적인 면에 문제가 없고, 성기에 병이 생긴 적도 없어요. 사회적 통념으로 보는 아내의 역할 어머니의 역할, 주부의 역할을 다 잘하지는 못하지만 항상 노력해요.

4) 성적 편안함

성건강 요소인 '성적 편안함'이란 성적 반응을 억압하고 성적 자아개념과 성적 상호관계를 손상시키는 공포, 수치심, 당혹감, 죄의식, 낙인, 잘못된 신념 등과 같은 부정적 심리적 요소가 없는 편안한 성적 감정 상태를 의미한다.

성적 편안함이란 성 발달에 따른 변화와 성 경험의 결과들을 편안하게 경험하는 것이다. 여성이 성적 편안함을 유지, 증진하기 위해서는 성을 삶의 통합된 부분으로 수용하여야 한다. 여성은 성 생식기능문제뿐만 아니라 남성중심의 사회에서 여성으로 살아가는 삶의 모든 경험(직관적 경험, 파괴적 경험)과 여성의 편치 않음(dis-ease)이 무엇인지를 확인하고 해결할 수 있는 힘을 가져야 한다.

성적 자아개념은 신체상의 변화, 질병정체성, 파트너의 냉담한 반응, 무력감 등에 의해 변화된다.

성적 편안함을 구성하는 요소는 친밀감, 열정, 보답, 헌신, 배려, 이성과 감성의 일치감, 피해의식 부재, 안전한 성관계, 성적 기능의 적절함, 상실경험의 극복 등으로 나타난다. 여성이 성에 대한 다양성의 개념을 수용한다면 편안한 성적 심리를 가질 것이다. 특히 가족, 사회, 문화적 경험으로 형성되는 성에 대한 신념과 태도들은 긍정적 또는 부정적으로 영향을 미친다. 특히 부정적 감정은 수치심, 죄책감 갈등을 유발하여 여성이 성 욕구

부부는 상대를 이해하고 배려하는 자세가 필요하다.

를 수용하는데 장애가 될 수 있다. 성건강 전문가도 자신은 물론 대상자의 성을 온유하고 인간적이며 전문적으로 이해할 수 있도록 편안한 마음가짐을 가져야 대상자가 편안한 마음으로 열린 대화가 가능하다.

다음은 성행위시 성적 편안함을 표현한 사례이다.

저희는 기간이 짧았어요. 불같은 사랑이었거든요, 속된 말로 서로 눈이 맞아서 마음이 동해서 결혼했어요. 그때 저는 이 사람이라면 충분히 성적으로 맞을 것 같고, 유혹도 할 수 있을 것 같고, 애교도 부릴 수 있을 것 같고, 우리말로 하면 궁합이 맞겠구나라고 생각했어요. 제가 남편을 보았을 때 눈매가 참 좋더라구요. 목소리도 굵구요. 말하는 걸 듣고 있으면 편안해져요. 남자를 보는 눈을 저희 어머니는 초등학교 시절부터 저에게 교육 했어요. 결론은 항상 궁합이 맞는 사람하고 결혼해야 한다고 했어요. 바로 그사람이에요. 내 남편은 성행위 후에 항상 보답으로 선물을 준비해요. 여행을 다녀오면 사랑한다는 메세지를 남기고 선물을 준비해 놓고 성행위에 대한 기대감을 갖게해요(43세 직장 여성).

여성의 성적 만족감은 친밀감, 부드러움, 밀착감, 사랑, 배려 등에서 온다.

성건강 전문가는 대상자의 삶의 어떤 부분이 성적 반응을 억압하는지 또는 성적 태도의 변화가 필요한지를 확인하여야 한다. 대상자에게 성건강에 대한 비판적 사고를 적용하고자 할 때 가장 필수적 요소는 생물학적 성 지식 뿐만 아니라 편안한 감정과 태도, 가치의 명료화를 통해 인간의 성에 대한 객관적이고 중립적, 진보적 가치를 정립하는 것이다.

성건강 간호사가 대상자의 성건강 문제를 논의할 때에는 상호 억제감이나 당혹감이 없어야 하며, 비 판단적으로 접근할 수 있는 편안한 태도와 성에 대한 주관적 의견, 오해, 편견 등이 없어야 한다.

5) 성적 친밀성

성건강 요소인 성적 친밀성은 여성이 성적 상호작용시 표현하는 생식적 또는 비생식적 활동이다.

성적 친밀성은 친밀한 의사소통, 성적 의사소통 개발, 다양한 성적 레파토리 개발과 모방, 편안함 추구, 성적합성 확인, 생활연령에 맞는 성관계 등이다.

성적 친밀성을 방해하는 요소로는 직관적 상호작용결여, 남편의 일방적 태도와 행위, 성폭력 피해 경험, 여성 성의 도구화, 육체대상화 등이다.

건강한 성적 상호관계란 사회적으로 승인된 성행동을 수용하는 것이다. 우리사회가 수용하는 성 유형은 이성애이다. 의사소통은 문화적, 심리적, 사회적 맥락에서 나타난다. 문화적 맥락은 사용하는 언어 및 가치관, 믿음, 통념을 의미한다. 성 문화는 성별과 성행동에 대한 가치와 규칙들을 지정하고 성행동을 통제한다. 즉, 성의 본질과 아름다움, 특수한 성행동들의 적합성과 비적합성,

사랑과 성관계, 혼외 및 결혼 전·후 성행동, 동성애 그리고 특정 성역할의 적절성에 대한 것이다.

여성들은 성적 상호관계 시 성적 파트너와 더 사랑스럽게 대화하고 싶고, 더 매력적이고 싶고, 열중하기를 원한다. 또한 파트너가 더 기술적이고 더 시험적이기를 원한다.

여성의 성적행동은 키스, 애무, 자위행위 성교를 한다. 부부는 긴장감을 최소화하기 위해 행동에 대해 많은 의사소통을 해야 한다. 실제로 여성은 성적 파트너와 성행위에 대한 대화를 꺼린다. 말을 먼저 꺼낼 시, 남성 반응이 어떠할 지에 대한 두려움이 앞서고 또는 사실 그대로 이야기하면 파트너의 기가 꺽이지 않을까하는 우려 때문에 억제하는 경향이 있다. 성적 의사소통은 성적 관계를 발전시키고 유지시키는 중요한 역할을 한다. 특히 아동기와 청소년기 부모와의 성적 의사소통은 성적지식과 가치를 전달할 수 있기 때문에 그들의 성 정체성 형성에 중요하게 작용한다. 성적의사소통이 자유로우면 성적관심이 있다는 신호를 서로에게 보낼 수 있고 성적 상호작용을 시작할 수 있다. 또한 성행동에 대한 정직한 성적의사소통은 성생활을 즐길 수 있다. 때로 성적 파트너간에 성적 의사소통은 성별의 차이에 따라 성행동에 대해 차별적 가치체계가 작용한다. 성행동의 긍정적 가치는 사랑스럽고, 건강하며, 자연스러운 성(생식의 성, 이성간의 성)에 둔다. 그에 반하여 부정적 가치는 나쁘고 건강하지 못하며 부자연스러운 성행동(동성간의 성행동, 타락적이고 파괴적인 성행동)으로 구성되어 있다.

여성의 성적 친밀감을 강화시키는 요소는 여성의 성만족감과 관계가 깊으며 여성의 삶과 결혼에 대한 적응과도 밀접하게 관련된다. 여성의 성적 만족감은 정서적 친밀감, 부드러움, 밀착감, 사랑하는 사람에 대한 깊은 감정, 전희, 친밀성, 성행위 동의, 다양성, 성적 의사소통, 배우자의 배려, 의사소통과 밀접하게 관련되어 있다. 의사소통은 언어적인 것과 비언어적인 것이 있다. 친밀한 관계를 위해서는 비언어적 의사소통을 올바르게 해석하는 능력이 중요하다. 근접성, 눈마주치기, 접촉은 특히 중요한 비언어적 의사소통유형이다.

여성의 성적 친밀감을 방해하는 요소들은 정서적인 갈등, 힘의 대결, 부적절한 의사소통, 신뢰감 부족, 부정적 성 경험, 욕구불만, 직관적 상호작용 결여, 배우자의 일방적 태도, 성폭력 피해 경험, 여성의 몸을 상품화하는 사회가 포함된다.

다음은 여성의 성건강 요소인 성적 친밀감을 방해하는 상황이다.

> 나는 좋은 감정이 있을때 성관계가 잘되는 것을 알아요. 감정이 있어야지 만족을 얻는 것 같아요. 성행위 시 한 몸이 되는 것은 정신적 사랑이 있어야 해요. 성행위 후 상대가 더 좋아지고 정신적 유대가 튼튼해지잖아요. 저는 별로인데 남편이 요구해서 하는 경우도 있는데 이 때는 배려받는 느낌이 없어서인지 느낌도 별로에요. 남편은 배려나 사랑보다 자신의 생리적인 욕구가 앞서는 것 같아요. 나는 남편에 대한 배려가 우선인데 남편은 자기중심적이고 욕심쟁이에요. 부부 관계에서 성행위가 의무라면 다음 날이 일요일인 경우, 서로 쉴 수 있으니까 안정된 상황에서 편안하게 했으면 좋겠어요. 어떤 때는 나를 무시하는 것 같아요. 저는 편안하고 품격있는 성생활을 하고 싶어요. 남편은 분위기도 없는데다 그런 것에 너무 무뎌서 사실 어떤 때는 괴로워요, 나를 너무 함부로 하는 것 같고 그래서 피곤할 때 요구하면 막 화가 나요.

사랑과 성적 욕구가 있는 부부 관계는 성적 친밀감을 높이지만 생리적 욕구의 해소방법으로 또는 부부라는 의무감 때문에 성행위를 한다면 여성은 자존감이 저하되고 분노까지 올라온다. 특히 성관계시 남편의 배려하는 말과 행동, 약속과 책임은 성적 친밀성을 야기시키는 중요한 부분이다. 아내의 일방적인 배려와 인내는 성건강을 방해하는 요인이 된다.

성적 친밀감은 매우 비밀스럽고 개별적이며, 민감한 주제이기 때문에 개별 여성의 경험을 중시하는 총체적이고 인성 중심적으로 접근해야 한다.

다음은 직업을 가진 중년기 여성이 성건강 요소로 성적 친밀감을 표현하고 있다.

서로가 너무 피곤해서 우리는 강한 것보다는 그냥 이렇게 다독거려주고 그런 정도지 그 이상은 싫어요. 남편은 그래도 피곤하지 않으면 생각을 하는데 서로 우리는 잘 안맞는 것 같아요. 내가 피곤할 때는 그쪽이 생각이 있는 것 같고, 내가 괜찮을 땐…. 반대인 것 같아요. 내가 대학원 다닌다고 항상 머리가 스트레스로 꽉 차있으니까 전혀 생각이 없어요. 속되게 얘기하는 그런 것 말고 우리는 그냥 손잡고, 텔레비젼 보고, 그냥 그 정도로도 좋아요… 그냥 편안한 거지. 옆에 있으면 편안하고 좋은 것 그거지 글쎄 별로…. (52세 중년 여성)

성적 표현은 성적 자아를 드러내는 복잡한 과정이다. 성적 표현은 단순한 성적 행동만이 아니라 그 이상의 것이다. 섹스가 없는 성적 상호관계에서도 이 여성은 성적 친밀감을 충분히 느끼고 있음을 표현한다. 섹스가 없는 성적 상호관계가 더 자연스럽고 편안하다고 한다. 전통적으로 여성은 그들의 성 경험과 가치관에 근거하여 행실이 좋은 여성 또는 나쁜 여성으로 구분한다. 성적으로 활발하고 경험이 많은 여성에 대해 모순된 감정을 보인다. 섹스는 밀접함, 성적흥분같은 감정의 요소와 육체적 요소를 가지고 있고 사랑과 섹스가 친밀한 관계를 밀접하게 연관시키고 지속시키는 긍정적 요인이지만 사랑과 섹스가 반드시 연결된 것은 아니다. 개인의 성적 욕구가 발달주기에 따라 변하는 것은 삶의 정상적인 부분이다. 부부간의 욕구의 차이가 나타나는 것도 정상적이다. 성적 욕구가 다를 때 반드시 기억해야 할 것은 개방적이고 정직한 의사소통이다. 여성의 헌신적인 관계에서 나타나는 성적 욕구는 호르몬과 신체기능의 저하보다는 파트너의 존중감으로 더 많이 나타난다. 성건강 전문가는 대상자의 성적 표현에 대한 태도, 가치, 믿음을 비판단적인 자세로 편안한 마음으로 소통해야 한다.

6) 성적 자부심

성적 자부심은 성적 주체성 확립과 삶의 질 향상 등에서 나타난다. 성적 주체성이란 자신과의 관계와 사회와의 관계 내에서 구성된다. 성적 주체성 확립은 여성이 성적 주체로서 자신을 인식하는 것을 의미한다. 여성으로서 성적 주체성을 확립하기 위해서는 여성 자신의 내면적 자기의식의 변혁이 있어야 하며 성에 대한 잘못된 문화적 규정들을 비판하고 수정하며 여성 자신들의 활동을 통해 이들을 성취해 나가야 한다.

가부장적 여성관에 기초한 성 관념은 여성의 주체적, 인격적 자아의식을 파괴시키고 여성에게 성적 자부심을 갖지 못하도록 방해하는 사회문화적 요인이다.

여성이 성적 주체로서 자아의식을 확립하고 자부심을 갖기 위해서는 여성으로서 주체적 자아의식을 갖고 능동적이며 남성이 여성에게 강요하는 수동성을 거부하는 여성이어야 한다. 또한 생산적이며 활동적인 삶의 방식 안에서 주체로서의 자기의 지위를 구체적으로 확인하는 여성이어야 한다.

성적자부심이 있는 여성은 가부장적 문화의 산물인 여성의 열등의식, 무력감 등을 극복하고 잃어버렸던 주체적 자기를 다시 회복하는 여성을 의미한다.

다음은 성적 주체성 확립의 과정을 표현한 사례이다.

> 여성의 성건강이란 생물학적 특성대로 여성의 본분과 역할을 잘 발휘하는 것이죠. 결혼 전에 나는 완전한 인간으로서 아주 우아한 여성으로서 결혼에 목표를 두고, 주가 높은 여자로서 나를 굉장히 가꾸었어요. 결혼 후 지금도 항상 도전감을 느끼고 노력을 하죠. 걸음 걸을 때 두 발짝이 멈춰 있으면 정체된 거지 발전적인 것은 아니거든요. 오른발 나갈 때가 있고 다음에 왼발 나가야지… 때로는 내가 처질 때 남편이 앞서 가면 내가 못 이기는 척하고 끌려가고 부부 관계는 이러한 줄 당기기 같은 삶이라고 생각해요. 서로 상호 노력하지 않으면 획득할 수는 없는 것이고, 나의 삶의 패턴은 가능한 인내하는 것이에요. 젊었을 때 많이 인내했어요. 나는 부부의 조화를 위해 남편의 장점을 극대화시켜서 성생활을 통해 보살핌과 배려를 남편에게 했고 다른 일상생활에서 남편에게서 보살핌과 배려를 끌어냈어요. 이러한 과정을 통해서 나 자신도 지금보다 더 앞서나가 있지요.

> 40대의 나의 모습은 이미 갖추어진 틀이지만 하나님은 끊임없는 가능성이 있는 존재로 우리를 만드셨기 때문에 나는 끊임없이 나자신을 탐색하고 변화시켰어요. 성에 대한 여성의 의무라든지, 아내의 역할이라든지, 전문직 여성으로서 나의 위치라든지. 모든 것이 음양의 조화인데 양이 지배하냐, 음이 지배하느냐가 아니라 음·양의 조화를 이루는 것은 여성의 능력이죠. 결국 내가 내 삶을 창조해 간다는 생각을 가질 때 그게 자족하는 삶이라는 생각이 들거든요. (48세, 전문직 여성)

여성으로서 주체성과 결혼 후 여성됨의 새정체성을 확립하고 부부간의 사랑, 성, 친밀성을 통해, 부부간의 성적인 차이에 대한 문제를 해결하는 과정에서 부부의 상호성적 욕구를 높여줄 수 있었고 부부 상호존중감과 여성으로서의 자부심이 높게 나타난 사례이다. 인생의 동반자이고 성적 배우자인 남편과 지속적인 조화를 이루기 위한 인내와 노력의 삶을 볼 수 있다.

여성의 성건강이란 여성 스스로가 주도해가는 노력과 인내이고 상호배려이고 통합이다. 성적 주체자로 자신을 성찰하고 조화로운 삶을 위해 끊임없이 인격적 성숙을 향해 발전해 간다.

여성의 성건강이란 여성이 가정과 직장에서 자신의 역할을 감당하면서 자신에 대한 인식을 확장하고 자족감의 영역을 확대시키면서 자부심과 긍지를 갖는 행복을 창조해 가는 것이다. 성적자부심이 있는 여성은 스스로 건강한 생활양식을 선택하고 결정하며 여성의 삶의 질을 향상시킨다. 삶의 질이란 한 개인의 안녕에 대한 감각, 삶에 대한 만족/불만족 또는 건강, 활동, 스트레스, 목표 지향적 삶, 자아존중감, 우울, 사회적, 가족적 지지차원에서 행복/불행을 의미한다. 삶의 질을 측정하는 데는 만족이 가장 좋은 지표이며 삶의 질은 기대와 성취 사이에 지각되는 차이 때문이다.

연구에서 삶의 만족도는 행복한 결혼, 좋은 건강, 사회적 활동, 가족생활, 성적 즐거움 등이 의미있게 연결되었고 가장 높게 측정되었다. 만족스런 성생활은 육체적 이완의 수단 외에 의사소통을 증진시키고, 감정의 교환, 따뜻한 느낌, 유연함을 제공하며 부부간의 결혼만족도 뿐만 아니라 여성의 삶의 질을 결정하는 주요한 요인이다.

대부분 여성은 부부간의 성적 만족감을 행복한 결혼생활로 인지하고 있다. 결혼생활이 행복하다고 인지하는 부부들은 의사결정을 같이 하고, 서로 많은 대화를 나누며, 상호신뢰도가 높고, 상호 친밀성을 갖는 성숙한 부부 관계를 유지하고 있다.

7) 성적 자율성

성적 자율성, 성적 승화, 성적 배려는 성건강 실천 전략이다.

'성적 자율성'은 남성의 성적 착취나 강제로부터 자유로워진 상태이다. 또한 여성 자신의 성과 욕망, 쾌락에 대해 결정하고 통제하는 권리를 의미한다. 성적 자율성은 성적 자기결정권과 자가간호 능력을 포함한다.

자율성이란 인간이 스스로 자신이 인식하고 있는 목적을 향하여 의도적으로 행동하기 위한 심리적 준비를 말하며 이를 달성하기 위한 목적이 있는 행동이나 심리적 상태의 수준, 혹은 질로 표현한다.

여성의 성적 자율성이란 사회화된 한 인격으로서 여성이 성 때문에 살아야하는 삶의 필연적 방식이 따로 있다는 사고 방식에서 벗어나 성적 자기결정 권리로서 자율성을 확보하는 것을 의미한다. 성적 자율성이랑 여성이 다양한 삶의 방식을 자신이 선택할 수 있다는 것을 인식하고 그 중에서 자신이 원하는 삶을 주체적으로 선택하고 실현시키기 위해 노력하는 권리이다.

여성이 성적으로 건강하려면 성과 관련된 모든 상황에서 자율적인 의사결정을 할 수 있고 또한 자신에 대한 자부심을 유지해야 한다. 여성의 성적 자율성은 자신의 몸과 성, 욕망, 욕구, 필요 등을 자기 스스로 결정하는 자기결정권과 인정받고 대우받을 권리인 존경권을 보장하는 것이다. 성적 자율성은 주장과 책임, 성적 자기결정권, 자신의 힘북돋음, 선택, 책임 등으로 구성되어 있다.

여성의 자가간호 능력이란 자가책임감, 자가간호 수행 동기, 자가간호에 대한 지식, 자아존중감 등을 포함한다. 여성은 교육과 훈련을 통해 성적 자율성과 자가간호 능력을 가질 수 있다. 상담자는 힘의 북돋음과, 건강의 통제력, 책임감을 증진시켜 성건강 문제에 대한 자각 능력, 안전감, 임신선택 능력, 자아효능감, 자기책임감, 건강한 생활양식을 추구할 수 있도록 한다.

다음의 진술 내용은 성건강 요소인 성적 자율성을 발휘하도록 한 상담사례이다.

성상담 시에는 먼저 그들의 고충을 들어 주어야 해요. 같은 마음으로 공감을 하고, 그 다음에 성행위에 따르는 임신의 가능성에 대해 이야기해요. 성적 다양성에 대한 문제로 이야기하는데 특히 동성애에 대해서는 그들이 생활상의 어려움에 대해서 충분히 얘기를 해 주죠. 특히 동성애자는 정상적인 결혼생활을 기피할 수도 있고, 주변에서 결혼을 해야 된다고 하며, 여자하고 살아야 된다고 하면 동성애자인 당신은 그럴 때 굉장히 싫을 것이다. 당신이 아이를 갖고 싶다면 동성과의 성행위에서는 얻을 수는 없지 않느냐? 그러한 경우 당신은 어떤 것을 선택해야 되느냐? 그것은 당신의 선택이지만 선택의 결과로 오는 모든 불이익을 당신은 감당할 수 있느냐? 사회의 소수자로 살아가는데 있어서 경제적으로나 사회적인 면에서 자립할 수 있는 능력이 있느냐, 사실 당신이 자율적으로 선택해도 되지만 누구한테 의존하고 있다던가 아직 나이가 어리다면 학교생활이라던가 사회생활에 지장도 오고 그래서 당신의 장래가 당신이 원하는 방향이 아닌 것으로 나간다면 당신이 나중에 후회하지 않겠는가? 이런 것들을 묻고, 대답해 주고

스스로 결정해가도록 하지요. (52세, 성상담가)

성상담을 할때는 대상자의 가치, 감정, 믿음, 사고에 관여하면서 대상자가 자기의 문제를 이해하고 자기를 발견하고 건강하고 안전한 성생활 양식을 추구할 수 있도록 한다. 상담은 근본적인 문제를 해결해 주는 것이 아니라 그로 인한 상처를 아물게 해 주어 창조적인 새로운 시도를 할 수 있는 성적 자율성을 갖게 하는 것이다.

성적 자율성이란 충분한 정보를 통해 자기주장과 자기판단, 선택을 할 수 있는 힘을 갖도록 하는 것이다. 성건강 전문가가 성상담 및 교육을 할 때에는 대상자가 성적 자율성을 발휘할 수 있도록 도와야 한다.

성교육은 분명한 방향을 심어 주어야 한다고 생각해요. 신념 자체가 흔들려서는 안 되잖아요. 옳은 것은 옳고, 그른 것은 그르고…. 그런데 지금은 혼돈 시대인 것 같아요. 무엇이 옳은지를 모르겠어요. 끊임없이 세상이 변하고 어제 옳다고 생각한 것이 지금은 아니잖아요. 무엇을 교육해야 할지. 여태까지 우리가 옳다고 믿던 것들이 지금은 의미가 없잖아요. 요새는 특히 동성애를 주장하는 사람들이 많아지고 있고, 나로서는 경험도 없고, 그렇지만 객관적 가치를 가질 필요가 있어서 저번에 한 번 동성연애자들이 모이는 대학생 그룹 행사에 갔어요. 지식인들이 빠지기 쉬운 함정이 있지 않아요? 새로운 성향, 행동에 대해서 내가 오픈되어 있지 않으면 뒤쳐진 사람이 아닐까 해서, 오히려 내 마음에서는 용납이 안되는데 그런 척하고 나 스스로 나는 동성애를 수용한다.'척'했어요. 그런데 그곳에서 나는 아- 참 그럴 듯 하다, 그럴수도 있겠다 그 입장을 충분히 수용할 수 있지만 나보고 그렇게 따라서 하라면 난 못하겠다, 그건 분명하더라구요. 만약에 나보고 선택하라고 하면 나는 지금은 아니다, 나는 이것은 아니다가 분명했어요.

성적 다양성과 관련된 성건강 문제로 고민하는 대상자들에게 지금까지 가졌던 자신의 신념과 가치를 성찰하고 동성애자에 대한 부정적 사고를 버리고 가치중립적이고 진보적인 태도를 가지려고 노력하는 상담자의 진술이다.

내담자에게 선택에 대한 책임이 따르는 성적 자율성을 강화시키고자 할 때 성상담자는 자신의 성에 대한 가치 또는 태도를 객관화시켜야 한다.

다음은 성적 자율성을 강조하고 있는 부모의 성건강지도 사례이다.

우리 부모는 유난히 금슬이 좋았어요. 어머니는 성교육을 일찍 했었고 여자인 나에게 성은 좋은것이고 소중하다고 가르쳤어요. 어머니는 나에게 항상 여기는 한국이다, 여자는 익은 음식이다. 집어먹으면 끝이다라고 하셨고 순결을 결혼할 때까지 꼭 지켜야 된다. 좋아하는 사람과 성관계를 해야 한다라는 의식을 주입시켰어요. 그리고 몸매도 만들어 주었고 화장실에서 소변보는 연습도 초등학교 때부터 했어요. 나는 내 자신을 내 몸을 자랑스럽게 생각해요. 남편도 내 몸을 좋아해요. 건강한 성생활을 하려면 내 몸 구조가 제대로 되어 있는지 알아야 해요. 제가 아이를 기를 때도 이 아이가 성인이 되어서 성생활을 멋지게 할 수 있는 능력이 있을지가 제일 걱정이 되더라구요. 사실 남자는 더 신경을 써주어야 한다고 생각하거든요, 왜냐하면 능동적인 구조니까, 나도 여자로서 체력을 증가시키기 위해서 승마를 해요, 승마는 여자를 최고로 만들어 주어요. 승마를 할 때는 대퇴내측근육의 수축과 회음부근육의 수축을 느껴요. 기분이 너무 좋아요. 부모님의 영향을 많이 받아서

항상 내 몸을 나는 관리해요. (48세, 전문직 여성)

대상자가 여성으로 살아야 할 삶의 필연적 방식이 따로 있다는 사고방식에서 벗어나 자신이 원하는 삶을 주체적으로 살아갈 수 있도록 자율성을 누려야 할 권리로써 선택하고 실현할 수 있도록 한다.

8) 성적 승화

성적 승화는 성건강 실천 전략이다. 성적 승화란 인간의 성적 충동과 욕구를 개인과 사회가 수용할 수 있는 상황에 배치하는 것이다. 성적 승화는 유용할 수 있고 많은 것을 성취하게 끔 동기를 부여한다. 성적 본능을 창의적 욕구(지적탐구활동과 예술적 활동)로 사용하기 위해서는 먼저 자기 자신, 성적 욕구, 동기를 더 깊이 이해하고, 지금 자신이 선택한 일을 자기반성을 통해 만족한 삶을 살 수 있도록 성적 욕구를 사회적으로 용인된 비성적 행위나 대상의 위치를 숭고한 것으로 바꾸는 것이다.

승화는 윤리와 논리가 연계되며 공유하는 사회적 가치이다. 성적 승화는 영적 자각, 무성적 존재 지향, 성의 절대성과 무가치성의 초월, 성찰, 자유로움 추구 등으로 나타난다.

가부장적 여성성은 여성에게 여성의 몸, 사고와 행위방식, 인성, 가치관, 세계관 및 역할을 남성이 정의한 욕구와 필요에 맞춘 존재로 살아갈 것을 요구한다. 따라서 이러한 가부장적 여성성은 무엇보다 여성 개인의 자유를 억압하고 인간 존재로서의 가치 상실을 유도한다. 여성이 성적으로 건강하기 위해서는 가부장적 여성성을 탈피하여야 한다. 여성이 성적존재임을 인식하고 새 정체성을 확립한다.

다음은 성건강 요소로 성적 승화를 표현한 사례이다.

나는 성적 욕구가 없어요. 결혼 안 해도 혼자 살 수 있다. 이런 생각을 하면서… 그럼 성에 대한 문제를 어떻게 해결하지? 그럼 수녀도 신부도 사는데… 만약 결혼하지 않았다면 내가 일만 가지고 행복했을까? 행복이라기보다는 그냥 없더라도 살기는 살았을 텐데 어떤 한 부분이 비지는 않았을까

사랑은 꼭 육체를 통해서 확인하는 것은 아니다. 사랑은 성이 필수적으로 관련된 것도 아니다. 내가 만약 젊었을 때 종교세계를 알았다면 수녀가 되지 않았을까하는 그런 생각을 해요. 그때는 변하지 않고 항상 무궁할 수 있는 대상이 있다면 그게 무엇일까? 참 관심이 많았고 궁금했어요. 성은 삶의 산소와 같은 것이지만 영적인 것이 만족되면 마르지 않는 샘물을 받는다고 생각해요. 성이 없어서 성의 자리는 비어 있지만 이 빈 곳을 채울 수 있는 영의 세계가 있으니까 빈 곳을 채울수 있다고 생각해요. 성에 대한 욕구는 없지만 나는 신앙생활로 성적에너지를 대체해요. 아침마다 매일 기도를 하거든요. 기도를 통해 충만감, 자기 삶에 대한 자신감을 누리죠. 성은 나를 분산시키지요. 몸에 대한 에너지보다 영적에너지가 나를 통합시키고 충만케하며 내가 해야 할 일에 최선을 다하도록 하지요. (42세, 여성)

사랑은 인간의 감정 가운데 가장 심오한 것으로 문화 전반에 걸쳐 다양하게 나타난다. 사랑은 친밀한 관계의 강력한 원동력이다. 사랑은 감정인 동시에 행동이다. 대상자는 섹스가 없는 사랑을 이야기하고 있다. '몸의 성과 정신적인 성은 상호 연결되어 있어서 상호보충되기 때문에 사랑은 몸을 통해서만 확인되는 것은 아니다. 정신적인 성이 만족되면 육체적인 성이 비워 있다 할지라도 행복할 수 있다'라는 성적 자아에 대한 인식을 확

장시킨다. 성적에너지를 영적경험으로 승화시키고 영원한 사랑과 삶의 에너지를 충전받는다.

9) 성적 배려

성적 배려는 성건강 실천 전략이다. 성적 배려는 남이 나에게 해 주기를 원하는 것을 나 역시 남에게 해 주고, 남이 나에게 하기를 바라지 않는 것은 남에게도 삼가하는 원리이다. 항상 상대방의 관점에서 배려하고 헤아리는 태도를 의미하는 것이며 나와 너의 관계에서 서로의 삶이 그 자체로 가치를 인정받는 것으로 그 사람의 인간애와 고유함을 서로 수용하는 것이다. 즉 성적 배려는 윤리적 덕목으로 부부 관계에서 가장 중시되어야 할 실천 전략이다.

성적 배려는 자기헌신적 배려와 상호적 배려가 포함된다. 성적 상호관계에서 자기헌신적이고 일방적인 배려에만 멈추어 버린다면 부부간의 기본적 신뢰감은 손상을 받는다. 성건강의 실천은 자기헌신적 배려에서 상호적 배려로 그리고 독특한 창조적 배려로 전환되는 것이다.

다음은 성건강 구성 요소인 성적 배려 사례이다.

남편과의 결혼생활에서 가장 힘들었던 것은 1년에 3~4회씩 고주망태가 되서 들어오는 거에요. 술때문에 사정을 못하는 거에요. 성행위 시간이 너무 길어지면 저는 더럽다는 생각이 들고 녹초가 되고… 제가 어떤 학회에서 그 때 술꾼 남편을 관리하는 강의를 들었는데 도움이 되었어요. 남편이 회식이 있다고 하면서 늦게 들어오는 날에는 초저녁부터 잠을 충분히 자고 그리고 남편이 들어올 때는 더 건강한 모습으로 맞이해서 남편이 들어오면 빨리 사정을 하도록 진행을 시켰죠. 내가 다 준비해 놓고 사정을 빨리 하도록 하고 물수건 딱 준비해서 뒷처리도 하지요. 아침에 당신은 내가 얼마나 힘들고 고통스러운지 아느냐고 표현을 했더니 남편은 내가 배려하고 돌보아준다는 것을 알고 인정을 해 주더라구요. 저희 남편은 자기가 성행위 시 서비스를 굉장히 잘 한다고 생각해요. 아내를 굉장히 행복하게 해 주는 남자라고 생각하고 그런 것에 대해서 잘난 척을 하고 생색을 내는 남자예요. 나는 너무 힘들거든요.

성은 잘 사용되고 충족이 되어야 하잖아요. 어떤 때는 피곤하고 힘들어도 남편의 성 주기를 보았을 때 해결해 주어야 되겠다 싶으면 제가 남편에게 자위행위를 해 주어요. 원래 저는 표현을 잘하는 편인데 어떤 때는 남편이 싫고, 언짢고, 안 좋을 때도 있어요. 남편은 민감하게 알아요. 싫어하는 것은 피해 주고, 제가 원하는 대로 하고 남편은 포용적이고 개방적인 사람이에요. 제가 어떻게 느끼고 있다는 것을 알아요. 자신의 욕구가 90%, 내 욕구가 80% 정도라고 느끼면 나를 위해서 서비스하는 것을 느껴요. 항상 성 반응과 제 리듬을 관찰하고 그래서 서로 이야기하고 체위도 나는 이쪽을 원하는데 하면 남편은 자신이 좋아하는 체위는 아니지만 그러면서 즉각 바꾸고. (43세 직장 여성)

네가 원하지 않을 때 남편이 요구하면 나는 "나를 강간하시오" 이렇게 얘기도 해요. 내가 욕구가 없을 때 요구하면 오늘밤은 강간하는 날이다 그러면 남편이 웃으면서 내 임자 강간하면 뭐하냐 하지요. 그러면서 때로는 거절하기도 하고, 나의 성 욕구의 리듬에 맞추고 즐김과 배려감을 나누죠. 성적으로 건강한 삶이라는 것은 솔직하고 정직하고 또 서로의 영역을 존중해 주고, 그래 당신 참 잘난 남자다 하면서 저는 행복을 만들어요. (48세 직장 여성)

아내는 끊임없는 노력과 배려를 통해 남편의 성적 욕구를 수용하면서 자신의 감정을 솔직하게 표현하고 있다. 충분한 의사소통과 상호간의 배려, 남편의 보상과 존중은 더욱 더 부부 생활에 활력과 친밀감을 강화시킨다.

전통적으로 여성의 성은 사회적으로 열등한 위치에 있었다. 우리의 전통적 여성상인 자기헌신적 모성상과 아내상은 그 자체가 가치있고 존경받아야 한다고 알고 있지만 전통적인 여성의 역할을 성공적으로 수행하고 또 그것의 가치를 인식하고 있는 여성이라 할지라도 자신의 의지에 의해 선택하지 않았다면 여성은 당연한 숙명이라고 생각할 뿐이지 선택을 잘했다는 자부심을 느낄 수는 없을 것이다.

TIP

여성의 성건강 실천 전략

- 총체적 건강에 성건강을 통합
- 성건강 증진을 위한 인성교육
  - 성적자율성 : 자신의 삶의 방식을 자신의 의지와 이성으로 결정, 선택, 책임, 성적 자기결정권, 성적자가간호 능력
  - 성적 배려 : 헌신적 배려 – 현모양처의 윤리원칙
    상호 배려 – 상호 고유한 능력과 개성 표현
  - 성적 승화 : 성적 각성을 추구하며 성적 만족감, 양성성 부각, 성적 에너지를 통합적 성숙(인격적 자아실현)으로 승화
- 성건강 문제 해결을 위한 상담(플리시트 모형)

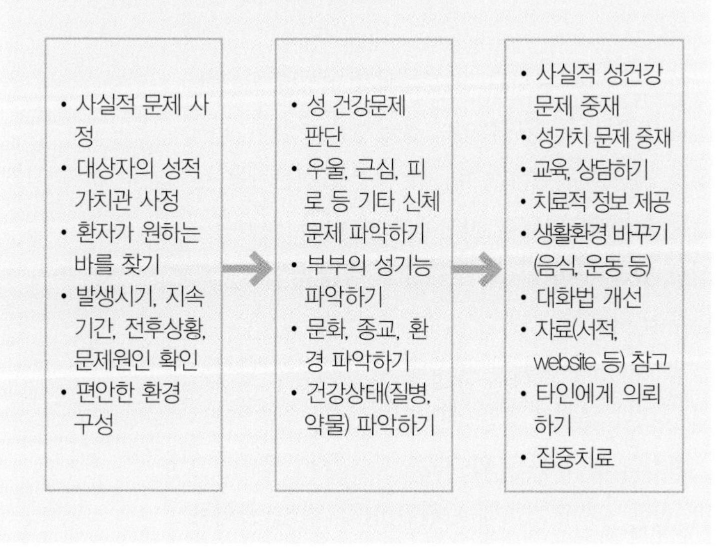

자발적인 희생은 인간관계를 유지할 수 있는 아름다운 것이지만 일방적 희생에 의해 유지되는 인간관계는 기본적인 신뢰관계를 잃는다는 점에서 오래 유지할 수는 없다. 대부분의 여성들은 행복한 가정을 만들고 싶고 이를 성취하기 위해서 여성은 부부 성관계에서 일방적 배려, 자기희생적 배려를 나타낸다.

남편의 배려가 높을수록 부부생활에서 성적 만족감과 성적 친밀성이 강화된다. 결과적으로 배려의 역할을 여성에게만 국한할 때는 자기헌신적 배려일 뿐이며 성적 관계에서 진정한 의미의 인격적 관계가 나타나지 않기 때문에 여성은 성적 불만족감을 나타난다.

배려가 긍정적이고 왜곡되지 않는 건강한 형태가 되기 위해서는 상호 응답하는 대칭적 관계여야 한다. 배려자의 고유한 능력과 개성이 나타나는 성별적 역할이 따로 없는 상호적 배려를 의미한다. 상호적 배려는 배려자의 자아를 실현할 수 있는 자기창조적 배려로 나아가야 한다. 창조적 배려란 서로의 정체성을 침해함이 없이 서로를 자아실현으로 이끌어 주는 인간관계이다. 배려의 의미가 실천으로 나타나는 성숙한 관계이다. 이러한 배려의 의미가 상호실천으로 옮겨졌을 때 여성은 성건강이 지향하는 자아실현을 경험할 것이다.

3. 성건강 문제

여성이 성건강을 유지 증진하기 위해서는 성건강 문제가 무엇인지를 알아야 한다. 여성들이 경험하는 성건강 문제는 성건강을 위협하는 부정적인 요소로 성 생식기능 문제, 성적불편감, 성적 상호관계 방해, 억압적 성 관념, 타율적 성행위, 파괴적

성 경험 등이 있다.

여성의 성건강 문제는 여성의 생존을 위협하기보다는 여성의 삶의 질에 영향을 미친다. 성적으로 건강하기 위해서는 자신의 느낌과 성행동에 대해 민감해야하며 문제가 있을 시에는 교육·상담·치료를 받아야 한다.

1) 성 · 생식 기능 문제

- 여성의 성 생식기관이 정상적인 구조와 기능을 한다 할지라도 성기능이 원활한 것은 아니다. 여성의 몸의 구조와 기능회복에 초점을 맞추는 성 생식건강에 성욕구와 반응, 심리적 요인도 확인하여 여성의 성건강을 총체적으로 도와야 한다.
- 성기능상의 문제는 성적무지, 질병과 성기능 장애가 있다. 질병은 만성질환, 급성질환, 수술 및 외상, 질병후유증, 치료약물 등이 포함된다. 만성질환은 주로 성적 욕구와 흥분에 곤란을 유발하고 만성질환으로 인한 피로감, 스트레스, 동통은 성적 행동 에너지를 저하시킨다. 성기능 장애는 성적 욕구장애, 성적 흥분장애, 절정감 장애, 성교통, 질경련증, 성적 혐오 등이 있으며 비록 이들 문제가 성건강의 기능적 차원이라 할지라도 성적 태도, 성적 상호관계와 밀접하게 관련되어 있기 때문에 다차원적 요소를 고려해야 한다.

다음은 성기능의 장애를 가진 대상자의 사례이다.

나는 하고 싶은 생각도 없는데 책임으로 하려니까 얼마나 지겨워요. 성은 욕구인데요. 성이 즐겁지 않은 것은 건강하지 않은 거죠. 결혼해서 한 번도 좋은 것을 느끼지 못했어요. 신혼 여행때 남편이 좋으냐고 물었을 때 좋다고 거짓말로 대답한 이후부터 지금까지 한 번도 느낀 적이 없어요. 나는 남편에게 빨리하고 내려가라고 해요.

(38세, 기혼 여성)

성행위를 하고 싶은 욕구는, 마치 맛있는 음식을 먹고 싶은 것처럼 입맛이 당겨져야 하는데 나는 그런 욕구가 없어요. 그런 계기가 있을 때는 충분히 맛있는 것을 즐기는 것처럼 성을 즐겨야 하는데 어떻게 해야 하는지, 성을 즐기는 방법을 몰라요.

(48세, 직장 여성)

우리의 전통과 사회문화가 성을 지나치게 억압하여 숨겨야 하고, 이상한 것, 안 되는 것, 부정적으로 취급한다. 나의 부부생활에 대해, 남편의 성욕이 강하다는 것을 자연스럽게 표현하면 정숙하지 않은 천한 여자로 취급당하는 것 같아요. 우리 부부 관계를 이야기하면 나를 아주 속되고 너무 밝힌다고 몰아세우지를 않나, 오히려 성에 대해 무지하고, 성행위를 하지않는 사람이 요조숙녀이고 정상적인 사람처럼 행세하잖아요. 성 욕구가 없는 사람이 왜 정숙한 사람인가요, 성기능에 문제가 있는 거지. 성적 오르가슴은 많이 느낄 수록 좋은 것 아니에요? 그건 삶의 활력소에요. (43세, 직장 여성)

여성의 성과 관련된 건강 문제가 여성의 신체적, 정서적, 사회적 불편함이나 불균형을 초래하여 여성의 안녕을 위협하기 때문에 성건강 전문가는 성행위에 대해 신체적 기능관리 수준을 넘어서서 심도 있게 구체적으로 성건강 문제를 통합적으로 다루어 나가야 한다.

생식기능의 문제는 여성의 생식기능과 생식조절 능력에 문제가 있는 것이다.

여성의 생식기구조와 기능, 생식 능력, 임신, 분만, 산욕, 육아, 가족과 관련된 신체, 정신, 사회문화적 문제는 생식건강에 영향을 미친다.

생식조절 능력은 여성의 성적 자기결정권과 성적 자율성과 관련된 요소이다. 생명의 경시와 존엄성이 영향을 미치며 금욕, 피임, 유산을 포함한다. 인간의 기본 권리인 종족보전과 계승의 본능인 생식 권리를 누릴 수 있도록 생식기능을 방해하는 기질적 장애, 질환, 결함을 경험하지 않도록 해야한다. 국제가족계획연맹(1995)의 성 생식권리 헌장에서 제시한 성 생식건강 권리를 인정하고 추구할 수 있도록 한다.

다음은 생식기능에 문제가 있는 대상자에 대한 사례이다.

혼전 성행위보다 친구의 무책임한 유산은 굉장한 거부감이 생겨요. 아무렇지 않게 생명을 경시하는 것은 견딜 수가 없어요. 그래서 제 친구한테 물었어요. "너는 그 아이가 불쌍하지 않냐"고 그랬더니 자기는 전혀 죄책감이 없대요. 두 번째 유산을 한 후에도 마찬가지에요. 여자는 성행위를 하면 아이를 낳아야 되고 길러야 되잖아요. 여자는 결혼을 해야하고 아기를 가질 수 있는 능력을 갖죠. 제 친구는 아직도 부모님한테서 몇 만원씩 용돈 받아서 쓰는 학생인데 낳을 수도 없고, 능력도 없고, 책임을 질수가 없거든요. 책임 지지 못할 거라면 저지르지 말았어야죠. 가끔 하는 것도 아니고 제 친구 같은 경우는 거의 만나면 매일 관계를 갖는 것 같아요. 피임도 모르나 봐요. (23세, 미혼 여성)

미혼 여성이 친구의 경험을 통해 성 생식 건강 문제로 혼전 성행위, 원하지 않는 임신, 인공유산, 피임, 생명경시, 무책임, 쾌락탐익, 죄의식감을 표현한다.

성적 자기결정권은 자신에 대해서 또는 여성으로서 어떻게 생각하고 행동할 것인지와 깊게 연관되어 있다. 성적 의사결정 시 사회문화적 가치뿐만 아니라 자기자신의 의식적, 무의식적, 합리적, 비합리적 요소들이 포함되어 있기 때문에 성건강 전문가는 성적 자기결정권에는 선택에 따른 책임이 있다는 것과 자신의 건강 보호를 위한 통제력과 책임성 등 자율성을 교육적 상담에 포함시켜야 한다.

2) 성적 불편함

불편함을 느끼는 성적 감정은 성행위에 대한 몰이해, 잘못된 성 지식, 성폭력 후 인간관계 손상, 성관계에 대한 부정적 경험, 성행위중단에 대한 두려움, 교양없어 보이는 것에 대한 두려움, 죄책감, 혐오감, 분노와 폭력, 적개심, 미래에 대한 두려움, 우울, 무기치감, 낮은 자존감, 부정적 신체상, 성적 감정을 억압시키는 환경, 상실과 사별 등이 포함된다.

다음은 불편함을 느끼는 성적 감정을 표현한 사례이다.

생각은 많지만 성행위를 어떻게 하는지 그야말로 엎어져서 하는지 뒤집어져서하는지… 학교에서 배운 적도 없고요. 손으로 하는 것(자위행위)도 최근에 알았어요! 친구들이 넌 너무 몰라라고 해요.
(42세, 기혼 여성)

싫더라구요. 여자는 잠재적으로 순종해야 된다는 것 때문에 잠자리에서도 순종해야 되는 것인가? 어떤 때는 이것까지도 의무여야 하는가? 관계는 일방적인 것이 아니고 서로가 예스 했을 때 이루어져야 되는게 아닌가? (48세 직장 여성)

아직도 성하면 떠오르는 것은 쑥스러움 같은 것, 부끄러움 같은 것, 그리고 밝음보다는 어두움, 이런 것들이 먼저 떠올라요. 나는 다양한 성폭력 피해 경험을 가지고 있어요. 난 이용당하면 안된다는 생각이 항상 있어요. 나의 이성이 내 감정을 지배하고 있어요.
(35세 직장 여성)

재미없고 피곤해요. 그냥 자고 싶어요. 남편의 숨소리도 싫어요. 나는 성행위를 할 때는 김장 담구는 것을 생각해요. (48세, 기혼 여성)

심리성적 편안함이란 성 발달과 성 경험의 결과들을 성적으로 편안하게 느끼는 것이다. 특히 이성이 감성을 억압하는 경우에는 인식전환을 통해 편안한 성적 심리를 누리도록 해야 한다.

다음 사례는 성폭력 경험 대상자가 성에 대한 불편감을 표현한 사례이다.

성건강은 혼전이냐 혼후냐 이런 것보다는 기본적으로 자기자신의 욕구를 인정하고 표현하고 그 욕구가 다른 사람에게 상처를 준다거나 피해를 주지 않는 것이어야 한다고 생각해요. 아직도 성하면 떠오르는 것은 쑥스러움이나 부끄러움 같은 것, 그리고 밝은 면보다는 어두운 면들이 먼저 떠올라요. 그런 다음에 '머릿속으로 아니야, 밝고 건강하게 피해 의식으로부터 벗어나야 해'라는 생각을 하기도 해요. 성이라는 것은 양면성이 있는 것 같아요. 사실 나는 성폭력 피해 경험을 갖고 있어요. 그래서 남성에 대한 불신때문에 성이 싫고, 나쁜 것이라는 생각이 굳게 자리를 잡고 말았어요. 그래서 나는 의식적으로 그건 아니다, 아니다하고 다시 시도를 해보는 거죠. 다양하게 손잡는 것부터 시작해서 키스도 해 보았는데 느낌이 좋지가 않았어요. 그리고 의도적으로 한 번 해봐야 돼, 한 번 해보면 달라질까하고 해 봤는데도 결국 좋지 않았어요. 그리고 왠지 내가 성적도구로 이용당하게 되지 않을까? 이런 두려움이 여전히 남아있어요. 지금도 나는 이성이 감성을 억누르고 있어요. 난 이용당하면 안된다 나는 사람이지 도구가 아니다. 이런 생각, 내 몸을 내가 바라본다기보다는 타인이 계속 내 육체를 바라보는 것 같은 어떤 싫은 느낌, 사회 자체가 여성의 육체를 인격이 없는 물체로 만들고 있기 때문에 자신의 육체를 정말 사랑하고 아름답다, 좋다라든지 내 욕구가 뭐다라는 걸 표현하기가 참 어렵고 잘 안돼요.

성폭력 피해 대상자는 성에 대한 쑥스러움, 부끄러움, 어두움, 불신, 불안, 행동제약, 남자에 대한 혐오감, 피해의식 때문에 성적으로 불편하다. 사랑하는 남자와의 성행위조차 편안하지 않음을 나타내고 있다. 친밀한 접촉을 통해서 성적 편안함을 회복하고자 노력하지만 성폭력의 기억이 감성을 억압하고 있고 이용, 착취에 대한 불안으로 성적 편안함이 없는 상태이다. 성에 대한 신비감과 과잉기대를 가능한 최소화하고 성에 대한 사고를 긍정적, 중립적, 수용적, 진보적으로 바꿀 수 있도록 도와주어야 한다.

3) 성적 상호관계의 문제

성적 상호관계를 발전시키기 위해서 각 개인들은 먼저 자신들의 성각본을 인식하고 통찰해야 한다. 개인들은 상대방의 고유성에 적응하면서 여성의 성각본을 덜 엄격하고 덜 관습적이 되도록 해야 한다. 여성은 더 안전한 성행위와 피임을 해야 하고 성적으로 좋은 것과 필요로 하는 것에 대해서도 의사소통을 할 수 있어야 한다. 어떤 종류의 접촉(손, 입, 성기)을 좋아하는지, 어떻게 자주해야 하는지, 어떻게 해야 오르가슴을 느낄 수 있는지 등 여성의 욕구의 다양한 부분에 대해 비언어적 또는 분명한 언어적 의사소통을 해야 한다. 친밀한 관계에서의 의사소통은 성적 만족 및 관계에 대한 만족 모두와 관련이 깊다.

성적 상호관계문제는 성 표현의 문제로 성각본과 의사소통(언어적·비언어적)이 관련된다. 욕구불만(불만족감, 무관심, 성에 대한 생각과 행동의 불일치, 몰두의 어려움, 마음을 열지 못함, 남편의 능력부족, 애정의 표현결여와 상호기대의 불일치, 성적 환상억압), 남편의 일방적 태도와 행위, 성적 활동에 대한 가치 갈등, 효율적인 의사소통부족, 전통적 성각본, 성적 불평등, 비성적 동기 등이 포함된다. 여성의 성적 상호관계를 강화시키는 요인은 전희, 친밀성, 성행위 시 합의, 다양한 성적 자극, 성행위 시 언어적 표현, 배우자의 배려 등이다.

성적 상호관계에 문제가 있는 대상자의 사례이다.

> 부부 관계는 마음이 내키지 않아도 하게 되는데 그럴 때는 만족감보다 허탈감과 권태로움이 와요. 남편은 분위기에 무디고, 사실 어떤 때는 너무나 피곤하다고 말로 거절하기도 하는데, 화만 내고 결국 안하고 돌아누웠을 때 내가 잘못하는 건가 이런 생각이 드는데, 어떤 때는 내 자신에게 더 화가 나고요! (35세 직장 여성)

> 결혼을 해보니까 성생활이 참 중요해요, 저희 신랑은 제가 섹시해서 결혼했데요. 나는 사실 그런 거는 관심이 없어요. 근데 정말 살아 보니까 잘 안 맞아요. 우리 신랑이 과도하게 요구하는 것도 아니지만 안 맞더라고요. 저는 기본적으로 별로 관심이 없고요. 남편도 이제는 좀 그래 해요, 내가 재미없어 하니까 자신도 불만족스러운 거죠. '저 여자가 나를 안 좋아하나, 내가 남성으로서 매력이 없나.' 그런 생각을 하고 또 그런 것 때문에 노심초사하고… 결국 지금 우리는 따로 자요. 안 했으면 좋겠어요. 사는 게 정말 재미없어요. 어떤 때는 스와핑은 어떨까 하는 생각도 들어요.

성적 상호관계는 원활한 의사소통이 건강하고 친밀한 관계의 중심이 된다. 의사소통 기술이 좋지 않으면 첫째, 성적 상호관계에서 문제를 초래한다. 성적 상호관계 시 방해물은 섹스에 대해 이야기하고자 할 때 모델을 삼을만한 것이 없다 둘째는 여성이 성적인 문제에 대해 이야기하면 종종 성적으로 강박적이거나 비도덕적이거나 음란하거나 행실이 나쁘다는 꼬리표를 달 위험이 있다. 셋째, 섹스에 대해 이야기하면 관계에 위협이 될 것이라고 생각하여 자신의 성적 감정이나 환상 또는 성적 욕구에 대해 의사소통하지 못한다. 성적 상호관계에 대한 문제를 이야기하면 이러한 성 문제와 연관된 자신의 성적 역할에 이목을 집중시킬까 봐서 이야기를 꺼내지 못한다.

다음은 친밀한 성적 관계를 증진할 수 있는 부부간의 의사소통전략이다.

- 성적 관계에서 긍정적인 생각과 느낌을 표현한다. "당신을 사랑해요", "당신은 섹시해요", "나는 상처 받았어요", "저를 안아 주세요", "당신 때문에 나는 행복해요", "당신이 나를 만져 주는 게 너무 좋아요"라는 말을 자주 사용한다. 그러나 "사랑하기는 하지만 날 만지지 말아요", "견딜 수가 없어요", "당신은 나를 질리게 하네요", "이 관계 때문에 나는 비참하고 좌절감을 느껴요"와 같은 부정적인 말은 좋지 않다.
- 성적 관계에 대해 자신들의 성적 감정과 즐거움에 대해 서로 이야기한다.
- 갈등을 친밀한 관계와 자연스러운 부분으로 생각하고 성적으로 일치하지 않은 부분에 대해서 서로 비난하거나 탓하지 않고 서로의 견해를 교환하고 공통점을 찾으며 타협한다.
- 친밀한 부부는 그렇지 않는 부부보다 갈등의

횟수가 적고 갈등의 지속 시간도 짧다. 갈등은 의사소통, 성행위, 성격 등의 문제를 경험한다.

- 언어적·비언어적 메시지를 정확하게 표현하고 그러한 메시지를 정확하게 해석할 수 있어야 한다. 파트너에게 당신이 무엇을 원하는 지를 추측하게 해서는 안 된다. 당신이 원하는 것을 성적으로 좋아하는 것과 싫어하는 것을 말해야 한다.

성적 의사소통은 성별 간에 차이가 있다. 여성은 좀 더 분명한 메시지를 전달하지만 남성은 부정적인 메시지를 전달하거나 무시하는 경향이 있다. 또한 여성은 남성보다 감정적인 분위기를 조성하고 언쟁을 더 조장하는 경향이 있다.

효과적인 의사소통 기술은 나 자신에 대해 친밀감을 느낄 수 있는 정보이며, 나를 드러내는 '자기공개'이다. 성적 상호관계는 항상 진실성에 대한 믿음이 담긴 신뢰 및 또 다른 신뢰감을 주기 위한 자기공개를 통해 건설적인 반응인 피드백을 전달해야 한다.

4) 성 관념의 억압

성 관념의 억압은 여성을 인격적 존재가 아닌 지배, 복종 등과 같은 주종관계에 있을때 나타난다. 성 관념은 성문화에 영향을 받는 가정, 학교, 사회로부터 학습된다. 여자로서 특별히 지켜야 할 규범들과 성과 관련된 일상사에 나타나는 허용 또는 억제와 관련된 사고방식과 행동으로 사회문화적 성각본 때문에 여성은 불편감과 불행감을 경험한다. 성과 관련된 이분법적 고정관념은 남성 모두를 관념적으로 억압하고 일상생활 및 성생활을 고통스럽게 한다.

여성의 성적 관념이 억압되어 있는 사례이다.

중·고등학교 여학생들에게 여자이고 싶지 않은 이유가 무엇인지, 또 남학생에게 만약 여자가 된다면 싫은 이유가 무엇인지 물어보면 그 이유가 전부 월경, 임신, 분만이에요. 출산은 경이로운 것이지만 고통이고 임신과 출산은 사회생활하기가 어렵잖아요. 여자로 산다는 것은 업보죠.

내가 학교 다닐 때 무슨 생각을 하였느냐 하면 빨리 나의 처녀를 누구한테 줘 버렸으면 좋겠다고 생각했어요. 왜냐하면 너무 갑갑해서, 그것에 대한 강박관념이 너무 싫었어요. 너 밤길 조심해라, 일찍 들어오라, 여자는 익은 음식이다 같은 이야기는 구속이라고 느꼈어요.

대학교 때 다리가 굵어서 엄마가 매일 마사지를 해 주시고 붕대도 감아주시고 소금물에도 담구고 있도록 하셨어요. 이렇게 1개월을 했는데 그때 내가 여자라는 것을 실감했어요. 엄마는 저를 여성으로 만들려고 하신 거죠. 튼튼한 내 다리는 사실 듬직하고 잘 걸을 수 있어서 좋잖아요. 그런데 엄마는 여성스러운 가늘고 맵시 있는 다리를 만들어 주시고 싶어 하셨죠.
노인들은 처녀가 발가락을 보이면 세상이 망한다고 해요. (중년기 여성)

결혼식에서 순결함을 상징하는 신부의 면사포 역시 혼전순결을 강요하는 여성 성 억압의 하나이다.

당신의 성에 대한 설문지들은 대개가 아주 병적이에요. 만일 그런 일들이 존재한다면 나라가 망할 게 틀림없어요. (노인여성)

섹스에 몰두하는 세대가 나를 언짢게 해요. 인간의 성행위를 연구하려는 사람은 병적인 사람임에 틀림없어요. 아시다시피 성경이 있고 성경은 우리에게 인생의 모든 것에 대해 가르쳐줘요. (노인여성)

우리의 사회는 유교에 많은 영향을 받아 성에 관한 얘기를 하는 것을 부정 시 했고, 잘못된 것으로 생각해 왔기 때문에 우리 여성들이 성행위 시 자신의 감정을 솔직히 표현하지 못하고, 자기가 못 느끼면 못 느낀다든지, 직접적으로 관계를 할 때 이렇게 해 달라 라든지, 이렇게 하면 기분이 좋다든지, 성관계 시 그러한 표현을 할 수 없는 것이 실제 문제라고 생각하거든요. 남편들은 사실 아내가 지금 어느 정도 흥분해 있는지, 어떻게 하면 좋아하는지, 이런 것을 그렇게 관심을 많이 두는 남편들은 없는 것 같아요. 자기만족에 끝나고 치우니까. (중년 여성)

우리의 성구조는 가부장적 성문화에 의해 여성과 남성에게 이중적인 기준을 적용한다. 여성이라는 사실로 인해 기쁘거나 삶의 의미가 풍성할 수 있다는 보편적인 기대보다, 여성이라는 사실 자체가 위협 요인이 된다. 즉 생물학적·사회적으로 여성에게 성각본을 주고 성을 기피하도록 하여 성적으로 취약하게 한다.

여성의 성역할에 대한 가족, 문화, 종교, 대중매체, 사회메시지가 여성의 성과 관련된 생각, 감정, 가치관, 행동에 미치는 영향을 평가해보고 성별, 성적 지향성, 문화, 민족성, 인종에 근거한 편견과 고정관념이 있는지 비판적 시각으로 살펴보아야 한다. 여성은 성건강에 대해 학습하여 정확한 성적정보를 통해 성적 권리를 누려야 한다.

5) 타율적 성행위

타율적 성행위란 사회적 통념이 지배하고 주도하는 성행동을 말한다. 여성이 속해있는 사회가 정숙하고 교양있는 여자는 성적 욕구를 억압하고, 성적 쾌락을 즐겨서는 안되며, 다만 출산의 수단이어야 한다는 잘못된 사회적 통념과 각본이 있다면 정숙한 여성이 되고자 하는 여성은 성적욕구를 억압할 것이고 상호성적 관계는 갈등을 일으킬 것이다.

아직까지 우리 사회는 여성에게 성에 대해 소극적이길 원하고 자제해야 되며 만약 먼저 요구한다면 상대방이 정숙하지 못한 여자로 여기기 때문에 여성이 먼저 남성에게 성관계를 요구해서는 안된다고 생각한다. 대체로 부부의 성관계는 남편 위주이다. 또한 남편에게 자신의 욕구를 표현하거나, 요구를 할때는 아내는 자존심이 상한다고 한다. 여성은 결국 인격적 피해와 상처를 받기 쉬운 위치에서 성적 상호관계를 하기 때문에 부정적, 수동적, 타율적 태도를 취한다.

타율적 성행위란 원하지 않는 성교, 동의하지 않는 임신, 외상적 성경험, 미혼모, 무책임한 성교, 인공유산, 성병, 피해의식이나 모멸감 유발하는 성행위 등이다.

다음은 타율적 성행위에 대한 사례이다.

성관계가 일방적으로 남편이 하고 싶으면 해요. 대화도 없이 밤에 자다가도 남편이 하고 싶으면 하는 등 남편 마음이에요. 남편의 욕구만 채우면 끝나는 거죠. 성행위 후에는 골반 쪽이 뻐근해서 기분이 나쁘고 마치 체증이 나는 것 같아요. 모든 기능의 순환이 정체된 것 같아요. 몸도 아프고 …
무슨 저런 인간이 있나 싶어요.

우리는 데이트하려고 만나는지, 성행위를 하려고 만나는지 헷갈려요. 이제는 동의도 구하지 않아요
(22세 대학생)

사람이 이혼하는 이유가 톡 까놓고 말하면 성격이 맞지 않아서가 아니라 실제로 성관계 불만족 때문이라고 생각해요. 남편 멋대로 하잖아요. 상대방의 몸이나 기분을 전혀 고려하지 않고… 그래도 남편이라도 만족을 하니……. (38세 주부)

지금까지의 성은 남성이 여성의 성을 주도하는 가부장적 전통과 성적 상호관계에서 남성은 능동적이고 적극적이고 주체적인 인격적 특성을 갖지만 여성은 수동적이고 소극적이고 의존적인 존재로 규정짓는 고정관념에 사로 잡혀있다. 성건강 전문가는 사회적 각본의 전통적 고정관념을 개개인의 인식의 변화를 통해 새로운 성문화의 구축과 여성의 새로운 성정체성을 확립하도록 도와야 한다.

6) 파괴적 성 경험

파괴적 성 경험이란 착취, 억압, 폭행, 근친상간, 성폭력으로 성에 대한 혐오감, 공포감, 자기비하, 무기력감, 성적 탐닉, 성에 대한 기피, 자존감 저하를 일으키는 여성의 삶에 가장 심각한 부정적 문제를 야기시키는 사회병리적 경험이다.

다음은 파괴적 성 경험에 대한 사례이다.

우리는 껍데기만 부부이지 알맹이는 부부가 아니에요. 우리는 서로 감정 교류가 없고 매일 싸워요. 나는 목사의 외동딸이었어요. 엄마는 출산하는 도중에 양수색전증으로 돌아가셨어요. 성장과정 중 성기는 절대로 만져서는 안된다는 아버지의 엄격한 교육을 받았어요, 중학교 2학년 때 사촌 오빠한테 성폭행을 당한 적이 있어요. 어머니의 죽음으로 임신과 출산과 같은 성행위 결과에 대한 공포증이 있고, 어머니의 죽음이 제 탓이라고 생각해요. 이런 자책감과 이것에 대한 벌로 성폭력을 당했다고 생각해요. 몸이 더럽혀졌다는 생각때문에 마음의 안정이 깨지면서 더욱더 성격이 예민해지고 성에 대한 공포증을 나타내요. 그래서 자신보다 한수 아래라고 생각되는 남편을 선택했어요. 남편에게 성폭행 사실을 비밀로 덮기 위해 첫날밤이 두려워 처녀막 수술까지 했죠. 저는 성적 오르가즘을 전혀 느낄 수가 없어요.
(26세, 결혼 1년차, 부부의 갈등이 심한 가정주부)

성행위는 몸으로 하는 대화다. 성이란 신성 시 해야할 것도 아니고 더럽다고 천시할 것도 아니다. 성은 건강과 안녕의 기본 요소이고 인간의 조건을 구성하는 요소로 극히 자연스러운 것이다. 우리가 물과 공기를 마시는 것처럼 그렇게 받아들여야 한다. 성은 다른 요소들과도 균형을 이루면서 건강과 행복을 추구하는 것이다. 성행위가 파괴적으로 표현되면 건강과 안녕을 해친다. 이 여성은 섹스를 항상 거부했고 남편에게 자신의 상태에 대해 이해를 구한 적도 없고, 무조건 은폐하고, 지금까지 부부간에 깊은 대화가 없었고 성행위 시에도 어떠한 느낌도 없었다. 치료적 상담이 필요하다.

한국의 성문화는 가부장제와 현대의 상업주의 그리고 유교적 전통이 어우러진 특성을 가지고 있다. 즉 성불평등한 가족제도와 사회구조를 바탕으로 형성되어온 성차별적 성윤리와 성 규범, 성의 상품화에 의해 파급되는 왜곡된 성문화가 외래적인 성의 자유화 풍조와 함께 혼재하는 상황

에 있다. 이러한 영향으로 성을 매개로 여성에게 가해지는 일련의 강제 및 통제행위로 성의 신체적, 정신적, 언어적 폭력이 우리사회에 만연되고 있는 실정이며 성폭력은 피해를 당한 여성들에게만 있는 것이 아니라 모든 여성들에게도 언제든지 성폭력의 피해자가 될 수 있다는 사실로 성적 위협을 일상적으로 느낀다. 여성이 피해자이면서도 스스로 죄인으로 취급당하는 성문화, 순결과 불감증을 여성의 미덕으로 주입시켜온 성문화의 결과이다.

여성의 성건강 문제는 여성의 성적특성이 발현된 이후부터 모든 발달 주기별 과정에서 생물학적, 심리적, 사회문화적, 영적으로 경험하는 사실과 관련이 있고 태도나 상호관계와 관련이 있는 문제들이다. 성건강 전문가는 인간의 발달 주기별로 대상자가 성건강관련 지식, 역할, 의사소통 기술, 자신만의 성적 자기결정을 내릴 수 있도록 통찰력을 제공하고 자신의 성적 가치체계와 책임있는 성적 행동을 결정할 수 있도록 하여 더욱 풍성하고 활기찬 경험과 관계를 만들고 확대시켜 총체적 안녕에 성건강이 통합되도록 하여야 한다.

간호·상담 과정

대상자 최OO. 주 호소는 수면장애와 주의집중장애
간호사 김OO. 지역사회 보건소 간호사

사정

주관적 자료

착실한 기독교인으로 신실한 생활을 하고자 하는 대학교 2학년 여학생입니다. 하루에 심하면 5~6회 자위행위를 하는데 절제할 수가 없다. 나는 내 몸에 마귀가 있다고 생각하기도 해요. 초등학교 5학년 때부터 시작했고 책상 모서리에 외음을 마찰하면서 느낌을 알았습니다. 지금은 이 방법을 사용하지 않아요. 최근에 남자 친구를 사귀게 되었고 결혼도 약속한 사이지만 아직 성관계를 한 적은 없어요.
단지 두려운 것은 남자 친구가 이 사실을 알까봐 걱정이 되고 질분비물이 너무 많이 분비되고 있어서 임신도 못할까 걱정이에요. 누가 나의 외음을 보면 자위행위 시 마찰했던 흔적을 발견할 거에요. 처녀막도 없을 거고요. 요새는 부정한 나 자신을 보고 더럽다고 생각되고 처벌 받아야 된다고 생각하기도 해요. 결혼을 해도 임신도 못할 것 같고 타락한 느낌이 들어요.

객관적 자료

- 23세 대학생
- 피곤함
- 질분비물 증가
- 얼굴 눈가 주위가 푸르스름하다.
- 죄의식감
- 자책감
- 결혼에 대한 두려움 호소
- 산부인과 검진 결과, 처녀막 있음, 외음부에 찰과상 없음, 질분비물 양 많음, 비특이성 질염

간호진단

- 자위행위와 관련된 죄책감
- 자위행위 방법과 관련된 질염의 위험성
- 자위행위와 관련된 지식 부족

계획

- 점진적인 접근을 한다.
- 주의깊게 경청한다.
- 수용적이고 온화한 분위기를 제공한다.
- 자위행위에 대한 잘못된 믿음에 대해 정확한 정보를 제공한다.
- 자위행위는 정상적인 성 욕구의 해소방법임을 이해하도록 한다.
- 자위행위를 해서는 안된다는 강박적 불안을 해소하도록 한다.
- 남자 친구와의 관계를 더욱더 친밀하게 유지하도록 한다.
- 자위행위는 자신의 성적 욕구를 조절하는 정상적 표현이다.
- 질분비물 증가의 원인을 확인하기 위해 산부인과 병원을 소개한다.
- 자신이 느끼는 감정, 희망, 야심을 표현하면서 자긍심을 높인다.

수행

- 성적 욕구가 있을 때는 집에 가서 혼자 있을 때 자위행위를 한다. 해서는 안된다가 아니라 해야한다로 바꿈으로서 자신을 학대하고 처벌하는 죄의식에서 벗어나도록 한다.
- 내면의 성적 욕구를 자연스럽게 친척이나 친구들과 속깊은 이야기를 한다. 사실 자위행위에 대한 죄의식은 남자들보다 여성들에게 더 많다. 착한 여성은 섹스행위에 대해 수동적이어야 한다. 착한 여성은 성에 대해서 모르는 것이 좋다. 정숙한 여성은 성기를 보거나 만져서는 안된다. 이것은 사회적 문화적 통념이기 때문에 벗어나도록 한다.
- 자위행위의 장점을 공유한다. 자위행위와 관련된 문제는 섹스문제로만 국한되는 것이 아니고 이성관계, 대인관계 및 부부 관계의 문제까지 연결된다. 성 욕구에 대해 억압, 처벌, 금기로 일관하면 성에 대한 강박증을 유발한다. 억압, 처벌, 금기는 부모의 성에 대한 무지에서 비롯되며 부모들은 흔히 결혼하고 나면 성에 대해 모든 것을 알게 된다고 잘못 생각한다. 결혼 전에 자위행위의 장점은 결혼 직후에 오르가슴을 느껴서 부부 관계를 더욱 좋게 만들 수 있다. 또한 자신의 성욕을 조절해서 순간적인 유혹에도 자신을 방어할 수 있다. 여성의 요실금을 예방할 수 있다 등이다.
- 안전한 자위행위방법을 사용한다.

평가

- 자위행위가 건강한 성 표현임을 말한다.
- 자위행위를 1주에 1~2회로 조절한다.
- 비특이성 질염으로 진단되었고 처방약을 먹고 있다.
- 외성기에 자위행위로 인한 어떠한 타박상도 없었음을 확인하였다.
- 남자 친구와 친밀한 데이트를 하며 결혼을 약속하였다고 한다.
- 성상담에 긍정적으로 반응한다.

TIP

자위행위

성적 쾌감, 특별한 즐거움, 보상차원으로 자신의 성기를 문지르거나 애무, 자극한다.

장점

- 성욕을 배출하는 정상적 행위다.
- 불법이 아니며, 생명을 단축시키거나 건강에 해롭지 않다.
- 자신의 몸을 배우는 중요한 수단이다.
- 자극에 민감하며 성적인 반응을 알게 되며 오르가슴을 알게 된다.
- 파트너가 성관계를 원치 않을 경우, 파트너를 존중해 주면서 자신의 욕구를 풀 수 있다.
- 노년기까지 성기능을 보존할 수 있다.
- 자위행위에 대한 긍정적인 태도를 가지며 죄책감에 빠지지 않는다.
- 성적인 스트레스를 풀어 주고 기분이 전환된다.
- 성기능 장애 치료를 위한 효율적인 방법으로 사용된다.
- 긴장 완화제, 수면제로 사용된다.
- 술이나 담배, 초콜릿과 다르게 건강에 무해하다.
- 성병을 예방할 수 있다.
- 성교의 시작 시기를 늦출 수 있다.
- 다른 누구에게 해를 끼치지 않고 자기자신을 위험에 빠트리지 않으면서 성적 환상을 발산하는 수단이다.
- 자위행위를 통해 자신의 성감대를 찾아내고 성 파트너와의 관계에서 자유로움과 몰입, 상호교류, 성적 만족감을 얻는다.
- 상호자위행위를 시도할 수 있다. 이를 통해 아내에 대해 이해하고 성감대를 알 수 있다. 또한 아내의 오르가슴을 존중하고 배려했는지 알 수 있게 된다.
- 혼자 자위행위를 하듯 상대에게 상호자위행위를 설명한다.
- 파트너와 진지하고 솔직한 대화가 꼭 필요하다.

감염 예방원칙

- 손을 청결히 한다.
- 수용성 윤활제를 사용한다.
- 물건이나 손가락을 항문에서 질에 삽입하는 것을 삼간다.
- 진동기와 삽입에 사용하는 물건은 청결하게 보관한다.

memo

No.

NAME
NOM

*SEXUAL HEALTH CARE

성건강 사정
Assessment for Sexual Health

가치 명료화 **훈련**

성건강 사정이란 성건강 문제를 확인하는 것이다. 이는 성건강력에 대한 문진과 성 생식기의 신체 사정 및 심리 사정을 포함한다. 성건강 사정에는 대상자의 편안함 수준이 고려되어야 한다. 이 때 대상자의 편안함 수준은 성건강 전문가의 객관적 태도와 정비례한다. 성건강 전문가는 대상자와의 면담 또는 성 생식기 사정 및 정보를 얻는 과정에서 자신의 감정, 생각, 행동을 늘 검토하는 훈련을 해야한다.

훈련을 할 때 우리가 기억해야 할 것은 절대적으로 옳고 틀린 대답이 없다는 것이다. 대답은 우리의 생각과 생활 경험으로부터 나타나는 반응이기 때문이다. 항상 우리의 감정과 생각에 주의를 기울이는 것이 중요하다. 우리의 감정과 생각은 행동에 영향을 미치고 행동은 책임이 따르기 때문이다.

다음의 질문에 답을 하고 당신이 느끼는 감정도 적어보자.

- 집단의 구성원으로 예상치 않게 섹스가 주제로 이야기 됐을 때, 당신은 사생활이 침해되었다고 느끼는가? 아니면 다른 사람의 감정이 신경 쓰이는가?
- 섹스에 대해 말할 때, 남성에게 말할 때와 여성에게 말할 때가 다른가? 섹스에 관한 내용을 말할 때, 소년에게 말할 때와 소녀에게 말할 때가 다른가?
- 성적 유머를 즐기는 사람과 있을 때 당신은 어떠한가? 당신은 남녀 집단에서 성적 유머를 표현하는 것이 적절하다고 느끼는가? 당신은 '질이 낮은' 농담이나 음담패설을 상황에 따라 가끔씩 사용하는가?
- 성과 관련된 속어가 많다. 당신은 음경, 숫처녀, 젖(유방), 월경, 딸딸이(자위행위)와 같은 성교와 관련된 비전문적 또는 전문적 용어에 익숙한가? 당신이 처음으로 이런 용어에 접했을 때를 기억하는가? 성과 관련된 용어는 더 말하기가 다른 말에 비해 어려운가?
- 최근 파트너와 상호관계에 대해 생각해 보자. 신체적 접촉을 하였는가? 대상자를 편안하게 해 주고 수용적 태도를 보여 주기 위해 당신이 사용한 비언어적 표현은 무엇인가?
- 파트너와의 상호관계에서 당신은 남성 또는 여성, 어느 쪽이 신체적 접촉을 할때 편안함을 느끼는가? 당신이 여성과 신체적 접촉을 할때 편안함을 느끼는 장소와 남성과 신체적 접촉할 때 편안함을 느끼는 장소가 다른가? 당신의 신체적 접촉 행동은 어떻게 학습을 했는가?

- 손거울로 자신의 성생식기를 검사한다고 상상해보자, 어떻게 느껴지는가?
- 성생식기 자가검사를 해본적이 있는가?
- 당신은 자신의 성기를 검사하는 것에 대해 생각해 본적이 있는가?

집단에서나 친구, 동료 또는 다른 사람과 함께 자신들의 대답과 감정을 서로 공유해 보자. 구성원들의 감정과 반응은 당신의 감정과 유사한가 아니면 다른가? 성건강력 문진과 성 생식기 신체 사정을 하는 동안 대상자의 편안함 수준을 증가시키기 위해 성건강 전문가는 어떤 태도와 행동을 해야하는지에 대해서도 논의해 보자.

행동 **목표**

이 장을 끝마친 후

- 남성 또는 여성의 성 기관에 대해 설명할 수 있다.
- 성건강 사정 방법에 대해 설명할 수 있다.
- 성건강력 문진에 미치는 영향 요인을 설명할 수 있다.
- 성과 관련된 의사소통의 원칙을 설명할 수 있다.
- 성인의 성건강력 사정을 할 수 있다.
- 아동의 성건강력 사정에 대한 내용을 부모 교육에서 설명할 수 있다.
- 남성 또는 여성의 성기관에 대한 신체 사정을 성건강 교육에서 설명할 수 있다.
- 성건강 사정에서 성건강 교육자·상담자의 역할을 적용할 수 있다.

1. 성 기관

1) 태생기 성 기관

성기는 신체 내부에 있어서 보이지 않는 내성기와 외부에서 관찰할 수 있는 외성기로 나누어진다. 여성의 내성기는 난소, 나팔관, 자궁, 질 등이고 외성기는 질입구에 있는 처녀막, 음핵, 소음순, 대음순 등이다. 남성의 내성기는 고환, 부고환, 전립선, 정낭 그리고 정관이며 외성기는 음경, 음낭 등이다.

정자와 난자가 수정이 되면 성 염색체에 의해 성이 결정되고, 단세포가 다세포의 생명체로 성장하는 과정에서 남녀의 내성기 및 외성기가 분화된다. 내성기는 남·녀 내성기로 분화할 부분이 이미 결정되어 있지만, 외성기는 동일한 미분화 외성기에서 남녀를 구분 짓는 신호에 의해 남성 성 기관 혹은 여성 성 기관으로 성장한다. 그러므로 성을 구분짓는 신호가 있기 전까지는 태생기 남녀 모두 형태학적으로 중성적 상태이다. 태아 6주째에 Y성 염색체에 있는 고환결정인자 유무에 따라 미분화 생식샘이 고환(태생 8주경)이나 난소(태생 11주경)로 결정이 되어 발달한다. 그 후 남성 호르몬의 분비 여부가 남녀의 성 기관을 결정한다.

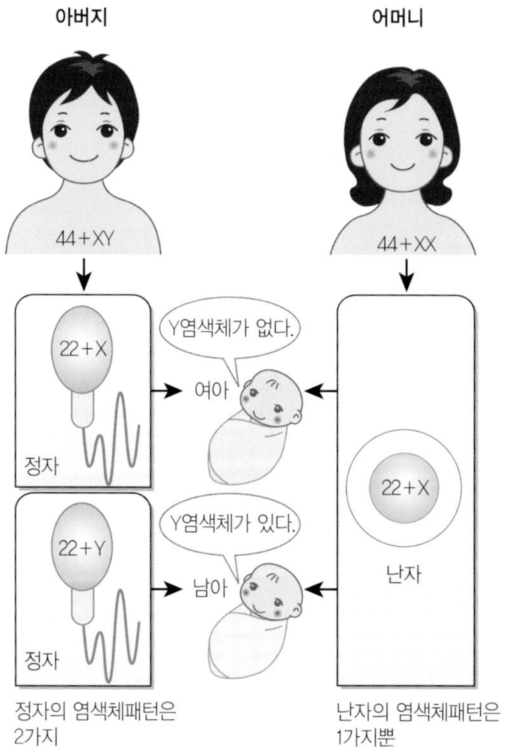

그림 3-1 유전적 성의 결정

성 기관의 발생과 분화

• 유전적 성의 결정

인간은 44개의 상염색체와 2개의 성 염색체를 가지고 있다. 상염색체는 남녀 모두 같지만, 성 염색체에는 X, Y가 있어서, 남성이 되는 것은 상염색체 44개와 성 염색체 XY의 조합, 여성이 되는 것은 상염색체 44개와 성 염색체 XX의 조합이다. 인간의 체내에서 감수분열로 생긴 정자는 (22+X), (22+Y)의 2종류가 있고, 난자는 (22+X)의 1종류뿐이다. 이러한 2종류의 정자 중에서 어느 쪽이 난자와 수정하는가에 따라서 아기의 성이 유전적으로 결정된다(그림 3-1).

• 생식기의 분화

유전적 성이 결정되면, 유전적 성에 따라 생식기가 분화된다. 생식기의 근원이 되는 원시생식세포가 세포분열을 반복하여 미분화생식샘이 된다. 태생 6주까지는 남녀 모두 미분화생식샘 상태이다. 미분화생식샘 내에는 Wolff관(중간콩팥관), 뮬러관(중간콩팥곁관)이 있다.

미분화생식샘의 발달은 Y염색체의 성결정 Y유전자(sex-determining region Y gene, SRY)상에 있는 고환결정인자(testis-determining factor, TDF)가 큰 역할을 한다. 이 고환결정인자가 작용함으로써 미분화생식샘은 고환으로 분화된다. 또 분화된 고환에서는 테스토스테론과

TIP

생식기의 분화

Y염색체는 성결정 Y유전자 상에 있는 고환결정인자를 통해 성을 결정한다. 그것은 성 염색체가 XY라도 염색체 이상으로 고환결정인자에 존재하지 않거나 결손이 있는 경우에는 여성형 생식기로 분화가 진행된다. 염색체는 남성이지만, 외생식기는 여성이다. 반대로 염색체는 XX라도 고환결정인자가 어떤 이유에 의해 존재하는 경우에는 외생식기는 남성형으로 분화하게 된다.

뮬러관억제인자(Müllerian inhibitory substance; MIS, Müllerian inhibiting factor; MIF)가 생산된다. 테스토스테론은 Wolff관을 정소상체·정관·정낭·사정관으로 분화시키고, 뮬러관억제물질은 뮬러관을 퇴화시킨다. 또 테스토스테론이 대사하여 만들어지는 DHT(dihydrotes-estosterone)는 남성의 외부생식기(전립선, 음경, 음낭)나 요도로의 분화를 유도한다.

Y염색체가 없는 경우에 미분화생식샘은 미리 난소로 분화되도록 프로그램되어 있다. 즉, Y염색체가 없어서 TDF가 작용하지 않으면 미분화생식샘은 난소로 분화되므로, 테스토스테론이나 뮬러관억제물질이 생산되지 않는다. 그러면 Wolff관은 퇴화되고, 뮬러관에서는 난관·자궁·질(상부 2/3)이 분화된다. 또 외부생식기도 미분화생식샘과 마찬가지로 여성형이 되도록 프로그램되어 있어서, DHT가 작용하지 않는 환경에서는 질(하부 1/3), 회음, 요도가 형성되어 간다. 인간의 성 분화는 기본적으로는 「아무 작용도 하지 않으면 여성형이 되는」 구조로 되어 있다(그림 3-2).

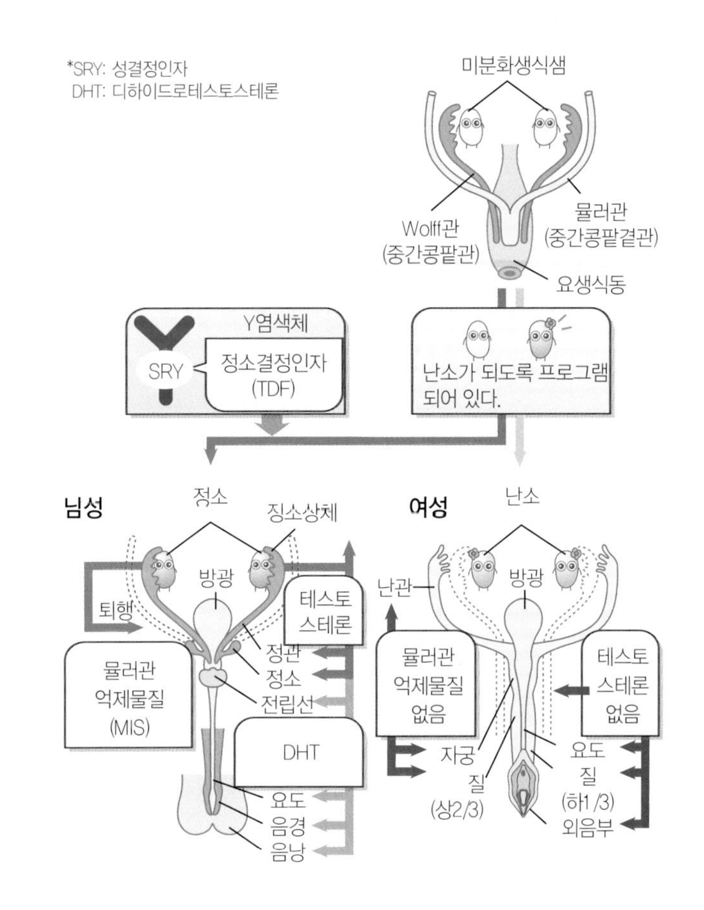

그림 3-2 생식기의 분화

- 생식기의 발생과정
  - 성의 분화에는 유전자, 성선, 표현형(외성기, 내성기)의 3단계 과정이 있다.
  - 유전자의 성은 성 염색체의 구성으로 결정된다.
  - 성선은 태생6주까지는 남녀 모두 공통(미분화생식샘)이며, 미분화생식샘은 난소로도 정소로도 분화할 수 있다.
  - 유전적 남성(XY)에서는 Y염색체상의 성결정유전자의 존재로, 미분화생식샘은 태생 7주경에 고환으로 분화한다. 유전적 여성(XX)에서는 성결정유전자가 존재하지 않으므로, 미분화생식샘은 난소로 분화된다.

태생기에 동일한 기원을 가졌지만 남녀 성의 차이에 의해 다른 모습으로 나타나는 구조물을 상

그림 3-3
내부생식기의 분화

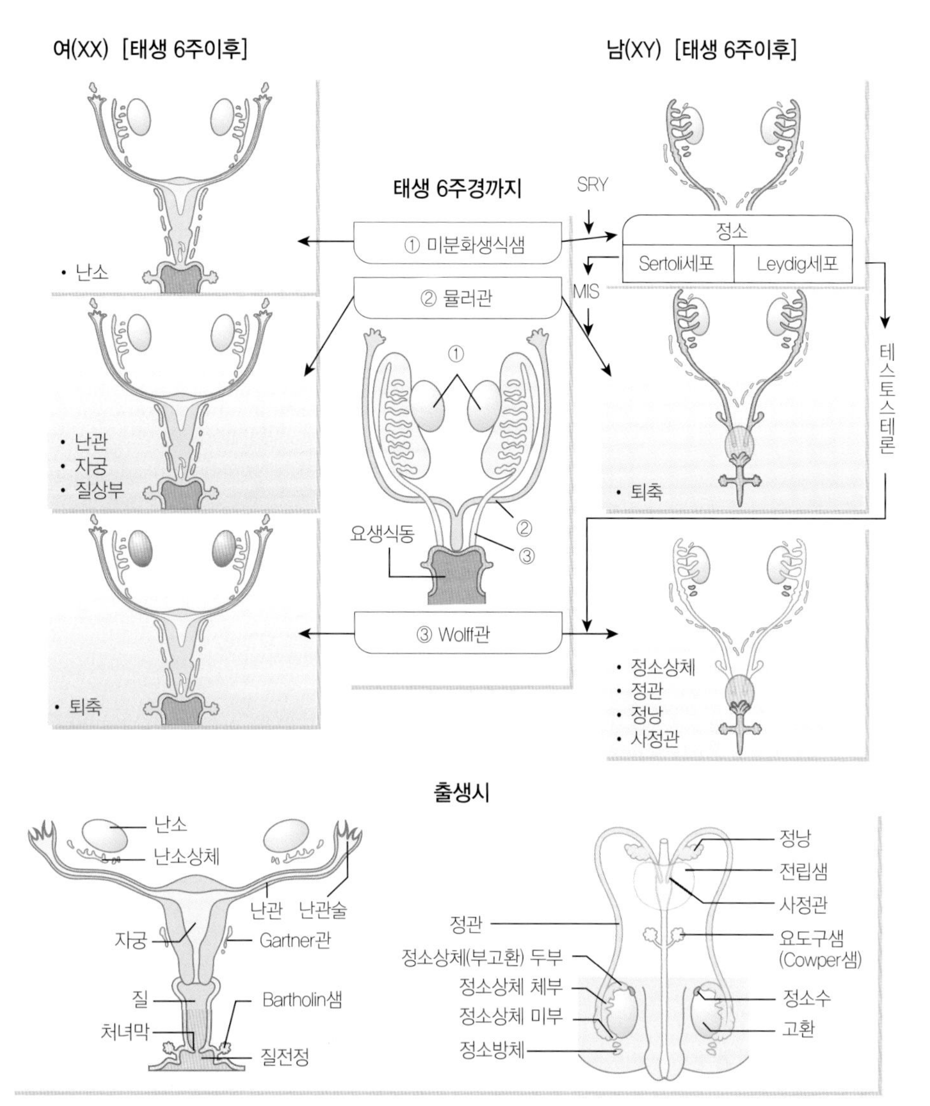

MIS : müllerian inhibiting substance, MIF : müllerian inhibiting factor, SRY: sex determining region Y

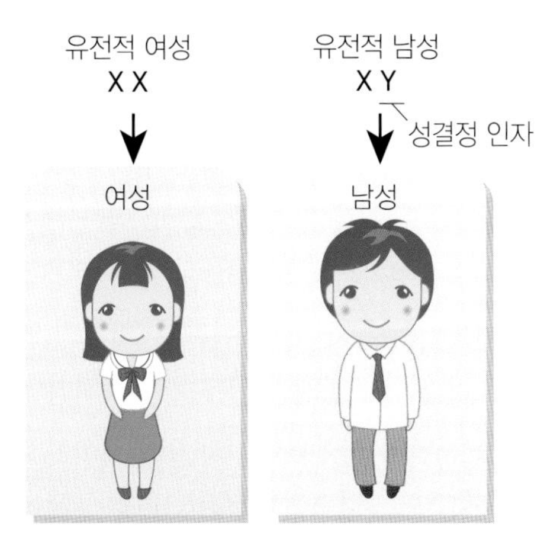

그림 3-4
성 염색체의 구성

표 3-1 태아기에 동일한 세포에서 발달하는 구조

남성 생식기	여성 생식기
음경	음핵
음경부 요도표면	소음순
전립선	스킨선(skene's gland)
음낭	대음순
요도해면체	질 전정구
고환	난소
부고환, 정관, 정낭	울프관 퇴화
뮐러관 퇴화	나팔관, 자궁, 질 상부 4/5

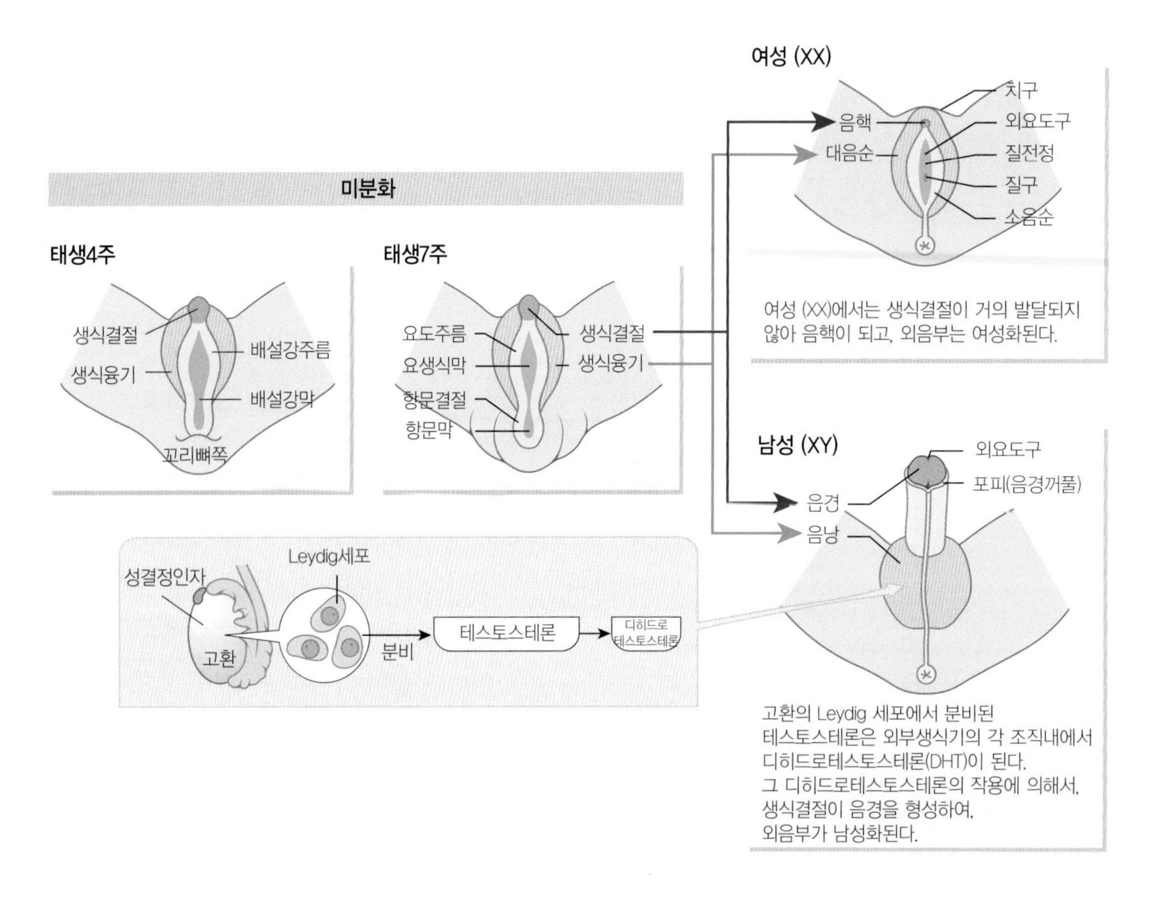

그림 3-5 외생식기의 분화

동기관이라 하는데 표 3-1(그림 3-3~5)과 같다.

2) 사춘기 성 기관의 발달

사춘기가 되면 대뇌의 시상하부에서 생식샘자극호르몬방출호르몬(Gonadotropin Releasing Hormone, GnRH)이 분비되면서 뇌하수체에서 생식자극호르몬인 황체화호르몬(Lutenizing Hormone, LH)과 난포자극호르몬(Follicular Stimulating Hormone, FSH)을 분비한다. 황체화호르몬은 고환에서 분비되는 남성 호르몬인 테스토스테론을, 여성에서는 난소에서 분비되는 프로게스테론을 분비하도록 유도하며, 난포자극호르몬은 남성에서는 정자를 형성하도록 하며 여성에서는 난소에서 난포를 성숙시켜 배란을 유도한다.

난자와 정자의 생성과 발달

인간의 생식에는 난자와 정자, 그리고 생식기의 존재가 필수적 요소이다.

난자와 정자의 시작인 원시생식세포는 태아기 초기부터 만들어진다. 원시생식세포는 난소 또는 정소 안에서 난원세포, 정원세포가 되어, 나중에 난자와 정자로 분화된다.

난원세포는 분열을 반복하여, 1차 난모세포가 된다. 그 수는 약 700만 개에 달한다. 그러나 제1 감수분열을 개시하면 분열도중에 일단 정지한다. 그리고 출생하기까지 약 100만 개까지 감소되며, 그 후 오랜 휴지기간에 들어간다. 사춘기가 되면, 난소 주기마다 1~20개의 난포가 성숙하기 시작하여, 감수분열이 시작된다. 1차 난모세포는 2차 난모세포가 되고, 성숙한 난자가 된다. 극체는 기능

그림 3-6
정자와 난자의 생성과 발달

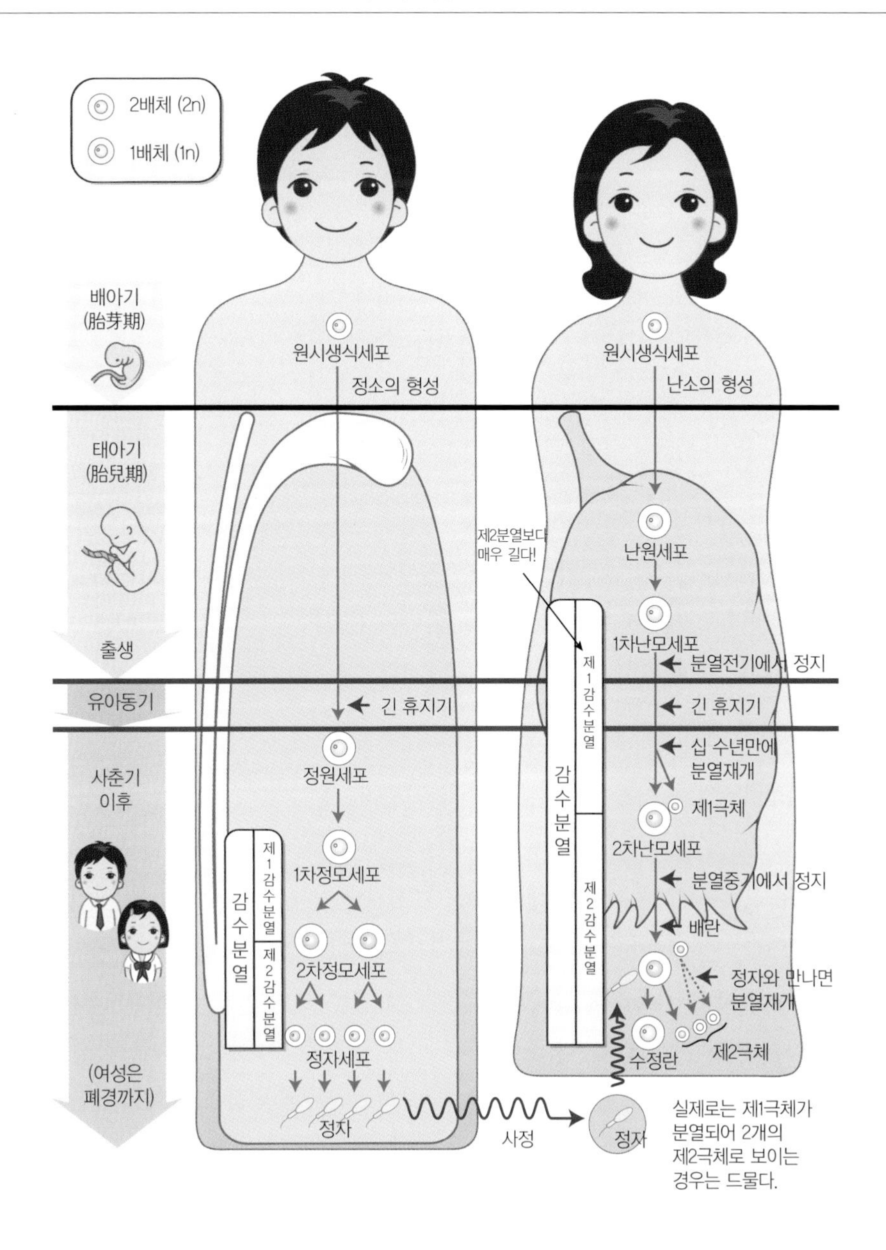

이 없는 세포이므로, 곧 퇴화한다.

남성이 사춘기가 되면 정원세포가 분열을 하며 1차 정모세포가 된다. 이것이 제1감수분열을 일으키면, 2개의 2차 정모세포가 된다. 다시 2차 정모세포는 제2감수분열로 4개의 정자세포가 된다. 이것이 성숙해서, 정자가 된다.

1개의 난원세포에서는 2회의 감수분열을 거쳐서 1개의 성숙난자 (22+X)와 3개의 극체가 생기는 데 반해서, 1개의 정원세포에서는 4개의 정자(22+X 또는 22+Y)가 생기게 된다.

남성은 난포자극호르몬에 의해 고환의 정세관에 있는 정모세포에서 정자를 계속 만들어내지만 여성은 이미 출생 때부터 40~50만 개의 난포세포를 가지고 태어나서 사춘기에 약 5만 개로 감소되어 평생 약 400~500개의 난자를 난포자극호르몬과 황체화호르몬에 의해 배란하게 된다. 남성은

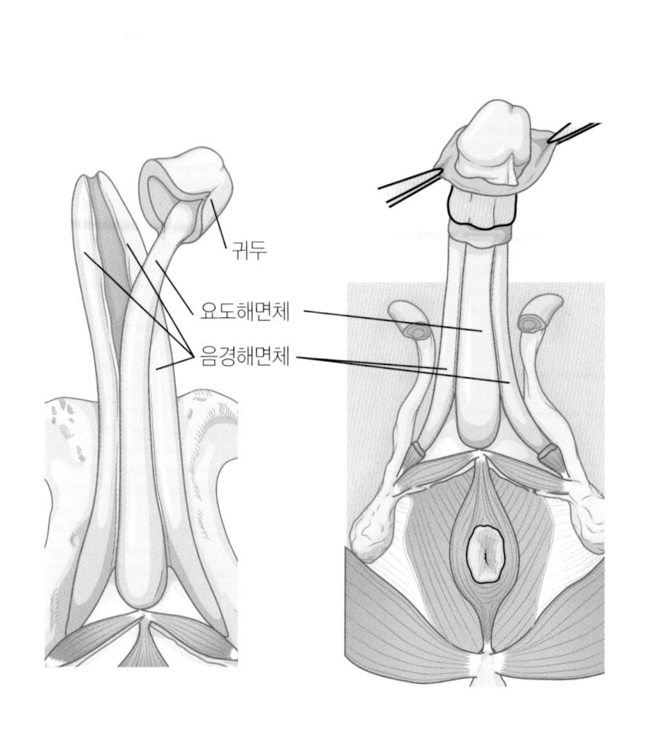

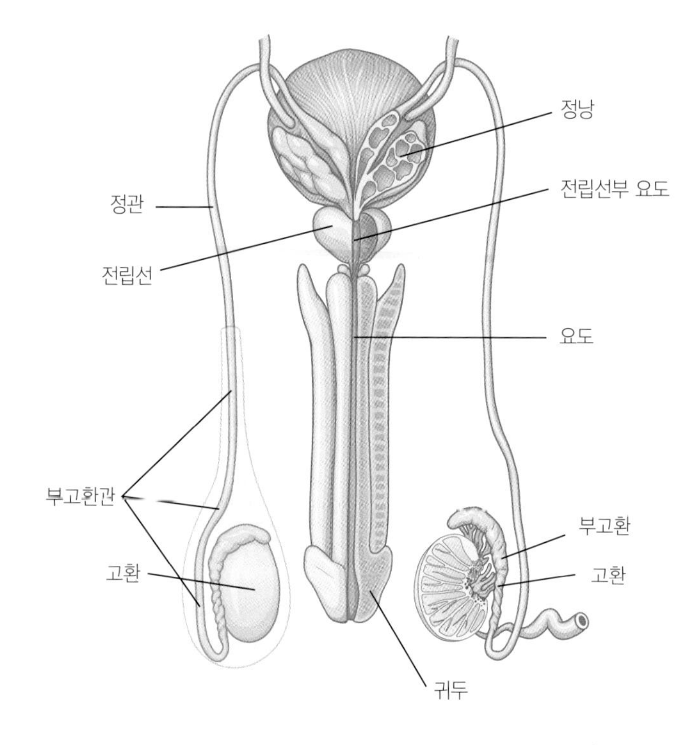

그림 3-7
음경의 구조: 음경해면체와 요도해면체, 고환, 부고환

정자를 사춘기부터 죽기 전까지 생산하지만 여성은 가지고 태어난 난자도 다 배출하지 못하고 폐경기가 되면 생식 능력을 잃어버린다. 사춘기의 신체적 변화는 대개 8~14세에 시작하여 16~18세에 완성된다. 남성은 사춘기가 시작되면 먼저 고환과 음경이 커지면서 치모가 나타나고 일반적인 2차 성징이 나타난 후 정자 형성이 시작된다. 여성은 먼저 유방의 증대로 시작되어 치모 발생, 초경이 일어나고 그 후 배란이 이루어져 완전한 2차 성징이 발현된다(그림 3-6).

3) 남성의 성 기관

성인 남성의 성 기관은 크게 교접기관인 음경과 생식에 관련되는 고환 및 정자통로가 되는 기관으로 대변할 수 있다. 교접기관으로서의 음경은 질 내에 삽입이 가능하도록 강직도를 가지기 위해 발기가 가능한 조직으로 구성되어 있다.

음경

음경은 성교 및 배뇨기관이다.

음경은 음경해면체 두개와 요도해면체로 이루어져 있다. 해면체라는 말은 스폰지처럼 부피가 커지는 조직을 말하는 것인데, 음경해면체는 발기 시에 혈액이 축적되어 커지고 단단해지는 부분이다. 요도해면체 속에는 소변이나 정액이 통과하는 길인 요도가 들어있다. 음경의 끝부분은 거북이의 머리를 닮았다고 하여 '귀두'라고 부르는데, 귀두는 성행위 시에 여성의 질 안에 잘 삽입할 수 있도록 앞부분이 좁혀져 있고 여성의 성기를 보호해주는 충격 장치라고 할 수 있다. 귀두는 남성의 성기 중에서 가장 예민한 부분이다(그림 3-7).

음낭

음낭은 고환, 부고환, 정낭이 있는 피부의 낭이다. 음낭은 주름이 많은 여러 겹의 피부로 이루어져 있으며 고환과 부고환을 안전하게 보호하는 역할

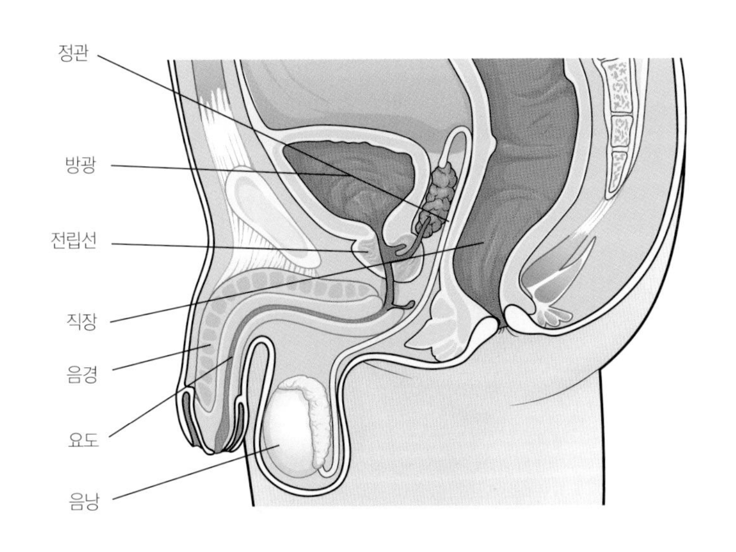

그림 3-8 전립선, 정관, 요도의 위치

을 한다. 음낭은 날씨가 추우면 오그라들어 열 손실을 줄이고, 날씨가 더우면 늘어나서 몸에서 나는 열을 발산시키는 온도 조절 역할을 한다. 이와 같은 기전으로 음낭의 온도는 몸 속 체온에 비해 약 2~3℃ 정도 낮게 유지되는데 이는 고환에서 정자를 만드는 정자 형성 세포가 열에 약하므로 이를 보호하기 위해서이다.

고환과 부고환

음낭 내에는 고환과 부고환이 들어있다.

고환은 정자와 남성 호르몬을 생성하며 태생기에는 신장 근처에 위치하다가 태생기 7개월 무렵부터 아래로 하강을 시작하여 음낭 내로 내려온다. 고환 옆에 붙어 있는 부고환은 머리, 몸통, 꼬리의 세 부분으로 이루어져 있으며 실제로는 한 개의 매우 꼬불꼬불한 부고환관으로 이루어져 있다.

부고환은 고환에서 만들어진 정자를 성숙시키거나 저장하며 오래된 정자들을 분해하고 흡수해서 처리하는 역할을 하며 성적절정감이 있을때 근육수축으로 부고환 꼬리에 저장되어 있던 정자가 배출된다. 고환에서 만들어진 정자는 부고환을 통과하면서 점점 활발해지고 성숙하게 되는데 생성에서 저장까지는 12일이 소요된다(그림 3-7).

정관

양측 부고환에서 나와 방광 아래에서 정낭을 거쳐 요도에 이르는 정관은 성인의 경우 길이가 약 50cm 정도 되는데 가늘고 곧게 뻗는 탄력 있는 관으로 정자가 이동하는 통로이다.

정낭과 전립선

정낭은 정관 끝에 붙어 있는 작은 주머니이다. 정낭은 성 호르몬의 영향 하에 점성 성분을 분비하는데 그 분비물은 정액 내용의 50~60%를 차지하며 과당이 풍부하고, 이것은 정자운동의 1차적 에너지원이 된다.

전립선은 정관과 요도가 만나는 부분을 둘러싸는 분비샘으로서 정액을 생성분비하고 정자를 보호하며 정자운동성을 촉진한다. 정상 성인의 전립선 무게는 약 20g이다. 정낭과 전립선에서 분비되는 액체는 정자와 합쳐져서 정액이 된다(그림 3-7~8).

정액

정액은 약간 유백색의 옅은 노란색을 띠며 밤꽃냄새와 비슷한 비린내가 나는 끈적끈적한 액체로서 정낭과 전립선에서 생성한다. 정액 1회 사정량은 3cc이며 주로 전립선에서 분비된다. 1회 사정 후의 정액 회복은 3~4일 걸린다.

4) 여성의 성 기관

여성의 신체는 잠정적 성 기관이며 성 반응 주기로 기능한다. 신체에는 심혈관계나 다른 기관처럼 어느 부분이 성 기관이라고 명명하고 있지는 않다. 몇몇 책에서 생식기관을 성 기관으로 기술하

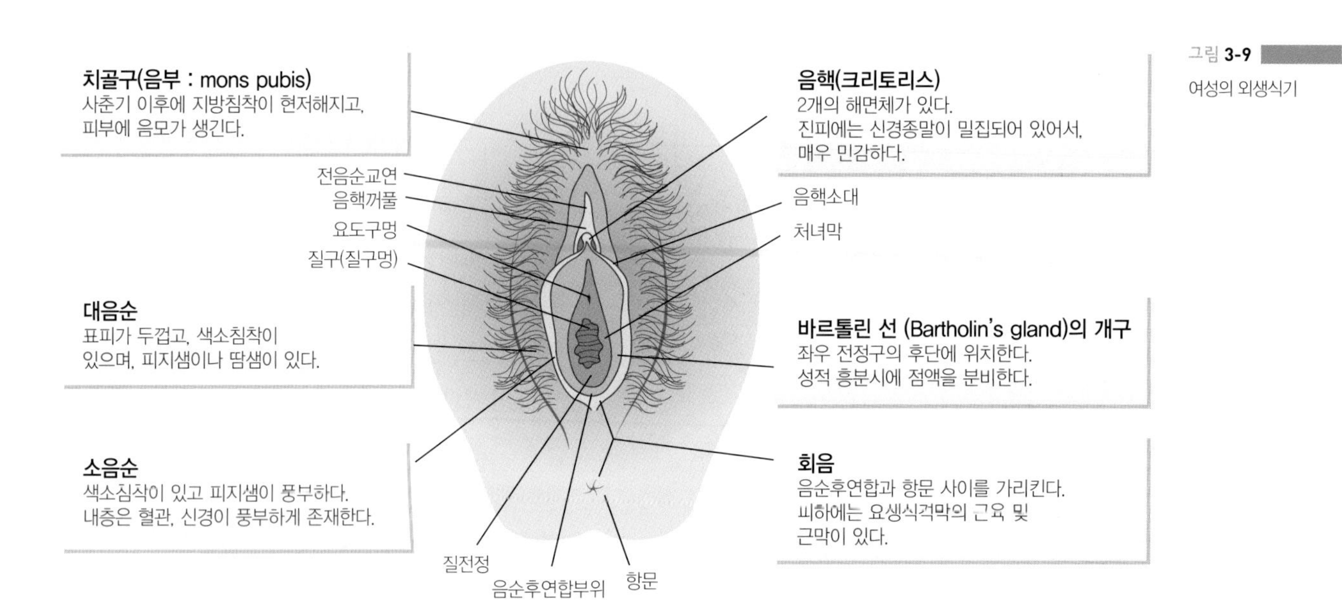

그림 3-9 여성의 외생식기

고 있는데 여성 신체의 모든 부분이 잠정적 성 기관이며 성 반응 주기에 따라 반응하기 때문에 이것은 잘못된 표현이라 할 수 있다.

여성의 신체에서 성적 자극을 민감하게 느끼는 부위, 즉 성감대란 시각, 청각, 미각, 후각, 평형감각, 피부감각 등의 6가지 감각 중 어떤 하나의 감각수용기가 자극을 받아 생기는 것이 아니라 감각수용기의 자극과 함께 신경, 호르몬, 혈관 및 뇌의 작용에 의한 심리적 요인이 합쳐진 복합작용의 결과이다. 이 중에서 성감대와 가장 관계가 깊은 것은 피부감각이다. 감각수용기가 자극을 받으면 그 정보가 신경을 통하여 뇌와 척수의 중추부로 전달되어 그 곳에서 쾌감을 느끼게 된다. 뇌에는 쾌감을 주관하는 쾌감중추가 있는데 중뇌, 대뇌 변연계, 대뇌 기저핵, 전두엽 연합령 등이 이와 관련된다.

성감대는 접촉에 의해서 직접 자극을 느끼는 성기 부분인 1차 성감대와 성기 이외의 부분임에도 성적 자극을 쉽게 느끼는 2차 성감대로 구별된다. 여성의 1차 성감대는 음핵, 소음순, 질어귀(vestibule, 질전정), 질, 유방 등이 이에 속한다. 반면 남성은 음경, 음낭에 국한된다. 여성은 성감대가 다양하고 복잡한 것처럼 성적반응도 수동적, 점진적, 정서적으로 발전한다. 남성의 성적반응도 성감대가 단순한 것만큼 능동적, 급진적, 육욕적인 형태를 띤다(그림 3-9).

음핵

여자 음문 상부에 있는 작은 돌기로 발기기관이며 가장 성감이 예민한 곳이다. 남자의 음경과 상동

TIP

음핵(clitoris)

- 음핵은 귀두, 체부, 주름띠, 포피발기조직, 분비샘들을 포함한 모두 18개의 부분을 포함하는 매우 큰 그리고 오직 '쾌락만을 위한 기관'
- 보이는 크기의 약 20~40배, 지방과 뼈로 감추어져 있음
- 음핵에는 8,000여 개의 신경이 있음

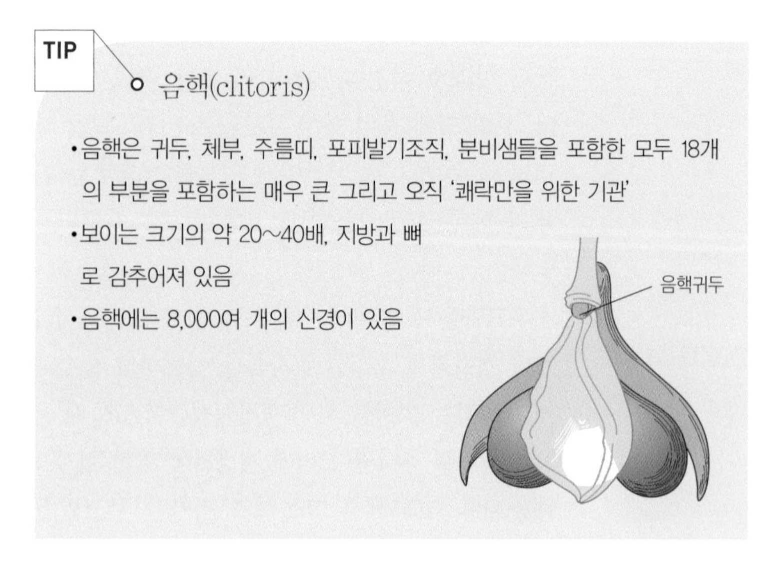

그림 3-10

여성의 내생식기
자궁, 난관, 난소, 질

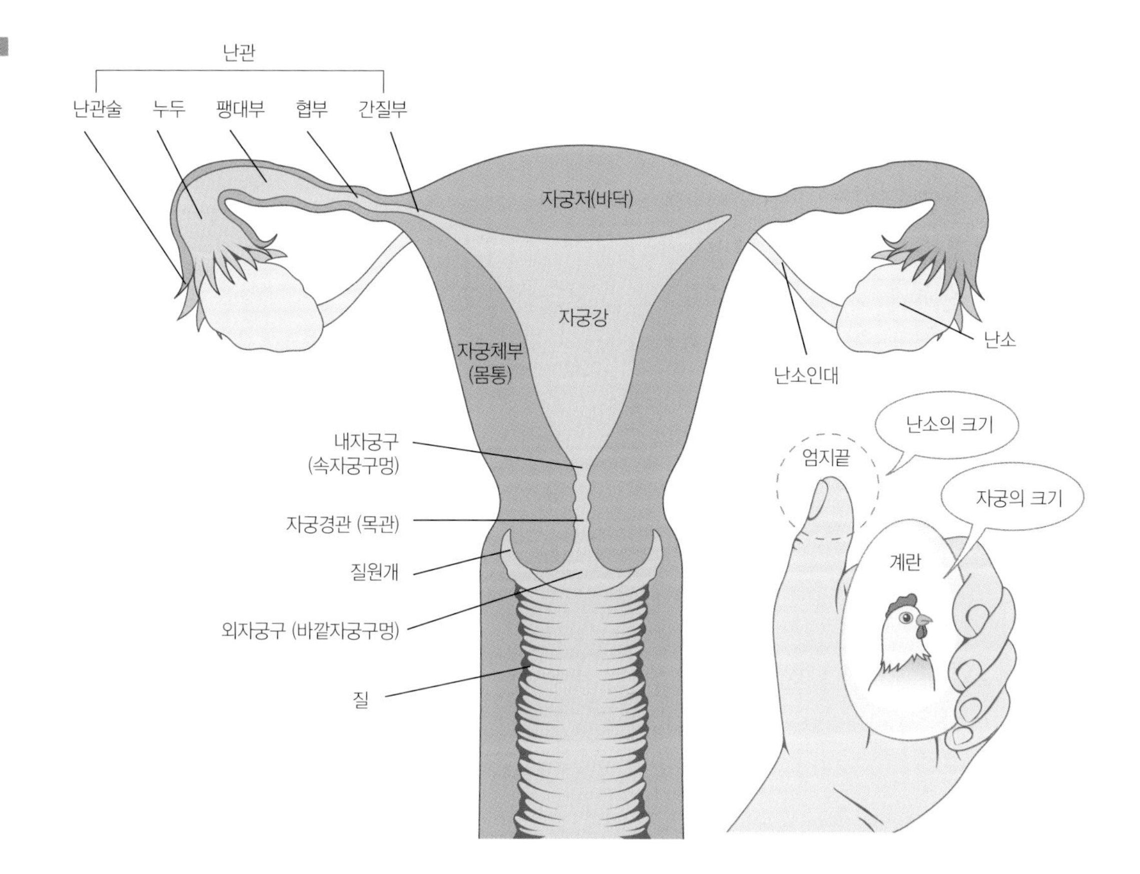

그림 3-11

자궁의 구조 및 조직세포

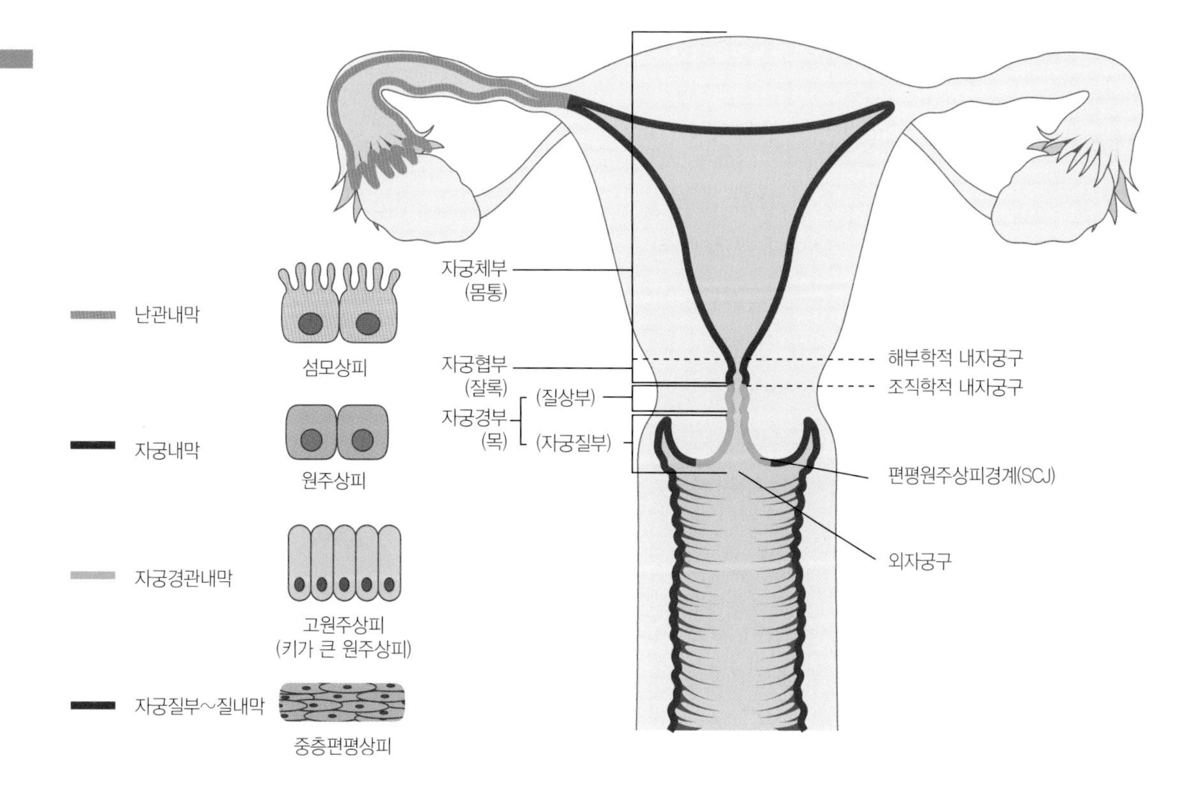

기관이다. 음핵의 크기와 모양은 다양하다. 2.5cm 길이의 음핵줄기는 질 입구 위쪽에 위치한다. 음경에 비해 음핵은 성적 쾌감을 받아들이는 기능만 갖고 있다. 질 성교시 쾌감도 음핵의 마찰에 의하며 음핵의 발기부족 상태에서는 쾌감이 오기 어렵다. 발기된 음핵은 비교할 수 없을 정도로 질보다 예민하며 음핵에는 약 8,000개의 신경말단이 집중되어 음경귀두보다 두배나 많아 민감도가 훨씬 높다. 여성은 음핵을 충분히 자극하는 것만으로도 오르가슴을 경험할 수 있다. 음핵접촉은 쾌락적이지만 과도한 자극은 고통이 될 수 있다.

대음순

발생의 기원은 남성의 음낭과 같으며 주로 혈관과 탄력섬유가 분포되어 있다. 피하조직이 발달되어 흥분이 고조되면 두터워져 충격을 흡수하는 기능을 한다. 자극받지 않은 질 속에 음경 또는 다른 물체가 들어가는 것을 방지하는 역할을 한다.

대음순의 크기 변화는 흥분 정도와 분만경험 여부에 따라 달라지는데 분만경험이 있는 여성은 2~3배까지 늘어난다. 대음순은 2차 성징 전에는 소음순이 더 돌출해 보이지만 2차 성징 후에는 뚜렷하게 발달하여 땀샘, 피지샘 등이 많이 분포되어 있어 여성 특유의 매혹적인 냄새의 근원이 된다. 외측에는 거웃(음모)이 많이 나지만 내측은 듬성한 편이다. 거웃이 있는 대음순의 땀샘에서 인간 페로몬(pheromone)을 분비한다. 지각신경이 풍부하여 성감이 매우 예민하지만 염증이나 피부 손상 시에는 매우 아프며 성교 시 통증을 수반한다.

소음순

작은 입술이라는 뜻이다. 소음순은 털이 없고 지방이 없는 피부주름으로 위로는 음핵포피와 연결되어 있고 질 입구의 바로 위와 옆을 둘러싸고 있다. 혈관과 신경이 많이 분포되어 있는 민감한 성감대이다.

소음순은 음핵 위쪽과 연결되어 있기 때문에 음경이 질 안에서 움직이면 이 민감한 부위를 자극하게 되고 마찰하고 밀었다 당겼다 하는 사이에 음핵에 자극을 주어 오르가슴을 일으킨다. 그러므로 음핵의 직접적인 자극이 성적 즐거움을 위해 반드시 필요한 것은 아니다. 여성 중에는 오르가슴에 도달하는데 음핵의 자극보다 소음순의 자극을 선호하는 경우도 있다.

질어귀(질전정)

질어귀는 소음순을 양쪽으로 벌릴 때 그 사이에 보이는 보트 모양의 부위로 앞쪽으로 요도, 뒤쪽으로는 질 입구와 처녀막이 있다. 소음순의 모양이나 크기, 색깔 등은 여성에 따라 다르며 엷은 주름같은 형태부터 닭벼슬 모양으로 크게 돌출되어 있는 것까지 다양하다.

질어귀에는 감각수용기와 말단신경이 집중되어 있어 민감한 성감대 중의 하나이다. 따라서 적절히 질어귀를 자극하는 것만으로 오르가슴에 도달하는 경우가 있다. 질어귀에 가해지는 자극은 음핵과 소음순의 흥분을 고조시킨다. 질어귀와 질 입구 1/3 부위까지를 직접적인 고감도 성감대라고 한다.

질

질은 칼집을 의미한다. 질은 매우 탄력있는 근육과 막으로 이루어진 관이다. 서있을 때 수평과 약 45°의 각을 이룬다. 질벽은 근육성 조직인 매우 촘촘한 주름으로 되어 있다. 질의 입구는 괄약근으로 싸여 있고 감각신경에 반응한다. 흥분하면 조임근(sphincter muscle, 괄약근)이 수축하여 음경을 압박한다. 질에서 가장 민감하게 성감을 느

그림 3-12
내생식기

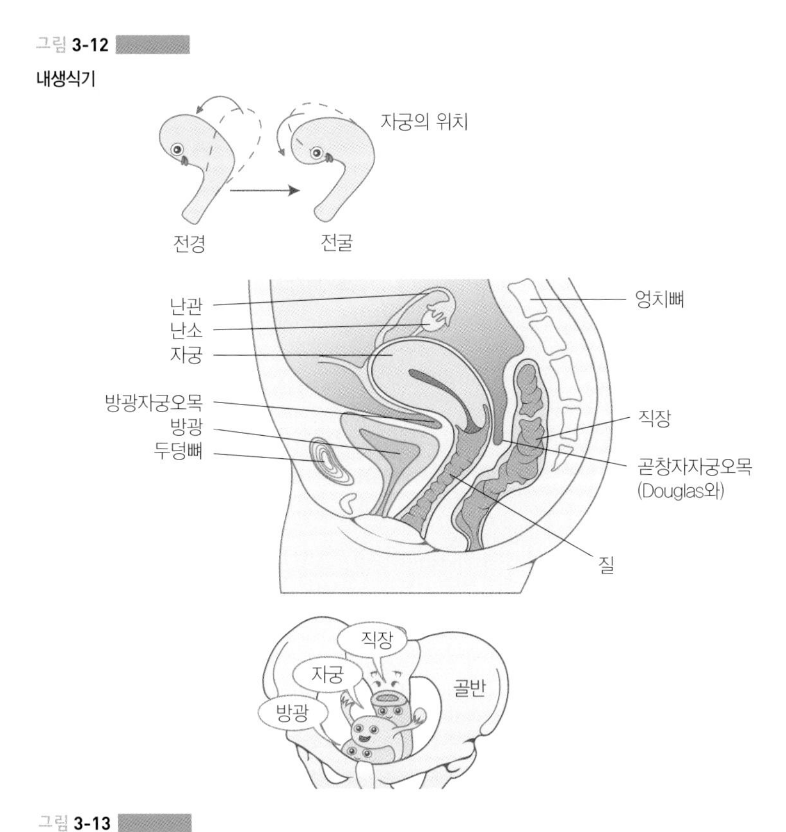

그림 3-13
자궁의 지지조직

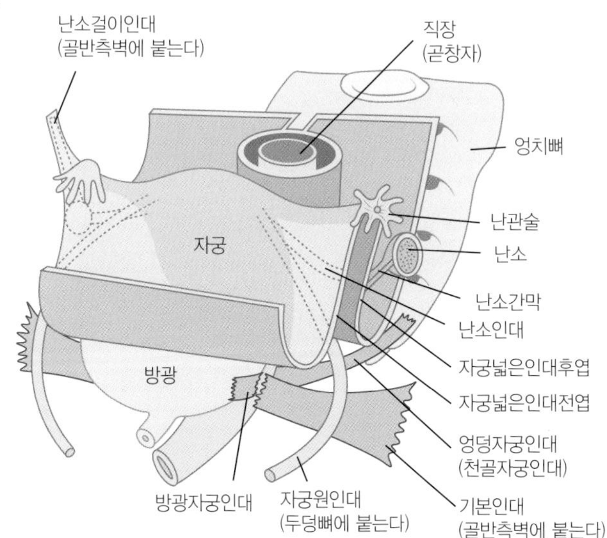

끼는 부위는 감각신경이 집결해 있는 질입구에서 1/3까지이며 그 상부쪽은 감각 수용체가 적게 분포하여 민감하지 않다.

질 입구는 자극을 받으면 쾌감을 느낄 수 있으며 10~30초 정도면 마찰을 감소시킬 수 있는 분비물이 나온다. 질에는 분비선이 없으나 질벽을 통한 삼출액에 의해 습윤상태를 유지하고 있으며 이어 자궁목의 샘과 바르톨린 샘의 분비액이 가세한다. 이들 분비물은 성교를 용이하게 하는 윤활작용뿐만 아니라 정자들을 보호하는 역할도 한다.

성적 자극을 받으면 질 속 깊은 부분의 내벽은 차가운 컵 표면에 맺히는 이슬방울처럼 윤활유 방울로 덮인다. 이 자연적인 윤활현상이 일어나는 정확한 위치를 알면 흥분 단계에서 성적 즐거움을 강화할 수 있다(그림 3-10~11).

G점(G spot)

발견자인 독일의 그라펜베르크(Graefenberg)의 첫 자를 딴 것으로 질 입구로부터 3~4cm 안쪽 상부에 위치한 100원 짜리 동전크기 정도의 단단한 구조이다. 이 부위는 G점, 요도 스폰지라고 알려져 있으며 자극되면 부풀어 오르고 오르가슴으로 이끈다. 남성의 전립선과 비슷하다(그림 3-14).

G점은 매우 민감한 성감대로 여성의 30~40%에서 발견된다. 이 부위는 요도로 통하는 구멍이 있어 자극을 받게 되면 팽창하게 되고 팽창 부위로부터 분비액이 나와 요로를 통하여 배출된다. 이 현상을 여성의 사정반응이라고 한다. 이때 분비되는 분비액의 양은 성감도가 높을수록 많아진다.

여성의 20%에서 이런 현상이 일어난다. 이 액체는 여성의 요도를 통해 나오지만 소변은 아니다. 그 사정 물질은 소변에서는 볼 수 없는 산성 포스타타아제라고 하는 인산분해 요소가 함유되어 있어서 남성 정액의 주성분이 되는 전립선 분비액과 유사하다.

유방

여성의 중요한 성감대로 알려진 유방은 대부분 지

방조직으로 구성되어 있어서 성감이 둔하다. 그러나 젖꼭지는 다양한 감각수용기와 신경말단이 집중되어 있으므로 매우 민감한 부위이다. 젖꼭지는 성적 흥분이 고조되면 젖꼭지 내 근섬유의 불규칙한 수축으로 발기반응이 나타나며 젖꼭지의 발기만으로 오르가슴에 도달하는 경우도 있다. 성적 긴장이 고조되면 유방이 커지고 젖꼭지 주위가 부풀어올라 젖꼭지의 발기 자체는 오히려 감추어진다(그림 3-15).

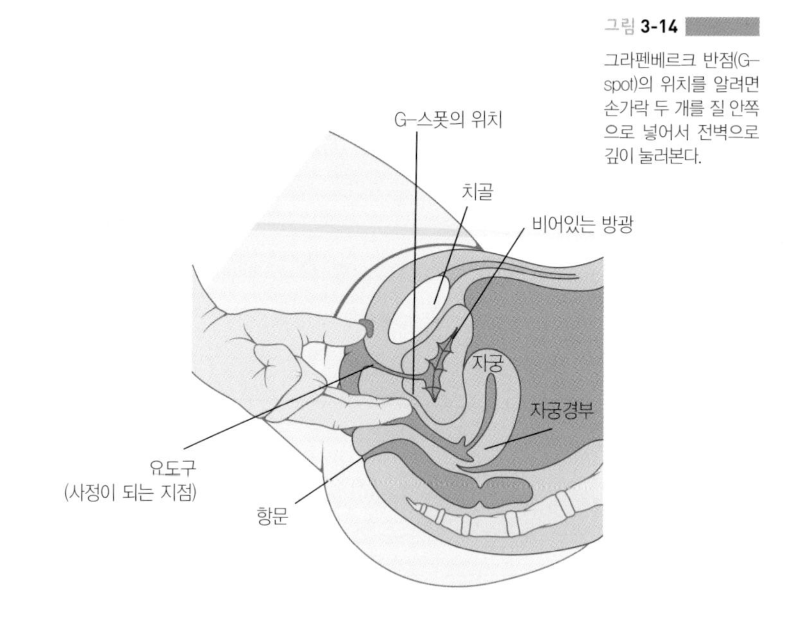

그림 3-14

그라펜베르크 반점(G-spot)의 위치를 알려면 손가락 두 개를 질 안쪽으로 넣어서 전벽으로 깊이 눌러본다.

2. 성건강 사정 및 중재

사정은 주관적, 객관적 자료의 수집과 분석으로 시작해서 간호진단으로 끝난다. 사정은 간호계획, 중재, 평가의 지침이 된다. 성건강력을 문진하고, 여성의 생식기와 유방검사, 남성의 성기, 직장 검사를 시행하도록 보조하는 것은 간호과정의 한 단계이다. 간호사는 전체 간호력에 성건강력을 통합시키고, 성건강 교육에 성 생식기 및 유방에 대한 신체검사를 포함하여야 한다.

1) 성건강력

성건강력은 아동기에서 노년기까지 남성과 여성 모두에게 시행해야 한다. 성건강력은 대상자의 성에 대한 현재의 건강 상태, 질병 상태, 지지체계, 생활 상태, 그리고 성교육, 상담, 의뢰를 위한 정보를 확인하기 위해 필요하다. 특히 성건강력은 대상자의 심리적, 신체적 요구에 대해 간호사의 이해를 증진시키며, 대상자의 현재 또는 미래에 당면할 수 있는 성건강 문제에 대해 논의를 할 수 있다.

성건강은 총체적 건강의 한 부분이다. 때문에 성건강력은 간호력에 통합되어야 한다.

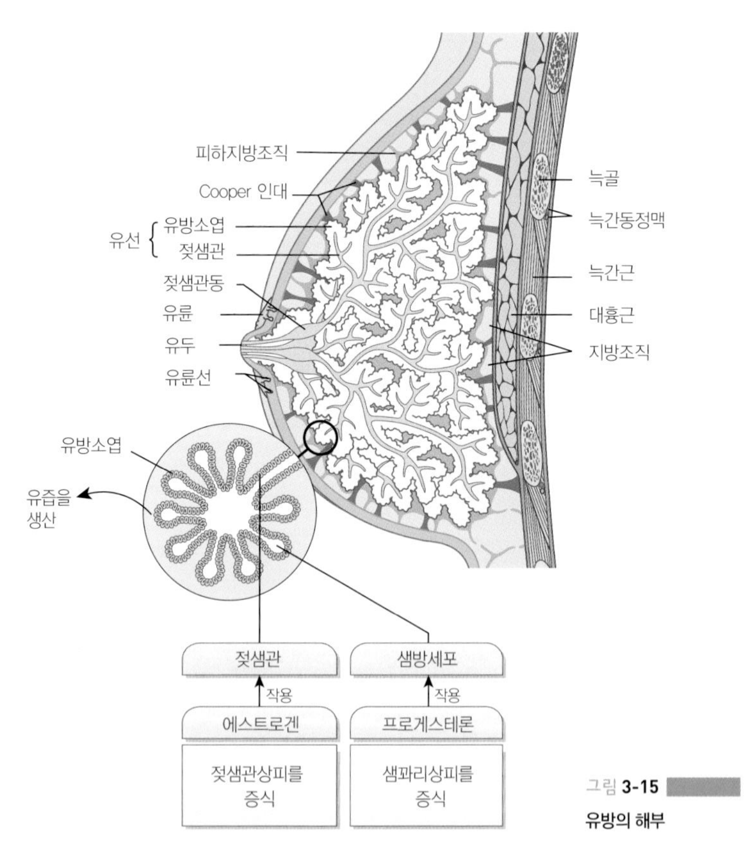

그림 3-15

유방의 해부

간호력에 포함된 성건강력은 대상자의 요구, 기대, 행동에 초점을 두어야 하며, 성건강에 관련된 문제, 잘못된 인식, 교육, 상담, 의뢰에 대해 문진하는 것이다. 성건강력은 현재나 미래의 성건강에 영향을 미칠 수 있는 대상자의 과거력과 현재상태이다. 또한 이것은 신체적, 정서적, 사회적, 성적 존재로서 대상자를 인식하는데 기초를 둔다.

간호사는 대상자의 삶의 경험을 이해하고, 분별하고, 가치를 존중하며, 대상자를 위한 포괄적인 간호를 계획하고, 중재하며, 평가해야 한다.

문진

대상자는 고유한 성적 발달, 개인적·성적 경험, 성적 자아개념, 성적 가치체계, 성에 대한 의사소통 양식이 있다.

성건강력 문진은 신체 사정과 같은 객관적인 것이 아니다. 그것은 정보 탐색 과정으로, 대상자의 개인적이고 사적이며 심지어 비밀스럽게 지각하고 있는 정보이다. 그래서 대상자는 성적 자아개념, 성역할, 성관계를 개방적으로 논의하거나 문진하는 것을 원하지 않으며, 성건강력 문진이 판단과 비판으로 연결될 수 있다고 생각하기 때문에 자신의 감정이 불편해지는 것을 원하지 않는다.

대상자는 성에 대한 정보에 대해서도 꺼려할지 모른다. 또한 대상자는 자신의 성 관련 정보가 유출되거나 개방되는 것에 대해 불안하거나 걱정할 수 있다. 간호사는 대상자를 개인적이고 순수한 성적요구와 바램, 관심, 기대를 가진 개인으로 보아야 하며, 개별적으로 상호작용을 하며 그 차이를 존중해야 한다. 이러한 관계를 통해 수집된 자료는 정확하고 신뢰할 수 있는 자료가 될 것이다.

자료수집

대상자의 수집된 정보는 주관적 또는 객관적 자료로 나눈다.

주관적 자료는 대상자 자신이 경험한 주관적 진술이다. 주관적 자료는 대상자가 결정하는 것으로, 간호사는 대상자의 환경, 지지체계, 요구, 바램, 기대, 그리고 지각된 요구를 수집한다. 대상자는 주관적 자료의 유일한 자원이다. 대상자가 언어로 표현하는 주관적 자료는 가끔 인용할 수도 있고 진술되기도 한다.

객관적 자료는 양적 또는 질적으로 수집되며, 타인이 확인할 수 있는 대상자의 반응과 건강상태로 관찰 가능한 현상과 조건이다. 객관적 자료는 중요한 증상, 신체검사, 임상검사, 언어적 또는 비언어적 행동을 통해 수집할 수 있다. 이것은 면담시 대상자의 행동이나 얼굴표정과 같은 관찰 가능한 증상으로 간호사가 직접 관찰한 단서들로 구성한다. 객관적 자료 수집을 위해, 간호사는 1차 자원인 대상자에서 2차 자원인 남편이나 아내, 부모, 형제자매, 친구, 기타 지지체계로 옮겨갈 수 있다. 2차 대상자들은 객관적 자료를 제공한다.

자료의 기록

문진을 통해 성건강력이 기록되면 기록된 자료는 성건강 전문가가 수용가능하고 중재할 수 있는 자료여야 한다. 그러나 기록은 대상자에게 비밀보장에 대한 염려때문에 불안을 증가시킬 수 있다. 또한 기록은 간호사가 대상자의 얼굴 표정이나 제스쳐를 관찰할 수 없게 하며, 시간적인 낭비를 가져올 수 있다. 그러나 간호사가 대상자에게 자신의 기록내용을 보여준다면 이 문제해결에 자신이 참여하고 있음을 느낄 것이다. 간호사가 기록한 내용을 크게 소리내어 말한다면 기록에 대한 반감을 줄일 수 있다.

자료 수집과 기록을 동시에 할 수 있는 것은 중요한 기술이다. 간호사는 기록의 분량, 요약, 사용한 약어 등의 기록 방법을 선택할 수 있다. 기록은 대상자의 참여를 향상시키는데 사용될 수 있고,

메모의 정확성, 시간을 경제적으로 사용할 수도 있다.

물리적 환경

성건강력 문진 시 정보를 공유해야하는 물리적 환경은 매우 중요하다. 장소는 조명이 잘 구비되어야 하고, 통풍이 잘 되고, 편안한 의자와 침대가 구비되어야 한다. 간호사와 대상자의 거리는 약 50~70cm 간격을 두고 마주 앉도록 한다. 대상자를 위에서 아래로 내려다 보는 것은 피해야 한다. 대상자와 눈 높이를 같게 하여 마주 앉는 자세는 간호사가 대상자의 이야기를 관심있게 경청하며 같이 공유한다는 것을 의미한다.

면담시 대상자의 모든 정보는 비밀을 보장하여야 한다. 만약 대상자가 자신의 면담내용을 누군가가 듣거나 노출될 가능성이 있다고 느낀다면 개인적인 정보를 제공하지 않을 것이다.

따뜻하고 조용한 사무실이 바람직하며 필요시 스크린이나 커튼을 사용하여 대상자의 프라이버시를 유지해 주는 것이 적절하다. 목소리도 너무 낮고 가라앉은 어조나 강도로 문진한다면 대상자를 난처하게 할 수 있다.

소음이 없는 조용한 분위기가 좋다. 소음은 간호사나 대상자 모두에게 경청을 방해하고 불쾌감을 주며, 중요한 정보를 놓칠 수 있다.

대화의 흐름이 중단되도록 하는 방해물은 모두 제거한다. 간호사는 방해물을 통제할 책임이 있다. 만약 대상자의 가족이 함께 왔다면 문진실 밖이나 휴게실과 같은 장소에서 기다리도록 양해를 구한다. 또한 면담시에는 가족들이 대상자를 불러내지 않도록 부탁한다. 간호사와 대상자는 전화벨 소리나 전화 통화로 인해 대화가 중단되지 않도록 핸드폰은 끈다.

문진 시 의사소통

- 대상자의 마음을 편하도록 해준다. 또한 간호사 자신도 불편하지 않아야 한다. 둥근테이블, 간단한 비품, 편한 복장, 쉬운 언어, 인자하고 부드러운 목소리와 표정을 한다.
- 핸드폰은 끄고 대상자의 눈에 시선을 둔다. 대

성건강력 문진 시 의사 소통기술

"당신의 성에 대해서 물어보겠습니다. 만일 1에서 10까지 점수를 매긴다면 당신의 성생활 또는 갖고 있는 문제들이 몇점이나 될 것 같다고 생각하십니까? 당신이 당신의 성에 대해 이야기하고 싶은 것이 있다면 마음 놓고 이야기 해보세요."

"나는 당신의 총체적 건강에 관심이 있습니다. 특히 성건강은 매우 중요한 부분입니다. 당신도 성건강이 당신의 삶에 중요한 부분이라는 것을 이해하였음을 압니다. 나는 당신의 성건강 상태에 대해 몇가지 질문을 하겠습니다." "우리의 면담은 간호력을 작성했던 것과 같은 방법으로 진행할 것이고 비밀이 보장됩니다."라고 말한다.

만약 대상자가 어떤 질문에 답하기를 주저하거나 꺼린다면,

"나는 당신이 어떻게 느끼는지를 이해합니다. 그리고 그 질문은 보류할 수 있습니다. 그러나 당신의 마음이 바뀐다면 나중에 그 질문을 다시 다룰 수 있습니다."라고 말할 수 있다. 대상자가 꺼려하는 질문을 잠시 보류하는 것은 친밀감을 유지하는데 도움이 된다. "당신이 어떤 다른 문제가 생각난다면 나중에라도 연락하기를 바랍니다. 당신과 함께 대화를 나눌 시간을 따로 마련하겠습니다."라고 여운을 남긴다.

"당신은 왜 이런 문제가 생겼다고 생각합니까? 내가 물어보지 않은 것 중에 당신이 나에게 말하고 싶은 것이 있다면 다 이야기 해 주세요"라고 한다.

상자의 감정에 초점을 맞춘다. 고개를 끄덕이고 그래서요, 네 등으로 긍정해준다. 나에게 왜 그러한 질문을 하는지에 대해서 물어본다.

- 의사소통 시 나의 주장, 편견, 판단은 유보한다.
- 의사소통 시 결코 어떤 보장도 해서는 안된다. 대화의 한계를 설정하여야 한다.
- 질문은 쉽고 명확해야 한다. 가능한 전문용어는 피한다. 구체적인 질문을 해야 한다.
- 불필요한 질문은 절대 해서는 안되며 호기심은 버린다.
- 질문을 할때는 가능하면 '아니오'라는 대답이 나오지 않도록 한다. 다른 사람들에게도 이런 식으로 묻는다고 설명하고 어색하면 빼놓고 답해도 좋다고 한다.
- 어떤 내용을 지시하기보다는 몇가지 중에서 선택하게 하고 대상자가 책임감을 계속 느끼도록 한다. 예, 아니오 라고 대답하게 만드는 질문은 좋지 않다. 육하원칙에 따라 "…에 관해서 말해 주세요"라고 묻는 것이 좋다. 가능한 대상자가 력자진해서 자신의 언어로 말하도록 하는 것이 좋고 상담자는 능동적으로 들어 주어야 한다.

성건강력 양식

성건강력 양식은 성건강 간호와 관련된 주제별로

성건강력 문진 시 자아성찰법

성건강력 문진시 대상자의 신뢰가 있는 포괄적인 정보를 수집하기 위해서는 자신을 성찰해야 한다.

- 나는 대상자에게 대답할 시간을 충분히 주었는가?
  대상자는 성건강에 대한 논의가 처음일 수 있다. 양식에 대답할 수 있도록 충분한 시간을 허용하고 너무 오랜 침묵으로 시간을 낭비하는 것을 피한다.
- 나는 대상자에게 성건강에 대한 지식을 교육할 때 너무 예민하고 불안해하지 않았는가?
  당신이 성건강에 대한 지식을 제시할 때, 대상자로부터 불확신감을 느끼는 것은 매우 자연스러운 일이다. 시간이 지날수록 지식은 증가할 것이고, 훈련과 경험을 통해 불안이나 부정적 정서반응은 감소될 것이다.
- 나는 대상자에게 질문을 어렵게 하지 않았는가?
  질문은 너무 서두르지 말며, 대답을 차단해서는 안된다. 생각하고 응답할 수 있는 시간을 허용한다. 적절한 시간을 고려하고 말할 수 있도록 개방형 질문을 한다.
- 나는 대상자가 내가 알지 못하는 것을 질문할까봐 두려워 하는가?
  당신은 모든 대답을 알 필요는 없다. 당신은 자신의 불안과 정보의 부족을 인정해야 한다. 정보를 얻는 당신의 준비태도와 개방성은 대상자에게 수용감과 올바른 인식을 갖도록 할 것이다.
- 대상자가 성건강에 대해 아는 것만큼 나도 정말로 아는가?
  당신은 대상자보다 더 많이 안다고, 또 대상자가 당신보다 더 잘 안다고 가정해서는 안된다. 그리고 당신은 간호과정에서 이러한 지식을 사용하고 확립하도록 도와 줄 것이다.
- 나는 나의 경험에 대해 이야기하고 있는가? 나의 의견과 해결책은?
  대상자는 당신에게 자신의 개인적 경험을 이야기하도록 요청하거나, 비슷한 상황에서 당신은 어떻게 했는지를 질문할 수 있다. 의사결정의 책임은 항상 대상자에게 있음을 기억하라.
  대상자와 함께 성건강은 사적이고 개별적 문제라는 것을 논의해 보자.
  당신이 적절하다고 생각했던 당신의 결정이 대상자의 선택이나 결정에 영향을 미치는 것을 원하지 않는다는 점도 대상자와 함께 논의해 보자.

체계적이고 성문화된 질문으로 구성되어 있다.

일반적으로 질문은 삶의 주기(아동기, 청소년기, 성인기, 노년기)별 성장발달의 패턴으로 시작해서 성관련 지식이나 감정, 태도나 성적행동의 순서로 덜 민감한 주제에서 더 위협적인 주제로 진행한다.

양식에 있는 질문은 대상자가 따라야만 하는 것은 아니다. 양식은 자료를 수집하고 기록하는 지침이며, 성건강 사정도구일 뿐이다. 간호사는 양식에 의존함이 없이도 질문을 할 수 있어야 한다. 간호사가 표현하는 질문내용, 목소리의 미묘한 차이, 동작, 신체적 접촉은 간호사와 대상자간의 상호작용에 영향을 미친다. 간호사는 유도적인 질문보다는 정보와 협력을 요구할 수 있는 보편적인 질문법을 사용해야 한다.

성건강력 문진을 통해 대상자로부터 신뢰가 있는 포괄적인 정보를 수집하기 위해서 자신을 성찰해야 한다.

성건강력 양식은 성인(표 3-2)과 아동(표 3-3)에 대한 성건강력 양식이다. 수집된 자료는 현재 대상자의 건강문제(증상, 상태, 편치 않음, 질병)와 연결된다.

처음 질문 1과 2는 성 정보와 성적 태도의 습득에 대한 자료를 수집하기 위한 것이고, 질문 3, 4, 5는 성역할, 성적 존재, 성기능을 수집하기 위한 것이고, 질문 6은 탐색과 설명에 대한 기회를 제공한다. 모든 질문을 할 수도 있고, 부분적으로 생략할 수도 있고, 첨가할 수도 있는데 이것은 상담자의 결정영역이다.

아동의 성건강은 총체적 건강의 일부분이다. 성건강력은 아동의 성장과 발달에 대한 정보를 제공한다. 아동의 성건강력은 부모와 면담을 통해 확인한다. 그것의 장점은 부모교육으로 연결할 수 있기 때문이다. 부모와 문진 시 전달해야 되는 중요한 메시지는 ① 아동은 성적인 존재라는 것, ② 아동은 정상적으로 섹스에 대해 질문 할 수 있다는 것, ③ 아동은 생식, 자위행위, 월경, 몽정(아동의 나이와 발달 수준을 고려)에 관해 알 필요가 있다는 것, ④ 대부분의 부모는 아동의 성을 이해하는데에 어려움을 경험한다는 것이다.

대부분의 부모는 아동의 성장과 발달에 대한 정보를 얻기 원하며 아동의 성교육에 대해 관심이

표 3-2 성인의 성건강력 양식

1	어릴 때, 당신은 어떻게 섹스에 대해 알게 되었나? 이런 질문을 할때 대답해 준 사람은 누구인가? 당신은 주로 어떻게 성 정보를 얻었는가?
2	섹스에 대한 당신의 초기 신념과 태도는 어떤 것이었나? 초기의 신념과 태도는 어떤 방식에서 지금과 차이가 있는가?
3	당신의 건강문제는 부인, 남편, 어머니, 아버지, 파트너의 건강 문제와 차이가 있는가? 당신의 역할은 무엇인가? 당신은 그 차이를 지각하고 있는가?
4	당신의 건강 문제는 남성/ 여성으로서 자신이 느끼는 방식에 변화를 주었는가? 이것은 당신에게 어떻게 영향을 미쳤는가? 현재 당신에게 성관계는 얼마만큼 중요한가?
5	당신의 건강문제는 성적 기능을 변화시켰나? 성적 기능의 변화가 파트너와의 상호관계에 어떻게 영향을 미치는가? 당신은 이 상황에 적응하기 위해 어떻게 변화를 시도 하였는가? 당신의 파트너와 이 문제를 논의한 적이 있는가? 당신은 그 상황을 어떻게 변화시켰는가? 당신은 성기능에 영향을 미치는 약을 복용하고 있는가?
6	반복해서 다루고 싶거나 좀 더 깊게 얘기하고 싶은 성 관련 질문들이 있는가?

표 3-3 아동의 성건강력 양식 (부모용)

1	당신은 섹스에 관한 아동의 질문에 어떻게 대답을 하였는가?
2	아동은 sex에 대해 누구에게 주로 질문을 하는가?
3	아동이 처음으로 생식(성행위, 어떻게 아기를 만드나)에 관해 이야기 했을 때의 나이는 몇살이었는가? 아동은 월경에 대해서 알고 있는가? 발기에 대해서, 몽정에 대해서 알고 있는가?
4	아동의 성적 활동을 기술해 보자 – 어릴 때는 – 현재는 – 앞으로 예상되는 몸과 태도의 변화는?
5	부모는 자녀(아동)의 성적 활동이 변화되었으면 하고 생각한 적이 있는가?
6	부모는 자녀(아동)의 성관계로 친구나 가족구성원과의 관계에 어떤 문제가 발생됐는가?
7	부모는 원하지만, 논의할 수 없다고 생각하는 무언가가 있는가?
8	부모는 자녀(아동)의 성 관련 부분을 논의 할 때 어떤 사람으로부터 도움을 받고 싶은가?
9	부모는 자신의 성(sexuality), 성 활동, 성건강에 대해 질문이 있는가?

많다. 만약 부모가 아동의 성건강력 질문에서 대답할 수 없거나 선택적으로 대답한다면, 상담자는 충분히 이해할 수 있다고 수용하고 격려한다.

간호사는 부모에게 아동의 성교육에 참여할 수 있도록 도움을 주어야 한다. "많은 부모들은 자녀에게 성교육을 해야된다고 생각한다. 간호사는 부모 에게 내가 당신이 한 것과 할 것이라고 생각하는 것을 더 잘 이해하기 위해 나와 함께 아동의 성건강력을 공유해 보자고 제안할 수 있다.

표 3-3의 양식은 부모나 아동에게 직접적으로 질문용으로 사용할 수 있다. 아동에게 하는 질문은 아동의 발달수준에 맞게 조정할 필요가 있다. 간호사는 아동이 이해할 수 있는 용어를 사용해야한다.

2) 성 · 생식기 검사

삶의 발달과정에서 남성과 여성은 성·생식기검사를 경험할 것이다. 남성과 여성은 성기를 사적이고, 다소 정결하지 못하고, 말해서는 안되고 비밀을 지켜야한다고 사회적으로 조건화되어 있다. 또한 자기신체자극도 금기시되어 있다. 타인과의 성기접촉은 성행위하는 동안에만 허용된다.

대부분 직장과 항문은 더럽다고 여기고, 황당해하고, 굴욕적이며, 수치스럽고, 조소당하고, 책망받는 느낌과 연합되어 있다. 그리고 자신의 성행위는 의사소통에서 배제된다. 항상 성기는 성욕과 관련된 주제 속에 있다. 그러나 질과 항문 부분은 은밀한 유머나 음담패설의 주제이다.

여성은 자신의 신체에 대해 알 권리가 있다. 또한 신체의 건강에 대해 책임이 있으며, 특히 골반과 유방검사의 목적에 대해 알아야 한다. 간호사나 성건강 전문가는 대상자에게 신체검진이나 성건강력을 위한 문진 등에 대해서 설명하여야 한다.

검사자는 대상자에게 외부 성기의 시각적, 촉각적 자가진단의 방법과 평가, 질과 자궁경부의 자가진단과 촉진법을 가르칠 수 있다. 자가진단평가에 대한 교육과 격려는 과거의 성에 대한 금지와 억제와는 상반된 것이다. 대상자에게 직접적인 교육을 통해 자신의 성 생식기를 보게 하고, 만져보고 그래서 자신의 성기를 알 수 있도록 허용함으로써 편안감과 긍정적 인식을 갖도록 해야한다.

남성도 여성과 마찬가지로 검사의 필요성을 설명해야 한다. 남성의 성기 검진 동안 검사자의 태도와 기술은 중요하다. 대상자에게 정보를 제공할 때도 권위적이길 원하는 남성의 요구를 존중함으로서 긴밀한 관계를 발전시킬 수 있다.

성기능에 대한 신체 사정은 정보를 공유하는 경험이 될 수 있다. 성기검사를 통해 개인의 성에 대한 개별성을 존중하면서 성건강 문제를 조기에 발견할 수 있어야 한다.

유방및 골반검사

여성의 유방과 골반에 대한 신체검사의 순서는 하복부에서 시작해서 유방 쪽으로 옮겨간다. 골반검사는 먼저 복부를 진찰하고 외성기의 촉진, 질과 자궁경부의 질경 검사, 검사물 채취, 난소와 자궁의 촉진, 회음과 골반근육의 이완 유무에 대한 평가를 포함한다(그림 3-16).

문진은 검사자가 대상자와의 관계를 수립하기 위해 신체검사보다 앞서 진행한다. 만약 이것이 시행이 되지 않았을 때는 대상자는 검사자가 들어오기 전에 아래 옷을 벗고 가운을 입고 검사용 침대 위에 앉아 있을 것이다. 여성이 받는 강요에 대한 느낌을 해소시키기 위해 검사자는 문진이 시작될 때 대상자와 똑같은 눈높이를 유지하는 것이 도움이 된다. 검사자는 자신을 소개하고, 검사의 목적 및 절차를 설명하고 대상자로부터 질문을 유도한다. 여성은 검사에 대해 정서적으로 동의하기보다는 이성적으로 동의할 것이다.

어떤 여성은 칸막이의 사용을 싫어한다. 왜냐하면 칸막이가 검사하는 동안 자신에게 일어나는 것을 보지 못하도록 방해하며, 여성에게 이 검사가 수치스럽다고 느끼게 하기 때문이다. 검사자는 대상자를 쇄석위 체위(그림 3-17)를 취하도록 도와주면서 침대 상부쪽으로 이동한다. 침대 상부쪽에 있는 대상자는 검사자가 대상자인 그녀를 보는 것이지, 그녀의 성기를 보는 것이 아니라는 확신을 갖게 한다. 검사는 복부촉진부터 시작한다. 그것은 비교적 덜 위협적인 부분에서 신체적 접촉을 시도하는 것이다.

유방검사는 불안감을 야기시킬 수 있다. 그리고 이 검사는 복부를 만졌던 손으로 시행하는 것이 최선이다. 이러한 검사과정은 대상자의 놀라는 반

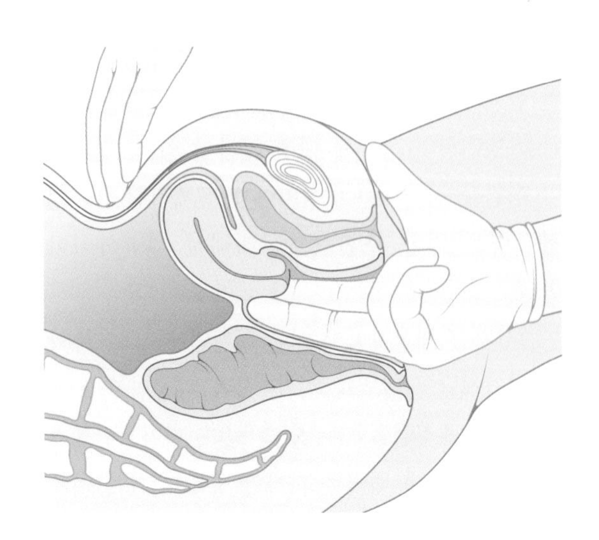

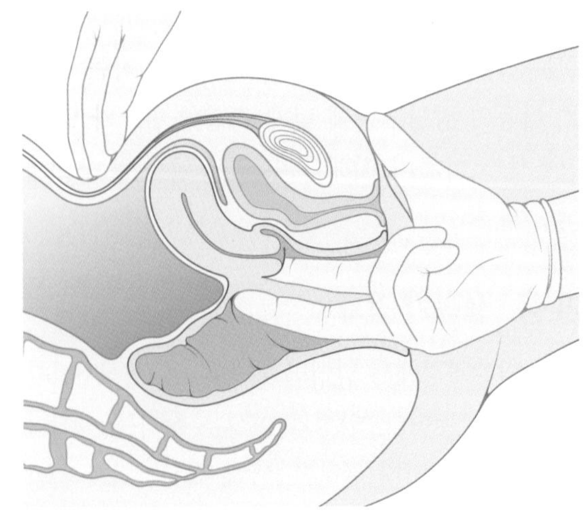

그림 3-16
양손진찰법(좌)과 직장질검진법(우)

그림 3-17
골반진찰법

응을 줄이고, 수용, 관심, 편안함을 전달할 것이며, 신체적 접촉시 거부감이 없는 상태를 유지할 것이다. 유방검사는 유방에 있는 종양이나 질병에 대한 자가진단을 가르치는 이상적인 시간이 될 수 있다. 대상자는 자신의 손으로 검사자의 손을 따라 유방을 자가검진 할 수 있도록 자가검진 방법을 교육하며 대상자가 반복할 수 있도록 한다.

골반검사가 시작될 때, 접촉의 패턴은 무릎에서부터 외성기, 대퇴까지이다. 침대 위쪽을 30~75°로 높이고 대상자와 같은 눈높이를 허용하도록 베개를 제공한다. 장갑을 끼는 것은 감염의 전파를 막기 위함이며 대상자가 정상적이고 깨끗하다는 것을 설명해 준다. 질경을 보여주고 설명한다. 이때 질경을 몇 초 동안 흐르는 따뜻한 물에 담가둠으로써 삽입 시 편안함을 주는 온도와 적당한 습기를 유지할 수 있다.

검사자는 대상자에게 자신의 외성기의 해부학적 구조를 볼 수 있도록 거울을 제공할 수 있고, 질이나 경부를 보기 위해서 밝은 빛 밑에서 질경을 사용할 수도 있다.

검사를 통해, 검사자는 좀 더 깊게 촉진할 것이고, 다른 부분도 촉진할 것이며, 기구도 삽입할 것임을 설명한다.

검사자는 대상자가 검사를 통해 느낄 수 있는 것을 설명하고 불편함을 느낀다면 표현하도록 격려하고 기록한다. 검사자는 질문, 문제 및 주호소를 경청하고, 표현을 많이 할 수 있도록 유도한다. 때로 골반검사 중에 대상자는 "나의 자궁경부를 볼 수 있나요?"라고 말할 수 있다. 검사과정과, 관찰과 확인한 소견에 대해 설명해주고 대상자가 적극적으로 참여할 수 있도록 의사소통을 할 수 있다. 대상자에게 자신이 성적으로 건강상태에 있음을 확인시켜준다. 여성이 자신의 신체에 대해 잘 안다는 것은 모든 여성의 권리이며 성건강을 증진하기 위한 첫 단계이다.

TIP

골반 검진시 대상자와 소통방법

검사자는 "당신의 신경이 예민해 있음을 이해합니다. 대부분의 대상자들이 그렇습니다. 그래서 당신에게 내가 하고 있는 검사에 대해 설명하는 것입니다."라고 시작한다.

검사자는 "지금 당신의 음모를 검사할 것입니다. 이것은 음순입니다. 그리고 당신의 바르톨린샘(gland)은 부어있지 않습니다." 질경을 삽입할 때 검사자는 "당신의 질에 손가락을 두 개 넣을 것입니다. 그리고 나서 질경을 삽입할 것입니다. 지금 질경을 열고 있습니다. 그리고 당신의 자궁경부가 자극된 상태인지, 감염되었는지 체크해 보고 있습니다. 어떤 이상도 볼 수 없습니다. 당신의 자궁경부는 아주 건강합니다."의 식으로 설명과 정보를 곁들이면 대상자의 불편감을 줄일 수 있을 것이다.

남성 성기 및 직장 검사

남성의 경우 성기와 직장검사에 대해 정서적인 반응이 없을 것이라고 가정해서는 안된다. 남성은 여성보다 더 문제점이 많을 수도 있다. 왜냐하면 검사는 통제를 받는 수동성을 요구하고 신체의 침투를 요구하기 때문이다. 남성은 대체로 이러한 경험을 하지 않는다. 남성의 검사도 여성의 검사와 같이, 검사자는 촉진을 통해 신체적 접촉을 하고, 대상자와 같은 눈높이를 유지하고, 검사과정과 감각을 설명하며, 선별진단평가에 참여하도록 격려한다.

남성 성기 검사는 하복부와 외성기 관찰과 촉진, 직장검사를 통한 전립선의 촉진, 유방검사에소 유두와 유륜 등을 관찰하고, 작은 혹이나 궤양의 유무를 확인해야 한다.

여성과 마찬가시로 남성의 성기에 대한 신체검사도 건강력을 먼저 작성한 후에 시행한다. 검사가 성기부분이라면 대상자는 옷을 벗고 검사용 가운을 입어야 한다. 어떤 경우는 대상자가 허리에서 무릎까지만 옷을 벗는 것으로 충분할 수도 있다.

검사 시작 전에 검사자는 자신을 소개하고, 대상자와 같은 눈높이를 유지하며, 검사의 목적과 절차를 설명하고, 문제와 불편이 있으면 말하라고 한다. 대상자가 불안하지 않도록 시행을 한다. 만약 검사자가 여성인 경우에는 촉각적인 자극을 감소하기 위해 장갑을 착용하며 대상자에게 발기가 될 수 있다는 것을 미리 설명한다. 이러한 발기반응은 정상적인 반응이지만 대상자를 다소 당황하게 한다.

탈장에 대한 하복부 검사와 외성기의 검사는 2가지 체위 중 선택해서 시행할 수 있다.

하나는 대상자가 머리부분이 약간 상승된 검사용 침대에 눕는 체위이다. 복부와 다리 가리개를 사용한다. 신체검사는 서혜부, 음낭, 고환, 음경의 순서로 촉진한다. 다른 체위는, 대상자가 선 상태로 있고 검사자는 의자에 앉는 자세이다. 이 체위는 가리개를 사용하기가 어렵고, 대상자의 성기를 검사할 때 검사자의 눈높이 때문에 불안을 초래할 수도 있다.

회음과 음낭후부를 관찰하고 전립선과 정낭의 촉진 검사를 하기 위해서는 2가지 체위가 있다. 한 체위는 대상자가 다리를 벌리고 서서 검사용 침대 끝을 잡고 상체를 구부린 체위이고 다른 체위는 왼쪽 다리를 가볍게 구부리고, 오른쪽 다리는 더 많이 구부린다. 일반적으로 대상자들은 첫 번째 체위보다는 눈맞춤이 불편하지 않고 덜 노출적이다라는 점에서 두 번째 체위가 더 편안하다고 한다.

검사자는 검사를 하면서 관찰한 것을 설명한다. 예를 들어, "나는 당신의 음모의 상태를 보고 있습니다. 피부의 환부나 변화부위를 검사하는 중입니다. 음낭은 2개의 고환과 부고환, 정관 시작부분과 수정관을 포함하고 있는 피부의 근육주머니입니다. 각각의 고환을 검사할 것입니다. 고환은 압박에 민감하기 때문에 만약 당신이 어떤 불편감을 느낀다면 말하십시오. 당신이 사용한 성기자가진단을 어떻게 하였는지 보여주기 원합니다." 검사자는 음경의 귀두를 덮고 있는 피부를 퇴축시켜 검사하고, 부고환, 고환, 수정관을 촉진하고, 음경을 압박하여 분비물을 채취할 것임을 먼저 설명하며 검사에 보조를 잘 할 수 있도록 격려한다. 대상자에게 자가진단평가로 손거울을 사용하도록 한다.

남·여 대상자에게 신체자가검사는 의학적 검사가 아니고 단지 조기발견을 보완하는 선별검사라고 설명한다. 교육은 검사의 모호성과 혼란을 제거해준다. 건강한 성 기관에 대한 구조와 기능을 설명할 수 있다. 교육을 통해 책임감 있는 의사결정을 하도록 언어적, 촉각적, 시각적 정보를 제공한다.

3) 간호진단, 계획, 수행, 평가

간호진단은 문제확인단계로 사정에 대한 최종적

이고 결정적인 단계이다. 간호진단은 수집된 자료를 분석, 통합하여 얻은 건강문제들이다. 그것은 교육자와 상담자로서 간호사의 유용성을 나타내는 것이며 대상자의 실제적, 잠재적 성건강 문제에 대한 간호사의 진술이다. 또한 간호진단은 간호를 계획하고, 수행하고, 평가하는데 있어서 시작점이 된다.

계획은 우선순위의 선택, 목표, 행동 사이의 유용하고 책임감 있는 의사결정을 포함해야 한다. 계획은 간호진단에서 확인된 성건강 문제를 간호사가 해결하기 위해 대상자의 선택된 행동을 촉진시키는 순서로 진술한다.

평가는 목표를 위한 계획이 충족되었는지를 결정하는 과정이다. 이것은 재사정을 위한 기초자료가 된다.

3. 성건강 전문가의 역할

대상자를 사정하고 교육 및 상담을 해야 하는 간호사는 대상자가 자신의 성적 감정과 성적 문제에 대해 표현과 질문을 편안하게 할 수 있도록 허용적인 태도와 지식, 기술을 가져야 한다.

간호사는 대상자에게 교육 및 상담을 하기 전에 먼저 자신의 성 경험, 성 지식 및 성적 가치체계를 평가해야 한다. 성적 지식도 풍부해야 하고 수용적 태도, 대상자 간의 의사소통 기술도 효율적이어야 한다.

특히 성에 대해 다양한 지식과 수용적 태도를 갖는 간호사는 대상자에게 자신의 성적 가치관을 강요하지 않으므로서 대상자를 편안하게 하고 정확하고 유용한 정보를 얻을 수 있다.

성건강력 문진시 간호사의 의사소통기술은 높은 수준의 공감과 존중감, 진실성을 내포하기 때문에 대상자는 있는 그대로의 자신을 표현할 것이다.

1) 성 태도

간호사의 중립적 태도와 자기성찰적 태도는 매우 중요하다. 이들 중에서 신뢰, 수용적 태도와 비판적 경청은 상호 연관된 요소이다. 신뢰는 간호사와 대상자간의 상호관계에 영향을 미친다. 만약 대상자가 간호사를 믿지 않는다면, 대상자는 제공한 정보가 오용되거나 악용하지 않는다는 확증을 요구할 것이며 자신에 대한 정보를 제공하는데에 방해를 느낄 것이다. 대상자는 자신의 정보가 문제를 해결하거나 해결하는데에만 사용할 것을 요구할 것이다.

간호사는 편견을 버리고 객관적이어야 한다. 대상자를 이해하고 수용해야 하며, 비판단적이고 비평가적인 태도로 대상자와 그들의 가족과 의사소통하여야 한다.

간호사는 대상자가 가치있는 사람임을 언어적 또는 비언어적으로 표현해야 한다. 신체적 접촉은 기본적인 비언어적 의사소통방법으로 무조건적인 관심과 위안, 수용의 의미를 전달한다. 가치가 담긴 언어 즉 '그래야 한다', '왜 안했느냐?', '나는 그렇게 생각한다' 등은 피한다.

간호사는 비판적 경청을 통해 말을 귀담아 듣고 대상자의 말이 무슨 의도인지, 누구를 말하는 것인지도 알 수 있어야 한다. 비판적 경청 태도는 수집된 자료의 양과 질에 영향을 미친다. 간호사가 면담시 대상자의 말을 진정으로 경청하지 않는다면, 그들은 정보제공을 꺼릴 것이다. 효과적으로 경청하지 못하는 간호사는 가치있는 정보를 얻을 수 없을 것이고, 대상자와 중요한 타인들은 참여하지 않을 것이다.

2) 성적 의사소통 기술

성과 성행위에 대한 논의는 정서적으로 부담이 되는 주제이다. 성에 대해 무엇을 말하고 언제, 어떻게 말하느냐에 따라 성공적인 건강사정을 할 수 있고 교육적·치료적 상담을 할 수 있다. 성적 질문에 대해 논의를 시작하고, 응답하고, 경청하는 것은 간호사의 책임이다. 성과 성행위에 대해 상담을 할 때 상호정서적 불안을 완화하고, 개방적 의사소통과 명료성을 높일 수 있는 의사소통을 해야 한다. 다음은 성적 의사소통 기술의 기본적 원리이다.

- 상담은 쉬운 주제로부터 어려운 주제로 진행한다. 심리적 영역은 점진적으로 접근한다. 성행동에 대한 자료를 수집하기 전에 간호사는 먼저 대상자와 적절한 신뢰관계를 형성하고 여성의 월경에 대한 정보와 남성의 몽정에 관한 정보를 먼저 수집한다.

  자료를 수집하는데 있어서도 먼저 답하기 쉬운 대상자의 성별과 그들의 사회경제적 상태를 먼저 수집했을 때 편안함의 차이가 나타난다. 상류계층의 남성은 자료를 수집하는데 있어서 자위행위, 애무, 성교, 동성애적 행위의 순서로 물었을 때 편안해하는 경향이 있다. 상류계층의 여성은 애무, 성교, 자위행위, 동성애적 행위의 순서로 물었을 때 좀 더 편안해하는 경향이 있다. 하위계층의 남성과 여성은 성교, 자위행위, 애무 순서로 사정을 했을 때 편안해 하는 경향이 있다.
- 대상자의 성 경험을 논의하기 전에, 대상자가 어떻게 성 정보를 습득하는지? 동성애에 대한 현재의 태도가 어떤지에 대해 확인을 먼저한다. 성 경험에 대한 자료를 수집할 때는 덜 민감하고 덜 위협적인 자료로부터 시작해 보자. 만약 대상자가 동성애와 관련된 관심과 불안을 나타낸다면 간호사는 먼저 대상자에게 그러한 성행위를 어떻게 학습했는지, 현재의 감정과 태도는 어떤지를 질문하고, 다음은 실제 성행위로 접근해 간다. 처음에, 당신은 "사람들은 몇 살 때, 동성의 어떤 사람에게 신체적 매력을 느낀다고 생각했나요?" 그 다음 "동성애에 대한 당신의 초기 태도는 어떠했나요?" 그리고 "당신의 현재의 태도는 어떤가요?" 그 다음 "당신은 어떤 종류의 동성애 경험을 가지고 있나요?"의 순서로 접근한다.
- 보편성과 정상성은 있지만 그래도 정서적으로 부담이 적은 성 경험에 대해 먼저 질문을 한다. 이러한 질문은 자연스럽고 보편적이며 일반화된 성 경험을 의미한다. 이를 통해 대상자가 어떻게 성에 대해 알고 있는지, 현재의 지식정도를 확인할 수 있는 정보를 얻는다. 즉, "사람은 많은 방법을 통해서 즉 친구나 가족 구성원, 책, 기타 방법으로부터 자위행위에 대한 정보를 습득한다. 당신은 그러한 활동을 어떻게 알게 되었는가?"

  "많은 성적 상호관계를 하는 연령이 많은 사람이 있다. 노인의 성적 상호관계가 정상인지를 알고 싶어하는 사람이 있다고 가정해 보자. 당신은 노인의 성행동에 대해 어떻게 느끼는가?" 이런 진술은 개방적이며 대안책도 포함한다. 간호사는 대상자에게 성을 학습할 수 있는 다양한 방법이 많다고 말한다.

  개방형 질문은 예/아니오가 아닌 자신의 생각을 대답할 수 있도록 하는 것이며 대상자에게 성에 대한 관심을 이야기 할 수 있도록 유도하는 것이다.
- 성 경험의 유무보다는 정도와 범위로 질문한다.

  "자위행위를 해본 적이 있는가?"가 아니라 "처

음으로 자위행위를 할 때의 당신의 나이는 몇 살이었는가?"로 질문해야 한다. 그리고 "당신은 성교를 경험한 적이 있는가?"가 아니라 "당신은 언제 성교를 처음 경험했는가?"로 질문해야 한다. 간호사가 성적 활동은 대상자의 일상적인 경험의 한부분이라고 생각한다면, 대상자의 불안은 감소할 것이고 대상자로부터 잘못된 정보를 얻거나 대상자가 허위진술을 하는 빈도도 감소될 것이다.

간호사가 대상자의 가치체계를 직접적으로 위협한다든지, 대상자가 주제에 대해 상담할 준비가 되어 있지 않거나, 그 주제가 대상자가 경험한 것이 아니라면, 그들은 그 주제에 대해 논의하기를 꺼려하고 거부할 것이다.

- 성적어휘에 대해 유머감각을 가져보자. 이것은 불확실한 어휘에 대해 수용할 만한 반응으로 연결될 것이다. 유머가 있는 설명은 긴장을 감소시키고, 관계를 개선하고, 관계를 더욱 잘 유지하도록 도와준다.
- 대상자가 알고 이해하며 편안해 하는 성적용어나 구절을 사용한다. 성적용어는 현상을 설명하는 것 외에도 당혹감, 혐오감, 죄책감, 반항심, 적개심과 같은 부정적인 정서를 유발할 수 있으며 얼굴이 붉혀지거나, 곁눈질하거나, 얼굴을 찡그리거나, 말을 더듬거리거나, 미소를 짓거나, 낄낄거리며 웃는 행동으로 연결되기 쉽다. 그러한 경우 간호사는 대상자가 말하는 것을 잘 들을 수 없다. 또한 대상자가 더 이상 대화하기를 주저하도록 만들 수 있다. 간호사는 성적으로 적나라하게 표현되는 내용에 대해 민감하게 반응해서는 안되며, 상처, 비난, 품위를 떨어뜨리고 낙인을 줄 수 있는 단어의 사용은 자제해야 한다.

Annon은 언어공포증(logophobia: 언어에 대한 힘의 속성과 공포반응)과 같은 문화현상에 대해 조절하는 방법을 제시하였다.

간호사는 성적으로 명백한 성적 어휘와 단어를 문서화하여 반복해서 명확하게 소리내어 말하는 것을 연습해야 한다. 또는 간호사는 협조적인 동료와 함께 서로 큰소리로 단어를 말하도록 연습을 한다. 간호사는 성적 어휘에 대해 부정적 정서 반응으로 주저하거나 당황하지 않을 때까지 성적 어휘를 생각하고, 말하고, 듣고 친숙해야 한다.

정중한 대화에서 사용되거나 신문에서 읽을 수 있는 성적 만족감, 성적사출, 성교, 절정감과 같은 표준적인 용어가 있다. 성교(copulation, conjugation, sexual intercource)는 성행위를 나타내는 표준어지만, 성폭력, 미혼모, 간통과 같은 단어는 성행위를 의미하지만 법적이고 도덕적인 암시가 포함되어 있다. 표준어는 정중하게 정보를 의사소통하는데 필요한 용어이다. '음경, 질, 성교, 절정감'과 같은 전문적 용어는 그리스, 라틴계 어원에서 유래한다. 이런 단어는 객관적이고 선택적이며 상세하지만, 성(sexuality)을 탈개인화와 탈인간화시키는 경향이 있다.

weewee, number2, making babies, 잠지, 고추, 망태기 같은 아동기 용어는 당혹감을 감소시키고 직면을 피하게 하는 경향이 있다. 성교의 속어인 fuck와 cock같은 속어도 있다. 이런 단어는 강력하고, 시각적이고, 유머스러울 수 있다. 그러나 이런 용어는 부적절하고 성을 평가절하시키며 편파적일 수 있다. 이런 색정적인 요소는 종종 그것이 서술되어진 진정한 의미를 이해하는데 방해가 될 수 있다. 현대에 들어와서 소위 속어로 일컬어지는 대다수 성 관련 용어가 많이 정화되고 있다. 오늘날 많은 사람들은 별탈없이 사적인 상호관계에서나 공적인 상황에서 성에 대한 용어를 사용한다.

간호사는 함께 자는 것, 비밀스러운 것, 거기 아래, 접촉 등의 완곡한 단어의 사용은 피해야 한다. 이런 용어는 일상 대화에서는 덜 무례할 수 있으나 이것은 우회적이어서 다양한 사람에게 다양한 의미를 부여할 수 있다. 대상자에 따라 성행위 또는 섹스를 그들의 경험과 상황에 따라 질과 음경의 접촉 또는 상호간의 자위행위로 생각할지도 모른다. 간호사가 간접적이고 구체적이지 않는 모호한 용어를 사용하면 대상자가 논의하고지 하는 성 문제가 무엇인지를 명백하게 할 수 없다.

간호사는 비어와 속어도 표준어와 전문적인 용어와 함께 알 필요가 있다. 펠라치오(색정적 쾌락을 위해 입안에 음경을 넣거나 빠는 행위)나 커니링거스(색정적 쾌락을 위해 여성의 생식기를 핥거나 빠는 행위)와 같은 용어는 일부 대상자들이 사용할 수도 있다. 'mouth-genital', 'sucking', 'blowing', 'going down'과 같은 용어도 다른 대상자들이 사용할 수 있다. 간호사는 대상자가 사용하는 용어와 의미를 이해해야 할 책임이 있다. 그렇지 않다면 간호사는 그 용어에 대해 질문을 할 것이며 그 대상자는 난처함을 느낄 것이다.

'난잡함과 충실하지 못함'과 같은 단어는 부정적 정서를 유발한다. 이러한 용어는 판단을 하는 용어이고 대상자에게 상처와 낙인을 줄 수 있다. 성건강에서 '난잡'이란 용어는 다양한 파트너들과 일시적이면서 반복적인 성 경험이 있을 때 사용한다. 충실하지 못하다는 것은 기혼자가 혼외 성교를 하는 것을 의미한다. 간호사는 행동을 묘사하거나, 판단적이거나 비판적인 의미를 내포하는 용어를 사용해서는 안된다.

면담 시에 간호사는 광범위한 성과 관련된 용어, 즉 다시 말해서 표준어나 전문용어 또는 유치한 속어나 비어까지도 이해하고 사용하는 것이 효과적이다. 간호사가 적절한 용어를 사용한다면 대상자는 격의 없이 솔직하게 대화를 할 것이며 간호사는 대상자를 폭넓게 이해할 수 있을 것이다. 간호사는 대상자가 직접적이고, 솔직하고, 상세하게 성교와 성에 대해 이야기 할 수 있도록 다양한 성적 정보, 의사소통 기술, 공감적인 편안한 태도, 침해하지 않는 편안감을 주는 물리적 환경 등을 제공해야 한다.

간호·상담 과정

대상자 김OO. 성 반응에 대한 문제로 도움을 요청
간호사 여성 건강 클리닉의 성건강 사정 및 평가를 해야 함

사정

주관적 자료

나는 성교 동안 오르가슴을 경험한 적이 없어요. 어떤 친구는 자위행위를 한다고 해요. 그러나 나는 자위행위를 한 적이 없어요. 나는 지금까지 두 남자와 성교를 했어요. 나는 오르가슴을 느끼는 척 가장했어요. 지난 1년 동안 김OO을 사귀고 있어요. 그리고 4개월 동안 그와 동거했어요. 우리는 서로 사랑하고 서로에게 의지해요. 그러나 나는 그와 함께 오르가슴을 경험하는 것이 어려워요. 그를 사랑하지만 이제는 오르가슴을 느끼는 척 더 이상 가장하고 싶지 않아요. 그는 내가 너무 긴장해서 오르가슴을 못 느낀다고 말해요. 그는 나와 성적 관계를 함께 즐기기를 원하지만 내탓만 해요. 나는 그를 사랑하지만 지금 이상의 어떤 것을 원해요. 나에게 무슨 문제가 있다고 생각하지는 않지만 왜 내가 오르가슴을 느낄 수 없는지 확신이 필요해요. 내가 할 수 있는 것이 무엇이 있을까요? 나 자신을 도울 수 있는 방법을 찾고 싶어요.

객관적 자료

- 24세 여성
- 은행에서 일한다.
- 골반검사의 결과는 정상적인 질과 내생식기로 나타났다.
- 성행위 방법과 기술에 대해 알고싶어한다. 방법상의 만족을 기록한다.
- 다소 불안하지만 질문에 잘 응답한다.
- 자위행위를 부정하지만 관심을 갖는다.
- 성교 시 오르가슴을 느낄 수 없음을 호소한다.
- 이전 성 파트너와는 오르가슴을 느끼는 척 가장했다.
- 현재 파트너와 동거(4개월)하면서 오르가슴을 느끼는 척 속이고 싶지 않다고 한다.
- 사랑은 하지만 성행위는 성적 만족을 보장해야한다고 생각한다.
- 성기의 정상성에 대한 진단을 요구한다.
- 성적 만족감을 원한다.

• 성교시 오르가슴을 성취할 수 있도록 도움을 요청한다.

간호진단

• 오르가슴 경험의 부재와 관련된 성 만족감에 대한 지식부족
• 성 만족감 부재와 관련된 관계에 대한 갈등의 위험성

계획

• 온화함과 다정함을 표현한다.
• 수용적인 분위기를 제공한다.
• 감정을 표현하도록 격려한다.
• 대상자의 표현된 감정에 대해 피드백을 제공한다.
• 대상자의 정서적 반응은 적절하고, 일반적으로 경험하는 것이라고 설명한다.
• 남성 파트너의 방어적 반응에 대해 공감한다.
• 파트너에게 친밀한 의사소통과 배려를 표현하도록 충고한다.
• 성 파트너에게 오르가슴을 느끼고 싶다고 자신의 감정을 표현하도록 격려한다.
• 서로에게 친밀한 접촉(언어적 의사소통, 비언어적 소통)의 중요성을 설명한다.
• 골반기관에 대한 정보를 제공한다.
• 남성과 여성의 성 반응 주기에 대한 정보를 제공한다.
• 여성의 오르가슴에 대한 정보를 제공한다.
• 여성의 오르가슴에 대한 정보를 줄 수 있는 성건강 전문가를 소개한다.
• 지역사회보건소는 성건강 프로그램의 내용, 접근 방법과 시간에 대한 정보를 제공한다.
• 개인적인 가치와 기대가 일치하면 성건강 프로그램에 참여를 제안하고, 관련된 참고도서를 추천한다 (『The Hite Report[1987]』, 『새로운 성치료[1990]』)
• 감정의 인식을 격려한다.
• 성건강 프로그램 참여에 대한 생각과 감정을 파트너에게 솔직히 표현하도록 격려한다.
• 자가 의사결정하기를 격려한다.

성건강 전문가들은 주로 신체적인 정보와 심리적인 지지와 훈련을 제공하고, 여성들에게 자신의 신체와 요구를 더 잘 학습하도록 도와준다. 또한 자신의 성적인 잠재성을 발견하도록 한다. 오르가슴을 성취하고자 하는 자신의 책임에 대한 이해를 향상시키기 위해 자기몸의 탐색을 시작으로 해서 파트너와의 즐거움을 공유하는 것으로 옮겨가는 훈련에 참여한다. 여성은 효과적으로 파트너에게 자신의 요구를 표현하기 전에 자신의 신체를 직접 자극해보는 것이 필요하다. 자위행위는 건강에 해롭지 않다. 자위행위는 성교를 대신하는 행위가 아니라 성적 쾌감을 주는 성적 행동의 유형이다. 자위행위는 이성과의 성교보다 오르가슴을 좀더 확실하게 얻을 수 있는 방법이고 여성이 성교를 하는 동안 오르가슴에 도달할 수 있는

TIP

여성의 오르가슴

이점

- 임신에 도움
- 사망률 저하(장애인보다 생존율 ↑)
- 유방암(전립선암) 저하
- 스트레스 해소
- 통증완화
- 노화지연

여성은 충분히 자극을 받지 않으면 무반응.

충분히 이완되어 있지 않으면 무반응

성행위에 몰두할 수가 없거나, 불유쾌한 성 경험으로 정신적으로 억압된 경우 느낄 수 없다.

성기중심 오르가슴

- 음핵 오르가슴 : 성기성 오르가슴으로 짜릿하고 강렬함
- G-spot, 자궁경관오르가슴 : 깊고, 무겁고 온몸으로 온 마음으로 번지는 느낌
- 가장 오르가슴 : 상대 남성의 자존심을 세워주고 싶어서, 빨리 끝내고 싶어서, 잘 느낀다고 과시용으로 사용
- 혼합 오르가슴 : 이 세 가지가 혼합되면 더 큰 만족감을 얻게됨

친밀감 중심의 오르가슴

- 여성의 성감을 발달되도록 한다.
- 상대방에게 자신의 성감을 표현하도록 한다(말, 신음소리, 표정 등).
- 감각에 집중한다.
- 이완하도록 한다.
- 케겔운동을 하도록 한다.

능력을 촉진하기 때문에 여성의 성에서 더 건강하고 행복한 자아, 그리고 더 만족스러운 관계를 갖게 하는 가장 중요한 수단 중의 하나이다.

성건강 전문가는 상호의존적 심리적 요소가 오르가슴 부재의 원인이 된다고 한다. 심리적으로 여성의 오르가슴은 음핵의 자극에 의해 촉진되고, 질의 수축으로 표현된다. 마찰은 여성이나 파트너의 손가락, 질과 음경의 피스톤 운동으로 나타난다. 여성들의 오르가슴은 음핵자극에 의해 일어나며 질자극, 경부 주위 자극에 의해서도 일어난다.

수행

- 여성의 성적 발달에 대해 다양하고 과학적인 정보를 제공한다.
- 파트너와 성적 불만족감에 대한 감정을 공유한다.
- 인간의 성 반응 주기에 대한 정보를 공유한다.
- 여성의 오르가슴에 대한 정보를 공유한다.

No.

NAME
NOM

- 성적발달 프로그램에 참여하는 것에 대해 논의한다.
- 파트너에게 학습경험의 의무를 요구한다.
- 매일 1시간씩 5주 이상의 수업에 10회 참여하도록 시간을 배치한다.
- 성건강 프로그램 참여에 전념한다.

평가

- 자신의 신체에 대해 잘 알게 되었고 편안한 상태에서 성관계를 할 수 있다고 한다.
- 성교 시 오르가슴의 성취와 개인적으로 더 큰 성적 만족감을 느꼈다고 한다.
- 파트너와의 더 친밀하고 만족스러운 관계를 맺었다고 한다.

memo

No.

NAME
NOM

*SEXUAL HEALTH CARE

아동기 성건강

Sexual Health in Infancy and Childhood

가치 명료화 **훈련**

성장과 발달은 연속선 상에서 진행된다. 개인은 아동기의 성역할과 성 경험을 기억한다. 당신이 아동기 때 성을 어떻게 느꼈고 학습했는가를 성찰 할 수 있다면 이 장을 이해하는 데 도움이 될 것이다.

다음 질문은 당신의 성적 신념과 행동에 영향을 미친 아동기 경험을 검토하도록 할 것이다. 다음 질문에 당신의 느낌과 생각을 구별해 보자.

- 당신은 자신이 소년 또는 소녀로 지각한 처음 시기를 기억할 수 있는가? 그때는 어떤 상황이었는가? 그 당시 당신의 느낌은 어떠했는가?
- 당신 부모의 양육태도는 딸과 아들을 구별 했는가? 당신은 "너는 남자니까 그것을 해서는 안돼, 또는 여자는 그것을 해서는 안돼"라는 말을 들은 적이 있는가? 부정적이거나 차별적인 태도에 대해 당신은 어떻게 느꼈는가?
- 어린 시절 처음으로 경험한 성 경험 중 무엇을 기억하는가? 그때 당신의 느낌은? 지금 당신의 느낌은 어떠한가?
- 당신과 가족은 가족의 나체에 대해 편안감을 가졌는가?
- 당신은 아동기의 성적 놀이에 대해 무엇을 기억하는가?
- 당신이 부모로부터 받은 성과 관련된 첫번째 정보는 무엇이었는가? 당신이 물어본 성과 관련된 질문에 부모는 얼마만큼 편안해 했는가? 가족으로부터 성을 억압하는 메시지는 무엇인가? 동료로부터 받은 성을 억압하는 메시지는 무엇인가?
- 현재 당신의 성에 대한 태도와 행동에 중요하게 영향을 미친 아동기의 성 경험은 어떤 것인가?

당신의 상기 반응을 동료 집단과 함께 공유해 보자. 당신의 경험을 편하게 이야기할 수 있는가? 아니면 고통인가? 그들과 얼마나 다른가? 얼마나 독특한가? 당신은 자신의 초기 아동기 경험에서 어떤 것을 기억할 수 있는가? 가족의 성교육이 아동기와 그 이후의 발달에 어떻게 영향을 미쳤다고 생각하는가?

행동 **목표**

이 장을 끝마친 후

- 태아의 성발달과 관련된 유전적 요소를 설명할 수 있다.
- 성분화, 성 염색체, 성 호르몬의 이상을 설명할 수 있다.
- 성 정체감 발달 이론을 설명할 수 있다.
- 영·유아기 성적발달과 성행동을 설명할 수 있다.
- 아동기 성적발달과 성행동을 설명할 수 있다.
- 아동기 성폭력을 설명할 수 있다.
- 아동기 발달 단계별 성교육을 할 수 있다.
- 아동기 성건강 전문가의 역할을 설명할 수 있다.

1. 태아 성 특성의 발현

남·녀의 성은 수정 때 결정된다. 태생기 6주에 있는 배아의 성선은 중성으로 미분화되어 있다. 그러한 원시적 성선은 난소세포로 보이는 표층세포인 피질부와 남성 고환 세포와 유사한 형태를 띠는 중심층인 수질부를 구성한다.

태생기 8주 때 만약 배아가 Y염색체를 가졌다면, Y염색체의 자극에 따라 원시 성선의 수질부 세포가 남성 호르몬을 분비하여, 원시적 고환을 발현시킨다. 배아가 2개의 X염색체를 가졌다면 원시 성선의 피질부는 원시 난소가 되며 이러한 여성의 생물학적 발현은 임신 약 12주 경에 나타난다.

배아 발달의 7주 째, 비뇨생식기의 원기인 중신이 나타나며 중신에서 남녀의 원시적 성세포가 함께 발생하여 관을 이루면서 하강한다.

남성의 성세포는 울프관(Wölffian)으로 부고환, 수정관, 정낭이 된다. 여성의 성세포는 뮬러관(Műllerian)으로 나팔관, 자궁, 질의 상부 2/3부분을 형성한다. 남성의 경우, 배아의 고환은 뮬러관 억제 물질(MIS)을 분비하여 뮬러관의 발달을 억제하고 태아 안드로겐(남성 호르몬)을 생산한다. 반면에 여성은 난소의 호르몬에 의존하지 않는다.

근본적으로 태아 초기는 여성성이다. 염색체가 1개인 경우, 즉 X염색체(Xo) 1개를 가진 수정란은 여성으로 발달한다. 단독의 Y염색체만을 가진 수정란은 생존할 수가 없다. 유전적으로 X염색체에 Y염색체가 첨가되면 남성의 성이 된다. 호르몬에 추가된 뮬러관 억제물질(MIS)과 안드로겐은 남성의 성 발달에 필수적이다. 유전적으로 여성 배아는 울프관 퇴화와 여성의 내부생식구조를 만드는 뮬러관 발달에 호르몬이 영향을 미치지 않는다.

임신 3~4개월 동안 고환에서 분비되는 안드로겐은 미분화된 외부 성기를 남성의 성기로 전환하도록 한다. 이 시기에 안드로겐이 분비되지 않거나 안드로겐을 사용할 수 없다면 남아태아는 여성의 외성기의 형태를 나타낼 것이다. 이것은 '남성탈안드로겐화(male-androgen-insensitivity syndrome)'로 명명된다. 남아는 임신 후기에 고환이 복부에서 음낭으로 내려감으로서, 태아의 신체적 성 분화가 완성된다.

생물학적 성결정은 2가지 기본적인 연구가 있는데 하나는 Money와 Sherfey(1972)의 연구로 울프관과 뮬러관은 XX와 XY 태아 모두를 발달시킨다고 하였다. 울프관이나 뮬러관 중 하나의 성장과 나머지 다른 것의 억제는 성 호르몬의 유·무에 의존한다고 하였다. 대조적인 연구는, Jost(1973)의 연구로 남성의 성은 근본적으로 여성의 구조로부터 나온다고 하였으며 남성의 성은 본질적으로 여성성의 변형이라고 하였다.

2. 태아 성발달상의 문제

태아기의 남녀 성 발달은 상동성(homologous : 구조, 위치, 근원의 조화)을 갖는다. 태아의 성 발달이 염색체와 호르몬에 의해 지배받기 때문에 문제를 야기 시킬 수 있다.

1) 성 분화 이상

반음양

- 반음양이란 성 분화이상으로 나타난다. 외생식기 형태만으로는 성을 판정하기 어려운 상태이다.
- 반음양은 진성 반음양과 가성 반음양으로 나

눈다.

- 진성 반음양이란 동일개체내에 정소, 난소를 모두 가지고 있는 상태다.
- 가성 반음양이란 성선의 성과 외생식기의 성이 일치하지 않는 상태다(표 4-1).

2) 성 염색체 이상

성 염색체 이상이란 성 염색체의 구조나 수의 이상을 가리킨다. 염색체 이상의 대표로서 Turner 증후군, Klinefelter 증후군이 있다(표 4-2).

표 **4-1 진성 반음양과 가성 반음양**

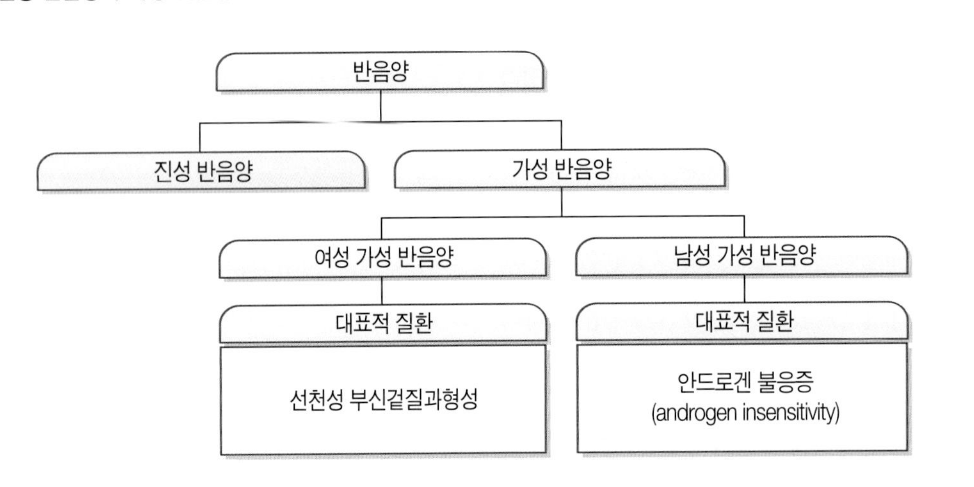

	정상여성	여성가성반음양	진성반음양	남성가성반음양	정상남성
정의	성선 · 외부생식기 모두 여성형	성선은 여성형 외부생식기는 남성형	동일개체내에 난소와 정소가 존재	성선은 남성형 외부생식기는 여성형	성선 · 외부생식기 모두 남성형
성염색체	XX	XX	여러 가지 XX (60%) XY (30%) 모자이크 (10%)	XY	XY
성선	난소	난소	여러 가지	정소	정소
외부생식기	여성형	남성형 (여러 가지)	양성형	여성형	남성형

표 4-2 정상과 염색체 이상의 차이

	정상		염색체 이상	
	여성	남성	Turner증후군	Klinefelter증후군
성 염색체	XX	XY	X	XXY
핵형	46,XX	46,XY	45,XO	47,XXY

Turner증후군(45, XO)

유전적인 구조와 외부성기의 구조는 여성이지만 난소와 고환 중 어떤 것도 가지고 있지 않다. 난소가 있는 경우에는 발육부전을 나타낸다. 외부성기는 여성이고 자궁도 발달한다. 그러나 사춘기 이후 여성에서 에스트로겐이 분비되지 않으므로 유방이 커지지 않고 원발성 무월경과 난임증을 초래한다. 성기의 외형은 여성이나 음모의 발육이 전혀 없고 불량하며 자궁 및 질 등의 성기 발육부전이 심하다. 키가 작고 목이 짧으며 뒷목부분의 두발선이 낮고 목부위에 피부주름이 많다. 유방발달, 월경 그리고 여성의 신체 외형이 나타난다. 이러한 여성은 전형적으로 강한 여성적인 심리와 행동, 관심 패턴을 보인다.

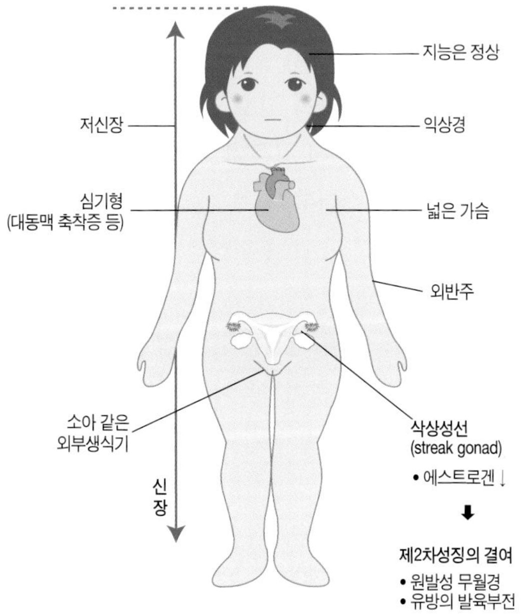

사춘기에 대체 호르몬의 투여는 2차 성징 발달을 유도할 수 있다.

그림 4-1 **Turner증후군의 신체소견.** Turner증후군에서는 저신장, 성선기능부전, 특징적 신체증상(익상경, 외반주 등)을 나타낸다. 난소는 삭상성선(streak gonad)이므로, 제2차성징이 결여되어 아동과 같은 체형 또는 외부생식기를 나타낸다.

- 대표적인 핵형은 45,XO이지만, 그 밖에도 45,XO/46,XX 등의 모자이크가 있다.
- 46,XY나 46,XX로 정상임에도 불구하고, Turner증후군과 같은 신체특징을 나타내는 것을 Noonan증후군이라고 한다. Noonan증후군에서는 심기형(폐동맥협착증, 심방중격결손증)을 나타내는 경우가 많다. 또 지능장애를 보이는 수가 있다.
- 성적 성숙을 촉진(초경 개시, 2차성징 출현)하고, 골다공증 예방을 위해 에스트로겐을 투여한다. 그러나 에스트로겐은 골단선의 폐쇄를 초래하여 키 성장을 지연시킨다. 키를 성장시키기 위해서는 투여 전에 성장호르몬 투여가 필요하다.
- 난소가 기능하지 않으므로 임신은 불가능하지만, 월경유발은 가능하다.

Klinefelter증후군(47, XXY)

외형적으로 남성이다. 이 증후군은 2차 성 특성이 나타나는 사춘기 전까지는 인식하지 못한다. 보통 키가 크고, 작은 고환과 전립선을 가지고 있으며 얼굴과 신체의 털, 음모가 발달하지 않는다. 그들의 성적 본능은 감소하지만, 행동문제를 나타내기도 한다. 여분의 X염색체가 심리적 손상에 취약한 경향을 보인다. Turner증후군처럼 난임을 유발한다(그림 4-2).

- 난임커플 파트너로서 산부인과를 방문했을때 발견되는 경우가 많다.
- 핵형은 47,XXY가 가장 많지만, 48,XXXY나, 46,XY/47,XXY 등의 모자이크를 나타내는 것도 있다.
- 지능은 일반적으로 정상이지만, 경도의 정신발달지체를 수반하기도 한다. X염색체 수가 증가할수록 정신발달지체의 정도가 높아진다.
- 남성 호르몬보충요법 : 남성화를 촉구하기 위해서 한다.

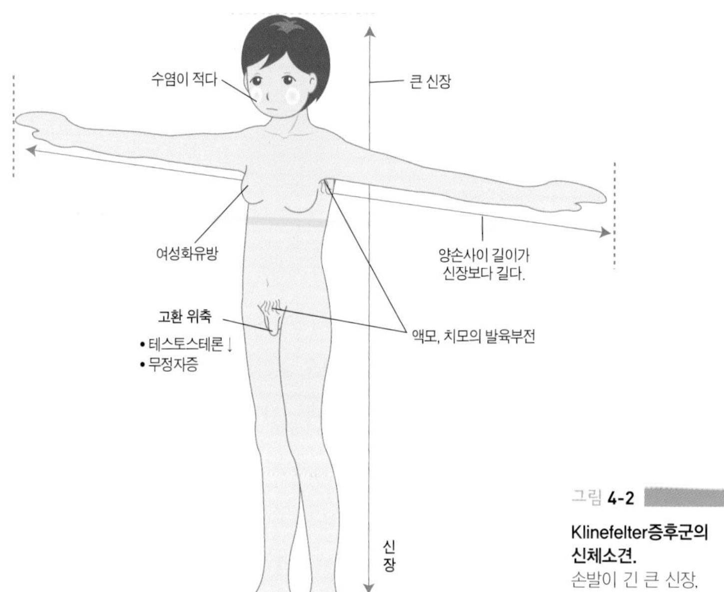

그림 4-2 **Klinefelter증후군의 신체소견.** 손발이 긴 큰 신장, 여성화 유방, 고환 위축 등의 신체소견을 보인다. 보통 2차성징은 정상으로 일어나지만, 2차성징이 나타나지 않는 사례도 있다.

3) 성 호르몬 분비 이상

선천성 부신피질과형성(congenital adrenal hyperplasia, CAH)

부신피질 및 성선에 있어서 호르몬의 생합성에 관여하는 효소의 결손에 의해서 호르몬분비 이상에 수반되는 여러 증상을 나타내는 질환이다. 상염색체열성유전을 나타낸다. 선천성 부신피질증식증은 코르티졸↓, 알도스테론↓, 안드로겐↑이라는 호르몬분비 이상이 생겨서, 여러 가지 증상을 나타낸다. 여아에서(내생식기는 난소가 있는 경우) 안드로겐 과잉생산으로 이런 상태가 출생 직후 발견되면 아동기때 콜티손(cortisone) 요법이나 외과적 수술을 통해 여성으로 전환할 수 있다. 사춘기는 지연되더라도 생식기능을 나타낼 수 있다(그림 4-3).

안드로겐 불응증(androgen insensitivity, 고환성 여성화)

염색체는 46, XY이며, 고환은 존재하고, 테스토스테론분비가 정상 남성과 같음에도 불구하고, 남성화가 일어나지 않아서 표현형이 여성형인 형태를 말한다. 안드로겐 수용체 이상으로 안드로겐에 반응하지 않으며, 과거에는 고환 여성화증후군이라고 불렀다(그림 4-4).

원발성 무월경으로, 외부생식기, 유방은 여성형을 나타내지만, 음모, 치모는 거의 보이지 않고, 외음은 정상이지만, 질이 짧아서 맹단(盲端)으로 끝나며, 초음파검사에서 난소, 자궁이 확인되지 않고, 양측 서혜부에서 고환이 확인되며, 정상 남성 수준의 테스토스테론 수치, 정상 남성에 비해서 에스트라디올↑, LH·FSH↑, 염색체검사에서 46,XY를 나타낸다(그림 4-5).

고환적출을 통해 치료한다. 잔류고환은 악성화 경향이 높으므로, 조기적출이 기본이다. 고환적출 후, 제2차성징을 유발하기 위해서 에스트로겐보충요법을 한다.

원발성 무월경, 서혜부 탈장이 나타나며 유전적으로 남성이므로, 월경개시나 임신의 가능성은 없다.

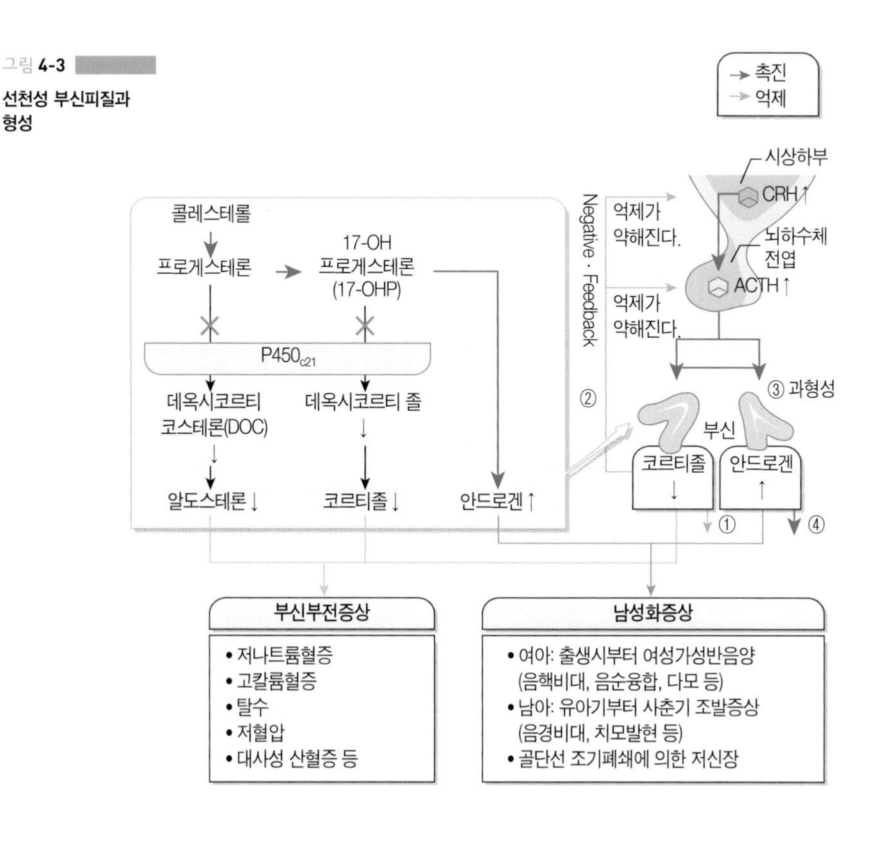

그림 4-3
선천성 부신피질과 형성

- P450c21의 결손 때문에, 코르티졸, 알도스테론이 합성되지 않는다. 이 때문에 콜레스테롤에서 합성되는 스테로이드호르몬이 안드로겐이 되고, 부신겉질에서의 안드로겐의 분비가 증가된다.
- 코르티졸저하로 뇌하수체전엽에 대한 Negative · Feedback에 의한 억제가 약해져서, ACTH분비가 현저하게 증가한다.
- 부신겉질은 ACTH의 자극에 의해 과형성이 된다.
- ACTH분비증가에 따라서 안드로겐분비가 더욱 증가한다.

ALTH : 부신피질자극호르몬

그림 4-4
안드로겐 불응증
안드로겐이 분비되고 있어도, 안드로겐 수용체 이상으로 안드로겐작용이 발현되지 않는다. 성 표현형은 여성형을 나타낸다.

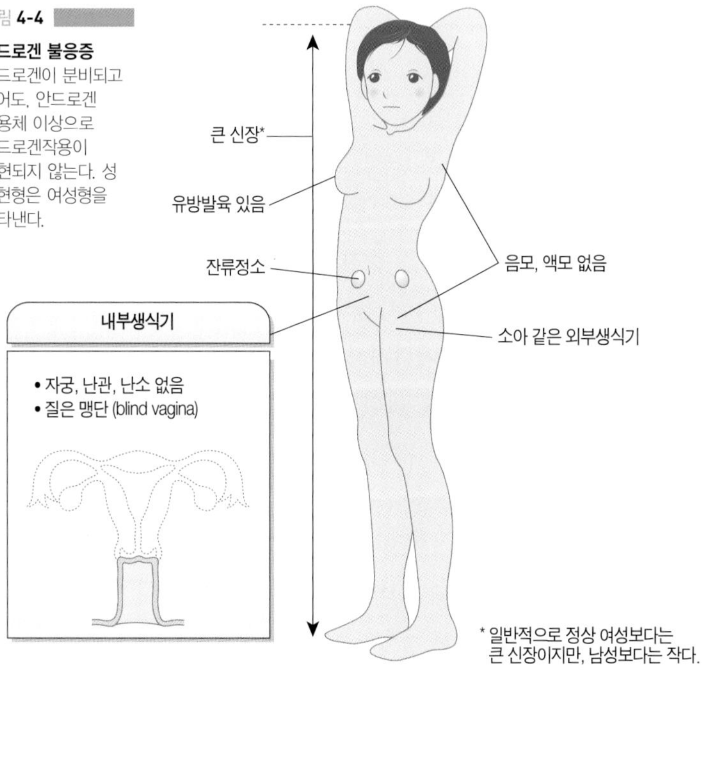

큰 신장*
유방발육 있음
잔류정소
음모, 액모 없음
소아 같은 외부생식기

내부생식기
- 자궁, 난관, 난소 없음
- 질은 맹단 (blind vagina)

* 일반적으로 정상 여성보다는 큰 신장이지만, 남성보다는 작다.

3. 성적 정체성(Gender Identity)

사회적 성구별은 아동이 남아 또는 여아로 명명되는 출생 때부터 시작된다. 성적 정체성은 가족의 양육태도가 결정적으로 작용한다. 부모와 사회의 성별에 대한 압력과 강화는 적합한 성역할 행동에 대한 메시지를 제공한다. 부모와 사회는 아동의 성적 정체성을 강화시키고 수용하도록 자극한다.

성적 정체성이란 자기자신에 대한 통합적인 남성 혹은 여성이라는 개인적인 지각을 의미한다. 성역할은 성적 정체성에 대한 공공적 표현이다. 인간은 남성 또는 여성으로 태어나서 자연적으로 남성 또는 여성으로 성장한다라는 전통적 신념은 생물학적 이론, 인지론, 사회학습이론 등에서 설명할 수 있다. 우리가 어떤 방식으로 성적 정체성

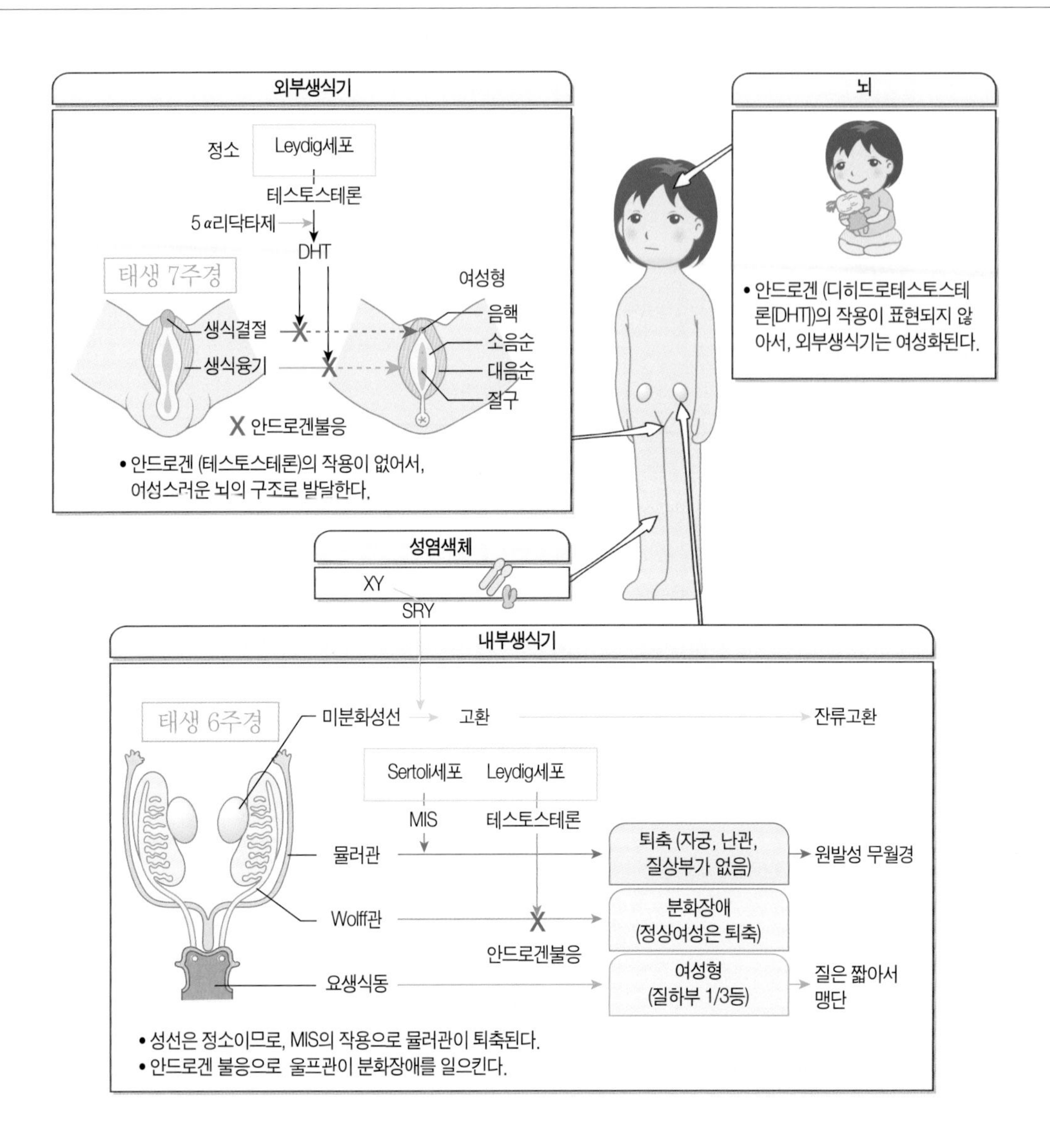

그림 4-5 **안드로겐 불응증의 병태생리**
안드로겐의 작용이 발현하지 않으므로 표현형은 여성형을 나타낸다.

을 획득했는가에 대한 이론적인 논의는 아직도 합의되지 않고 있다. 다음은 성적 정체성 형성을 설명하는 이론들이다.

1) 생물학적 이론

생물학적 이론은 남녀의 신체적인 차이가 성별을 구별하는 결과를 나타낸다는 것이다. 인간의 행동은 확고하고 독특한 방법으로 나타나는데 성별간의 차이는 결정적으로 유전인자에 기인한다고 본다.

생물학적 이론을 지지하는 사람들은 인간은 신체적인 차이가 있다는 것을 증거로 제시한다. 일반적으로 남성은 여성보다 키가 크고, 체중이 무거우며, 더 강한 신체적 에너지가 있고, 수명이 짧다. 또한 남녀의 성별간에 나타나는 행동의 차이를 생물학적 성별 상태에 기인한 결과로 본다. 현재 생물학적 이론에 기초한 연구는 2가지 영역에 초점을 두고 있다.

하나는 성 유형을 결정하는 요인은 호르몬의 영향과 뇌기능의 발달이다.

남성과 여성의 호르몬은 각 연령별 남녀에 따라 다양한 양을 나타낸다. 남성과 여성의 생물학적 그리고 심리적인 특성은 이들 호르몬에 의해 영향을 받는다. 현재의 연구에서도 태아기와 출생 후 발달기에 나타나는 호르몬 차이는 남녀간에 또는 같은 성별 내에서도 사회적인 행동의 차이를 나타낸다고 하였다.

Young 등의 연구에서 임신한 원숭이에게 테스토스테론을 투여 했더니, 이 임신한 원숭이는 성기 변화와 숫컷 원숭이의 사회적 행동특성을 나타내는 가성반음반양(pseudohermaphroditism)의 암컷원숭이를 출산하였다. 그들은 나무에 오르는 행동, 위협적인 행동, 거친 놀이 등을 선호하는 행동을 하였다.

성행위는 대뇌가 반응하는 방법에 의해 결정된다. 태아발달의 결정적인 시기에 성 호르몬은 대뇌와 뇌기능의 잠재성을 결정한다. 사실상, 태아기의 호르몬은 여성 태아의 뇌가 언어정보를 효과적으로 처리하는데 더 민감하게 하며, 또한 남성 태아의 뇌는 공간정보를 효과적으로 처리할 수 있도록 더 민감하게 한다. 다음은 발달 주기별 호르몬의 변화이다(그림 4-7).

2) 인지론

Kohlberg는 Piaget의 인지론을 토대로 성 유형의 발달을 기술하였다. 아동은 그들의 성적 정체감을 확고히 하기 전에 동성의 모델에 좀 더 유사하게 그들의 성역할을 분화시키고 동일시 한다고 한다.

아동은 옷매무새나 머리 모양, 신체 모양과 같은 성역할의 차이나 신체적 차이를 바탕으로 자신을 남성이나 여성으로 범주화 한다. 그후 이 방식으로 행동하고 선택한 동성을 모델로 모방한다. Kohlberg(1966)는 아동이 경험하는 성적 정체성 발달 단계를 제시하였다(그림 4-8).

- 기본적 성적 정체성(basic gender identity): 아동은 자신의 신체적 현실을 인정하는데서 시작하여 자신을 소년이나 소녀로 인식한다. 아동이 자신의 생물학적성을 인식하는 것으로부터 성동일화가 발달한다. 3세 정도가 되어야 자신이 여성인지 또는 남성인지를 인식한다. 이때부터 성별을 구분하고 자신에게 부쳐지는 이름을 이해한다.
- 성 안정성(gender stability): 아동은 자신의 성은 변하지 않으며 커서도 여자 또는 남자가 될 것임을 인식하고 수용한다.
- 성 항구성(gender constancy): 아동은 머리모양, 옷모양, 행동이 달라도 자신의 성을 바꾸지 못한다는 것을 인식한다. 6~7세 이후에 성 항상성(gender homeostasis) 개념을 형성하고 발달한다.

3) 사회학습 이론

사회학습 이론가는 성적 정체성의 확립은 사회화의 결과라고 주장한다. 문화는 각각의 여성· 남성이 갖추어야 할 능력, 관심, 가치에 대해 영향을 미친다. 부모와 동료는 아동에게 그렇게 하기를 기대한다. 이것은 외부 성기와 성 염색체가 일치하지 않거나 모호한 외부 성기를 가진 아동을 대상으로 시행된 연구에서 볼 수 있다.

Money와 Ehrhardt는 포경수술 도중, 사고로 음경이 손상된 7개월 된 쌍둥이 소년의 사례를 연구하였다. 그의 부모는 손상을 입은 소년을 소녀로 성전환수술을 하였고 결국 성형수술로 그를 신체적으로 여성화 시켰다. 부모는 그를 소녀로 양육하였고 여성처럼 행동하도록 하였다. 이 아동은 외형적으로 정상적인 여성처럼 보였다. 다만 사춘기때 성과 관련된 모호성이 수술한 쌍둥이 소녀에게 나타났지만 정상 여성처럼 보였다. 이 상황은

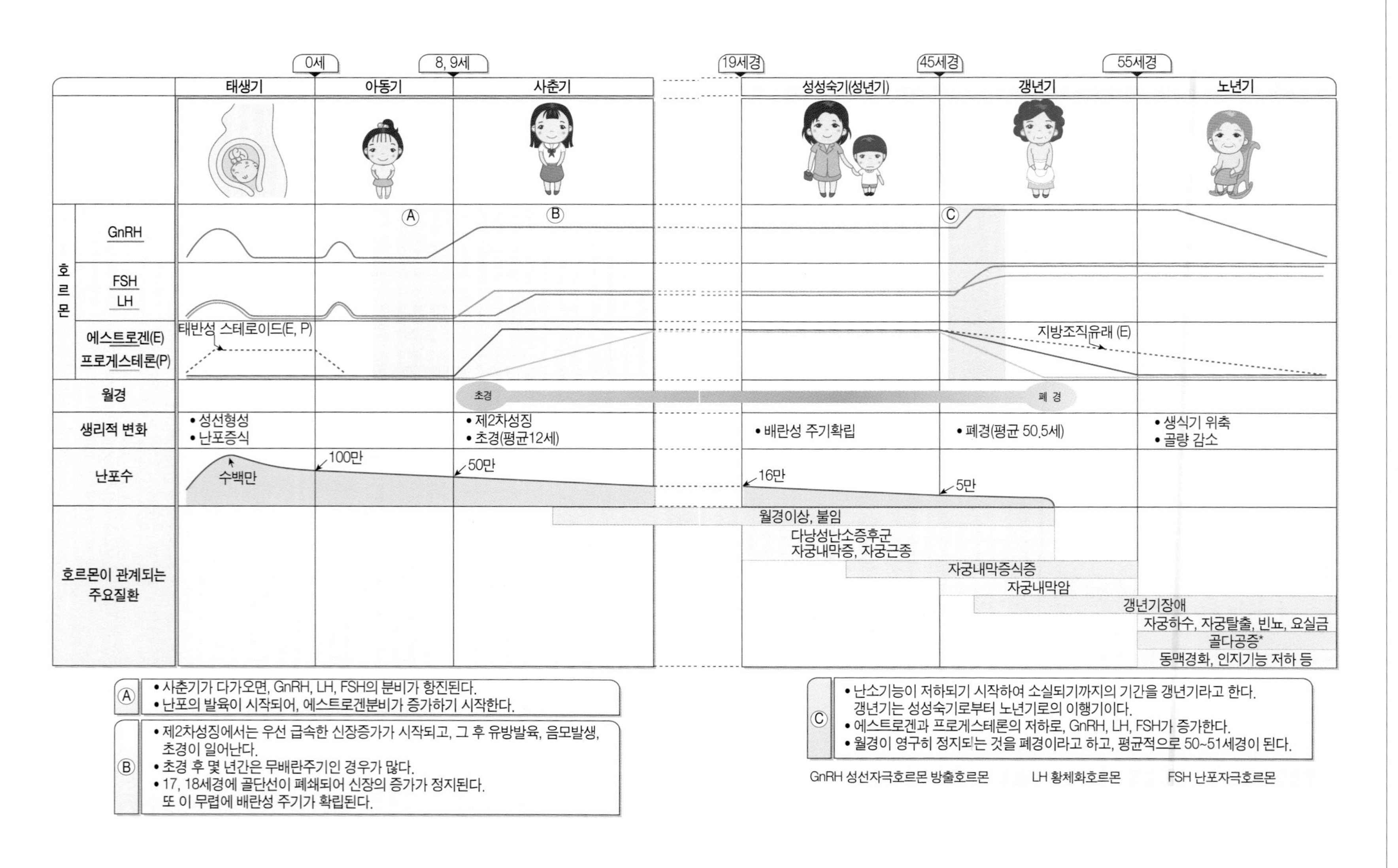

그림 4-7

발달 주기별 호르몬의 변화

여성의 일생은 성기능에 따라서 태생기, 아동기, 사춘기, 성성숙기, 갱년기, 노년기로 나누어진다. 여성은 GnRH, LH, FSH, 에스트로겐, 프로게스테론의 작용으로, 특이한 삶의 주기를 확립한다.

사회학습 요인인 환경적 기대가 아동의 성적 정체성 형성에 영향을 미쳤음을 보여주는 사례이다.

사회학습이론가는 부모와 학교, 사회 등에서 소년과 소녀에 대한 차별적인 태도가 아동 초기부터 시작된다고 하였다. 부모는 남아를 여아보다 더 거칠게 다루며, 여아에게 더 자주 얼굴을 마주 보면서 친절하게 대화하는 경향이 있다. 학교 역시 사회적인 학습 요소를 주입시킨다. 여학생은 언어나 문학에 더 유능하다고 기대하고, 남학생은 수학과 과학에서 더 유능할 것으로 기대한다. 대중매체는 사회학습 이론을 더욱 강화시킨다. 최근들어 변화가 많이 됐지만 아직도 교과서나 베스트셀러 책에서는 여전히 여성은 수동적이고 감정적이며, 남성은 지적이고 능동적으로 묘사하고 있다.

가족의 부조화는 성역할 동일시에 영향을 미친다. 가족의 무관심, 부모의 이혼 또는 사망으로 인한 아버지의 부재 등은 아동(남성)의 성적 정체성 확립에 영향을 미친다. 특히 5세 이전에 발생한 아버지의 부재는 성 유형화를 방해한다. 아버지 부재에 대한 영향은 소녀의 경우는 아버지부재에 대한 영향이 주로 이성관계가 시작되는 청소년기에 나타난다.

반면, 일생 동안 아버지가 없는 가정에서도, 심리적으로 건강하고 긍정적인 어머니상을 통해 성 유형화를 확립할 수 있다. 또한 다른 남성의 효율적인 역할 모델을 통해서 남성 자녀의 경우 남성 특성과 남성의 성 정체성을 긍정적으로 발달시킬 수 있다.

그림 4-8
성 정체성 발달

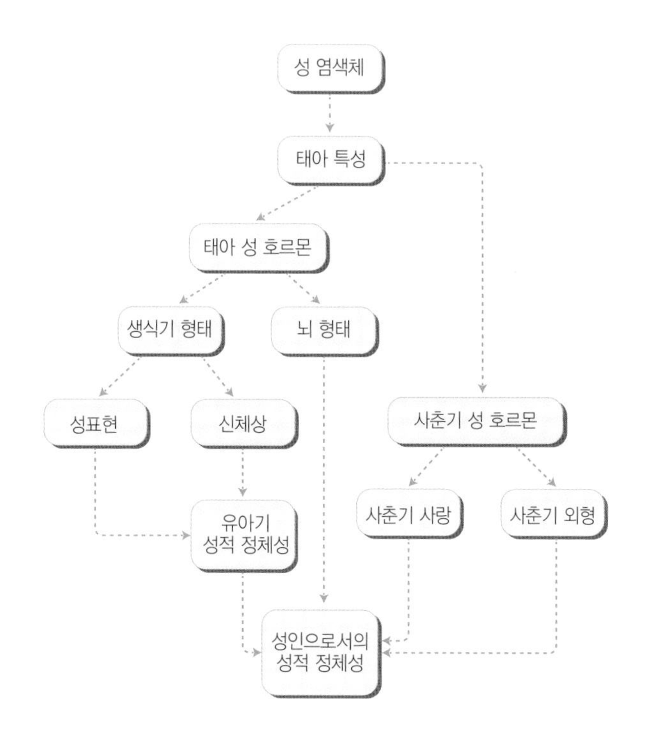

4. 심리성적 발달의 특성

프로이트와 에릭슨은 인간의 심리성적 발달의 연속성을 개념화하였다. 심리·성적 발달은 연속적으로 일어나며 사춘기때에 완전히 성숙된다(그림 4-8). 유아나 아동은 성 표현을 다양하게 하지만 그들이 나타내는 행동은 성인이 생각하는 성적 의미나 가치에 의해 표현하거나 행동하지는 않는다.

아동기의 성적 활동은 학습된 특정한 행동이지 본능적 욕구를 표현하는 것은 아니다. 그러나 아동의 이러한 행동은 만족감을 느끼는 행동이고 의도된 행동이다. 의도와 결과면에서 성적인 것이 될 수도 있다. 이러한 전제는 아동의 발달 주기에서 발생할 수 있는 성 발달의 문제를 해결하는데 사용할 수 있다.

Frances(2006)의 유아의 성적 관심발달에서 볼 수 있다(표 4-2).

심리성적 발달은 연속적이지만, 이 연속성이 인과관계적인 것은 아니다. 성적이라고 정의되는 유아기의 행동은 어떤 원인에 의한 결과라기 보다는 인성 발달 영역에 영향을 미칠 수 있다는 것을 이해해야 한다. 아동에게 나타나는 성적 행동에 대한 가족의 반응은 질, 아동의 자아수용, 죄책감, 자아와 타인에 대한 신뢰감, 친밀감 등에 영향을 미친다. 아동의 심리성적 발달이 인성발달에 통합될 수 있도록 가족과 사회는 아동의 권리를 인식하고 수용해야 한다.

5. 영아기의 성(Infant sexuality)

0~18개월 된 영아는 환경을 통해 신뢰감을 발달시킨다. 부모가 영아를 온화하게 다루고, 배고픔과 추위로부터 보호해 주고, 즐거움과 수용적 태도를 보인다면 영아의 신뢰감 형성에 도움이 될 것이다. 영아가 습득하는 신뢰에 대한 감각은 언어습득 이전의 경험이다. 이것은 지각학습이다. 영아는 불편과 편안함의 정도를 구별할 수 있다. 그들의 감각은 주위의 환경에 반응하며, 또한 그들의 욕구를 만족시켜주는 부모와 연결되어 있음을 학습한다.

아동의 성을 연구한 Ernest Borneman은 성 발달의 첫번재 단계를 피부 단계라고 하였으며 이 시기의 피부는 영아의 유일한 성감대이다. 영아는 촉각적 자극에 의해 피부의 감각적 쾌락을 경험한다.

영아의 관능성에 대한 지각은 출생 후 어머니의 신체적인 접촉에서 나타난다. 벌거벗은 아기를 출생 직후 어머니 옆에 두었을 때, 대부분의 어머니는 영아에게 신체적인 접촉을 점진적으로 한다. 즉 4~8분 후에 어머니는 영아의 사지를 손가락 끝으로 접촉하면서 만지고 그 후 손바닥으로 영아의 몸을 마사지하면서, 쓰다듬고, 접촉하는 것을 반복한다. 이러한 애착 행동은 어머니와 영아를 결속시키고, 영아에게 안정감을 갖게 한다. 신체를

표 **4-2 유아의 성적 관심발달과 이상 성행동(Frances, 2006)**

- 성기를 포함한 신체부위를 탐색한다.
- 신체에 대해 긍정적 또는 부정적 태도를 갖는다.
- 의사놀이나 엄마, 아빠놀이와 같이 성과 연관된 다양한 형태의 놀이활동을 한다.
- 유아들은 화장실유머를 즐긴다.
- 신체에 대해 토론할 때 알맞은 단어를 사용하는 대신에 그들이 들었던 성적은어를 사용한다.
- 임신과 출산에 많은 관심을 보인다.
- 자위행위를 하기도 한다.
- 다른 유아들에게 은밀한 신체부위를 보여준다.
- 반대로 다른 유아의 신체를 보려고 한다.
- 가족의 신체 특히 같은 성을 가진 부모의 신체에 관심을 보인다.

유아의 이상 성행동

- 유아가 성적 행동에 대해 말한다.
- 다른 유아와 성적 행동을 시도하려고 한다.
- 낯선 사람과 성적 행동을 시도하려고 한다.
- 급우들이 특정 유아의 성적놀이에 불편하기 시작한다.
- 평소와는 달리 성적 행동에 지나친 관심을 보인다.
- 물체를 사용하여 신체의 구멍을 관통하는 등 부적절한 성적놀이를 한다.

TIP

성욕구의 발달(Freud)

아동은 성욕구의 발현이 시작되나 미완성이며 주로 성감각이 발달한다. 발달주기별로 만족감을 느끼는 성쾌감 부위가 다르다.

- 구순기 : 생후 1 1/2년간, 성적 쾌감은 빨고, 물고, 씹고, 소리내는 구강활동과 입술이 근원. 영아는 만족과 쾌감을 주는 대상에게 애착 형성
- 항문기 : 1~3세, 항문주위가 쾌감 부위, 괄약근 발달, 배변훈련
- 남근기 : 3~5세, 성기가 쾌감 부위, 오이디프스, 일렉트라 컴플렉스
- 잠복기 : 6~12세, 성쾌감을 특정 성감대가 아닌 사회성 발달과 일상생활적응을 위한 지식, 기능 습득에 둔다.
- 생식기 : 사춘기 이후 시기, 성욕구 성숙시기로 성감대는 성 생식기에 집중, 성 생식기 : 성욕구 해소로 성적긴장과 즐거움, 쾌감과 만족감을 얻는 시기

어루만져 주면 영아는 자신과 타인에 대한 수용감을 느낀다.

모유 수유율과 수유기간이 점차적으로 증가하고 있는 추세이다. 수유시에 영아의 신체를 더 많이 접촉하도록 강조하고 있다. 출산 후 가족용 침대를 사용하도록 하며 부모들에게 자녀와 많은 피부 접촉 및 상호작용을 하도록 지도해야 한다. 이러한 감각자극은 건강한 성인이 자녀에게 줄 수 있는 가장 좋은 성적 접촉으로 아동의 성적 감각의 기본 요소가 된다. 다정함과 온화함이 있는 환경에서 성장해야 하며 영아는 자신의 신체적 감각을 경험하고 자신의 신체를 좋게 느끼도록 학습되어야 한다.

부모는 영·유아에게 성욕구가 아닌 성감각 반응이 있음을 이해해야 한다. 또한 영·유아의 성감각반응(피부의 관능성) 개발들을 위한 지침이 발달과정에 포함되어야 한다. 아동은 자신이나 타인의 신체적 접촉을 통해 쾌감을 느낀다.

신체에 대한 자기자극을 통해 여자 아이는 몸에서 느끼는 부드러움을 더욱더 경험할 것이며, 성기가 부풀어 오르거나 질윤활작용을 하는 등 성적흥분의 징후를 나타내기도 한다. 남자아이는 태아기 때부터 발기현상이 나타나며, 출생 후에는 신체의 자극을 통해 발기를 경험할 것이며 자위행위 시 느끼는 기쁨을 알 것이다. 남아나 여아 모두가 오르가슴을 느낄 때도 있다. 그러나 아동은 성적 쾌감과 다른 종류의 즐거움을 구별하지는 못한다.

영·유아가 신체적 자극을 통해 즐거움을 느끼면 쾌락을 경험할 수 있는 자기자극적인 행동을 반복할 것이다. 쾌락을 추구하는 이러한 자위행위는 성인의 성적 자위행위와 유사하다. 그러나 유아와 아동의 자위행위는 청소년과 성인의 자위행위와는 다르다. 청소년과 성인은 자위행위에 감정과 정서적인 특성 또한 성적 환상을 포함한다. 그러나 유아와 아동의 자위행위는 이러한 요소가 없다. 영·유아는 오르가슴을 위해 자위행위를 할 수도 있다. Lies와 Kagen은 8~10개월 된 남아와 여아에서 골반을 밀거나 당기는 것을 확인하였다. 이러한 동작은 아기가 부모에게 안기거나, 코나 얼굴을 비빌 때에 몇 초 동안 빨리 골반을 밀고 당기며 회전하는 등의 애정표현을 동시에 한다. 영·유아의 숨막힐 듯이 밀착하는 포옹은 걸음마가 시작되는 나이로 들어가면 감소한다.

이러한 영·유아의 행동이 무엇을 의미하는지를 아는 것은 어렵다. 이러한 표현은 성적 욕구의 표현이기보다는 기쁨과 즐거움의 표현이다. 그러나 때때로 이러한 행동은 부모를 놀라게 한다. 아기는 태어나면서부터 이미 성기를 자극하면 쾌감을

얻는다는 사실을 발견한다. 아기는 어루만져주고 껴안고, 보송보송한 젖지않은 기저귀, 따뜻한 물 목욕 등 여러가지 촉각적 자극을 통해 감각적 쾌락을 습득한다. 부모는 성인의 성적흥분과 영·유아의 예민한 감각을 동일한 것으로 생각하여 당혹감을 느낀다.

성교육자는 민감한 부모에게 아동기의 성 발달과 성적 행동에 대한 정보를 주어야 한다. 영·유아의 성적 행동은 정상적 성 발달 과정에서 나타나는 행동이고 영·유아는 부모가 아는 것보다 훨씬 빨리 성적 쾌감과 성적 행동에 눈을 뜬다는 것을 지도한다. 유아는 부모의 따뜻한 돌봄과 부드러운 자극을 통해 영·유아기의 발달과업인 건강한 관능성 발달을 한다. 또한 부모나 교사들은 영·유아의 성 발달에 대한 연속성을 이해하고 그들의 관능성 발달을 성취하도록 지도해야 한다.

6. 아동기의 성(childhood sexuality)

아동기를 논의상 18개월~11세까지의 연령집단으로 하였다. 아동기의 성적 문제는 아동 자신의 문제라기보다는 아동에 대한 부모의 문제가 더 일반적이다. 아동들은 대부분 흥미와 호기심이 많기 때문에 자신의 성 발달에 대해 관심이 많다. 아동은 부모의 접촉을 원하고 피부의 감각이 발달하고 관능성을 발달시킨다. 또한 아동은 부모에게 비난받을 수 있다는 위험을 알면서도 오로지 어떻게 해야 자신의 흥미와 욕구를 채울 수 있는지를 학습하고 자신의 호기심을 시험하고 시도한다.

아동의 성 발달을 지도하고자 할 때 가장 큰 문제는 현장전문가가 아동들에게 직접적으로 접근할 수가 없다는데 있다. 정보는 부모를 통해 여과되고, 또한 정보는 부모의 편견과 불안에 의해 변화될 수도 있다. 아동에 대한 성건강지도는 천천히, 점진적으로 접근할 필요가 있다. 아동의 성 발달과 관련해서 부모를 교육할 때에는 성상담을 할 때처럼 민감한 기초 단계를 밟아야 한다. 주제는 점진적으로 그리고 민감하게 접근하도록 한다. 부모는 아동기 성에 대한 새로운 정보를 습득하고 이러한 지식을 다양한 접근방식에 통합할 수 있도록 개방되어 있어야 한다.

성건강 전문가가 부모에게 성교육 및 상담을 할 때는 우선적으로 부모가 자신의 성에 대한 신념과 가치가 존중받고 있다는 느낌을 갖도록 접근해야 한다.

오늘날 우리사회는 6학년 아동을 신체적 측면보다는 사회적 측면에서 사춘기 이전 시기라고 한다. 연령으로 구별하는 성 발달은 중복되는 경우가 많다. 5세 아동이라 할지라도 다른 8세 아동에게 적용되는 성 관련 정보를 제공할 수 있다. 성 발달에 대한 지도에 연령의 경계선을 엄격하게 구별하는 것은 바람직하지 않다.

다음은 아동기(18개월~11세)에 나타날 수 있는 성 발달에 따른 행동이다.

1) 배변훈련

배변훈련은 유아의 성장발달과 성 발달에 영향을 미친다. 유아는 사회적으로 수용할 수 있는 배설방식을 습득해야 한다. 아동은 자신의 배설에 대한 자기통제를 유아기에 발달하는 자신의 신체에 대한 자기수용감을 기반으로 하여 습득한다. 이러한 과정 동안 아동은 가끔 실수를 할 수 있으나 이것은 잘못된 것은 아니다. 부모는 아동의 이러한 용변실수에 대해 더러움을 인내하는 내기처럼 부정적으로 생각해서는 안된다. 부모가 배변훈련을 시도할 때는, 아동의 용변 뒤처리 시 부드러운

TIP

유아, 아동의 성 행동발달

연령/발달과업	성 행동발달	지도
4~6세 창의성 성 정체성 확립 및 수용	•남녀의 신체차이 인식 •성역할 구별 •자위행위 놀이 지속 •성에 대한 경이로움 수용 •원치않는 접촉 시 싫다라고 하는 것을 학습 •아기가 어떻게 만들어지는지에 대해 관심	•신체를 소중히 하고 청결한 생활태도 •자신의 감정이나 느낌을 솔직히 표현 •성적놀이(동성애, 성폭력) 지도 •평등한 성역할 수용 •자위행위를 정상행동
18~36개월 성적 자율성 자기통제습득 성 정체성 확립	•남녀 몸 다름 인식 •아기에 대한 호기심 •성기가 장난감 •성기와 배설기관 동일시 •생식기와 몸의 기능에 대한 언어 습득	•대소변 훈련(칭찬과 격려) •신체를 소중히 하고 청결습관 •청결함의 쾌감
0~18개월 신뢰감 형성 관능성 발달	•자신의 몸 탐색 •타인의 몸 구별의식 •손가락 빨기	•모아상호작용(애착) •신체적 접촉 •모유수유 시 피부 접촉 •즐거움, 편안감, 이완감, 안정감

접촉을 해 주어야 하며, 용변행동을 더럽다는 식으로 표현하거나 용변을 실수했을 때 유아가 무안하지 않도록 해야 한다. 부모는 유아의 배변행동에 포함된 성적의미를 이해해야 하고 배변행동과 연루된 성적 자율성에 대해 논의할 필요가 있다.

유아의 배변훈련 시기는 부모의 역할분담이 시작되는 지점이다. 흔히 아버지는 이 일은 어머니가 해야 할 일이고 아버지의 몫이 아닌 것으로 생각하는 경향이 있다. 아버지가 대부분의 시간을 아들과 함께 보내려 하고 상대적으로 딸은 어머니에게 떠 넘긴다면 배설에 대한 부정적인 메시지가 딸에게 전달될 수 있다. 즉, 어린 딸은 남자(심지어 아버지)에게는 그녀의 생식기를 비밀로 해야한다고 생각하게 될 것이다. 배변훈련은 가족의 지지를 받는 발달적 지표가 되어야 한다. 그러한 가정에서 양육되는 아동은 건강한 성 발달 뿐만 아니라 통합적 인성 발달을 하게 될 것이다.

2) 가족의 신체노출(나체)

정숙함, 단정함, 비밀유지, 노출을 신체로 표현하고 느끼는 방식은 가족마다 다르다. 가족의 신체노출에 대한 걱정은 주로 부모의 몫이다. 대체로 아동은 가족의 신체노출(나체)에 대해 무관심하며 호기심도 없고 걱정하지도 않는다. 프로이드는 가족의 나체가 아동에게 결과적으로 성적 자극을 유발하는 과잉자극이 될 수 있다고 하였다. 그러나 현재 지지하는 연구는 거의 없다. 때로 부모의 나체는 아동에게 성별의 다름이나 몸의 특별한 명칭에 대한 적절한 준거로써 사용될 수 있다.

아동의 신체, 특히 성기에 대한 부정적인 메시지는 아동에게 부정적인 성적 금지로 해석될 수 있다. 부모가 신중하게 아동의 신체노출을 허용한다면 아동은 대체로 신체에 대한 긍정적인 자아수용감을 느낄 것이고 또한 긍정적인 신체상, 자신의 성 정체성을 발달시킬 것이고, 남녀의 신체에 대한 차이점과 유사점을 알게 될 것이다. 아동은 신체에 대한 궁금증을 질문할 것이며 성장후 자신의 모습이 어떻게 보일 것인지에 대해 미리 학습할 것이다. 대체로 가족의 나체는 신체에 대한 좋은 감정을 갖게 할 것이고 풍부한 정보를 제공할 것이다.

아동은 가족의 노출에 대해 불편함을 느낄 때는 신호를 보낼 것이다. 아동은 옷을 벗을 때 아마 그들의 침실문을 닫을 것이고 목욕할 때도 화장실 문을 닫을 것이다. 아동은 성장할 수록 이와 연관된 사적인 비밀유지를 필요로 하며 조심성이 더욱더 증가한다. 이들의 요구들은 그들 친구들과 비슷하며 친구들을 동일시하려는 욕구와 결속되어 있으며 또한 그들 자신과 친구들 사이의 경계영역이 무엇인지를 아는 아동의 성장요구와도 결속되어 있다.

가족이 아동에게 옷을 입어야 한다고 요구를 하면 아동은 가족과 함께 있을 때 옷을 입을 것이다. 부모가 아동의 나체에 대해 과민반응을 보인다면 상담을 할 필요가 있다. 만일 아동이 욕실에서 샤워를 하고 옷을 입지 않는 나체로 부모쪽으로 걸어나온다면 부모는 부드럽게 '쉿'소리를 내면서 타월을 사용하라고 할 수 있다. 개인의 사생활보호는 주요한 특권이다. 사생활을 침해했다고 분노를 표출하거나 당황함을 나타내기보다는 상호편안함을 누릴 수 있도록 부드럽게 접근하는 것이 좋다.

가정에서 부모가 다음의 지침을 지킨다면 아동은 성적 안정상태를 유지할 것이다.

- 부모는 아동의 신체노출을 받아들이고 존중한다. 만일 행동이 불쾌할 시에는 꾸짖는 것보다 담담하게 옷을 입힌다.
- 부모는 아동이 자신들의 벗은 몸을 보았거나 성적 행위를 하는 것을 보았다고 해서 아동에게 벌을 주거나 굴욕감을 주어서는 안된다.
- 아동의 사적비밀유지와 정숙함에 대한 요구를 존중한다.

3) 자위행위(genital self-stimulation)

아동은 유아기부터 자위행위를 시작해서 후기 아동기까지도 계속한다. 아동은 자신의 성기를 자극할 때에, 쾌감이 따른다는 것을 우연히 알게 된다. 자기자극행위는 타인(특히 부모)에게 해를 주지 않으며 아동에게만 즐거움을 준다. 또한 아동에게 현재 또는 잠재적으로 해를 준다는 연구도 없다.

Elias와 Gebhard가 백인 청소년 432명을 연구한 결과, 56%의 소년과 30%의 소녀가 사춘기 이전에 자위행위를 했다고 하였다. 아동은 손을 사용한 성기자극을 가장 많이 하였으며 아동은 리듬있게 마찰을 하거나 허벅지 사이로 물체를 집어넣기도 한다.

부모는 아동이 자위행위를 한다는 것을 알았을 때 당혹감과 불안감을 느낀다. 부모는 특히 아동의 자위행위 빈도에 대해 걱정하며 어떻게 해서라도 그 행동을 제한하고자 할 것이다. 부모는 아동이 "얼마나 자주 하나?" "대중 앞에서 그것을 한다면 어떤 일이 벌어지나?"하고 불안을 느낀다. 자위행위는 아동의 일반적 활동 중의 하나라고 평가해야 한다. 만약 6세의 아동이 친구와 놀이(사회적 상호작용)를 하기보다는 집에 머물러 자위행위를 한다면, 자위행위는 성적인 문제라기 보다는 아동의 심리사회적 문제로 다루어야 한다.

성건강 전문가는 부모의 성적불안부터 아동의 성행위에 따른 실제적인 문제까지 해결할 수 있도록 도와주어야 한다.

아동기 이후에는 대부분 자위행위를 하지만 이에 관해 우리는 불안과 죄의식을 느끼도록 양육되었다. 어릴 때부터 자위행위는 나쁜 것이라고 생각해 왔다. 아동은 자위행위에 대해 사회적 금기를 분명히 인식하고 있다. 만약 이러한 행위를 목격하였다면 부모는 온화하게 "여기서는 아니야"라고 말하는 것으로 충분하다.

초등학교 연령의 여아는 자기자극행위를 할 수 있다. 몸을 뒤틀거나 몸을 부빌 수 있고 팬츠를 끌어 내리고 성기 부위를 만질 수 있다. 자기자극행위를 하는 아동의 경우 비뇨기 계통의 감염이나 요충의 감염에 주의해야 한다. 자기자극행위를 하는 아동은 일반적으로 학교와 가정에서 적응에 문제가 있는지를 확인하고 평가할 필요가 있다. 성적인 자기자극 행위가 다른 문제 때문에 올수도 있기 때문에 주의해서 보아야 한다.

부모는 아동이 자신을 자극해 쾌감을 얻는 일이 정상행위라는 것을 먼저 이해하고 자신의 신체에 대해 만족스러운 경험을 하도록 허용하는 것이다. 이 허용범위는 자기자극행위에 대한 부모의 편안함과 수용 정도에 따라 허용할 수 있으며 부모는 무관심에서부터 명백한 지도까지 할 수 있다. 그러나 "그것은 괜찮아"와 같은 메시지는 필수적이다.

아동의 성 탐색놀이는 정상적인 발달행동이다.

자위행위는 혼자하는 것이지만 어떤 사람은 불편하게 느낄 수 있다는 점도 이해해야 한다. 아동기때 우리 자신의 신체와 성에 대한 경이로움과 즐거움을 수용한다는 것은 성인기의 성적 만족을 성취하기 위한 최상의 준비이다. 자기자극행위가 강박적인 행동으로 표현하거나 불안을 감소시키기 위해 사용된다면 그것은 본질적으로 성적 문제가 아니라 그것은 심각한 정신심리적 증상들이다.

4) 성 탐색놀이

가족의 나체가 허용되는 가정에서 성장한 아동은 성기 차이에 대한 호기심은 점차적으로 줄어들지만 성행위에 대한 호기심은 지속적으로 증가한다. 아동의 이러한 성적 흥미와 호기심은 유사한 호기심을 갖는 아동이나 또래 친구와 함께 더욱더 확장된다. 아동기에는 이러한 성적차이에 대한 흥미나 호기심 때문에 성적 탐색놀이를 하며 이것은 거의 문제가 되지 않는다. 성에 대한 자연스런 호기심이 충족된 아동은 성인이 되어서도 자신의 몸을 편안하게 생각할 것이고 특히 여아의 경우 부모는 성기에 대해 이야기하거나 전문적 용어로 이야기하면서 숨기지 않고 남녀의 차이를 설명한다면 여아는 자신의 성기에 대해 긍정적인 가치를 가질 것이다.

아동의 성 탐색놀이의 문제는 부모가 아동의 성행위 놀이를 알고 놀라움을 표현하거나 아동에게 불안을 투사할 때 발생한다. 부모는 일반적으로 아동의 상호간 성 탐색 놀이에 대해 두려움을 표현한다. 부모의 두려움은 "아동이 동성애에 빠지지 않을까"하는 것이고, 아동이 성폭력의 대상으로 이용당하는 것이 아닌가하는 것이다.

동성애의 원인에 대한 이론들은 다양하나 아직 정설이 없다. 유전적 이론 즉 '동성애자는 선천적으로 태어나는 것이지 후천적인 것이 아니다'라는 이론이다. 그러나 대부분의 동성애자들은 이성애자들을 통해서 태어난다. 호르몬 이론도 아직도 정설이 없다. 동성애와 테스토스테론 수준과의 관계를 알아보는 실험도 아직 모호한 결과로 논쟁이 되고 있다. 즉 외부에서 투여한 높은 수준의 테스토스테론은 성적 욕구를 증가시키지만 이것이 성적 지향성을 변화시키지는 않는다는 것이다. 정신분석 이론은 동성애를 가족, 특히 어머니의 탓으로 돌린다. 동성애는 해결되지 않는 외디프스 콤플렉스, 엘렉트라 콤플렉스에서 온다고 하였다. 남성의 성역할이 여성스럽다고 해서 성에 대한 지향성에 영향을 미치는 것은 아니다. 종교적인 여성도 레즈비언을 선택할 수 있다.

부모는 아동이 왜 이성애 또는 동성애를 선택하는지 잘 모른다. 동성의 친구와 의사놀이를 하는 학년전기 아동에게 부모는 성인의 동성애가 시작되는 것이 아닌가하고 걱정한다.

성 탐색 놀이는 아동의 성장발달과정 중에 나타나며 아동은 몸을 탐색하면서 성적 부위를 자극받고자 하는 일종의 성적 놀이이다. 부모는 아동이 남녀의 해부학적인 차이에 대한 호기심과 의문을 많이 가지고 있으며 질문을 많이 한다는 것을 이해해야 한다.

부모는 아동의 불필요한 불안을 경감할 수 있도록 아동에게 몸을 설명하는 기회로 이 놀이를 이용할 수 있다. 아동의 성적흥미와 호기심을 나쁜 것으로 규정해서는 안된다. 그러나 특정시기, 장소, 또는 사람에 대해서는 주의를 줄 필요가 있다. 부모는 벌을 주거나 금지시키기보다는 사회화의 태도를 강조해야 한다. 부모는 사회에서 용인하는 행동지침을 제공하고 성적탐색이 정상행동이라고 받아들이면서 아동의 성이 건강하게 발달할 수 있도록 돕는다.

같은 연령의 아동이 참여하는 성과 관련된 놀이에는 착취적 요소는 거의 없다. 그러나 한 아동이 더 나이가 많고, 크고, 강압적이며, 다른 어린 아동이 수동적이고 이 놀이에 참여하기를 꺼릴 때 성 탐색 놀이는 성적 착취의 가능성이 높다. 여기서 중요한 것은 이 놀이에 참여하는 나이가 많은 아동의 의도(괴롭히거나 해를 입히는)와 부적절한 성 욕구의 해소이다.

성건강 전문가는 이러한 상황에 있는 부모에게 적극적인 행동방향을 제시하고 지도하도록 도와야 한다. 즉 아동에게 강압적인 성 탐색놀이는 복종할 필요가 없다고 가르쳐야 한다. 또한 성전문가는 나이어린 아동의 부모가 강압적으로 행동하는 나이 많은 아동의 부모에게 이 문제를 논의하도록 제안할 수 있다. 나이가 많은 아동과 그의 가족에게는 지지적인 상담이 필요하다.

5) 성역할 전환행동(cross-gender behavior)

성역할 전환행동은 부모나 아동이 이 행동을 조장하는 경향이 있다. 성역할 전환행동은 아동이 지속적으로 자기와 다른 성별의 놀이 친구를 선택하거나, 다른 성별의 옷을 입거나, 다른 성별의 친구에게 관심이 많을때 주로 발생한다. 일반적으로 이러한 아동은 해부학적으로 남성이지만 여성의 성적 동일성(해부학적 성)에 만족감을 느끼고 자신의 해부학적 성을 혐오하며, 여성의 놀이 활동에 선호도를 나타낸다. 이와 같은 행동이 부모의 기대에 맞지 않을 때 부모에 의해 성역할 전환행동이 더욱 조장될 수 있다. 이때 특히 소년은 남성, 여성 등 양성을 선택해야 하기 때문에 사회적인 갈등과 또래 친구로부터 고립을 경험할지도 모른다. 부모는 아동의 놀이에 대한 선호도를 수용해야 한다.

성역할 전환행동은 아동이 해부학적으로 정상이지만 반대의 성에 속하기를 원할 때 아동자신에 의해 조장될 수도 있다. 이런 아동은 옷이나 머리모양을 변형시키는 것으로 그들의 성을 표출하기도 한다. 그러나 다른 성별에 소속을 할 것인지에 대한 결정은 오랫동안 지연된다. 현장 전문가는 아동의 성역할 전환행동의 분류, 관리, 의뢰에 대한 부모의 요구를 확인하기 위해, 성역할 전환행동을 평가하도록 도와야 한다.

부모와 아동 모두에게 다음과 같은 질문을 할 수 있다.

- 아동이 행복한가?
- 성역할 전환행동이 부모와 아동에게 걱정을 초래하는 정도는?
- 이런 행동이 확실하게 나타난 시기는 얼마나

TIP

아동의 성행동 및 지도

<table>
<tr><th>성행동</th><th>특성과 지도</th><th>성교육 시 부모의 태도</th></tr>
<tr><td>배변훈련</td><td>•발달 및 성적지표로서 이해
•사회적으로 인정된 배설방식, 자기통제 습득 표현
•부모의 부드러운 접촉, 칭찬, 부부 참여</td><td rowspan="5">• 발달 단계에 맞게, 아동의 수준에 맞게, 아동의 언어로 대답해 주어야 한다.
똑같은 질문이라도 아동이 어리면 짧고 단순하게 대답해 주고, 아동이 좀 더 크고 호기심이 깊다면 자세하고 구체적인 대답으로 응해야 한다.
• 당황하지 않아야 한다.
아동은 어른이 당황해 하는 것을 보면 '내가 이상한 것을 묻는걸까'하고 어색해 하므로 자연스러운 태도를 가져야 한다.
• 질문에 솔직하게 답해야 한다.
이야기를 딴 데로 돌리거나 거짓말을 하면 호기심은 더욱 커지고 상처를 받을 수 있다.
• 그 자리에서 해답을 찾아야 한다.
잘 모르는 질문일 경우에는 같이 찾아보거나 아니면 '나중에 알아보고 말해줄께'하고, 다음에 꼭 이야기 해 주면 된다.
• 질문을 받은 사람이 대답한다.
다른 사람에게 대답을 미루지 않는다.
• 우리 몸을 소중하게 생각하는 태도를 심어준다.
자기 몸을 보호하는 방법도 일러주어야 한다.
• 아동에게 되묻는다.
아동의 생각을 들어보고, 질문을 받은 자신도 그 문제에 대해 생각하는 시간을 갖는다.</td></tr>
<tr><td>가족의 신체노출</td><td>•신체에 대한 긍정적 수용–자아수용 기회
•남녀 신체 차이점, 유사점 인식
•불편할 때 신호를 보낸다.
•침실 문을 닫는다.
•옷을 입는다.
•사적인 침해 시 신호를 보낸다.</td></tr>
<tr><td>자위행위</td><td>•자극(손사용, 마찰, 허벅지 사이의 물건삽입) 시 즐거움을 안다.
•부모의 불안 요인 : 횟수, 대중 앞에서, 놀이보다 우선하는 자위행위, 불안감소행위
•아동의 신체와 성에 대한 즐거움은 발달지표. 자위행위를 수용하여 불안을 경감(그것은 괜찮아, '여기는 아니야'지도), 비뇨기계통 감염, 증상과 요충 감염확인.</td></tr>
<tr><td>성 탐색놀이</td><td>•아동기 상호간 성 탐색 놀이학습(남·녀 해부학적 차이 등을 교육, 질문으로 불안감 해소)
•문제에 대한 지도
1. 동성애에 대한 두려움
2. 아동을 성착취 대상으로 이용(나이, 느낌 확인)</td></tr>
<tr><td>성역할 전환행동</td><td>•아동기 친구, 놀이선호도
•반대의 성에 속하기를 원하는 행동, 옷이나 머리모양
•행동에 대한 문제 확인
–아동이 행복한가?
–부모와 아동에게 걱정을 초래하는 정도는?
–행동이 나타나는 기간?
–아동이 얻는 2차적 이득은?</td></tr>
</table>

되었나?

- 이런 행동으로 아동이 얻는 이차적 이득은 무엇인가?

부모나 성전강전문가는 아동의 성역할 전환이 아동의 내적 욕구와 기질에 조화를 개발할 수 있도록 도와야 한다. 대부분의 아동은 성역할 정체성을 확립하고 해부학적 성과 심리적 성이 일치하는 순응 단계를 경험한다. 만약 부모나 아동이 이러한 순응 단계에서 불편함을 지각한다면 문제가 있는 것이다. 성건강 전문가는 부모의 기대와 편견뿐만 아니라 아동의 행동과 동기를 평가함으로써 가족이 문제의 근원을 찾도록 도와야 한다.

6) 아동의 성폭력

아동의 성폭력이란 아동에게 가해지는 성폭력으로 13세 미만의 아동에 대한 강간, 추행 등의 성적인 행위라고 할 수 있다. 관련 법 규정에서는 13세 미만의 어린이와 성적인 접촉을 할 경우 어린이 동의 여부와 관계없이 무조건 강간이나 강간추행으로 처벌하도록 규정하고 있다.

최근 개정된 성폭력 특별법은 13세 미만 아동에 대한 강간 및 성추행은 집행유예 대상이 되지 않도록 7년 이상 징역형으로 형량을 강화했으며 손가락 등을 사용한 유사 성행위를 할 경우 5년 이상의 유기 징역형에 처하도록 규정하고 있다. 그리고 4촌 이내의 혈족이나, 2촌 이내의 인척에 대한 성폭력은 가중처벌하고 있다.

우리의 법은 아동 성폭력 발생 시 그 처벌은 비교적 엄하게 하고 있으나 실제 발생한 아동 성폭력의 10%도 안되는 사건에 대해서만 신고가 이루어지고 있어 실제 처벌강화만으로는 아동 성폭력에 효과적으로 대응한다고 할 수 없다.

처벌보다는 아동을 보호하고, 성폭력 예방 교육을 실시하며 신고를 활성화시키고 신고자를 적극적으로 보호하며 잠재적 가해자가 아동 곁에 다가가지 못하도록 차단하고 가해자에 대해 처벌방지를 위한 치료나 교육, 제한을 가하는 조치들이 필요하다.

성폭력에 대한 통념

- **성폭력 가해자는 낯선 사람이다**

  아동이 평소 잘 알고 지내는 이웃이나, 친척, 부모, 형제, 형제의 친구 등이 많다.

TIP

신체 접촉의 유형

양육적(nurturing) 신체 접촉

- 신체 접촉(touch)은 유아들의 발달에 매우 가치 있는 활동이다.
- 좋은느낌을 주는 긍정적인 신체 접촉
- 가족이 안아주는 것, 동물을 쓰다듬는 것, 친구와 손잡는 것

혼란스런 신체 접촉

- 신체 접촉을 시도하는 사람의 의도가 분명하지 않은 경우
- 신체 접촉의 의도를 이해하지 못하거나 잘못 이해한 경우
- 신체 접촉을 시도하는 사람의 말과 행동이 다를 경우(말로는 괜찮다고 하는데 실제로는 불쾌하거나 아플 수 있다)
- 신체 접촉을 하는 사람이나 받는 사람이 모두 신체적접촉을 성적인 것으로 이해하는 경우
- 기분은 좋지만 비밀리에 행해지는 경우
- 신체 접촉을 하는 사람이나 받는 사람의 태도, 가치, 도덕과 일치하지 않는 경우

착취적(exploitative) 신체 접촉

- 상대방이 자신을 때리거나 괴롭히는 것
- 교묘하고 강압적인 신체 접촉
- 유아들에게 '나쁜 신체 접촉'이라고 알려 준다.

치료적 신체 접촉

- 애착, 결속, 친밀감이 부족한 아동에게 상호 작용 증진을 위한 치료적 접근을 함으로써 힐링을 돕는다.

- **성폭력 가해자는 정신이상자다**
  성폭력 가해자는 정상적인 생활을 하는 사람들이 더 많다.
- **성폭력 피해는 언제나 신체적인 위협이나 폭행으로 시작된다**
  아동이 가해자의 의도를 판단할 수 없도록 친절하게 다가와 게임이나 놀이를 하자는 등의 교묘한 술수를 쓰는 경우가 많다.
- **성폭력 피해는 한 번에 그친다**
  유아에게 눈에 띄게 드러나는 신체의 변화가 없고, 가해자가 생활 속에서 자주 만나는 사람이기 때문에 피해를 의심하지 못하는 경우가 많다.
- **성폭력 피해는 젊은 여성들에게 주로 일어난다**
  성폭력 피해는 점차 그 연령이 낮아지고 있는 추세다. 취약한 유아의 특성을 이용해 범죄행위가 늘어나고 있다.
- **남아들은 성폭력 피해 대상이 아니다**
  아동 성폭력 피해 중 90%는 여아, 10%는 남아에게서 일어난다.
- **성폭력 피해는 피해자에게도 약간의 책임이 있다.**
  성폭력은 모두 가해자의 책임이다. 피해자도 원인을 제공했다고 생각하는 것은 잘못된 생각이다.
- **어릴 때 당한 피해는 시간이 지나면 기억에서 잊혀진다**
  아동들이 당장에는 그 일에 대해 영향을 받지 않을 수도 있지만 성장과정에서 성격형성에 나쁜 영향을 미칠 수도 있다.

성폭력에 대한 아동의 취약점

- 아동은 힘이 없다.
- 아동은 모든 성인을 잘 믿고 따른다.
- 아동은 성인에게 복종하는 것이 좋은 것이라 배운다.
- 아동은 외모로 판단한다.
- 아동은 자신이 아는 사람은 모두 좋은 사람이라고 생각.
- 아동은 애정표현과 성폭력행동구별 능력이 부족하다(호기심이 많아 새로운 경험).
- 아동은 어른에게 칭찬 받는 것을 좋아한다.
- 아동은 자신의 신체에 대한 호기심이 많으나 성 개념과 지식이 부족하다.

성폭력 예방 교육

1. 지식
   - 어떤 것이 성폭력인지를 알게 한다.
   - 위험한 상황에서 자신을 보호하는 방법을 알게 한다.
   - 위험한 상황에서 자신을 보호해야 할 필요성을 알게 한다.
   - 기분 좋은 접촉과 나쁜 접촉을 구별하게 한다.
2. 태도
   - 자신의 몸이나 타인의 몸을 소중하게 여기도록 한다.
   - 위험한 상황에서 대처하는 바른 태도를 기르게 한다.
   - 위험한 상황에서 자신을 보호하려는 적극적인 태도를 기르게 한다.
   - 위험한 상황을 인식하고 대처하는 태도를 기르게 한다.
3. 기술
   - 위험한 상황으로부터 도움을 청하는 방법을 알게 한다.
   - 성폭력 가능성을 인식하고 올바른 방법으로 대처하도록 한다.
   - 성폭력을 당했을 때 도움을 구하거나 대처할 수 있는 방법을 알게 한다.

4. 적용
- 네 몸은 정말 소중하단다.
- 다른 사람이 함부로 만지면 안 되는 거야.
- 만약에 어떤 어른이 네게 도와달라고 하면서 다른 곳에 데려가려 하면 따라가지마. 정말 도움이 필요해서 부탁하는게 아닐 수도 있단다.
- 친한 사람이라도 누구든 네 몸을 함부로 만질 수 없단다. 그런 일이 있으면 싫어요! 라고 가장 가까이에 있는 사람에게 하거나 엄마한테 말해야 한다.
- 만약 누군가 네 몸을 함부로 만지는 일이 있다면 아빠에게 말해줄 수 있겠니? 언제든 아빠는 네 편이고, 널 도와 줄 수 있어.
- 사람들 중에는 아이들을 사랑하고 아껴주는 사람도 있지만, 아이들의 몸을 함부로 만지고 아프게 하는 나쁜 사람들도 있어.
- 친절한 얼굴을 하고도 나쁜 짓을 하는 사람이 있단다.
- 너의 몸을 만져서 아프게 하는 일은 비밀이 될 수 없단다. 비밀이라고 했어도 아빠에게 꼭 알려 주어야 해.

성폭력 피해 아동의 증상

1. 의료적 지표
- 생식기, 항문, 구강 등 신체에 나타나는 상처 및 손상이 있다.

2. 심리·사회적 지표 – 성적 지표
- 유아수준에 맞지 않는 성숙한 성 지식을 나타내는 말을 한다.
- 명백한 성행위를 묘사하는 그림을 그린다.
- 과도한 자위행위를 한다.

3. 심리·사회적 지표 – 비 성적 지표
- 지나치게 짜증을 내고, 두려워하며, 분노를 나타낸다.
- 정서적 불안을 보인다.
- 손가락을 빨거나, 오줌을 싸며, 부모에게 지나친 의존을 보이는 등 퇴행 행동을 보인다.
- 갑자기 목욕을 자주 하거나, 속옷을 자주 갈아 입는다.
- 갑작스럽게 눈에 띄는 행동의 변화가 있다.

성폭력 피해가 의심되는 대화

1. 해야 되는 말
- 아이의 눈을 보면서 일상적인 대화를 시작한다.
  "oo아, 오늘 날씨가 참 따뜻하지? 우리가 심은 씨앗에서 싹이 났던 걸?"
- 편안한 얼굴로 긴장을 풀어 준다.
  "엄마(선생님)는 너를 정말 사랑해. 언제든지 네가 필요할 때는 널 도와줄 수 있단다."
- 가능성을 탐색하며, 진지하게 물어 본다.
  "oo아, 요즘 힘든 일이 있니? 마음이 불편한 일이 있니? 가끔 누군가가 어린 아이 몸을 함부로 만지는 일이 있다고 하더라."
- 아동이 "네"라고 한다면,
  "그랬구나. 괜찮아. 엄마(선생님)는 그 자리에 없었기 때문에 oo만큼 잘 알 수가 없어. 그러니까 엄마(선생님)가 잘 알 수 있게 천천히 말해 주겠니?"
- 아동이 "아니오"라고 한다면,
  "그렇구나, 지금은 잘 기억나지 않지만, 그런 일이 있었던 게 생각나면 언제든지 이야기해 주렴."

2. 해서는 안 되는 말
- 당황하여, 다그치면 안 된다.
  "oo아, 그게 사실이니? 정말이야? 거짓말이지?"
  "그런 큰일을 왜 이제야 말하니? 어쩌면 좋

아. 어떡하지? 빨리 더 말해봐."

- 지나치게 구체적으로 묻지 않는다.
  "oo아, 아저씨가 화장실로 가자고 했니? 바지를 벗으라고 말했지?"
- 반복해서 묻지 않는다.
  "다시 말해보렴. 오빠가 치마 속에 손을 넣었니? 오빠가 했다고?"
- 대답을 유도하지 않는다.
  "아줌마가 네 고추를 만졌다고 이야기하지 말랬어?"
  "너에게 일어난 일을 빨리 말하면 우리는 아이스크림 먹으러 갈 거야."
- 추궁하거나 비난하지 않는다.
  "그러게 거길 왜 따라갔니? 안 된다고 소리질렀어야지."
  "엄마가 아무한테나 문을 열어 주지 말랬지?"
  "그런 일이 있었으면 빨리 엄마한테 말했어야지. 뭐 했어?"

성폭력 피해를 알게 되었을 때 대화

- **평소처럼 담담하게 대한다**
  매우 놀라고 당황스러워 하는 성인의 반응은 아동에게 뭔가 크게 잘못한 일이라는 느낌을 갖게 할 수 있다.
- **"네 잘못이 아니야"**
  아동이 잘못한 일이 아니므로 크게 걱정할 필요가 없다고 위로하고, 안심을 시켜준다.
- **너무 자세히 물어보지 않는다**
  아동이 겪은 일을 자세히 아는 것도 중요하지만, 너무 꼬치꼬치 묻게 되면 유아는 사실이 아닌 거짓으로 대답을 할 수 있다.
- **가능한 증거를 보존한다**
  몸은 씻지 않고, 옷도 그대로 보존하여 병원에 간다. 피해 후 48시간 이내에 여아는 산부인과나 외과를, 남아는 항문외과나 비뇨기과를 간다.
- **필요한 도움과 치료를 받는다**
  관련기관을 찾아 의료적·법률적 지원과 치료를 받는다.

성폭력의 후유증

- 성폭력은 마음의 상처를 남긴다.
- 성폭력을 당하게 되면 두려움과 무서움, 억울함과 분노, 수치심과 죄책감, 불안, 무력감 등이 생길 수 있다.
- 사람을 신뢰하는 마음이 깨지고 세상에는 좋은 사람들이 많이 있지만, 특히 아는 사람에게 이런 일을 당하면 사람에 대한 마음의 문을 닫을 수 있다.
- 성폭력은 성에 대한 두려움과 부정적인 생각을 갖게 하며, 어릴 때 폭력적인 관계로 성 경험을 하게 되면, 성인이 되어서도 성관계에 대해 부정적인 생각을 갖게 될 수 있다.
- 자아존중감이 낮아질 수 있다. 성폭력을 당하게 되면 '내 몸은 더러워졌다'고 생각하게 되어, 오히려 자신을 비난하고 괴로워하게 될 수 있다.

7. 성건강 전문가의 역할

자녀의 성교육에 대해 부모는 적절한 시기, 접근방법과 교육 내용에 많은 관심을 보인다. 기본적인 성에 대한 정보는 성역할에 대한 왜곡 없이, 해부학적으로 정확한 내용을 일찍 시행하는 것이 중요하다. 또한 아동의 성행동발달순서를 이해하거나 정상적인 성행동과 이상 성행동을 구별할 수 있는 능력도 중요하다. 아동이 인터넷이나 친구로부터 습득하는 성 정보는 대부분 성을 생식에 초점을 맞추고 있다. 따라서 부모는 성을 생식뿐만 아니라 다른 여러 차원의 성건강으로도 지도하여야 한다.

성건강 전문가는 부모가 "섹스는 더럽다. 그러나 사랑하는 누군가를 위해 아껴 두어야 할만큼 고귀한 것이기도 하다"라는 이중적인 의미 등이 아동에게 전달되지 않도록 도와야 한다. 또한 성건강 전문가는 부모의 애정표현에 대한 가치를 평가하도록 도와야 한다. 아동은 부모의 자연스러운 애정표현을 관찰함으로써 성에 대해 자연스럽게 학습할 수 있다. 부모는 신체 접촉의 따뜻함과 신체친밀감을 유지하면서 아동에게 부드러운 보살핌으로 표현할 수 있다.

신체 각 부분은 해부학적인 명칭과 비전문적인 용어가 있다. 초등학교 2학년은 성적부위와 명칭을 알 수 있으나 해부학적인 용어나 정의는 거의 알지 못한다. 성전문교사는 부모에게 개방적인 질문을 할 수 있도록 격려한다. "너는 이것이 무엇인지 아느냐?" "아기가 생긴다는 것은 어떤 일이 발생한다고 생각하는가?" 이런 질문은 다양한 연령에서 질문할 수 있다. 그리고 적절한 세부사항들은 아동의 연령수준과 아동의 준비 정도에 따라 제공할 수 있다. 그러나 부모가 아동이 알고 싶어하는 것을 가르쳐 주기 위해 성과 생식에 관한 모든 복합성을 이해할 필요는 없다.

학습은 일생을 통해 계속 일어날 것이다. 만약 아동이 성에 대해 긍정적으로 생각하고 잘 수용한다면 아동은 부모에게 질문을 할 것이다. 만약 아동이 전혀 질문을 하지 않는다면 부모는 성교육을 시작해야 하고, 성교육의 중요성을 인정해야 한다. 또한 한 번의 성교육을 통해 부모나 아동이 성에 대한 전체적인 이해와 수용을 기대한다는 것은 어려운 것이다.

남아·여아 모두 유아기 때부터 신체적 접촉에 대한 민감성을 증진시킴으로써 성폭력을 예방 해야 한다.

1) 발달 단계별 성교육

Bernstein은 발달 단계별로 아동의 성 발달을 분류하였다. 모든 발달 단계는 순차적으로 발달하며, 중복될 수도 있다.

3~7세 아동

아동에게 "아기가 어디에서 나오나"하고 질문하면 그들은 지리학자처럼 대답한다. 즉 일반적으로 병원이라고 하며, '마술의 집' 또는 '엄마의 몸'이라고 대답한다. 성건강 전문가는 이 시기의 아동에게 성과 연관된 언어(자궁, 질, 음경)를 가르쳐 주고, 그들의 몸과 성기에 관심을 보이면서 교육한다.

4살 된 아동은 다음과 같은 내용을 알아야 한다.

- 신체의 성적 부분의 명칭
- 배설에 대해 사회적으로 공유된 단어
- 아기가 어머니의 몸 안에서 자란다는 기본적 사실
- 직접적인 관찰을 통해 어떻게 알 수 있었는지

를 설명하지 못한다 하더라도 소년과 소녀 사이의 차이를 이해할 수 있는 충분한 해부학적 지식
- 아기는 남자와 여자가 함께 만든다는 사실

4~6세 아동

아동은 아기가 언제나 항상 존재하는 것은 아니고, 아기는 만들어진다는 것을 이해한다. 이 시기의 아동은 임신과 씨의 개념을 이해한다. 그러나 씨가 어떻게 생기며 어떻게 나팔관까지 도달하는지는 잘 모른다. 그리고 성을 생식 그 자체로만 보는 경향이 있다. 이 단계의 아동과 이야기할 때는 마술적인 사고나 언어가 중요하다. 각각의 단어는 구체적인 내용을 담고 있으며 상상을 하면서 말을 만들어 낸다. 예를 들면, 알은 희고, 차갑고, 그리고 냉장고로부터 또는 닭으로부터 알이 나온다. '난자', '정자'란 용어는 혼란을 피하기 위해 정확하게 사용하는 것이 좋다.

6~8세 아동

이 시기의 아동은 전 조작기로 구체적 조작기의 사고를 한다. 그들은 생식체계, 사회적 상호관계, 성교, 난자와 정자의 결합을 안다. 그러나 이런 사고는 부분은 알지만 전체로 연결시키는 것은 부족하다. 아동은 부모와 자식간의 관계를 법적 혹은 생물학적인 관계로 설명할 것이다. 그리고 가끔은 여전히 성행위를 신비로운 과정으로 설명할 것이다. 조기 성교육은 빠를수록 좋으며, 잘못된 인식이 있으면 교정해야 하고, 성행위는 즐거움을 주는 행위로 그 자체로도 가치가 있다는 것을 강조해야 한다.

8~10세 아동

이 시기의 아동은 정확성에 관심이 많고, 임신에 대한 사회적 규칙과 규범에 대해 알고자 한다. 규칙과 도덕은 이 시기에 중요하며, 아동은 대안적 이해를 한다. 즉 사물은 겉으로 보기에는 다르지만 그 속성은 대부분 다 같을 수 있다. 이 시기의 아동은 사고의 방향을 반대로도 할 수 있다. 그리고 과거와 미래를 고려할 수도 있다. 이 시기의 아동은 성에 대한 감정과 사회적 규정을 분류하고, 연관시켜 보고 가치를 표현하도록 도와주어야 한다.

10~12세 아동

이 단계의 아동은 임신의 원리를 곰곰히 생각하고, 단순하게 묘사한 생식작용에 다양한 요소들을 연결시킨다. 이들에게 성행위에 대한 생물학적, 관계적 관련성을 교육할 필요가 있다.

성건강 전문가는 부모에게 아동이 성에 관한 많은 지식을 갖는다고 해서 성행위를 조장하는 것이 아니라는 사실을 상기시켜야 한다. 성교육을 통해 성행위와 관련된 정보를 제공함으로써 파생될 수 있는 문제를 예방할 수 있다. 성행위, 사춘기의 신체적 변화, 피임법에 대한 정보제공을 미리 하지 않으면 아동을 무방비 상태로 방치하는 것이다. 즉 아동의 안전과 편안함 그리고 성장에 필수적인 지식이 결여된 상태로 방치해 두는 것이다. "나의 아이는 아직 때가 아니다"라는 생각은 보호가 아니며 위험에 처할 수 있는 방치이다. 아동은 이미 성 발달 주기의 연속성에 있고, 때가 너무 늦었을지도 모른다. 성 정보는 필요성이 발생되기 전에 미리 제공해야 한다.

흔히 성 정보는 아동의 성발달에 대한 준비상태를 고려하기 보다는 부모의 요구와 부모의 편안함을 더 고려하여 성주제의 내용과 시간을 결정하여 제공한다. 성건강 전문가는 아동이 현명한 자기결정을 할 수 있도록 올바른 성정보를 교육해야 한다. 성이 아직도 신비롭고 죄책감으로 연결되

어 있다면 잘못된 인식으로 좌절, 비극을 초래한다. 즉 "아동에게 가르칠 것이 없다. 성공적인 성인기를 맞이하기 위해서는 오히려 성에 대해 계속적으로 배우지 않아도 된다."와 같은 이런 생각은 잘못된 통념이다. 부모와 아동이 총체적 성을 이해하도록 하며 자신의 성과 관련된 생각과 느낌을 자연스럽고 편안하게 대화하도록 도와주고 이러한 과정을 통해 자신의 성 발달과 성적 가치를 더 확실하게 이해할 수 있도록 가르친다.

2) 초등학교의 성교육

초등학교에서의 성교육은 인격완성교육에 둔다. 지식이나 가치관 및 태도의 형성기에 있는 초등학교 아동들에게 올바르고 체계적인 성교육이 성장 발달시기에 맞추어 이루어져야 한다.

학교 성교육의 궁극적인 목표는 성의 본질을 과학적으로 이해하고 건강한 성 의식과 성 태도를 갖게 함으로써 인간으로 건전한 성행동을 할 수 있게 하며 이를 통해 긍정적인 자아를 형성하고 원만한 인간관계를 맺을 수 있도록 하는 것이다.

성이란 더이상 비밀스럽거나 신비한 것일 수 없으므로 아동의 수준에 맞게 신체·심리 성적 발달의 특성을 있는 그대로 자연스럽게 우리 인간생활의 일부로 가르쳐 주어야 한다. 성교육은 인격형성의 초기 단계에 있는 유아시기부터 모든 연령에 이르기까지 평생교육의 일환으로 수행되어야 한다.

요즈음 초등 학생들은 보여지는 성과 알고 있는 성 사이에서 혼란스러워 하고 있으며 음란사이트와 동영상 등 비정상적인 통로를 통해 왜곡된 성 지식을 습득하고 있다. 또한 이렇게 잘못 형성된 청소년들의 성문화는 성매매, 성폭력 등 우리사회의 잘못된 성문화의 주 요인으로 작용하는 등 악순환 고리를 형성한다. 이제 더이상 성교육에 대해 외면할 수는 없다. 가정과 사회 그리고 학교에서 성교육의 중요성을 인식하고 체계적으로 접근해야만 한다.

성교육은 단순한 지식 제공이 아니라 올바른 성 태도와 가치를 형성하게 하며 성 관련 고민이나 문제를 해결하는데 필요한 지식과 기술을 습득하도록 하는 것으로 지속적으로 제공되어야 한다.

효과적인 성교육은 아동들이 자기 인생에 책임감을 갖고 올바른 결정을 하는데 필요하다. 지식이나 가치관 및 태도의 형성기에 있는 아동들에게 올바르고 체계적인 성교육이 발달 단계에 맞추어 이루어져야 한다. 특히 초등학생들은 많은 성 발달이 일어나는 시기이며 자기 몸에 대한 올바른 인식과 건전한 태도를 확립하고 성역할을 습득하는 발달 단계로서 긍정적 성 의식과 태도를 형성하는 시기이므로 학교에서의 올바른 성교육은 매우 중요하다.

성교육 목적

- 성적으로 성숙된 사람, 자신을 인정하고 존중하는 사람, 자신의 행동과 가치체계를 이해하고 분별하는 인간이 될 수 있도록 한다.
- 남녀평등을 지향한 청소년을 기르기 위해 성장기에 있는 그들에게 자신의 문제와 갈등의 원인을 알게 하여 바른 성장을 도모할 수 있도록 도와준다.
- 성에 대한 과학적 지식 및 심리적, 사회적, 윤리적 측면에 대한 이해를 도모함으로서 건강한 성적 존재로서 발달을 할 수 있도록 전인교육을 한다.
- 성의식을 바르게 갖게 하고 성행동을 합리적, 인격적이며 사회적으로 원만할 수 있도록 돕는다.
- 성 정체성에 대해 자신감을 갖도록 한다.

그림 4-9
초등학교 성교육의 구성요소

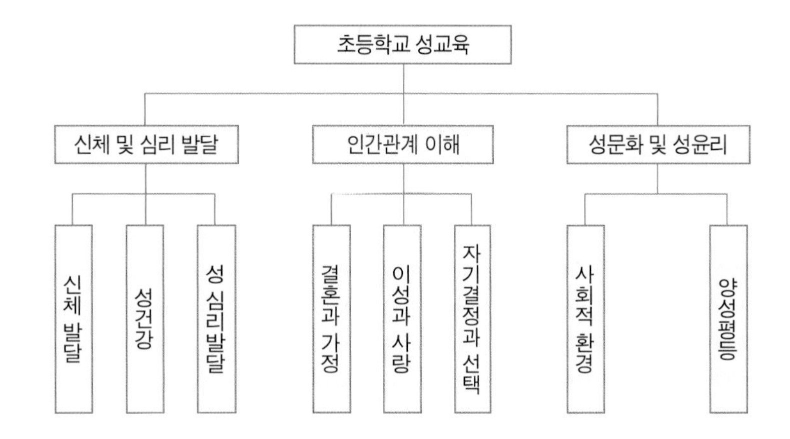

성교육 구성요소

- 신체·심리 발달 : 생명의 탄생에서부터 출생 이후 성장 발달하는 과정에서의 신체의 변화와 성심리의 특징을 이해하고 성건강을 유지 증진하기 위한 대처 방법, 성매개성 감염, 에이즈 예방에 대한 내용 등을 포함한다.
- 인간관계 이해 : 이 영역에서는 이성관계와 사랑, 자기결정과 선택 및 결혼과 가정 등의 내용을 포함한다.
- 성문화 및 성윤리 : 이 영역에서는 책임있는 성 행동에 대한 규범과 윤리, 삶의 의미와 가치 등을 제시하고 성 관련 사회적·문화적 환경의 문제점에 대한 비판적 사고와 대처에 대한 내용을 포함한다. 남녀 양성으로 구성되어 있는 인간 사회에서 남녀의 특성과 역할에 대한 바른 이해와 상호 존중 의식을 기르기 위한 양성 평등을 포함한다(그림 4-9).

간호·상담 과정

대상자 최OO–3살된 아이의 어머니
간호사 박OO–학교 보건교사로 3살된 자녀를 두고 있음
어린이집에서 최OO 씨를 만남

사정

주관적 자료

나는 당신이 보건간호사인 것을 알아요. 그래서 물어볼 것이 있어요. 내 아들 영구는 당신 아들과 같은 나이인 3살인데요. 나는 결혼한지 6개월이 되었어요. 내 남편은 가끔 옷을 안 입고 집에서 돌아다녀요. 내가 말을 하면 그이는 그의 가족이 그래왔다는 식으로 말해요. 우리가 결혼하기 전 동거하고 있었을 때는 나 혼자 있었기 때문에 괜찮았어요. 그러나 지금 난 영구가 있고, 그가 옷을 안 입고 다니면 불편해요. 그는 괜찮다고 하지만 나는 그렇지 못해요. 그리고 영구에게 어떻게 해야 될지 걱정이 되요. 영구는 옷을 입지 않은 나를 본적이 없어요. 그리고 영구는 우리의 두 모습을(옷 입은 모습/나체) 보고 있어요. 나는 이 사람과 결혼하기 전에 내가 성장한 집에서는 가족들의 벗은 모습을, 특히 남자의 모습을 본 적이 없거든요. 영구가 주변에 있을 때 그이와 나는 옷을 입어야 하나요? 영구가 닮을까봐 걱정이 돼요.

객관적 자료

- 27세 여성
- 3살된 아이의 어머니
- 김OO와 결혼한지 6개월이 되었음
- 부부는 둘다 첫 번째 결혼임
- 부부는 둘다 직장 다님–법률회사 비서, 신용회사 매니저
- 가족의 신체노출(나체)이라는 새로운 경험에 대해 어떻게 대처할지 전략을 필요로 한다.

간호진단

남편의 나체로 인한 가족의 대처전략과 관련된 지식부족

계획

- 수용적인 분위기를 제공한다.
- 언어로 위로한다.
- 대상자의 정서적인 반응은 적절하며, 다른 사람도 일반적으로 경험한다고 설명한다.
- 영구(아들)와 함께 아버지, 남편의 나체에 대해 느끼는 감정을 표현하도록 한다.
- 대상자의 표현된 감정에 대해 피드백을 제공한다.
- 가족의 나체가 아들에게 미치는 가능한 영향에 대한 두려움을 확인해 본다.
- 3살 된 아동에게 가족의 나체는 긍정적인 신체상을 획득하는 과정에서 정보가 될 수 있다고 설명한다.
- 다양한 가족의 경험 즉 같이 옷 입고 목욕하기, 같이 피부를 맞대고 물에 적시기는 긍정적 신체상을 획득하는 과정에서 도움이 될 수 있다고 설명한다.
- 가족 나체에 대해 편안감을 가질 수 있는 가정에서 자녀가 성장한 경우에 긍정적인 신체상을 형성할 수 있다고 설명한다.
- 비밀유지와 사생활 간의 차이를 설명한다.
- 가족 나체에 대한 수용이 꼭 과시 혹은 개방을 의미하는 것은 아니다고 설명한다.
- 가족 나체에 대한 수용은 개인 혹은 가족의 선택이라고 설명한다.
- 가정에서 아동과 성인이 가족의 신체노출을 수용하고 편안히 여기는 것은 건강한 성심리에 영향을 미친다고 설명한다.
- 가족이 서로 사랑과 수용을 표현하도록 지시한다.
- 서로 정서적인 지지를 제공하는 것에 대한 중요성을 설명한다.
- 가족 나체에 대해 가지는 감정과 관심을 남편과 함께 논의하도록 격려한다.
- 가족의 나체에 대해 영구(아들)의 부정적 반응(위축, 과잉행동)을 관찰하도록 한다.
- 만약 영구에게서 부정적 반응이 발견된다면 나체를 제한하도록 한다.
- 새로운 가족 집단은 가족관계를 수립하는 것이 주요 과제라는 것을 강조한다.
- 상세한 정보와 정도 깊은 상담을 이용할 수 있도록 한다.

수행

- 남편(김OO)과 함께 가족 나체에 대해 논의한다.
- 남편(김OO)과 함께 사랑과 수용의 감정을 공유한다.
- 자기자신과 성관계에서 나체에 대해 편안함과 수용의 감정을 공유한다.
- 가족 나체가 남편(김OO)에게 미치는 영향에 대해 감정과 문제를 공유한다.
- 가족으로서 같이 옷을 벗고 목욕하는 것에 대해 어떻게 준비할지에 대해 논의한다.
- 가족관계를 수립하는 과제의 중요성을 논의한다.
- 상호작용을 강화하거나 수립하는 방법을 논의한다.

NAME
NOM

No.

- 남편(김OO)과 영구(아들)와의 관계가 발선하도록 계속해서 격려한다.
- 영구(아들)에게 신체노출의 패턴을 일정장소, 일정시기, 일정한 사람들 앞에서 할 수 있음을 설명한다.
- 영구(아들)에게 매일의 생활에서 아버지(김OO)에 대해 느낌을 표현하도록 허용한다.

평가

- 자신은 가족의 나체 패턴을 수용한다고 한다.
- 영구(아들)는 가족의 나체 패턴을 수용한다고 한다.
- 영구(아들)는 아버지(김OO)를 따른다고 한다.
- 3개월 후에 가족관계를 평가할 수 있다.

memo

No.

NAME
NOM

*SEXUAL HEALTH CARE

청소년기 | 성건강

Sexual Health in Adolescence

가치 명료화 **훈련**

성에 대한 학습과 경험은 청소년들에게 중요한 의미를 준다. 청소년기는 사춘기가 시작되는 시기와 완전한 성인이 되는 시기 사이에 있다. 사춘기는 인간 발달 단계에서 생식 능력을 갖추는 첫시기이다.

다음의 질문은 자신의 신체상에 대한 느낌과 생각, 어떻게 성과 관련된 정보를 획득했는지, 그리고 성과 연관된 행동과 성에 대한 의사결정에 대한 것이다.

사춘기에 있었던 자신의 경험을 기억해 보자. 회상을 통해 사춘기에 있었던 변화를 진술해 보자.

사춘기 변화에 대해 어떻게 느꼈는가? 좋거나 불안한 느낌은? 호기심을 일으켰던 느낌은? 타인을 유혹하고자 했던 느낌은? 성적 매력을 자랑하고 싶었던 느낌은? 예민하거나, 서투르거나, 즐겁거나, 비밀스럽거나, 더럽다고 생각했던 느낌은? 떨렸던 느낌이나 두려운 느낌이 있었는가?

- 청소년인 당신은 자신의 신체에 만족하는가?
- 자신의 신체의 일부분이나 전체가 변하기를 원하는가?
- 당신의 신체는 동성의 다른 사람과 비교했을 때 어떠한가? 무엇이 다른가?
- 당신의 신체가 좋아하는 이성에게 매력적이라고 느꼈는가?
- 당신은 성 정보를 어디에서 얻었는가? 부모, 형제·자매, 선생님, 성직자, 친척으로부터?
- 성 정보를 획득할 때의 분위기는 어떠했나? 개방적이거나 비밀스러운 상황이었나? 당혹스러운 분위기였나? 사실에 입각한 정보였나?
- 중요한 메시지는 무엇인가? 동정(처녀성)이 자랑스러운가? 성(性)은 단지 출산을 위한 것인가? 사랑은 좋은 것이고 성욕은 나쁜 것인가? 성은 쾌락을 위한 것인가? 착한 소녀와 나쁜 소녀의 기준은 무엇인가?
- 성과 성욕에 대한 정보는 당신이 기대하고 원했던 것이었나?
- 당신은 언제 처음으로 사랑에 빠졌는가? 사랑을 받고 있다고 느꼈을 때 좋은 느낌이었는가? 당신은 좋은 느낌을 받았나?
- 언제 처음으로 성적 흥분을 경험했는가? 이 감정은 동성·이성 또는 양성 중에서 누구에게

서 느꼈는가?

- 언제 처음으로 키스나 포옹 등 신체적 접촉을 경험했나? 이런 행동을 동성이나 이성 혹은 양성 모두에게 해보았는가? 이런 경험에 대해 어떻게 느끼는가?
- 파트너의 성별에 대한 성적 지향성이 불확실했다고 기억하는가? 이런 모호성에 대해 당신은 어떻게 느꼈나?
- 언제 처음으로 성행동에 흥미를 느꼈는가? 성행위가 당신에게 의미하는 것이 무엇이었는가? 더럽거나 정상적이거나 반항심이나 흥분 또는 재미였는가? 성행동을 결정하는데 중요한 요소는 무엇인가? 친구나 파트너의 압력이 있었는가? 가족의 가르침은? 개인의 신념은? 종교적 믿음은?
- 최근 성교육과 피임도구 사용으로 인해 10대의 성적 행동이 증가한다고 한다. 당신과 친구의 경험으로 보아 이러한 의견에 대한 당신의 생각은?
- 성관계를 할 때마다 피임법을 사용하였는가?
- 처음으로 성행위를 했을 때, 자신에 대해 어떻게 느꼈는가? 파트너에 대해서는 어떻게 느꼈나?
- 이상의 질문에 대해 답하는 동안 당신은 어떤 느낌이 들었는가? 당황함이나 불안? 흥미롭거나 혼란스러운 느낌? 흥분되거나 자신이 노출되는 느낌이었는가?

4~6명의 친구나 동료와 함께 당신의 응답을 공유해 보자. 유사점과 차이점을 주목해 보자. 주목할만한 의견과 감정이 있었나? 당신의 의견과 감정을 솔직하게 털어놓았는가? 이러한 경험은 대인관계에 어떻게 영향을 미치는가?

이 장을 모두 읽은 후에 성과 관련된 의사결정 과정에 대해 당신이 적은 응답을 다시 검토해 보자. 이 장의 내용이 당신의 성과 관련된 의사결정 과정에 영향을 미쳤는가? 만약 그렇다면 어떻게 영향을 미쳤는가? 친구나 동료와 함께 이런 반응과 응답을 공유하고 논의해 보자.

행동 **목표**

이 장을 끝마친 후

- 사춘기에 발생하는 중요 신체적 변화를 설명할 수 있다.
- 사춘기에 발현 2차는 성적 발달에 대해 설명할 수 있다.
- 청소년기의 심리성적 발달에 대해 설명할 수 있다.
- 우리사회의 성적가치의 변화를 비교할 수 있다.
- 청소년의 피임 도구 사용시 실패 요소가 무엇인지를 설명 할 수 있다.
- 성적으로 능동적인 청소년(소녀)의 특별한 관심들을 설명할 수 있다.
- 청소년의 성적 의사결정 과정에서 특별히 고려해야 할 점을 논의할 수 있다.
- 청소년에 대한 성건강 교육자·상담자·전문가의 역할을 논의할 수 있다.

1. 청소년의 성건강

청소년의 성은 전인적 기능으로 신체적, 심리적, 정신적, 사회적, 그리고 문화적 생활변수와 연관되어 개인의 인격발달과 개인의 상호관계에 영향을 미치며, 결과적으로 사회 구조에 영향을 미친다.

개인의 총체적 성은 서로 분리할 수 없으며 청소년이 경험하는 광범위한 발달과 연관되어 있다. 청소년의 성건강은 매우 중요하므로 청소년의 건강에 필수적으로 성건강이 통합되어야 한다.

성건강전문가는 성발달이 총체적 발달을 촉진할 수 있도록 도우며 청소년 스스로가 자신을 성(性)적인 존재로 인식할 수 있도록 교육 및 상담을 제공해야 한다.

2. 청소년의 발달 단계

청소년기는 성성숙기로 발달 단계별로 사춘기 청소년기(11~14세), 중기 청소년기(15~17세), 후기 청소년기(18~21세)로 분류한다.

청소년기는 아동기에서 성인기로 넘어가는 과도기이며 신체적, 인지적, 정서적, 사회적, 도덕적 측면이 발달한다.

청소년의 발달과업은 다음과 같다.

- 자기의 신체 변화와 남성 또는 여성으로서의 역할 수용
- 동성 또는 이성과의 새로운 인간관계 형성
- 부모(성인)로부터의 정서적 독립
- 경제적 독립을 위한 준비
- 직업의 선택과 준비
- 시민으로서의 자질을 구비하는 데 필요한 지적 기능 및 개념의 발달
- 사회적 책임수행을 위한 행동
- 결혼과 가정생활에 대한 준비
- 과학적인 세계관과 조화된 가치관의 확립

청소년기는 자기자신은 물론 사회로부터 인간적 성숙을 기대한다. 이러한 발달과업을 성취함으써 성인으로 성장한다.

3. 사춘기 청소년

1) 신체적 발달

사춘기 청소년은 2차 성징이 발현되면서 남·녀의 성생식 능력과 외모의 변화를 경험하는 시기이다.

아동에서 성인으로 변화하는 신체적인 전이과정은 4년 정도의 시간이 걸리는데, 사춘기 발달의 시작과 종결은 정상적인 경우에도 상당한 개인적 차이가 있다. 사춘기의 신체발달은 대체로 순차적으로 일어난다.

일반적으로 사춘기는 성장속도의 가속화로부터 시작된다. 이러한 성장촉진은 사춘기의 다른 징후가 나타나기 전에 시작되는데 9~10세경에 관찰되며 최대 성장속도는 보통 여성의 경우 초경 개시 1년 전인 11~12세경에 나타난다.

2차 성징의 발현으로 남녀의 모습이 뚜렷하게 차이를 나타내는데 이러한 변화는 성호르몬의 생산증가와 분비에 있다. 사춘기 이전 시기인 7~8세부터 부신피질의 성숙으로 안드로겐의 생산이 증가하며 8세부터는 시상하부에서 분비되는 성선자극호르몬 분비호르몬이 증가하면서 뇌하수체전엽에서 분비되는 성선자극호르몬인 난포자극호르몬과 황체형성호르몬의 분비를 증가시켜 이들은 난

소와 고환을 자극하여 에스트로겐 및 안드로겐 분비를 증가시킨다. 남아는 남자다운 체형으로 여아는 여성다운 체형으로 변화시킨다. 이러한 2차 성징은 여자의 경우는 12~13세에, 남자의 경우는 13~14세 경에 나타난다(표 5-1).

사춘기 여성

여성의 난소는 이 시기의 1~2년 전부터 성장하지만, 사춘기의 시작은 유방의 증대와 같은 눈에 띠는 변화로부터 시작한다. 난소의 기능은 12세에 성인의 40%, 16~17세에 성인의 50~60%, 그리고 20세까지 완전한 기능으로 발전한다. 난소의 기능이 시작되면 2차 성징이 나타나고 이후에 난소가 위축되면 갱년기를 지나 노년기에 이르게 한다. 난소는 난자를 생성하고 난소호르몬(에스트로겐, 프로게스테론, 여성 스테로이드 호르몬)을 분비한다.

에스트로겐은 유방의 발달, 지방침착, 질과 자궁내막의 발달을 촉진시킨다. 안드로렌은 음모와 액모의 발육을 촉진시킨다(그림 5-1).

2차 성징의 출현 순서는 유방의 봉우리 형성으로 나타나는 유방 발달, 음모와 액와모의 발달, 그리고 초경과 배란의 순서대로 나타난다. 또한 여성의 골반 확대, 피부의 광택, 곡선적 체형, 땀샘의 발달에 의한 발한과 여성의 채취 등이 나타난다.

사춘기 시작과 발달속도는 매우 다양하다. 그러나 사춘기의 발달은 발달주기 내에서 일어나는 예측 가능한 순차적 결과이다. 사춘기의 시작시기를 결정하는 가장 주된 인자는 유전적 요인이다. 또한 건강 및 영양상태, 심리상태, 지리적 차이, 빛의 노출 등이 영향을 미친다. 사춘기가 빠른 가족력은 일찍 사춘기 발달이 시작하도록 한다.

신체 부위의 발달도 다양하게 나타나는데 그림 5-2에서 유방과 음모발육의 단계(Tanner 단계)에서 볼 수 있다. 대체로 사춘기 시작 연령이 더욱더 어려지는 경향이 있으며 여성이 남성보다 약 2년 정도 빠르다. 남녀 사이의 이러한 차이는 자신의 신체상, 대인관계, 이성관계에 근심과 불안을 초래한다. 사춘기에 대해 예비지식이 있고 자신의

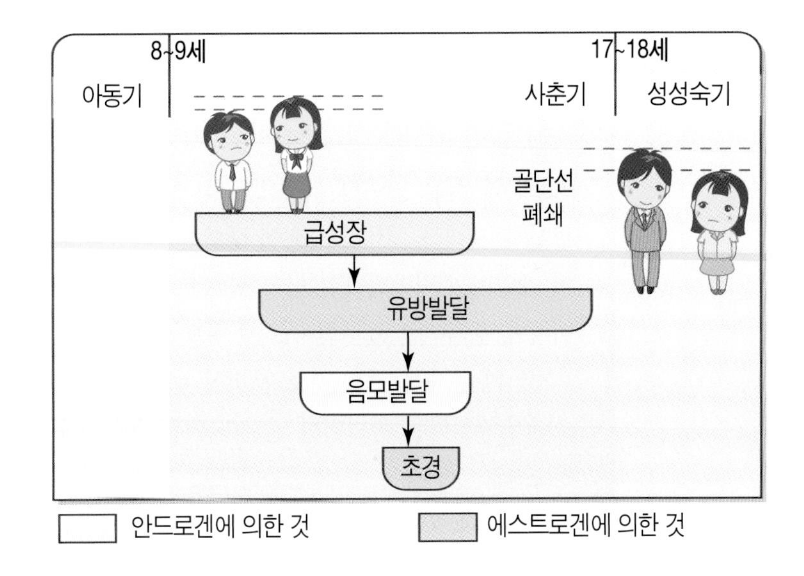

그림 5-1

표 5-1 사춘기 신체기관 발달과 호르몬

기관	호르몬	발현시기
부신	안드로겐 생성-분비 증가	7~8세
뇌하수체 전엽	성선자극호르몬 분비 : 난포자극호르몬과 황체형성호르몬 분비	8세
유방 봉우리 발현과 발달	에스트로겐	10세
음모와 액와모의 발현과 발달	안드로겐	11세
자궁 : 초경 개시	에스트로겐	12세

그림 5-2
유방과 음모발달 단계(Tanner)

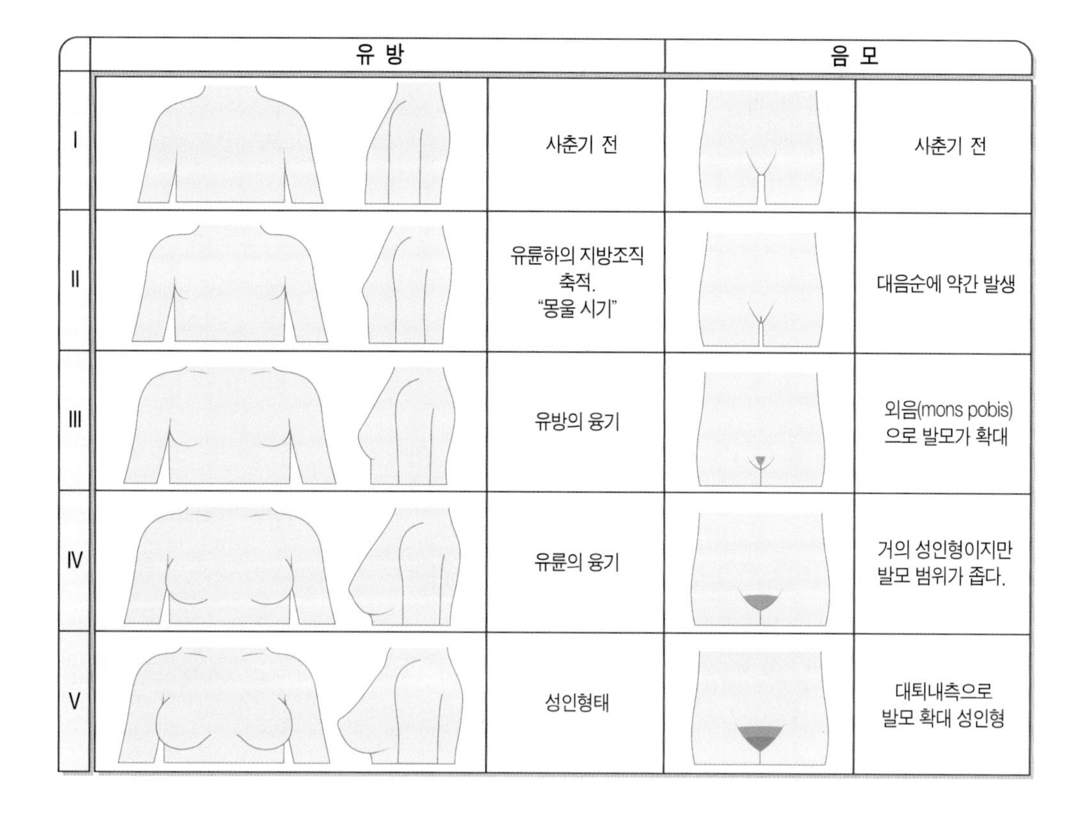

	유 방			음 모	
I			사춘기 전		사춘기 전
II			유륜하의 지방조직 축적. "몽울 시기"		대음순에 약간 발생
III			유방의 융기		외음(mons pobis)으로 발모가 확대
IV			유륜의 융기		거의 성인형이지만 발모 범위가 좁다.
V			성인형태		대퇴내측으로 발모 확대 성인형

환경을 수용한다 할지라도 여성은 사춘기에 나타나는 신체적 변화에 대해 당황하고 불안해 한다. 특히 여성에게 나타나는 에스트로겐의 증가는 갑작스런 기분의 변화를 초래한다. 그러나 대부분 구조적, 기능적으로 어려움 없이 진행되며 조숙과 지연과 같은 신체적 문제가 발생할 수 있으나 발달상의 문제는 심리적, 사회적인 것이 더 많다.

사춘기 여성은 임신과 출산을 할 수 있다. 초경은 월경의 시작을 의미하며 배란은 초경 후 1~2년간은 일어나지 않는다.

사춘기 여성은 8~11세 사이에 에스트로겐의 현저한 증가가 일어나고 이러한 증가는 시상하부, 뇌하수체 생식샘의 성숙과 더불어 월경을 개시한다. 처음에 나타나는 월경 주기는 불규칙하고, 예측 불가능하고, 무통성이며, 무배란성이다. 하지만 초경 개시 1년 후에는 시상하부, 뇌하수체 성숙이 일어나며 난소 내에서는 10여개 이상의 원시난포가 성장하여 1개의 성숙난포가 되어 충분한 양의 에스트로겐을 주기적으로 생산한다. 다음 월경 주기 전 약 14일 경에 뇌하수체 성선자극호르몬인 난포자극 호르몬의 증가와 황체형성 호르몬의 갑작스런 증가로 배란이 된다. 배란 후에는 황체에서 프로게스테론이 분비된다. 배란기에 성행위를 하면 임신할 수 있다(그림 5-3).

사춘기 남성

사춘기 남성은 성 호르몬의 증가에 의해 신체적 변화가 나타난다. 첫 번째 변화는 고환과 음낭의 성장이다.

남자의 고환은 11~15세 경에 성숙을 시작하여 15~19세 이후에는 성숙 정자와 남성 호르몬을 분비한다. 이러한 남성 호르몬의 작용으로 정자를

그림 5-3
월경

월경 주기 : 뇌하수체, 난소 주기, 자궁내막 주기에 따른다.

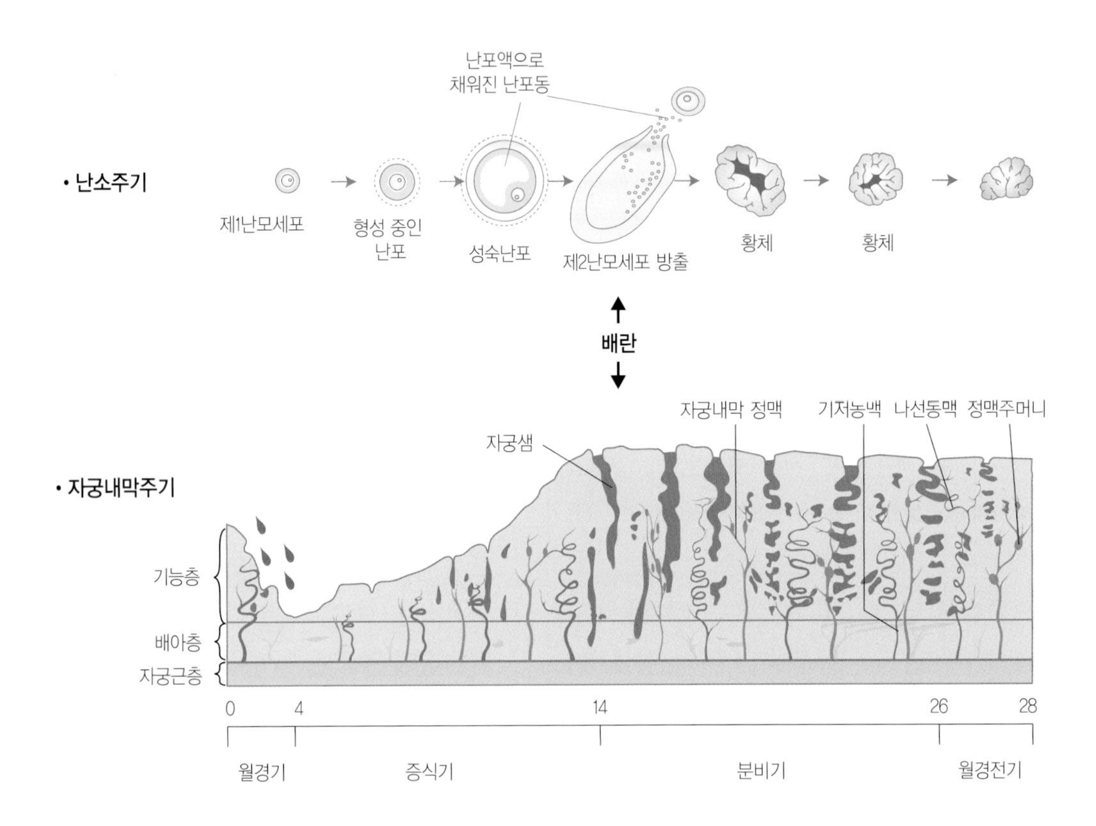

생성할 수 있고 생식 능력을 갖게 된다. 사춘기 이후 3~5년에 정자가 가장 활발하게 생성되고 중년기 이후에는 저하되나 70세 이후까지도 지속된다.

음모(거웃)의 발달은 사춘기 직후에 시작될 수 있다. 정액소낭, 부고환, 전립샘을 포함하여 정액을 생산하는 데 관여하는 기관도 성장하기 시작한다. 음경은 후두가 증대(목소리의 변성을 초래하는) 하는 것처럼 성장하기 시작한다. 발기하는 빈도도 증가한다. 평균 14세가 되면, 첫 번째 사정을 할 것이며 1년 이내에 이 사정액에서 생존 가능한 정자를 발견할 것이다.

사춘기 소년은 임신을 시킬 수 있다. 피지샘의 발달에 의한 피부의 광택, 여드름의 발생, 아포크린 땀샘(apocrine sweat gland)의 발달에 의한 발한과 남성적 체취 등이 나타난다.

사춘기의 첫 번째 신체적 발달이 나타나기 이전부터 사춘기 남성은 활력과 강한 성적 흥분의 증가를 경험한다. 사춘기 발달에 중요한 영향을 미치는 성 호르몬 중 테스토스테론(testosterone)은 남녀의 성 욕구 호르몬으로 성적 욕구를 자극하며 에스트로겐의 증가는 일시적인 체중증가와 여드름을 야기시키고, 남성에게도 일시적인 유방팽만을 초래한다.

사춘기에 나타나는 신체적 발달은 남녀 모두에게 성적인 중요한 의미를 나타낸다. 청소년기는 외모와 신체에서 성적 매력을 느끼며, 매우 예민한

TIP

초경(월경)에 대한 태도와 지도

사춘기 여성은 사춘기를 알리는 가장 뚜렷한 징표로 월경의 첫 시작인 초경을 경험한다. 초기의 많은 연구에서 초경을 외상성 경험이라고 하였으나 최근 연구에서는 과거에 비해 사춘기 여성은 초경을 훨씬 긍정적으로 경험한다고 하였다. 다음은 사춘기 여성이 경험하는 초경에 대한 태도이다. 긍정적, 부정적 그리고 양가적 태도를 볼 수 있다.

- 초경에 대한 긍정적 태도 : 사춘기 여성에게 초경은 사춘기의 여러 가지 경험들을 통합시키면서 여성의 주체성을 형성하는 데에 도움을 주는 기여 인자이다. 사춘기 여성은 초경을 경험하면서 자신을 여성으로서 그리고 장래의 어머니로서의 역할을 수용한다. 자신의 성숙에 대하여 자랑스러움을 느끼고, 신기하고, 경이롭고, 따뜻한 경험으로 반응한다. 지금까지 어머니와의 관계가 어떠했던 가와는 상관없이 초경을 맞은 여성들은 여성이 되기 위한 필수 과제의 해결책에 대해서 그녀의 어미니에게 자문을 구한다. 그러나 이때 어머니들은 대체로 딸들에게 초경을 준비시킬 만큼 준비가 되어 있지 못하거나, 할 의사가 없거나, 정보 부족으로 곤란을 겪고 있는 실정이다.
- 초경에 대한 부정적 태도 : 초경은 불안과 같은 부정적 사건이거나 불안이 혼합된 감정반응을 유발시킨다. 많은 연구에서 초경은 거세불안과 생식의 위기에 대한 불안을 경험한다고 한다. 즉, 초경 때에 경험하는 출혈은 성기의 손상을 생각하도록 하며, 자위행위에 대한 죄책감이나 거세불안 뿐만 아니라 아동기의 성적 갈등, 공포, 불안 등을 다시 상기시키는 역할을 한다고 한다. 초경에 대한 부정적 경험은 특히 지식 부족에 의한 준비과정의 결핍이 크게 영향을 미치지만 월경에 대한 인지적인 사실의 습득만으로는 초경 시에 발생할 수 있는 갈등상황을 중화시키기에는 부족한 면이 있다. 부정적 태도로 사춘기 여성은 창피하거나 당황하고 불편해 했으며 그러한 현상을 벌로 생각하기도 하고, 다른 신체의 이상증상으로 혼동하기도 한다. 몸의 상태가 이상하거나 통증이 너무 심한 경우도 있었고, 사전의 준비가 전혀 없었던 경우에는 아무런 조치도 취하지 못한 채로 무력감과 당혹감을 경험하기도 한다.
- 초경에 대한 양가감정 : 초경에 대한 반응으로 양가감정을 볼 수 있다. 행복했다, 자랑스러웠다, 흥분되었다 등의 긍정적인 측면이 있는가 하면 당황했다, 곤란했다, 분노했다, 두려웠다 등의 부정적인 측면이 있었고 놀라다 등의 반응이 혼합되어 나타났다.

우리 문화는 초경에 대한 공식적인 의례는 없다. 초경을 경험한 소녀는 학교와 가정생활을 변함없이 지속해 나가지만, 부모나 보호자들의 알 수 없는 걱정스러운 시선을 의식한다. 그 이유는 초경을 경험하는 여성들이 미성년층에 속하면서도 생리적으로는 성숙했기 때문이다. 초경을 맞은 딸을 위해서 우리의 어린 딸이 성숙했구나, 축하한다라고 하면서, 축하파티라도 하지만, 소녀들은 자신은 사생활이 침해되는 것 같은 느낌도 갖게 되고 모든 사람들이 자기만 쳐다보고 있은 것 같은 느낌을 갖게 되기도 한다.

초경을 하는 여성들이 알기를 원하는 것은 월경의 생리적인 측면과 월경 시의 개인위생에 관해서이다. 소녀들은 자신의 월경이 정상적인 것인지 궁금해하며, 질병이나 손상 또는 불결함과는 다르다는 것을 확신할 수 있어야 한다. 초경 시에 소녀들이 경험하게 되는 당황스러움과 공포스러움은 정상적인 반응으로 받아들여져야 하고, 월경에 대해서 균형있는 견해를 가질 수 있도록 월경경험의 부정적인 측면을 공개적으로 의논할 수 있어야 한다. 또한 어머니들이 여성의 생리현상에 대해서 잘 알고 있어야 하고, 수용적인 분위기에서 이해해주고 정상 발달과정임을 설명할 수 있도록 준비가 되어 있어야 한다.

TIP

월경통

월경통

• 생리적 월경통

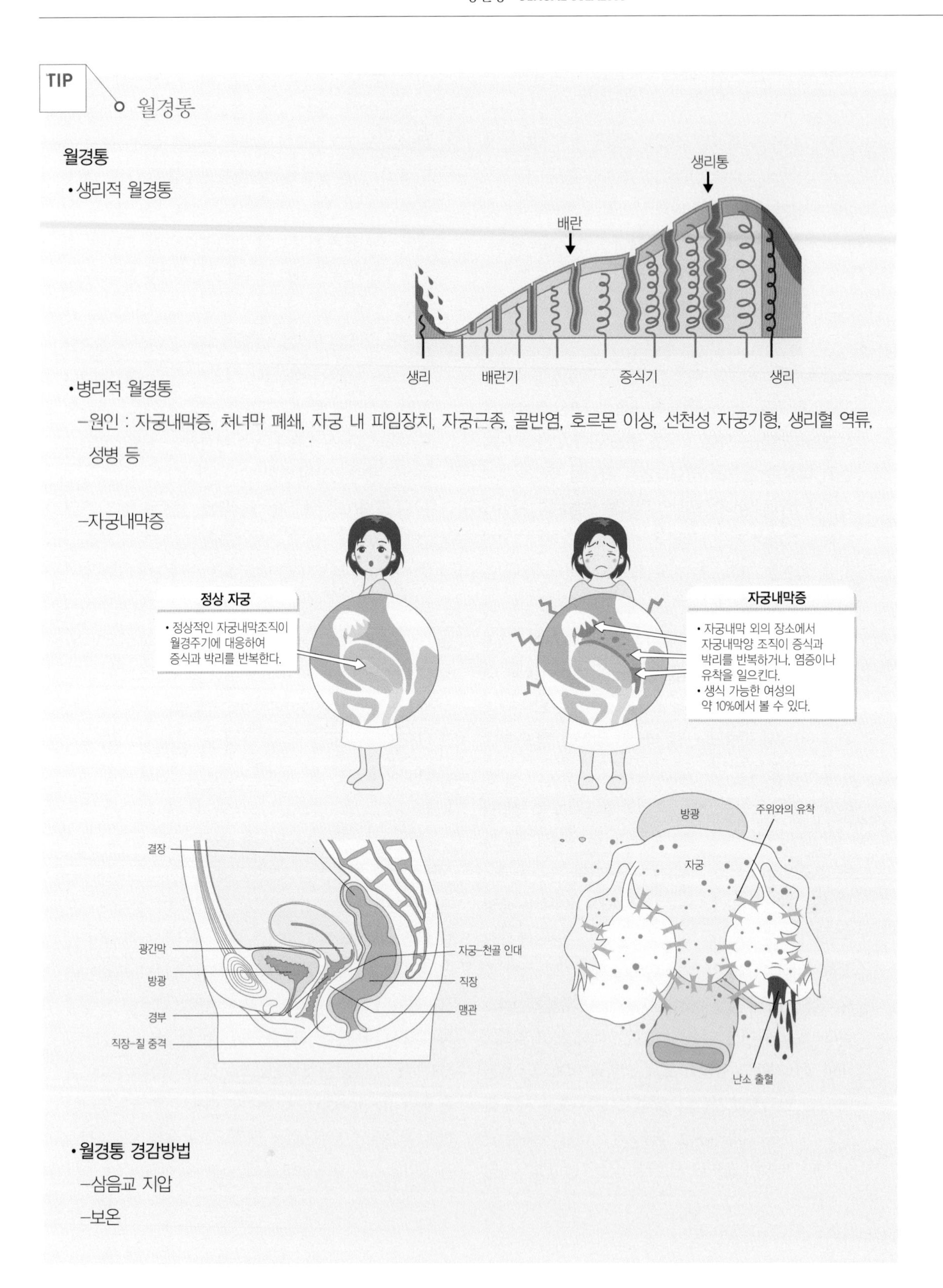

• 병리적 월경통

– 원인 : 자궁내막증, 처녀막 폐쇄, 자궁 내 피임장치, 자궁근종, 골반염, 호르몬 이상, 선천성 자궁기형, 생리혈 역류, 성병 등

– 자궁내막증

• 월경통 경감방법

– 삼음교 지압

– 보온

성적 흥분을 경험한다. 사춘기의 신체적 변화는 심리성적 발달에 중요한 역할을 한다. 표 5-2은 사춘기부터 시작되는 남녀의 신체적 변화를 나타낸다.

2) 심리성적 발달

청소년은 자신이 처한 성적, 사회적 환경 내에서 자신을 독립적인 개체로 인정해야 하는 과업이 있다. 청소년은 사춘기의 신체적 변화를 부모와 사회의 요구에 따라 자신의 성장에 재통합해야 하는 압력을 경험한다. 이러한 압력은 행동과 태도면에서 청소년을 예민하게 자극하며 "내가 정상인가? 나는 어떻게 남과 다른가? 나는 건강한가?"와 같은 의문을 제기한다. 이것은 사춘기 성장발달의 모든 측면에 영향을 미친다. 특히, 성적 발달에서 더 예민하고, 혼란스러움을 경험한다.

사춘기의 심리성적 발달은 심리적, 사회적, 도덕적, 인지적, 정서적 측면의 발달과 함께 상호 영향을 미치면서 나타난다.

한 개인의 발달 주기에서 성적 발달은 매우 중요한 의미를 갖는다. 청소년은 그 사회의 관습이나 문화, 성적 가치관, 행위유형들을 그대로 답습하기도 하지만 자신들만의 성에 대한 지식, 태도 그리고 행동특성들을 형성한다.

(1) 구성 요소

사춘기는 남·녀에게 성적의미를 갖게하며 심리성적 변화를 경험한다. 심리성적 요소는 생물학적 성, 신체상, 성 정체감, 성 동일감, 성적 지향성, 성적 가치체계, 성적 자아개념 등이 복합적으로 구성되어 있다. 다음은 심리성적 구성요소들이다.

생물학적 성

개인은 남·녀라는 생물학적 성을 가지며 이는 5가지 변수로 구성된다. 염색체, 생식샘, 성 호르몬, 내생식기, 외생식기이다. 또한 심한 상해나 질병과 결손은 청소년기의 심리성적성 발달에 영향을 미친다. 대부분 이들 변수는 태아기에 결정된다. 생물학적 성에 대해 청소년은 가장 많은 관심을 갖는다(표 5-2).

신체상

신체상이란 자신의 신체적인 외모와 기능에 대해 실재를 지각하는 태도이다. 신체적 외모는 개인의 특징이며 매력과 관련되어 있다. 또한 신체상은 개인이 어떻게 옷을 입을 것인지에 대해서도 영향을 미친다. 개인의 신체적 지각은 개인의 행동과 공간을 차지하는 방법에 대한 지각과 관련된다. 즉, 우리 신체가 사물과 충돌을 하지 않도록 우리의 신체를 외부의 환경과 조화를 이룰 수 있도록 행동한다. 이런 감각도 신체상과 관련이 있다. 신체적인 외모와 자신의 실재에 대한 이러한 지각 유형은 자신을 보는 관점일 뿐만 아니라 타인이 자신을 어떻게 보는지에 대한 관점에도 영향을 미친다. 신체상은 자아개념으로 성의 핵심에 있다. 일생을 통해 개인은 타인이나 문화가 주는 이상적인 신체상에 자신을 비교하면서 계속적으로 변화한다. 신체상은 발달 주기 첫 3세 때에 형성된다.

사춘기는 신체적인 외모와 기능이 많이 변화하기 때문에, 신체상에 대해 재평가가 이루어진다. 사춘기는 자신을 보는 관점과 자신에 대한 타인의 평가가 영향을 미친다. 사춘기의 모든 변화는 성적의미를 나타낸다. 여성은 둔부의 모양, 유방의 크기, 신장 및 성충동이 증가되며, 생식기능 및 성기능이 발달한다. 이들은 신체상에 강한 성적 영향을 미친다. 남성은 신장, 근육, 깊고 낮은 목소리, 음경의 크기, 성충동의 증가, 발기의 빈도, 새로 알게된 사정 방법은 신

표 5-2 사춘기에 경험하는 남녀의 신체적 변화

남성	여성
9~15세	**8~11세**
고환의 성장	부신이 난소에 에스트로겐 생산을 자극
음낭의 색깔이 변하고 주름이 발달	내부 생식기관의 발달이 시작함
성기 근처에 체모가 발달	
근육이 발달하고 키가 커짐	
젖꼭지와 젖꼭지 주위가 검게 변하기 시작함	
11~16세	**9~15세**
성기의 크기가 커짐	젖꼭지 주위의 색깔이 검게 변함
고환과 음낭이 지속적으로 커짐	가슴크기 증가, 둥근 모양으로 변하기 시작
거웃이 곱슬곱슬해지고 다리 사이까지 번짐	기웃이 지리기 시작하고 기의 성장이 계속됨
체중이 증가함	신체의 지방질이 축적되면서 엉덩이가 커짐
어깨가 벌어짐	질에서 정상적인 분비물 분비
성대가 커지고 음성의 변조가 일어남	땀샘 활동 증가, 여드름 돋기 시작함
겨드랑에 몸털이 생김	질의 크기가 증가하고 소음순과 대음순의 발달
11~17세	**10~16세**
성기 길이와 굵기가 지속적 발달(그러나 성기 크기는 둔화됨)	젖꼭지와 젖꼭지 주위가 더 검게 착색
고환의 크기 증가	가슴의 2차 발달이 진행(둥글고 돌출된 모양)
몸털이 성인과 비슷	거웃이 음부 전체에 삼각형 모양으로 자람
사정을 하기 시작함	겨드랑의 몸털이 더 자람
가슴이 처지는 현상 발생(그러나 1~2년 내에 정상적 위치로 변함)	월경의 시작
피부 지방이 증가하고 여드름 발생	신체 내부의 생식 기관의 지속적 발달
	난소에는 임신 가능한 난자 생성
	키의 성장의 둔화
14~18세	**12~19세**
키가 성인 수준으로 성장	가슴은 성인 크기의 정도만큼 성장
성기도 성인크기로 성장	거웃은 좀 더 넓은 부위까지 덮음
가슴에 털이 날 수도 있음	음성이 약간은 더 깊은 음성으로 변함
얼굴에 수염이 돋아 면도가 가능해짐	월경 점차 규칙적으로 나타남
20세까지 키가 지속적으로 성장 가능	좀 더 여성스러운 모습으로 변함

체상에 영향을 미친다. 또한 체중 증가, 여드름, 불안정, 우울 등도 청소년의 신체상에 영향을 미친다.

청소년이 신체상의 변화에 적응한다는 것은 어려운 일이다. 왜냐하면, 이런 변화는 다른 감정으로 나타나거나 다른 감정이 복합되기 때문이다. 청소년은 동료와 같기를 원하지만, 자신만의 독특함을 원하는 이중적인 면도 있다. 청소년의 이런 감정은 "내가 정상인가?"라고 질문을 한다. 즉, 서투름, 어색함, 사춘기 시작연령의 차이 등은 불안을 초래할 수 있다. 이것은 사춘기 발달이 늦게 시작한 소년이나 너무 일찍 시작한 소녀에게 나타난다. "나는 충분히 건강한가?", "유방이나 음경의 크기가 정상인가?" 이러한 판단적인 의식과 이러한 의문은 이상적인 신체와 행동을 지향하는 대중 매체에 의해 더욱 복잡해진다.

신체상은 성구성의 다른 측면에도 영향을 미치며 특히 성적 자아개념에 영향을 미친다. 신체상은 개인의 삶의 모든 측면에 영향을 미치기 때문에 청소년이 긍정적인 신체상을 형성하고 수용하도록 도와주어야 한다.

성 정체감(gender identity)

성 정체감은 남성 또는 여성에 대한 개인의 사적이고 내적인 지각으로 인성과 행동으로 표현되며 사회가 부여한 성역할과 통합한다. 개인의 성 정체감은 삶의 핵심적 목표를 형성한다. 예를 들면, 여성이 사고와 판단을 필요로 하는 경쟁적인 직업에서 여성이기 때문에 남성보다 불리하고 차별을 당할 것이라고 생각한다면 그 여성은 자신의 성 정체감이 부합되는 생활유형과 직업을 선택할 것이다. 청소년기는 성 정체감, 생활방식과 직업관이 확립되는 시기이다.

개인의 성 정체감은 개인 상호간의 관계와 그 관계를 유지하는 방법에도 영향을 미친다. 남성이나 여성에 대한 개인의 지각은 상호관계에서 지배성, 또는 책임감에 주로 영향을 미친다. 통제를 하는 사람 또는 받는 사람은 누구인가? 통제방법과 정도는 어떤가? 책임을 지는 사람은 누구인가? 이것은 주요 역할 모델인 성인(특히 부모)이나 또래 친구들을 통해 청소년기에 확립된다. 욕구조절과 책임감은 초기 청소년의 이성관계에서 특히 중요하다.

성 정체감이 억압되어 있다면, 성적으로 수동적인 행동을 할 것이고, 피임법을 사용하는데 있어서도 책임감이 약화되어 있기때문에 파트너에게 책임을 물을 것이다. 청소년기 여성은 파트너가 피임할 책임이 있다고 생각하기 때문에 피임도구를 사용하지 않을 것이다. 성 정체감 확립과 수용여부는 10대 임신율을 증가 또는 감소시키는데 결정적인 역할을 한다.

성 정체감은 파트너의 성별에 대한 지향성 발달에도 중요한 영향을 미친다. 성에 대한 적응여부는 개인의 성 정체감이 그들의 생물학적 성과 일치하는지에 달려있다. 아동기때 나타나는 자신의 생물학적 성과 성 정체감의 불일치는 성인이 되었을 때 동성애를 선호하는 경향으로 나타난다. 청소년기는 성 정체감과 성적 지향성을 인식하는 시기로 자아개념에 성의 모든 측면을 통합하려고 노력하는 시기이다.

성적 지향성

남녀의 성별에 대한 지향성이 나타난다. Kinsey, Pomeroy, Martin은 성적 지향성이란 동성애에서부터 이성애까지 다양한 조합으로 이루어지며 완전한 동성애로부터 완전한 이성애까지 연속선상에서 존재한다고 정의하였다. 아직도 성적 지향성에 대한 근본적 원인은 명확하지 않다. 성적 지향성을 보는 일반적 태도는 다음과 같다.

첫째, 사회적 지침은 파트너에 대한 지향을 상대적으로 다양하게 수용하는 경향이 있다. 예를 들어, 동성애에 대한 사회의 일반적인 태

TIP

사춘기 성 정체감 발달

자기의 성을 자각하고, 확인하고 선택하는 과정이 일어난다.

생물학적으로 남녀의 특징이 나타나며 급격한 신체 변화로 자신의 성에 대한 많은 관심을 갖는다. 성정체감에 대한 내적 감각을 성역할이라는 외부적 행동양식으로 나타낸다. 성정체감과 성역할은 일치한다.

도는 보수적인 태도가 강하나 상대적으로는 수용적인 태도를 보이는 경향이 있다.

둘째, 인간은 "동성애자 또는 이성애자가 될 수 있는 잠재적 가능성이 있다(Bell)" 일반적으로 아동기나 청소년기 때 성적 모호성을 경험하기도 한다.

셋째, 파트너의 성별에 대한 지향성은 보통 후기 아동기때 결정된다. 성 연구소에서 실시한 광범위한 조사연구에서 "성적 지향성은 인생 초기에 확립된다는 점과 이것은 완고하여 오랜 시간이 지난 후에도 개인에게 극적인 변화를 주지 않는다"고 하였다.

청소년기는 이미 확립된 성별에 대한 지향성을 탐색하는 시기이고, 표현된 성적 행동이 무엇인지를 인식하는 시기이다. 그러나 소수의 청소년 만이 성행동이나 성적흥분 또는 성적환상에서 동성애 혹은 이성애를 완전히 구별한다. 청소년의 성적지향성에 대해 상담을 했었던 성건강전문가는 실제로 이성애 지향성만을 가지고 있다고 확정할 수 있는 청소년은 거의 없었다고 하였다.

청소년의 성적지향성 발달은 3가지 전형적 발달 단계를 거친다.

첫 번째 단계는 동성애 발달이다.

많은 청소년들은 특정 동성과 성적 행동을 한다. 이러한 행위는 주로 호기심, 친밀한 우정, 성적 흥분의 증가, 이성에 대한 무지와 관련된 불안이 원인이다. 동성애는 동성간의 신체적인 접촉은 문화적 금기라는 사실을 완전히 인식하기 전에 발생한다. 그래서 청소년은 이러한 행동이 알려지면, 가혹한 비판을 받을 수 있다고 생각한다. 자신을 비난하거나 혐오할 수 있고 이로 인해 성적 자아개념에 갈등이 생길 수 있다. 이러한 갈등은 다음 발달단계인 성인기까지 영향을 미친다.

두 번째 단계는 이성애 발달이다.

청소년들은 남녀의 집단을 통해 사회화되기 시작한다. 이 시기는 불안정하게 보일 수도 있지만, 이성의 신비로움을 알게되는 비교적 안전한 단계이다. 이 단계에 있는 청소년은 또래 친구에게 끌리거나 친밀한 우정을 발달시킨다. 이러한 결속은 형성되는 시간에 비례하는데, 빠르게 결속되었다면 빨리 해체될 것이다. 이러한 특성은 청소년에게 다양한 개인과 어울릴 수 있는 기회를 갖는다. 이런 과정을 통해서 "나는 어떤 사람처럼 되어야 하는가? 나는 파트너를 위해 어떤 종류의 사람이 되기를 원하는가? 나는 친밀한 사람과 어떤 관계가 되기를 원하는가? 나는 친밀한 사람과 같이 있을 때, 어떤 행동을 하기를 원하는가?" 등의 문제에 대한 인식과 대처과정에 따라 발달하기 시작한다.

세 번째 단계는 이성간의 데이트다.

데이트를 통해 이성과의 개인적인 관심과 친밀감을 학습하며 이성간의 성적인 신체 접촉을 시도하는 기회를 갖는다. 청소년의 이성애의 발달은 단순하여 심한 불안정감과 고립감 및 어

청소년 시기에 이성에 대한 호기심과 이성과의 데이트는 지극히 정상적인 성적 발달과정이다.

색함을 경험하기 때문에 대부분의 청소년들은 설명할 수 없는 혼란과 불안을 경험한다.

동성애 발달을 보이는 청소년이라 할지라도 행동적인 측면에서 특별한 차이를 보이지는 않는다. 그들은 동성의 또래 친구들 뿐만 아니라 이성의 친구와도 사회적, 성적 접촉을 하기 때문이다. 그러나 동성애 발달을 보이는 청소년은 다른 심리성적 발달을 볼 수 있다.

동성애에 익숙한 청소년은 이성애에 익숙한 또래 친구와는 다른 흥분패턴을 갖는 경향이 있다. 또한 환상의 내용이 다르고 이성애적 행위에 대한 관심의 수준이 다르다. 동성애로 적응된 청소년은 자신이나 타인에 의해 '동성애자'로 명명되기 2년 전부터 이미 자신이 또래 친구와는 성적으로 다르다는 것을 느낀다. 자신이 동성애자라는 것을 완전히 인식하면 그러한 경험은 그들에게 항상 부정적인 것으로 나타난다. 동성애 청소년은 동성애자라는 것에 대해 항상 갈등하며, 성적 그리고 사회적 존재라는 사실에 대해 내적 갈등을 경험한다.

동성애 청소년은 이성애 청소년처럼 자신이 선호하는 성역할 관계를 시도해 보지 못한다. 그들은 자신의 생활 방식과 파트너를 선택하거나 바꿀 수 없는 것으로 생각한다.

우리나라에 얼마나 많은 청소년 동성애자가 있는지에 대해서는 정확한 조사결과가 없다. 열 명 중 한 사람은 동성애자라는 알프레드 킨제이의 연구를 근거로 제시하지만 과대하게 평가되었다는 의견이 많다. 1993년 미국 시카고 대학 사회학 연구팀을 중심으로 발표된 〈성의 사회조직〉연구에서 동성애자의 인구 분포는 지역에 따라 편차가 매우 심하며 남성의 2.6%, 여성의 1.1%가 지난 1년 동안 동성과의 성관계가 있었다고 보고한 바 있다.

2003년 4월, 국가인권위원회에서는 '동성애 사이트에 대해 청소년의 접근을 차단한 것은 헌법에 규정된 행복추구권(제 10조), 평등권(11조), 표현의 자유(21조) 등을 침해한 행위'라고 보고 청소년 보호위원회에 청소년보호법 시행령 제 7조에 명시된 심의기준에서 '동성애'를 삭제하도록 권고한 일이 있었다. 즉 단지 동성애를 다루었다고 해서 유해 매체가 될 수 없으며 동성애는 선천적 성적 지향성으로서 다수라는 이유로 소수를 억압하거나 인권을 침해해서는 안된다는 취지에서였다. 이러한 권고사실 이후 '청소년'과 '동성애'를 연결하여 공식적으로 논의하고 다양한 대안책을 마련하기 위한 활동들을 전개하고 있다.

서울 시내와 경기도 고교생 1,483명을 대상으로 조사한 결과에서 '나는 동성애자가 아닐까?'라는 고민을 한적이 있느냐는 질문에 있다고 대답한 청소년은 6.3%로 나타났으며 주변에 동성애자를 만나본 적이 있느냐는 질문에 '있다'가 35.9%로 나타났다. 동성애가 선택이 아니라 태어날 때부터 결정되어진다는 것에 대해 어떻게 생각하느냐의 질문에 '그렇지 않다'가 34.2%, '절대 그렇지 않다' 31.0%로 나타나 동성애자가 타고난 성적 지향성이라는 것을 인정하지 않음을 보여주었다. 동성애에 대한 느낌으로 '이해하기 어렵다' 39.9%, '징그럽다' 35.9%, '비정상이다' 32.8%, '변태다' 19.8%, '더럽

동성애 청소년의 회상

나는 항상 나를 부적절하다고 느꼈다. 나는 다른 사람과 같은 방식으로 반응할 수 없었다. 나는 환상 속에서 소수 무리 중의 한사람이었다. 나는 어떠한 사람과도 관계를 맺을 수가 없었다. 나는 어떤 사람에게도 동성애자라고 이야기할 수 없었다."

다' 19.1% 등 부정적인 느낌이 많았으나 내 친구가 동성애라는 것을 알게 되었다면 어떻게 할 것인가에 대한 질문에 '신경쓰지 않는다' 7.1%, '말린다' 18.6%, '피한다' 15.0%로 나타나 가까운 사람이 동성애자임을 알게 되었을 때 싫어하는 정도가 의식보다는 심각하지는 않은 것으로 나타났다(김영란, 2003).

성건강 전문가는 청소년이 이성애 또는 동성애 중에서 지향하는 것이 누구다, 무엇이다 하는 관심보다는 먼저 청소년이 자신의 삶과 성에서 성적 지향성이 의미하는 것이 무엇인지에 대해 탐색할 수 있는 기회를 가져야 한다.

성 가치관

개인의 성 가치관은 모든 성적요소의 통합을 의미한다. 가치(value)란 나와의 관계에서 성이 갖고 있는 의미로 가장 중요한 것을 말한다. "나"라는 본체는 고유의 인간성이 있으며 자신만의 믿음과 관점과 가치관을 가지고 있다. 우리는 성에 대해서 느끼고 생각하고 행동한다. 즉 성적인 활동은 좋은 것(나쁜것)인지, 생식 혹은 쾌락이 목적인지, 결혼 혹은 동거를 통해서, 이성이나 동성 중에서 누구와 성행위를 할 것인지, 동의나 만족감을 성취하는 것 등이 포함된다. 성적 가치체계는 개인의 성 정체감에 영향을 미친다. 성적 상호관계에서 누가 지배하고 책임을 지느냐의 문제도 우리의 가치가 강하게 작용한다.

성적 가치관은 개인의 성적 자아개념과 밀접하게 관련되어 있다. 성적 가치관과 성행동간에 일치를 하느냐의 여부는 긍정적으로 또는 부정적으로 개인의 성적 자아개념에 영향을 미친다.

청소년의 발달과업은 성적 구성 요소를 능동적으로 통합하는 것이다. 부모의 가치관을 그대로 답습하는 것이 아니며 독립된 개인적인 가치체계를 인식하고 통합하는 것이다. 부모의 가치기준을 완전히 거부하는 것은 성인기에도 나타날 수 있으나 이 시기에는 아주 드물다. 부모는 직접적으로 청소년의 가치 형성에 영향을 미치지만 점진적으로 힘을 상실한다. 그러나 청소년은 부모로부터 학습된 많은 가치 기준을 가지고 있으며 이를 고수하려고 한다. 예를 들어, 출산에 가치를 두는 가정에서 성장한 여성은 결혼 후에 가능한 빨리 임신하기를 원할 것이다. 그러나 만일 여성이 직업을 희망하거나 더 큰 자아실현에 가치를 둔다면 여성은 출산을 연기할 것이다.

청소년은 부모나 또래 친구, 지역사회의 가치관에 영향을 받는다. 사회나 또래 친구, 부모의 성적 가치관은 과거에 비해 현재가 더 일관성이 없기 때문에 청소년의 성적 가치체계는 더 혼란스럽다.

청소년은 과거처럼 성을 신비한 것으로 지나치게 미화하고 은폐하던 것과는 달리 상업적인 면에서 성을 더 많이 접하고 있다. 청소년은 인터넷 그리고 대중매체를 통해 성에 대한 지식과 정보를 더 많이 얻으며 소비주의와 대중 매체가 만들어낸 상품화된 사회관계 속에서 성 정체성과 성적 가치관을 형성하고 있다. 의사소통의 수단으로 또는 친밀감의 표현으로서의 성관계, 존중과 배려의 성관계보다는 호기심과 충동 그리고 쾌락적인 성적 접촉을 선호한다. 이로 인한 성 문제는 비단 청소년만의 문제라기보다는 우리 사회가 안고 있는 전반적인 성 문제 중의 하나인 것이다.

성동일감(sexual identity)

성동일감은 성적으로 능동적인 개인으로서 자

아를 정의하고, 수용함을 의미하며 성적 가치체계와 성적 자아개념과 밀접하게 연결되어 있다.

성동일감은 청소년기에 아래의 다음과 같은 발달 단계를 거치면서 확립한다.

첫 번째 단계는 자신을 성적인 존재로 인식하는 것이다. 대부분의 청소년은 혼란 없이 자신을 성적인 존재로 인식한다. 일부 청소년은 여러가지 이유로 이 과업을 달성하지 못한다. '성적 감정과 관심을 빼앗긴' 것처럼 보이는 '무성적(asexual)' 청소년은 사회적 상호관계가 적은 활동에 참여한다.

두 번째 단계는 자신을 성적으로 능동적인 개인으로 지각하는 것이다. 이 단계는 첫 번째 단계보다 더 어렵다. 전형적으로, 청소년기는 또래 친구의 영향력이 강하게 작용하는 시기이며, 불사신적인 신념이 있고, 주변과 자신을 탐색하면서 신체상의 변화를 경험하고, 상처받기 쉽고, 동요가 심하고, 증가되는 성적인 관심과 흥분이 일어나는 시기이다. 청소년은 이런 요소의 통합을 통해 성적으로 능동적인 개인이 된다.

청소년이 부적절한 성적 가치체계를 형성하였거나 성적 가치체계가 혼란에 빠져 있다면 그렇지 않은 청소년보다 빠른 성행위를 할 것이다. 이러한 성적 능동성 때문에 청소년들은 자신의 성적 가치체계와 갈등할 수 있다. 이러한 갈등은 청소년의 성적 동일감 형성에 직접적으로 영향을 미칠 수 있고 자신을 성적으로 능동적인 개인으로 수용하는데 어려움을 경험할 수 있다. 이러한 현상은 여성에게 많이 나타난다. 사춘기 여성은 "나는 그때 정말 성교할 의도가 없었어" 또는 "나는 자주 성교를 하지는 않아. 나는 정말 성교를 하고 싶지 않아"와 같은 형식으로 성동일감을 표현할 것이다.

성행위에 대한 부정은 이성관계를 유지하는데에 문제가 된다. 청소년이 성관계를 할 수 있다고 인식했을 때 임신의 위험을 인식할 것이며, 임신의 위험을 수용한다면 성행위 시 피임에 대해 관심을 가질 것이다. 피임도구를 사용하지 않는 중요한 원인은 나는 성행위를 하지 않을 것이라고 의식하며 성행위를 부정했기 때문이다.

성적 자아개념

성적 자아개념은 자신을 성적인 존재로 인정하고 가치의 유형과 긍정적 또는 부정적 요소들을 지각하는 것이다. 성적 자아개념은 한 개인이 자신의 심리성적 구성요소들에 대한 자각을 의미한다.

긍정적인 성적 자아개념을 가진 사람은 부정적인 사람보다 매사에 자신에 대해 긍정적 평가를 내리기 때문에 자아존중감이 높고 자신감, 가치감이 높고 낮은 심약성, 진취적이고 적극적이며 조화로운 자아조정 등을 한다. 성적 자아개념은 성의 연속적인 발달에 영향을 미친다. 자신의 신체상이 성동일감과 갈등한다면, 부정적인 성적 자아개념을 형성할 것이고, 성적인 존재로서 자신의 가치를 평가절하시킬 것이다. 부정적인 성적 자아개념은 청소년기에 갈등을 일으키는 주요 원인이다.

청소년기는 성적 자아개념이 형성되는 시기다. 긍정적 성적자아개념이 형성되도록 지지해야 한다. 청소년의 성은 빠르게 변화하고 성장한다. 특히 또래 친구와의 상호관계는 이런 발달에 능동적인 경험을 제공한다. 부정적 성적 자아개념이 형성되었을 경우에 나타나는 갈등은 또래 친구와의 대인관계에 영향을 미친다. 친구들의 인기와 수용을 중요하게 생각하는 사춘기 청소년은 성 정체감과 성적 가치체계가 확립되기 전에 능동적인 성적 행동을 할 수 있다. 자신의 행동에 대해 부적절감을 가지고 있는 사춘기 남성은 자신의 불안을 감소시키기 위해 더 성적으로 능동적이 된다. 이러한 경우 성적 자아개념은 손상을 받는다. 청소년기에 성적 자아개념이 부정적으로 형성되면 대인관계를 회피하거나 손상시킬 것이다. 반면에 긍정적이라면 인간 상호관계에서 가장 중요한 친밀감의 기틀을 형성할 것 이다.

(2) 영향 요인

사춘기 심리성적 발달에 영향을 미치는 영향 요인은 다음과 같다.

첫째, 사춘기 이전에 습득한 자아존중감이다. 자아존중감은 청소년의 성장 능력으로 갈등과 변화를 극복하는데 영향을 미치는 근본적 요소이다.

둘째, 청소년의 신체와 외모는 긍정적, 또는 부정적 신체상으로 나타나 심리성적 발달에 영향을 미친다. 신체상에 유전적 요인과 환경적 요인은 중요하다.

셋째, 아동기의 성장발달은 청소년기의 심리 성적 발달에 영향을 미친다. 아동의 성장 환경인 사회, 문화, 가정은 성적 특성을 형성하는데 중요한 역할을 한다. 청소년기는 부모로부터 독립을 지향하고, 사회적인 규범에 반항하는 시기이지만, 부모와 사회는 청소년에게 강하게 영향을 미친다. 사회경제적 상태, 종교적인 신념, 가치체계, 부모의 양육태도는 청소년의 심리성적 발달에 영향을 미친다.

부모의 통제 정도는 특히 중요하다. 허용과 완고함에 대한 타협은 청소년에게 자기탐색을 할 수 있는 기회를 주고, 책임감에 대한 기본적인 지침을 제공한다. 청소년의 성 발달에 대한 부모의 태도는 매우 중요하다. 부정적인 감정은 여러 가지 원인에 의해 야기된다. 부모가 자녀의 안녕에 대한 책임을 주정한다면 부모는 청소년 자녀를 통제할 수 없다고 지각할 것이다. 부모가 청소년기에 있는 자녀에게 성적으로 매력적이라고 표현한다면 자녀는 이러한 부모의 긍정적인 반응에 기뻐할 것이고 자신에 대해 자부심을 가질 것이다. 반면에 자녀에 대한 부모의 부정적인 반응은 청소년에게 성은 바람직하지 못하다는 메시지를 제공할 것이다.

넷째, 청소년의 인지적 발달수준이다.

Piaget는 청소년기의 인지적 발달을 구체적 조작기에서 형식적 조작기로 전환하는 시기라고 하였다. 이러한 전환기는 다양한 개별적 차이를 보인다. 대부분 사춘기 청소년은 형식적 조작기 수준

긍정적 성적자아개념자

- 스스로를 가치있게 여기며 자신을 사랑하고 스스로의 약점도 수용한다.
- 자신의 생각과 감정을 따라 행동할 수 있으며 자기의 주장이나 견해가 틀린 것이 드러나면 수정한다.
- 매사에 진취적이고 적극적이며 대인관계가 원만하다.

부정적 성적자아개념자

- 자기비판을 하고 다른 사람도 자기를 멸시한다고 생각하고, 다른 사람과 비교하여 열등의식을 강화시킨다.
- 사소한 일에도 불안초조하고 비판이 두려워 자신을 드러내지 못하고 칭찬이나 인정을 그대로 받아들이지 못한다.
- 매사에 소극적이고 열등감에 시달린다.
- 자신을 신뢰하지 못한다.

에 완전히 도달하지 못한다. 구체적 조작기 수준에 있는 청소년이라면 임신이나 피임에 대해 잘 알지 못하여 주의를 하지 않을 것이다. 부모나 교육자는 "나에게는 그런 일이 일어나지 않아"라고 생각하는 청소년의 불사신적 신념과 무책임한 태도에 당혹감과 좌절감을 경험할 것이다. 초경 연령이 계속 어려지지만 청소년의 인지적 수준은 형식적 조작기에 있는 미숙함 때문에 임신의 가능성은 높아질 것이다.

다섯째, 청소년의 심리적, 정서적, 사회적, 도덕적 발달의 통합 및 발달 정도는 심리성적 발달에 영향을 미친다. 이런 모든 사실을 고려할 때, 똑같은 발달특성을 갖는 청소년은 거의 없다. 이런 개별성은 자신과 타인을 지나치게 높게 또는 낮게 평가하거나 또래 친구의 기준에 지나치게 맹종하여 열등감이나 심약성 및 불안을 초래할 수 있다. 부모나 전문가는 이러한 청소년에게 성건강상담을 통해 도움을 줄 수 있다.

청소년은 성 문제의 원인을 부정적 심리성적 발달에 두고 있지만 청소년의 성이 분리된 실체가 아니라는 것은 자명하다. SIECUS는 성행위란 개인 전체의 일부분으로 총체적 자아개념의 표출이며 친밀한 관계형성을 할 수 있는 능력이다. 또한 성행위는 삶의 질과 연관되어 있으며 과업성취에도 영향을 미친다고 정의하였다.

청소년의 성은 빠르게 변화하고 성장한다. 또한 또래 친구와의 상호관계를 통해 자신의 사회적 위치와 발달을 인정받고 싶어한다.

4. 청소년의 성행위

개인의 삶의 주기에서 청소년기의 성적 발달은 매우 중요한 의미를 갖는다. 청소년은 그 사회의 관습이나 문화, 성적 가치관, 행위유형들을 답습하기도 하지만 자신들만의 성에 대한 지식, 태도 그리고 행동 특성들을 형성하기도 한다. 청소년의 성 문제는 청소년기에 나타나는 신체적, 심리적 변화의 하나로 나타나는 것만이 아니라 우리 사회의 왜곡된 성문화에 의해서도 나타난다.

청소년에게 나타나는 성교행위의 점진적인 증가, 피임도구 사용의 실패, 임신과 성병의 증가 등에 대해서 우려의 목소리가 높아지고 있으나 청소년의 성행위에 주요 영향을 미치는 청소년 성적 가치관과 태도의 측면은 대중적인 관심이 저하되고 있다. 청소년은 사춘기의 성에 대해 두려움이나 불안은 있지만 점차적으로 애정이 없는 무책임한 성행위를 옹호하거나 또한 사회의 도덕적 가치기준을 거부하지도 않는다. 오히려 그들은 기본 도덕을 일관성 없이 해석하고 적용하는 성교육이나 일그러진 사회상으로 인해 특히 기존 도덕을 옹호하는 대부분의 청소년에게 당혹감을 더욱 유발시킨다.

청소년의 가장 중요한 문제는 건강한 성에 대한 지식의 부족으로 오는 잘못된 인식이다. 이것은 10대 임신의 점진적인 증가에서 볼 수 있다. 청소년은 피임에 대한 정보 부족과 동시에 비효과적인 피임 방법을 사용한다. 현재 우리나라 청소년의 성 문제는 위기에 있다. 인터넷 음란 사이트의 급속한 증가와 이를 통한 무분별한 성 경험으로 인한 원치 않는 임신과 낙태, 성병과 에이즈의 확산의 문제는 그 심각성이 더욱 크다.

다음은 청소년의 성행위 형태이다.

1) 자위행위

청소년의 성행위와 관련된 연구에서, 자위행위에 대한 연구는 성행위에 대한 연구보다 부족하다. 오늘날 청소년의 대부분이 자위행위를 하고 현대의 사춘기 여성도 과거보다 자위행위를 더 많이 하며 시작하는 연령도 빨라지고 있다. 약 30%의 소녀와 50%의 소년이 15세쯤에 자위행위를 시작하고, 20세쯤에는 약 여성의 60%, 남성의 85%가 자위행위를 한다. 자위행위를 하는 횟수뿐만 아니라 자위행위를 증가시키는 자극과 자위행위에 동반되는 환상 등은 여성과 남성 간에 차이가 있다.

사춘기 여성은 외로움을 느끼는 상태에서 남자친구와 비성교적인 행위를 환상하면서 자위행위를 하는 경향이 있다. 남성은 성적 긴장을 해소하

자위행위 시 주의할 점

- 자위행위는 지극히 개인적인 행위이므로 남에게 보이지 않도록 은밀하게 한다.
- 자위행위 전이나 후에 손을 깨끗이 씻고, 성기를 항상 깨끗이 하는 등 청결을 유지하고 윤활제를 사용토록 한다. 성기에 상처가 나면 염증이 생길 수도 있다.
- 자위행위는 에너지가 소모되므로 지나치게 많이 하게 되면 피로감을 느끼고 잦은 마찰과 자극때문에 상기에 통증이나 염증을 유발한다. 자신의 건강이나 상황에 맞게 조절해야 한다.
- 자위행위를 할 때 성적 공상을 할 수 있는데 이러한 공상을 현실로 착각하거나 혼동하지 않도록 한다.

TIP

10대의 자위행위와 야한 동영상

자위행위

부모: 우리 아이는 하루에 한 번 하는 것 같아요. 너무 과한 것 같아서 이야기를 나눠보려고 했는데 그 전에 아이가 야동을 보며 자위행위를 하는 것을 들켰어요. 그 후로 나하고는 아무런 이야기를 하려고 하지 않아요. 나는 자위행위는 나쁜 것이 아니고 자연스러운 것이니 그저 횟수만 줄이라고 말하고 싶은 건데 말이죠.

10대: 엄청난 성욕때문이 아니라 스트레스를 풀 때, 심심할 때, 잠자리에 누웠을 때, 졸린데 잠이 안올 때, 아침에 일어나 발기되었을 때, 목욕하다가 등 그냥 자위행위를 하는 거에요.

성 상담가 : 아무리 자신의 아이라 하더라도 청소년의 몸과 성은 사적으로 진지하게 존중해 주어야 한다. 부모는 일방적인 지시 보다는 청소년이 스스로 자신의 몸을 존중하도록 유도해야 한다. 이를 통해 청소년은 상호존중과 인간관계를 배우게 된다. 자위행위로 10대 청소년이 수치심을 갖는다면 부모와의 관계 및 대인 관계의 단절을 유발할 수도 있다.

야한동영상

10대 : "야동을 보는 가장 큰 이유는 여자의 벗은 몸을 보고 싶은 거에요. 여자의 벗은 몸은 어떻게 생겼나, 여자의 성기는 어떻게 생겼나, 섹스를 어떻게 하나. 처음에 이런 것을 보면 뿅가요. 그리고 이런 걸 보고 지나가는 여자들을 보면 야동에서 본 여자의 성기나 섹스하는 모습이 떠올라요."

"야동을 본 날은 자위행위를 몇 번이나 해요. 밤에 흥분되서 잠을 잘 수 없거든요. 하지만 좀 지나면 시시해져요. 대신 취향같은 것이 생겨요. 그 세계가 다양하고 섹스, 여자도 모두 다양하고 그래서 나만의 취향이 생기는 거죠."

소위 야동을 마스터한 10대들은 이를 "유치하다"고 표현하며 "현실세계에서 즐기고 싶다"고 한다.

성 상담가: 사춘기는 지나가는 발달단계이다. 자위행위나 야한 동영상을 보는 것은 발달과정에서 나타나는 정상행동이다. 정상발달과정으로 수용하고 자신을 존중히 여기고 스스로 조절할 수 있도록하고, 불안감을 갖지 않도록 지도한다.

기 위해(가끔은 여자 친구와 비오르가슴적인 접촉에 의해 상승되기도 함) 자위행위를 하는 경향이 있고, 한 파트너와 또는 한 집단과의 특징적인 성 접촉을 환상하는 경향이 있다. 사춘기 청소년들의 환상 내용은 보통 자신의 요구에 파트너가 복종하는 것으로 나타난다.

내일청소년상담소의 전화 및 면접상담에서 청소년상담 2,804건 중에서 자위행위가 681건(24.3%), 일반 성 지식 535건(19.1%), 임신·낙태 273건(9.7%) 그리고 성 욕구·성심리 241건(8.6%), 성폭력 206건(7.4%)의 순이었으며(2001), 2002년에는 1,776건 중에서 자위행위 387건(21.8%), 일반 성 지식 293건(16.5%), 성폭력 240건(13.5%), 임신·낙태 157건(8.8%), 성 욕구·성심리 124건(7.0%) 순으로 나타났다. 자위행위를 이미 하고 있는 청소년이 많지만 여전히 전해내려오는 자위행위와 관련한 잘못된 정보로 인해 죄의식을 느끼거나 불안을 고민하는 상담이 많음을 나타내고 있다. 청소년을 위한 내일 여성센터(2002)의 사이버 상담실에서 중학생을 대상으로 한 사례를 보면 총 617건 중 외부 생식기 고민이 245건(39.7%), 자위행위 167건(27.1%), 임신·낙태 55건(8.9%) 등으로 나타났다. 중학생의 경우 급격한 신체 변화에 따른 변화, 생식기 크기, 월경 등에 대한 상담이 많으며 두번째로 많이 나타난 것은 자위행위로 자위행위를 한 후의 신체 변화(음경크기의 변화, 발진, 통증 등)에 대한 상담이 높게 나타났다.

청소년기는 활성화된 성 호르몬의 영향으로 다른 사람의 몸에 대해 호기심과 관심을 갖게 되고 자신의 몸을 통해 즐겁고 흥분된 성적 쾌감을 느낄 수 있다. 자위행위를 옳지 못하다든지, 해롭다고 말하는 사람도 있고, 일부 종교에서는 자위행위를 죄로 보기도 하지만 자위행위는 지극히 정상적인 것이며 성 발달에 있어서 자연적으로 나타나는 과정이다. 청소년기의 자위행위는 결혼 전에 성욕을 해소시켜 줄수 있는 출구로서 성인이 되어 건전한 성생활을 하기까지의 준비 단계라고 할 수 있으며 이는 건강에 해를 끼치지 않는다.

2) 이성애 행위

이성애 행위(heterosexual behaviors)는 성적 지향성에서 정상범주에 있다. 동성애자로 인식된 청소년이라 할지라도 대부분 청소년시기에는 이성애적 활동에 관여한다. 약 1,000명의 연구조사에서, 동성애적 성인의 75%는 청소년기 동안에 이성과 데이트를 한 적이 있었다고 한다.

10대 청소년은 대체로 애무와 같은 접촉의 빈도는 성교에 비해 빠르게 증가하지는 않는다. 또한 점진적으로 진행되는 대부분 절정감을 얻기 위해 애무행위를 한다. 일단 성행위가 시작되면, 성교 이전에 했었던 애무행위는 급격히 감소한다. 즉 이성애적 행동은 성교 자체가 중심이 된다.

다음은 사춘기 청소년이 경험하는 성문제의 원인이다.

- 사춘기는 빨라지고 결혼연령은 늦다.
- 성행동 시기가 빨라지고 있다.
- 성매개성 감염이 증가추세에 있다.
- 성행위 시 피임을 하지 않는다.
- 원하지 않는 임신과 인공유산의 빈도가 증가한다.
- 성폭력이 증가한다.
- 자극적인 성문화에 노출되어 있다.
- 스트레스는 심하지만 적절한 해소문화가 없다.

국내 연구를 중심으로 콘돔 사용 실태를 살펴보면 다음과 같다. 고등학생 1453명을 대상으로 한 연구에서 남자의 성 경험률(11.8%)이 여자

(3.7%)보다 높았고, 인문계보다 실업계, 대도시보다 지방의 시·군 학생들이 콘돔을 사용한 비율이 높았다. 그리고 성관계 시 콘돔을 항상 사용한 경우는 11.7%이었으며 가끔 사용한 경우는 27.9%이었고, 응답자의 60.4%는 콘돔을 사용한 적이 전혀 없었다.

대학생들의 성행태에 관한 연구에 따르면 남자 대학생들의 콘돔 사용률은 22.1%이었지만 윤락여성들과의 성행위 시에는 39.9~47.5%, 여자 친구의 경우 9.5~25.6%, 우연히 만난 여자의 경우에는 21.1~23.3%와 같이 성 상대자에 따라 사용률이 달랐다. 남자 대학생 217명을 대상으로 한 연구에서는 성 경험자의 약 41.3%만이 콘돔을 사용한 경험이 있는 것으로 조사되어 의도하지 않은 임신이나 에이즈 및 성병에 노출될 위험이 높은 것으로 평가되고 있다. 또한 전국 27개 대학에 재학하는 대학생 624명을 대상으로 지난 1년 동안 콘돔 사용 실태를 조사한 결과 항상 사용한 사람은 25.8%였으며, 대부분은 지속적으로 사용하지 않거나 또는 전혀 사용하지 않는 것으로 조사되어 청소년들이 성행위 시 지속적인 피임법 사용을 교육하여야 함을 시사한다. 특히 대부분의 청소년들은 성행위 이전이나 이후에도 파트너와 피임법에 대해 논의하지 않으며, 더욱더 임신의 가능성에 대해서도 논의하지 않는다고 하였다.

최근 성문화연구소는 청소년의 성 경험률이 각각 남학생 33.1%, 여학생 13.2%라고 하였으며 중학교 2학년에서 고등학교 3학년에 재학중인 남학생 496명과 여학생 529명을 대상으로 한 윤가현의 연구에서는 남학생은 37.0%, 여학생의 경우 24.8%가 성교를 경험한 것으로 추정되고 있다.

또 2003년 7월 전국의 고교생 10,000명을 대상으로 조사한 결과에서 8.9%의 청소년이 성관계 경험이 있다고 응답하였으며 이 중 임신경험이 있었다. 청소년은 3.4%였다. 성관계를 하는 이유로는 호기심으로 46.6%, 술을 마신 상태에서 36.1%로 나타났다(청소년을 위한 내일 여성센터, 2003). 김혜원 외(2001)의 조사에서도 성 경험 여학생의 10.8%가 임신경험이 있다고 대답하였으며 십대 여학생은 12,733명을 대상으로 조사한 장순복(2000)의 연구에서 성교를 경험한 사람은 4.5%로 나타났으며 임신경험 유무는 성교 경험이 있는 여학생의 경우 11.4%가 경험이 있다고 답하였다. 성관계를 갖게 된 이유로 60%가 '호기심'으로 했으며 성관계 결과에 대해 45%가 '후회스럽다'라고 대답하였다.

대체로 17~19세의 사춘기 여성은 2~3세 정도 많은 남성과 데이트를 한다. 청소년의 성행위는 대부분 파트너 또는 친구의 집, 친척 집에서 일어난다.

최근 청소년의 혼전임신비율은 점진적으로 증가하고 있다. 청소년의 임신경험정도를 보면 전체 6.5%의 학생들이 자신이나 상대가 임신의 경험이 있다고 응답하였으며 남학생이 상대의 임신경험을 보고한 비율보다는 여학생 스스로 임신한 적이 있다고 응답한 비율이 현저하게 높았다. 임신의 횟수는 한 번이 가장 많았지만 남녀모두 네 번 이상의 경험도 적지 않으며 이는 짧게 만나서 헤어지기 때문에 상대방의 임신 사실에 대해 정확히 알지 못하는 남학생들의 무관심이 어느정도 영향을 미칠 수 있다. 이는 대다수의 여학생이 피임에 대한 지식없이 이성교제의 상대와 성관계를 갖고 이를 통해 임신한다는 것을 나타내고 있다(박현이, 2000).

성교경험이 있는 여학생의 경우 사용한 피임법으로는 46.9%가 '피임없이' 성관계를 했고 피임을 하지 못하는 이유로는 20.8%가 '설마 임신할 것 같지 않아서', '미처 피임할 시간이 없어서'라고 답했다(장순복, 2000).

청소년은 충동적이고 돌발적으로, 또는 성폭력에 가까운 강요를 통해 성관계를 하는 예가 많다. 이러한 충동적인 성관계는 콘돔과 같은 피임도구조차 준비할 겨를 없이 이루어지기 때문에 원치 않는 임신과 성병, 낙태로까지 이어지는 경우가 많다. 또한 콘돔에 대한 정보가 있다고 하더라도 '상대가 나를 헤픈 사람으로 볼까봐', '성적 경험이 많은 사람으로 보지 않을까'하고, 또는 상대방이 '작정을 하고 나왔다고 오해할까봐' 두려워서 피임도구를 사용하지 못한다. 우리 사회는 청소년이 성관계를 예측하고 준비를 하는 것에 대해 부정적인 인식을 한다. 준비된 성관계보다는 오히려 충동적이고 돌발적인 성관계를 더 미화하고 용인하는 사회적 분위기가 피임도구사용을 할 수 없도록 하는 것이다. 따라서 청소년기의 성교육은 자신의 몸에 대한 지식과 함께 적절한 자기감정 표현, 성적 충동으로 일어날 수 있는 일들에 대한 예방교육, 성적 결정에 대한 선택과 그 결정에 대한 책임교육이 보다 구체적이고 실제적으로 이루어져야 한다.

3) 동성애 행위

동성간의 성행위는 이성애 또는 동성애의 성적 지향성을 갖는 청소년들의 공통적인 행위이다. 그러나 동성애적 성적 지향성이 있는 청소년의 동성애 행위와 이성애적 성적 지향성이 있는 또래 친구들의 동성애 행위간에는 분명한 차이가 있다.

청소년기 여성 중에서 약 9% 정도가 동성애 경험을 갖는다. 동성간의 성행위는 시각적으로 주시하기, 서로의 생식기를 애무하기, 상호자위행위하기 등을 포함한다.

이성애적 성적 지향성이 있는 여성은 청소년기 동안 여성 성기를 입으로 자극하는 쿠닝링구스를 거의 하지 않는다. 그러나 남성의 경우에는, 동성애나 이성애로 인식하는 것과 상관없이 청소년의 1/3이상이 다른 남성과 성 경험을 했다고 한다. 동성애 지향성이 있는 청소년기 남성의 40~80%와 이성애 지향성이 있는 청소년기 남성의 2~19%가 오르가슴을 성취하기 위해 구강 성교나 신체를 같이 접촉하는 다른 자위행위에 참여했다.

동성애적 접촉은 거의 언제나 또래 친구 사이에서 일어난다. Sorensen은 동성애의 경험을 가진 모든 청소년 중에 8%만이 또래가 아닌 성인과 경험하였다는 것을 확인했다.

내일청소년상담소를 통해 상담한 동성애에 대한 상담 44사례를 조사한 연구에 의하면 '동성과의 성행위' 즉 동성과 키스, 애무, 성기를 만지거나 자위행위를 하거나 구강 성교 그리고 항문 성교를 경험한 경우가 40.9%였으며 자신이 동성애자가 아닌가 고민하게 된 이유로 '동성에 이유없이 끌리고 성적 관심이 생겨서(38.6%)', '성추행 또는 성폭력의 경험(11.4%)', '서로 자위행위를 하면서 성적 감각 추구(9.1%)'를 했기 때문이다.

동성애 클럽 참가자와 인터넷 청소년 사이트 회원 50명을 대상으로 설문조사한 결과를 보면 남녀학생들의 생각이 뚜렷한 차이가 있음을 알 수 있다. 자신의 성향과 관련된 고민 중 가장 비중이 큰 부분은 '장래에 대한 불안(결혼, 직장, 가족생활)'에 대한 것이었고(38%), '정체성(나는 누구인가)'에 대한 것(34%), '성적 욕구'에 관한 부분(26%)으로 나타났다. 또한 자신의 성적 지향성 때문에 자살이나 가출 등을 생각하거나 시도해 본 적에 대해 '없다'로 대답한 청소년이 여자는 92%, 남자는 72%로 대답하였다. 또 장래에 대한 불안 중 가장 큰 것이 무엇이냐는 질문에 남자 청소년들은 결혼에 대해, 여자 청소년들은 가족과의 관계라고 대답하였다. 남자는 집안의 대를 이어야 한다는 책임감에 대한 부담이 강하게 작용하고 있음을 엿볼 수 있다. 또한 자신의 성향과 관련된 고민의 중요도 순위에서 남자는 결혼이나 직장 등의 장래에 대한 불안을 꼽았고, 여자는 나는 누구인가하는 정체성에 대한 고민을 우선 순위로 대답하였다. 이는 남자 청소년들이 비교적 일찍 정체성을 깨닫는 것과도 연관이 있다. 이미 자신이 게이임을 확신한 남자 청소년들은 결혼이라는 의무과정을 어떻게 피할 수 있을 것인가를 고민하고, 상대적으로 여자 청소년들은 정체성을 깨닫는 시기가 늦을 뿐만 아니라 양성애와 동성애 사이에서 혼란을 계속 겪기 때문으로 보인다.

청소년이 가장 힘들어하는 고민으로는 '나의 성정체성은 무엇일까'에 대한 고민이 가장 많았다. 청소년 시기는 성 정체성에 혼란을 겪는 시기이며 정체성을 탐색하고 고민하는 시기일 뿐 아니라 올바른 성 정체성에 관한 정보 제공과 교육이 필요한 시기이다.

청소년이 정체성을 확립하고 수용하는 과정에서 정확한 정보를 얻고 주변의 지지를 받는 것은 성적지향성의 다름의 문제를 떠나 한 인간으로서 스스로에 대한 자존감과 삶에 대한 자신감을 갖는 중요한 요소이다. 아직까지 동성애의 원인을 "선천적이다 또는 후천적이다"라는 논의가 계속되고 있고, 성적지향성의 다양성으로 받아들이지 못하고 있는 실정때문에 소수자로서의 인권침해가 심각하다. 우리사회도 점차적으로 동성애를 성적다양성으로 받아들이고 동성애자에 대해 편견과 억압 등의 인권침해를 해서는 안된다는 소리가 높아지고 있다. 특히 청소년 동성애의 경우는 성정체성에 대한 불확실함과 사회적 편견을 극복할 내적 에너지를 가지고 있지 않기 때문에 더욱더 관심을 가져야 할 대상자이다.

5. 청소년의 성행위에 대한 가치관과 태도

성과 성행위에 대한 가치관과 태도는 가장 두드러진 변화를 나타내고 있다. 정직과 사랑 및 존중은 가장 중요한 인격적 가치이며, 윤리이지만, 이러한 가치와 윤리에 대한 청소년의 해석은 예전과는 다르다. 청소년은 보수적이고 천편일률적인 사회와 부모의 가치관을 그들의 가치체계에 통합해야 하는 도전에 직면하고 있다.

현대의 청소년은 자신의 성 행동에 대한 새로운 태도와 가치관을 형성하고 있다. 성 행동에 대해 결정을 할 때 사회나 부모의 명령보다는 자기결정의 문제로 해석하는 경향이 높다. 이런 태도는 청소년이 성적 행동을 결정할때 나타난다. 그러나 자신과 타인에게 적용하는 성행위 기준이 차이가 있을 수 있다. 예를 들면 청소년들은 자위행위와 성행위를 받아들이고 있지만 실제로 성행위를 하는데 있어서는 남에게 적용하는 관용을 자신에게 적용하지 않는다.

청소년은 성 경험에 대해 죄의식감과 불안감을 가지고 있으나 점차적으로 완화되는 경향이 있으며 여성 청소년의 경우 남성 청소년에 비해 더 성행위 경험에 대해 부정적이다. 그러나 이런 반응은 성경험의 횟수와 연령의 증가와 함께 더욱 완화된다.

청소년은 비생식적인 성을 더 중요시하며 다음과 같은 가치관으로 성행동을 한다.

- 청소년의 성행위는 사랑을 표현하는 방법이다. 청소년은 임신의 두려움 때문에 사랑하는 그 사람에게 원할 때 충분히 줄 수 없다고 표현한다. 대다수의 청소년은 성파트너를 사랑하면서도 혹시 성적으로 이용당하는 것이 아닌가 하

TIP

이성교제와 사랑

이성교제

청소년기는 아동에서 성인으로 가는 주변인으로 건강한 사회인이 되기 위한 인격 완성의 준비 시기이다. 이 시기에 필요한 주요 인격 발달 과제 중 하나는 신체성적 발달과 성적 자아의 완성인데 이를 통해 스스로가 성적인 인간으로 사는 방법을 터득한다. 이성교제는 이를 위한 하나의 수단이다.

청소년기는 이성에 대한 관심과 욕구가 증대되는 시기이다. 10대 청소년기는 개인의 즐거움과 우정을 동성과 이성 모두에게서 찾는다. 이성교제는 청소년기의 발달과업의 하나로 이성을 존중할 줄 아는 자질을 키우게 되며 자기인식과 타인을 이해하고 남녀의 역할을 발견하고, 또 자신의 생의 목표를 세우고, 공동관심사에 대해 상호 협력하는 자질과 지속적이고 일관성 있는 관계형성을 배우게 되는 긍정적 경험이다.

이성교제를 통해 사랑의 본질과 기쁨을 알게 됨으로써 이성에 대한 혐오감이나 공포심을 덜어주는 기회가 되고 이성교제를 통해 남성과 여성의 장단점을 파악함으로서 남녀가 서로 어울려 지내는 예절을 배우게 된다. 또한 이성교제의 경험을 통해 서로의 개성과 인격을 결혼생활에 대한 유익한 자질을 갖출 수 있는 기회가 될 수도 있다.

대부분의 연구에서 우리나라 십대 청소년은 약 반 수 이상이 이성교제 경험이 있으며 남학생에 비해 여학생이 약간 더 높은 것으로 나타났다. 첫 이성교제 시기는 중학교 2학년에서 고등학교 1학년 시기에 같은 나이 또래인 동년배의 학생들과 사귀고 있다고 한다. 이성을 사귀게 된 계기는 친구소개이다. 이성교제에 대한 태도는 많은 수가 교제 경험여부와 상관없이 10대 청소년들은 부정적이기 보다는 긍정적인 태도를 갖고 있으며 이성교제를 희망한다고 하였다.

이성교제는 청소년기의 발달과업의 하나로 이성과 친밀감 형성을 위한 사회적 기술을 습득하고, 지속적이고 일관성 있는 관계형성을 배우게 되는 긍정적 경험이다.

사랑

이성친구를 만나고 서로의 관계가 발전하면서 청소년은 특별한 감정을 경험하는데 이것이 사랑이 아닌가 하고 기대하게 된다. 사실 사랑이라는 경험은 보이는 것도 아니고 객관적인 경험도 아니기 때문에 개인마다 경험의 차이가 있고 다양한 형태의 사랑이 존재한다. 이러한 이유로 청소년들은 지나칠 정도로 환상을 꿈꾸기도 하고 자신의 현재의 경험이 사랑인가 의심히기도 한다. 먼저 청소년은 호감과 사랑을 구별할 수 있어야 한다.

사랑의 요소

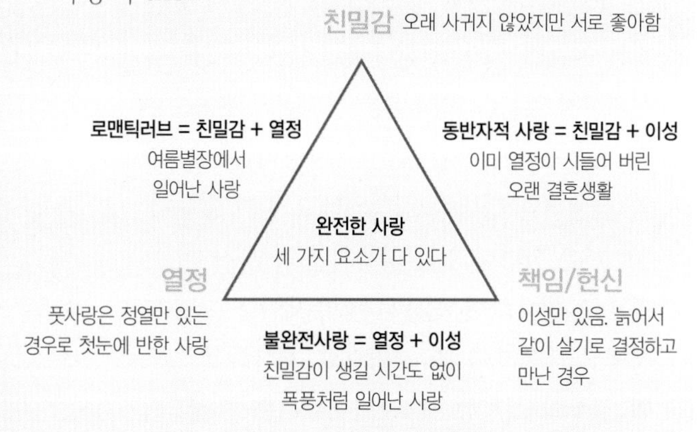

사랑의 삼각형이론(로버트 스텐버그)

- **열정**: 격렬한 신체적, 성적 욕망이다. 상대방에 대한 로맨틱한 감정, 강력한 신체적 매력이나 성행동에 대한 욕구를 의미하며 관계의 초기에 강하게 나타났다가 시간이 흐름에 따라 점차 감소하면서 습관화되는 특성이 있다 사랑의 동기적 측면을 나타내는 것으로서 둘이 하나 되기를 진심으로 원하는 마음으로 스며들며 열정은 마치 마약중독과 같은 것으로 인간에게 심한 갈망을 발휘하게 하는 강한 자극과 희열을 제공한다. 사랑의 가장 핵심적인 요소이지만 가장 문제가 되는 요소이기도 하다.
- **친밀감**: 사랑의 감정적 부분으로 온정이나 친밀한 관계에서 서로를 공유하는 것을 의미한다. 사랑할 때 갖게 되는 따뜻함, 친근성, 나눔, 일치감, 서로 결속되는 감정, 서로의 행복에 대한 관심 및 같이 있고 싶어하는 감정들을 의미한다. 사랑하는 사람과 정신적인 도움을 주고받는 관계 및 따뜻한 관계를 느낄 수 있는 행위, 감정, 생각 및 행동을 자유롭게 교감할 수 있는 경지이다. 친구나 연인관계에서 필수적 요소이며 가장 중요한 사랑의 요소이다.
- **책임**: 난관과 희생이 있음에도 불구하고 관계를 지속시키려는 책임, 의무, 언약 등을 포함하는 이성적 요소이다. 이는 사랑의 인지적 요소로 자신이 누구와 사랑을 할 것이라는 결정, 스스로 상대방을 사랑하고 있다는 확신, 사랑을 오랫동안 유지할 것이라는 의식 등이 포함된다. 책임은 사랑하겠다는 결정과 사랑을 지속하겠다는 이유로 구성된다.

8개 사랑의 형태는 먼저 기본구성 요소를 하나씩 갖고 있는 형태(3개)와 기본요소를 두 개이상 갖고 있는 이차적 형태(4개) 그리고 기본요소를 전혀 가지고 있지 않은 형태(1개)를 포함한다.

사랑을 하게 되면 감정이 생겨나고 어떤 특별한 행동을 하게 된다. 다음은 자신이 사랑할 때 경험했던 공통적 사랑의 감정들과 행동이다.

고 경계를 한다. 사랑이 있는 성행위는 사랑이 없거나 또는 오락용 성행위보다 청소년에게 긍정적 기준이 된다. 그러나 청소년은 이 기준을 신뢰하지 않는다. 청소년은 성행위의 우선순위를 성적쾌락에 두지 않으며 사랑하는 사람과의 성행위를 향락적 성행위라고 하지 않는다. 청소년은 사랑이 있는 성행위를 가장 가치있는 것으로 생각하며 허용하는 추세이다. 청소년 성행위 대상자를 한 사람으로 제한하고 있으며 사랑의 가치를 우선순위로 하면서 점진적으로 열정과 친밀감, 책임, 소통, 신뢰를 통합하는 관계를 유지한다.

- 청소년의 성행위는 이중기준을 갖는다.

전통적 사회일수록 여성은 남성보다 성행위를 할 때 사랑을 더 결부시킨다. 반면에 남성은 여성보다 성행위 시 쾌락을 더 강조하는 경향이 있고 점차적으로 성행위 시 애정의 필요성을 더 강조한다. 최근에는 청소년기 여성들도 자신의 성욕을 주장하고 만족감을 느낄 수 있는 성적 절정감을 요구한다. 청소년의 혼전 성교육의 빈도는 남성에 비해 여성이 더 높다. 아직까지 남·녀의 성 행위에 대한 이중기준이 있다. 현대의 청소년들은 주로 인기를 얻는 수단으로 성행위를 하는 경향이 있다.

청소년의 성행위는 임신의 수단으로 사용하기도 한다. 최근 조사에서 혼전 임신을 했던 15~19세 여성의 18%가 임신을 하기 위해 성행위를 하였다고 한다. 임신을 원했던 이유는 출산에 가치를 두거나(소수에 속하며, 낮은 사회경제적인 배경), 아기를 원하거나, 파트너의 사랑과 관심을 원하거나, 독립적이고 행복하게 결혼하기 위해서 라고 하였다. 그러나 아직도 많은 청소년들은 무의식적인 행동으로 성행위

TIP

사랑의 감정과 행동

- 사랑은 자신의 야망을 이룰 수 있어야 한다.
- 사랑의 행위는 상호간의 희망, 기대 및 가치의 교환이다.
- 사랑은 결속이며 애착으로 그래서 성행동을 하고 싶어한다.
- 사랑은 상대에 대한 노력, 관심, 소통, 배려, 승화이다.
- 사랑은 두사람간의 윤리적인 책임감이다.
- 사랑은 운명의 공통체이며 두사람을 하나로 묶고 자녀를 두며 인간이 성숙을 향해 나가게 한다.
- 사랑은 상호 감동을 주는 것이다.
- 사랑은 서로를 긍정적으로 생각하려고 하고, 서로 사랑한다고 믿고 사랑의 환상에 빠지게 한다.

청소년 이성교제의 기능

- **레크레이션** : 일종의 오락적 기능을 한다.
- **지위와 성취의 원천** : 이성교제를 하는 상대의 위치를 평가하고 유사한 지위를 경험한다.
- **사회화과정** : 이성과 어떻게 어울려야 하는지에 대한 교제를 배운다.
- **이성과의 친밀감 경험** : 이성과의 의미있는 관계를 통해 이성과의 친밀감을 경험한다.
- **성적 탐색 및 경험** : 성적 의사소통과 성적 시도를 실험할 수 있다.
- **동료의식경험** : 이성과 함께 의사소통하고 상호작용함으로써 동료의식을 경험한다.
- **정체성 확립과 발달** : 자신의 정체성 확립과 독립심 및 자율성을 배운다.

표 5-3 청소년의 혼전 성 행위유발 요인

요소	남성	여성	요소	남성	여성
사회적 상황			**심리적 요인**		
• 대학교육미만의 교육정도를 가진 아버지	△	○	• 약물과 알콜 사용	○	×
• 종교에 대한 낮은 수준의 신앙심	○	○	• 낮은 자아존중감	×	○
• 남녀 사이의 평등을 선호하는 기준	△	○	• 애정에 대한 욕구	×	○
• 사회의 허용적인 성기준	○	○	• 낮은 교육목표와 교육성취	○	○
• 인종(인종차별, 빈곤)	○	○	• 소외	×	○
• 농촌에서 도시로 이주	△	○	• 이탈된 행동	○	○
• 또래 집단의 압력	○	△	• 높은 수준의 사회적 비판	×	○
• 낮은 사회적 계층	○	○	• 부모의 허용적인 태도	○	○
• 성적으로 허용적인 친구	△	△	• 긴장된 부모-아동의 관계		
• 편부모(낮은 수입)를 가진 가정	△	○	• 부모-아동 사이의 의사소통 단절	○	×
			• 안정된 사랑	○	○
생물학적 요인			• 위험에 대한 태도	○	○
• 16세 이상	○	○	• 수동성과 의존성	×	○
• 초기사춘기	○	○	• 공격성 (높은 수준 활동성)	○	×
			• 이성과의 높은 수준의 대화기술	○	×
			• 심리적 준비성에 대한 자아사정 결핍	×	○

를 한다. 청소년의 혼전 성행위와 연관된 요인은 표 5-3와 같다.

- 청소년의 성행위는 독립된 성인이 되는 통과의 식이다.

  청소년은 부모나 사회의 가치를 거부하고 독립하기 위해 반항심으로 성행위를 시도할 수 있다. 청소년의 불신감, 환멸 그리고 자기결정에 대한 부담감을 성행위로 표출할 수 있다. 10대 청소년의 자유와 권리주장에 대해 부모나 사회는 불안감을 느끼고 청소년에게 그대로 투사한다. 성적으로 활발하게 행동하는 청소년들의 독립성은 가난과 차별이 있을때 문제행동으로 나타날 수 있다. 그러나 대부분의 청소년은 성장과정에서 많은 문제가 있는 환경에 노출되어 있다 할지라도 반항하기보다는 실제적으로 순응하고 있다.

  표 5-3의 성행위를 유발하는 요소들은 성행위와 밀접하게 관련되어 있다. 또한 이들 요인들은 성행위의 시작을 예견할 수 있는 지표로 사용된다. 이들 요인들을 가지고 있는 청소년은 피임을 거의 하지 않았다.

  표 5-4는 성행위 시 피임법 사용실패와 관련된 변수들이다.

  아직까지 청소년의 성 문제를 예방하고 성적 권리를 보장하기 위한 방안은 미흡하다. 청소년은 성에 대한 정보를 학교와 부모보다는 성인잡지와 인터넷, 음란 동영상 등을 통해 더 많이 얻고 있으며 학교 성교육에 대해 불신하며, 무지할 정도의 성 지식으로 자신의 몸에서 일어나는 변화조차 모르는 청소년들이 많다. 성욕을 어떻게 조절하는가? 그리고 성을 어떻게 인간관계로 성공적으로 변화시킬 수 있는가 등 청소년

표 5-4 청소년의 효과적인 피임법 사용 실패와 관련된 변수

인구통계학적 변수	심리적 변수
•18세 미만 •독신상태 •낮은 사회경제적 상태 •소수 집단 구성원 •대학 이하 학력 •기독교 신자	•임신을 원함–출산에 대해 높은 가치를 둠 •가족계획 서비스와 임신 위험에 대한 무지 •운명주의적, 무기력, 소외, 무 능력, 행운을 믿는 태도 •수동적 의존적, 전통적인 여성상에 대한 태도 •높은 수준의 불안–낮은 수준의 자아 •성행위에 대한 수용성의 결핍–성교가 일어나지 않을 거라고 생각함 •위험을 무릅쓰고, 쾌락을 선호하는 태도 •피임의 부작용에 대한 불안 •난임에 대한 두려움 •월경 주기의 "안전 시기"를 잘 모름
상황적 변수	
•점진적, 전념하는 관계 유지하지 않음 •임신을 경험한 적이 없음 •사전 계획 없이 우발적으로 성교 함 •필요할 때 피임법을 이용하지 못함 •높은 스트레스 상황 •부모와의 자유롭고 신뢰적인 가족계획 서비스의 어려움 •부모와의 피임에 관련된 의사소통 결핍	

기에 성에 관련된 올바른 인식이나 태도, 행동 규범을 습득할 수 있도록 도와야 한다.

6. 청소년의 성건강 지식

청소년의 조기 성행위나 혼전 임신의 증가는 청소년의 성, 임신, 피임법과 관련된 지식 부족에 있다. 청소년은 의복과 언어를 통해 자신을 나타내기 때문에, 성인은 청소년이 성과 관련된 주제에 대해 잘 안다고 오인한다. 청소년은 성과 관련된 정보를 성인보다는 또래 친구로부터 많이 획득한다. 청소년은 특히 앞에서 바보처럼 보일까봐 두려워서 성인에게 질문하는 것을 꺼려한다. "성적으로 매우 능동적인 청소년까지도 성욕과 해소방법에 대해 무지하며 대부분 잘못된 정보를 가지고 있다."

부모와 친밀한 의사소통을 하지 못하는 소녀는 성적 의사결정을 재대로 하지 못한다. 수동적이고 의존적인 여성성을 강조하는 부모나 사회에서 성장하는 10대 소녀는 성행위를 빨리 시작하는 경향이 있고, 성행위를 할 때도 피임방법을 사용하지 않는다(표 5-3, 표 5-4). 대부분의 청소년들은 성과 성건강에 대해 올바른 지식과 정보가 부족하다.

표 5-5는 청소년의 성에 대한 잘못된 인식들이다. 청소년은 성에 대한 무지와 정보 부족으로 많은 성적 문제를 경험하고 있음을 알 수 있다. 또한 청소년의 미성숙(구체적 조작기)한 인지수준이 원인이 될 수 있다. "이것은 나에게 일어나지 않아"라는 진술은 이것을 반영한다. 이런 잘못된 정보 때문에 임신을 초래할 수 있다. 잘못된 인식은 청소년의 성 정체감과 성적 자아개념 확립에 부정적으로 영향을 미친다.

청소년은 성에 대한 지식의 부족 때문에 질문을

표 5-5 성에 대한 청소년의 잘못된 인식

• 나는 임신이 될 수 없다. – 나의 월경 주기가 안전한 시기에 있다면 – 내가 초경을 막 시작했다면 – 내가 임신을 원하지 않는다면 – 내가 과거에 임신을 하지 않았다면 – 나는 성교 후에 콜라, 식초, 아스피린 등을 사용하여 질세척을 한다면 – 나는 질정을 사용한다면 – 성 파트너가 콘돔을 사용한다면 – 성 파트너가 질외사정을 한다면 – 성 파트너가 항상 성기를 삽입하지 않는다면	• 성교를 할 계획이 없기 때문에, 피임은 그다지 중요하지 않다. • 피임약을 먹으면 성병에 걸리지 않는다. • 자위행위는 잘못된 것이다. 자위행위를 하면 몸에 이상이 온다. • 내가 동성과 함께 성교를 함부로 한다면 나는 "동성연애자"임에 틀림없다. • 내가 성파트너와 성교를 한다면, 그는 나를 좋아할 것이다. • 내가 임신을 하면 우리는 결혼할 것이고 행복하게 될 것이다

표 5-6 청소년의 성에 대한 질문

- 왜 아직 나는 월경을 시작하지 않나?
- 음경은 충분히 큰가?
- 유방은 너무 작은가?
- 유방이 크기 때문에 친구들이 나를 좋아하나?
- 왜 자주 발기를 하나? 그리고 당황할 때 왜 발기가 더 자주 되나?
- 왜 몽정을 하나?
- 자위행위 때문에 월경통이 있는가?
- 나는 데이트를 위해 외출하기를 바라지 않는다. 내가 잘못인가?
- 성교를 내가 서서한다면, 임신을 피할 수 있는가?
- 임신을 하기 위해서는 몇 번의 성교를 해야하나?
- 나는 동성애자인가?
- 다른 사람이 나체로 보이는 것은 무엇을 의미하는가? 그런 것을 생각하는 나는 정상인가? 나는 변태인가?
- 다른 사람은 성행위에 대해 어떻게 생각하나?

많이한다. 표 5-6은 청소년의 성에 대한 질문내용이다. "내가 정상인가", "나는 정말 건강한가?"와 같은 질문은 자신의 성에 대한 관심이며 청소년의 심리성적 발달을 나타낸다.

대한가족보건복지협회의 청소년 17,590명의 상담내용을 보면 상담문제 중에서 포경수술, 성기모양, 성기크기 등 '건강'에 관한 것이 17%로 가장 많았으며 그 다음으로 성에 대한 잘못된 가치관이나 편견, 기본적인 지식 및 정보제공에 대한 '성교육 지도'가 12.5%, '자위행위'에 대한 것이 11.4%, '원치 않는 임신' 9%로 나타났다(서정승). 이러한 성 상담 사례에서도 나타나듯이 충동적인 성관계 후 원치 않는 임신에 대한 사후처리 문제로 상담하는 사례가 늘어나고 있는 현실이다. 청소녀의 임신과 낙태에 대한 실태는 각종 조사에서도 우려할 만한 수치들이 나타나고 있다.

청소년에 대한 각본

대상자 : 14세 청소년기 소녀

각본상황 : 10대 초기에 성적으로 능동적인 청소년기 소녀는 낮은 사회경제적 배경 출신이다. 어리기 때문에, 인지적으로 미숙해서 성행동의 결과를 이해할 수 없다. 성적으로 능동적인 것을 부인하기 때문에, 피임을 해야 한다는 책임이 없으며, 이 소녀의 부모는 성과 관련된 바람직한 의사소통을 자녀와 하지 못한다. 이 소녀는 출산에 가치를 두고 있다. 이 소녀는 파트너에게 애정을 받고 싶다. 불행한 부모 관계로부터 독립을 원하기 때문에 임신을 원한다. 임신을 원하는 소녀와 원하지 않는 임신으로 유산을 원하는 소녀들은 상호 연관성이 높다. 이들 소녀들은 효율적인 부모가 되는데 필요한 자아존중감과 자기효능감이 부족하다.

청소년기에 어머니가 되는 소녀는 학업을 계속할 수가 없어서 고등학교 중퇴자가 많으며, 취업하기가 어렵고, 사회복지시설에 의지하는 경향이 높다. 특히 13~15세 사이에 임신을 경험한 소녀는 연령이 많은 여성에 비해 경제적 형편이 더 빈곤하다. 빈곤과 차별을 많이 받았던 환경에서 성장한 10대 여성이 출산을 할 경우 그들의 자녀들은 인지적 발달이 지연될 경향이 높다.

문제 확인 : 성적으로 능동적인 어린 사춘기 여성은 사회적, 발달적 문제뿐만 아니라 의학적인 문제도 많다. 성병, 특히 임질, 경부암은 이른 성행위와 관련이 높다.

경구피임약과 자궁 내 장치(IUD)와 같은 효과적인 피임 방법은 10대 소녀들에게는 추천하지 않는다. 임신은 어린 어머니, 태아, 유아 모두에게 고위험 요소가 되며, 주산기 사망률을 상승 시킨다. 10대 임신과 분만시 합병증은 10대 소녀를 위험에 빠트린다. 태아는 미숙아가 될 가능성이 높고, 또한 태아 사망률도 높다. 최근 연구에서 주산기 사망률이 높은 이유는 10대 라는 생물학적 미성숙에 있기 보다는 충분한 산전간호를 받지 못했기 때문이라고 한다. 열악한 환경에 있는 어린 사춘기 여성은 임신의 가능성이 높을 뿐만 아니라 만약 임신을 했다고 해도 적절한 산전간호를 받지 못하는 경향이 있다. 또한 경제적 빈곤과 차별적 편견으로 인해 어린 사춘기 여성을 더욱더 심각한 위험에 빠뜨릴 수 있다.

청소년들도 애정을 가진 섹스 그리고 친밀한 성적 상호관계에 가치를 둔다는 사실에 대해서도 고려하여야 한다. 또한 소녀가 완고한 가정이나 사회적 구조로 되돌아 가야하는 문제도 포함하여야 한다.

중재 및 예방 : 사춘기 여성이 성행위의 시작을 연기하도록 도와주어야 한다. 또한, 성적으로 능동적일 때 피임법을 사용하도록 도와주어야 한다. 이를 위해서 준비할 요소이다.

- 높은 수준의 자아존중감
- 높은 수준의 자기효능감에 대한 지각
- 부모와 성과 관련된 좋은 의사소통 기술
- 능동적인 의사결정 기술
- 전통적인 여성의 역할의식에 대한 인식
- 성차별적인 편견 제거
- 경제적 빈곤 탈출

이러한 요소들이 준비된다면, 부모와 전문가와 청소년 간에 더 향상된 의사소통이 이루어 질 것이다. 바람직한 의사소통은 청소년이 자신의 성을 탐색하고 통합할 수 있도록 하며, 책임과 의무를 다하도록 한다. 지침이나 믿을만한 정보, 공감, 지지를 제공할 것이며 각본상황에서 나타난 문제의 근원인 빈곤과 차별적 편견과 같은 사회적인 문제도 지지를 받을 수 있을 것이다. 청소년기의 긍정적인 성적 발달과 성건강을 위해서 다차원적인 접근이 필요하다.

성에 대한 정보의 홍수 속에서 적절한 성교육과 상담을 제공할 수 있도록 학교, 가정, 사회 및 성건강 전문가의 노력이 필요하다.

7. 성건강 전문가의 역할

성건강 전문가는 교육자와 상담자의 역할을 한다. 먼저 청소년을 성적 존재로 인식하고 수용할 수

사춘기에 알아야 할 성 정보

- 사춘기 발달과 변화
- "나는 정상적인가?", "나는 충분히 건강한가?"
- 성적 지향성 발달
- 자위행위, 애무, 성교를 포함한 성행위
- 임신생리와 임신방법과 시기
- 다양한 피임방법, 효과, 위험성, 유용성?
- 청소년기에 부모가 되었을 때 장점과 단점?
- 인공유산에 대한 위험성, 윤리적 관점
- 성매개성 감염
- 성에 대해서 느끼는 혼란, 양면가치, 불안?
- 성적자기결정권과 책임

있어야 한다. 성건강 전문가는 청소년의 성 발달 측면과 전반적인 성숙에 대한 지식이 있어야 한다. 무엇보다도 성건강 전문가는 자신의 성에 대한 무지, 오해, 편견, 약점, 그리고 청소년의 성과 가치를 알아야 한다.

성건강 전문가는 청소년의 성 발달과 성 문제를 사정하기 위해서는 교육 및 상담기술이 있어야 하며 청소년들이 자신의 성적 문제와 갈등이 무엇인지를 알아야 한다. 청소년들은 의사소통술, 가치명료화, 의사결정기술과 같은 특정기술이 필요하다. 이러한 기술은 성적 주제에 대한 사실, 감정, 가치를 구별할 수 있도록 도움을 줄 것이다. 청소년들에게 자신에게 일어날 변화들을 탐색할 수 있고, 학습하며 통합할 자유를 주는 수용적인 환경을 제공해야 한다. 성건강전문가 청소년의 성건강 요구를 수용하고 교육 상담자로서 그들의 문제를 해결할 수 있어야 한다. 특히 간호사는 신체적 문진때 청소년에게 성건강에 대한 질문을 포함 시켜야 한다.

성건강 전문가는 청소년에게 먼저 믿을만한 정보를 전달하고, 잘못된 통념을 제거하도록 한다. 대부분의 청소년, 특히 어린 청소년들은 반복해서 이런 사실을 들어야 할 필요가 있다. 청소년은 아직 성적으로 미숙하고 성행위를 부인하고 미성숙한 인지수준 때문에 현재의 자신의 행동이 미래에 미치는 결과를 이해하지 못한다. 청소년은 성에 대해 무책임하다. 더욱더 정보가 왜 필요한지를 모르기 때문에 사실을 반복해서 정보를 전달해야 한다.

한국성문화연구소(2001)에서 청소년들의 성교육실태 및 요구도를 조사한 결과는 다음과 같다. 청소년들은 성교육이 초등학교 이전에 시작되어야 하며, 다양하고 실질적인 내용과 방법이어야 하며 남학생에 대한 성교육이 더욱 요구된다고 하였다. 성별에 따른 차이가 있었는데 남학생는 성병과 에이즈, 성문화(어른들의 성문화, 음란물, 성희롱, 원조교제 등) 영역을 중요시 했다. 여학생은 원치 않는 임신(10대 임신의 부작용, 임신예방법, 안전한 낙태법, 피임 방법, 임신이후 대처방법 등), 성문화 영역에 관심을 보였다. 이밖에도 신체에 대한 이해, 약물·마약, 성 지식·성행동, 인간관계·의사소통 기술 등의 영역이 있었다.

청소년 성교육에서 나타난 실제적 문제점은 다음과 같다.

- 성교육의 목적이 분명하게 설정되지 않은 점

성상담 목적

성 상담가는 사춘기 청소년의 요구와 바램에 대해 비권위적 입장에서 청소년이 자기가치와 자신과 타인에 대한 책임감, 자신의 생활애 대한 개인적 통제, 효과적 의사소통기술, 타인에 대한 존중, 건강한 성 정체성을 확립할 수 있도록 도와야 한다.

청소년의 의사결정과정에 참여 및 지도

- 의사결정 할 필요가 있는 문제를 설정한다.
- 문제를 확인한다.
  - 문제와 관련된 사실
  - 사실에 대한 청소년의 감정과 가치관
  - 관련된 사람에 대한 감정과 가치(남자 친구 또는 여자 친구, 부모)
  - 결정에 영향을 미치는 의미 있는 사람과의 관계를 확인한다.
  - 결정에 영향을 미칠 수 있는지 다른 사실적 자료들을 확인한다.
- 대응책을 확인한다(청소년이 생각하는 해결방안을 먼저 확인하고, 그 후 다른 대안책도 가능성을 제안한다).
- 청소년이 선호하는 대안책을 결정한다.
- 다양한 측면에서 해결방안을 논의한다(논의 과정에서, 청소년이 능동적인 주도자가 되도록 한다).
  - 사실적 배경
  - 대안책이 미치는 영향과 어떤 사람이 관련되었는지를 확인한다.
  - 문제해결 행동과 관련된 책임감
  - 해결방안에서 강조된 또는 강조되지 않은 요구와 목표
  - 대안 실행과 관련된 직접적이고 장기적인 어려움
- 수용한 대안을 다시 검토한다.
- 선택된 대안을 실천 할 방법을 논의한다. 사실과 관련된 책임에 대해서도 검토를 한다
- 청소년이 다시 방문할 것을 격려한다. 추후 약속을 정한다.

- 연령이나 학년 등 대상특성을 고려한 단계별 프로그램이 부족한 점
- 학교 및 단체간의 연계가 극히 미흡한 점
- 성교육 내용이 어려운 주제를 다룬다거나 학습내용이 지나치게 많아 청소년들이 대처 능력을 키우기에는 너무 부족한 점
- 성교육의 내용은 청소년의 요구보다는 성인 중심의 지식측면이 강조된 점
- 청소년들이 직접 참여할 수 있는 토론식 수업과 체험학습이 부족한 점 등이다.

성건강 전문가는 상기의 문제점을 고려하여 성과 관련된 잘못된 인식은 교정하도록 한다. 청소년의 잘못된 정보는 잘못된 개념으로 발전할 것이고, 청소년은 너무 당황해서 질문도 할 수 없을 것이다.

성건강전문가는 청소년에게 성에 대해 가지는 잘못된 통념을 확인해야 한다. 개인 혹은 소집단에서, 토론을 하거나, 영화, 책, 강연회 등은 질문에 대한 정보를 주는데 모두 효과적인 방법이다.

청소년에게 정보를 제공할 시에는 정확히 이해하도록 해야 한다. 청소년과의 의사소통은 개방되어야 하며, "나는 너보다 더 많이 알거야, 그래서 내가 말할 때는 그래 알았어요. 그렇게 하겠어요라고 해야지" 하는 이런 태도는 좋지 않다.

성건강 전문가는 청소년의 감정을 인식하고, 성

TIP

한 대학생의 '내가 체험한 성교육'

초중고 시절 단 한차례의 성교육을 받았는데, 성교육교사는 덤덤하게 이미 다 알고 있는 생식기의 구조와 기능을 그리고 순결강조를 설명하고 질문을 받는데 그쳤고, 대학에 온 이후 청소년봉사캠프에서 한 수녀님이 오셔서 성교육시간이라고 알려주고 곧바로 40분 짜리 외국의 성교육테입을 본 것이 두 번째이고, 세 번째 교육은 '성과 문학'강의 시간에 보고서를 준비하면서 인터넷 검색을 할 때였다. 현재의 성 지식은 모두 이 세 번째 시간에 얻은 것이다.

에 대한 사실과 가치관에 대해서 이해하고 구별해야 한다. 교육 및 훈련 프로그램은 청소년의 상황을 토대로 청소년 개개인에게 적절한 상담과 교육을 제공해야 한다. 청소년의 성적 관심과 문제를 상담할 때 사용할 수 있는 중요한 상담 기술과 접근방법은 다음과 같다.

1) 성상담

성상담은 청소년의 내면의 세계를 건강하게 변화할 수 있도록 돕는다. 즉 청소년의 성건강 문제가 정보나 지식을 필요로 하는 것인지, 성에 대한 태도나 가치관의 문제인지 아니면 정서상태나 의사소통 및 성행위 기술의 문제인지 등을 확인하고 문제를 해결할 수 있는 방향으로 전환하여 대상자 스스로의 행동을 변화시키도록 도움을 주는 것이다. 성건강전문가는 다음의 내용을 상담 시에 중재할 수 있다.

- 청소년 자신의 성적 가치체계를 명료화하도록 한다. 격려해야 할 가치는 자기자신과 타인에 대한 책임감, 성적 행위에 대한 포괄적인 조절력, 성적 상호관계에 대해 실제적 결정을 할 수 있는 성숙된 생활태도이다. 청소년은 자신의 가치와 객관적인 가치들이 그들의 태도와 행동에 어떤 방식으로 영향을 미치는지 이해해야 한다.
- 청소년이 성적 의사결정기술을 사용할 수 있도록 한다. 성적 의사결정권은 청소년기에 형성되며, 이것은 성적으로 능동적인 시기와 상황에서 자기 스스로 내리는 결정이다. 청소년이 성행위를 할때는 피임할 것을 결정하는 것이고 임신과 유산에 대해서도 능동적으로 결정하는 것이다.
- 성과 관련된 의사결정 과정에서 청소년의 감정과 가치뿐만 아니라 사실에 대한 청소년 자신의 생각을 표현하도록 한다. 만약 "사실"이 실제적으로 왜곡된 개념을 가지고 있다면 교정해야 하고, 적절한 정보를 제공하여야 한다. 청소년은 이러한 과정을 통해 능동적으로 참여할 수 있다.
- 성적으로 능동적인 시기에 피임과 임신에 대해 의사결정을 해야 할 경우 청소년에게 의사결정을 할 수 있는 시간을 갖도록 격려한다. 특히 사춘기 청소년의 성 문제는 후기 청소년기, 성인기가 되면 급격히 감소한다.
- 파트너의 성 지향성에 어려움이 있는 청소년에게는 정보제공, 상담, 의사결정으로 연결된 통합적 접근이 바람직하다. 성건강 전문가의 역할은 단순히 청소년이 자신을 동성애자 또는 이성애자로 자신을 수용 하도록 돕는 것이 아니다. 청소년은 자신의 성을 충분히 탐색하고, 건강한 자아개념에 성적 지향성을 통합하는 개별화된 방법을 발견할 수 있도록 수용, 지지, 격려가 필요하다.
- 부모에게는 청소년의 성건강 요구에 대한 인식을 긍정적으로 하도록 격려한다. 학교, 도우미 집단, 성건강센터는 부모에게 관심과 문제에 대해 질문을 하도록 하고, 자녀의 성 발달에 따른 감정을 논의하도록 한다.
- 부모와 청소년간의 의사소통을 증진 시킬 수 있도록 한다. 이것은 청소년의 성건강에 대한

직접적인 중요한 투자이다. 부모에게 청소년의 성에 관한 교육과 더불어 자녀의 성행동을 어떻게 받아들이고 대처해야 하는가에 대한 조언을 하며 자녀의 문제에서 야기된 부모의 불안과 갈등, 분노감과 좌절감, 당혹감을 이해하고 이러한 부모의 감정도 동시에 다루도록 한다.

- 청소년의 빠른 성행위, 10대 임신, 미혼모의 악순환을 초래하는 청소년의 민감성 저하, 성의 불평등, 빈곤을 변화시키기 위해 많은 노력을 지원해야 한다.
- 성에 대한 지나친 탐닉이나 몰두는 성행위 자체에서 오는 감각적인 즐거움의 추구나 성에 대한 호기심을 잘못된 방식으로 해결하거나 지속할 때 올 수 있다. 또한 심리적인 압박을 피하기 위한 수단으로 사용하는 경우도 많다. 인정이나 위로를 받고 싶거나 대인관계 욕구가 현실적인 방법으로 적절히 해소되지 못하는 등 정신적인 스트레스가 강할 때 성행위는 불안을 피하고 현실적인 문제에서 일시적으로 벗어나는 도피처를 제공하기 때문에 강화된다. 낮은 자존감이나 흥분추구 등 처음 시작이 어떻든 간에 성행위 후에는 무력감을 느끼고 시작은 단순하나 나중에는 중독으로 발전하게 된다. 이러한 사실은 청소년을 대상으로 하는 실제 상담장면에서도 많이 나타난다. 특히 청소년의 성 문제는 개인의 심리상태나 미해결된 갈등 및 요구와 밀접한 관련이 있음을 이해해야 한다.
- 성건강 전문가는 청소년의 요구와 바램에 대해 비권위적인 태도로 접근해야 하며 청소년에게 자아 존중감, 자신과 타인에 대한 책임감, 자신의 생활에 대한 개인적인 통제, 효과적인 의사소통 기술, 타인의 성에 대한 존중을 포함하는 건강한 성 정체감을 확립할 수 있도록 도와야 한다.

2) 학교 성교육

학교에서는 청소년을 위한 성교육을 해야한다. 성건강은 인격적 성적 존재인 개인의 권리이며 전인격적 총체적 발달과 자아실현에 기여하는 행복가치임을 성교육을 통해 지도해야 한다. 다음은 사춘기 청소년을 위한 성교육 내용이다.

- 신체기관과 성행동에 관한 정확한 표현
- 성적놀이의 정상적인 한계와 위험성을 알려 주기
- 성적노출한계에 대한 사회적인 규칙 알려 주기
- 사춘기 성적특징과 신체, 심리, 사회문화적 특징과 변화를 알려 주기
- 임신과 출산에 관한 정보 알려 주기
- 피임법 알려 주기
- 데이트, 이성관계 사랑의 의미 가르쳐 주기
- 성적사고, 대화, 성적 접촉, 성교와 안전한 성관계 교육
- 성전파성 질병 교육
- 동성애와 이성애
- 다양한 성적 행동: 성 정체감 장애

3) 성교육 시 부모의 태도

가정에서 부모가 성교육을 할 때 가져야 할 태도이다.

- 부모는 자녀의 삶의 모델이다.
  "자녀는 부모의 지식, 의사소통 기술, 성적 태도, 성적 가치, 친밀한 상호관계를 배운다."
- 'You'가 아닌 'I' message를 사용한다.
  '너는 맨날 말도 안되는 소리, 행동을 하는데 못살겠어('You' message)' 대신에 '내가 왜 그런 소릴 늘 들어야 하는지 알고 싶어'
- 자녀를 진지하게 대하고 존중하며 잘 경청하는 태도로 가능한 빨리 성교육을 시작한다. 성교육은 일생을 두고 항상 필요하다.
- 유머를 활용하고 대화는 심각할 필요가 없으며

대답은 명료하게 한다.

- 성에 대해 허용되는 규칙과 내용을 명확하게 한다.
- 아들과 딸의 성역할에 대해 차별이 없는 일관성 있는 태도를 갖는다.
- 몸에 대한 청결, 생식교육-성 정체성-성적 다양성-인격의 성숙, 성적발달확인(월경, 체모, 몽정, 자위행위)에 대해 논의한다.
- 성에 대한 가치관을 점검하고 올바르게 변화시킨다.
- 이른 성행위가 되지 않도록 하며 건강한 성적 결정을 할 수 있도록 지식과 정보를 주고 선택에 대한 책임의식과 올바른 선택을 하도록 한다.
- 책이나 소책자, 인터넷 빅이슈 등 다양한 자료를 활용한다.
- 대중매체의 성에 대한 가치관을 논의한다.
- 성에 대한 편견적인 견해가 무엇인지를 확인한다.
- 여성의 성 상품화, 여성의 성역할 비하, 양성평등적이고 인간의 존엄성을 조성하는 가치관에 대해서 논의한다.

간호·상담 과정

대상자 최OO. 고등학교 축구팀 참가에 필요한 신체검사를 받으러 옴
간호사 김OO. 지역 보건소 청소년 건강 센터의 간호사

사정

주관적 자료

나는 건강해요. 팀에 있는 모든 친구들도 다 통과될 거예요. 박OO은 작년에 졸업했는데, 우수한 우측 공격수였고, 매주 토요일마다 팀에 와서 나랑 놀아요. 경기가 끝난 후, 우리가 이겼을 때 축하해 주곤 해요. 그는 요즘 컴퓨터 기술을 배우고 있지만 토요일마다 경기를 보러 올 것이라고 말했어요. 우리는 아주 절친한 친구예요. 나는 여자 친구를 원하지 않아요. 작년 여름, 우리는… 움켜잡고 서로의 성기를 빨았어요. 내 손은 땀으로 흠뻑 젖었었고… 당신은 내가 미쳤다고 생각하시죠?

객관적 자료

- 연령 15세, 178cm, 77kg
- 고등학교 2학년생
- 학생회 대표, 축구팀 신입회원
- 담임 선생님은 친구에게 인기가 좋고, 학업 성적도 우수하다고 기록
- 부모-아버지는 유리공장 공장장, 어머니는 슈퍼마켓 회계원
- 형제자매-2남 2녀 중 차남
- 눈 접촉을 잘 안한다.
- 말을 주저하듯이 하되, 감정적인 부분에서는 불쑥 말이 나온다.
- 주먹을 꽉 쥐거나 안 쥘 때도 있다.
- 손바닥이 땀에 젖어 있다.
- 의자에서 몸을 비틀거나 회전한다.

간호진단

- 동성의 파트너와의 성 경험과 관련된 자존감 저하
- 동성의 파트너와의 성 경험으로 오는 성적 지향성과 관련된 지식부족
- 동성과의 성 경험과 관련된 동성애 잠재성
- 동성과의 성적 행위와 관련된 성 정체성 혼란

계획

- 동성과의 성 경험과 관련된 동성애 잠재성
- 동성과의 성적 행위와 관련된 성 정체성 혼란
- 수용적인 분위기를 제공한다.
- 현명하게 접근한다.
- 정서적인 반응은 적절하고 일반적으로 경험하는 것이라고 설명한다.
- 감정의 표현을 격려한다.
- 표현된 감정을 다시 고쳐 말하고 반복한다.
- 성에 대해 논의하는 것을 허용한다.
- "아주 절친한", "움켜잡고 빠는", "미친"이란 단어나 구절을 명료화 하도록 한다.
- 사적인 반응 내용을 다시 고쳐 말하도록 하고 반복한다.
- 고도의 스트레스 상황에 있음을 설명한다.
- 긍정적인 자아상을 유지하도록 설명한다.
- 상황에 대해 현실적인 평가를 하도록 한다.
- 사람은 동성애적 또는 이성애적 잠재성을 가지고 태어난다고 설명한다.
- 동성애적 그리고 이성애적 행위에 대해 다양한 문화가 있고 다양한 가치가 있다는 것을 설명한다.
- 성적 모호성과 탐색은 청소년에게 일반적이라고 설명한다.
- 자가 검사로 다음과 같은 평가를 격려한다.
  - 성적 환상의 내용, 충동, 행위
  - 동성애적 그리고 이성애적 관계시 유리한 점과 불리한 점
  - 동성애적 그리고 이성애적 관계의 의해 성취되는 개인적 욕구
  - 역할과 관계에 대한 개인적 목표
  - 개인적 욕구를 성취하는 것과 관련된 위험
  - 개인적 욕구를 성취하는 것과 관련된 전략
- 개인으로서 자신의 가치를 강조한다.
- 감정, 관심, 경험, 결과에 대해 계속적으로 자신에 대해 생각하도록 격려한다.
- 동성 친구와 이성 친구에 대한 감정과 관심을 검토하도록 격려한다.
- 동성 친구와 이성 친구와의 사회적 상호작용을 증가시키고 상호관계를 격려한다.

NO.

NAME
NOM

- 자신과 타인에 대한 존중감을 고양시키고 성장을 촉진시키는 지지적인 십난에 참여하도록 격려한다.
- 자아와 타인에 대한 가치와 존중감에 공헌하는 행동을 탐색하도록 격려한다.
- 개인적인 필요성과 목표에 따른 중요한 성적 역할과 상호관계를 탐색하도록 격려한다.
- 상세한 정보와 상담의 유용성을 제공한다.
- 개인과 집단 상담을 위해 청소년 상담 센터의 상담원을 소개한다.

수행

- 박OO와 관계의 중요성에 대해 논의한다.
- 개인적인 필요성과 목표를 작성한다.
- 성역할과 관계에 대한 개인적인 관심을 작성한다.
- 성적 환상의 내용이 적절할 때, 개인적 기록이나 그림을 그린다.
- 동성과 이성과의 상호작용에 대한 느낌을 일기로 적어본다.
- 지역 청소년 건강 센터에서 집단 토의에 참여할 것을 부모님과 의논해 본다.
- 개인적인 시간 계획을 세워본다.
- 상담자와 만날 약속을 한다.

평가

- 청소년 건강센터에서 개인 그리고 집단 상담에 만족한다고 한다.
- 항상 안정적이지는 않았지만 성적 자아검사를 계속한다고 한다.

memo

No.

NAME
NOM

* SEXUAL HEALTH

성인(성년 · 중년)기 | 성건강

Sexual Health in Adult

가치 명료화 **훈련**

성년기는 사회의 제도권내에서 성역할과 성관계를 발달시키는 시기이다. 성년기 성인은 청소년에서 성인으로 성장하면서 기성세대 권위에 의존하여 도덕적 결정을 내리다가 이제는 옳고, 틀림, 배려와 책임에 대한 도적적 결정을 스스로 내린다. 자신의 도덕기준에 성적 태도, 행동이 일관성을 갖도록 자신의 성에 통합시켜야 한다. 성년기의 발달과업을 성취해야 하며 건강한 성행동을 해야 한다.

다음 훈련은 당신이 학습하고 경험한 것과 믿는 것, 성에 대해 선택한 것을 논의하고자 한다.

불완전한 문장을 읽고 당신의 초기 반응을 기록해보자.

- 성년기 성인의 성은 ____________________
- 중년기 성인의 성은 ____________________
- 오르가슴은 ____________________
- 음경–질의 성행위는 ____________________
- 혼전 성행위는 ____________________
- 성인의 자위행위는 ____________________
- 내가 성적으로 자유롭다면, 나는 ____________________
- 구강 성행위는 ____________________
- 옳은 성행위는 ____________________
- 항문 성행위는 ____________________
- 외도를 하는 여성(남성)은 ____________________
- 동성애 남성은 ____________________
- 동성애 여성은 ____________________
- 내가 성행위를 즐길 때는 ____________________

당신이 지금까지 성에 대해 학습하고 경험해 왔던 것을 동료들과 공유하고 논의해 보자.

- 성년기 성에 대한 사실과 믿음의 차이를 구별할 수 있는가?
- 집단의 다양한 사람이 공유 해야 하는 어떤 의견이나 가치가 있는가?

차이점이 있다면 인정할 수 있는 방법을 논의해 보자.
차이와 다양성을 인정하고 수용하는 것은 법을 논의하는 성건강 전문가의 역할이다.

행동 **목표**

이 장을 끝마친 후

- 성년기, 중년기 발달과업을 설명할 수 있다.
- 성적 기능과 생식적 기능을 설명할 수 있다.
- 남성과 여성의 성 반응 주기의 차이를 설명할 수 있다.
- 자위행위에 대해 설명할 수 있다.
- 성적 환상을 설명할 수 있다.
- 남성과 여성의 성적 반응을 비교할 수 있다.
- 전통적 결혼과 현대적 결혼을 비교할 수 있다.
- 부부 성생활의 실태를 확인할 수 있다.
- 부부의 성적만족감을 설명할 수 있다.
- 혼전성행위의 증가에 대해 설명할 수 있다.
- 혼외 성관계 원인에 대해 논의할 수 있다.
- 성적지향성을 설명할 수 있다.
- 성건강 교육자·상담자·전문가의 역할을 설명할 수 있다.

1. 성인기 성적특성

인간은 삶의 1/4을 유아기, 아동기, 청소년기로 보내고, 나머지 3/4은 성인기로 보낸다. 모든 신체구조가 완전히 성숙되는 성인기는 자신에 대한 책임감을 가지며, 완전한 법적 권리를 갖는 성인 연령에 도달한다. 성인기는 법적권리와 책임을 가지며 성인의 연령에 따라 18세에서 시작하여 35~45세까지 중년기는 45에서 65세까지이며, 노년기는 65세 이상으로 분류한다.

성년기는 상호 호혜적으로 사회적, 성적, 직업적인 역할과 관계를 시작한다. 성인이 되면 자신이 성장해 온 가정으로부터 독립하여 결혼과 출산을 통해 새로운 가정을 형성한다. 또한 자신과 타인을 융합하고, 자신이 선택한 성 파트너와 완전한 신체적, 심리적 친밀감을 확립하기 위해 자신의 능력을 확인하고 개발한다.

유아기, 아동기, 청소년기처럼 성인기도 고유의 패턴, 속도 및 발달 위기를 경험한다. 성인도 인간의 성장발달 과정을 경험하며 발달 중인 존재이다. "성적인 개인으로서 나는 누구인가?" 그리고 "남성이나 여성이 의미하는 것은 무엇인가?"와 같은 질문은 청소년기에 해결해야 할 사항이지만 "어떻게 하면 과거의 소년 또는 소녀를 남성 또는 여성으로 통합시킬 것인가?" 그리고 "나는 성인, 부모, 배우자가 될 수 있는가?"와 같은 질문은 성인기에 해결해야 할 과제이다.

> **TIP**
>
> **성년기 성적 발달과업**
>
> - 성적 지향성 확립하기
> - 사랑과 성행위를 하나로 통합하기
> - 친밀감을 서서히 발전시키며 서약하기
> - 임신에 대한 결정을 내리고 성 매개성 감염에 걸리지 않도록 안전한 성생활하기
> - 가치관을 자신의 성에 통합시키기

성년, 중년의 성인기 동안, 청소년기에 나타났던 신체적 성장은 완성되나 노화라는 신체적인 변화도 시작된다. 이 기간동안, 성인은 사회적, 성적, 직업적인 역할과 대인관계를 더 새롭게 하며, 활기있게 재투자를 시작할 것이다.

성인의 신체적, 심리적, 사회적 요인들은 성인기 성에 영향을 미친다. 성인기 성은 다양성이 많은 성행위로 특징화된다. 성별, 연령, 인종, 결혼상태, 교육수준, 직업, 사회 경제적인 계층, 농촌이나 도시와 같은 출신 배경, 종교성, 부모의 직업 등은 성행위에 영향을 미친다. 이들 변수의 특성은 성행위를 예측하거나 측정하는 것을 더 어렵게 만든다. 성인의 성에 대한 의미와 가치는 문화적, 역사적 맥락 내에서 신체적, 심리적, 사회적 요소와 상호작용한다.

지난 30년 동안, 성에 대한 과학적 연구를 통해 성인의 성행위에 대한 기존의 지식을 크게 변화시켰다. 그러나 여전히 성인기는 성에 대해 통념적이고, 민속적이며, 상투적인 왜곡된 개념을 많이 가지고 있다. 즉, 성년기는 중년기와 노년기의 성인보다 신체적으로 더 성적 능력이 있고, 성행위 빈도가 많다. 성년기는 성욕과 성기능 및 정력이 중년기에 비해 더 강하다. 사실 중년기는 섹스에 대해 더 풍부한 지식을 가지고 있고, 성행위는 더 기술적이다. 성인 여성은 남성에 비해 성적 욕망과 지식, 기술이 부족하다. 또한 신체적 능력과 성적 반응이 떨어지고 성적 태도와 행동도 수동적이다. 노년기는 거의 성적으로 무능력하다고 생각 한다.

수많은 연구가 일반적으로 인식된 잘못된 통념에 문제 제기를 하지만 아직도 성에 대한 개인적, 사회적인 태도는 대상자에게 상당한 고통과 부적

응을 유발하여 성건강을 위협한다.

2. 성년기의 성적 반응

1) 성 반응 주기

성적자극에 따라 남성과 여성의 성 반응은 4단계로 나타난다.

1. 흥분기: 성적 자극에 의해 성적각성을 일으키는 첫번째 성반응이다. 남성은 음경의 발기, 여성은 질의 윤활화가 일어난다.
2. 고조기: 절정기 직전의 성적 흥분상태를 유지하는 단계로 근육의 긴장과 신체적 반응의 고조상태가 유지된다.
3. 절정기: 성적 긴장이 차츰 강력해져서 쾌락의 절정기에 도달한 상태이다.
4. 해소기: 긴장된 근육의 이완이 일어나며, 자극 이전의 상태로 되돌아가는 시기이다.

성적 자극에 대한 2가지 기본적인 반응은 혈관충혈과 근육긴장이다. 이것은 4단계 과정에서 나타나고 해소된다.

혈관충혈은 혈관의 확장으로 조직 내의 증가된 혈액 유입을 의미한다. 성적 자극이 시작되면 조직으로 들어가는 혈액양은 증가하며, 그 결과 관련된 조직의 혈관 확장과 색깔 변화가 초래된다. 음경 발기와 질의 윤활 작용은 혈관충혈의 결과이다.

근육긴장이란 성적 흥분이 일어나는 동안 신체 근육의 증가된 긴장과 강도를 의미한다. 절정기 동안에 안면의 찡그림, 수족의 경련성 수축, 근육의 경련이 극적으로 발생한다. 절정기 동안에는 불수의적인 성적 긴장이 증가하고 근육이 이완되고, 혈관의 공백상태가 나타난다.

인간의 성적 반응은 시각, 청각, 미각, 후각, 촉각을 자극하는 다양한 요인과 환상에 의해 나타난다(그림 6-1). 이러한 자극에 모든 개인은 개별적이고 다양하게 반응하지만 각 개인은 모든 반응의 과정을 전부 경험하는 것은 아니다. 성 반응 주기는 경직된 패턴으로 발생하는 것은 아니다. "개인의 성 반응은 과정을 거치지만 성적 만족을 주도하는 것은 개인 그 자신이다." 인간의 성적 반응은 이성애, 동성애, 그리고 자위행위에서 모두 다 나타난다. 유일한 차이는 자위행위가 더 강한 강도의 신체적인 반응을 나타낸다는 점이다.

성 반응 주기 이전에 발생하는 성적 충동 혹은 성욕은 자기자신은 물론 파트너와의 관계 또는 파트너에 대해 알고 있는 많은 긍정적 정보와 판단에 대한 인지과정, 성적 욕구를 일으키는 남성 호르몬 증가에 의한 생리적 기전, 친밀감, 사랑하거나 사랑받는 것과 같은 감정을 자극하는 성적 무드에 의해 유발된다. 분노, 근심, 우울 등의 감정은 성적 충동을 억제한다. 성적 충동은 생각, 감정, 감각 및 이에 대한 반응과 같은 대뇌피질의 작용과 내분비계 및 성기가 복합적으로 관여하여 일어나는 현상이다.

성욕은 정신적 성적충동으로 발생하며 관여하는 물질로 알려진 것은 신경 전달물질과 내분비계 물질이다(표 6-1).

신경 전달물질인 세로토닌(serotonin)은 남녀 모두의 성욕 유발에 관여하며 선택적 세로토닌 억제제인 SSRI(selective serotonin reuptake inhibitor: prozac)는 성욕을 억제한다.

도파민(dopamine)은 남녀 모두의 성욕 유발제이며 파킨슨병 환자에게 이 약물을 사용하면 성욕이 증가한다.

그림 6-1
성적자극이 성 반응에 미치는 매개 요인 및 작용과정

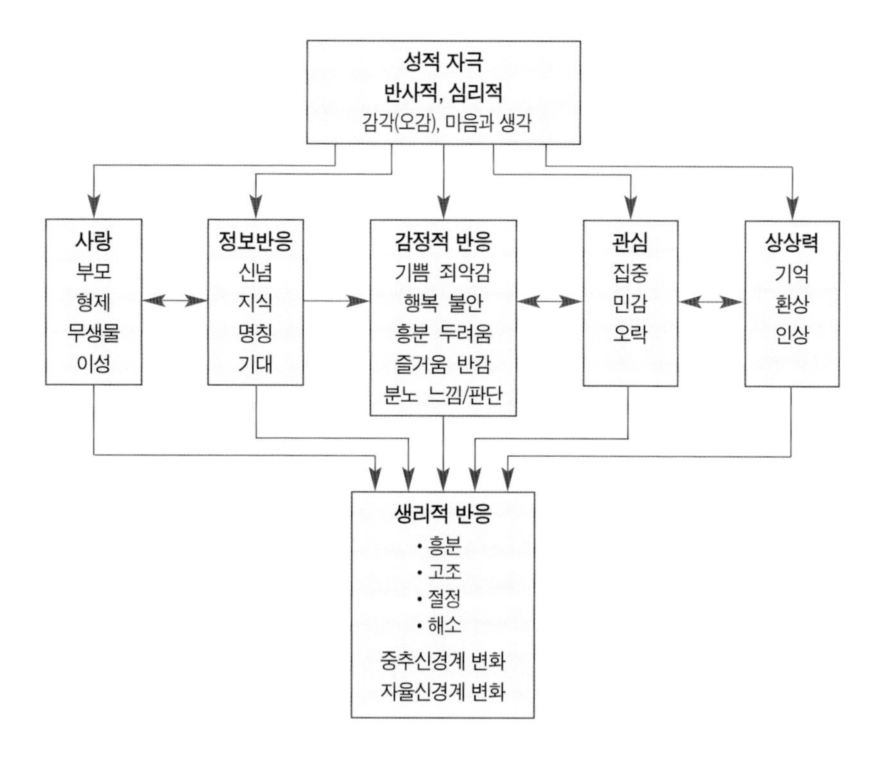

표 6-1 성욕과 관련된 신경전달물질과 성호르몬

구분		
인간의 성욕과 성행동은 어느 한 요소에 의해 유발되지 않는다. 대뇌(피질과 변연계), 신경전달물질, 성호르몬 등이 복합적으로 작용한다.		
대뇌	뇌의 변연계의 시상하부에는 성욕중추가 있고 신경세포의 신경전달물질은 성호르몬의 화학작용에 의해 정보를 서로 주고받는다. 변연계에서 성적흥분, 성욕이 일어나고 성행위를 할 것인지는 대뇌피질에서 내린 명령에 따라 신경을 타고 신체말단부위(성기관)에서 작용이 일어난다. 인간의 성욕은 성호르몬의 농도에 의해 대뇌 변연계(시상하부)에서 "성행위를 하고 싶다"라는 성충동, 동기가 일어나지만 "성행위를 한다"라는 결정은 대뇌피질 기능으로 나이, 경험, 학습, 성에 대한 인식 및 가치관에 따라 독특하게 나타난다.	
신경전달물질	대뇌변연계와 피질에 있는 신경세포에서 생성되는 물질로 신경세포말단에 있는 시냅스를 통해 다른 신경세포로 전달되며 자극이 끝나면 시냅스에서 제거되거나 또는 주위조직으로 확산되는 물질이다. 신경전달물질은 혈액 내 성호르몬(테스토테론)의 농도를 감지해 성욕이나 성행동을 일으키거나 억제하는 역할을 하며 성행동을 하는 동안 많이 분비된다.	
	도파민	행복, 쾌락, 사랑, 욕구기에 최고치
	옥시토신	일치감, 결속감, 고원기, 절정감에서 최고치
	세로토닌	행복감, 평화, 조정
	엔돌핀	성행위 후 즐거움, 행복감
	멜라토닌	성욕, 수면유도
	콜레시스토킨	만족감
성호르몬	성호르몬은 시상하부에 조절중추가 있으며 혈액을 타고 확산되어 성기관에 영향을 미친다. 남성은 고환에서 여성은 난소와 부신에서 분비한다. 남녀의 성기능이나 성생활을 이끈다.	
	테스토스테론	성욕호르몬이다. 성적환상과 깊게 연관되어 있다. 남성의 성기발기 오르가슴의 정도, 사정량 등 성반응 전반에 영향을 미친다. 여성은 남성에 비해 10분의 1 수준으로 성욕에 관여한다.
	에스트로겐	여성호르몬으로 여성의 성적수용성을 관장하고 조직을 윤활하게 해주고 성교통을 예방한다.

내분비계 호르몬으로 테스토로스테론(testosterone)과 에스트로겐(estrogen)은 성욕을 유발하는 작용을 하며 프로게스테론(progesterone)과 프로락틴(prolactin)은 억제작용을 한다.

해부학적으로 성 반응 주기는 남녀 모두에서 대뇌피질과 변연계(limbic system)가 주로 관여한다. 성적 흥분때 뇌의 활동이 현저히 증가한다던지 시상하부에 있는 성욕중추가 남성은 여성의 거의 2배인 것과 나이가 들면서 그 크기가 작아지는 것도 주목할 만하다. 대뇌피질은 주로 감각의 인지, 기억, 교류·이해 및 수의적 운동을 주관하며 그 아래에 있는 대뇌변연계는 주로 감정과 감각에 관여한다.

남성의 성 욕구는 정액을 사정함으로써 충족시키고 반사적으로 일어나는 경향이 크지만, 여성은 키스·접촉·애무 등 사랑의 표현 방식에 의해 정신적 또는 감각적으로 만족하게 된다. 성욕은 본래 남성에게 있어서는 긴장 완화 욕구, 혹은 사정욕구가 가장 크며 접촉의 욕구로 표출한다. 여성의 경우에는 음핵의 완화 욕구와 질내에 음경을 수용하고 정액을 흡수하는 흡수욕이 크며 접촉의 욕구도 커서 애무 등을 즐기는 차이점을 갖고 있다.

일반적으로 성교에 소요되는 시간은 3~5분이고 극치감에 이르러 사정하는 시간은 8~15초 정도에 불과하다. 성 반응의 매개 요인과 작용과정을 보면 일정한 성적 자극을 감각적으로나 심리적으로 받았을 때에 성 생리적 반응을 일으키는 매개 요인이 작용한다. 우선 자극에 대해 감정적 반응이 긍정적, 부정적으로 나타나면서 자신의 감정에 대해 판단하게 된다. 이때에 작용하는 매개 요인은 이미 갖고 있는 신념, 지식 등의 정보와 관심을 기울일 수 있는 정도와 상상력 등이다. 이 모든 매개 요인의 조화를 통해 성생리적 반응이 나타난다.

2) 성 반응 주기에 따른 생리적 변화

Masters와 Johnson은 인간의 성 반응 주기에 따라 나타나는 신체적인 반응은 남성과 여성 모두 일반적이면서도 특수하다고 하였다.

다음은 남·여성의 성 반응 주기에 따른 생리적 변화이다(표 6-2, 6-3).

3) 성 반응의 차이점

남성과 여성의 성 반응 주기는 유사하지만 차이점도 있다.

남성의 성 반응 주기는 직선적·단계적 모형을 띤다. 여성의 성 반응 주기는 입체적·원형의 모형을 보인다(TIP 참조). 성 반응 패턴에서 여성은 남성보다 더 광범위한 변화를 나타낸다(그림 6-2, 6-3). 그림 6-3의 A패턴은 전체적인 반응이 순조롭게 첫 절정감으로 향해있고 이어서 절정감 후 떨어짐이 없이 고조기로 이동하여 두번째 절정감으로 반응하는 것을 볼 수 있다. B패턴은 흥분기 동안 흥분이 점진적으로 증가함을 보여준다. 즉 절정기쪽으로 작은 융기를 띤 고조기가 나타난다. C패턴은 흥분기, 고조기의 빠른 상승과 더불어 강렬한 오르가슴이 나타낸다.

남성 주기의 불응기(성 자극에 대한 일시적인 무반응)는 남성에게만 나타난다. 이 기간(몇 분에서 몇 시간이나 며칠)은 노화와 연관이 깊다. 불응기는 전립선과 정낭이 정액을 더 많이 분비하고 저장하기 위한 일종의 휴식 시간을 갖는 것이다.

다중 절정감은 남성보다 여성이 더 많이 경험한다. 여성은 불응기가 없고 성 욕구가 없어도 흥분, 고조 및 절정감으로 넘어간다. 여성은 한 번의 절정감에 만족할 수도 있지만 절정감을 반복해서 빠르게 경험할 수도 있다. 여성은 다중 오르가슴 반응을 할 수 있는 잠재성을 가지고 있으며 이러한 능력은 일생동안 유지된다. 여성은 남성처럼 사정

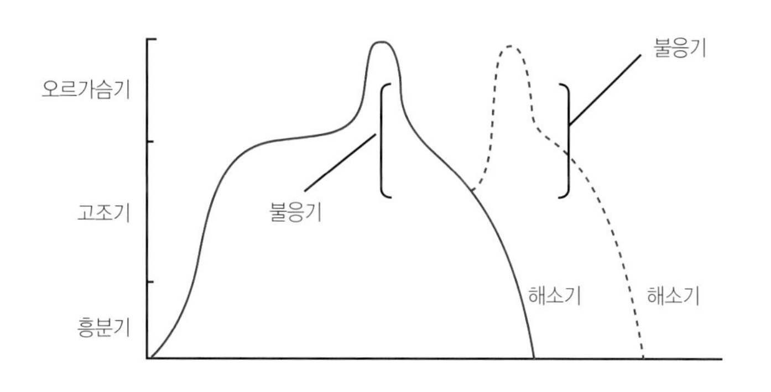

그림 **6-2**

남성의 성 반응 주기
진한 것은 전형적인 형,
점선은 또다른 형

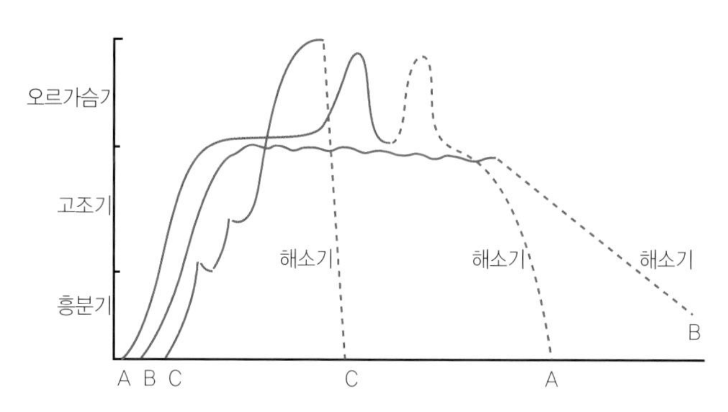

A: 다중성 오르가슴형
B: 오르가슴에 도달하지 못하는 형
C: 흥분저하가 온 후에 급속한 해소기가 오는 형

그림 **6-3**

여성의 성 반응 주기
(완만한 곡선)

TIP

○ 성 반응 주기의 비교

• 카플린 모델 : 직선적 모형– 남성형, 단계적 사고

욕구기	흥분기	오르가슴

• 마스터스와 죤슨 모델

흥분기	고조기	오르가슴	해소기

• Basson의 모델 : 원형 모형– 여성형, 입체적 사고

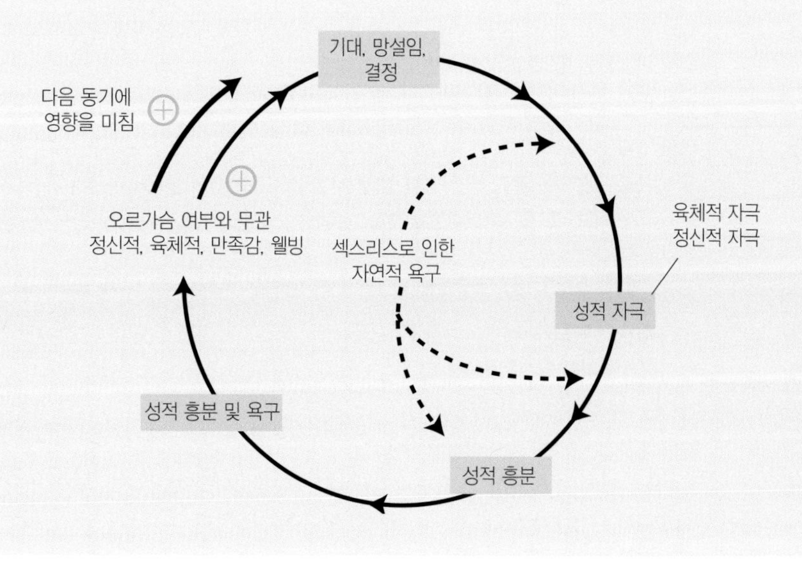

하지는 않는다. 그러나 Sevely와 Bennett의 연구에서 여성도 질·요도 주변에 있는 여성 전립선(G 스팟)으로부터 사정할 수 있다고 하였다. 성의학자들은 남성의 전립선을 여성의 G스팟이라고 하여 성적자극에 매우 민감한 부위로 다중오르가즘을 유발한다고 한다.

4) 성에 대한 사회적 통념

우리 사회는 성에 대한 사회적 통념과 신화가 존재한다. 여성은 음핵, 질, 유방자극 등 신체의 민감한 부위에서도 똑같은 오르가슴을 경험한다. 질에서만 혹은 음핵에서만 경험하는 것은 아니다.

월경기간 동안 성교를 금해야 할 어떠한 생리적 근거는 없다. 어떤 여성은 월경통을 해결하는데 오르가슴이 효과적이었다고 한다. 또한 월경 시

표 6-2 남성의 성 반응 주기

구분	신체부위	생리적 반응 및 변화
흥분기	음경	자극을 받은 후 3~5초 이내에 발기되어 단단해진다.
	음낭	내부 반경이 작아지고 외부 피부가 단단해지고 두꺼워진다. 음낭피하의 조직이 수축되고 부분적으로 혈관울혈이 나타난다.
	고환	샅부위쪽으로 쳐들리며 몇 차례 반복될 수 있고 정삭이 짧아진다.
	유방	젖꼭지가 발기되기도 한다.
	성 발적	개인 차이가 많고 후반기에 나타나는 수도 있다.
	근경직성	여성과 비슷하여 수의근과 불수의근의 긴장이 온다.
	기타	심박동, 혈압, 호흡이 증가되고 항문조임근이 불규칙하게 수축된다.
고조기	음경	울혈로 인하여 귀두가 커지고 색깔이 진해지기도 한다.
	음낭	특별한 변화가 없다.
	고환	자극이 없는 상태보다 50% 정도 그 크기가 커지고 사정 직전까지 샅부위쪽으로 치켜들린다.
	성 발적	절정기 말에 나타나기도 하는데 이는 성적 욕구가 강한 것을 나타내기도 한다.
	근경직성	수의적, 불수의적 긴장이 증가되고 골반에 힘이 주어진다.
	기타	심박동, 혈압이 증가하고 과다호흡이 뒤늦게 나타난다.
절정기	음경	요도를 통해서 사정하려고 수축되고 0.8초 간격으로 강하게 수축하며 3~4초 후에 빈도와 힘이 약해지고 몇 초 후에 마지막으로 수축된다.
	음낭	변화가 없다.
	고환	변화가 없다.
해소기	음경	두 단계로 구분되는데 자극받기 전 상태의 반의 크기로 급히 줄어드는 경우가 있고 흥분기가 고조기가 의도적으로 길었다면 천천히 줄어든다. 성적 자극이 계속되면 아주 천천히 감소된다.
	음낭	충혈이 급히 혹은 1~2시간에 걸쳐서 제거된다. 사전에 자극이 많을수록 이완기는 길어진다.
	고환	음낭에 따라 빠르게 혹은 느리게 이완된다.
	유방	젖꼭지의 발기가 천천히 없어진다.
	성 발적	나타난 순서와 반대로 사라진다.
	근경직성	울혈이 풀리는 것보다는 천천히 풀린다.
	기타	심박동과 혈압, 호흡 등이 정상으로 된다. 손바닥과 발바닥에 땀이 난다. 무감각한 단계가 지나야 다시 사정할 수 있다.

표 6-3 여성의 성 반응 주기

구분	신체부위	생리적 반응 및 변화
흥분기	질	자극을 충분히 받으면 10~30초 사이에 분비물이 나오고 통 모양으로 길어지며 질벽이 움직이고 색깔이 자주색으로 짙어진다.
	대음순	분만을 경험하지 않은 여성의 경우 특히 얇아지고 샅부위에 부착되며 다산부의 경우에는 혈류가 모인다.
	소음순	직경이 커진다.
	음핵	혈관울혈과 함께 직경이 커지는데 이는 개인차가 많다.
	자궁	전위자궁일 경우 후상방으로 당겨진다.
	유방	젖꼭지가 발기되고 유방의 정맥이 확장되어 밖으로 나타난다.
	성 발적	때로는 배꼽이나 가슴쪽에 발적이 나타난다.
	근경직성	호흡이 빨라지고 모든 근육이 긴장되고 불안정해지며 빨리 움직이려고 한다.
	기타	심박동이 빨라지고 혈압이 상승된다.
고조기	질	울혈이 심해져서 질 외부의 개구부가 좁아진다. 질 외구와 대음순의 울혈된 부분이 오르가슴을 느끼는 부분이다. 이때는 윤활작용은 감소된다.
	대음순	특별한 변화없다.
	소음순	분만을 경험하지 않은 여성은 분홍색에서 선홍색으로 바뀌고 다산부는 선홍색에서 포도주색으로 바뀐다.
	음핵	길이와 크기가 반쯤 줄어든다.
	자궁	완전히 길어진다.
	유방	젖꽃판의 울혈이 증가되고 수유하지 않았던 젖꼭지는 크기가 1/4~1/5 정도 커지고 수유했던 젖꼭지는 별 변화가 없다.
	성 발적	가슴이나 전신에 발적이 있을 수 있다.
	근경직성	전체적으로 증가되고 얼굴을 찡그리고 골반에 힘을 준다.
	기타	과다호흡이 되고 심박동이 증가되고 혈압이 올라간다.
절정기	질	강하고 율동적인 수축이 3~12회 정도 0.8초 간격으로 일어나고 점차 사라진다. 질 내부는 그대로 있다.
	음순	별 변화없다.
	음핵	수축되고 보이지 않는다.
	자궁	불규칙하게 수축한다.
	유방	별 변화없다.
	성 발적	최고조에 달한다.
	근경직성	근경련과 불수의 수축이 전신에 나타나고 수의적으로 조절이 안된다.
	기타	과다호흡이 있고 심박동과 혈압이 최고로 상승하고 요도구멍이 이완되었다가 정상으로 되고 항문조임근이 불수의적으로 수축한다.
해소기	질	개구가 1/3정도 이완되어 3~4분 내로 자궁목과 질 상부가 하향되고 10~15분 내에 색깔이 정상으로 돌아간다. 분비물이 계속 나오면 성적 긴장이 계속되거나 또 시작되는 것이다.
	대음순	오르가슴기에 도달하면 곧 되돌아가고 오르가슴기에 도달하지 못하면 천천히 원상복귀된다.
	소음순	오르가슴기 다음에 5~15초 이내에 색깔이 분홍색으로 되돌아가고 점차 원상복귀된다.
	음핵	5~15초 이내에 흥분 이전 상태로 되돌아가고 5~10분 이내에 울혈은 없어진다. 충분히 절정기를 가졌는가에 따라 회복 시간의 차이가 있다.
	자궁	분만을 경험하지 않은 여성의 자궁목굴 개구가 열리는 것이 눈에 띌 정도이다.
	유방	젖꽃판이 곧 원상복귀되고 수유하지 않았던 유방은 5~10분 이내에 크기가 줄어들고 표면의 정맥 울혈은 오랫동안 남아 있다.
	성 발적	발적이 나타난 순서와 반대로 곧 사라진다.
	근경직성	근육긴장은 5분 이내에 없어지고 전신적인 긴장은 점차 없어진다.
	기타	심박동과 혈압은 정상으로 되고 과다호흡은 멈춘다. 땀이 나는 경우가 있다.

남녀 성 반응 양상

흥분기(수 초에서 수 시간)

흥분기는 남성과 여성 모두 사지의 증가된 근육 긴장과 복부의 긴장도를 경험한다. 여성의 75%, 남성의 25%에서 얼굴이 붉어지고, 확 달아오르는 현상이 나타나며 혈압과 심박동이 상승한다.

남성의 경우 음경의 길이와 두께가 증가하며 발기가 된다. 이런 변화는 반복해서 일어날 수 있고 상실되기도 한다. 음낭이 올라가고, 피부가 단단해지며 긴장된다. 고환 크기의 증가가 일어나며, 약 60%의 남성은 유두가 발기되기도 한다.

여성의 경우, 유방 정맥의 충혈로 인해 유방이 확장되고, 유두가 발기되며, 유륜이 부풀어 오른다. 그리고 질에 윤활물질이 생기기 시작한다. 질은 확장되고, 팽창되며 자주빛 나는 빨간 색에서 짙은 자주색으로 변한다. 음핵은 길이나 폭에서 증가된다. 대음순은 편편해지고, 질구로부터 분리된다. 소음순은 두꺼워지고, 질 통로를 약 1cm정도 확장시킨다.

고조기(30초~3분)

고조기는 남성, 여성 모두에게 증가된 근육 긴장이 나타난다. 얼굴이 달아오르는 현상과 찡그림, 사지의 불수의적인 근육 수축이 일어난다. 혈압은 계속해서 상승하며, 심박동수는 평균 1분당 100~175회를 나타낸다.

남성의 경우, 음경 확대가 증가된다. 발기는 안정적 상태를 유지한다. 질은 빨간색이나 자주색으로 색깔의 변화가 발생한다. 고환은 크기(무자극 상태의 50% 이상)가 계속적으로 증가한다. 그리고 완전한 발기가 일어난다. Cowper샘에서 분비되는 2~3방울의 점액이 음경의 끝에 나타난다.

여성의 경우, 유방 크기의 계속적인 증가와 음핵이 수축하는 현상이 나타난다. 소음순의 빨간색이 더 강하게 되며, 자궁의 완전 상승이 나타난다. 질 외구의 충혈은 오르가슴에 쉽게 도달하도록 돕는다. 그리고 질 내부의 폭과 깊이가 증가한다. 바르톨린샘으로부터 점액 1~2방울이 분비된다.

절정기(3~10초)

절정기는 성 경험에서 느끼는 쾌락의 극치 시기이다. 남성과 여성은 청각, 시각, 미각과 같은 모든 감각이 감소되거나 없어진다. 수의적 근육 통제 능력이 감소된다. 근육의 불수의적 경련이 신체에 나타나며, 질과 직장의 괄약근육이 0.8초 간격으로 불수의적인 수축이 나타난다. 얼굴이 달아오르는 현상도 오르가슴 경험의 강도와 함께 그대로 유지된다. 혈압은 최고 수준에 도달하며, 심박동수는 분당 110~180회 이상으로 기록되고, 호흡은 분당 40회의 높은 수준을 유지한다.

남성의 경우, 수정관(vas degerens)과 부속 기관의 수축으로 인해 정액의 사출이 나타나며, 0.8초 간격으로 음경요도 수축이 일어나며 사정이 몇 초 동안 계속된다. 처음 3~4번의 수축은 가장 강렬하지만, 점차 감소된 빈도와 강도, 사출력을 가진 수축이 일어난다. 음낭과 고환에는 특이할만 한 변화를 볼 수 없다.

여성의 경우, 질에서 오르가슴의 완만한 수축이 0.8초 간격으로 3~15회 발생한다. 처음 3~6번의 수축이 강렬하며, 빈도, 강도가 이전보다 감소된 수축이 뒤따른다. 유방, 음핵, 대음순, 소음순에는 특이할만한 변화는 없다(그림 6-2, 6-3).

해소기(절정감이 있는 상태에서 10~15분, 절정감이 없는 상태는 12~24시간이 될 수도 있다)

해소기는 혈관 충혈에 의해 야기된 변화가 회복되는 과정이다. 남성, 여성 모두는 근육긴장시 나타난 모든 징후가 5분 내에 사라진다. 얼굴이 달아오르는 현상도 빨리 사라지고, 혈압과 심박동수도 정상으로 되돌아 온다.

남성의 경우, 발기된 유두는 느리게 소실되며 1시간까지 지속될 수도 있다. 음경의 발기도 두 단계를 거쳐 소실된다.

- 혈관 충혈이 감소되면서 오르가슴 발생 1분 후가 되면 발기된 음경크기의 50%로 음경이 작아진다.
- 혈관 충혈이 완전 감소되면서 발기이전의 크기로 음경이 회복하는 것은 몇 분 정도 걸린다. 주름이 있는 음낭과 고환 크기로 되돌아오는 것은 그리 많은 시간이 걸리지 않는다.

여성의 경우 음핵은 오르가슴 후, 5~10초 안에 정상적인 크기로 되돌아온다. 대음순도 정상적인 두께와 위치로 빨리 되돌아온다. 소음순의 혈관 충혈도 감소되며, 색깔도 10~15초 안에 밝은 분홍빛으로 되돌아온다. 자궁도 정상적인 골반내의 위치로 되돌아오고 질벽도 이완되며 10~15초 내에 정상적인 색깔로 되돌아온다. 절정감을 느끼지 못한 경우는 성 기관의 충혈이 해소되지 않아 생식기와 골반의 불편함을 초래한다.

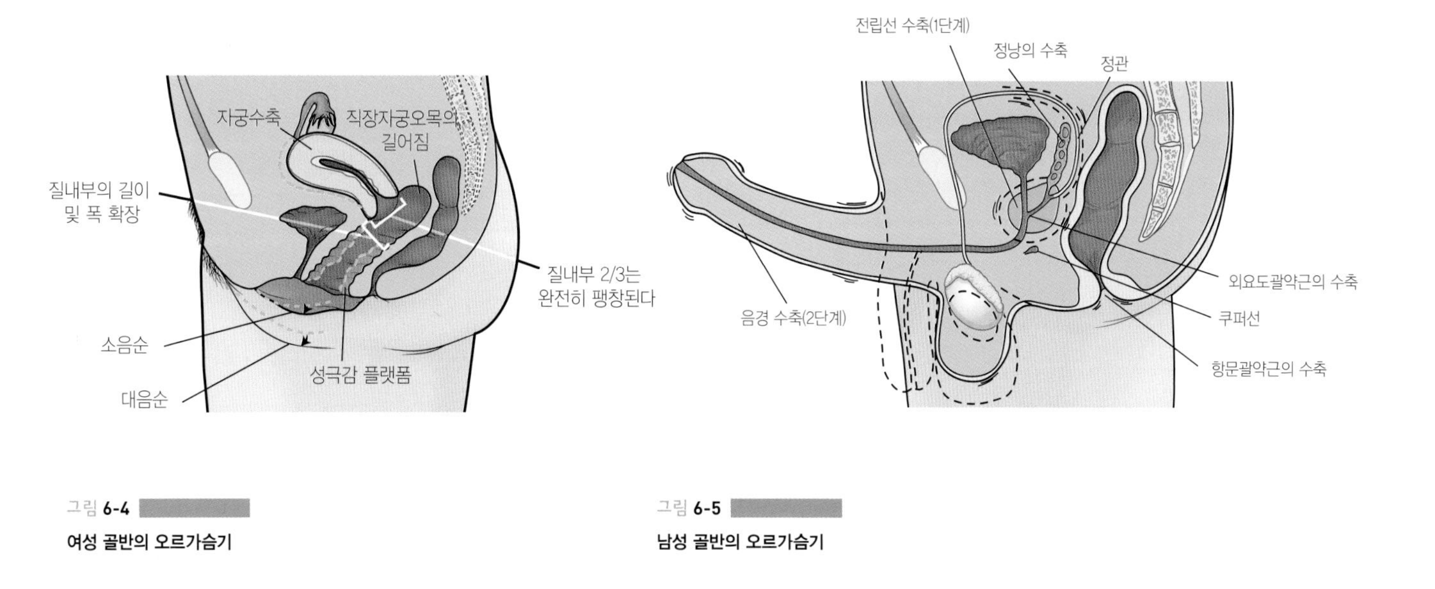

그림 6-4
여성 골반의 오르가슴기

그림 6-5
남성 골반의 오르가슴기

금욕은 개인적인 선호성, 미학적, 종교적인 신념에 의해 선택된다.

남성의 골격 정도와 음경의 크기, 음경의 발기 정도와 건강상태는 관련성이 없다. 사실 발기된 음경 크기는 다양성이 적다. 크기가 큰 음경은 작은 음경에 비해 크기와 둘레의 증가가 적기 때문이다. 음경의 크기는 성기능과 관련된 능력이나 잠재성, 임신 능력이나 쾌감의 정도와 관련성이 없다. 음경의 크기가 큰 남성이 더 좋은 성적 파트너도 아니며, 또한 파트너에게 더 자극을 많이 주는 것도 아니다.

남녀가 동시에 오르가슴을 느낀다 할지라도 이것이 만족스러운 성 경험의 척도라고 할 수 없다. 절정감은 기본적으로 불수의적인 반응이기 때문에 절정감을 동시에 얻기 위한 노력은 오히려 파트너에게 절정감 경험을 감소시키거나 방해를 할 수도 있다.

TIP

성행위에 대한 통념

- **흑백논리**: 발기가 100% 안되면 나는 실패자이다.
- **과잉수행 불안**: 어제도 실패했기에 오늘도 실패할 것이다.
- **자기비하**: 배우자가 나를 칭찬하지만 그것은 내 기분 때문일거야.
- **자기식으로 생각하기**: 배우자에게 물어볼 필요도 없어. 어제 밤에 분명히 느꼈을거야.
- **예언하기**: 오늘도 실패할 것 같다.
- **정서적 논리**: 내가 아니라고 생각하면 정말 아니다.
- **필연성 논리**: 나는 항상 할 때마다 절정감을 느껴야 한다.
- **부정적 사고**: 오늘 밤 실패하면 나와 애인과의 관계는 끝이다.

3. 성행위 시 체위

성행위 또는 성교는 성적 반응을 공유하는 개인 간의 의사소통이며 성 기관에 직접적으로 상호 신체적 접촉을 하는 것이다. 손으로 하는 성교는 한 파트너가 손으로 다른 파트너의 성 기관을 접촉하는 것이다. 구강 성교는 한 파트너의 성기와 다른 파트너의 구강과의 접촉을 의미한다. 대퇴부 성교는 파트너의 허벅다리 사이로 음경을 삽입하는 것이다. 유방 성교는 유방 사이에 음경을 접촉하는 성교를 의미한다. 성기적 성교는 두 개인의 성기에 접촉을 뜻하며, 항문 성교는 항문에 음경을 삽입하는 것을 의미한다.

1) 구강 성교

신체를 상호 얼굴과 얼굴이 아닌 얼굴을 상대방의 성기쪽으로 바꾸는 위치 때문에 동시적인 구강-성기접촉에 대한 속어는 '69'이다. 이런 자세에서는 파트너가 서로의 복부를 맞대고 눕는다. 한 파트너와 다른 파트너의 머리 위치는 서로 반대위치에 놓인다. 다른 자세는 옆으로 눕거나 머리를 지지하기 위해 허벅다리를 이용한다. 또는 한 파트너가 다른 파트너의 발을 향해 무릎을 굽혀 걸터앉는다. 이런 자세는 여성과 남성 모두에게 편안감을 주고, 만족감을 줄 수 있다. 이 체위는 동성 또는 이성의 파트너 모두가 사용할 수 있다. 어떤 파트너는 전희방법으로 구강-성기 자극을 한다. 또한 오르가슴을 지속하기 위해 이 방법을 사용하기도 한다.

때로 구강 성교는 생식 기능이 없으므로 부도덕하다고 생각한다. 어떤 나라에서는 구강-성기 접촉이 불법이다. 어떤 사람은 구강-성기 접촉은 비위생적인 성행위라고 여긴다. 구강 성교를 하는 사람들은 먼저 성행위 전에 성기를 비누나 물로 씻어야 하고 청결해야 한다.

2) 질-음경 성교

질-음경 성교는 다양하게 행해진다. 기본적인 자세는 남성 상위에서 마주보는 자세, 여성상위에서 마주 보는 자세, 옆으로 나란히 누워 마주보는 자세, 그리고 뒤에서 접근하는 자세 등 다양한 자세가 있다. 질-음경 성교는 두 파트너가 서거나 의자에 앉거나, 한 파트너는 부분적으로 침대나 테이블에서, 다른 파트너는 선 자세에서도 성행위를 할 수 있다.

질-음경 성교의 자세는 표준이 없다. 단지 각 사회는 질-음경 성교에 대한 일반적인 체위가 있다. 대부분의 사람들은 편안한 체위를 사용한다. Hunt는 어떤 체위라도 파트너 서로에게 상호적인 만족을 쉽게 준다면, 그러한 체위가 표준적인 체위이며, 건강하고, 적합한 체위라고 하였다. 성행위 시 상호 배려와 실험 정신이 있다면, 성행위자들은 수 많은 다양한 체위를 사용할 수 있다. 상호 만족스러운 체위와 선호하는 체위들을 연령, 체중, 임신, 건강상태에 따라 다양하게 변화시킬 수 있다.

3) 항문 성교

항문은 성적자극에 매우 민감하게 반응을 하는 신체 부위이다. 많은 남성과 여성은 항문 성교를 즐긴다. 항문 성교는 대부분 비정상적인 성교방법, 부도덕한 것으로 생각하며, 어떤 나라는 남색(sodomy: 두 남성 사이의 항문 성교)을 법으로 금지하고 있다.

항문 성교는 다양한 자세가 있다. 일반적으로 동성애 남성에 의해 행해진다. 후방위는 한 파트너가 다른 파트너의 등 부위인 후방에 위치한다. 얼굴을 마주 보는 자세에서는 한 파트너는 무릎을 가슴 쪽으로 올린 자세를 취한다.

항문은 이완될 수 있는 강한 괄약근으로 둘러싸여 있다. 항문에 삽입하기 전에 윤활제를 사용해야 하며 부드러운 압력으로 삽입해야 한다. 항문에 상주하고 있는 정상세균으로 부터 질의 감염을 예방하도록 한다. 항문 성교 후에 음경을 청결히 해야하며 항상 콘돔을 사용해야 하고 항문 성교 시 사용했던 콘돔은 질성교에 사용해서는 안

된다.

4) 자위행위

자위행위(성적 반응을 나타내는 신체 자기자극)는 마스터베이션(masturbation) 혹은 오나니(onani)라고 한다. 우리 언어에는 손이나 물건으로 성기를 조작해서 성적 즐거움을 느낀다는 뜻으로 수음이나 자위행위가 있다. masturbation의 'mas'는 massage의 준말로 마사지란 뜻이고 'tur'는 우리말 발음인 비틀다는 뜻이고 bation은 방출하다는 뜻을 가지고 있다. 이것은 합성어로 '마사지하고 비틀어 방출한다'는 용어이다.

자위행위는 성인 남녀가 행할 수 있는 성행위 방법이다. 미국에서 남성이 성만족감을 위해 취하는 행위는 첫번째가 이성간의 성교이고, 두번째가 자위행위라고 하였다. 미국 여성들은 성적 만족감에 도달하기 위해서 가장 믿을 만한 성행위 방법을 자위행위라고 하였다. 자위행위는 거의 모든 독신 남성과 여성들이 행하는 성행위 방법이다. 과거에 비해 현대는 더 많은 기혼 성인들이 정기적으로 자위행위를 즐긴다. 전체 남성인구 중 자위행위의 비율은 대략 95%이다.

13세까지 자위행위의 경험이 있는 남성의 비율을 Kinsey는 45%, Hunt는 63%라고 기록했다. Athanasion은 25세 미만의 남성은 1년에 약 75~100회의 자위행위를 하고, 35세 이상은 1년에 33~50회 정도 자위행위를 한다고 하였다. 조사한 남성들은 자위행위의 목적을 성적 흥분과 만족감을 얻기 위함이라고 하였고 성기를 손으로 자극하는 법을 가장 많이 사용하였다.

여성의 약 50~90%가 자위행위를 한다. 13세까지 자위행위를 경험한 여성의 비율을 Kinsey는 15%, Hunt는 33%라고 하였다. Kinsey는 여대생의 63%, 여고생의 59%, 초등 여학생의 34%가 자위행위를 경험했다고 기록했다. Hite의 연구는 82%의 여성이 정규적으로 자위행위를 한다고 하였으며, Kinsey와 Athanasion은 여성은 2~4주에 한 번 정도 자위행위를 한다고 하였다. Kinsey의 연구에서, 여성의 84%는 성적 흥분을 얻기 위해 성기를 손으로 자극하였으며, 또한 소수는 신체적인 자극 없이 허벅다리의 압력이나 근육수축과 이완, 환상을 사용했다고 하였다.

남성의 경우, 자위행위의 빈도는 청년기 이후부터 감소하나 여성은 점차 증가하며, 중년기에도 계속 유지하는 경향이 있다. Hunt는 종교가 자위행위에 미치는 영향에 대한 연구를 하였는데 특이할 만한 연관성을 발견하지 못하였다. Hunt는 정규적으로 교회를 다니는 신자들과 불규칙적으로 교회 다니는 사람이나, 비신자간에 자위행위의 유무에 의미있는 차이가 없다는 것을 확인했다.

자위행위는 청소년들의 이성관계, 친구관계, 대

자위행위 사례

창수 씨는 부부 생활에서 자신의 섹스기술에 대해 수치심을 토로한다.
가영 씨와 창수 씨는 결혼 5년이 되는 29살과 35살의 부부이다. 가영 씨는 처녀성을 무척 소중히 여겼고 연애기간이 길었음에도 창수 씨와 어떠한 성관계도 하지 않았다. 상호 성적탐색의 부족은 결혼 후 부부 관계를 어렵게 했다.
가영 씨는 자위행위 경험 또한 없었고 부부간의 성행위에서도 섹스 기술에 대해 수치심을 느끼며 매우 수동적이었다. 오르가슴을 당연히 못 느낀다. 사실 오르가슴은 노력하거나 집중하지 않았을 때는 잘 느끼지 못하므로 반드시 비정상이라고 볼 수는 없다. 이러한 문제를 해결하기 위해 창수 씨는 입술과 손 등을 이용하였지만 한 번도 자신의 몸을 탐색이나 자극을 하지 않았던 가영 씨에게는 무리한 일이었고 자신의 음핵이나 질 근처에는 접근하지도 못하게 했다. 그들의 부부 관계는 점차 소원해지고 남편은 자위행위로 자신의 욕구를 해소한다.
성적탐색, 성적 충동, 자위행위 등을 통해서 성기의 구조와 기능을 탐색하고 자신과 상대방의 생각과 느낌을 아는 것은 필수적이다. 스스로의 몸에 관심을 가져야 한다. 부부가 충분히 상의하면서 자신의 몸에 대해서 배우는 과정은 도덕적이나 윤리적으로 문제가 되지 않는다.
성건강 전문가는 이들 부부에게 신체구조와 기능에 대한 성교육과 성충동은 부끄럽고 숨겨야하는 것이 아닌 자연스럽고 정상적이라는 믿음을 심어 주고 상호자위행위를 함으로써 신체적 성적 반응을 배우게 한다.

인관계와 깊게 연관되어 있으며 결혼 후에도 부부의 성관계와 직결되어 있다. 섹스문제를 갖는 부부들 중에서 자위행위 경험자들이 자위행위를 경험하지 않은 사람보다는 성 문제에 대한 치료 경과가 일반적으로 좋다. 성장과정 중에 자신의 몸에 대한 성적 탐색을 전혀 하지 않았던 여성은 결혼 후에 부부의 성 관계의 어려움을 더 많이 호소한다.

4. 성적 환상

성적 환상(의식적인 지시없이 튀어나오는 공상)은 성인 남성과 여성에게 발생한다. 환상은 경계심을 갖기도 하지만 자연적이고, 수용할 만한 인간의 경험이다. 성적 환상은 성 파트너와 접촉할 때나, 성행위를 할 수 없을 때 또는 자위행위 시에 발생할 수 있으며 매우 도움이 된다. 환상을 사적으로 할수 도 있지만, 성행위 시 성적 느낌과 경험을 향상시키기 위해 자신의 성적 환상을 성 파트너와 상호 공유할 수도 있다. 환상을 통해 무엇이 나를 흥분시키는지를 알 수 있다.

Kinsey는 거의 모든 남성과 여성의 65%가 가끔 일상생활에서 색정적인 꿈을 꾼다고 보고했다. Hunt는 성인 남성과 여성이 자위행위를 하는 동안 6가지 형태의 성적 환상을 한다고 하였다.

- 낯선 사람과 성교를 하는 자극적인 환상을 하며, 빈도는 남성의 47%, 여성의 21%에서 사용한다.
- 한 사람 이상의 이성과 동시에 성교를 하는 환상을 하며 빈도는 남성의 33%, 여성의 18%에서 사용한다.
- 실제에서는 결코 할 수 없는 성교를 환상하며 빈도는 남성의 19%, 여성의 28%에서 사용한다.
- 섹스를 강요받는 환상을 하며 남성 10%, 여성 19%이며, 이런 환상은 나이가 많은 개인에게는 드물며, 25세 이하에서 더 일반적이다.
- 섹스를 강제로 하는 환상을 하며 남성의 13%, 여성의 3%에서 사용한다.
- 동성과의 섹스를 하는 환상으로 남성의 7%, 여성의 11%에서 사용한다.

성행위 시 환상을 하는 사람은 그와 같은 것이 부도덕하고 부자연스러운 것이며 배우자에 대한 배신이라고 생각하기도 한다. 그것이 더욱 악화되는 경우는 그것이 상대방에게 노출 될까봐 또는 비밀을 유지하려는 생각 때문에 고민에 빠지게 되고 심지어 죄의식 등 신체적 증상까지 나타날 수 있다.

성적 환상은 정상이며 무해하다. 모든 성인은 상상한 것과 자신이 무엇을 해야하는지를 분별할 수 있으며 선택할 수 있다. 성적 환상이 문제가 되는 것은 성적 환상이 직업의 생산성을 방해하거나, 극심한 죄의식으로 타인과의 상호작용을 방해하는 경우이다.

5. 성행위의 빈도

성행위의 빈도는 자위행위, 성적 환상, 애무(성교를 포함하지 않는 의식적인 성적 신체적인 접촉), 성교, 동성간의 성행위, 수간(동물과의 접촉이나 성교) 등에 의해 평균 1주일 동안 경험하는 오르가슴의 전체 횟수를 의미한다. 결혼생활이 오래될수록 성교빈도는 감소되는 경향이 있다.

Kinsey가 청소년에서부터 85세까지의 남성을 대상으로 연구한 결과, 전체 성행위의 평균빈도는 1주일에 3~4번이었다. 남성이 1주일에 경험하는 성행위의 평균횟수는 연령과 관련이 있었다. 성행위 횟수에서 가장 높은 오르가슴의 수준은 30세 이전에 나타났다. 30세 이후에는 성행위의 빈도가 쇠퇴를 보여주었다.

Kinsey는 여성의 성행위의 빈도는 남성의 비교 연령 집단보다 더 낮다고 하였다. 15세 이전의 사춘기 여성은 성적으로 수동적이며, 거의 오르가슴을 느끼지 못한다. 15~38세의 여성은 전체 성행위의 빈도에서 점진적인 증가를 보여주었다. 특히 30세 전후 시기에 절정에 이르며 40세까지 빈도가 유지되나, 40~50세 집단은 약간의 감소를 나타낸다. 50~80세는 점진적이고, 급격한 쇠퇴를 보여주었다. 성행위의 빈도는 여러가지 변수에 의해 영향을 받으며 개인차가 크다.

그러나 빈도가 떨어진다고 해서 성행위가 중요하지 않다거나 결혼생활이 만족스럽지 않음을 뜻하는 것은 아니다. 성행위의 빈도가 떨어지는 것은 노화과정과 신경전달물질(도파민)과 호르몬(에스트로겐, 옥시토신)의 영향으로 오는 성 욕구의 감퇴일 수도 있다. 대부분 결혼한 부부는 그들의 전반적 관계가 좋다면 성교 빈도가 감소된다 할지라도 문제가 되지는 않는다.

6. 결혼기 성인의 성

성인기의 남녀는 대부분 결혼을 하거나 가정을 형성한다. 결혼은 성숙한 남·녀가 사회적으로 합법적인 결혼의식을 통해 성적으로 결합할 수 있도록 제도화 한 것이다. 결혼생활 내에서의 성은 사회적인 승인과 종교적인 축복을 받는다. 결혼한 부부는 성생활과 출산, 가정꾸미기, 경제력과 재산이라는 법적 권리와 책임감을 가져야 한다.

결혼기에 있는 성인은 사회의 제도권 내에서 성역할과 성관계를 발달시킨다. 모든 신체구조가 완전히 성숙되는 성인기는 자신에 대한 책임감과 성적 자기결정권을 갖는다.

현재 결혼패턴이 많이 다양해지고 있다. 이러한 변화의 원인은 여성운동, 직업을 통해 자아실현을 하고자 하는 여성의 욕구 증가, 연장된 삶의 주기, 증가된 여가시간, 인터넷이나 대중매체 등에서 제시하는 삶의 질을 높이는 대안책 등을 들 수 있다.

전통적인 결혼에서 남녀의 역할과 관계는 기본적으로 엄격하다. 남성은 강하고 유능하다. 남편은 의사결정자이고 사회적·경제적 능력자이며, 가정에서 권위적인 아버지이며 능동적인 성적 파트너이다. 여성은 따뜻하고, 매력적이며 가정주부, 시간과 돈의 관리자이며, 지지적이고 충성하며, 헌신적인 아내, 양육적인 어머니, 순종적이며 수동적인 성적파트너이다. 여성은 가정에 전념함으로써 책임을 완수하고, 가정을 위해 희생해야 하며, 성적 프라이버시를 유지하고 남성의 성적 독점권과 일부일처를 존중하여야 한다.

비전통적이거나 개인 중심적인 결혼은 융통적인 역할과 관계를 의미한다. 또한 인간의 가치, 생활방식, 직업, 개인과 가족의 요구가 매우 다양하다는 것을 인정한다. 이런 유형의 결혼생활을 하는 사람은 개인적인 자유, 내적 자각, 독립, 남녀평등, 자아실현화를 삶에서 강조하며 적용한다. 계획된 역할과 힘에 의해 형성된 상호관계, 성장 요구, 희망, 기대, 개인의 비전 등을 중요시 한다. 역할과 상호관계는 개방적이고 협상할 수 있다. 파트너는 서로의 정신, 신체, 느낌을 공유하며 자유롭다. 성을 개방적으로 논의하고, 실험하며, 즐길 수 있고, 성적 독점권에 대해 협상할 수 있다. 결혼은 부부가 경험을 공유하며 개인적인 성장을 하도록 자극하며 상호존중과 양육에 대한 부담을 갖는 것이다.

결혼기의 성생활은 결혼생활을 통해 3가지 기본적 기능을 나타낸다.

첫째는 생식의 기능으로 종족의 재생산이며,

둘째는 즐거움으로 신체적이고 심리적인 쾌락의 상호 교환이며,

셋째는 친밀감의 형성기능이다.

성인기의 성은 신체적, 심리적, 사회적인 변수가 영향을 미치며 다양성이 많은 성적인 행위를 한다. 성행위는 성별, 연령, 인종, 결혼상태, 교육수준, 직업계층, 농촌 혹은 도시의 출신배경, 종교에서 신앙의 정도, 부모의 직업 등에 영향을 받는다.

결혼은 하나의 사회적 제도이며 관습으로, 서로 다른 두 사람이 결합하여 일정한 사회적 형식을 갖추어 가족을 구성하는 과정이다. 결혼은 인간 사회의 성적인 행동을 통제하고, 자녀에게 안전하고 안정된 양육을 도모하며, 사회구성원들의 정서적 안정을 위해 유지된다. 따라서 결혼한 부부는 가족의 부양과 양육, 부부의 역할, 가족관계의 유지, 가사관리, 그리고 성적인 협력 등의 상호 의무와 권리가 있다.

건강한 결혼생활 기준

- 시간을 함께 보내는 정도
- 화해의 능력
- 개인의 성숙도
- 놀이와 유머 능력과 긴장 완화 능력
- 친밀성
- 책임
- 영적생활

1) 부부간의 성생활

부부간의 성생활은 결혼만족도를 나타내는 중요 지표 중의 하나이다. 부부간의 성 욕구는 생리적

부부의 성생활 실태

- 여성의 성적인 만족도가 남성에 비해서 상대적으로 낮다.
- 부부들의 성적 욕구 저하현상이 두드러져 성생활이 없는 부부가 증가한다.
- 결혼기간에 따른 외모의 변화, 매력이나 흥미의 상실, 상대방에 대한 실망감 증가로 성만족 감소현상이 나타난다.
- 직장 스트레스 등 성적인 흥분을 억압하는 과중한 스트레스가 부정적인 영향을 미친다.
- 남편의 나이가 아내보다 많은 경우 성적 욕구와 생리적 기능의 차이로 중년기 이후에 성적 부적응이 나타난다.
- 신체적인 피로는 성적인 욕구와 흥분을 저하시킨다.

욕구가 동반된 관계적 욕구이다. 부부간의 성적조화의 전제조건은 부모로부터 몸과 마음이 독립되고, 결혼을 유지하며, 배려와 헌신으로 성적으로 연합하는 것이다.

결혼한 부부는 성을 매개로 한 특수한 관계이기 때문에 성적인 욕구가 충족되어야 한다. 따라서 결혼생활의 만족도를 결정하는 요인 중의 하나가 성생활이다. 부부가 상호 성생활에 적응을 하려면 성의 속성을 객관적으로 이해하고 상호 성적 의사소통 능력을 발전시켜야 한다.

Kinsey는 결혼한 남성은 전체 성생활 중에서 부부 성교가 85%를 차지한다고 하였다.

신앙을 가진 남성이 비신자에 비해 부부 성교의 횟수가 더 적다고 하였다. 신자는 승인된 결혼생활에서도 엄격한 종교적인 생활을 하기 때문이다. Hunt는 신앙생활을 하는 부부 중에서 부부의 성교를 제한하거나 성행위 횟수를 줄이는 것은 남편이 아니라 부인의 신앙심 때문이라고 하였다.

16~35세의 기혼 여성의 경우, 전체 성생활의 84~89%를 부부 성교가 차지한다. 빈도 면에서 점진적인 감퇴를 나타내는 46~50세의 기혼 여성은 전체 성생활의 오직 73%만이 부부 성교를 한다. 여성의 유일한 성적 표출인 부부 성교는 나이가 들면서 점진적인 감퇴가 나타난다. 이 시기는 여성의 성적 욕구가 절정에 달하는 시기이다. 반면에, 남성의 성적 욕구는 16~25세 절정을 이룬다. 남성의 노화는 성교 빈도의 감퇴를 초래할 수 있다.

Kinsey는 기혼 여성의 성적 표출의 빈도는 초졸자나 고졸자의 집단보다 대졸자가 좀 더 높은 것으로 보고하였다. 그의 연구에서 종교를 가진 여성은 그들의 신앙이 결혼 후에도 전체 성행동에 지속적인 영향을 주었다고 한다. 신자인 여성은 비신자인 여성보다 전체 성 표현 중에서 결혼 내 성교를 4~12% 더 많이 경험하였다.

Tavris와 Sadd는 여성의 성에 대한 연구조사에서 부부 성교의 빈도는 여성의 연령과 결혼기간에 비례하고, 첫 일년 후에는 크게 성행위 빈도에서 감소가 나타난다고 했다. 갓 결혼한 여성 중 1주일에 4번 이상 성교를 한 부부는 20%, 이 비율은 결혼한지 1~4년 된 여성은 12%, 5~7년은 7%, 8년 이상은 5%로 감소함을 보여주었다. 응답한 대부분의 여성이 부부 성교의 빈도에 만족한다고 기록했다. 오직 4%만이 빈도가 너무 많다고 했으며, 38%는 빈도가 충분하지 않았다고 하였다. 부부 성교의 빈도와 만족 사이에는 관계가 있는 것으로 나타났다. 그렇지만, 결혼 후반기에 성교 빈도가 감소하였지만 부부 성교 시 만족감은 감소하지 않았다.

Hunt는 성적 쾌락과 정서적 친밀감 사이에 긍정적인 관계가 있다고 보고했다. 결혼생활에서 친밀감을 느끼는 남성과 여성은 성교가 매우 즐겁다고 평가했다. 결혼생활이 친밀감이 없고 관계가 안좋다고 평가한 여성의 60%, 남성의 40%는 부부 성교가 즐겁지 않다고 했다. 또한 현대의 결혼부부는 그들의 부모세대보다 부부 성교의 빈도가 더 높다고 보고했다. 그 이유로 성해방이 전통적이고 안전한 일부일처제 결혼제도를 확립시켰고 부부의 성행위의 횟수를 증가시키는데도 큰 영향을 미쳤기 때문이다.

현대 대부분의 사람들은 사랑 때문에 결혼하고 사랑의 힘만으로 평생을 행복하게 살 수 있을 것이라는 믿음으로 평소 자신이 기대했던 파트너와 결혼한다. 결혼한 부부들은 그들의 성행위가 문제가 없어도 그것이 행복한 부부 관계, 행복한 결혼생활을 보장해 주지 않음을 안다. 또한 부부 관계가 악화되면 그것은 곧바로 성관계 문제로 직결된다. 부부 관계가 어떤가에 따라서 성관계문제가 발생할 수도 있고 존재했던 다른 부부의 관계문제가 악화될 수 있다. 부부 관계에 있어서 성 문제는 필요조건이긴 하지만 충분조건은 아니다.

이성애

이성애 부부는 성교를 가질 뿐만 아니라, 성행위를 통해 더 큰 상호간의 즐거움을 발견하기 위해 다양한 성행위를 수행한다. 즉 전희(성교에 앞서 키스, 신체적인 접촉, 애무, 구강-성기접촉 등의 성적으로 쾌락을 주는 활동)의 평균 지속시간을 증가시킨다. Kinsey는 교육정도가 낮은 사람일수록 전희가 간단하다고 하였으며, 대학교육을 받은 남성의 전희 시간은 평균 5~15분이라고 하였다. Hunt는 독신자와 기혼자의 전희 지속시간을 연구하였는데 25세 이하의 독신자는 평균 15분이고, 25~34세 사이의 독신자는 대략 20분이라고 하였다. 같은 두 연령군의 기혼자 집단은 약 15분을 전희에 사용한다.

Kinsey는 교육수준이 낮은 기혼 남성과 여성은 입이나 가슴을 잘 접촉하지 않고 손으로도 성기를 자극하지 않는다고 하였다. 그러나 최근에는 전희의 다양한 방법을 부부들이 사용하고 있으며, 교육수준이 낮은 집단에서 더 큰 비율로 증가하고 있다.

Kinsey의 연구에서 교육수준이 낮은 남성과 여성의 대다수는 커니링거스(여성 성기를 구강으로 자극)와 펠라치오(음경을 구강으로 자극)의 사용을 전적으로 거부한다고 했다. Tavris와 Sadd는 대부분의 여성은 구강-성기의 접촉을 성교의 한 부분으로 생각하나 펠라치오보다는 커니링거스를 더 즐긴다고 했다.

Hunt에 의하면 거의 대부분의 기혼 남성과 여성은 항문 성교를 거의 하지 않으나, 35세 미만의 연령집단에서 6%정도가 항문 성교를 한다고 하였다.

Tavris와 Sadd는 여성들의 반 정도가 빈도 면에서 구강 성교보다는 훨씬 적었지만 항문 성교를 시도해본 적이 있다고 하였고, 항문 성교를 시도했던 여성들의 대부분은 신뢰, 정서적인 친밀감 그리고 사랑을 공유하는 사람과의 항문 성교는 수용할 수 있다고 하였다.

혼전 성행위

혼전 성행위는 결혼하기 이전에 관계하는 질-음경의 성교를 의미한다. 서구사회는 연령, 시간, 장소, 환경에 따라 혼전성교를 관용 및 허용하거나 심지어 격려한다. 이러한 사회적인 구조는 미혼 여성이 출산한 모든 아동에게도 완전한 복지시설이 제공되고 있고, 이들을 사회적으로 배타하거나 낙인을 찍지 않는다. 전통적으로 우리사회는 금욕과 절제(성행위에서의 자기억제)를 요구하며, 혼전성교를 금지한다. 대부분의 사회에서 혼전성교를 성인기의 아주 짧은 기간 동안 경험한다. 보통 남성은 5~6년 동안, 여성은 1~2년 동안 혼전성교를 경험한다.

Kinsey는 혼전성교의 발생률에서 남성은 교육수준과 밀접한 관련이 있으나 여성은 이런 관련성이 적다고 했다. 부모의 직업군도 혼전성교와 거의 관련이 없으며 남성의 경우, 초졸의 98%, 고졸의 84%, 대졸의 67%가 혼전성교를 경험한다고 했다. 대학 재학 중에 성교를 경험했던 50%는 이미 대학에 입학하기 전에 첫경험을 하였다. 여성의 50%가 혼전성교를 경험했는데 이들 여성 중 기혼 남성 파트너와 성 경험을 한 비율은 46%였다. 최근의 연구는 과거 세대보다 현재가 혼전 성행위를 하는 빈도가 높다고 하였으며 혼전성교는 도시지역에서 더 많이 발생하였으며, 종교적으로 신자일수록 혼전성교는 적게 경험하는 경향이 있었다. 혼전성교의 빈도에서 남성은 1/3이 증가했으나 여자는 적어도 3배가 더 증가했다고 보고한다.

Tavris와 Sadd는 10명의 기혼 여성 중에서 8명이 혼전성교를 경험했다고 했다. 그리고 40세 이상 여성의 68%에서 그리고 20세 이하 여성의 96%가 혼전 성 경험이 있었다. Pietropino는 남성의 32%는 과거에 성 파트너가 없었던 여성과 결혼하기를 원한다고 했다. 그리고 21%는 한 사람이나 소수의 사람과 사랑했던 여성과 결혼하기를 원하며, 2%는 많은 남성과 성행위를 가졌던 여성도 상관없다고 하였다. Kinsey는 혼전성교를 경험했던 여성 중에서 53%는 한 파트너하고 만 관계를 유지했다고 한다. Hunt의 연구에서 기혼 남성의 경우 결혼 전 평균 6명의 파트너와 교제한 적이 있으며 기혼 여성의 경우는 54%가 오직 한 파트너하고 만 교제했다고 했다.

혼전성교의 비율과 파트너의 수가 증가함에도 불구하고, 젊은이들은 변하지 않는 성적 가치관을 여전히 유지하고 있다. 즉, 젊은 여성은 여전히 결혼하기를 기대하는 남성과 혼전성교를 하는 경향이 높았고 혼전 성교를 했던 남성과 결혼하기를 원했다. 비록 남성이 애정과 상관없는 성교를 더 탐닉한다 할지라도 남성과 여성 모두는 혼전성교에 대한 이유를 사랑과 같은 상호관계증진에 가치를 둔다고 하였다.

현대의 성인들은 과거에 비해 혼전 성행위를 더 허용하고 있으며 낙태를 더 쉽게 결정한다. 또한 피임도구도 더 쉽게 사용할 수 있어서 책임감이나 죄의식 없이 성행위를 시도한다. 이들은 더이상 금욕을 원하지 않으며 안정된 애정관계를 유지하기 위해서, 애정이 없는 경우라도 자발적인 의사에 의해 혼전 성행위를 한다.

TIP

외도와 섹스리스

- 외도는 2년 내에 부부간 섹스리스 초래
- 외도는 파트너에 대한 성적 매력 상실
- 외도로 인한 죄책감은 발기부전 유발
- 외도가 적발될 시에는 피해자 성관계 거부
- 임신 및 출산은 외도의 위험성 증가

결혼외 관계(외도)

결혼외 관계란 결혼관계에서 개인이 배우자 이외의 사람과 비밀리에 성행위를 하는 관계를 의미한다. 혼외관계는 성적인 것으로 생각하는 경향이 높지만 실제로 여러 형태로 나타난다. 즉 감정이 겸비되지 않은 성적 관계, 감정도 개입된 성적 관계 또는 예상치 못한 우연한 만남에 의해, 또는 깊고 완전한 정서적 결속에 의해 발생할 수 있다. 대부분의 혼외관계는 합법적인 것이 아니며, 성행위는 배우자가 모르는 상황에서 일어난다.

우리사회에서 혼외관계는 비난을 받으며, 비도덕적인 것으로 간주한다. 최근 성인을 대상으로 한 연구에서, 대상자의 87%가 혼외정사는 항상 나쁜 것이라고 하였다. 혼외정사는 해서는 안되는 부부간의 금지된 행동이지만 혼외정사는 흔히 부부가 직면하는 문제이기도 하다.

Kinsey들이 연구한 남성의 약 절반, 여성의 1/4이 적어도 40세까지 한 번 이상의 혼외관계를 가졌다고 하였다. 교육수준이 낮은 젊은 연령집단의 남성에서 가장 높은 혼외정사율을 보여 주었고, 40대는 27%, 50대는 19%로 점차 감소하는 경향이 있다. 대학교육을 받은 남성의 경우, 가장 젊은 집단에서 가장 낮은 혼외정사율(15~20%)을 보였고, 50대에는 27%로 점차 증가하는 비율을 나타냈다. 대학교육을 받은 여성의 경우, 혼외관계의 발생률은 25세 이후에 증가하는 경향이 있다.

Kinsey는 종교와 혼외관계와의 연관성에 대해 연구하였다. 즉, 신앙심이 신실할 수록 혼외관계의 빈도는 낮았다. 또한 남성, 여성의 혼전관계와 혼외관계 간에 긍정적인 상관관계를 발견했다.

Hunt는 혼외관계의 발생률을 확인하였다. 25세 이하의 기혼 남성의 경우는 비슷한 증가양상을 보였으나 25세 이하의 기혼 여성의 경우는 8%에서 24%라는 극적인 증가를 보였다. 이러한 혼외관계 여성의 증가는 25세 이하 남성의 혼외관계율과 비슷하며, 이것은 현대부부에게 이중기준이 적용되지 않고 있음을 나타내는 것이다.

Tavis와 Sadd는 기혼 여성의 29%가 혼외관계를 경험했다고 하였다. 부부의 결혼기간이 길어지면서 직업의 유무와 상관없이 여성이 혼외관계를 가질 수 있는 기회를 증가시켰다. 특히 가정 밖에서 많은 시간을 보내는 직장 여성은 혼외관계의 가능성이 증가하는 경향이 있다. 30대 후반 여성 중 직장을 가진 여성이 가사 일만 하는 여성의 혼외관계율보다 높다고 하였다. 종교적인 특징이 중요하지 않더라도, 종교에 대한 신앙심은 혼외관계를 금지하는 강력한 요소이다.

Poctroponto는 기혼 남성의 43%가 혼외관계와 관련되어 있으며, 4%만이 부인의 동의가 있거나 부인이 알고 있다고 하였다. 결혼이나 이혼, 독신남을 모두 포함한 연구에서 45%가 혼외관계를 경험한 적이 있다고 하였다.

연구자는 "혼외관계란 특정 남자가 겪는 특별한 경험이라기보다는 차라리 일반적인 삶의 방식이다"라고 결론 내렸다.

남성은 결혼 후 첫 몇년 동안 혼외관계를 맺을 가능성이 있다. 여성은 남성보다 이른 나이에 혼외관계를 할 수 있다. 배우자의 혼외관계를 아는 것은 개인적으로 고통이 될 수 있고 부부간의 불화를 초래할 수 있다.

연구에서 혼외관계는 부부 관계의 취약성을 나타내는 것으로, 건강하지 못하고 부적절한 관계로 신경증적인 행동을 나타낸다고 하였다. Myers는 혼외관계는 화목한 부부 관계 또는 불화가 있는 부부 관계 모두에게 발생하며, 혼외관계의 동기는 당사자가 가장 잘 알며, 최종적인 결과는 예측할 수 없다고 했다. 때로 혼외관계는 생산적인 것이고 보상이 따른다고 한다.

연구자들은 혼외관계의 장점과 단점을 조사하였다. 많은 경우, 대상자의 파트너는 고통과 결혼 파탄의 위험을 참고 견딜 것이다. 결혼생활을 위협하는 이러한 문제를 해결하기 위한 대처방법과 결혼생활의 역동성은 개인의 성장에 영향을 미친다.

Myers에 의하면 성건강 전문가는 더 객관적이어야 한다고 하였다. 왜냐하면 각각의 개인은 자신의 성적 가치관에 일치하는, 그리고 이용할 수 있는 최상의 정보에 기초하여 자신의 문제를 확인하고 결정해야 하는 책임이 있기 때문이다.

여성의 혼외관계는 결혼생활의 불만과 상관이 많으며 남편으로부터 애정결핍을 느끼고 정서적 친밀감을 못느낄 때이다. 남성의 혼외관계는 개인의 성에 대한 가치관이나 태도에 영향을 받는다. 즉 바람과 같은 하룻밤의 풋사랑, 정서적 친밀감, 성관계 중독 등에 의해 야기된다. 혼외관계 피해 당사자는 외도 발견 당시 충격과 부정, 심한 분노, 배신감, 우울감과 불안, 슬픔 등의 감정에 사로잡힌다.

혼외관계를 한 대상자는 초기에는 외도를 부인하나 나중에는 자신의 외도사실을 최소화 하거나 어느 정도만 인정하고 미안감을 표시한다. 그러나 피해 배우자는 초기에 상대방의 감정을 받아드리지 못한다.

혼외관계의 최선의 대책은 예방이다. 부부가 서로 행복한 결혼생활을 즐길 수 있어야 한다(부부의 발달과업 참조).

부부의 발달과업

- 가족 내 부부역할 및 자녀출산과 부모의 역할에 대해 의논하고 공동의 의사결정을 내린다.
- 부부 간의 친밀감을 유지하고 자신의 정체성과 부부로서의 정체성을 조화롭게 확립하기 위한 방법을 모색한다.
- 부부 간의 생활환경이나 습관의 차이를 인정하고 적응하기 위해 노력한다.
- 부부 간의 성역할을 확립하고, 서로의 성생활에 적응하면서 가족계획을 수립한다.
- 부부 간의 의사소통 능력을 발달시킨다.
- 가정의 경제를 관리하기 위해 계획을 수립한다.
- 확장된 가족구성원의 일원으로서 적절한 관계를 형성하고 유지한다.
- 맞벌이 가정의 경우 가정과 직장의 균형을 유지하고 서로의 역할분담을 결정한다.

동거

동거는 이성관계에 있는 두 사람이 함께 살면서 성관계를 가지지만 결혼은 안한 상태를 의미한다. 미국 인구조사 사무국은 결혼하지 않고 함께 사는 남성과 여성의 커플 모두가 성관계를 갖는 것은 아니라고 하였다. Clayton과 Voss는 20~30세 사이의 미혼 남성의 약 18%가 적어도 6개월 동안 여성과 동거한 경험이 있으며, 이들 중 50%는 그 이후에도 동거하고 있다고 하였다. Macklin은 대학생 25%가 몇 주 또는 몇 달 동안 동거를 해보겠다고 하였다. 동거는 시골보다는 도시에서 더 잘 볼수 있다. 종교는 동거를 강하게 금지시킨다.

Macklin은 결혼이란 동거관계를 시작하는 목표가 아니라고 하였다. 대부분의 동거자는 서로에게 정서적 애착감을 느낀다. 그러나 보통 다른 낭만적인 관계는 없다. 또한 이들은 성행위를 약속하지는 않는다. 성적 만족은 동거관계의 주요 요소가 아니다. 다시 말하면, 동거관계는 결혼준비를 위한 것이 아니고, 전체적인 인간관계를 발달시키기 위한 것이다. 많은 동거자는 언젠가 결혼하기를 원하며, 실제로 결혼할 것이라고 말한다. 그러나 대다수의 동거자들은 지금의 성 파트너와는 결혼하지 않을 것이라 하였다.

동거의 장점은 정서적 친밀감과 성적 만족감을 공유할 수 있는 관계로 발전할 수 있다는 것이다. 또한 결혼이라는 법적인 틀이 없기 때문에 자유롭게 마음껏 즐길 수 있다. 동거하다가 맞지 않으면 헤어져도 이혼이라는 오명을 남기지 않는다. 경제적인 이득도 얻을 수 있다.

동거의 단점 중의 하나는 부모의 승인을 받을 수 없기 때문에, 이로 인한 고통이 따를 수 있다. 부모는 동거에 대해 배타적이다. 많은 동거자는 부모에게 자신의 동거에 대해 얘기하지 않는다. 어떤 동거자는 경제적 문제로 생활하는데 어려움을 가질 수 있고 법적인 보호가 없기 때문에 재산권에 대한 문제가 발생되어 동거 관계가 쉽게 끝날 수 있다. 동거관계가 종결되면 심리적인 외상을 자주 경험한다.

최근 동거하는 커플이 점차적으로 증가하고 있고 많은 경우에 구혼과정의 마지막 단계로 이용하지만 동거기간이 길수록 동거관계가 불안정하고 헤어질 가능성이 높다. 우리나라의 경우 여성의 동거는 부정적이며 이 사실이 알려지면 여성의 입지를 불리하게 할 수 있다.

동성애

동성애(사회적, 성적 관계를 함께하는 두 남자 또는 두 여자)란 결혼을 통해 이성애자가 받을 수 있는 법적, 경제적, 사회적 지지와 승인을 받을 수 없는 관계를 의미한다. 우리나라는 아직 동성애 부부가 결혼식을 하려고 해도 결혼 승인을 받을 수 없다. 평생동안 동성애관계를 유지하면서 책임감있는 시민으로서 역할을 한다 할지라도 세금이나 관련법에 의해 보호받지 못한다. 현재도 동성애 파트너와 동성애자를 지지해 줄 가정과 사회는 아직 우리사회에는 존재하지 않는다.

동성애를 5가지 유형으로 분류할 수 있다(표 6-4).

Bell과 Weinberg는 동성애 성향을 갖는 남성 커플과 여성 커플은 동성애적 관계를 유지하는 동안 그들의 행동은 결혼한 이성애 커플과 같은 행동을 한다고 하였다.

- 남성 동성애자

남성 동성애자는 키스와 성행위 시 입술, 혀, 손을 사용하고 유두를 애무하며, 상대방의 음경을 서로 만져주며, 순차적으로 또는 동시적으로 펠라치오를 수행하며 항문 성교를 한다. 동성애 남성이 사용하는 성적 행동의 다양성은 그들의 연령, 동성애에 관여한 기간, 파트너의 적극성, 동성애를 수용하는 정도와 관련된다.

백인 남성 동성애자의 27%가 펠라치오를 경험하며, 약 20%가 펠라치오를 선호한다고 했다. 백인 남성 동성애자의 약 50%와 흑인 남성 동성애자의 66%는 일주일에 적어도 2회 정도 다른 남성과 섹스를 한다고 한다.

종교를 가진 남성 동성애자는 자신이 선천적으로 동성애자로 태어났다고 믿고 있고 가능한 동성간의 성적 행동을 적게 하려고 한다. Bell과 Weinberg는 흑인 남성 동성애자는 자신을 백인 남성 동성애자보다 종교적으로 신앙심이 더 신실하다고 보고하였다. 동성애가 종교적인 신념에 도전을 하는 행위임에도 불구하고, 흑인 남성 동성애자와 백인 남성 동성애자 모두는 자신의 종교적인 감정은 변화가 없다고 하였다.

표 6-4 동성애의 유형

신체부위	생리적 반응 및 변화
폐쇄적 동성애	이들은 성적 그리고 개인상호간의 만족을 위해 서로 밀접하게 연결되어 있다. 이들은 성생활을 행복해 하며 집에서 여가시간을 보내는 것을 즐긴다. 동성애 유형 중에서 가장 자기수용적이고 가장 행복감을 느끼는 유형이다.
개방적 동성애	이 관계에 있는 동성애 남성과 여성은 서로를 덜 구속하나 파트너와의 관계는 덜 행복하다. 다른 사람들과도 사회적·성적 만족을 추구한다. 개인적, 사회적으로 그들의 관계가 공공적으로 노출되는 것을 꺼린다. 이들은 사회적, 심리적으로 폐쇄적인 커플의 동성애자보다 덜 수용적이고, 외로움을 더 느낀다.
기능적 동성애	이 유형의 동성애 남성과 여성은 "자유로운 독신생활"을 하는것 처럼 보인다. 자신의 동성애 생활에 대해 후회하지 않고 '게이' 공동체와 깊은 관계를 형성하는 경향이 있다. 이들은 다양한 성행위에 참여하고, 한 파트너에게 전념하기 보다는 다양한 파트너에게 관심을 가지며, 자신을 성적으로 매력적이라고 생각한다. 폐쇄적인 커플의 동성애자와 비교하면, 이들은 집에서 함께 보내는 시간이 적고, 친구와 자주 어울리나, 더 긴장하며 , 불행하다고 느끼며, 더 고독감을 느낀다.
역기능적 동성애	가장 전형적인 동성애 유형이다. 이들은 자신의 동성애 생활에 대해 후회하고, 만족감을 거의 느끼지 못한다. 많은 성적 문제를 보고하고, 자신을 성적으로 매력적이지 않다고 생각한다. 이들은 성적 부적절감과 애정적인 관계를 유지하는 대해 불안해한다.
무성적 동성애	이 유형은 타인과 관계를 하지 않는다. 이들의 심리적 상태는 일반적인 동성애 집단과 같다. 그러나 연령이 많은 경우, 자신이 외롭다고 표현하며, 고립된 생활을 한다. 이들은 거의 파트너가 없으며, 성행위 횟수가 적고, 성적 관심도 낮고 성적 행동도 다양하지 않으며, 많은 성적 문제가 있다.

- 여성 동성애자

여성 동성애자는 키스와 행위 시 입술과 손을 사용하고 유방과 성기를 자극한다. 그리고 순차적이나 동시적으로 커니링거스와 동성애 여성 간 성교행위(tribadism: 밴대질 : 여성이 외음부를 상대방의 외음부에 비벼 음핵을 자극함으로서 쾌감을 얻는 행위)를 한다. 대부분의 여성 동성애자는 인공 음경이나 진동기를 사용하지 않는다. 여성 동성애자의 50%가 선호하는 성적 행동은 커니링거스다. 다음으로 선호하는 성적 행동은 파트너가 해주는 자위행위나 상호자위행위이다. 흑인 동성애 여성들은 신체를 서로 접촉하는 여성 간 성교를 즐긴다. 흑인 동성애 여성이 보고한 가장 일반적인 동성애 성교 횟수는 일주일에 2회 이상이며 백인 여성은 1회로 보고한다.

TIP

○ 성적 만족감

오르가슴 경험 차원을 넘어 성적표현에 따른 긍정적 및 부정적 요소중에서 보상과 손실 모두를 고려하여 남은 전체적 감정

- 성적 만족감 구성요소.

- 육체적 즐거움(Physical pleasure) : 우리 몸이 느끼는 즐거운 감각
- 오르가슴(Orgasm) : 절정감의 쾌감
- 멋있는 섹스(Good sex) : 내가 원하는 바와 파트너에게 주고 싶은 바를 이루었다는 행복감이 가장 중요한 요소다.

- 현재 성생활에 매우 만족한다(%)

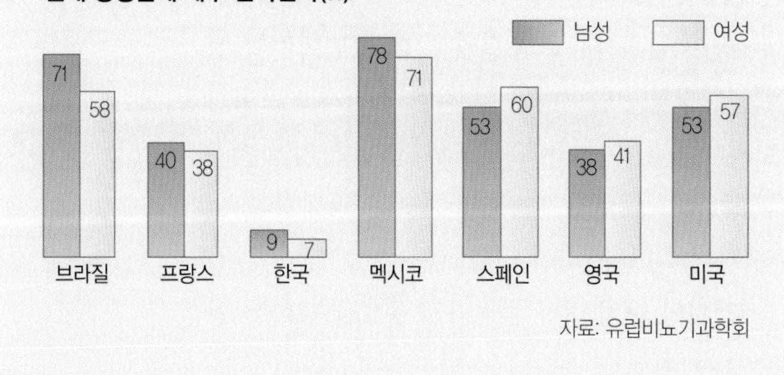

자료: 유럽비뇨기과학회

일반적으로 백인 동성애 여성보다 흑인 동성애 여성이 종교적 성향이 높으며 대부분의 여성 동성애자는 동성애가 자신의 종교에 영향을 미치지 않는다고 말했다. 그러나 어떤 사람은 동성애가 종교적인 감정을 약화시킨다고 하였다.

동성애자의 성행위는 각각의 파트너가 남성(능동성)과 여성(수동성)의 역할을 수행할 것이라는 일반적인 가정을 Bell과 Weinberg(1978)가 연구했는데 이 가정은 지지되지 못했다. 또한 연구결과, 동성애자는 파트너의 오르가슴보다 자신의 오르가슴에 중점을 둔 기술을 선호하였다. 동성애자의 성행동을 무조건 능동적 혹은 수동적일 것이라고 생각하는 것은 정확한 것이 아니다.

2) 성적 만족감과 즐거움

일반적으로 독신생활이나 혼외관계보다 결혼생활에서 더 높은 수준의 성적 만족과 즐거움을 누린다. 행복한 결혼생활은 좋은 성행위와 연관된다. 상호만족을 주는 성행위는 부부의 자아존중감, 친밀감, 그리고 안정성에 기여할 수 있다. 그러나 상호만족을 주는 성행위는 만족스럽지 않은 결혼생활에서도 일어날 수 있고, 좋은 관계라 할지라도 불만족스러운 성행위가 일어날 수 있다. 자아존중감은 두 파트너의 행위가 그들의 요구와 기대 및 가치에 부응할 때 가장 효과적으로 지지되고 향상된다. 불만족스러운 결혼생활에서 만족을 주는 성행위가 일어날 때, "욕망과 사랑은 분리되며, 부부는 분리불안을 회피하기 위한 위안의 수단으로 성행위를 한다."

Frank 등은 교육수준이 높고, 행복한 결혼생활을 하는 100쌍의 백인부부를 연구했다. 이들은 커플의 80%의 이상이 부부 관계와 성 생활이 행복하다고 하였으나 남성에서 40%, 여성의 경우 63%

가 성기능 장애가 있었다고 하였다. 이중 여성의 50%와 남성의 47%는 파트너의 관심 부족을 호소하였다. 성기능 장애는 발기부전이 가장 많이 나타났다.

행복한 결혼생활을 하는 부부의 경우 사랑의 질과 성행위의 질이 일치하지 않을 수도 있다.

성인의 사랑은 감정적 안정, 개인적인 충만감, 안도감, 지지 등의 복잡한 기대를 수반한다. 그 결과 부부는 그들의 관계에 감정과 사회성을 개입시킨다. 이 때문에 결혼생활에서 성적 만족감의 수준은 높은 편이다.

결혼한 부부들이 서로를 즐겁게 하고 상대방이 좋아하는 것이 무엇인지를 알아가면서 상대방의 요구에 민감하고 상호배려를 하겠다고 신뢰를 보여주어야 한다. 행복한 결혼생활을 위해서는 성적 부분을 포함하여 삶의 다양한 측면에서 상호노력해야 한다.

부부간의 성생활에서 성적인 만족을 위해서는 다음과 같은 대책이 필요하다.

부부간의 성생활 전략

- 부부들이 성생활에 과감한 투자를 해야 한다. 부부가 만족한 성생활을 하려면 원만한 관계를 유지해야 하고, 서로 상대방의 욕구와 관심을 충족시켜주려고 노력해야 하며 정서적인 유대나 친밀감이 있어야 한다.
- 성생활의 중요성에 대해서 인식해야 한다. 성적인 욕구의 충족은 인간의 본능이며 삶의 질을 향상시킬 수 있는 요소이다. 부부는 결혼생활에서 부부관계를 소중히 여기며 서로 시간과 에너지를 투자하면서 노력해야 한다.
- 성기능 장애를 인지하고 장애가 있으면 빨리 치료한다. 부부의 성생활에서 불만스럽거나 문제가 있을 경우에는 서로가 대화를 해서 문제를 해결하거나 전문가의 도움을 받아야 한다.

7. 중년기 성적발달 특성

중년기의 중요한 발달과업은 다음세대를 양육하고 교육하며, 생산과 창조를 위해 활동하는 것이다. 성공적인 과업의 성취는 삶의 풍요를 성취하고 문화와 종족의 연속성을 보장받는다.

이 시기에는 성적표현의 빈도, 강도, 의미가 흔히 줄어들고 성적부분에 대한 관심은 가족 및 일에 대한 관심으로 대체된다.

중년의 성적발달과업은 다음과 같다.

첫번째는 결혼생활에서 성생활이 갖는 습관성, 의무감, 피로, 노동에서 이제는 친밀감과 책임, 보살핌의 표현으로 재정의하여야 한다.

두번째는 생물학적 노화과정을 수용해야 한다.

세번째는 자신의 성의 가치와 의미, 이점 등을 재 평가해야 한다. 결혼관계가 장기화되면 의사소통, 친밀감, 공유하는 관심사와 활동 등이 더 중요해진다.

1) 갱년기 여성

폐경은 월경의 정지를 의미한다. 폐경기는 여성의 생식 능력이 종식되는 단계로 월경이 없는 1년까지를 의미한다. 갱년기는 여성이 가임기에서 비가임기로 전환하는 과정에서 일어나는 모든 신체적인 변화를 말한다. 이 기간은 난소 기능의 쇠퇴로 시작해서 월경정지로 종결된다. 삶의 변화라는 용어는 월경정지만이 아닌 삶 자체의 위기를 포함하는 의미이다. 여성의 50%는 45~50세 사이에 폐경을 경험하고, 45세 이전에는 25%, 50세 이후는 25%가 경험한다.

폐경기의 신체 변화에서 가장 중요한 변화는 난소기능부전으로 나타나는 에스트로겐과 프로게스테론 생산의 저하이다. 그러나 질 분비물 검사 결과에서는 폐경 이후의 여성들에서 약 80%가 10년 동안 에스트로겐이 유지되고 있음을 보여주었다고 한다.

많은 여성은 거의 불편함이 없이 이 위기를 통과하지만 약 10%만이 심한 징후를 경험한다. 폐경기의 가장 일반적인 징후는 혈관운동의 불안정, 질의 위축, 불면증, 현기증, 분노, 신경증, 두통, 우울 등이다. 모든 징후 중에서 혈관운동 불안정과 질의 위축 등이 폐경기에 가장 큰 불편감을 준다.

혈관운동 불안정은 열감으로 경험한다. 즉, 가슴 위쪽에서부터 화끈한 감각이 시작되어, 목, 얼굴까지 퍼져 나간다. 이런 뜨거운 열감은 갑자기 발생하며 예측할 수 없으며 그 후 심한 발한과 한기가 뒤따른다. 이런 경험은 15~60초 동안 지속되고 강도 면에서 다양하며, 단독 또는 연속적으로 나타난다. 화끈한 열감은 질병의 징후가 아니다. 폐경기의 정상적인 증상이지만 불편감을 많이 느낀다. 여성은 자신의 열감을 가족과 친구에게 이야기 하는 것이 좋다. 이런 경험을 공유할 때, 더 이상 수치심을 느끼지 않을 것이며 이러한 열감을 자신의 폐경 증상으로 수용할 수 있다.

신체운동, 좋은 영양 섭취는 폐경기의 징후를 완화시킨다. 인삼추출물과 비타민E의 복용은 이러한 불편감을 완화시키는데 도움이 될 수 있다. 일시적인 진정제나 안정제의 사용도 도움이 될 수 있다. Reitz는 "건강한 신체와 마음, 지지체계가 있다면 폐경기는 발달과정의 변화로 순응할 것이다"라고 하였다.

에스트로겐의 분비가 감소되면, 혈관화가 감소되어 질점막의 위축을 초래한다. 질에 분포된 상피조직은 갱년기동안 위축되고, 창백해지고, 건조해진다. 여성의 25~35%가 성교동안 불편함을 경험할 정도로 질벽이 얇아져 있다. 얇아지는 정도가 심하지 않을 때는 KY 젤리같은 무균적이며 수용성인 젤리를 사용함으로써 완화시킬 수 있다. 규칙적으로 자주 성행위를 한다면 질의 습윤상태를 유지할 수 있다. 위축이 심할 때는 에스트로겐을 함유한 질 좌약으로 치료하는 것도 효과적이다.

에스트로겐 대체요법은 혈관운동의 불안정과 질벽의 위축 징후를 경감시킬 수 있다. 그러나 에스트로겐 대체요법의 사용은 도전을 받고 있는데 자궁내막암과 유방암의 위험성을 경고하고 있기 때문이다. 유방의 팽만감, 체중증가, 부종은 에스트로겐 대체요법 시 발생 가능한 부작용이다. 에스트로겐 대체요법을 하고자 계획하는 여성은 잠재적인 위험과 효과를 평가하고, 자신이 결정을 내릴 수 있도록 정보를 제공하여야 한다. 만약 에스트로겐 대체요법을 선택하였다면 투약의 용량은 효과가 나타날 수 있는 가장 작은 단위부터 시작하며 적은 양의 에스트로겐을 프로게스테론과 함께 경구로 복용하는 것이 안전하다.

폐경기 여성은 성행위와 성관계에 관심이 없고, 무능력하고 도덕적으로 부적절하다는 고정관념을 가지고 있다. 이러한 고정관념은 잘못된 것이다. 폐경기 여성이 성행위를 하지 못한다는 근거는 어디에도 없다. 폐경기 여성들은 성행위를 정기적으로 행하거나 빈번한 자극을 하면 절정감 반응에 쉽게 도달할 수 있다. 증가된 성적 욕구가 40~50대 여성에게 발생할 수 있다. 이들은 더욱 적극적으로 풍부한 성 경험을 추구할 것이며 성 행위 빈도도 증가할 것이다. 나이 많은 여성은 성에 대해 풍부한 경험이 있고 불필요한 불안이 없기 때문에 남편의 좋은 파트너로서 역할을 잘 할 수 있다.

자기자신의 변화를 있는 그대로 수용하고 성관계에서 즐거움, 안전감과 친밀감을 느끼는 여성은 폐경기 이후에도 성행위 패턴에서 변화를 거의 경험하지 않는다.

2) 갱년기 남성

남성의 갱년기를 논의할 때, '남성의 위기', '불혹의 시기', '중년의 위기', '중년의 전환기'로 언급된다. 남성의 호르몬은 극적인 변화가 없다. 남성의 갱년기는 정액에 있는 정자 생산의 감소만 따른다. 그리고 완만하고 점진적인 변화는 40~70대 사이에 일어날 수 있다. 일반적으로 보고된 징후는 변덕, 불안, 초조, 근심, 두통, 피로, 우울과 같은 심리적인 변화가 지배적이다. 남성은 신체적으로 불편감을 느끼지 않는다. 사회적인 변화는 자신과의 싸움, 노화에 대한 비합리적인 두려움, 직업의 변화나 승진에 대한 기회 감소, 은퇴에 대한 경제적인 압력, 젊은 사람과의 경쟁에 대한 위협, 성행위 감퇴에 대한 불안 등을 들 수 있다. 이러한 심리적, 사회적 변화에 따른 스트레스가 그들을 낙심하게 한다. 여성과 마찬가지로, 이 시기는 자신에 대한 재조명과 재투자가 필요하며 다양화를 추구해야 하는 시기이다.

신체·심리적 변화로 고환은 크기와 탄력성이 감소한다. 그리고 사정하는 정액의 양도 묽고 감소한다. 전립선은 비대되거나 양성 또는 악성 종양으로 발전할 수 있다. 성 반응은 발기와 절정감 지연, 사정 시 힘의 감소, 절정감 시 수축의 감소, 해소기의 연장 등의 변화가 나타난다.

남성 증후군이 남성 호르몬 감소에 기인한다는 것은 명백하지 않지만 남성 호르몬인 테스토스테론의 대체 약물을 투여했을 때, 어떤 남성은 심리적 징후가 경감되고 성기능의 향상이 나타났다고 하였고, 다른 남성은 별다른 변화가 나타나지 않았다고 한다. 가장 효과적인 성적 치료는 계속적으로 규칙적인 자주 갖는 성행위이다. 성적 능력에 대해 긍정적인 태도를 갖거나 정확한 성 정보가 있는 중년 남성은 더 오랜 시간 동안 성행위를 즐길 수 있고, 만족감을 느끼며 환상적인 전희를 한다고 하였다. 실제로 중년 남성은 사정을 통제할 수 있고 성교시간을 연장할 수 있기 때문에 젊은 남성보다 성행위 시 많은 장점을 갖는다.

8. 성건강 전문가의 역할

성건강 전문가는 성행동에 대한 최신 동향과 변화에 대한 정보와 지식을 가져야 한다. 또한 동성애에 대해서도 세계적 변화에 대한 기본적인 인식이 있어야 한다. 즉 '성적 정상성에 대한 기준의 변화와 개인적 선택을 존중하는 법제화', '성적 관습과 행동에 대한 포용력의 증가' 그리고 '성적 평등에는 금기가 되는 행동이 없다'는 인식을 가져야 한다. 이러한 인식은 대상자가 받는 사회적 압력을 이해할 수 있도록 한다.

성건강 전문가가 인간의 성행위에 대한 광범위한 지식과 이해가 있다면 성 및 성건강에 대한 문화적으로 고착된 통념이나 전형적인 행동을 변화시킬 수 있을 것이다.

성건강 전문가가 인간의 성행위에 대한 심리적, 생리성적 복합성을 이해한다면 자신의 성적 가치관을 사용하지 않을 것이다. 대상자와 상호작용을 할 때 비판단적이고 수용적이며 격려하는 방법을 사용할 수 있다.

성건강 전문가는 대상자를 '나쁜', '좋은', '비정상적', '멋진', '멋지지 않은'과 같은 명명을 해서는 안 된다.

성건강 전문가는 대상자를 자신의 성에 영향을 미치는 심리사회적 그리고 생리적인 변화에 적응하고자 하는 성인으로 인식해야하며 그들의 이야기를 경청해야 한다.

성건강 전문가는 개인과 사회간의 격차를 줄일

수 있도록 대상자를 격려하며 대상자와 그 파트너가 가장 효과적인 해결책을 찾을 수 있도록 도와주어야 한다.

성건강 전문가는 성과 관련된 왜곡된 정보와 잘못된 통념을 최소화하거나 제거하기위해, 교육자의 역할을 해야 한다. 교육자로서 준비된 지침(믿을만한 정보를 제공하고 대상자의 지적요구를 충족시킨다)을 가지고 있을 때 대상자는 다양한 해결책을 찾을 수 있다.

성건강 전문가는 상담자로서, 주의 깊게 경청해야 하며, 상호관계를 촉진할 수 있는 의사소통을 증진해야 한다.

성건강 전문가는 동성애자간에 성관계와 성건강이 중요시 됨에 따라 이들이 신체적, 정서적, 관능적, 성적인 쾌락을 건강하게 취할 수 있도록 격려해야 한다. 같이 샤워를 하거나 신체 마사지와 같은 감각적인 활동에 대한 정보와 성 반응 주기, 성교의 대안적인 자세, 다양한 성적 행동, 정상적이고 건강한 자위행위나 상호자위행위에 대한 믿을만한 정보를 제공한다.

성건강 전문가는 무분별한 성적 접촉으로 유발할 수 있는 에이즈 위협을 피할 수 있도록 한다. 남성 동성연애자는 대부분 항문 성교를 하게되는데 항문주위에는 모세혈관이 많아 항문 성교 시 직장점막에 있는 모세혈관이 손상되어 파열되기 쉬우며 이때 감염자의 정액 내 에이즈 바이러스가 쉽게 침투되어 감염을 유발시킨다.

성건강 전문가는 갱년기에 나타나는 정상적인 과정과 징후에 대해 미리 알고 준비할 수 있도록 한다. 갱년기에 나타나는 '전형적인 증상' 등이 실제로 스트레스가 될 수도 있기 때문에 갱년기가 발달 주기상에 경험하는 정상과정으로 새로운 자유와 충족감을 발견하는 재창조의 시기가 될 수 있도록 준비시켜야 한다.

성건강 전문가는 대상자가 자신의 성을 성인기의 연속적이고 가치있는 부분으로서 인식하고 수용하여 편안감을 느끼도록 한다. 교육자-상담자로서의 성건강 전문가는 대상자가 자신의 성기능, 역할, 관계에 대해 친밀감있게 의사결정을 할 수 있도록 다양한 기회와 유용한 자원을 지원해야 한다.

간호·상담 과정

대상자 김OO. 주호소: "열감(hot flushes)이 괴롭혀요."
간호사 박OO. 여성건강센터의 간호사

사정

주관적 자료

여기에 온 것은 처음이에요. 친구 최OO가 건강클리닉을 방문하기를 권했어요. 지난 6~7개월 동안, 정말 지금까지와는 다른 시기를 보냈어요. 특히 예기치 않게 오는 열감이 나를 괴롭혀요. 친구 최OO는 걱정하지 말라고 했지만, 두렵고 무서워요. 열감은 단지 몇분간 지속되지만 가슴에 열이 오르고, 그것은 파동처럼 온 몸으로 퍼져 나가요. 얼굴은 당황했을 때처럼 빨갛게 되고, 아무 것도 할 수 없다는 느낌이 들어요. 이런 증상은 하루에 2~3번 발생해요. 나는 몸 상태가 좋지 않을 때는 먼저 발이 아프기 시작하거든요. 나는 직장생활을 하고 있어요. 이런 열감은 가끔 남편과 열정적인 사랑을 할 때도 발생해요. 친구가 주의하라고 말했었는데, 이것은 걱정할 만큼 위험한 건가요? 내가 할 수 있는 일은 무엇인가요?

객관적 자료

- 연령: 52세
- 직업: 5년 동안 제과점에서 빵굽는 제빵사. 34년 동안의 결혼생활. 두 자녀가 있음(모두 결혼하여 분가함). 두 명의 손자가 있음
- 남편: 배관공
- 골반검사: 폐경기의 특징인 분홍색의 얇은 질벽이 나타남
- 경관도말검사 실시
- 폐경과 관련된 월경 주기의 변화
- 피임법으로 다이아프램 사용
- 열감
- 혈관운동의 불안정
- 성적 만족감 표현

간호진단

폐경으로 오는 혈관운동 불안정과 관련된 정보의 부족

계획

- 대상자의 주호소를 주의깊게 경청하고 솔직한 감정을 표현하도록 격려한다.
- 표현된 느낌에 대한 적절한 피드백을 제공한다.
- 폐경기에 관련된 정상적인 신체적, 심리적인 변화에 대해 설명한다.
- 골반검사의 결과는 정상적이고 폐경기의 특징이라고 설명한다.
- 폐경기의 생리성적 변화가 성기능을 방해하지 않는다고 설명한다.
- 질벽이 위축되는 잠재적인 문제에 대해 유용한 중재를 설명한다.
- 자궁경관도말검사의 결과는 다음에 논의할 수 있다고 설명한다.
- 혈관운동의 불안정(열감)은 정상적이고, 폐경기의 변화로서 무해하다고 설명한다.
- 혈관운동의 불안정에 대한 실제적 사정을 지지한다.
- 열감의 발생 시 기록을 하도록 격려한다.
- 혈관운동의 불안정이 악화될 수 있는 스트레스 상황을 피하도록 조언한다.
- 가족, 친구, 직장 동료와 함께 열감에 대해 논의하도록 격려한다.
- 영양과 규칙적인 운동을 하도록 격려한다.
- 건강습관은 긍정적인 자아태도와 신체적인 안녕의 유지에 기여한다고 설명한다.
- 폐경기 동안 혈관운동 불안정을 정상으로 또는 건강한 자아부분으로 수용하도록 격려한다.
- 혈관운동 불안정이 악화되거나 장기화된 사례에 대해 이용할 수 있는 치료를 설명한다.
- 효과적인 상담에 대한 유용성을 교육한다.

수행

- 친구나 서점으로부터 폐경과 관련된 유용한 책을 구입한다.
- 남편과 함께 갱년기에 대한 정보를 함께 논의 한다.
- 식사 후나 식사 사이에 스낵 같은 간식의 양을 줄인다.
- 덥거나 차가운 환경을 피한다.
- 열감에 대해 일기를 쓰고 대처방법을 선택한다.
- 직장 동료와 열감에 대해 이야기한다.
- 부채사용, 더울 때 벗을 수 있는 의복을 착용하고, 뜨거운 커피, 차 등을 피한다.
- 비타민 E를 복용한다.
- 운동프로그램을 선택한다.

평가

- 직업환경은 열감의 가능성을 증가시켰다.
- 열감에 대해 얘기하는 것이 도움이 되었다.
- 당황한 느낌이 감소되었다.
- 1.5kg 체중이 감소되었다.
- TV 프로그램에서 하는 운동을 즐긴다.

memo

No.

NAME
NOM

*
SEXUAL HEALTH CARE

노년기 | 성건강

Sexual Health in Senility

가치 명료화 **훈련**

성은 젊고, 강하고 아름다움을 위한 행위로 사회화되어 있다. 성은 나이가 많고, 약하고, 아름답지 않은 노년기의 노인을 위한 것이 아니라는 것이다.

다음의 훈련은 노년기의 성과 성행위에 대한 당신의 생각, 감정, 태도를 명료화하도록 도와줄 것이다.

각 상황에서 상담자가 취해야 할 적절한 태도를 적어보자. 당신은 질문에 대답을 적을 때, 상담자에게 필요한 행동과 연관된 감정을 먼저 생각해 보면서, 그 후 당신의 반응을 적어보자.

소집단에서 당신의 생각과 느낌을 공유해 보자. 집단 구성원과 개인간의 차이가 있는 것에 대해 공통적인 것과 개인적인 요소에 대해 논의해 보자. 집단의 모든 구성원은 논의 후에 자신의 관점을 수정할 수 있었는가? 집단에서 표현된 태도와 감정은 상담에 어떻게 영향을 미쳤는가?

- 간호사 박OO는 32세로, 한 가정의 부인이며 자녀를 둔 어머니이다. 그녀는 300병상을 갖고 있는 병원에서 92세의 남자 명예교수를 간호하고 있다. 이 교수는 2년 전에 부인을 사별하고, 지금 혼자 있다. 교수는 자주 부인에 대해, 또한 부인을 얼마나 그리워하는지를 이야기 한다. 그는 간호사에게 가까이 올 것을 말하며, 자신의 손을 잡아 달라고 하며, 때로 안아달라고 요청한다. 이때 간호사는__________해야 한다.

- 김OO는 대도시의 지역사회 간호사이다. 그녀가 최OO씨의 아파트에 방문했을 때, 현관문이 열려 있는 것을 발견했다. 노크해도 아무런 반응이 없어서 집안으로 들어갔다. 그녀는 최OO씨 부부의 침실에서 사랑을 나누는 감미로운 소리를 들을 수 있었다. 부부는 간호사가 방문한 것을 알지 못했다. 이때 간호사는__________해야 한다.

- 이OO는 노인요양원 야간 근무 간호사이다. 밤 11시쯤 회진을 하고 있을 때, 간호사는 박OO씨와 최OO씨가 같이 침대에 누어 있고 침상 난간을 올리고 잔다는 것을 주목했다. 이때 간호사는__________해야 한다.

- 김OO는 보건소 정신건강센터에서 상담을 하고 있는 상담사이다. 보건소로 가는 도중에 그녀는 박숙희씨를 만났다. 박숙희씨는 68세로 만성 알콜 중독자이고, 집단 상담을 하는 구성원 중의 한 명이다. 이 부인은 오늘 모임에 참여할 수 없다고 했다. 부인은 매력적인 30대 남성치료 전문가와 오후에 약속이 있어서 미용실에 가야하기 때문이라고 설명한다. 이때 간호사는 ______________해야 한다.

- 20세의 간호학생인 이OO가 69세인 남자 최OO씨를 목욕시켰다. 이때 최씨의 음경이 발기를 했다. 간호학생은___________해야 한다.

- 26세의 간호학생인 박OO는 자궁경부암 세포진 검사를 하는 27세의 김OO씨를 도와주고 있다. 성건강력을 작성하는 동안 대상자는 다음과 같이 말했다. "나의 어머니는 70세로 5년 동안 미망인으로 있어요. 어머니는 어머니의 남자 친구와 그의 농장으로 이사하기를 원해요. 내 여동생은 좋은 일이라고 하시만, 나는 그렇게 생각하지 않아요. 당신은 어떻게 생각하세요?" 이때 간호학생은______________해야 한다.

행동 **목표**

이 장을 끝마친 후

- 노년기 성적발달 과업을 설명할 수 있다.
- 노인의 성에 대한 통념을 비판할 수 있다.
- 노년기 남성과 여성의 성 반응 주기에 대해 설명할 수 있다.
- 노년의 성생활 특성을 설명할 수 있다.
- 노년의 건강문제와 성을 설명할 수 있다.
- 노년의 성건강증진을 설명할 수 있다.

1. 노인의 성적발달과업

우리나라 65세 노인인구는 약 521만 5천명으로 전체 인구의 10.7%로 계속 증가하고 있다(2009). 이들 중 대부분은 15년 이상 수명이 연장될 것이다.

노인은 이른 아침 혼자 있는 것이 무척 외로운 시기이다. 노년기는 나를 접촉해 주고, 나를 지지해 주고, 나에게 이야기 해 주고, 나를 사랑하는 누군가를 갈망하는 때이다.

노년기에 있는 노인 자신이나 사회전체의 관심은 단지 질병없이 오래 사는 것만이 아니라 노후생활의 질을 높이는데 두고 있다. 오래 사는 것보다 건강하고 멋있게 사는 방법이 무엇인지를 찾고 있다.

노후생활에서 반드시 고려되어야 할 부분이 성건강에 대한 요구이다.

노인이 성취해야 할 성적발달과업은 다음과 같다.

- 노화에 따른 생물학적 변화와 성적 활동의 감소에 대처한다.
- 배우자 상실과 관련된 성적 상호작용의 변화에 대처한다.
- 노화에 대한 고정관념에 대해 대처한다.

최근 노년기 성에 대한 관심이 증가하면서 노화방지나 노인 병 치료를 위한 노인의학에서 성의학이 통합되어야 함을 강조하는 전환점에 있다. 그러나 아직도 우리사회는 노인의 성과 관련된 문제들을 전통적인 가치관에 의해 은폐하고 사회의 무관심 속에서 소홀히 다루고 있는 실정이다.

노인이 되면 건강, 희망, 친구, 돈, 성욕 등 많은 것을 잃게 되지만 그래도 성생활이 노년기 삶에 있다면 노년의 삶의 질은 놀랍게 향상이 될 것이다.

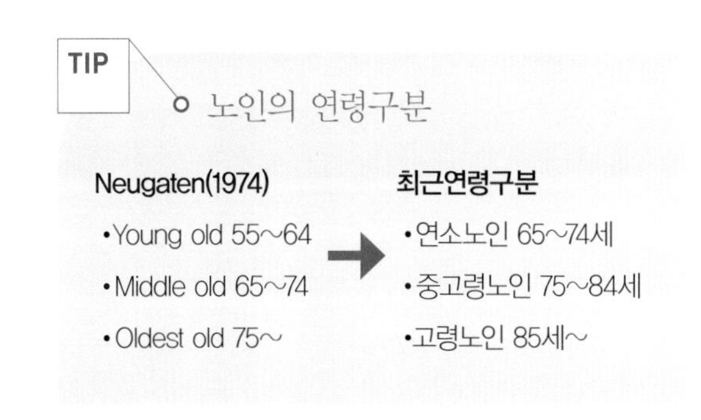

노인들은 친구를 사귀고 싶어하고 또 노후의 고독과 외로움으로부터 벗어나 활기찬 노후를 보내기 위한 방법으로 이성교제도 원하고 있다.

"멋있는(예쁜) 이성을 보면 여전히 성적으로 흥분하는가?라는 질문에 남자 노인의 84%, 여자노인의 14%가 그렇다고 대답한다." 배우자 없이 혼자 살고 있는 65세 이상의 노인들 중 72%가 성적 욕구 때문에 이성교제가 필요하다고 한다.

노년기의 성생활이란 단지 성관계만이 전부가 아니다. 노인은 손잡기, 포옹, 입맞춤 등의 친밀한 관계의 표현방법을 통한 피부 접촉과 교감으로 자식이나 형제, 동성 친구가 대신할 수 없는 친밀감과 같은 따뜻한 인간애를 얻을 수 있다.

성이 과거에는 생식기능, 종족보존의 수단이었는데 오늘날은 쾌락을 추구하는 오락적 기능의 친밀감이나 자기위안 또는 자기정체감을 확인하는 기능으로 바뀌고 있다. 노년기의 성 활동은 서로의 삶에 대한 자신감을 주며 연대감을 부여하고 자기유용감을 얻게 하는 등의 정신적 만족감을 얻는데 기여하기 때문에 고독감 해소와 삶에 대한 보람을 높여주는 윤활제 역할을 한다.

건강한 성행위는 자신과 다른 사람의 능력을 증진시키며 친밀감과 삶의 풍요로움을 가져다준다. 인간의 성적 욕구는 대뇌의 기억, 연상, 정서, 경험 등이 관여하므로 노인들의 성적 활동 또한 노화에 따른 기능의 쇠퇴보다 오히려 사회문화적 통

표 7-1 노인의 성 가치

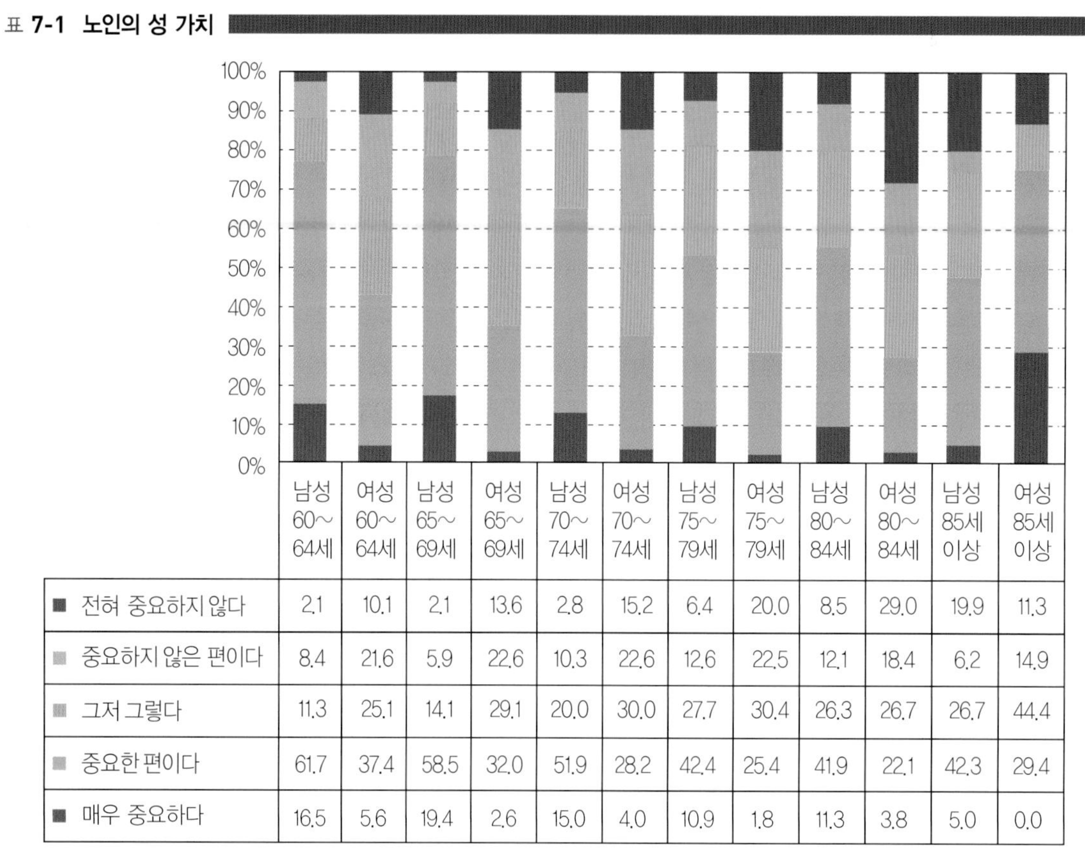

	남성 60~64세	여성 60~64세	남성 65~69세	여성 65~69세	남성 70~74세	여성 70~74세	남성 75~79세	여성 75~79세	남성 80~84세	여성 80~84세	남성 85세 이상	여성 85세 이상
■ 전혀 중요하지 않다	2.1	10.1	2.1	13.6	2.8	15.2	6.4	20.0	8.5	29.0	19.9	11.3
■ 중요하지 않은 편이다	8.4	21.6	5.9	22.6	10.3	22.6	12.6	22.5	12.1	18.4	6.2	14.9
■ 그저 그렇다	11.3	25.1	14.1	29.1	20.0	30.0	27.7	30.4	26.3	26.7	26.7	44.4
■ 중요한 편이다	61.7	37.4	58.5	32.0	51.9	28.2	42.4	25.4	41.9	22.1	42.3	29.4
■ 매우 중요하다	16.5	5.6	19.4	2.6	15.0	4.0	10.9	1.8	11.3	3.8	5.0	0.0

• 남성의 50~80%가 '중요한 편이다' 여성의 25~45%가 '중요한 편이다'
• 성에 대해 부정적인 인식을 보인 노인은 현재 성생활을 하지 않음(김윤정, 2003)

념, 주변인의 태도, 자신의 건강상태 등에 의해 더 많은 영향을 받는다.

노년의 성은 삶의 질을 높이는 결정적 요소이므로 노후생활의 건강과 행복한 삶을 위해서 성건강 전문가는 노인의 성건강 영역에서 다양한 역할을 하여야 한다. 성과 관련된 대상자의 관심사는 대개 성병, 임신, 복용약물, 성에 미치는 영향, 성기능 장애뿐만 아니라 자신의 생식기나 성감대에 대한 정보, 자신의 성생활이 정상인지 아닌지에 대한 우려, 배우자와의 성적 관계 개선까지도 요구한다.

노년기 성에 대한 통념과 편견

인간의 모든 발달 단계처럼 노년기에 나타나는 노화와 은퇴도 위험과 기회를 동시에 갖는다. 오랫동안 노인의 성은 웃음거리로 취급되었으며 노인은 무성적 존재로 노인이 성에 대한 관심을 보이기만 해도 주책스럽거나 점잖치 못한 노인으로 치부해 왔다. 이러한 노인의 성에 대한 사회문화적 편견으로 인해 노인의 자유로운 삶을 구속하고 이성과의 만남을 억제한다. 노인의 성에 대한 고정관념과 편견은 노화과정에 있는 노년기를 긍정적으로 보지 않는다.

가장 일반적인 고정관념은 노년기에는 성행위가 없다는 것이다. 젊음과 아름다움에 가치를 두는 우리 사회는 "노년(추한 것)은 뒷방과 독신생활로 퇴보하는 것이고 또한 성행위도 젊음(아름다운 것)을 위한 것이기 때문에 노인은 성에 대해서 초

노인의 성에 대한 편견

- 노화의 정도는 나이로 결정한다.
- 노인들은 성생활에 관심이 없거나 성생활을 즐길 능력이 없다.
- 노년의 남성은 아동을 유린하고 성적 일탈행위를 한다.
- 노인들은 성적 매력이 없다.
- 노인들은 임질, 매독, 에이즈 같은 성병의 위험에 노출되어 있지 않다.
- 여성 노인은 남성 노인에 비해 섹스에 관심이 낮다.
- 여성 노인은 자위행위를 하지 않으며 자위행위는 젊은이와 성인의 미성숙한 성행동이다.
- 노인의 성은 과거의 기억과 회상이지 삶에 어떠한 역할도 하지 못한다.
- 노년기의 성적 표현은 금기시된다.
- 노인은 성에 몰입하기에는 너무 늙고 약하다.
- 노인의 성행위는 호색적인 행동이다.
- 노인의 성은 쇠퇴하거나 이미 끝난 것이다.
- 노인은 성건강 전문가와 성에 대해 이야기하는 것을 꺼린다.

월해야 성숙한 상태에 도달한다고 생각하는 고정관념이 있다."

노인은 스스로 사랑하기를 원하나, 성행위를 할 수 없으며, 노인들은 성행위를 더 이상 중요하지 않다고 생각하는 통념도 있다. 우리사회는 노인이 성행위에 관심을 갖는 것은 순리에 역행하는 비정상적인 것으로 간주한다.

남성이나 여성 노인 모두는 노년기의 성을 억압하는 신화를 경험한다. 즉, 노인은 본질적으로 무기력하고, 폐경기 후기와 노화과정에 있기 때문에 능동적인 성생활의 종말이라고 생각한다.

이런 통념은 인간의 성기능이 생식에만 있다는 깊은 고정관념과 성을 오직 재생산(생식)과 연결하는 종교적인 전통에 있다고 볼 수 있다.

사회의 다른 일반적인 통념에서 노년의 남성은 아동을 유린하고 성적 일탈행위를 한다는 것이다. 이것은 노년기의 성을 부인하는 전형적인 생각과 노인의 성에 대한 표현은 심리적인 일탈로 간주하는 것과 관련된다. 우리사회는 25세 남성이 정력이 가장 왕성한 것으로 보고있고, 65세 남성은 호색적 경향이 있는 것으로 간주한다.

노화에 대한 개인적 반응은 다양하다. 노년기 남성의 성적 능력은 주로 신체적 요소에 의해 좌우된다. 이와는 대조적으로 노년기 여성은 신체적 능력과 반응이 저하되지는 않지만 대부분 문화적 요소에 의해 성적표현이 제한된다.

우리사회는 노년기에 직면한 개인을 성적으로 준비시키지 못한다. 그러나 노인 역시 성관계의 중요성을 알며 성적 파트너가 있다. 또한 활발한 성행위를 한다.

2. 노화와 성

인간은 태아기부터 성적인 존재로 출발하며, 성장을 통해 여전히 성적인 존재로 발달한다. 성장함에 따라 신체적인 변화가 일어나며 이러한 변화는 점진적으로 느리게 발생하며 극적이지 않다. 변화는 점진적이기 때문에 신체는 변화에 적응하는 기회를 갖는다.

노화에 대한 개인적인 반응은 아주 다양하다. 개인은 일정한 규칙에 의해 노화과정을 경험하지는 않는다. 인간의 발달 주기별 마지막 단계에 있는 노화과정은 더욱 다양하고 개별적이다. 노년기 남성의 성적 기능은 문화적 요소보다는 주로 신체적 요소에 의해 좌우된다. 노년기 여성은 신체적 기능과 성적 반응이 약화되지 않기 때문에 대부분 문화적 요소에 의해 영향을 받으며 성적 표현 등이 제한된다. 또한 여성 노인에게 관심을 갖는 성적 파트너도 별로 없다.

TIP

노인의 성생활

노인의 성에 대한 사회적 문제

- 연령차별주의
  - 성과 사랑에 대한 나이제한, 무성적 존재
  - 성적 활동에 대한 관심은 비정상적
  - 재혼 권장은 안된다.
  - 남성 노인의 젊은 여성상대는 가능하나 여성 노인은 안된다.
  - 성생활에 대한 건강 유해론
- 역할상실 : 부부 중심으로 환경변화, 성적갈등, 이혼, 배우자상실, 상대가 없다, 여성 노인의 경제력저하, 성매춘, 성폭력의 위험
- 문화적편견
  - 농경사회 : 성은 생식을 위해 있다.
  - 유교사회 : 여성은 종족보존도구
- 시설입소 : 개인공간부족, 직원들의 편견과 태도, 남녀분리 입소, 성적표현 거부
- 노인문화 부재
  - 갈 곳이 없다(식당, 찻집, 영화관)
  - 놀이가 없다(상담, 친교)
  - 성병 : 임질, 매독, 에이즈, 헤르페스

성생활에 대한 노인의 인식 및 기대 **N=325명, 평균나이=71세**

항목	남	여	전체
비록 몸은 늙었어도 마음은 항상 간절하다	79.6	24.8	42.2
나이가 들어서도 성적 능력을 유지하기 위해서는 성생활을 자주해야 한다.	76.7	31.6	45.8
노인이 되어서도 성생활에 대해 누군가에게 터놓고 상의하는 것이 현명하다.	71.8	41	50.8
성생활은 나를 살아있다고 느끼게 해 주는 것이다.	70.9	24.8	39.4
노인이 되어서도 성에 대한 관심은 줄어들지 않는다.	70.8	28	41.6
노인이 되어서도 성생활에 만족하지 못하면 마음의 평화를 얻기가 어렵다.	69	31.5	43.4
배우자가 없더라도 성생활은 하고 싶다.	56.3	9	24
성생활을 못하면 살맛도 없고 의욕도 없다.	47.6	7.3	20
성기구나 정력제를 구할 수 있다면 한 번 사용해 보고 싶다.	40.7	5.5	16.6
성생활은 젊었을 때나 필요한 것이지 늙은 후에는 필요 없다.	22.3	40.5	34.8

윤옥종, 2008

노인도 사랑에 빠질 때는 똑같다.

- 행복감 99%
- 주의집중 어려움 37%
- 구름에 떠있는 느낌 29%
- 달리고 소리치고 싶음 22%
- 상기되고 안절부절 함 22%
- 속이 울렁거림 20%
- 기분 들뜸 20%
- 불면증 12% 등이 나타난다.

노인이 신체적 질병이 없는데도 노년기 커플이 경험하는 성기능 저하는 노화에 대한 정보와 이해 부족으로 발생한다.

우리사회는 노년기에 직면한 노인을 제대로 준비시키지 못하고 있다. 많은 노인이 성기능의 점진적인 쇠퇴에 놀란다. 노인은 성기능 장애를 노화에 따른 신체적 변화라고 생각한다. 각각의 파트너는 상대방의 성기능의 변화(지연된 발기, 감소된 질의 윤활 작용)를 자신의 남성으로서 또는 여성으로서 갖는 감소된 매력과 반응으로 일어난다고 생각한다. 노년기의 남녀는 성학적 지식과 건강관리에 대한 정보 부족 그리고 비현실적인 기대 때문에 성적 어려움을 경험함으로 성건강전문가는 노인 대상자들을 도와줄 수 있다.

1) 노년기 여성의 성

■ 성 반응주기와 변화

노년기 여성은 신체 외형의 변화가 나타나기 시작한다. 유방은 처지고, 복부는 더 주름이 잡힌다. 얼굴과 목덜미에 주름과 거무스름한 얼룩점이 나타날 수도 있다. 노화과정의 여성은 남성보다 생식능력에서 더 큰 변화를 경험한다. 여성은 더 이상 임신을 할 수가 없으며 여성 호르몬의 변화를 경험한다. 월경이 멈추는 폐경기는 생식능력의 쇠퇴로 노년기로 변화하는 신체적인 과도기이다. 폐경은 대부분 48~51세에 발생하지만, 폐경의 시기와 패턴은 개인차가 크다.

폐경 이후가 되면 난소는 뇌하수체 생식샘자극호르몬에 대한 민감도가 떨어져서 에스트로겐 분비가 감소된다. 폐경이 일어나도 몇 년 동안은 배란이 될 수 있으나 점차 배란기능도 쇠퇴한다. 그래서 시상하부는 황체형성 호르몬과 난포자극호르몬의 생산을 자극하는 성선자극호르몬방출 호르몬을 더 많이 분비함으로써 감소된 에스트로겐 분비를 상승시키고자 한다. 그러나 난소는 이러한 강력한 자극을 받는데도 더 많은 에스트로겐을 생산할 수가 없다. 호르몬의 균형 상태를 이루기 위해서 높은 수준의 성선자극호르몬을 분비하지만 난소는 생식기 때보다 에스트로겐과 프로게스테론을 더 적게 분비한다.

폐경기 이후의 여성의 약 40%는 이러한 호르몬의 변화로 불편한 증상을 경험하며 이들 중 약 10~15%의 여성은 치료가 필요하다. 대부분의 여성은 혈관운동의 불안정으로 열감과 피부·성기·유방의 위축을 경험한다. 그리고 불안정감에서 우울 등에 이르기까지 다양한 심리적 폐경기 징후를 경험한다. 이런 징후는 호르몬 불균형으로 오며 특히 에스트로겐의 결핍에 의한다. 폐경기 여성을 위한 사회적 지지 프로그램은 폐경기 증상을 완화할 수 있으며 도움을 받을 수 있다.

폐경 후, 만성적 에스트로겐 결핍에 대한 신체적인 증상은 여러 형태로 나타날 수 있다. 즉, 질의 길이와 폭이 감소하고, 질벽은 위축되며, 밝은 분홍색으로 변한다. 질의 점액량이 감소하여 건조해서 마찰이 커진다. 또한, 바르톨린샘에서 분비하는 분비물의 감소를 보인다. 이러한 변화는 질 감염의 위험을 증가시키고, 성교통을 유발한다. 이것은 에스트로겐 크림과 에스트로겐과 프로게스테론의 균형적인 투여로 완화할 수 있다.

성교동안 전혀 불편함을 경험하지 않았던 여성도 질의 화끈거림, 골반통, 그리고 이유를 알 수 없는 신체 하부의 불편감을 느낄 수 있다. 또한, 배뇨 시 작열감과 자극증상을 경험하며, 비뇨기 감염이 증가한다고 보고한다. 질구의 크기가 위축되고, 질벽의 탄력성 소실이 나타난다. 이것은 정상적인 노화과정의 일부분인 조직 탄력성의 감소와 유사하다. 폐경 후 성적으로 수동적인 여성은 특히 질구의 이런 변화 때문에 고통을 받는다.

노화가 진행됨에 따라 에스트로겐 저하로 유방의 변화가 초래된다. 유방조직이 실제적으로 감소하고 탄력성이 저하된다.

노인 여성의 건강상태가 좋다면, 연령의 증가가 성적 관심이나 절정감의 능력을 변화시키지는 않는다. 51~78세인 폐경 후기에 있는 노인 여성 34명을 Masters와 Johnson이 연구하였는데 이들은 높은 성적 기능을 유지하고 있다고 보고했다. 그러나 가임기에 있는 여성과 비교했을때, 성적 반응의 패턴은 차이를 보였다(표 7-2). 젊은 여성이 성적으로 흥분했을 때 유방크기가 증가했는데 폐경기 후기의 여성에서는 감소되거나 나타나지 않았

표 7-2 연령에 따른 성 반응 주기의 변화

	젊은 여성	노년기 여성		젊은 남성	노년기 남성
유방	유두발기, 유방크기 증가, 유륜 충혈, 절정감 전 열감	유두발기, 반응의 강도 쇠퇴	유방 긴장성	유두발기, 근육긴장 증가, 불수의적 근육긴장	유두발기 쇠퇴 반응쇠퇴
성적 열감	피부의 혈관울혈, 긴장성 반응	쇠퇴	직장	절정감 시 직장괄약근 수축	빈도 저하
근육의 탄력도	근육의 긴장증가	반응의 쇠퇴	음낭	음낭주름의 양상이 성적긴장이 있을 때 위로 상승한다.	반응의 쇠퇴
비뇨기계	성절정감시 외요도구의 팽만	높은 절정감 시 요도구 열림	고환	• 흥분 후기나 고조기 초기 때 고환은 상승: 크기의 증가 • 해소기: 고환하강	빠른 하강
직장	성절정감시 직장괄약근 수축	저하	사정	두단계의 세분화된 과정, 전립선 수축, 정액사정과 사출 압력인식	단일단계의 정액사출, 전립선 수축이 임상적으로 명백하지 않음. 정자의 수 감소
음핵	높은 수준의 반응성	같음			
대음순	성적 긴장 증가 시 편평, 분리, 상승됨	반응의 쇠퇴			
소음순	절정감 직전 혈관충혈, 두꺼워짐, 진홍색에서 자주색으로 변화	색깔의 변화와 두꺼워짐이 사라짐			
바르톨린스선	고조기때 소량의 점액분비	반응쇠퇴			
질	• 질벽의 주름증가와 두꺼워짐, 빨간 자주빛으로 변함. 자극 후 10~30초에 질윤활액 나타남 • 절정감 부위: 고조기 시 질입구 부종, 절정감때 질 수축 5–6회, 해소기때 질팽창 부위는 늦게 회복	질벽 조직은 종이처럼 얇고 주름이 적고 분홍빛, 질은 짧고 팽창력 저하, 윤활물질은 1~3분 이상 늦게 분비, 울혈은 감소되지만 수축반응은 지속	음경	발기 능력은 자극 후 3~5초 내에 발생: 완전발기는 초기 반응, 사정통제 능력 다양, 성 반응 주기에서 거의 발기되나 횟수가 많은 경우 완전발기가 간혹 상실되기도 함. 음경 색깔의 변화, 강한 사정: 절정기간 사출적 수축, 회복기 다양	50번 이상 자극 후 2~3번 발기: 절정기 전까지는 완전 발기 안됨, 사정하지 않으면 오래 발기 유지, 발기가 부분적으로 상실됐을 때, 완전발기의 회복은 어려움. 음경색깔 변화 없음. 사정력의 저하: 관능적 경험의 감소, 절정감 후에 나타나는 해소기의 지연
자궁	흥분기와 고조기 시 자궁상승, 절정감 때만 자궁 수축	반응이 늦게 나타남. 자궁상승은 현저하지 않음			

으며 열감과 일반적인 근육긴장도 감소되었고 성 자극 동안 질의 확장 정도나 윤할작용도 감소되었다. 이런 변화는 특히 폐경기 이후에 성행위가 규칙적이지 않을 때 흔히 나타난다. Masters와 Johnson은 또한 노년기의 여성은 고통스러운 자궁수축이 나타남을 보고했다. 그러나 이런 징후는 성교를 규칙적으로 하지 않은(한 달에 일회 이하) 사례에서 더 자주 발생하는 경향이 있다. 정규적이고 빈번한 성행위는 노년기 성행위 시 나타나는 불편한 문제를 해소해 주며 높은 성적 능력을 유지하게 한다.

성행위와 성적적응

노인 여성은 노인 남성에 비해 거의 성적 행위와 반응에서 불편한 변화를 경험하지 않는다. 단지 성적 관심과 성적 기능면에서 경미한 변화가 나타난다. 대부분의 노년기 여성은, 적절히 자극만 된다면, 성 반응 주기의 4단계(흥분기, 고조기, 절정기, 해소기)를 모두 반응할 수 있다(표 7-3). 외음과 질부분의 윤할작용이 나타나는데는 시간이 필

표 7-3 노년기 성 반응에 따른 신체적 변화

성 반응 주기	노년기 여성	노년기 남성
흥분기	• 윤활액의 감소 또는 지연(적절한 양이 되려면 1~3분이 필요) • 대음순이 분리되고 납작해지는 현상 감소 • 대음순이 높아지는 것이 없음 • 대음순의 혈액울혈 감소 • 질의 탄력적 팽창감소(깊이와 넓이) • 유방이 확대되지 않음 • 성기홍조 없음	• 발기의 속도와 정도가 느려짐(그러나 사정없이 오래 유지될 수 있음) • 실패하면 재발기의 어려움이 증가 • 음낭 울혈 감소 • 고환의 상승과 울혈 감소
고조기	• 두드러진 자궁 상승 또는 긴장이 느려짐 • 근육 긴장의 감소 • 혈액울혈 능력 감소 • 유두 증대 감소 • 음순 색 변화가 나타나지 않음 • 종창이나 오르가슴 플랫폼 감소 • 성기홍조 감소 • 바톨린 선 분비물의 감소	• 근육 긴장 감소 • 유두 발기와 성기홍조 감소 • 음경의 색깔 변화가 없음 • 음경 발기 양상이 느려짐 • 발기 및 고환 상승의 감소 또는 지연
절정기	• 오르가슴성 수축의 빈도가 거의 없고 강도도 약함 • 강한 긴장에만 직장 괄약근 수축	• 사정 전에 쿠퍼선에 의해 분비(윤활)활동이 없거나 감소 • 음경 수축이 거의 없음 • 정액양 감소와 사출의 강도 감소(거의 50%, 사정이 길다면 정액삼출이 일어남)
해소기	• 유두 발기의 감소가 눈에 띄게 느려짐 • 음핵의 혈액 울혈과 오르가슴 플랫폼이 빨리 가라앉음	• 유두와 음낭의 혈액울혈이 느리게 가라앉음 • 사정후 발기감소와 고환 축소가 매우 빠르게 일어남 • 불응기가 길어짐(다음 발기까지 수시간에서 24시간까지 걸릴 수 있음)

Data compiled form Miller CA: Nursing care of older adults, Glenview, Ill, 1990, Scott Foresman/Little Brown, Higher Education; Shippee-Rice R: Sexuality and aging. In Fogel C, Lauver D, editors: Sexual health promotion, Philadelphia, 1990, WB Saunders; Saxon SV, Etten MJ: Physical changes and aging, ed 3, New York, 1994, The Tiresias Press, Inc.

TIP

여성 노인의 성 표현

긍정적 표현	부정적 표현
• 외로운 마음이 없어지고 살 의욕이 생기더라구요.	• 나이먹어서 꼭 신체 접촉을 해야 하나
• 나를 포옹도 하고 그러면 좋지요. 나는 그런 것을 원하는 사람인데…	• 그러면 내가 조금 이상한 여자같고 그런 기분이 들어서
• 신체적인 접촉이 없었으면 좀 소원해 질 수도 있겠죠.	• 나이 먹어서 왜 그런 것을 밝히나
• 근데 그게 멀어지면 조금 멀어져요.	• 뭘 그렇게 그런 것을 즐기려고 하나
• 이 나이에 나를 받아주니까 새로운 마음도 들고 막 좋지요.	• 다들 열이면 아홉은 안 좋게 보더라고요.
• 자유롭게 되더라고요. 자신도 생기고.	• 얼마나 추하게 보일까
• 젊었을 때 모르던 것을 자꾸 하고싶은 게 생기더라니까요.	• 흉으로 알고 큰 변으로 알았는데
• 첫째 그게 있어야 진실한 사랑이 돼요.	• 부끄러워서, 챙피해서
• 근데, 내가 참기를 어떻게 참았는가 싶은 마음이 들어요.	• 내 눈에는 안 좋게 보이더라구요.
• 그러면 내 자신도 즐겁고, 또 늙는 것도 좀 덜 늙을 것 같아요.	• 애들보기 미안하고 죄 아닌 죄를 짓는 것 같고
• 그것을 하고 싶다는 의욕은 있어요.	• 하나님이 원치 않을 수 있다.
• 누구한테도 웃을 수 있고, 가슴이 콩닥콩닥 뛰고	• 주위사람들이 나를 보면 어떻게 생각할까 그런 생각이 앞서서
• 가슴이 탁 막히고 숨을 못 쉴 것 같고	• 늘 남자가 리드해야지 하고
• 잃어버렸던 감정이 다시 돌아오는 것 같은…	

요하다. 그러나 음핵의 반응은 특별한 차이를 나타내지 않는다. 유두와 유방은 여전히 자극에 반응한다(표 7-2). "음핵자극과 함께, 수축은 자궁저부에서 시작하여 질부위 쪽으로 이동한다. 음핵자극은 젊은 여성이나 노년기 여성에서 똑같이 절정감을 경험하는 중요한 부분이며 성적 기능이다."

흥분기 첫단계동안, 노년기 여성에게 나타나는 성적 열감은 강도나 정도 면에서 감소한다. 혈관의 근섬유가 자율적 자극에 반응하지 못하기 때문이다.

고조단계는 더 오랫동안 지속될 수 있다. "절정감은 역시 만족감을 준다. 비정기적으로 또는 드문 횟수로 성교를 하는 노년기 여성은 절정감 동안 수축의 질과 빈도에 차이를 나타낸다. 심지어 통증의 원인이 되기도 한다". 불응단계 또는 해소단계는 더 많은 시간이 필요하다. "자극에 반응하는데도 더 많은 시간이 걸리고 만족과 쾌락의 순간은 짧지만, 오르가슴에 도달할 수 있으며 만족감을 느낀다." Sviland는 노년기 여성의 약 15%가 연령 증가와 함께 성적 능력이 향상되었다고 하였다.

Kinsey 등의 연구에서, 대부분의 여성은 연령이 증가함에 따라 성행위를 금하거나, 반대로 성행위에 대해 더 큰 관심을 갖는 것을 확인했다. 임신의 가능성이 없기 때문에 많은 여성은 폐경 이후에 성적 해방감을 느낀다. Kinsey는 폐경기 이후에 나타나는 성적 욕구 및 관심의 대부분은 폐경기 이전의 생식시기에 형성된 성적 습관과 직접 관련이 있다고 하였다.

결혼생활에서, 여성이 성교를 지속적으로 하거나 성행위를 추구하는 이유는 대부분 절정감에 도달하고자 하는데 있다. Pfeiffer와 Davis도 젊은 시절 동안 성관계에서 경험했던 쾌감과 만족감은 여성이 그 이후의 삶에서 성교의 빈도와 성적 관심의 정도를 결정하도록 하는 중요한 요인이 된다고 하였다.

Christenson과 Gagnon는 50~70세 연령 집단에서 결혼생활을 하는 여성과 미망인 여성 241명과의 면담한 자료를 분석했다. 60세 연령에서 기혼 여성의 70%, 미망인 12%가 성교를 한다고 하였다. 성교 횟수는 대부분 남편의 성적 요구에 달려 있었다. 또한 여성의 자위행위 빈도에 대해서도 수집하였다. 자위행위 빈도는 미망인에게서 더 높았다.

Cristenson과 Gagnon은 연하의 남편을 가진 여성이 연상의 남편을 가진 여성보다 더 성교의 빈도가 높다는 것을 발견했다. 그러나 여성이 성적 절정감에 도달하는 능력은 남편이 아내와 같은 연령일 때 더 높은 경향이 있다.

또한 Christenson과 Johnson은 미혼 여성을 연구했는데 71명의 독신, 백인, 전문직 여성으로 이루어진 이 집단은 그들의 성행위(자위행위, 성교)가 55세부터 감소하였다고 했다. 현대에 들어서서 노인 여성의 자위행위 횟수는 증가하고 있다.

노년기 여성의 성적 금욕은 생물학적 요인보다는 사회적, 심리적인 요소에 의해 더 많은 영향을 받는다. 노년기 여성은 사회적으로 승인을 받을 수 있는 성행위이거나 성적으로 유능한 파트너일 때 성행위를 시도 할 수 있다. 일반적으로, 여성은 남성보다 평균 7년 정도 더 오래 산다. 보통 여성은 자신보다 약 3~4세 정도 연상의 남성과 결혼한다. 그러므로 여성은 평균적으로 11년 정도를 미망인으로 보낼 수 있다. 이런 통계로 추론해 볼 때, Pfeiffer와 Davis는 노년기 여성의 성적 관심의 쇠퇴는 신체적 요소라기보다는 자신을 방어 또는 보호하기 위한 적응과제임을 확인하였다. 즉 노인 여성은 성행위를 할 수 있는 기회가 없기 때문에 상대적으로 성적 노력을 하지 않는다.

2) 노년기 남성의 성

■ 성적 변화

남성의 경우, 노인이라 할지라도 임신시킬 능력을 가지고 있다. 정액의 양은 연령과 함께 감소한다. 50세부터, 정자의 수도 감소하고, 정자의 생존시간도 감소하기 시작한다. 그러나 정자의 생산은 90세 이상까지도 유지된다. 노년기의 남성은 테스토스테론의 점진적인 감소가 있지만, 이 남성 호르몬은 여성에게 나타나는 여성 호르몬의 감소수준 만큼은 아니다.

"50세 이후부터 글로블린결합 성적 스테로이드의 증가로 순환하고 있는 테스토스테론의 양이 감소하는 경향이 있다. 또한 뇌하수체에서 분비되는 성선자극호르몬은 40대 이후부터 점진적으로 증가하는 패턴을 보인다."

Kolodny와 동료에 따르면, 60세 이상 남성은 소위, 남성의 갱년기라고 불려지는 증후군을 경험한다고 하였다. 이것은 무기력, 체중 감소, 식욕부진, 발기 능력의 변화와 위축된 성적 에너지, 집중력 저하, 허약, 피로, 적개심 등과 같은 다양한 징후를 나타낸다. 남성에게서 이 범주 중 적어도 4개 항목이 나타나면 갱년기 증후군이라 할 수 있다. 이 증후군은 보통 증상이 명확하게 나타나지 않으므로, 우울이나 기타 질병으로 악화될 수 있다. 만일 남성에게서 갱년기 증상이 확인이 되면 혈장의 테스토스테론 대체요법으로 치료할 수 있다. 이 치료를 통해 갱년기 증후군이 2개월 이내에 완화된다면 성공적이지만 만약 의미있는 향상이 보이지 않으면, 보다 상세한 의학적인 건강력과 신체검사가 행해져야 한다.

Masters와 Johnson은 직접적인 실험실 관찰을 통해, 노년기 남성은 성인기 남성에 비해 성 반응

생리에 변화가 있음을 확인했다(표 7-3). 일반적으로, 노년기의 남성은 발기를 하기 위해 더 많은 시간이 필요하고 직접적인 성기 자극이 필요하다. 보통 60세 이상에 있는 남성의 발기시 음경의 탄력성은 노화 정도와 함께 감소하는 경향이 있다.

사정의 강도 또한 연령과 함께 감소한다. 이것은 부분적으로 사정양의 감소, 전립선의 크기 증가, 성기부분의 신경분포 변화 등에 기인한다. 고환은 더 늘어지고, 정자를 저장하고 운반하는 고환세관들은 개구부의 직경이 좁아지도록 세포들의 층들이 많이 배열되어 있다. 발기를 한 노년기 남성은 절정감 전까지 발기를 더 오래 유지할 수 있으며, 사정을 더 지연시킬 수 있다.

60세 이상의 남성은 성교에서 사정없이도 성적 흥분을 느낄 수 있고 만족감을 느낄 수 있다. 남성이 생리적으로 다시 사정할 수 없는, 즉 사정 후에 나타나는 불응기는 연령과 함께 증가하는 경향이 있다. 음낭의 혈관충혈은 감소되며, 성적 열감도 감소된다. 50세 중반 이후, 고환의 상승은 흥분기와 고조기에 저하된다. 노년기 여성처럼 해소기는 높은 절정감 이후에 급격히 하강한다. 노년기 남성에서 음경의 사출적 수축력은 강도와 지속시간에서 감소한다(Gress, 1978). 일반적으로 음경의 겉모습은 변화하지 않는다. 그러나 여성과 마찬가지로 남성도 모든 근육의 탄력성은 운동을 많이 하더라도 일반적으로 감소한다.

성행동과 성적적응

성적 흥분에서, 노년기 남성은 젊은 남성보다 더 느린 속도로 흥분하므로, 노년기 남성은 천천히 서두르지 않는 방법으로 성적 전희에 참여해야 한다. 일단 삽입이 일어나면, 노년기 남성은, 젊은 남성을 괴롭히는 사정에 대한 촉구감이 덜하기 때문에, 상당히 오랜 시간동안 성교를 할 수 있다. 성행위 지속시간의 연장은 파트너에게 성적 만족의 기회를 더 많이 제공할 수 있기 때문에, 노년기 남성은 성행위를 더욱더 잘 할 수 있는 중요한 열쇠를 가지게 된다. 더욱이, 노년기 남성은 성욕에 대한 자제력도 있고, 많은 성 경험으로, 성적 행동에서 유연하게 시간을 조절할 수도 있고 성적 환상을 사용할 수도 있다.

노화와 함께, 성관계 빈도는 감소한다. 특히, 이것은 50세 이후의 남성에게 명백하게 나타난다. 더욱더 60, 70대로 갈 수록 성관계 빈도는 더욱더 감소한다. 또한 발기의 횟수도 감소한다. 남성의 성기능은 18세에서 절정을 이루며, 그 이후 점진적인 쇠퇴를 보인다. Kinsey, Pomeroy, Martin은 남성의 성적 표출의 기회는 연령과 함께 쇠퇴한다고 하였다.

성기능 장애는 모든 연령에서 나타난다. 심리적 요인은 기질적 요인을 지배한다. 발기 능력의 변화는 노화의 특징도 아니고, 연령증가만의 결과도 아니다. 남성의 성기능 장애의 발생률은 50세 이후부터 뚜렷하게 증가한다. Masters와 Johnson은 50세 이후의 남성에게 발기 능력을 회복하기 위해 훈련을 시도하였다. 이전에 기능상에 문제가 없었던 남성의 약 5% 정도가 발기부전을 보이는데 이것은 비가역적인 신체적인 문제이다. 노인 남성에

노년기 남성의 성 반응의 저하 요소

- 반복적으로 나타나는 성관계의 단조로움과 지루함
- 직업, 경제적인 일에 전념
- 육체적, 정신적 피로감
- 음식이나 약물에 지나친 탐닉(특히, 알콜)
- 자신이나 파트너의 신체적, 정신적 질환
- 불만족스런 성행위에 대한 불안

TIP

노인의 성생활 실태

노인의 성생활 실태

신수진, 2009

- 노인의 49.9%가 월 1회 이상 성관계
- 유배우자 노인의 32.8%가 성생활 유지
- 혼자된 노인의 43.2%가 성생활 유지, 78.5%가 두 달에 1회 이상
- 노년의 성생활 56%가 필요하다고 인식
- 대부분이 실제로 자신의 경험보다 더 많은 성행위를 원하고 있고, 그러지 못하는 가장 주요 장애 요인으로 상대가 없는 것을 지적(Gisberg, Pomerantz, Kramer-Feeldy, 2005)
- 성 지식과 성 태도 점수가 높을수록 성행위를 많이 함. 성행위를 하는 그룹이 스트레스 점수와 일상활동장애 점수가 낮아 삶의 질과 관련이 있음(Wang, Lu, Chan, & Yu, 2008)
- 시설장의 성에 대한 태도는 시설종사자의 성에 대한 태도와 노인의 성에 대한 태도에 직접적인 영향을 미친다.

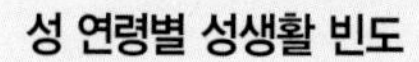
성 연령별 성생활 빈도

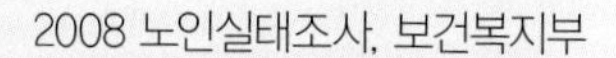
2008 노인실태조사, 보건복지부

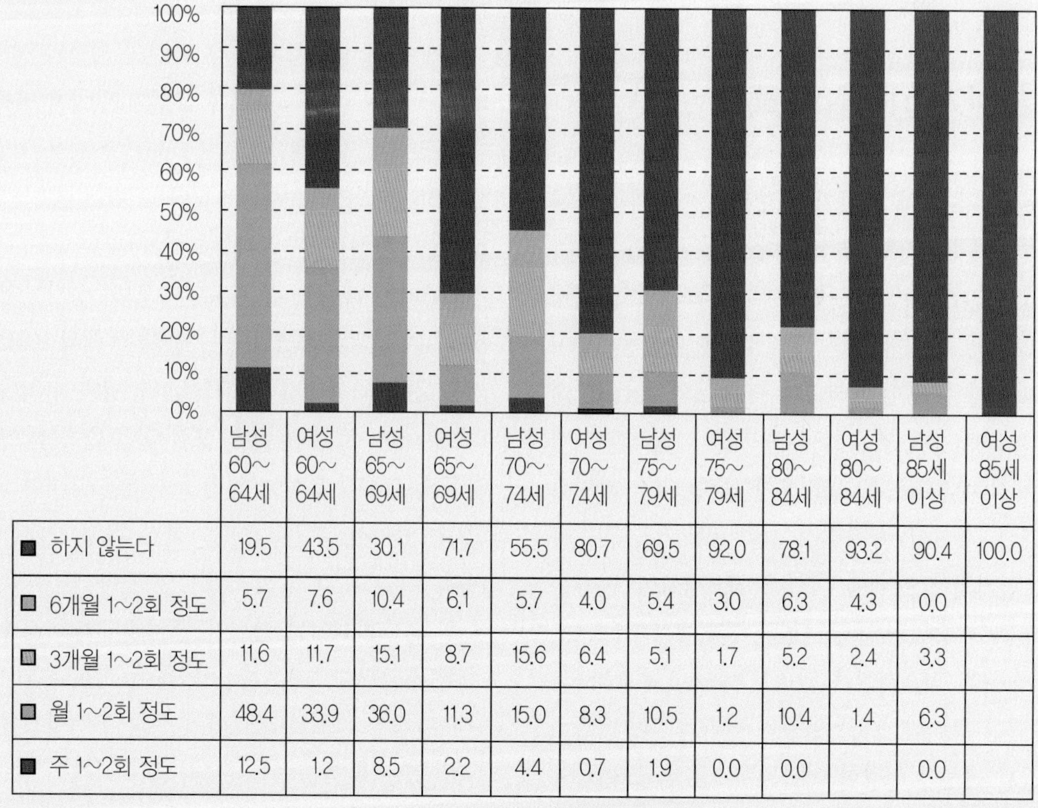

	남성 60~64세	여성 60~64세	남성 65~69세	여성 65~69세	남성 70~74세	여성 70~74세	남성 75~79세	여성 75~79세	남성 80~84세	여성 80~84세	남성 85세 이상	여성 85세 이상
■ 하지 않는다	19.5	43.5	30.1	71.7	55.5	80.7	69.5	92.0	78.1	93.2	90.4	100.0
■ 6개월 1~2회 정도	5.7	7.6	10.4	6.1	5.7	4.0	5.4	3.0	6.3	4.3	0.0	
■ 3개월 1~2회 정도	11.6	11.7	15.1	8.7	15.6	6.4	5.1	1.7	5.2	2.4	3.3	
■ 월 1~2회 정도	48.4	33.9	36.0	11.3	15.0	8.3	10.5	1.2	10.4	1.4	6.3	
■ 주 1~2회 정도	12.5	1.2	8.5	2.2	4.4	0.7	1.9	0.0	0.0		0.0	

- 응답노인의 50.3%가 성생활
- 남성 > 여성

게 나타나는 발기부전을 노화에 따른 기질적 원인으로 돌리는데, 실제는 성행위에 대한 수행 불안, 흥미 결여, 부적절한 파트너 등의 심리적, 환경적인 변화 때문이다.

일생동안 성행위를 규칙적으로 지속적으로 하였다면 노화로 인한 많은 성행동의 문제를 예방할

수 있다. 그러므로 노년기 남성이 적절한 파트너가 없을 때는 정기적인 자위행위가 도움이 될 수 있다.

Pfeiffer와 Davis는 연구에서 젊은 시절의 성행위의 빈도와 능력은 그 이후 연령에 그대로 영향을 미친다고 하였다. 노년기 남성이 건강한 성생활을 유지하기 위해서는 젊었을 때부터 능동적인 성적 표현을 규칙적으로 하며 파트너와 편안함, 친밀감, 배려가 깃든 조화로운 성행위를 지속적으로 해야 한다.

3. 노년기 성생활의 특성

Kinsey의 보고에 의하면, 성행위는 연령의 증가에 따라 계속되더라도, 성적 흥미와 행위는 10대 중반부터 점진적인 속도로 감소한다고 하였다. 그럼에도 불구하고, 60세 이상에서 5명의 남성 중 4명이 성교를 할 수 있다고 하였다. Pfeiffer와 Davis는 젊은 시절에 경험한 높은 수준의 성적 쾌락과 성행위는 그 이후에도 그대로 유지한다는 것을 확인하였다.

노년기의 성행위에 대한 3가지 중요한 연구는 Kinsey와 동료의 연구, Duke 센터에서 Pfeiffer, Verwoerdt, Wang 연구, 그리고 Masters와 Johnson의 연구 등이다. 모든 연구의 결과는 일반적으로 건강한 남성과 건강한 여성은 70, 80세 그 이상에서도 신체적으로 만족한 성생활을 할 수 있다는 것을 지적하였다. 성행위의 빈도가 감퇴된다 하더라도 성적 흥미와 욕구는 그대로 유지한다.

De Beauvoir는 노년기 남성이 남성답게 느끼기를 원할 때 가장 필요한 것은 남자로서 인정해 주고 대우해 주는 것이라고 하였다. 발달 주기 초기부터 개인의 정체감은 성 정체감과 밀접하게 연관된다. 성기능이 감소하면 신체상(자신에 대해 느끼는 방식)이 영향을 받는다. 우리가 살면서 남성답거나 여성스러운 감각을 유지하는 것은 매우 중요하다. 인간은 상호접촉하기를 원하고, 포옹하고, 어루만지면서 성장한다. 그리고 상대방에게 애정을 표현하는 방법으로 포옹이나 키스 등을 학습한다. 인간이 발달 주기별로 연령이 증가함에 따라 위와 같은 성적 행동을 표현하지 못하면 고립감과 외로움을 느낀다. 성과 연관된 상대방의 따뜻한 신체 접촉이나 포옹에 반응하지 못할 정도로 나이가 많은 사람은 없다.

성에 대한 노인의 반응은 자신의 지각과 심리적 태도에 의해 주로 결정된다. 노년기의 성적 만족감은 파트너의 성적 능력보다는 자신이 성을 어떻게 생각하는지와 더 연관이 깊다. 노년기 개인의 성적 가치, 관심, 능력은 매우 다양하다.

노년기는 다음과 같은 요인에 의해 성기능이 손상될 수 있다고 하였다. 즉, "성적 무관심, 성적 지겨움, 신체적 불편감, 문화적 금기, 방치에 의한 약화" 등이다. 젊은 시절에 성적 활동을 통해 만족감을 경험하지 못한 개인은 노년기를 오히려 금욕할 수 있어서, 혹은 변명을 하기 위해 기대할 것이다.

- 성적 무관심이란 성적인 관심을 표현하지 않는 것을 말한다. 대부분 노인들은 파트너의 성적 무관심을 자신과 파트너의 성적 부적합성에 두고 있는데 사실 이것은 자신의 성기능 장애에 대한 불안을 무관심으로 표현하는 것이다.
- 성적 지겨움이란 성행위의 다양성(장소, 시간, 성교체위, 상호적인 자위행위 등)의 부족으로 오는 단조로움의 증가를 의미한다. 모든 개인은 성적 관계에서 낭만적인 분위기와 전희의 가치를 망각하는 경향이 있다. 똑같은 파트너는 단

조롭고 지겨움의 한 요인이 될 수 있다. Runciman은 새로운 파트너와의 관계에서 남성은 발기가 더 빨리 일어난다고 하였다. 그러나 남성은 새로운 파트너와 성행위를 계속하게 되면, 결국은 익숙해져서 다시 이전의 성기능 수준으로 되돌아 갈 것이다. 때문에 이러한 이유를 근거로 해서 활발한 성행위를 할 수 있는 새파트너나 혼외관계를 제안할 수는 없다."

- 성행위의 빈도와 규칙성은 성적 능력을 유지시킬 뿐만 아니라 신체적 불편감을 완화시킨다. 또한 자위행위는 질의 윤활작용을 유지하도록 도와줄 수는 있지만, 여성의 위축된 질입구의 크기를 조절하거나 또는 남성의 발기 능력을 유지시키는데는 부적절하다. 노인의 신체적 불편감은 성기능을 직접적으로 또는 간접적으로 방해할 수 있다. 대부분의 노인은 기력이 부족하여 피로, 호흡기 질환 등의 만성적인 질병에 쉽게 노출 될 수 있다. 그러나 노인의 성행위는 노인의 건강에 긍정적으로 영향을 미친다. 일반적으로 절정감을 느낄 때나 사정을 할 때에 심박동수, 혈압, 호흡이 증가된다. 그러나 이러한 증상은 성행위 이후에는 빠르게 소진된다. 평균 성행위 시 최대 심박동수는 120회/분 정도로 10~15초 동안 증가하지만 심장순환과 혈액순환을 촉진하며 이것은 성행위 후에 숙면을 유도하며 안정감을 느끼게 한다. 성행위는 부신선에서 분비되는 콜티손을 증가시킴으로 관절염을 호전시킨다는 연구도 있다.
- 노년기의 성행위는 정상적인 행위이며 건강을 증진시키고 자부심을 높이기 때문에 문화적으로 금기시해서는 안된다. 더욱더 성행위의 심리적 가치는 노인에게 자아상을 강화시키기 때문에 더 중요하다.
- 방치에 의한 약화는 노인의 성기능을 손상시킨다. Horgan은 "어느 연령층에서나, 성행위를 무시하거나 소홀히 여기거나 방치하면 성기능을 약화시킨다고 하면서 노년기에는 가장 심각하다."고 하였다. 노년기의 친밀한 관계는 노인에게 더욱 중요하다. 노년기에 독신생활을 하는 노인보다, 결혼생활을 하는 노인이 더 낮은 사망률을 보여준다.

노인의 성생활은 성교를 통한 쾌락 외에도 만지고 안아주고, 소통하는 것이다. 성행위를 통해 자신이 남성 또는 여성이라는 존재감을 재확인 하면서 상호 공유할 수 있는 즐거움, 친밀감과 행복감을 얻을 수 있다는데 두고 있다.

노년기의 성절정감은 성행위 시 경험하는 성적 쾌락이지만 성행위때마다 항상 필요한 것은 아니다. 남성의 경우 성적 반응이 떨어지고, 여성의 경우 육체적인 것보다 사회적인 것에 좀더 관심을 보이기 때문이다. 여성이 여성으로서 매력을 잃는 것에 좀더 신경을 많이쓰고, 반면에 남성은 자신의 성적 능력을 걱정한다. 남성은 그들의 성적 반응이 느려지는 것이 노화의 정상과정이다.

TIP

나이가 들어서도 성생활이 좋은 점

- 노화, 치매, 건망증 예방에 효과적이다.
- 남성은 발기부전이 예방된다.
- 피부미용에 좋고 젊어 보인다.
- 전립선 염증을 막는 효과가 있다.
- 근육의 긴장을 풀어줘 통증이 완화된다.
- 여성은 골다공증이 예방된다.
- 주기적사정은 전립선을 보호한다.
- 사랑의 감정은 우울증 치료에 효과적이다.

보건복지가족부, 인구보건복지협회

성기능 장애를 초래할 수 있는 약

- 항우울제는 성욕과 발기 능력 감퇴, 사정을 지연시킨다.
- 항히스타민제는 성선에 대한 부교감신경의 작용을 억제한다.
- 항경련제인 항콜린성 약물은 성선에 대한 부교감신경의 작용을 억제한다.
- 이뇨제는 장기 사용할 때 발기부전을 초래한다.
- 진정제, 최면제를 규칙적으로 사용할 경우 성욕과 발기 능력을 감퇴시킨다.
- 항고혈압제는 성욕, 발기부전, 사정 능력을 감퇴시킨다.

4. 노년기의 건강문제와 성

1) 질병과 투약

노인은 만성질환과 저항력 약화때문에 약물 사용의 빈도가 젊은 층에 비해 더 높다. 질병과 투약은 노인의 정상적인 성기능을 방해할 수 있다. 흔히 사용하는 약물 중에서 성기능에 영향을 미치는 약은 다음과 같다.

이외에도 많은 약물이 성기능에 장애를 초래할 수 있다. 그러나 질병 자체로 오는 것인지 약물인지는 정확히 구분하기는 어렵다.

2) 관절염

관절염에서 나타나는 통증, 피로, 관절강직과 활동제한이 성 활동을 방해하지만 성교의 즐거움을 박탈하는 것은 아니다. 오히려 성 활동은 관절염 치료효과를 부분적으로 향상시키고 코티졸, 아드레날린 등 자연적인 통증완화 물질의 분비를 자극하기 때문에 도움이 될 수 있다. 또한 성행위는 정신적, 신체적 긴장을 감소시키는 즐거운 운동이다. 이들 대상자에게 교육을 할 때는 편안한 체위를 발견하도록 하고, 가장 통증이 감소된 시간에 성행위를 하도록 하는 것이 필요하다.

3) 당뇨병

당뇨병 환자는 성욕과 성적 관심에는 변화가 없지만 약 50%에서 발기부전을 일으킨다. 신경병변과 혈관성 장애가 합병되기 때문에 발기부전의 빈도가 정상인보다 2~5배 높고 나이가 많을수록 증가한다. 당뇨병 환자에게서 흔히 볼 수 있는 동맥경화증은 생식기 혈관계의 기능을 감퇴시켜 노인 남성의 발기부전을 초래한다. 일단 당뇨가 적절히 조절되면 증상이 사라질 수 있다. 당뇨병성 신경병변에 의한 발기부전은 치료가 어렵다. 성기 보조물을 사용하기 위해서는 비뇨기과 의사와 상담이 필요하다. 이러한 도구의 사용은 염증을 초래할 수 있고 일단 발생되면 상처 회복이 지연되기 때문에 문제가 될 수 있다.

당뇨가 있는 노인 여성에서는 질의 탄력성 저하와 질 분비물 저하, 오르가슴의 지체 등이 나타날

TIP

노인부부의 성생활 실태

- 남편이 아내에 비해 성생활 만족감이 높은 것은 남성중심적 사회에서 사랑받는 아내, 요조숙녀, 순결관 등에 의해 노인 여성이 강하게 억압을 받기 때문임.
- 성적 즐거움을 추구하기보다는 남편의 성적인 즐거움에 봉사하는 것이 미덕으로 간주되어 남편에 비해 성생활 만족감이 낮음
- 60대 이후의 노인이 4~50대에 비해 부부간 성생활에 대한 만족도가 높고 부담감이 가장 낮은 것으로 나타남.
- 제한된 미래를 갖는 노인들은 정서적으로 풍부한 상호관계를 선호하고 최고의 친밀한 관계인 부부 관계를 선호함
- 노인부부는 애정의 표현방식이나 교류방식이 있고 신체적 쇠퇴에 적응하는 애정표현방식이 있음.

수 있다. 그러나 성기능에는 별 문제가 되지 않는다. 또한 캔디다성 외음·질 감염이 잘 발생하며 이러한 경우 즉시 치료하도록 한다.

4) 자궁절제술

자궁절제술 후 3~4개월 동안 하복부 통증을 느낄 수 있으며 정상적인 성 활동을 하는데에 불편감을 경험할 수 있다. 윤활작용과 감각기능의 감퇴가 외음부나 질에서 일어날 수 있다. 난소가 절제된 경우에는 성 욕구가 상실될 수 있다.

에스트로겐 대체요법은 논란의 여지가 있지만 얼굴 화끈거림, 질 위축, 골다공증 등 불편감을 야기하는 폐경기 증상이나 성기능저하 등에 도움이 될 수 있으며 여성의 삶의 질을 호전시킬 수 있다.

5) 전립선 질환

전립선비대증의 경우 비대가 심한 경우 요정체가 있으나 수술을 하는 경우를 제외하고는 성기능에 일반적으로 영향을 미치지 않는다. 전립선암인 경우 말기 이전에는 직접적으로 성기능에 영향을 미치지 않는다. 그러나 내과적, 외과적 치료 과정에서 역사정을 초래할 수 있고 생리적 혹은 심리적 요인에 기인하는 발기부전과 요실금을 초래할 수 있다.

TIP

노인환자 퇴원 시 성행위에 대한 관심

- 퇴원 후 언제부터 섹스가 가능한가?
- 내 병에 성생활을 해도 되는가?
- 우리 영감이 약 먹는 환자인데 섹스요청을 받아줘도 되는지?
- 건강에 나쁜 것은 아닌지?
- 섹스가 건강과 무슨 관련이 있는지?
- 전혀 성욕이 없는데 문제인지?

6) 심장 질환

심장 질환이 있는 사람은 흔히 정보 부족과 두려움 때문에 성 활동을 억제한다. 심근경색증 후 성교는 상흔 조직이 회복되고 심실 부정맥이나 동맥류가 없으면 시작할 수 있다. 성교에 필요한 에너지를 평가하는 한 가지 방법은 대상자에게 두 계단을 빠르게 오르게 한 후에 이 운동이 심폐 기능에 미치는 영향을 평가하는 것이다. 의사의 처방에 따른 운동 프로그램은 성 활동 시 소모되는 산소요구량을 보다 감소시킬 수 있기 때문에 성생활의 질을 높일 수 있다. 성 활동 이전 몇 시간 동안은 많은 음식을 섭취하지 않는 것이 좋다. 성 행위 직전에 이완을 위해 처방된 약물을 복용하는 것은 도움이 된다.

7) 뇌졸중

뇌졸중 환자는 성 활동에서 결정적인 변화가 나타나지는 않지만 때때로 발기장애가 나타나거나 성 행위의 빈도가 감소될 수 있다. 뇌졸증 환자는 신체기능의 변화, 신체내구력의 감퇴와 피로, 운동과 감각장애, 시각장애, 의사소통장애, 인지장애가 있다. 이러한 문제를 가진 뇌졸증 환자에게 신체적 불편감을 경감시키고 성 활동 시에 적절한 체위를 선택하거나 베개를 이용하는 방법 등을 교육한다.

8) 만성 폐쇄성 폐질환

만성 폐쇄성 폐질환은 성 활동에 직접적인 장애를 초래하는 것은 아니나 기침, 호흡장애, 활동장애가 있을 때에는 지장을 받는다. 투약은 발기장애를 초래할 수 있다. 에너지가 축적되어 신체 활력이 좋을 때 성 활동을 계획하도록 한다. 성 활동 시에는 적절한 체위를 가르쳐 준다. 투약의 효과가 가장 좋은 시간을 택하여 성 활동을 계획하는 것이 좋으며 필요에 의해 성 활동을 하는 동안과

TIP

노인의 성 문제

노인의 성교육 및 상담의 필요성

- 노인인구의 급증과 삶의 질에 대한 관심증대
- 노인의 성에 대한 편견과 성범죄율, 성 관련 질환 증가
- 노인의 성교육, 상담체제의 미흡(생식건강에 초점이 맞춰져 있음).
- 새로운 성교육 및 상담체제 구축(오락 및 관계중심적)

→

- 노인의 성에 대한 올바른 지식 및 정보제공
- 노인의 성 문제 및 고충에 대한 상담 제공
- 가족 및 사회구성원의 인식전환
- 노인의 건강한 성문화 구축
- 전문교육 및 상담인력 양성

노인의 성 매개감염병 예방교육

- 노인의 성생활 활발함
- 최근 노인의 성 전파성 질환 증가: 1999년에 비해 2배 이상 증가(
- 수치감 때문에 치료시기 지연됨
- 안전한 성생활(콘돔 등 예방기구를 사용)을 교육

노인 성매개 감염병

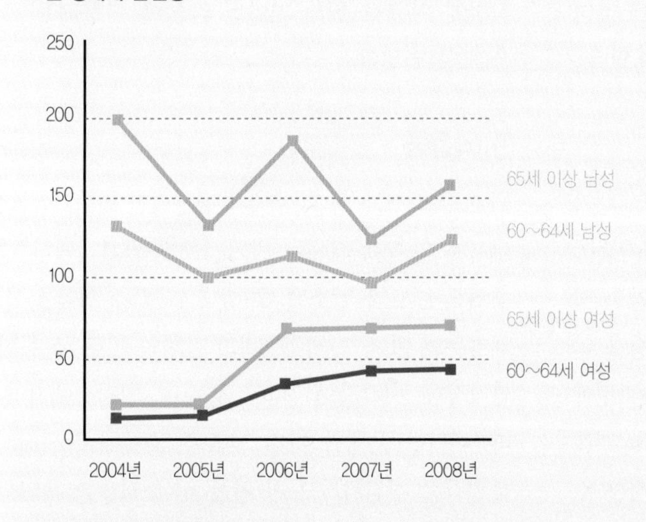

노인의 요도염(클라미디아와 임균)

단위: 명

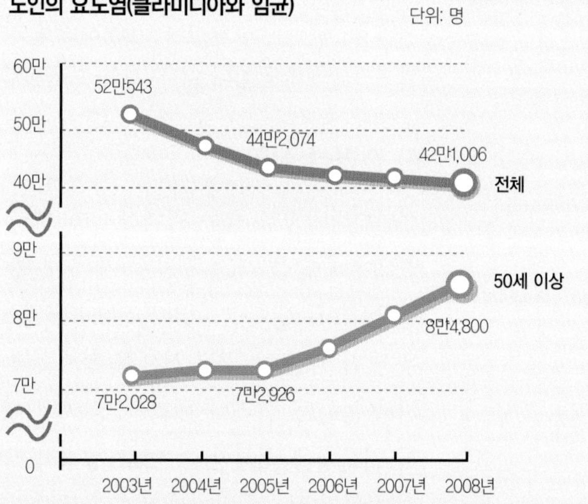

국민건강보험관리공단 자료

노인의 성범죄 성폭력 증가

2007년 61세 이상 성폭력범 현황

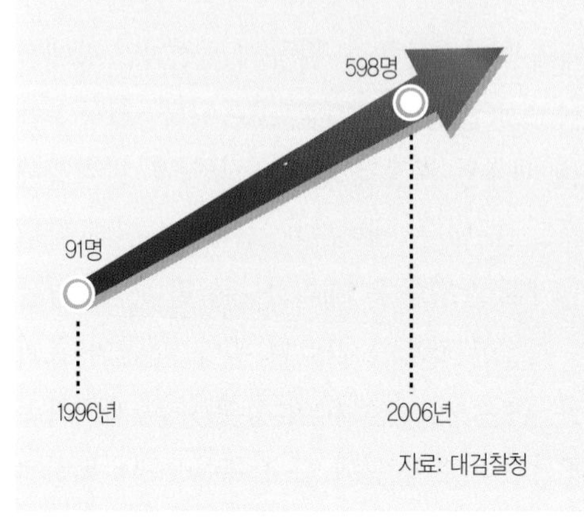

자료: 대검찰청

노인 범죄 죄목별 비율(단위: %)

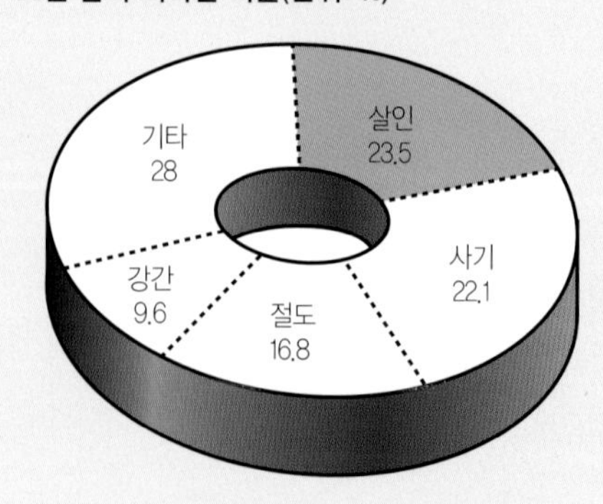

자료: 장준오 한국형사정책연구원 박사논문

전후에 산소를 공급하기도 한다.

9) 암

대부분의 남녀 암환자에서 증상이 심할 때는 성적 욕구가 일시적으로 감소되나 증상이 호전되면 곧 성적 욕구가 회복한다. 암 발생부위에 따라 차이가 있지만 남자의 경우 발기부전, 사정불능이 나타났고 여자의 경우 질건조, 통증을 경험한다. 이들 노인 환자는 흔히 불안, 우울, 통증, 오심, 신경손상 등의 증상이 동반하므로 개별적인 상담과 집단상담을 통해 격려해 주는 것이 중요하다.

유방암에 걸린 여성 노인의 경우 암이 성 활동에 직접적인 영향을 미치지는 않는다. 그러나 정신적으로 심각한 영향을 받아 성적 욕구의 상실, 신체상의 변화, 우울, 거부감 등을 나타낸다.

10) 에이즈(후천성 면역결핍증후군)

우리나라의 경우 노인 에이즈환자에 대한 통계는 아직 보고되지 않고 있다. 미국의 경우 60세 이상 된 후천성 면역결핍증후군 환자의 수가 지난 10년간 꾸준히 증가하여 1991년 1,400 사례 이상 보고되고 있다. 다음 2000년 이후 시기에는 60세 이상 된 에이즈 환자의 비율이 3~10%로 증가할 것으로 추정된다. 70세 이상 노인 에이즈 환자 중에서 20%만 동성연애와 관련이 있었다. 또한 동성연애 행위는 에이즈의 주요 위험 요인으로 나타났다.

에이즈에 걸린 노인의 증상은 젊은 사람에 비해 모호하며, 피로, 체중감소, 신체적, 인지적 기능 감퇴를 포함한다. 그러나 기회감염은 모든 연령층에서 공통으로 나타났다. 노인에게는 이 질환이 더 급속히 진행되며, 젊은 사람에 비해 생존 기간이 더 짧다. 만성질환이 있을 때는 이 바이러스에 대한 진단을 놓칠 수 있다.

11) 치매

치매는 일상생활과 사회생활에 장애를 초래할 정도로 뇌신경 손상으로 인한 기억장애, 언어장애 등을 포함한 신경인지기능 장애와 행동장애, 성격 변화, 수면장애 등의 정신증상을 나타내는 증후군으로 정의된다. 치매는 서서히 오거나 갑자기 발병하며 독자적 결정을 내리는 능력에 경한 혹은 심각한 영향을 미칠 수 있다.

치매 노인이 성관계를 가지려 할 때에는 안전을 확인하도록 특별한 주의를 주어야 한다. 치매의 정도를 정확하게 사정하고 성적 관계를 가질 수 있는지에 대해 판단을 내리는 것이 중요하다. 이를 위해 성건강전문가는 대상자의 배우자, 가족과의 접촉이 필요하며, 대상자의 안전을 도모하기 위한 계획을 수립하는 것이 중요하다.

치매가 있는 대상자에게서 나타나는 이상 행위 중 한 가지는 성적 이탈이다. 치매 노인은 대중 앞에서 자위행위를 하거나, 옷을 벗거나, 노출하거나, 직원에게 의도적으로 몸짓으로 성행위를 표현할 수 있다. 치매노인의 이러한 행동은 먼저 노인의 성적 욕구가 충족되지 않았기 때문에 나타나는 행동이라는 것을 먼저 염두해 두어야 한다.

12) 호르몬 대체요법

호르몬 대체요법으로 남성 노인에게 혈기왕성한 정력을 유지하고, 회복하도록 도와주는 데는 한계가 있다. 호르몬요법으로 젊음과 성적 기능을 회복할 수 있다는 전통적인 신념은 거의 믿을 수가 없다. 많은 연구는 퇴화하는 성적 능력과 호르몬 수준은 상관관계가 없다는 것을 증명한다. 노화와 혈액내 테스토스테론 감소와는 상관관계가 없기 때문에, 노년기 남성에게 테스토스테론을 투여하는 것은 회춘에 도움이 되지 않는다.

폐경 이후의 여성은 여성 호르몬을 광범위하게

사용한다. 에스트로겐은 피부위축을 완화시키고, 피부 탄력성을 유지시키며, 골다공증을 예방하는데 사용될 수 있다. 폐경 이후부터 난소기능부전으로 에스트로겐은 감소하나 부신피질은 에스트로겐을 계속 합성한다. 에스트로겐 대체요법은 찬반 양론이 논쟁거리다. 왜냐하면 에스트로겐 치료와 유방암과 자궁내막암의 발생 사이에 관계가 있다는 연구가 보고되었기 때문이다. Kolodny와 동료는 이 주제에 대한 연구에서 다음과 같이 말했다.

"즉, 인과관계가 증명된 것은 아니다. 적절하고, 주의 깊은 많은 연구가 시행된 이후로, 이런 사실을 실제적으로 확증할 수는 없었다. 따라서 에스트로겐 대체요법을 받는 여성의 건강관리 지침은 먼저 투약전에 자궁암과 유방암의 위험성을 검사해야 하며, 에스트로겐 사용시에도 항상 자궁암과 유방암의 위험 가능성을 검사해야 한다. 또한 에스트로겐을 사용시 나타날 수 있는 의학적인 금기 징후에 주의를 기울여야 한다. 즉, 손상된 간기능, 유방암과 자궁암의 병력기록지, 뇌혈관 질병이나 혈전증의 위험성 여부를 포함한다. 에스트로겐 치료가 실시 될 때는 각각의 환자에게 효과적이지만, 최소한의 복용량을 처방하며, 정기적인 부인과 검사가 수행되어야 한다."

13) 양로원 노인의 성

노인이 제도적 시설에 입소하는 상황이 점차적으로 증가하고 있다 이들 노인들도 비제도적 환경에서 생활하는 노인들처럼 같은 성 관련 욕구, 충동, 바램을 가지고 있다는 것을 알 필요가 있다. 모든 노인은 애정, 따뜻함, 성적 표현에 대한 욕구를 가지고 있다.

양로원에서 생활하는 노년기에 있는 남성과 여성은 부부라도 양로원에서는 성생활을 할 수 없다. 이들 부부는 거의 사적인 생활이 무시된다. 양로원에서 거주하는 노년기 남성과 여성은 성적인 존재가 아니라는 메시지를 수용해야 한다. 그들은 양로원 규정을 엄격하게 따르는 행동을 해야 하고, 그렇지 않을 때에는 웃음거리가 되며 심지어 처벌받기도 한다.

그러나 이러한 규정과 주의에도 불구하고 양로원 생활을 하는 노인은 성행위에 대한 생각을 하고, 성적흥미와 관심이 있으며 때때로 성적농담과 성적 행동을 한다. 노인을 돌보는 간호사는 노인의 언어와 행동에 대해 당혹감을 느끼며, 어떻게 대처할지 방법을 잘 알지 못한다.

"만약 노인의 성건강을 중요시 여기는 양로원이라면 노인의 성에 대한 가치와 태도를 존중할 것이다. 또한 노인 돌봄의 질을 높일 것이다."

간호제공자가 첫째, 자신의 성적 가치를 검토하고, 둘째, 성에 대해 편안하게 의사소통을 할 수 있고, 셋째, 노년의 성에 대해 풍부한 지식을 가졌다면, 성건강 간호를 훌륭하게 수행할 수 있을 것이다.

성건강은 양로원 거주자의 신체적, 그리고 정신적 안녕에 중요한 역할을 한다. 양로원에서 노인의 성건강에 대해 접근하고자 한다면, 간호제공자는 첫 면담에서 성건강에 대한 정보를 제공해야 한다. 성과 노화에 대한 노인의 태도는 성행위를 장려해야 하는지, 단념시켜야 하는지에 영향을 미친다.

간호제공자는 노인의 성이 노년기의 삶에 미칠 수 있는 가치에 대해 명료화시키고 성에 대해 긍정적 태도를 갖도록 인식의 변화를 시도한다. 노인도 여전히 성적 존재이고 노인 중 50% 이상이 자신의 성생활에 만족하고 있고, 성생활이 즐거운 것이고, 성생활이 삶의 질에 중요한 요인임을 알게 한다. 그 다음에 교육의 실제 내용을 구체적으로 제공한다.

표 7-4 성건강 사정을 위한 문진

일반상황
- 당신의 삶의 단계에서 연애에 대해 어떻게 생각하는가?
- 성장기 때, 성과 연애에 대해 대화를 나누었는가?
- 지금 동일한 대화를 나눈다면 그 느낌은 어떠한가?
- 모든 연령의 사람들에게 성과 사랑은 삶의 만족에서 중요한 부분인가?
- 성은 당신에게 무엇을 의미하는가?
- 당신의 삶에서 성 활동은 얼마나 중요한가?
- 자위행위에 대해 뭐라고 들었나?
- 성에 대한 당신의 감정에 영향을 미치는 가치와 윤리는 무엇인가?
- 당신의 친밀감에 대한 요구는 어떠한가?

성적 만족
- 최근 성관계에 어떤 변화가 있었는가?
- 이 변화는 무엇 때문인가?
- 껴안기, 키스, 함께 자는 것, 성교 중에서 가장 즐기는 종류의 성행동은 무엇인가?
- 당신이나 당신의 배우자는 어떤 처방약을 복용하는가?
- 약물 복용한 후 에너지 수준에 변화가 있는가? 성욕과 성행위에 어떠한 변화가 있는가?

지각의 변화
- 최근 당신의 생활방식과 즐기던 일이 어떤 변화가 있었는가?
- 1에서 10까지의 단계에서 당신의 삶에 대한 만족을 어디에 들 수 있는가?
- 1에서 10까지의 단계에서 성관계에 대한 만족을 어디에 들 수 있는가?

타인과의 관계
- 배우자, 친구, 가족, 또는 건강 전문가들과 성적 주제로 대화를 한 적이 있는가?
- 어떤 문제가 있을 때, 당신은 누구에게 말하는가?

환경
- 누구와 살고 있는가?
- 현재 삶의 상황이 당신의 성을 표현하기 위한 기회를 강화하는가?

남성 노인
- 발기를 하거나 유지 능력, 사정의 강도, 오르가슴에 어떤 변화가 있는가?
- 사정없이 오르가슴을 즐기는가?
- 성관계의 즐거움 수준이 최근 변화되었는가?
- 요로 배출 또는 배뇨에 문제가 있는가?

여성 노인
- 성교 후 질 통증과 자극을 경험하였는가? 얼마나 지속되는가? 성교 후 통증 배뇨시 통증 등이 있는가? 성교 후 복부 수축과 요통을 경험했는가?
- 질 분비물의 증가와 가려움과 같은 문제가 있는가?
- 성적 즐거움을 방해하는 문제가 있는가?
- 당신 또는 당신 파트너는 건강상태의 변화를 경험했는가? 이 변화는 성관계에 영향을 미쳤는가?

5. 성건강 전문가의 역할

성건강전문가는 노인의 성건강 증진을 위해서 다양한 역할을 해야한다.

노인이 자연스럽게 성을 표현하고 질문을 할 수 있도록 따뜻한 환경을 만든다. 가장 중요한 것은 사생활 보호를 제공하는 것이다. 그래서 노인이 자신의 성생활을 주도하도록 허용한다.

성건강전문가는 대상자의 성건강력을 확인해야 한다. 특히 성행위의 능력과 성에 대한 태도, 성적 가치는 노년기에 매우 다양하다는 것을 기억해야 한다.

성건강전문가는 노인이 필요로 하는 지침뿐만 아니라 성건강 관련 정보를 제공하는 교육자가 되어야 한다. 노인은 자발적으로 성 관련 내용을 표현하기 어렵기 때문에 성건강 문제에 대해 질문을 해야 한다.

성건강 사정

성건강 문제에 대한 대화는 노인과 간호사 양자에게 모두 편안한 일은 아니다. 그러나 간호사는 자신의 편견없이 노인의 입장에서 노인의 성기능의 중요성을 이해하는 것이 중요하다. 표 7-4는 자료

수집의 지침이다.

간호 중재

간호사정 자료에서 인식된 문제에 따라 간호 중재는 다양할 수 있다. 만성건강 문제를 가진 노인에게 성기능을 유지할 수 있는 다양한 중재법을 표 7-5에 제시하였다.

성건강 간호 중재는 노화로 오는 성기능 변화와 신체 변화에 대한 교육이며 관계에서 경험하는 고충에 대한 상담이다.

노인은 성건강 문제에 대한 상담을 받고자 하지만, 우리들이 처한 현실은 항상 그들의 문제를 잘 듣지 않으며 더욱더 우리들 중 대부분이 그들을 도울 충분한 준비가 되어 있지 않다.

성건강전문가는 건강한 노화과정을 위해 노인이 성공적이고 계속적인 성 활동을 지속할 수 있도록 도우며 성건강 문제가 있을시에는 간호할 책임이 있다.

- 하루의 일정시간 중에서 성행위를 위해 선택하는 시간은 노인에게 매우 의미있는 시간이다. 호르몬분비나 에너지는 수면하는 동안에 대부분 저장되기 때문에 아침시간은 성행위를 하는데

표 7-5 만성질환이 성기능에 미치는 영향

상태	영향/문제	중재
만성 폐색성 폐질환 (COPD)	• 기침, 운동성 호흡곤란, 활동 내성이 있지만, 성행동에 직접적인 손상은 없음 • 약물이 발기 곤란을 일으킬 수 있음	• 에너지가 최고조일 때, 성 활동을 계획하도록 권장 • 대안적 체위를 이용하도록 교육 • 약물이 가장 효과적일 때, 성 활동을 계획하도록 조언 • 성교 전, 중 또는 후기 중 가장 도움이 되는 시기에 산소 흡인
당뇨병	• 성욕과 흥미에 영향을 줌 • 신경증과 혈관 손상이 발기 능력에 방해가 됨 • 50~75%의 남성이 발기장애, 나머지는 역행성 사정 • 당뇨가 잘 조절되면 기능이 회복되기도 함 • 여성도 성욕 및 윤활액이 감소 • 절정감의 감소 또는 상실, 성 활동 빈도 감소, 국소적 생식기 감염	• 음경보철 지원이 가능함을 추천 • 성적 표현의 대안적인 방법들을 이용하도록 교육 • 생식기 감염시 즉시 치료하도록 권장
심근경색증	• 여성은 심장경색 후에도 성적 기능 장애를 경험하지 않음 • 성행위 시 심장 마비 재발 또는 사망에 대한 공포 • 호흡이 짧아짐	• 의사처방에 따른 운동요법 • 심근경색증상 조기 발견 • 개인 및 상담 참여
유방암	• 직접적인 신체적 영향은 없음 • 심리적 영향은 지대함: 성욕 감소, 신체상 변화, 우울, 파트너의 반응에 대한 불안	• 개인 및 집단 상담 참여
기타 암	• 남녀 모두가 일시적으로 성욕을 잃을 수 있음 • 남자는 발기 기능부전: 정액이 없는 사정, 역행성 사정 • 여성은 질 건조증, 성교통 • 남자와 여자 모두 불안, 우울, 통증, 화학요법 및 방사선 요법으로 인한 오심 • 골반 수술로 인한 신경손상	•개인 및 집단 상담 참여

많은 장점을 갖는다. 만약 아침이 곤란하다면, 성행위 하기전에 낮잠을 자는 것이 이롭다. 이상적인 시간은 파트너가 신체적으로나 정신적으로 피곤하지 않다고 느낄 때이다. 그리고 과식, 음주는 부정적 영향을 미치며, 부부의 갈등은 성관계를 악화시킬 수 있다. 그리고 방 온도와 환경이 편안할 때 이상적인 시간이 될 수 있다.

- 노인의 성교 시 자세는 상호 편안한 체위가 바람직하다. 성교는 위에 있는 대상자가 무릎을 구부리는 자세를 취할 때 에너지를 많이 쓰지만 등을 대고 누워있는 대상자는 에너지를 덜 사용한다. 이러한 체위에서 위에 있는 대상자는 다른 파트너의 전체 체중을 감당할 필요가 없다. 또 다른 자세도 남성이 팔걸이가 없는 의자에 앉고, 여자는 남자를 마주 보면서, 남자 무릎 위에 앉는 자세이다. 옆으로 나란히 눕는 자세는 모두에게 가장 덜 격렬하며 에너지 소모량을 줄일 수 있다. 방광과 요도를 보호하기 위해서 남성은 음경을 여성의 질 후벽 쪽인 후방으로 또는 질의 상부쪽이 아니라 직장의 방향으로 삽입하는 것이 좋다.
- 윤활제(KY 젤리)의 사용은 감소된 질분비물을 대신할 수 있다. 코코넛 기름이나 심지어 냄새나 농도가 옅은 식용 기름도 고려할 수 있다. 바셀린은 비수용성 물질로 질염을 초래할 수 있기 때문에 사용해서는 안된다. Comfort는 과도한 윤활제사용이 남성에게 더 강한 음경자극을 요구하기 때문에 노년기에게는 피해야 한다.
- 위축된 질의 문제와 방광염을 예방하기 위해서는 주의깊은 위생과 청결이 필요하다. 항상 성교 이전에는 질, 회음과 음경을 씻고 청결히 하는 것이 매우 중요하다. 또한 팽만된 방광은 더 쉽게 성적자극을 받을 수 있지만 성교 이전에 비워야 한다. 성교 이후에 배뇨를 하는 것은 요도를 청결하게 한다. 합성섬유로 만든 속옷보다는 면으로 된 속옷을 입는 것이 외음과 질 부분에 공기 순환을 촉진할 수 있기 때문에 감염을 예방할 수 있다. 그러나 꼭 맞는 거들, 스타킹, 팬츠는 박테리아 성장을 유발하는 환경을 만든다.
- 노년기는 직접적인 성기 자극이 필요하다. 노년기는 젊은 사람처럼 환상과 시각적인 이미지만으로는 성적으로 흥분되지 않는다. 노년기는 성적흥분을 위해 성기를 손으로 직접 자극하여야 한다. 여성은 성행위에서 수동적인 역할을 하도록 사회화되었기 때문에 어떤 여성은 파트너를 성적으로 자극하는데 어려움을 느낄 수 있다.
- 노년기는 성상담과 치료를 통해 도움을 주어야 한다. 주의깊은 사정을 통해 문제가 확인이 되면 개인 혹은 배우자에게 도움이 될 수 있는 성건강 정보를 제공하여야 한다.
- 노인은 성적 즐거움과 긴장감 해소를 위해 다양한 성적표현 방법을 사용할 필요가 있다. 성파트너가 없는 노인은 적합한 자위행위를 할 수 있다. 그러나 많은 노인은 자위행위가 잘못된 행위이고 건강에 해를 끼치고 주책없는 행위라고 생각하며 절제하려고 노력한다.
- 남성에 비해 여성이 수명이 길기 때문에 결국 노년 여성은 성 파트너가 없으므로 자신의 성적욕구를 남성과의 친밀한 관계를 통해 충족할 수 없다. 여성 노인은 남성 노인보다 8년 정도 평균수명이 길며 65세 이상 남성 노인의 경우 유배우자율은 85.7%인데 비해 여성 노인의 경우 유배우자율은 30.4%에 불과하다. 파트너가 없는 노인의 자위행위는 노인의 삶의 즐거움과 원동력을 갖게 한다. 이러한 노인 여성은 적합한 자위행위를 선택할 수 있다.
- '회상적 치료'가 도움이 된다. 이 치료방법은 특

노인의 성건강 교육

- 인간은 모든 발달 단계별로 성에 대해 좋은 교육을 받아야 한다. 성건강 전문가는 성교육을 통해 정보를 제공한다.
- 노인이 성에 대해 긍정적인 태도를 변화시킬 수 있도록 자기인식을 증가시킨다.
- 노인의 성과 관련된 문제를 표면화하고, 성을 논의할 때는 사실에 입각하여 당혹감을 주지 않도록 한다.
- 노인의 주거 환경을 살펴보고, 노인에게 성을 잘 표현할 수 있는 환경을 제공한다.
- 노인의 생활양식과 그들의 익숙한 생활을 잘 이해하도록 노력한다. 또한 노인들과 성을 논의할 때, 주의깊고, 수용적인 태도로 경청해야 한다.
- 노인을 간호할 때는 접근방식을 검토해야 한다. 노인의 우정, 신체적인 접촉, 친구관계에 대해 숙고한다. 친밀감은 침실에서만 일어나는 것은 아니다.
- 노인의 성에 대한 관점이 어떻든 간에 노인을 존중한다.
- 성적문제가 있는 노인의 입장에서 중재할 때는 간호사는 더 과감하게 노인을 대변해 주어야 한다.
- 노인의 성적 측면 중 긍정적인 면을 먼저 고려한다.

노인의 실천 전략

- 신체건강을 유지한다.
- 정기적인 성생활을 한다.
- 다양한 성생활 레파토리를 개발한다.
- 신체적인 상호 접촉을 증가시킨다.
- 성생활 분위기를 은밀하게 로맨틱한 분위기를 유지한다.
- 노화(질병, 약물)와 성생활에 대한 지식과 정보가 필요하다.
- 피임(남성 노인)과 성병에 대한 지식과 정보가 필요하다.
- 성 활동시 성적 환상을 사용한다.
- 친밀한 의사소통과 성적표현을 자유롭게 한다.
- 성행위 시 상호 배려를 한다.
- 성희롱, 성폭력의 가해자 또는 피해자가 되지 않도록 한다.

히 노년기때 노인이 자신의 과거의 삶을 회상하고, 의미를 탐색하며, 젊은 시절의 기억을 즐길 수 있도록 도와주는 방법이다. 간호사는 노인 대상자와 친밀한 관계를 형성해야 한다. 노인은 자신이 살아있다라는 확신감을 갖기 위해 피부 접촉이 절실히 필요하며 자신의 인간적 가치를 긍정적으로 평가받기를 원하기 때문이다.

- 사랑과 애정의 욕구는 일반적이고 보편적이다. 노인은 생존하고 있는 동안 사랑, 애정, 부드러움을 요구한다.

Burnside는 노인들에게 "당신은 성행위를 하는 것이 두려운가? 당신은 성행위를 하고 싶은 생각이 쉽게 좌절되거나 무감각해지기 때문에 당신은 성적 파트너의 애정, 부드러움, 신체적 접촉이 있을 때 더 위축되었는가?" 라는 의미있는 질문을 던졌다. 노인은 대부분 나는 젊은 사람과는 다르다라는 생각을 하며 성행위를 결코 즐길 수 없다라는 일반적인 생각을 한다. 어떤 노인은 발기를 하지 않는 자신의 음경을 보고 죽어버린 더러운 것, 기능도 못하는 것, 왜 만지느냐고 한다.

성건강전문가는 노인의 성행위를 억압하는 사회적 통념을 다시 검토할 필요성이 있다. 또한 노인의 성에 대해 폭넓은 교육을 받아야 하며 성 문제를 가진 사람들에게 집중적인 교육과 상담을 제공할 위치에 있다. 비록 병원이나 양로원에서 간호사가 성상담에 개입할 준비가 잘 되어 있지 않더라도 노인의 성건강 문제에 대한 예상 질문 또는 질문 시에 올바른 태도 등은 준비되어야 한다.

시설이나 병원에 입원시 성건강 전문가는 노인의 성 표현에 대해 수용적이어야 하며 편안감을 느낄 수 있도록 가능한 지침을 만들고 노인 스스로가 성 활동을 조절하고 사생활을 보호받을 수 있도록 하는 방법을 도와주어야 한다.

평가

성적 욕구가 충족된 노인은 자신의 성생활을 만족스럽게 생각할 것이다. 언어 및 비언어적 표현을 통해 긍정적 자기 이미지와 다른 사람에게 친밀감을 형성할 것이다.

성건강 전문가는 노인의 성건강을 돕는 촉진자, 교육자, 조언자, 상담자, 그리고 옹호자 등의 다양한 역할을 가지고 있다.

교육자로서 성건강 전문가는 노년기에 대한 미신이나 왜곡된 개념과 직면해야 하기 때문에 이것에 대처할 수 있는 지식과 능력이 있어야 한다. 성건강 전문가는 노인에게 노화과정이 신체기관과 성 기관에 어떻게 영향을 미치는지에 대해 정보를 제공한다. 간호사는 노화과정이 성 반응 주기에 어떻게 영향을 미치는지에 대해 논의하고 성적 파트너가 할 수 있는 적응방법을 제안한다. 간호사는 성행위나 성 표현을 향상시키는 방법에 대해 구체적인 정보를 제공한다.

상담자로서 성건강 전문가는 객관적이며, 수용적인 태도로 공감하면서 그들의 이야기를 경청한다. 간호사는 노년기에 성적 파트너가 있는 경우와 성행위에 관심이 많은 파트너일수록 건강한 삶을 즐길 수 있다는 확신을 준다. 간호사는 성행위에 대한 두려움과 수치심을 제거하도록 도와준다. 상담자로서 간호사는 신체적인 접촉, 관심, 돌봄, 애정, 사랑에 대한 표현을 파트너간에 상호 공유하도록 격려한다.

성건강 전문가가 노년기 개인과 의사소통을 하고자 할때는 신체적인 접촉을 사용하는 것이 좋다. 간호사는 신체적 접촉을 통해서 대상자가 신체적인 접촉을 받을만하다는 것을 확신시켜주고, 신체 접촉을 통해서 요구하는 것에 대해 의사소통한다. 간호사는 노년기 개인과 그의 파트너와 함께 상호작용을 할 수 있어야 한다.

지역사회의 교육자-상담자로서 간호사는 노인의 성장, 발달과 변화에 대한 정보를 교육해야 한다. 간호사는 노인의 성건강을 유지, 증진, 돌봄을 줄 수 있는 사회적, 정치적인 변화를 위해 지지 및 옹호적 역할을 하여야 한다.

간호·상담 과정

대상자 박OO, 67세
간호사 김OO, 노인센터 진료실

사정

주관적 자료

남편 최OO와 항상 행복한 관계를 유지하면서, 일생동안 좋은 성관계를 유지해 왔어요. 우리는 42년간 결혼생활을 해 왔고, 몇 달 전 그가 아프기 전까지는 모든 것이 좋았지요. 나는 2개월 전에 신체검사를 했고, 결과도 좋고 나는 항상 건강했어요. 지난 약 6개월동안 남편의 건강 때문에 우리는 성생활을 하지 않았어요. 지금은 남편의 건강도 회복되었고, 우리는 여행을 가려고 해요. 지금까지 성교동안 고통이 있었던 적이 없어요. 이번이 처음이고, 요즘은 성교하는 동안 답답한 감정을 느끼며, 남편이 성기를 삽입할 때 밑이 찢어지는 듯한 고통을 느껴요. 남편은 제게 고통을 준다고 생각을 해서인지 몹시 낙심해요. 내가 너무 늙었구나 하는 생각이 들고, 우리의 좋은 성생활이 이제 끝이구나 하는 생각이 들어 너무 두려워요.

객관적 자료

- 결혼한지 42년된 67세 여성
- 남편의 호흡기 질환으로 6개월 동안 성교하지 않았다.
- 최근 3회의 성교동안, 답답하고 불쾌하며, 찢기는 듯한 고통을 경험했다.
- 질에 접촉할 때 찢기는 듯한 느낌을 경험했다.
- 신체가 긴장되어 있고, 말이 빠르며, 강압적이다.
- 골반검사 결과 얇고 위축된 질벽을 볼 수 있다(노화에 대한 정상적인 신체 변화).
- 신체검사 기록은 정상적인 결과를 나타냈다.
- 상호관계의 부분으로 성교의 상실에 대한 불안을 느낀다.
- 낮은 자아존중감과 자신의 성기능에 대한 부적절함을 느낀다.

간호 진단

- 노화로 오는 신체적 변화와 관련된 성교통.
- 성기능 패턴의 변화와 관련된 불안감.
- 성교통과 관련된 부분관계변화의 위험성

계획

- 점진적인 접근을 한다.
- 주의깊게 경청한다.
- 부드럽고 적절하게 신체적인 접촉을 한다.
- 수용적이고 온화한 분위기를 제공한다.
- 남편과의 관계에서 성교의 중요성을 확신시킨다.
- 느낌을 표현하도록 격려한다.
- 대상자의 신체증상은 노화과정을 누구나 경험하는 것이라고 설명한다.
- 대상자의 정서적인 반응은 적절하며, 성기능 패턴의 변화가 발생할 때 일반적으로 경험하는 것이라고 설명한다.
- 노화과정으로 오는 성 기관의 해부학적, 신체적 변화에 대한 정보를 제공한다.
- 노화과정으로 오는 성 반응 주기 변화에 대한 정보를 제공한다.
- 성교동안의 고통과 불안을 완화시킬 수 있는 특별한 중재를 설명한다.
- 상호 자위행위나 구강 성교와 같은 성교에 대한 대안책을 설명한다.
- 파트너와 정보를 공유하도록 격려한다.
- 성적 의사결정을 통해 성교시기를 선택한다.
- 개인상담이나 부부 상담의 유용성을 교육한다.

수행

- 파트너와 성기능의 중요성에 대한 느낌을 공유한다.
- 성 기관의 노화 과정에 따른 영향을 논의한다.
- 성 반응 주기에 따른 영향을 논의한다.
- 성교시 고통을 완화할 수 있는 대안책을 적용한다.
- 성교 시기에 대해 상호 의사결정한다.
- 선택된 중재를 시작한다.

평가

- 성교를 하는 동안 고통이 없어졌다고 한다.
- 선택된 중재에 대해 만족스러운 경험을 한다.
- 성관계의 향상이 있음을 이야기한다.
- 부부 상담에 대해 긍정적 반응을 나타낸다.

memo

No.

NAME
NOM

*SEXUAL HEALTH CARE

임신·산욕·수유기의 **성건강**

Sexual Health during Pregnancy, the postpartum period, and Lactation

가치 명료화 **훈련**

우리 사회는 성의 생식적 측면을 강조한다. 시인, 예술가, 작곡가는 어머니의 사랑, 미소짓는 아기, 그리고 행복한 가족을 예술화한다. 가치 명료화 훈련은 임신의 의미와 임부의 성적 역할에 대한 느낌, 태도, 정보, 신념을 살펴보는데 목적이 있다.

다음의 질문에 응답해 보자. 당신의 느낌에 주의를 집중 해 보자. 자신의 대답에 대해 생각해 보자.

이러한 신념이 어떻게 구성되었는가? 이러한 정보를 어떻게 얻게 되었나? 이런 나의 신념을 가족의 다른 구성원들과 공유하는가? 나의 신념은 건강한 것인가?

1. 임신한 여성(출산한 여성)을 가장 잘 묘사한 표현은?
   아이를 가진 체중이 많이 나가는 여성? 남편의 아이를 출산할 부인? 어머니가 될 여성?
2. 임신은 여성의 성적 관심, 성욕, 성기능에 어떻게 영향을 미치는가?
   임산부가 임신기간 동안 파트너의 성적 관심, 성욕, 성기능에 관심을 가져야 하는 이유는 무엇인가?
3. 임신부의 성행위는 태아에게 어떻게 영향을 미치는가?
   건강 전문가는 임신부에게 성행위를 어느 시기에 제한시키는가?
   출산 후는 어떤가? 성행위가 제한된다면 어떤 이유 때문인가?
4. 여성이 아이에게 모유수유 하기를 원할 때 당신은 어떤 느낌이 드는가?
   남성이 그의 성적 파트너에게 모유수유를 원치 않는다고 말할 때 당신은 어떤 느낌이 드는가?
5. 당신은 집, 교회, 음식점, 직장에서 모유수유를 하는 여성을 보았을 때 어떤 느낌이 드는가? 행복한? 당황한? 호기심 어린? 거북한? 위신이 떨어지는? 화난? 겁이 나는? 무기력한? 웃기는? 놀라운 느낌이 드는가?

친구, 동료집단과 함께 당신의 대답과 반응을 공유해 보자. 집단 대다수가 공유하는 어떤 신념이 있는가? 정보는 어떻게 얻어지는가? 신념과 정보는 간호사-대상자의 상호작용에 어떻게 영향을 미치는가?

행동 **목표**

이 장을 끝마친 후

- 임신의 객관적, 주관적 증상이 여성의 성 반응 주기에 미치는 영향을 확인할 수 있다.
- 임신 동안 나타나는 성에 대한 변화를 요약할 수 있다.
- 임신이 신체상에 미치는 영향을 설명할 수 있다.
- 임신 시 신체적 접촉이 필요한 이유에 대해 논의할 수 있다.
- 임신, 분만, 산욕기에 나타날 수 있는 변화와 성행위간의 관련성을 요약할 수 있다.
- 성적 절정감이 조산에 미치는 영향을 설명할 수 있다.
- 산욕기 변화가 여성의 성 반응 주기에 미치는 영향을 설명할 수 있다.
- 모유수유 시 결정할 수 있는 성적 반응을 설명할 수 있다.
- 임신기와 산욕기에 나타나는 성 파트너의 반응들을 논의할 수 있다.
- 임신, 산욕기 여성과 배우자의 성건강력을 문진할 수 있다.
- 임신부의 성건강 증진을 위한 간호사의 역할을 논의할 수 있다.

1. 임신과 성행동

대부분의 정상 임신부에게 임신 중 성행위는 안전하다. 그러나 지금까지 임신부의 1차적 관심은 임신이기 때문에 임신 시의 성행위는 무시되었다. 건강 전문가들은 임신 시 성교는 임신부를 불편하게 하며, 태어날 아이에게 해를 미칠 수도 있고, 또한 파트너의 성 욕구도, 부부의 계속적인 성적 공유의 필요성이나 배려, 친밀성에 대한 요구도 대부분 무시하였다.

여성의 성을 탐색하기 위해, Sherfey는 임신이 성에 미치는 영향을 연구했다. 특히 임신 시 여성의 상승된 성 욕구와 많은 여성들이 임신기에 첫 절정감을 경험한다고 했으며 그러한 이유 중 심리적 원인은 여성다움에 대한 불안의 감소, 성공적인 임신, 분만과 새로 탄생할 아기에게 모유수유를 할 수 있다는 성숙한 경험 때문이라고 하였다.

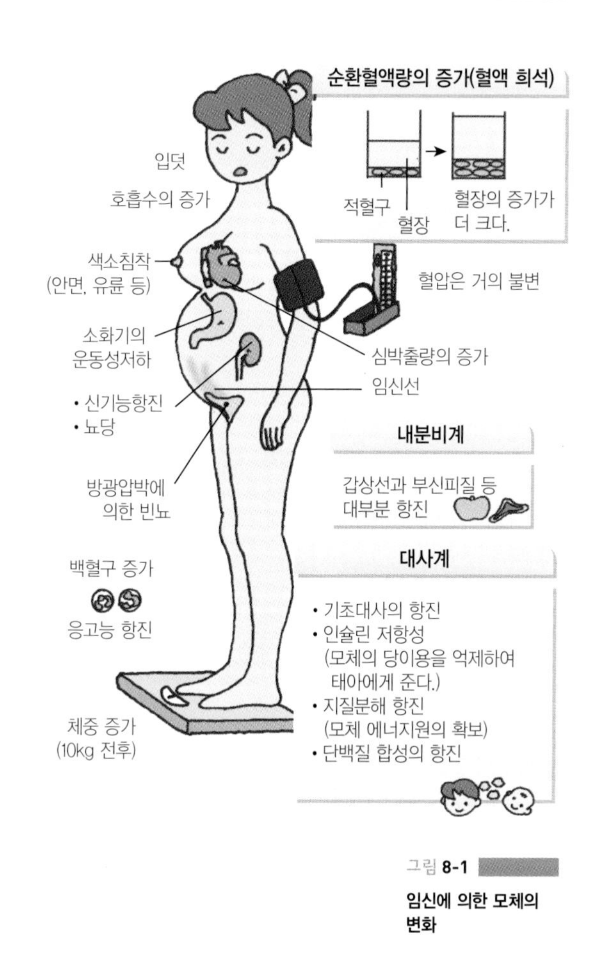

그림 8-1 임신에 의한 모체의 변화

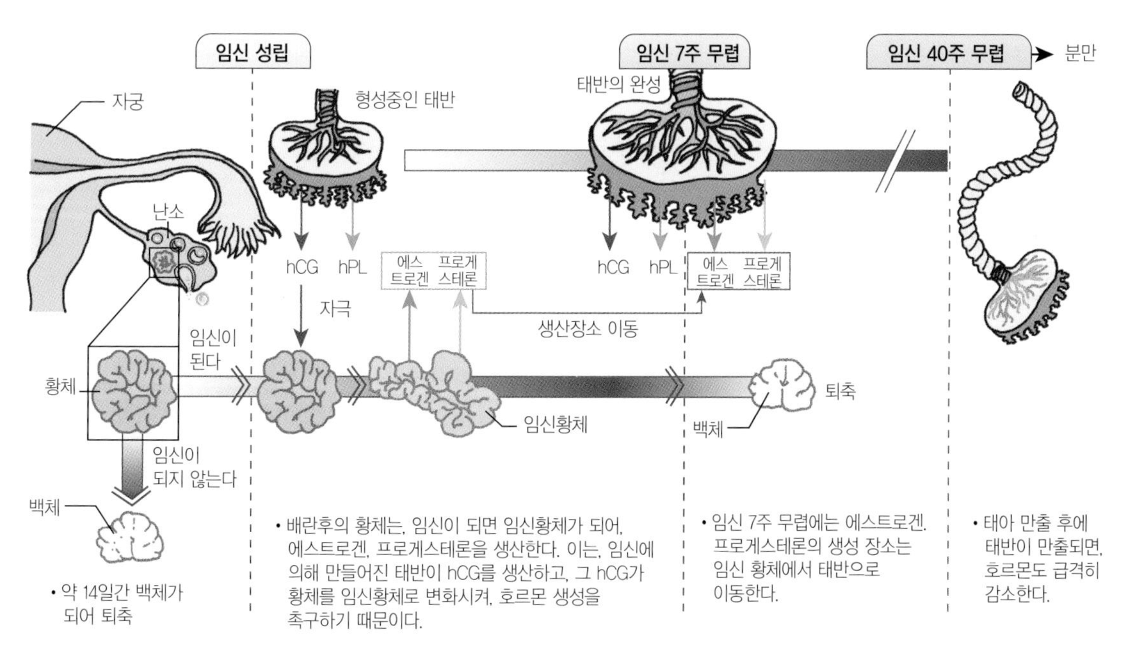

그림 8-2 임신 시 호르몬 생성

hcG: 융모성선자극호르몬(human Chorionic Gonadotropin)
hpL: 태반락토젠(human placental lactogenic)

그림 8-3 융모성선자극호르몬(hCG), 에스트로겐, 프로게스테론의 주요 작용

Sherfey는 이 현상에 대해 생리적 원인을 더 강조하였는데 즉, 임신 시 절정감을 느낄수 있는 능력은 심리적 요인 보다는 임신호르몬으로 인한 골반의 증가된 혈액이라고 하였다. 임신 시 분비되는 프로게스테론에 있는 안드로겐 작용은 음핵의 반응을 증가시키며, 절정감을 일으키는 근육을 강화시킨다. 임신은 골반에 분포된 혈관, 성적 충혈 능력, 그리고 성적 반응에 대한 능력도 증가시키며, 또한 절정감의 강도, 빈도, 즐거움도 향상시킨다. 임신은 여성의 성적·생식적 기능을 능동적으로 반응하도록 촉진시킨다.

1) 임신 시 성적 반응

Masters와 Johnson(1966)은 임신 시 성행위에 대한 연구를 시도하였는데 주로 임신기와 산욕기 여성의 성 반응 주기에서 나타난 해부학적, 신체적 변화들을 발표하였다. 연구는 6명의 임신한 여성으로 2명은 출산경험이 없고 4명은 출산경험이 있는 여성을 대상으로 했다.

다음은 임신 중 신체에 나타난 성적 반응이다.

■ 유방

임신부의 유방은 유방에 분포된 유선과 혈관의 증식과 이완으로 임신 2개월부터 크기가 증가된다. 임신 초기에 초산부가 성적 자극을 받으면 유방의 정맥성 충혈이 임신 이전에 비해 더 뚜렷하게 나타난다. 임신 3개월이 되면 임부는 유방의 팽만감을 느낀다. 이런 현상은 초임부 경우 더 심하다. 4개월 이후에는 유방의 팽만감이 다소 감소한다.

성 기관

임신은 골반의 혈관을 팽대시킨다. 6명의 임부 모두가 첫 3개월 말쯤 성적 긴장이 증가됨을 지각하였고, 4명의 여성들은 첫 3개월 동안, 그리고 절정기나 절정기 이후에 복부의 경련과 동통을 경험했다. 그리고 2명의 여성들은 하부요통을 호소했다. 임부들 모두는 증가되는 자궁의 불쾌감을 지각했다. 임신 중반기 때 6명 임부 모두는 성행위나 자위행위 시 강렬한 절정감을 느꼈고 성적 욕구를 해소하고자 하는 행위가 증가하였다.

흥분기

흥분기 동안, 임신부는 대음순에 충혈과 부종이 나타나며 소음순도 팽창한다. 임신 중반기 동안 소음순은 만성적으로 충혈되어 있고, 후반기에도 소음순은 혈액과 부종으로 충혈되어 있다. 임신 초반기에 대상자 6명 모두는 질의 윤활작용이 증가하였고 맑은 점액 분비가 나타났다.

임신 3개월 말 쯤, 임신부의 자궁은 증가되고 점차적으로 골반을 벗어나 복부로 상승한다. 성적 흥분기에 질은 비임신부와 마찬가지로 팽창되었으나 경관-질의 내부 길이와 폭이 깊어지는 텐트 현상은 관찰되지 않았다.

고조기

고조기 때 임신부는 비임신부처럼 소음순의 피부색이 분홍색에서 빨간색으로 변화하였다. 초산부와 경산부 모두는 고조기 동안 질부분에 심한 혈관충혈을 나타냈다. 임신이 진행될수록, 더 심한 정맥충혈이 나타났다.

절정기

절정기에 나타나는 질의 플렛폼 수축은 임신 1~6개월 동안 나타났다. 임신 7~10개월 동안 질의 외측 하부의 절정성 플렛폼은 더 충혈되나, 전체 질 통로가 부종으로 인해 질 수축의 효율성이 떨어졌다. 7~10개월 동안, 절정기에 임신부는 질의 규칙적인 수축보다는 자궁수축이 1분 정도 일어나는 것을 경험하였다. 이 기간에 태아의 심장박동은 저하되었으나 태아절박가사증후군은 나타나지 않았다.

해소기

임신 시 나타나는 해소기 반응은 오르가슴 후에 혈관의 충혈이 완화되는 비임신상태와는 다르게 나타난다. Masters와 Johnson(1966)은 임신 중기와 후기에는 태아에 의한 골반 압박과 함께 잔존하는 골반의 혈관충혈때문에 임신기간 내내 높은 수준의 성적 긴장을 유지한다고 하였다.

2. 임부의 성 욕구 및 성행동

임신과 산욕기 동안에 나타나는 여성의 감정과 성행위의 변화에 대한 주요 연구들이 있다. 특히 Masters와 Johnson(1966)은 임신과 산욕기에 있는 111명의 여성들을 대상으로 연구를 하였다. 연구집단은 43명의 초산부(이들중 7명은 미혼자)와 68명의 경산부 여성들(2명은 미혼자)이다.

임신 1기(첫 3개월) 동안 초산부는 성적 욕구의 감소, 구역질, 수면, 만성적 피로를 경험하였고, 성교가 태아에게 해로운 영향을 미칠까봐 두려워한다고 하였다. 그러나 소수(4명)는 성적 욕구와 성행위에 대한 요구가 증가했다고 하였으나 6명은 변화가 없다고 보고했다. 임신 첫 3개월 동안 7명의 미혼 여성들은 어떠한 성욕도 느끼지 못하였고, 68명의 경산부들도 성적 긴장, 또는 성적 욕구에서 어떤 변화도 경험하지 않았다고 하였다.

임신 중반기(4~7개월)는 출산과 나이에 상관없이 성행위의 효율성과 성욕의 증가를 보였다. 증가된 성욕은 여성에게 성교에 대한 관심뿐만 아니라 성교의 계획, 성교에 대한 환상, 성적인 꿈으로 나타났다. 4명의 미혼 여성들에서 임신 첫 3개월 동안의 성행위를 임신 이전의 성행위와 임신중반기의 성행위와 비교하였을 때 임신중반기가 가장 높게 성적 욕구을 느꼈으며 성욕의 증가 때문에 자위행위의 빈도가 증가했다고 하였다.

임신 후반기(8~10개월)를 임신중반기와 비교했을 때, 초임부는 성교 빈도의 감소를 경험했다. 초임부 31명의 여성들의 경우, 의사는 초임부의 금욕기간을 4주에서 3개월까지 다양하게 처방하였다. 의학적으로 성행위를 주의해야 한다는 지시는 대상자에게 강하게 영향을 미쳤으며, 특히 33명의 여성들은 임신 말기까지 성행위에 대한 관심과 빈도가 점차적으로 감소되었다고 보고했다.

의사는 46명의 경산부에게 4주에서 3개월까지 금욕기간을 지시하였다. 41명의 여성들은 성욕과 성행위의 빈도가 감소하였다고 기술했다. 경산부 여성들은 그들의 신체적 스트레스와 현재 있는 자녀들의 양육 때문에 성교를 할 수 없다고 하였으며 이것은 만성적인 신체 소진의 원인이라고 하였다. 그러나 경산부는 성적 행동에 대한 욕구와 관심이 그대로 있음을 확인하였다.

의학적으로 성교를 제한 받은 77명의 여성들 중에 68명은 남편의 성적 욕구를 염려했다. 출산경험이 없는 17명의 여성들과 출산경험이 있는 32명의 여성들은 의학적 제한기간 동안 그들의 남편의 성욕을 감소시키려고 노력하였다. 20명의 여성들은 임신한 지 6개월쯤에 그들의 남편에게 성행위를 더이상 할 수 없다고 말했다. 남편에게 성교중단을 선언한 이유는 비대해진 복부와 불편함 때문이라고 하였고 또한 태아에게 해를 줄지 모른다는 두려움 때문이라고 하였다.

Solberg는 임신기간 동안, 임부의 성에 대한 자료를 수집하기 위해 출산직후에 있는 260명의 여성들을 면담하였다. Masters와 Johnson의 연구와는 달리, 대부분 여성들의 성행위는 임신기간 동안 점진적으로 감소를 보였다는 것이다. 또한 Masters와 Johnson은 임신한지 첫 3개월 동안 초산부와 경산부는 성적 관심수준에서 의미있는 차

TIP

임신 중 여성의 성욕

대부분의 임신 여성은 less-more-less syndrome을 가진다. 초기는 성욕감소, 중기는 성욕증가, 말기는 다시 성욕감소가 온다.

임신초기의 성욕감퇴는 임신초기의 피곤, 입덧, 유방의 압통 등이 주요 원인이다. 중기는 이러한 증상들이 가라앉으면서 성욕이 회복된다. 임신말기에는 복부가 튀어나오는 등의 신체적 변화가 성행위에 적절치 않으므로 다시 성욕의 감퇴가 온다. 또한 임신부 자신이 '덜 매력적'이라는 부정적 신체상을 가지면 성욕이 저하되는 경향이 있다.

임신 중 호르몬의 변화로 성욕의 변화가 있다. 임신은 에스트로겐, 프로게스테론, 테스토스테론이 증가한다.

임신 중 유방이 자극에 더욱 민감해지면서 작은 자극에도 유두가 반응한다. 질 등의 생식기에 혈류량이 증가하면서 일부 여성은 오르가슴을 더욱 잘 느낀다. 실제로 여성 생식기의 혈류증가는 남성들에게는 저항감(tighter feeling)을 느끼게 한다.

이가 있다고 주장하는데 반해, Solberg연구는 임신기간 동안 초산부와 경산부는 성적 관심수준에서 의미 있는 차이가 없다고 보고했다.

Solberg는 성교의 빈도는 연령에서 의미있는 관계가 있다고 하였다. 즉 연령이 젊은 여성들은 더 능동적인 경향이 있다고 하였다. 또한 결혼기간도 중요하다고 하였는데 즉 성교의 빈도는 결혼기간이 길수록 감소하는 경향이 있다.

임신부의 성행위에 대한 빈도는 인종, 종교, 또는 임신에 대한 계획 유무와는 상관이 없었다. 성교의 빈도에 영향을 미치는 가장 큰 변수는 임신부가 갖는 성적 욕구의 수준이었다. 그러나 임신 마지막 달은 성적 욕구와 성행위 사이에 의미 있는 관계를 보이지 않았다.

Solberg연구는 임신이 진행됨에 따라 성교 시 절정감이 감소되었다고 하였다. 임신 전의 경험과 비교했을 때, 절정감의 정도와 강도는 일반적으로 감소되었으나 소수의 임신부들에서 절정감의 강도가 증가했다고 보고했다. 임신 시 느끼는 절정감의 정도는 성적 욕구와 관련성이 없었다.

임신기간 동안 성교의 체위는 임신이 진행됨에 따라 변화하였다. 남성들의 정상위는 점차 감소하였고, 측면위, 후면위의 체위는 증가하였다.

성 경험의 정도와 강도의 변화를 보고한 여성들은 다음과 같은 이유를 제시하였다. 신체적 불편함이 46%, 태아의 손상에 대한 두려움이 27%, 욕구의 결여가 23%, 성교에 대한 서투름이 17%, 의사의 조언이 8%, 여성 자신의 매력을 상실했다는 지각이 4%, 기타이다.

Falicov는 19명의 초산부 집단을 대상으로 성적 적응의 특성, 빈도, 변화시기, 주요 요인과 이런 변화에 대한 태도를 연구하였다. 여성들은 그들의 임신기간 동안 5번, 산욕기간 동안 2번의 면담을 하였다. 임신 3개월 쯤, 14명이 성교 빈도와 성욕면에서 중간정도, 또는 두드러진 감소를 경험했다고 보고했다. 피곤, 수면, 가슴앓이는 성관계의 감소의 원인이라고 하였다. 신체적 불편감은 성행위의 감소와 연관되었다. 성기능에 영향을 미치는 신체적 고통을 6명의 여성이 언급하였는데 즉, 질이 축소되어 삽입시 불편함을 느꼈고, 절정감을 방해하는 질의 무딘 감각의 변화가 있었다고 하였다. 10명의 여성들은 태아에게 손상을 줄까봐 두려워서 성적 쾌락을 억제하였다고 하였다.

성적 변화에 적응하기 위한 부인과 남편의 태도는 강한 좌절감과 적개심에서부터 무조건 수용하는 것까지 다양하다. 임신초기에 있는 부부의 절반은 그들의 성행위 횟수의 저하에 대해 임신에 대한 자연적인 과정으로 받아들였다. 그러나 부부의 1/3 이상은 예상하지 않는 변화에 대해 적응하기가 어렵다고 하였다. 임신중반기에 있는 10명의 여성은 파트너와의 성행위를 쾌락적 자극으로 생각하기보다는 친밀한 의사소통의 수단으로 받아들였고, 남편들은 이런 태도를 수용하고 있었다. 임신 6개월 이후에 있는 7명 여성들의 파트너들은 성관계의 단절에 대해 좌절감과 적개심을 표현했다. 남편들은 그들의 부인의 임신한 복부에서 모성을 느끼는 경우는 거의 없었다. 어떤 남편은 부인이 빨리 임신 전 모습으로 돌아갔으면 한다고 표현했다.

Tolor와 DiGrazia는 산부인과 의사로부터 진찰받은 216명의 여성들을 대상으로 연구를 실시했다. 대상자를 4집단으로 나누었다. 첫 임신 3개월에 있는 54명의 여성들, 임신 중반기에 있는 51명의 여성들, 임신 후반기에 있는 55명의 여성들과 출산 후 6주된 54명의 여성들로 나누었다. 이들 4집단 여성들에게 임신 전의 과거와 임신하고 있는 현재에 대한 성행위의 정보를 얻었다. 그리고 성적 태도를 보기 위해서 성적 보수성과 자유성을 측정하는 연구를 하였다. 의사들은 일반적으로 임부의 출혈성 합병증을 제외하고는 임신기간에 성행위를 제한하지 않는다.

임신 중인 4집단 중에서 3집단은 성교에 대한 욕구가 이전보다 감퇴했으며, 성교 빈도도 감소하였다. 특히 임신 후반기에 있는 여성들이 가장 낮은 성교 빈도를 나타냈다고 보고했다. 임신 첫 3개월에 있는 여성들과, 임신 중반기 여성들은 성행위 빈도에 만족했다. 그러나 임신 말기에 있는 여성들은 성행위 빈도에 만족하지 않았으며 오히려 성행위를 적게하는 것을 선호했다. 임신 중반기에 있는 여성들은 다중적 절정감을 높게 경험하였다. 임신 후반기 여성들은 어떠한 절정감도 느끼지 못하였다고 하였다. 임신월령이 증가함에 따라 성에 대한 관심이 쇠퇴함을 보여주었다. 성에 대한 배우자의 성적 태도가 보수주의이건 또는 자유주의이건 상관없이 임신 시 성행위 유무와는 연관이 없음을 확인하였다.

Bing과 Coleman은 임신, 출산, 산욕기에 있는 여성의 성 경험을 연구하기 위해 출산교육과 성교육을 받은 수백명의 커플들을 조사하였다.

임신 중 성행위는 4가지 전형적 패턴들을 나타냈다. 첫째, 임신기간 동안 점진적 증가, 둘째, 임신 전반기 하강, 임신 중반기 상승, 임신 후반기 하강, 셋째, 임신기간 동안 점진적인 쇠퇴, 넷째, 아무런 변화없음이다(그림 8-4).

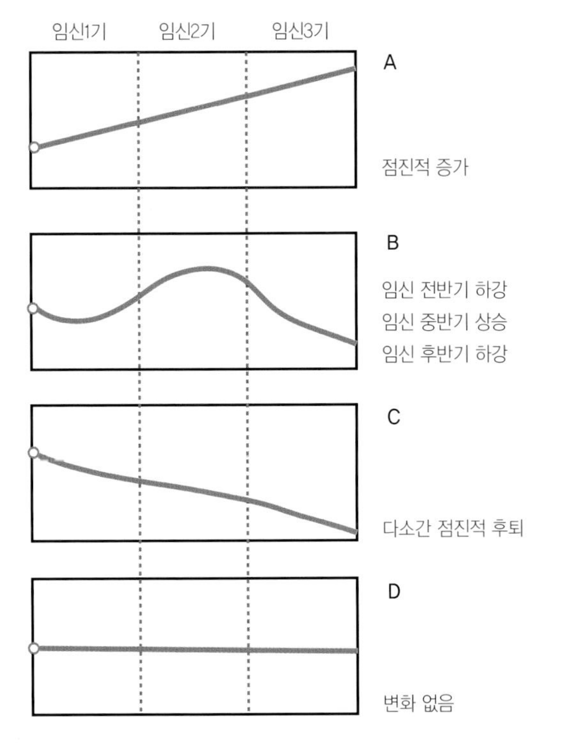

그림 8-4 임신기 성행위의 4유형(Bing과 coleman, 1977)

임신 전반기 여성은 피임을 하지 않으므로 성교를 즐기는 새로운 자유감을 느낀다고 했으나, 수면, 오심, 피로, 태아의 손상에 대한 두려움이 있다고 보고했다(그림 8-5). 임신 여성은 임신 중반기가 가장 편안한 시기라고 보고했다. 임신 초기에 있는 임부들은 오심과 피로가 없을 때, 태아의 손상에 대한 두려움이 사라졌을 때, 복부의 증대가 성교에 방해를 주지 않을 때에 성적으로 적응이 쉬웠다고 하였다. 임부들은 새로운 체위를 시도하면서, 조산의 불안에 대처한다고 보고했다. 어떤 여성들은 임신과 함께 자기내부감, 자기몰두감이 느껴진다고 보고했다. 그리고 서투르고, 부끄러운 감정들도 느껴진다고 보고했다. 어떤 배우자들은 부인의 비대해진 복부와 확대된 유방에 대해 부정적 반응을 호소했고 다른 배우자들은 임신한 모습에서 아름다움과 기쁨을 발견하였다고 하였다.

1) 임부의 신체상의 변화

임부는 신체적 변화와 대인관계 및 사회적 역할 변화를 경험한다. 이들 변화들은 자아상을 변화시키고 성적 자아개념, 성적 행위를 변화시킨다. 임부는 임신으로 인한 신체크기, 체형, 그리고 신체기능의 변화와 관련된 신체상 장애를 경험한다. 임신을 하면 몸에 지방이 축적되고 자궁과 유방이 커

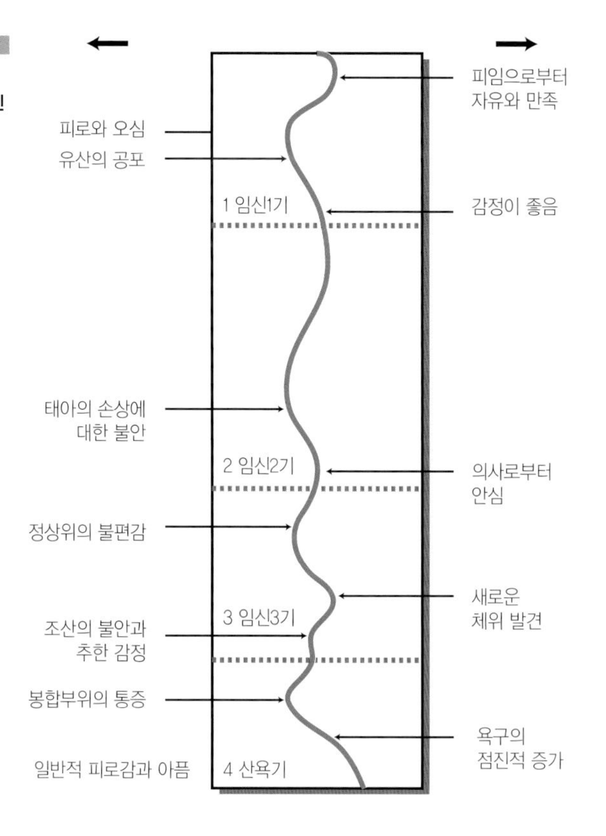

그림 8-5 임신기와 산욕기의 성적 욕구, 불안, 확신 그래프(Bing과 Coleman, 1977)

지고 다리와 얼굴에는 부종이 생기면서 여성의 신체적 외모가 변화한다. 이러한 변화는 에스트로겐, 프로게스테론, 프로락틴, 그 외 호르몬의 증가로 온다. 그 결과로써 빈뇨, 입덧, 잇몸비대, 피부의 기미, 임신선, 혈관충혈, 자세 및 걸음걸이의 변화를 초래한다. 이러한 변화들은 임부에게 부정적인 신체상을 갖게 하고 임신한 여성은 자신을 성적으로 매력적이라고 생각하지 않는다.

임신 초기반응인 입덧은 기질적 원인과 심리적 원인으로 올 수 있다. Semmens는 여성의 성적 자아개념과 임신중 입덧 발생과의 상호관계를 연구했다. 이 연구는 입덧의 치료가 필요한 200명의 임신부와 비만 여성 80명과 과거나 현재 임신 중에 전혀 입덧을 경험하지 않은 여성을 통제집단으로 하여 조사하였다.

입덧을 하는 여성 중에서 92%가 성교를 즐기며, 75%가 절정감을 경험한다고 하였다. 입덧을 하는 여성들의 85%는 통제그룹과 유사하게 자신을 매력적으로 지각했으며, 호의적으로 경험하였다. 입덧을 하는 여성들은 입덧을 자신의 개인적 문제와 갈등에 대한 신체적 반응이라고 하였다. 그들이 느끼는 문제와 불안은 생활 상황과 가족, 친구, 사회에 의해 유발되었고, 임신으로 인한 자아상을 위협하였다. 대조적으로, 비만자들도 자신의 신체상에 대해 비슷한 문제와 갈등을 가지지만, 이들 문제의 심각성과 문제의 만성화, 좌절감은 주로 그들 자신의 적절치 못한 성적 자아개념에 의해 유발되었다. Semmens는 신체상 변화에 대한 성공적인 적응은 자신의 성을 총체적으로 이해하고 신체상의 변화를 수용하며 긍정적 자아상을 확립하고 수용하는데 있다고 했다.

간호사는 임신한 여성에게 임신 시 변화와 무엇을 예상하고 준비할지에 대해 미리 정보를 제공해야 한다. 임신이 어떠하다는 것을 미리 상상해 봄으로써, 임부는 불안 수준을 낮출 수 있고, 건강한 반응을 위해 준비를 할 수 있다. 임부가 임신에 따른 신체적, 심리적 변화들을 더 자주 말하도록 하고, 자신의 감정과 불안을 표현을 할 수 있도록 격려하며 남편의 지지를 받도록 한다. 또한 임신 중이나 임신 이후에 일어날 성적 변화에 대해 임부가 잘 대처할 수 있도록 교육과 상담을 제공한다.

2) 임부의 접촉 욕구

Bing과 Coleman은 신체적 접촉, 안아 주기, 애무하기 등의 행동은 임부와 배우자들이 그들의 즐거움과 슬픔을 공유하고, 각각 상대방의 변화하는 욕구에 대처할 수 있도록 도와준다고 하였다. 꼭 껴안아주는 것은 임부의 불안, 우울의 감정을 완화시키고, 의존욕구에 대해 만족감을 주며, 친밀과 사랑을 확신하도록 한다.

안전감, 보호, 편안함, 만족감, 친밀감, 사랑은 임부가 자신의 감정을 말할 때 흔히 사용하는 단어들이다. Holleder와 McGehee은 임신기간 동안 안아주는 것에 대한 욕구가 증가하는지를 조사한 결과, 접촉을 받고 싶은 욕구는 인종과 임신의 시기에 따라 영향을 미친다고 했다.

첫 산전 간호 클리닉을 방문한 사람들 중에서 여성들의 절반 이상이 포옹에 대한 요구가 증가되었다고 하였다. 특히 약 4명 중 3명의 비율로 증가된 욕구를 보고했다. 백인 집단은 흑인집단보다 꼭 안아 주기에 대한 욕구수준이 좀 더 높은 경향이 있었다. 임신 중반기의 여성들은 임신 전반기와 마찬가지로 안아 주기에 대한 욕구가 증가했다고 보고했다.

Tolor와 DiGrazia는 임신 전반기 집단, 임신 중반기 집단, 임신 후반기 집단, 그리고 출산 후 6주된 산욕기집단 중에서 216명을 대상으로 연구한 결과, 모든 여성들이 밀접한 신체적 접촉에 대한 요구가 증가한다는 사실을 발견했다. "내가 사랑을 할 때, 나는 꼭 안기기를 원한다"란 질문에 여성들의 70% 이상이 "항상"이란 응답을 했다. "내가 성교를 할 분위기에 있지 않을 때 나는 (   ) 받기를 선호한다"의 진술문에서 여성들에게 완전한 문장을 만들라고 했을 때, 여성들은 "오직 안아 주기만을 선호한다"고 선택한 응답이 가장 빈도가 높았다.

이러한 연구는 임신기간 동안, 신체 접촉에 대한 욕구가 높다는 것을 의미한다. 임신을 경험하거나 임신을 준비하는데 있어서, 임신부는 특히 접촉의 욕구가 증가하므로 파트너의 교육 내용에 포함해야 한다.

3) 임부의 성행위의 변화

Masters와 Johnson은 임신 1기 동안 성교를 금지할 어떤 근거도 없다고 하였다. 이시기에는 임신가능성 또는 피임에 대한 걱정이 없으므로 부부 모두 자유로움을 느껴 성에 대한 흥미가 증가한다. 그러나 입덧, 피로, 유방의 예민함 등은 성적 감정을 방해한다. 특히 산부인과 병력이 있는 임부 중에서 특히 유산의 위험성이 있는 경우에는 이 기간동안 성교 시 절정감을 삼가하도록 하며 금욕을 권한다. 특히 부부가 이전에 유산을 경험했다면 유산에 대한 공포로 성관계를 피할 것이다. 임신 중반기 여성은 성교를 삼가 할 아무런 근거가 없다. 이 시기동안 임부는 골반에 분포된 혈관의 충혈로 음순과 음핵의 감각증가, 그리고 질의 윤활액 증가를 경험하면서 전반적인 안정감과 성적 반응을 증가시키는 에너지를 느낀다. 이러한 변화로 임신 동안 더 자주 더 강하게 오르가슴을 느낀다. 임신 후반기에 선진부가 함입되면서 경관이 질축으로 하강하면 성행위 시 임부는 질과 하복부의 불편감을 경험한다. 강력한 삽입은 음경이 질과 경부를 과다하게 자극할 수 있다. 발기된 음경이 충혈된 자궁경부에 집적적으로 자극을 하는 경우 성교 후에 접촉 출혈을 할 수도 있다. 여성이 손으로 음경의 삽입의 깊이를 조절할 수 있음에도 불구하고, Masters와 Johnson은 출혈이 있다면 성교를 억제해야 한다고 하였다. 그러나 임신 시 출혈이 있을때는 이것은 성교에 대한 금기징후이다.

TIP

임신 중 성행위 금기사항

- '질 출혈'이 있는 경우
- 태반이 자궁 아래에 위치해 있는 경우(전치태반)
- 습관성유산이나 조산아를 분만한 경력이 있는 경우
- 자궁경부의 점액이 빠져나오거나, 양수가 파수된 경우
- 임신 말기의 쌍둥이
- 헤르페스감염, 또는 기타 성병이 있는 경우

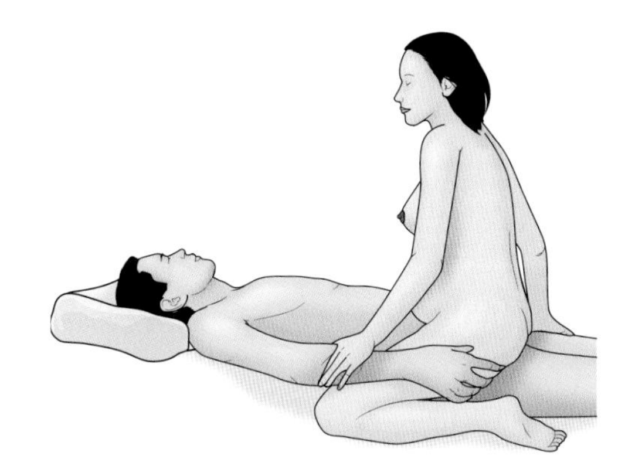

그림 8-6
여성 상위 체위

그림 8-7
측와위

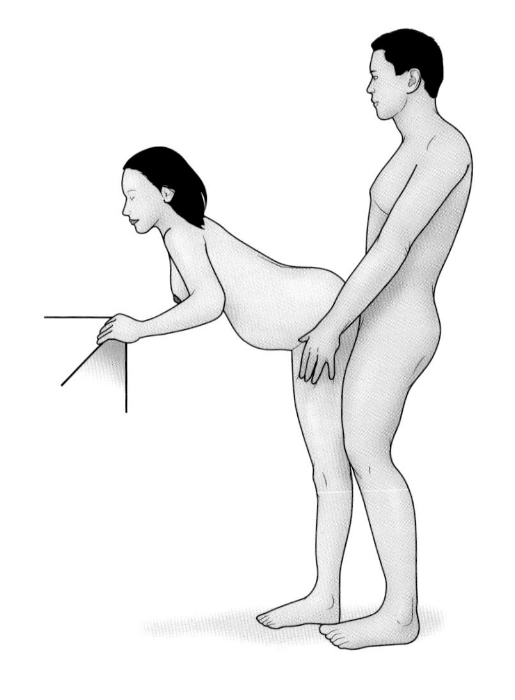

그림 8-8
후방위

먼저 출혈의 원인이 무엇인지 사정해야 하며, 즉시 치료를 해야한다.

임신 후반기에 있는 임부의 복부의 증대는 성교 시 불편감을 주며 성행위의 장애물이 된다. 임신한 여성과 그녀의 파트너는 새로운 체위와 기술을 개발해야 한다. 다음 그림은 여성 상위체위(그림 8-6), 측와위(그림 8-7), 후방위(그림 8-8)이다. 여성의 자위행위와 함께하는 후방위(그림 8-9)는 개인의 선택에 따라 편안하고, 즐길만 하다는 것을 알 것이다. 임부와 그녀의 파트너가 일상적인 방법으로 성교한다고 해서 굳이 제한할 필요는 없다. 임신 시 애무하기, 신체적 접촉하기, 키스하기, 구강 성교, 성적 자극부위를 손으로 접촉하기 등 성적 표현 등의 범위는 다양하며 심리·신체적으로

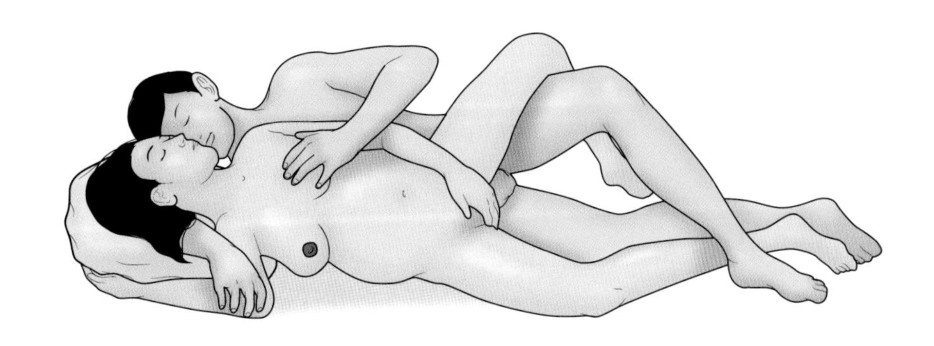

그림 8-9
여성의 자위행위와 후방위

친밀감을 표현할 수 있는 편안한 체위를 취하도록 한다.

성행위를 중단하는 주요 원인들 중의 하나가 생식기 감염과 조산의 위험성에 대한 두려움 때문이다. 성교가 임신 후반기에 미치는 영향을 조사했던 최초의 연구는 Pugh와 Fernandez가 실시한 연구이다. 그들은 500명의 여성을 대상으로 연구한 결과, 분만전의 성교가 태아의 감염과 조산아 출산에 미치는 영향이 없다고 하였다. 결론은 성행위가 임신후기, 분만, 산욕기에 나타날 수 있는 합병증의 원인이 되지 않는다는 것이다.

Solberg 등의 연구의 경우, 임신 여성들은 성교 또는 절정감 후에 진통의 시작을 확인할 수 없었다고 하였다. 신생아의 출산시 체중, 분만시 임신 월령, 분당 Apgar점수들은 임신 말기의 성교 또는 절정감과 모두 무관하였다. Lukesch는 산욕기간에 있는 여성들을 대상으로 임신기간 동안 성행위에 대해 면담했다. 그 결과, 임신말기의 성교와 출산 후 합병증 사이에는 어떤 관계도 없다고 하였다.

Naeye는 성교가 양수감염에 영향을 미치는지를 결정하기 위해서 26,886명의 신생아의 자료를 분석했다. 산모가 분만 전 한달동안 1주일에 한 번 이상의 성교를 한 집단에서 1,000명의 신생아 중 156명이 감염률을 나타냈고, 성교를 하지 않은 집단에서는 1,000명당 117명의 감염률이 나타났다고 하였다. 성교를 한 집단에서 나타난 감염된 유아의 사망률은 11.0명이었고, 성교를 하지 않은 집단에서 나타난 감염된 유아의 사망률은 2.4명이었다. 결론적으로, 임신 시 성교는 양수감염의 빈도와 심각성을 증진시킬수 있으며, 태아와 신생아의 사망률을 증가시킬 수도 있다는 것을 나타낸 연구 결과였다. 그러나 정확한 원인들은 밝혀지지 않았다. 박테리아 수의 증가는 성교 후에 양수에 영향을 미칠 가능성이 있다. 성교가 양수감염에 영향을 미치는 요인이라면, 예방적 대책을 간구해야 한다. 회음을 깨끗이 하거나, 콘돔을 사용하는 것은 감염의 빈도를 감소시키고, 감염의 결과를 양호하게 할 수 있다. 성행위 후 조산을 유발할 수 있는 이유 중의 하나는 남성의 정액에 존재하는 프로스타글란딘의 영향 때문이다. 프로스타글란딘은 자궁의 수축을 자극한다. 정액은 분만을 유도하는 성분을 가지고 있다. 그러나 남성의 정액에 있는 프로스타글란딘이 조산에 직접적인 영향 요인 인지는 아직 확증할 수는 없다.

이런 연구들의 결과는 임신후기의 성교와 조산 사이에 어떤 관계도 없는 것처럼 보이지만 또한 성교와 양수감염과의 사이에 관계가 있다는 것을 암시하기도 한다.

4) 임신 중 절정감

임신 중에 느끼는 절정감과 조산에 대한 연구가 있다. Goodin은 임신 초반기와 임신중반기, 임신

TIP

임신 중 오르가슴이 임신, 태아에 미치는 영향

- 오르가슴은 자궁근육의 수축을 가져온다. 자궁수축 후에 태아 심박동이 감소하였다는 연구보고들도 있지만 대부분의 오르가슴은 조산의 원인이 되지는 않는다.
- 빈번한 자궁경부의 확장을 가져올 수 있기 때문에 과격한 오르가슴은 피하는 것이 좋다. 과격한 오르가슴을 '자궁 내 지진'으로 비유하기 때문에 조산아를 분만한 경험이 있는 여성은 오르가슴을 피하는 것이 바람직하다.
- 임신초기에도 과격한 오르가슴은 자궁출혈 및 유산과 관련될 수 있다. 자궁수축이 통증으로 이어지고, 계속 지속되면 자궁 내 임신 산물이 배출될 수도 있다.

말기 동안에 절정감을 경험했던 200명의 여성들을 대상으로 연구하였다. 임신 32주 후에 절정감을 경험했던 여성들의 15%가 조산을 경험했다. 또한 이전에 조산 경험이 있었던 여성들에서 21%가 조산의 위험을 나타냈는데 이들 중 85%가 임신 32주 후에 절정감을 경험하지 않았다고 한다. 이들의 조산의 위험성은 그들의 취약한 산과적 병력이라고 할 수 있다.

Solberg 등은 임신 7개월쯤에 절정감을 경험했던 138명의 여성들 중에서 조산률은 6% 미만이었다고 하였다. 이 결과는 임신 7개월쯤에 절정감을 경험하지 않았던 여성들의 조산률과 비교했을때 의미있는 차이가 없었다.

절정감과 조산과의 관계는 자궁수축기전을 통해서 설명할 수 있다. Masters와 Johnson은 절정기에 나타나는 자궁수축을 설명했고, 자궁수축시 나타나는 반응은 성교보다는 손의 접촉 자극에 의해 유도될 때 더 강하게 나타난다고 하였다. 또한 그들은 절정기 동안에 나타나는 자궁수축과 출산시의 자궁수축은 유사하다고 하였다.

Fox와 Knaggs는 절정감 후 1분동안 여성들의 혈액에서 옥시토신을 발견했다. 옥시토신의 방출은 여성의 절정감과 더불어 자궁수축을 유발한다. 또한 절정기의 자궁내 압력을 절정기 이후의 압력과 비교해서 변화를 측정하였다. 절정기의 수축은 자궁의 압력을 증가시켰다. 절정기의 수축 후에는 자궁의 압력이 점진적으로 감소하였다. 어떤 여성들의 경우, 절정기 때 나타나는 자궁수축이 성교를 중단할 정도로 고통스럽다고 했다.

Perkins는 조산아를 분만한 25명의 여성들을 대상으로 한 연구에서 성교 시 나타나는 절정감이나 유사한 성 경험들은 분만 개시에 어떠한 연관성도 없다고 하였다. 또한 155명의 임산부를 대상으로 연구를 실시하였는데 연구결과, 절정감의 경험은 조기 출산과 연관이 거의 없으며, 자위행위도 임신의 모든 단계를 통해 조기진통과 거의 연관이 없다고 하였다.

현재까지, 절정감과 조기진통·조산 사이의 관계는 불명확하다. 관계가 있다는 연구결과들이 있음에도 불구하고, 큰 표본을 대상으로 한 연구들은 절정감과 조기진통·조산 사이에 관계가 없다고 하였다. 그러나 절정감이 자궁수축을 유발하는 것은 명확하다. 습관성 유산 경험이 있는 임신부의 절정감은 문제가 될 수 있다. 조산을 유발하는 확실한 요인은 알수는 없으나, 이전에 조산 경험이 있었던 여성들이나 질검사 소견에서 조기진통이나 조산아를 분만할 가능성이 있는 여성 또는 자궁경관이 짧거나 개대된 여성은 자위행위 혹은 성교 시 나타나는 절정감을 제한할 필요가 있다.

3. 분만 산부의 성행동

출산은 정상적 과정이나 때로 위기의 사건이 될 수 있다. 분만 여성은 출산과정을 이해해야 하고 진통 시 자신을 조절하고 관리할 수 있어야 하며, 남편들도 출산의 과정에 참여하여 남편의 역할과 아버지로서의 역할을 해야한다. Newton은 여성이 남성보다 3배 이상 본능적이라고 주장한다. 남성은 오직 성교라는 하나의 행위만으로 여성과 함께 생식적 관계에 참여 하였지만 여성들은 3가지 생식적 행위 즉 성교, 출산, 양육에 참여한다. 이러한 여성의 본능적 행위들은 생리적, 심리적으로 상호연관이 되어있다. 이런 행위의 정도는 분만 산부의 옥시토신호르몬 수준에 달려있다.

옥시토신은 출산 및 양육행위의 원동력이 되는 필수 호르몬이다. 옥시토신은 여성과 남성 사이

표 8-1 분만과 성적 절정감과의 상호관계

	자연분만	성적 반응
호흡	분만 1기 호흡은 수축이 강할 수록 더 깊게 내쉰다.	성적 흥분의 초기 단계 동안 호흡은 더 빠르고 더 깊어진다.
발성	분만 2기 진통 동안 소리를 지르거나, 불평의 말을 한다.	절정기에 접근함에 따라, 헐떡거리며 소리를 지르는 경향이 있다.
안면표정	분만 2기 진통 동안, 얼굴은 강직되며, 고통으로 일그러지며, 분만이 임박하면 얼굴은 더 큰 고통의 표정을 짓는다.	절정기가 다가옴에 따라 얼굴 표정은 '괴로운 표정(입은 벌어지고, 생기없는 눈, 긴장된 근육)'을 나타낸다.
자궁반응	자궁의 상부는 분만 동안 주기적으로 수축한다.	자궁의 상부는 성적 흥분기 동안 주기적으로 수축한다.
자궁경부반응	초기 분만의 증상으로 자궁경부는 부드러워지고 개대되고 점액을 분비한다.	성적 흥분기 동안, 정자를 받아들이기 위해, 자궁경부의 입구가 열리면서 자궁경부 점액을 분비한다.
복부근육반응	분만 2기에 주기적인 복부근육 수축이 일어난다. 분만이 진행됨에 따라 분만을 촉진하는 강한 수축이 주기적으로 발생한다.	성적 흥분기 동안, 복부의 근육 수축은 주기적으로 발생한다.
자세	우리사회의 일상적인 분만자세는 여성이 등을 대고 눕고, 다리를 벌리고 상체를 구부린다.	성교 시에는 공통적으로 분만자세가 사용된다. 즉, 여성은 등을 대고 누워 다리를 벌리고 구부린다.
중추신경계반응	분만 동안 여성들은 억제할 수 없다. 특히, 아기가 나올 때 그런 경향을 보인다. 의례적 행동들은 분만 동안 사라진다.	성교 동안 억제되고 차단된 정서는 경감되고 제거된다.
힘과 유연성	작은 산도를 통해 아기를 분만하는 것은 특별한 만출력과 신체 팽창을 요구한다.	성적 흥분기 동안, 특수한 근육의 힘이 발달한다. 신체가 굴곡되고 뒤틀린다.
감각지각	분만동안, 경부의 완전개대와 함께 외음은 팽창되고, 마비되면서 아두가 만출된다. 마취나 불안으로 억압되지 않는 분만은 출산이 가까울수록 주위환경에 대해 민감도가 떨어지며 건망증으로 발전한다. 분만이 끝나면 여성은 감각지각이 되살아난다.	성교동안, 성적으로 흥분된 신체는 날카로운 자극이나 심각한 상해에 무감각해진다. 절정감에 이르면 감각의 지각이 더욱 상실된다. 가끔 무의식 순간을 이끈다. 절정기 이후에는 감각적 민감성이 되돌아 온다.
정서적 반응	아기의 출생 직후, 무한한 즐거움의 정서가 나타난다."완벽하고 제한이 없는 황홀경"으로 묘사된다.	절정감 이후에 매우 강한 행복(well-being)감이 나타난다.

그리고 여성과 자녀 사이의 정서적인 유대를 촉발시킨다.

마취나 진통제 없이 출산을 경험한 여성들은 간혹 분만 2기에 황홀감과 절정감을 느낀다고 하였다. Masters와 Johnson은 아기를 가진 어떤 여성들은 '수용적인 개방감'같은 무한한 절정감을 느꼈다고 그 감정을 표현했다. 그들의 연구에서 마취나 진통제 없이 출산한 12명의 여성들은 "분만 2기는 좀 과장되기는 하지만 마치 절정감 직전에 느끼는 감각과 같다고 보고했다." Newton은 분만행위와 성교행위 사이의 관계를 보여주었다(표 8-1).

임산부와 파트너는 방해하지 않는 자연 출산, 마취하지 않는 출산, 준비된 자연출산법을 선택할 수 있도록 준비되어야 한다. 간호사는 분만 산부의 출산행위가 정상적 과정이 될 수 있도록 도와야 하며 분만과정은 관능적인 면과 성적 측면이 포함되어 있음을 이해할 필요가 있다.

4. 산욕기 산모의 성행동

Masters와 Johnson은 산욕기에 경험하는 성적 반응에 대해 6명의 산욕부 대상자들을 연구하였다.

그들은 합병증이 없는 안전분만을 했으며, 출산한 아이들 모두가 좋은 건강상태였다. 이들 여성들은 출산 후에 3번 검사를 시행했다. 6명 여성들 중 3명은 출산 후 4달 동안 모유수유를 했다.

산욕기 4~5주 때 첫 번째 검사를 실시하였는데 그들의 회음봉합 부위는 치유되었고, 자궁경부는 폐쇄되었고, 자궁은 복강 내로 내려와 있었다. 특히 수유부의 자궁은 더 작고 퇴축이 좋았다. 6명의 산욕부 중 4명은 성욕이 회복되었고, 골반의 생리적 반응은 아직도 반응의 속도와 강도면에서 감소되었다. 질의 윤활작용과 질의 팽창은 더 천천히 회복되었고, 질분비물도 아직 저하되어 있었다. 질벽은 얇고 질주름도 납작하였다. 소음순의 색깔은 뚜렷하지 않았다. 수유부는 에스트로겐 분비저하로 질분비물이 더 저하되어 있었다. 절정감이 있을 때 골반의 정맥충혈은 의미 있게 감소하였다. 여성들은 절정감 경험에 만족했다고 하였으나 절정감이 있을 때 질근육 수축은 두드러지게 감소하였다.

산욕 6~8주 후의 검사에서는, 첫 번째 검사 시 나타난 생리적 결과와 거의 변화가 없었다. 성적 긴장은 특히 수유부에서 더 잘 나타났다. 수유부는 수유생리로 인한 호르몬의 변화를 경험한다. 이것은 심리적 요인이라기 보다는 생리적 영향이다. 모유수유를 하는 산모는 성행위 시 절정감을 느낄 때나 절정감 직후에 유두에서 유즙이 배출되는 사례도 있다.

산욕기 3개월 말이 되면 비수유부 집단은 수유부 집단보다 난소호르몬 분비기능이 좀 더 빠르다. 6명의 수유부, 비수유부 여성 모두가 난소의 호르몬 분비기능과 질주름도 회복되었다, 자궁도 골반 내로 하강하였으며, 대음순과 소음순도 민감성이 회복되어 성적으로 잘 반응하며, 질 분비물의 윤활작용과 질벽의 팽창감도 임신 전 수준으로 회복되었다.

주관적으로 산욕기 3개월에 있는 여성과 산욕기 4~5주 사이에 있는 여성이 느끼는 절정감을 비교했으나 이들의 절정감 경험에는 의미 있는 차이가 없었다. 그러나 생리적 측면에서 출산 후 3개월째에 있는 여성이 분만 후 4~5주째에 있는 여성보다 절정감의 강도나 지속시간이 증가하였다.

Masters와 Johnson은 출산 후 3개월 된 101명의 여성들을 조사하였다. 성애적 감정은 여성들의 연령과 직접적인 연관은 없었지만, 모유수유와는 직접적으로 연관이 있다고 하였다. 분만 후 첫 3개월 동안 성적 관심이 가장 높은 집단은 수유부 집단이었으며, 낮은 성욕수준을 표현한 47명의 여성들의 경우, 그들이 표현했던 가장 큰 문제는 성교를 다시 시작할 때 느끼는 신체적 손상에 대한 두려움이었다.

TIP

산욕기 성행위 시기

- 일반적으로 산욕기(산후 6주)가 지난 후에 시작한다. 자궁 등의 생식기관들이 정상으로 돌아오는 시간이 대부분 6주이기 때문이다.
- 산후 2주 이후에도 가능하다. 회음절개 등이 상처가 완전히 회복되어 불편함을 느끼지 않는다면 충분히 청결한 상태에서 동통 유무를 확인하고 성행위를 할 수 있다. 산후우울증이 있다면 성교의 시기를 늦추는 것이 좋다.
- 요도와 회음부 근육을 조이는 연습을 하는 Kegel exercises가 도움된다.
- 확실한 피임대책을 세운 후에 부담없는 성교를 갖도록 한다.

표 8-2 산욕기 변화와 관리

	모체	태아	발생가능한 병태
출산당일	• 모체의 검사 • 자궁수축(경도, 자궁저 길이) • 출혈량, 오로의 성상 • 질 · 외음부 상처 부위 • 활력증상 • 산욕체조  • 도뇨 • 보행 	• 보온 · 흡인  • 태아검사 • Apgar score • 폐기능, 청각 등 • 흑녹색 태변 • 점안	• 산후통 • 회음부 통증 • 치핵, 치질 • 자궁무력증 • 회음부열상 • 경관열상 • 양수색전증
1일째 (다음날)	• 샤워  • 모자동실 (이상) 	• 비타민 K 시럽	• 자궁복구부전 • 산욕열 • 혈전성 정맥염 · 심부 정맥 혈전증
2일째	• 엄마에게 지시사항 • 아기안는 법 • 수유방법 • 기저귀 가는 법 • 목욕시키는 법 등	• 초유 분비 → 수유  (3시간 간격, 또는 아기가 울면)	• 산후우울(기분) • 방광염, 신우신염 • 유선염
3일째	• 목욕 		• 변비 • (아기)신생아황달
7일째 (퇴원)	 		

〈산욕부간호〉

산모	보행	• 혈전형성의 방지
	산욕체조	• 혈전형성의 방지 • 미용 • 오로배출의 촉진 • 혈류촉진에 의한 피로회복 • 유즙분비촉진
	배뇨	• 방광충만이 있을 시, 자궁무력증의 원인이 되므로
	모자동실	• 엄마와 아기간의 유대관계를 강하게 하기 위해서 가능한한 빠른 단계에 동실을 시행하는 것이 이상적이다.
	샤워	• 오로와 유즙을 씻어낸다.
아기 (출산 당일)	흡인	• 구강, 비강, 인두의 양수를 흡인한다.
	점안	• 임균과 클라미디아의 산도감염에 의한 신생아 농루안을 예방
	비타민 K 시럽	• 비타민 K 결핍증 예방

성교가 의학적으로 금지된 여성과, 미혼의 여성들을 제외한 나머지 여성들은 분만한지 6주에서 2개월 내에 성교수준이 임신 전 수준으로 회복되었다. 의학적 금지에도 불구하고, 성적 욕구가 있는 여성들이나 남편들의 요구가 있는 여성들은 분만한 지 3주 내에 성교를 시작하였다. 11명의 여성들은 회음봉합술 부위의 팽만감과 질 통로의 탄력성으로 인해 증가된 성적 즐거움을 경험했다고 하였다.

48명의 여성들은 특히 분만기간과 산욕기간 동안에 남편의 금욕때문에 성적 긴장이 있었다고 하였다. 임신 말기부터 남편에게 금욕을 요구했던 여성들은 분만 후에도 계속 요구를 하는 경향이 있었다. 분만 전에 배우자와 성행위를 하지 않았던 4명의 여성들은 분만 후에도 남편에게 성행위를 요구하지 않았다.

Falicov는 산후 2개월부터 7개월 사이에 있는 18쌍의 커플들을 대상으로 연구를 실시하였다. 18쌍의 커플 중 12쌍은 2개월 내에 성교를 다시 시작했다. 이들 중 6쌍의 커플은 성행위가 임신 전 수준으로 빠르게 회복하였다. 다른 6쌍의 커플은 긴장감, 피로, 유방과 회음절개 부위의 동통과 같은 신체적 불편감때문에 이전의 성행위 수준으로 돌아가지 못했다. 산후 6~8주 기간에 성교를 시작하지 못했던 6쌍의 커플 중에는 모유가 아니라 우유를 먹이는 4명의 여성들이 포함되어 있었다. 성교를 시작하지 못하는 원인은 피로, 성적 관심의 결여, 회음봉합술 부위의 민감성, 시간부족을 들 수 있었다.

18명 중 5명의 산욕기 여성은 성감이 증가하였는데 이는 주로 유방의 증가된 민감성 때문이라고 하였고 모유수유의 경험이 유방의 성감을 증가시킨다고 하였다. 성교를 다시 시작한 대다수의 산욕기 여성들은 절정감을 느끼는 것이 임신 전보다 어려웠다고 하였는데 그 원인은 긴장, 피로, 생식기의 감각변화에 대한 불안이었다. 출산 후 성교를 처음 시작하게 된 이유는 남편의 애정표현과 성행위를 하고자 하는 욕구 때문이었다.

출산 후 7개월까지 산모의 성교 빈도는 임신 전보다 낮은 수준이었다. 이 시기의 성욕과 성감은 정상 또는 더 높은 수준이었으나, 성교 빈도의 저하가 나타났는데 그 이유는 산모의 피로감과 심리적 긴장의 결과로 볼 수 있다. 18명 중에서 9명의 산모는 성적 욕구와 절정감이 증가하였고 6명의 수유부 중에서 4명은 높은 성욕을 느꼈지만 성관계 횟수의 저하로 심한 좌절감을 느꼈다고 하였다.

산욕부의 성행위 시작 시기는 산욕부의 신체건강 상태와 성행위를 하고자 하는 남편의 태도가 상호 연관되어 있었다. 성적 관심이 높은 산욕부는 자신의 성욕 증가의 원인을 현재 모유수유행위 때문이라고 하였다. Kenny는 수유기와 이유기에 있는 산모들을 연구하였다.

산모의 30%에서 출산경험은 성교에 대한 많은 관심을 갖게 됐다고 했으며, 52%는 성교에 대한 관심에 차이가 없다고 했다. 18%는 임신 전보다 성교에 대한 관심이 감소되었다. 성교 재개시기를 물었더니 52%의 산모는 산욕기 6주 이전이라 할지라도 질의 상태가 회복된다면, 성교를 안전하게 시작할 수 있다고 하였다. 산후 4주쯤에 대다수의 여성들은 성욕이 회복되었고 산후 4주쯤에 성적 관심이 다시 나타났다. 오랫동안 결혼생활을 했거나, 많은 자녀를 출산 했거나, 긴 모유 수유기간을 가진 산모는 그렇지 않은 산모에 비해 성적 관심이 대체로 빨리 회복되었다. 또한 그들은 빠른 성교도 안전하다고 생각하였다. 젖을 뗀 산모 중에서 성적 관심이 감소했거나 성적 변화를 경험했다고 보고한 사람은 없었다. 여성들은 대체로 모유수유행위가 즐겁다고 하였다.

Tolor와 Digrazia는 55명의 산욕기 여성과 임신 전반기, 중반기, 후반기에 있는 임부들을 함께 비교하는 연구를 실시했다. 임신부는 성교 횟수의 감퇴가 나타났지만 산욕기 여성들은 오히려 반대로 성교횟수의 증가가 나타났다. 출산 후에 산욕부들은 성교에 대해 비교적 높은 관심을 보여 주었다. 즉 3명 중 한 명은 1주일에 4번 이상의 성교를 경험하였다. 산욕기의 여성들은 임신 후반기 여성들보다 횟수가 많은 성행위를 하였다. 산욕기간에 있는 산욕부들은 여전히 횟수가 많은 성행위를 원했다. 산욕부는 임신부보다 더 자주 다중 절정감을 경험하였다. 산욕기간 동안 여성들은 구강 성행위를 더 선호하였으나 음핵자극을 통한 만족감은 다소 감소하는 경향이 있었다.

TIP

제왕절개술

- 제왕절개는 자궁벽을 외과적으로 절개하여 태아를 만출시키는 방법으로 최근 증가 경향을 보인다.
- 제왕절개는 예정제왕절개와 질식분만시 문제가 생겨 시행하는 응급제왕절개가 있다.
- 응급제왕절개는 모체와 태아의 상태가 악화된 경우와 분만의 진행이 불량하여 질식분만이 불가능하다고 판단된 경우에 시행한다.

적응

- 제왕절개술의 원인은 앞서 제왕절개의 기왕력, 지연분만, 태아곤란증(fetal distress), 태위, 태세이상의 순이다.

예정제왕절개		응급제왕절개	
원하는 일시를 정해서 시행한다.		모체와 태아의 상태 악화 등으로 인해 응급으로 시행한다.	
모체적응	태아적응	모체적응	태아적응
• 전치태반 • 협골반 • 아두골반불균형(CPD) • 다태임신 • 감염증(HSV, HIV 등) • 앞서 제왕절개의 기왕력 • 자궁 수술(자궁근종절제술 등)의 기왕력 • 합병증(당뇨병, 심질환 등)이 있는 경우 • 고령초산모	• 태위, 태세의 이상(둔위, 반굴위, 횡위 등) • 거대아 • 태아발육부전(IUGR)	• 자궁파열징후 • 지연분만, 분만의 중지 • 중증자간전증 • 태반조기박리*	• 태아곤란증(fetal distress) • 탯줄하수, 탈출 • 태반조기박리

붉은 글씨는 절대적 적응 *태아·태반의 존재가 모체의 생명에 위험을 초래할 경우, 태아 생사를 따지지 않는다.

필수 조건

- 이하의 조건을 만족시키지 않는 경우에는 제왕절개를 시행하여서는 안된다.

모체: 수술에 견딜 수 있을 것 태아: 생존해 있으며, 태외 생활이 가능할 것

일반적으로, 출산 후에는 여성의 성욕과 성행위가 회복된다. 회복에 영향을 미치는 요소는 다음과 같다. 산과적 치유에 대한 불안, 새로운 역할에서 오는 피로와 긴장감, 성적 파트너의 태도, 모유수유하기의 경험 등은 산욕기 성건강에 영향을 미친다. 산욕기의 증가된 성행위에 대한 욕구는 성욕과 성 능력의 완전한 회복이며 성적표현이다.

5. 수술 분만 여성의 성행동

분만 시 시행하는 산부인과 수술은 정서적 후유증을 남길 수 있다. 분만 산부에게 회음절개술을 꼭 시행해야 하는지가 의문시되고 있다. 회음절개술은 출산 후 산모에게 큰 불편감을 주고 환부의 감염에 대한 감수성을 높인다. 많은 여성들은 회음절개술을 자신에 대한 폭행으로 간주하고 분노를 갖는다. 이런 감정들은 산욕기 동안 우울증을 가질 수 있다.

제왕절개술을 받은 여성들은 아기를 정상적으로 분만하지 않았기 때문에 자기자신의 안전에 대한 위협감과 불안감을 느끼며 아기에 대해 미안함을 느낀다. 제왕절개술은 임신부의 복벽과 자궁을 절개하여 아기를 분만하는 방법이다.

제왕절개술을 받은 여성의 자궁경부와 질은 출산의 과정을 거치지 않았더라도 호르몬의 변화로 인해 자연분만시 나타나는 변화가 거의 같게 나타난다. 제왕절개술로 출산한 여성은 질의 탄력성이 부족하고 건조감이 있다고 하였다. 제왕절개술을 한 산욕부는 산욕기간 동안 수술의 회복으로 인한 피곤함과 성교를 시작할 때 느껴지는 절개한 복부의 불편감을 동시에 경험한다.

6. 수유부의 성행동

Pryor는 수유부가 모유수유를 시작할 때나 끝낼 때에 성애적 감정을 느낀다고 하였다. 성적 쾌감도 모유수유 시 느끼는 경험의 일부분이라고 하였다. Fracis는 성공적으로 모유수유를 경험하지 못한 여성은 성의 중요한 부분을 성취하지 못하였다고 하였다. 성공적인 모유수유란 어머니가 아기에게 영양을 공급해줄 뿐만 아니라 편안함, 사랑, 애무, 스킨쉽을 함께하는 즐겁고 관능적인 관계를 유지하는 것을 의미한다. Newton은 성교와 모유수유는 여러 측면에서 유사점이 있다고 하였다. 자궁

그림 8-10 제왕절개술 후 모·아 위험 요소

표 8-3 복식제왕절개

	자궁하부횡절개	자궁체부종절개(고전적 제왕절개)
절개부위	자궁하부 자궁하부(협부)를 횡절개	자궁체부를 종절개
적응	• 대부분의 사례	• 전치태반 • 자궁근종과 자궁경부암 합병임신 • 자궁하부(협부) 신전이 불충분한 경우 • 다태임신 등
특징	• 출혈량이 적다. • 술후 유착이 적다. • 다음 임신 시 자궁파열의 위험이 적다.	• 출혈량이 많다. • 양수가 복강내로 유입되므로 술후 유착이 생기기 쉽다. • 융합부전이 일어나기 쉽다. • 다음 임신 시 자궁파열을 일으킬 위험이 높으므로, 분만은 제왕절개를 행하는 경우가 많다.

• 복식제왕절개는 자궁벽의 절개 부위에 따라, 자궁하부횡절개(복식심부제왕절개)와 자궁체부종절개(고전적제왕절개)로 나뉜다.
• 자궁체부종절개의 적응은 자궁하부횡절개를 시행할 수 없는 경우에 한하여 시행된다.

수축은 모유수유를 할 때도, 성적으로 흥분할 때도 모두 발생한다. 모유수유 시 아기는 엄마의 유방을 어루만지고 유두를 자극함으로써 성적 자극을 준다. 성장한 영아는 수유시 손, 발, 손가락, 발가락의 주기적인 동작들을 통해 전체 신체의 반응을 보여준다. 음경의 발기 또한 남자 아기에게 일반적으로 일어나는 현상이다. 모유수유 시 나타나는 접촉행동은 피부의 혈관과 체온을 변화시키고, 유즙 사출반사를 일으킨다. 비슷한 감정이 성적 흥분기나 모유수유기 동안에 똑같이 나타나며, 절정감도 모유수유 시에 경험할 수 있는 반응이다. 또한 성에 대한 수용적인 태도는 모유수유에 대한 수용적 태도와 상호 연관이 있으며, 아기에게 모유수유하는 중에 부르는 어머니의 노래, 아기의 부드러운 만족감을 나타내는 소리와 성행위 시 표현하는 자발적인 발성 사이에는 유사점이 있다.

Kenny는 임신과 모유수유 시에 나타나는 성행동 반응을 조사하였다. 모유수유를 한 집단은 모유수유기간 동안 성교 횟수와 절정감의 빈도가 증가하였으며, 모유수유를 하지 않은 집단은 성교의 빈도가 감소하였고, 절정감의 빈도도 감소하였다. Kenny는 모유수유를 하는 어머니들이 모유수유를 하지 않는 어머니들보다 더 신체적으로 건강하고 관능적이라고 하였다.

여성들이 모유수유 하기를 원하는 주요 심리적인 이유는 "아기와의 접촉성", "정서적 충족감"이며, 좀 더 실제적인 이유는 모유수유하기가 "편리하고", "쉽기" 때문이다. 젊은 기혼 여성들의 87%와 좀 나이든 기혼 여성들의 59%는 모유수유하는 것은 "정서적으로 의미있는 경험"이라고 하였

그림 8-11

유즙분비기전
호르몬과 밀접하게 관계된다.

• 분만 후에 에스트로겐, 프로게스테론의 유선에 대한 유즙분비억제작용이 해소되고, 프로락틴의 작용이 주체가 되어 유즙이 분비된다.
• 유즙분비는 산욕 2~3일 안에 시작된다.

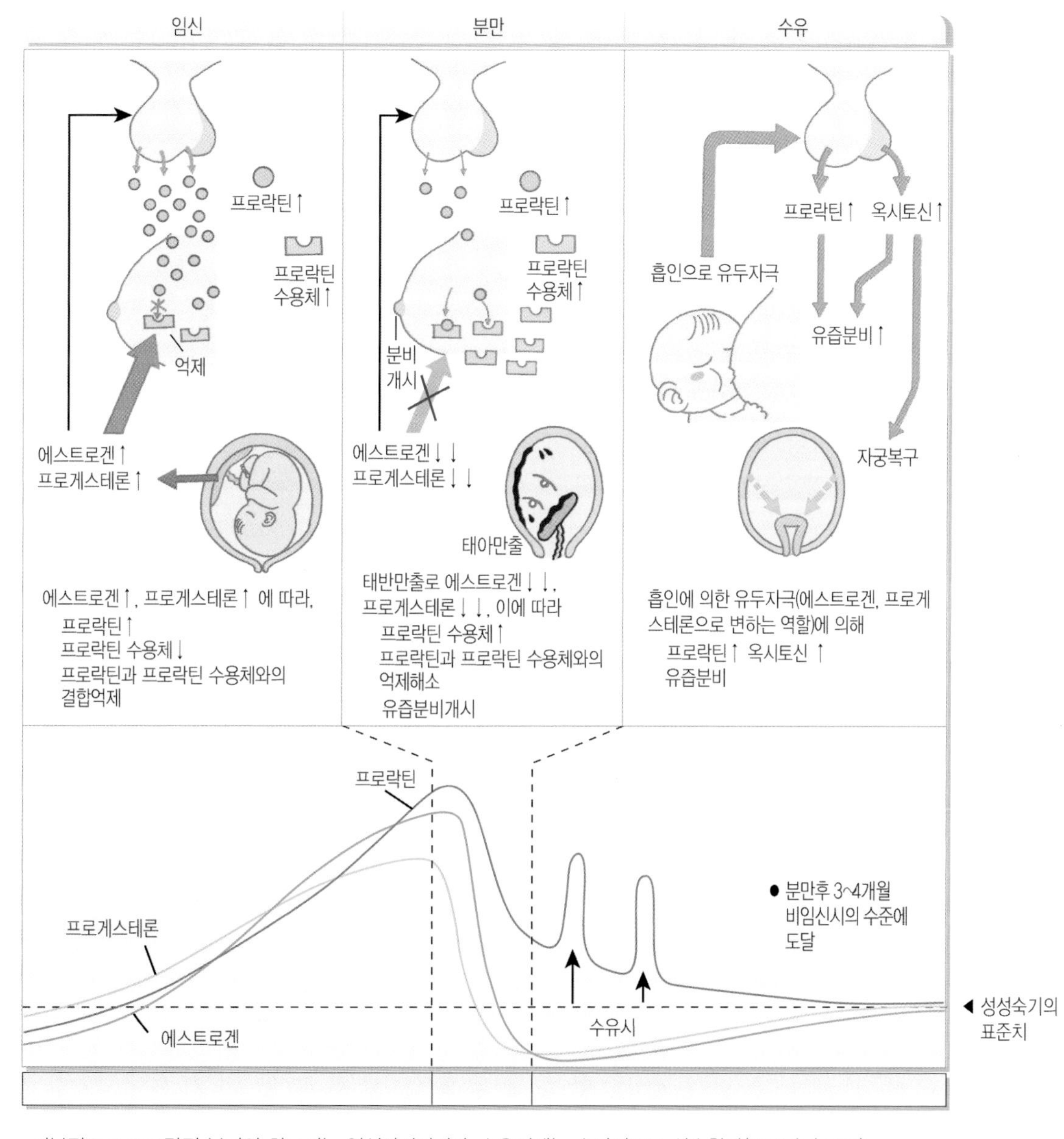

• 기본적으로 프로락틴 분비의 최고치는 임신말기이지만, 수유시에는 순간적으로 상승한다(프로락틴 급등).

다. 대부분 여성들의 경우, 아기에게 젖을 뗀 후에도 성적 관심은 거의 변하지 않았다고 하였다. 수유를 중단한 후에도 성적 관심이 감소되었다고 보고하는 사람은 없었다.

Masters와 Johnson은 101명의 여성 대상자 연구에서, 모유수유 시 성적자극을 경험한 24명의 여성들을 연구하였는데, 이 중 6명은 수유 시 느끼는 성적 욕구에 대해 죄책감을 표현했고, 이러한 죄책감은 남편과 성교를 시작함으로써 경감되었다고 하였다. 산욕기 동안 모유수유를 거부한 초산부 8명과 경산부 17명을 조사하였는데 모유수유를 거절한 이유를 확인했더니 17명의 여성은 남편들이 모유수유 하기를 거부했고, 나머지 여성은 자신의 외모 손상에 대한 두려움과 품위가 떨어진다는 것과 이전 모유수유에 의해 자극 받는 높은 수준의 성애적 느낌이 두려워서 이번 아기에게 수유를 거부한다고 하였다.

경직된 모유수유 패턴은 시간, 장소, 모자관계에 부정적 영향을 미친다. 현대의 산업 사회는 모자관계(아이와 어머니는 출생 때 분리되어지며, 아기는 홀로 잠을 자고, 여성들은 조이는 옷을 입는다)의 감각적 접촉을 상당히 제한한다. 이런 요소들은 모유수유 시 관능적인 본질을 느끼지 못하도록 한다.

신체적, 심리적 그리고 사회적 요소들은 모유수유 여부를 결정하는데에 많은 영향을 미친다. Bentonvim은 의사결정 과정에 영향을 미치는 개인, 가족, 사회의 여러 요인들을 제시하였다. 모유수유 또는 인공수유를 결정하는데 영향을 미치는 요소들인 영아, 가족, 사회의 변수들을 범주화하였다. 성과 관련된 어머니 변수들은 유방이 노출되는 것에 대한 당황함, 자위행위나 성적 유희에 대한 수치심 그리고 여성적인 헌신보다는 남성적인 결단 등으로 모유수유 결정에 부정적으로 작용하였다. 성과 관련된 가족 변수는 결혼상태, 결혼기간, 본능적 기능에 대한 신념, 복종성 같은 전통적 견해보다는 여성운동의 지지, 성에 대한 조심성보다는 개방성등이 포함되었다. 성과 관련된 사회적 변수는 여성의 직업적 역할, 그리고 지역사회의 모유수유에 대한 성적 태도 등이 포함되었다. 모유수유 결정과 관련된 성적 요소들은 쾌락과 수치심을 갖는 유방의 변화에 대한 반응, 호르몬 변화에 대한 반응, 그리고 유즙 사출과 유즙의 분비에 대한 반응등이 포함되었다. 수유 시 나타나는 성적 연관성은 총체적 몸의 쾌락 반응이 포함되었다. 가족 그리고 사회의 요소들은 결혼만족감, 부모 역할에 대한 적응 또는 부조화, 유방을 성적 또는 모유수유의 대상물로 수용 또는 거부 등이 포함되었다.

간호사는 이들 요소들을 충분히 고려하여 모유수유에 대해 의례적인 대답을 하지 않도록 하며 모유수유를 결정하는 의사결정 과정에 모유수유의 성적인 측면을 통합시켜야 한다. 대상자가 모유

TIP

프로락틴(PRL)과 옥시토신(OT)

- 유즙분비에는 주로 뇌하수체 호르몬인 프로락틴과 옥시토신이 관여한다.
- 두 호르몬 모두 유즙분비에 중요한 역할을 담당하며, 태아의 흡인자극에 의해 분비가 항진된다.

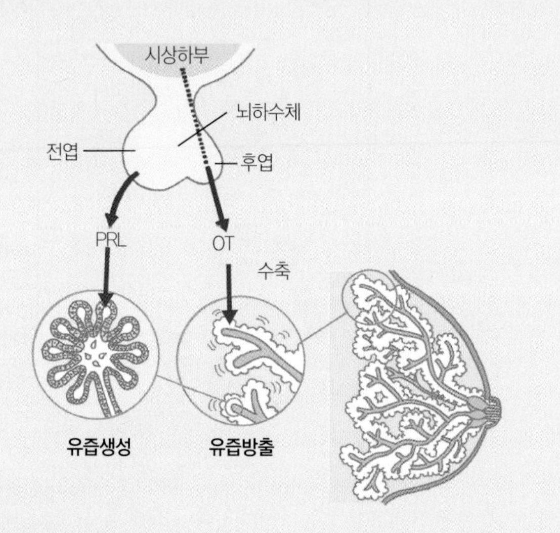

프로락틴과 옥시토신의 비교

	Prolactin	Oxytocin
생성	뇌하수체전엽	시상하부
분비	뇌하수체전엽	뇌하수체후엽
작용부위	유선세포	유방 평활근
작용	유즙 생성↑	유관내의 유즙방출
그 외	난소기능 억제	자궁복구 촉진

수유를 결정하고자 할때 간호사는 개인(어머니, 영아), 가족, 사회적 변수들을 성건강과 관련하여 충분히 고려하고 모유수유를 긍정적으로 결정할 수 있도록 간호과정을 적용하여야 한다.

7. 임신 시 배우자의 성욕

간호사는 임신과 분만 후에 나타날 수 있는 배우자의 감정과 요구에도 역시 주의를 기울여야 한다. 임신은 여성이 중심적 위치에 있지만, 남성도 임신을 같이 경험하기 때문이다. 아내의 임신 기간동안 남편도 역시 정서적 변화를 경험하며 특히 남성들은 새로운 가족에 대한 사회경제적 역할, 아버지 역할에 대한 부담을 갖는다. 남자 스스로도 자신이 부드럽고, 온화하기를 원하며, 그 자신의 내부에서 양육적 자질이 나타나기를 원한다. 그러나 이런 자질들은 그 자신의 사회적 역할때문에 낯설게 느껴질수도 있다. 남성은 아버지 역할에 대해 개인적으로 적절하고, 사회적으로 수용할 만한 방법으로 대응하고자 하나 자신의 남성성 사이에서 갈등을 느낄 수도 있다. 남편이 출산준비반에 참여하거나 분만할 때 부인과 같이 있는 것은 아버지로서 역할에 대한 지각과 아내와의 상호관계에 긍정적 영향을 미친다.

Masters와 Johnson은 출산 후 3개월째에 있는 부인들을 면담한 후에, 그들의 남편 79명을 면담하였다. 남편 중에서 31명은 임신 중반기 말부터 후반기 초기까지 성교를 자제했다고 하였다. 그 이유는 태아나 아내에게 신체적인 손상을 입힐까봐 두려워서 성교를 자제했다고 한다.

임신 36주부터 출산 후 3개월 동안 성교를 금지하도록 지시를 받은 아내들을 둔 71명의 남편들에서 이들 중 21명은 성욕이 금지된 것에 대해 이해하고 동의했으나, 23명은 의사의 지침을 이해할 수 없었다고 하였고, 성교금지에 대한 이유가 분명하지 않기 때문에 의사가 부인과 자신(남편)에게 금욕의 이유를 잘 설명해 주기를 원한다고 하였다. 출산 후 산욕기간 동안 남편들의 주요 관심사는 부인이 신체적 손상이나 정서적 고통없이 얼마나 빨리 적극적인 성교를 시작할수 있는지에 대한 것이었다.

또한 71명의 남편들 중에서 18명은 혼외 성교를 하였다고 했으며, 임신 36주 이후에 혼외 성교를 한 남성집단에서 12명은 출산 후에도 계속 혼외 성교를 했다고 하였고 6명은 출산 후 금욕기간 동안만 혼외 성교를 하였다. 이들 중 3명은 혼외 성교가 처음이었다고 말했다.

Rainwater에 의하면 노동계층의 남편들은 임신을 남성성의 확인으로 생각하였으며, 임신기간 동안은 특히 그들의 부인에게 가장 잘 대해 주었으며, 접촉 및 관심을 많이 가졌다고 하였다.

Shereskefsky와 Yarrow는 젊고, 중산층이고, 도시에 거주하는 60가구의 가정을 대상으로 임신에 대한 파트너의 반응을 연구했다. 태동이 느껴진 후, 남편들의 절반은 아기의 손상에 대한 두려움으로 성교를 피하였다. 남성들은 임신한 여성의 신체에 대해 부러워하기도 하고, 임신한 여성의 모

TIP

임신 중 배우자의 성욕

- 남성들의 대부분은 임신한 아내를 더욱 매력적으로 느낀다. '임신'을 아내와 같이 이루어 냈다는 자신감이 성욕을 증가시킨다.
- 성욕은 임신한 아내와 비슷하게 변한다. 대부분의 남편은 '성교가 아기를 해칠 수 있다'고 느낀다. 이것은 성욕 감소의 요인이 된다.
- 임신말기에 남성의 성욕은 감소된다. 아내가 덜 매력적이어서가 아니고, '더욱 아내와 아기를 보호해 주려는 본능'에서 시작된다.

습이 사적인 성행위의 공적 표현이기 때문에 부인과 함께 있는 것을 불편해 하기도 하였다.

Wegsteen과 Wagner에 의하면 남성과 여성은 사랑과 애정표현 방법이 서로 다르기 때문에, 임신한 여성의 저하된 성적 흥미와 남편의 증가된 애정표현의 욕구는 성적 파트너 간에 갈등의 원인이 될 수 있다고 했다. 전통적으로, 여성들은 비성적인 방법으로 애정을 표현하도록 사회화 되어있으나 남성들의 경우는 강하게 성행위와 애정을 동등하게 취급하도록 사회화 되어있다. 심지어, 부부간의 관계가 매우 친밀한 관계일지라도, 여성이 성행위에 대해 거절하거나 반응을 보이지 않을 때는 남성은 좌절감, 거부감, 우울감을 경험할 수 있다.

Bing과 Coleman는 성적 파트너를 통해 임신한 여성이 경험하는 성적 갈등, 불안, 두려움에 대해 연구하였다. 성적 파트너는 여성의 신체가 예전과 똑같기를 원할 수도 있다. 파트너는 아내의 비대해진 복부, 팽만된 유방에 대해 낯설어 하고, 심지어 압도되어 일시적인 압박감과 부적절감을 느낀다고 하였다. 성적파트너는 아버지 역할에 따른 사회적, 정서적, 경제적 책임감으로부터 도피하고 싶고, 비록 도피하지 않더라도 정서적으로 위축될 수 있으며, 그들은 자신이 태아 때문에 뒤로 밀린 듯한 느낌도 있다고 하였다. 남성들은 본인에게 익숙한 성교패턴이 방해받는 것을 원하지 않는다. 그는 자기만의 긴장 해소와 관능적인 쾌락이 방해받는 것에 대해 당혹감을 느낄수도 있다. 상호 자위행위는 유치하고, 불결하며, 그리고 아버지가 된다는 것에 스스로 부적절한 행위라고 느낄 수 있다. 또한 아내가 성적 만족감을 느끼지 못하는 것에 대해 죄책감을 느낄 수 있다. 새로운 체위는 그를 당황하게 할 수도 있고, 실패할 수 있다는 두려움도 가질 수 있다. 그는 일상적 성교체위로도 그의 아내에게 성적 만족감을 줄 수 있다고 느낄 수 있다.

간호사는 임신한 여성의 배우자가 갖는 갈등, 두려움, 불안에 대해 민감성을 가져야 한다. 교육자-상담자로서 간호사는 통념과 오해를 교정할 수 있는 정보를 제공해야 한다. 파트너가 새롭고, 다양한 경험, 심지어 놀라게 하는 감정과 행위들을 서로 공유하도록 격려한다. 피할 수 없는 갈등과 두려움에 잘 대처하도록 서로 관련된 새로운 방법과 수준을 학습하여 서로에게 성장할 기회를 제공한다.

8. 성건강 전문가의 역할

성건강 사정

임산부와 성 파트너가 상호 정보를 교환하고 공유된 감정과 사고를 증진하는 최적의 시기는 성건강력을 문진하는 시기이다. 이 때 간호사는 임부와 파트너에게 성적 문제와 불안에 대해 표현하도록 하며 성에 대한 교육과 상담이 성건강의 구성 요소임을 알게 한다. 간호사는 상호관계와 임신에 대해 미리 가설을 세워서는 안된다. 임신은 계획할 수도 있고, 간절하게 기대할 수도 있고, 친밀한 상호관계의 일부분이 될 수도 있다. 반면에 임신은 계획하지 않은, 원하지 않은, 불안정하거나 문제가 될 수 있는 관계의 일부분이 될 수도 있다.

부수적인 질문과 임신에 관련된 문제들은 성인의 성건강력에 추가될 수 있다. 성적 지식과 태도에 대한 내용을 포함할 수 있고 남성의 신체적 상태, 성적 상호관계, 모유수유, 진통과 분만, 가족계획 등도 추가할 수 있다.

성건강 간호

간호사는 임신기, 산욕기, 수유기 동안에 성건

강 간호를 위해 능동적 역할을 해야 한다. 교육자로서 간호사는 임신한 여성들과 그녀의 성 파트너에게 발생하는 신체적, 심리적, 사회적 변화에 대해 정보와 지침을 제공한다.

다음의 내용은 중요한 교육내용들이다.

- 성적 존재인 여성 자신의 자아개념과 신체상 변화 그리고 이에 따른 배우자의 지각변화
- 임신과 분만 후에 나타나는 여성의 성 반응 주기의 변화
- 임신과 분만 후에 나타나는 여성의 성적 흥미와 성교 빈도의 변화
- 신체외형의 변화에 따른 성행위와 대안적 체위, 편안감과 만족감이 있는 성적 의사소통
- 모유수유 시 경험하는 성적 흥분과 성행위 시 나타나는 불수의적 유즙누출
- 성적 자극기인 수유기

임신한 여성과 배우자는 임신과 출산 후 산욕기 때에 경험하는 성교에 대해 신체적 변화 및 성 기관의 변화, 심리성적 편안함 친밀한 성적 상호관계 기술 등에 대한 정보가 필요하다. 간호사는 사실적이고, 합리적인 지침들을 제공해야 한다. 임신부, 산욕부와 파트너 모두에게 성교를 포함한 성행위의 계속 유지, 변화, 금지시키는 원인들을 제시한다. 간호사는 상호 논의와 감정의 표현을 격려하며, 대안책과 의사결정을 하도록 상호 탐색할수 있는 시간을 허용한다.

치골미골근육을 강화시키는 케겔 운동은 출산 준비를 하는 대상자에게 교육을 해야 한다. 이 운동은 치골미골근육을 강화하여 근육강도를 유지하고, 골반근육의 약화를 예방하기 위해 추천된다. 치골미골근육은 성적 절정감을 느낄 때 수축하는 근육이다. 여성은 출산 때문에 이 근육의 강도가 약해질 수 있다.

케겔 운동은 처음에 비뇨기계에 문제를 가진 여성들을 위해 개발된 운동으로, 기침이나 재채기

임신·산욕·수유기의 성건강 간호

- 심리적으로 만족감을 주고, 신체적으로 안전하고, 편안하고, 상호 즐거움을 얻을 수 있는 성행위를 하도록 한다.
- 정상적이고, 합병증이 없는 임신인 경우 성교를 금지할 이유는 없다.
- 출혈은 성교의 금기징후이며, 출혈의 원인이 무엇인지 확인하고 관리해야 한다.
- 절정감 반응이 조산을 유도한다면 성교뿐만 아니라 자위행위도 금지해야 한다.
- 산욕부는 자궁 출혈과 질분비물(오로)이 중지되거나 회음이 편안함을 느낄 때, 그리고 상호배우자가 심리적으로 준비가 되어있을 때 성교를 시작할 수 있다.
- 전희를 개발한다. 이 때 과도한 유방의 자극은 피한다. 유방의 자극은 옥시토신의 분비를 촉진시켜서 자궁수축을 유발시켜 유산, 조산의 원인이 되기도 한다.
- 구강성행위(oral sex)를 활용할 수 있다. 임신 말기에는 남자가 여자를 구강성행위 방법은 피하는것이 좋다. 임신 말기에 질내로 공기를 불어넣은 경우 여성에서 공기색전증으로 사망한 경우가 있다. (Aronson & Nelson, 1967)
- 여성이 똑바로 눕는 체위를 피한다. 자궁이 큰 혈관을 압박하기 때문이다.
- 여성은 "성 관련 기구"를 사용해서는 안된다.
- 항문 성교는 절대 금지한다.
- 심한 자위행위는 금지한다.

임산부의 성건강 사정

성 지식과 태도

임신 시 성행위에 대한 정보를 어떻게 획득하였는지, 태도에 어떻게 영향을 미쳤는지에 대해 질문을 한다.

- 당신은 임신 시 성교에 관해 가족, 친구들로부터 들은것은 무엇인가? 그리고 분만 후 성행위에 관해 가족, 친구들로부터 들은 것은 무엇인가?
- 당신은 임신 동안이나, 분만 후 성행위에 대해 어떻게 느끼고 있는가?
- 임신기간과 분만 후 여성의 신체에 일어나는 변화에 대해 당신은 어떻게 알고 있는가?
- 당신은 임신이 진행됨에 따라 시도된 다양한 성행위 체위들에 대해 어떻게 느끼고 있는가?
- 당신은 임신기간중의 자위행위와 구강 성교에 대해 어떻게 느끼고 있는가?
- 당신의 성행위에 관한 생각과 감정은 당신의 배우자와는 어떻게 다른가?

성적 역할, 성적 존재, 성적 기능

임신 시 성적 역할, 성적 존재, 성적 기능에 대해 질문한다.

- 임신은 당신 자신을 어떻게 느끼게 하는가?
- 임부인 당신은 신체에 발생하는 정상적 변화에 대해 어떻게 느끼는가?
- 임부인 아내의 신체에 발생하는 신체적 변화에 대해 배우자는 어떻게 느끼는가?

신체적 상태

임신한 여성에게 신체적 사정을 해야 한다. 월경력 등 산과력을 포함한다. 신체적 건강이 성적 건강에 영향을 주기 때문에, 성 파트너의 신체적 건강에 대해서도 질문을 한다.

- 당신은 신체적 건강에 대해 어떻게 느끼는가?
- 당신은 건강에 대해 어떻게 느끼는가?
- 최근에 당신의 건강에 어떤 변화가 일어났는가?
- 당신의 건강에 대해 알려야 할 사항이 있다고 느끼는가?

성적 상호관계

임신은 성적 상호관계에 영향을 미친다.

- 임신은 당신의 성생활에 어떤 변화를 초래하는가?
- 임신으로 불편감을 느끼는 성적 상호관계는?
- 현재와 미래에 성적 상호관계의 변화가 있을 때 어떻게 대처할 것인가?

모유 수유

임신 초기부터 모유수유에 대해 계획을 세운다.

- 당신에게 모유수유를 하는 가족, 친구, 이웃이 있는가?
- 모유수유에 대해 당신은 어떻게 느끼는가?
- 모유수유에 대한 당신의 생각과 느낌들은? 가정에서는? 직장에서는? 공공장소에서는?
- 당신은 모유수유 하는것이 적절하다고 느끼는가?

진통 과정과 출산

임신부와 배우자는 진통과 출산에 대해 유용한 선택을 한다.

- 어디서 출산할 것인가? 병원에서? 집에서? 출산 센터에서?
- 아기의 출산에 대한 당신의 생각과 느낌은?
- 당신의 가족, 친구, 이웃은 출산교육반에 참석한 적이 있는가?
- 배우자가 진통 과정과 출산 동안 옆에서 지지해 주는 것에 대해 어떤 느낌이 드는가?
- 진통과 출산동안 아내를 지지하는 것에 대해 어떤 느낌이 드는가?
- 진통과 출산에 대해 어떤 계획을 세울 수 있는가?

가족 계획

가족 계획을 세워야 한다.

- 가족계획에 대해 생각해 본적이 있는가?
- 당신은 출산 후에 피임법을 변화시키는 것에 대해 생각해 본적이 있는가?
- 가족계획에 대해 질문할 것이 있는가?

성건강력은 임신과 분만 후에 성건강 간호계획을 세우기 위해 필요한 자료이다. 성건강력을 얻기 위해 면담과 질문을 해야 한다. 이때 간호사는 교육자-상담자의 역할을 한다. 특히 간호사는 파트너가 서로 그들의 관계에 대해 더 많은 것을 학습하도록 격려해준다.

케겔 운동

- 가능한 한 무릎을 벌려 변기에 앉아서 의식적으로 치골미골근육을 수축하고 이완한다.
- 치골미골근육이 어떻게 기능하는지를 확인하기 위해 소변을 내보내고 중지하는 것을 반복적으로 연습한다.
- 소변을 끊고자 했을때 기능하는 근육이 치골미골근육이다. 이 근육만 수축하도록 하며 복부, 허벅지, 엉덩이 근육이 수축하지 않도록 한다.
- 치골미골근육을 3초(10초) 동안 수축과 이완을 한다. 그리고 3초 동안 치골미골근육을 이완하고, 또 다시 수축한다.
- 하루에 3번씩 3초 수축을 3~10초 10번 수행한다.
- 만약 불편함이나 조이는 듯한 느낌이 든다면, 수축의 횟수를 줄인다. 그러나 이 운동은 지속적으로 꾸준히 해야 한다.
- 보조기구로 바지날콘을 사용할 수 있다. 바지날콘의 무게는 점차적으로 증가할 수 있으며, 이것을 질에 삽입하여 질이 무게를 지탱하는 힘을 강화시킨다.

를 할 때에 소변이 실금되는 것을 예방하기 위해 치골미골근육을 강화시키는 운동이다. 또한 이 운동은 질 부분의 민감성을 증진시키고, 성욕을 자극시킨다.

간호사는 임신에 대한 임부와 성 파트너의 반응은 그들의 개인적, 사회적, 문화적 요인과 학습경험에 의해 영향을 받는다는 것을 이해해야 한다. 간호사는 상담자로서 임신기간과 출산 후 산욕기간 동안 대상자의 성역할과 성관계에서 야기되는 변화에 민감해야하며, 이런 변화들을 평가할 수 있어야 한다. 간호사는 임신한 여성과 파트너의 문제를 잘 경청하며, 그들의 개인적 요구, 욕망, 기대, 목표가 잘 조화할 수 있도록 도움을 주어야 한다. 간호사는 간호사-대상자의 상호작용에서, 대상자들의 임신과 출산 후 산욕기간에 발생하는 문제점과 변화들에 대해 잘 대처할 수 있도록 개별화된 교육과 상담을 실시해야 한다.

간호·상담 과정

대상자 정OO– 제왕절개수술 후 3일 됨
간호사 신OO– 산과병실에서 모아간호를 하는 간호사

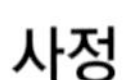

사정

주관적 자료

"이번이 세 번째 아이지만 제왕절개수술은 이번이 처음이다."
"다른 분만 때보다 좋게 느껴지지 않는다."
"나는 너무 피곤하고 쉽게 피곤해진다."
"복부의 절개부위는 매우 불편하고 때로 고통스럽다. 사실 온몸이 아프다."
"남편과 나는 이것에 대해 얘기했다."
"나는 이렇게 힘들 것이라는 것을 예상하지 못했다."
"나는 이 아기도 역시 모유를 먹이고 싶다."
"이전의 2번의 출산 경우에는 성행위를 오로가 없을 때 그러니까 약 3주쯤에 성교를 시작했다."
"그러나, 제왕절개수술 때문에 우리는 성교를 더 오래 기다렸다가 해야 되는 것 아닌가요?"

객관적 자료

- 29세, 기혼자, 가정주부
- 3세, 5세의 두아이를 두고 있음. 이 두 아이는 모두 자연분만
- 제왕절개수술한 지 3일째로 건강상태 양호함.
- 아기의 건강상태도 양호함
- 모유수유 경험도 만족스러움
- 이전의 산욕기에 느꼈던 경험과는 다른 불편함과 피로를 느낌
- 이전의 자연분만 시에는 분만 후 3주쯤에 성교를 시작했음
- 제왕절개수술 후 성교의 시작시기에 대해 알고 싶어함

간호진단

- 제왕절개 분만과 관련된 예상치 않은 피로감.
- 제왕절개 분만 후 성교의 시작과 관련된 지식 부족

계획

- 피로감과 불편감을 수용하도록 의사소통 한다.
- 제왕절개 수술 후 변화에 대한 정보를 제공한다.
- 피로감과 불편감이 정상적이라고 알려준다.
- 피로감과 불편감은 사라질 것이라고 위로한다.
- 피로감과 불편감을 경감시키기 위해 긍정적인 제안을 한다.
- 제왕절개수술 후 성교의 시기에 대한 지침을 설명한다.
- 호르몬 변화는 자연분만과 같다고 설명한다.
- 복부 절개부위가 불편감을 줄 때 복부에 무게가 실리지 않는 대안적인 체위들을 제안한다.
- 질의 탄력성 감소와 건조함을 경감시키기 위해 수용성 윤활제의 사용을 제안한다.
- 감정들의 표현을 격려한다.
- 상호 의사결정을 격려한다.

수행

- 제왕절개수술 후의 회복과정을 이해한다. 남편과 관련정보를 공유한다.
- 남편과 함께 성교를 시작하는 데에 필요한 지침들과 조언들을 검토한다.
- 절개부위에 불편감을 주지 않는 임신후반기에 사용한 "후방위"체위를 계획한다.
- 성교 시작시기에 대해 상호의사결정을 한다.

평가

- 불편감이 경감되었다고 한다.
- 남편과 퇴원 후 만족스런 성교를 할 수 있다고 한다.

No.

NAME
NOM

*SEXUAL HEALTH CARE

성적 의사결정: **피임·난임**

Sexuality and Reproductive Decision Making : Contraception·Infertility

가치 명료화 **훈련**

우리사회는 유교적 전통이 여전히 영향을 미치고 있다. 전통적인 신념은 성행위를 반대하지는 않지만, 쾌락은 반대한다. 다음은 생식적 섹스와 오락적 섹스에 대한 인식과 감정을 검토하도록 하는 훈련이다.

다음의 질문에 대해 당신의 대답을 적어보자. 대답을 검토한 후 자신의 신념과 부정적 감정을 확인하고, 어떻게 형성했는지를 생각해 보자. 또한 당신의 신념이 행동에 어떻게 영향을 미치는지도 생각해 보자.

- 당신은 생식에 대해 의사결정 할 권리가 있는가?
- 피임은 주로 여성이 해야 할 책임이라고 생각하는가?
- 피임법을 선택할 때, 당신이 가장 중요하게 여기는 요소는 무엇인가? 부작용이 없는것, 임신을 피할 수 있는 효과성, 두 파트너가 좋아하는 수용성 등 어느 것인가?
- 청소년기에 사용할 수 있는 가장 적절한 피임법은 무엇이라고 생각하는가?
- 당신은 피임상담이 독신 남성과 여성에게 유용하다고 생각하는가?
- 난임 부부에게 성교의 중요성은 무엇이라고 생각하는가?
- 당신은 성관계시 원하지 않은 임신을 예방하기 위해 피임을 하는가?
- 난임은 성적 자아개념에 어떤 영향을 미친다고 생각하는가?
- 난임은 남성과 여성 중 누구에게 더 큰 정서적 문제를 유발한다고 생각하는가?

친구나 동료집단과 함께 당신의 감정과 신념에 대해 논의해 보자. 자신의 감정과 신념을 집단과 비교해 볼 때 얼마나 비슷한가? 얼마나 다른가? 피임에 대한 정보를 16세 여성, 45세 여성 또는 65세 남성에게 교육할 때 무엇이 어떻게 다른가? 성건강상담자의 피임에 대한 감정과 신념은 대상자들에게 어떻게 영향을 미치는가? 난임 부부에게 임신을 위한 정보를 제공할 때, 성건강상담자의 난임에 대한 감정과 신념은 어떻게 영향을 미치는가?

행동 **목표**

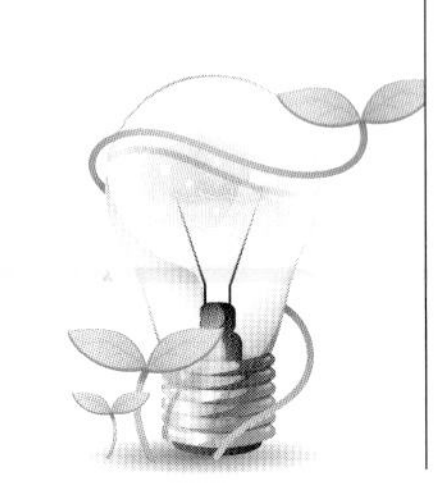

이 장을 끝마친 후

- 성 생식에 관한 의사결정권을 설명할 수 있다.
- 피임방법을 선택 시 고려할 사항을 설명할 수 있다.
- 피임방법의 종류별 장·단점을 설명할 수 있다.
- 피임과 연관된 합병증을 논의할 수 있다.
- 청소년의 피임법 선택에 미치는 영향에 대해 논의할 수 있다.
- 난임의 원인을 설명할 수 있다.
- 난임이 성행위에 미치는 영향에 대해 논의할 수 있다
- 피임과 난임관리에서 성건강전문가의 역할을 설명할 수 있다.

1. 성·생식에 대한 의사결정권

임신과 난임에 대한 복잡성은 수 세기 동안 인간을 당혹스럽게 하고 있다. 역사적으로, 생식조절은 문화와 사회에 부담을 주고 있다. 즉 문화적, 종교적, 윤리적, 법적 기준은 임신 예방 및 출산율 감소와 증가에 영향을 미치기 때문이다.

여성이 생식에 대해 의사결정권을 갖게 된 것은 1960년대 전후의 일이다. 임신을 할 것인지, 안 할 것인지에 대해 계획을 세울 수 있는 여성은 임신을 조절하는 의사결정 과정에 선택과 책임을 갖는다(표 9-1). 임신을 조절할 수 있는 정보는 대부분의 사람에게 매우 유용하다. 개인은 임신을 할 것인지, 안할 것인지, 임신 터울, 임신 횟수, 또는 피임 방법 등을 선택할 수 있다.

성적 의사결정권이란 나의 성적 욕구, 성적 지향성, 성적 행동 등을 자율적으로 결정할 권리로 나의 성 생식관련 행동이 다른 사람에 의해 침해 또는 구속 받지 않는 권리를 의미한다.

자녀를 원하는 약 10~15% 난임부부의 문제는 임신의 조절이 아니라 난임에 대한 치료이며 관리이다. 임신을 할 것인지 안할 것인지에 대한 의사결정은 성관계 시마다 필수사항 이지만, 이에 따른 발생가능한 문제와 해결책은 다양하다.

현대기술은 임부 또는 난임 여성에게 유용한 선택을 할 수 있도록 도와준다. 가임기 여성은 임신을 조절할 필요가 있다. 또한 의료기술의 발달로 난임 여성은 임신을 할 수 있는 기회가 증가하고 있다. 임신을 조절해야하는 여성이든 또는 임신을

표 9-1 책임감 있는 성적 의사결정권자

- 상대를 좋아하다가 싫어지는 감정이 생길 수 있다는 걸 인정하고 수용할 수 있다.
- 성적 욕망이나 피임에 대해 상대에게 이야기할 수 있다.
- 상대에게 희노애락의 감정을 표현할 수 있다.
- 상대가 어떻게 반응할 지 걱정되더라도 감정을 감추거나 왜곡하지 않는다.
- 상대의 일방적인 요구에 대해 '부당함'을 이야기 할 수 있다.
- 원하지만 상대가 싫다고 하면 여러 번 반복해서 강요하지 않고 상대의 의사를 존중한다.
- 여전히 좋아해도 상대는 좋아하지 않는다며 헤어지려 할 때, 억지로 붙잡지 않는다.
- 나의 성적인 욕망에 대해 그대로 인정한다.
- 나에게 맞는 피임법에 대해 알고 있다.
- 성적 욕망이 생기면 함께 나눌 상대가 없어도 나름대로 해소할 수 있는 방법을 알고 있다.
- 성관계 의사 없이도 상대와 여행을 함께 할 수 있다.
- 내 감정과 느낌이 소중한 만큼 상대의 상태를 충분히 고려하고 배려할 수 있다.
- 상대의 감정을 통제하기 위해 내 감정을 과장하거나 왜곡되게 표현하지 않는다.
- 합의된 신체적 접촉(예: 키스)을 하는 중에 내 맘대로 다른 행동을 저지르는 행위는 하지 않는다.
- 상대의 신체적 접촉에 대한 제안을 내가 원하지 않을 경우엔 거절할 수 있다.
- 연애하고 싶은 사람이 있을 때 먼저 상대에게 제안해 볼 수 있다.
- 사람을 사귈 때 '이 사람은 내꺼다'라는 생각을 우선하지 않는다.
- 고백했을 때, 상대가 나에게 관심이 없다고 말해도 자존심은 상하지만 받아들일 수 있다.
- 상대가 취해서 정신이 없을 때를 기회로 내가 평소에 원했던 접촉을 시도하는 일은 하지 않는다.
- 성적으로 끌리는 대상이 있으면, 그 사람이 생각하고 판단할 수 있는 상황에서 성관계를 제안할 수 있다.

가족계획 변천

1960년대 1970년대 1980년대 1990년대 2000~현재

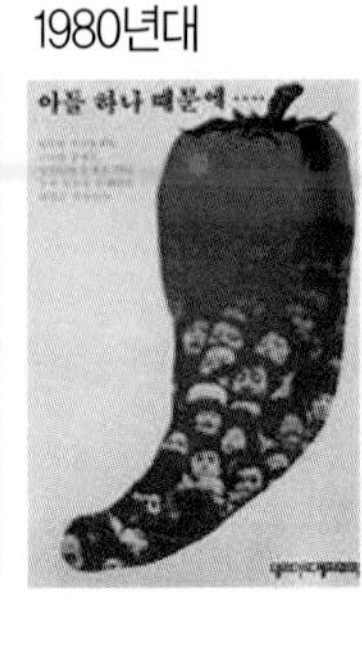

보건복지부 자료

출산율

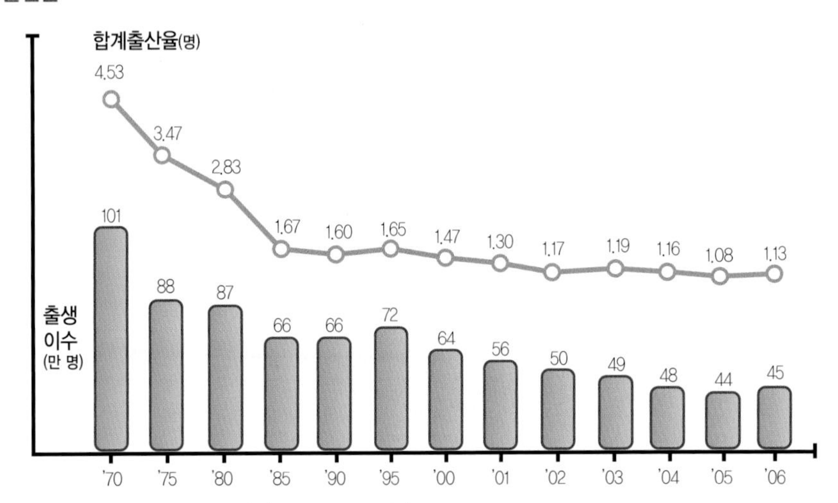

1983년 출산율이 인구대체 수준(2.1) 이하로 하락한 이래
2005년에는 세계최저수준(1.08명)까지 하강
2006년 증가세로 반전한 이후 출산율 상승이 지속되고 있음.
*2015년 1.24명으로 전망함(통계청)

해야하는 여성이든 간에 그들이 선택하는 방법은 위험도가 최소화된 방법을 선택할 수 있도록 하며 그들의 요구·가치관·습관을 존중해야 한다.

임신을 조절하건 또는 난임을 관리하건 간에, 성건강전문가는 대상자의 독특성을 인정해야 할 책임이 있다. 간호는 각각의 대상자들이 진술한 요구와 기대를 반영해야 한다.

2. 피임

피임법의 발달은 인간의 성행위에 많은 영향을 미치고 있다. 피임은 생식행위가 아닌 오락적인 성행위를 위한 자율적인 행동이다. 성행위는 생식과 쾌락이 따르는 친밀한 의사소통 방법이다. 임신을 계획하거나 피임을 하는 것은 개인의 의사결정권이기 때문에 피임은 그들의 자아존중감과 자아상

을 향상시킨다.

대부분의 사람들은 피임을 하지 않으면 임신을 할 가능성이 있음을 알고 있다. 성행위 시 피임을 한다는 것은 자기의 개인적 선택사항이라기보다는 오히려 필수사항이 되고 있다. 특히 경제적 빈곤이나 위험한 건강상태에서는 임신을 할 수 없기 때문이다. 그러나 성행위는 생식이 목적이라고 생각하는 성적 가치체계를 가진 사람은 성행위 시 피임을 선택하지 않을 것이다.

임신을 예방하거나 임신의 중절을 위해 사용하는 피임법은 개인적·종교적 신념, 선호도와 편견, 건강, 피임법의 접근성에 따라 다양한 방법이 있다.

피임을 하고자 할 때 피임 방법과 이에 따른 효과는 매우 중요하다. 실제적 효과는 이론과 정보를 통해 확인할 수 있다. 피임의 효과는 이론적으로 지시사항대로 정확하게 사용했을 때 최대의 효과를 나타낸다. 실제 피임을 하고자 했을때 그 효과는 피임 방법의 실수 유무와 관련되어 있다. 대상자들은 피임을 할 때 일관성 있게 또는 일관성 없게 한다. 지시사항을 잘 따를 수도 있고, 잘 따르지 않을 수도 있다. 피임의 효과는 대상자가 피임 방법을 일관성 있게 주의하면서 사용했을 때 효과성이 높다.

피임법의 효과는 특정기간동안 특정방법을 사용한 성 파트너들의 집단에서 발생한 임신율로 측정한다. 97%의 효과율은 3%의 실패율을 의미한다. 즉 1년동안 100명의 여성 중에서 3명에게서 임신이 발생했다는 것이다. 피임법의 효과에 대해 의구심을 갖는 대상자에게 피임 방법의 이론적 효과와 실제적 사용률을 제시할 필요가 있다.

피임은 사용자에게 불편감과 문제를 야기할 수 있다. 이 피임 방법은 나의 건강에 어떻게 영향을 미치는가? 이 방법을 사용했을 때 올 수 있는 심각한 문제는 없는가? 피임이 실패했을 때에 임신할 수 있는 위험과 유산을 해야하는 다른 간접적인 위험이 있는가 등이다. 특히 경구피임약은 혈전 형성의 위험을 초래 할 수 있다.

위험에 대한 정보는 잠재적인 문제까지도 제시해야 한다. 정보는 대상자 중심으로 제공해야하며 책임 있는 결정을 할 수 있도록 돕는다.

피임법의 선택에 영향을 주는 요소는 개인의 건강상태, 생활양식, 그리고 습관 등이다. 피입법은 효과성, 위험성, 접근가능성, 사용절차의 수월성, 비용과 같은 요소에 의해 선택된다. 피임 방법의 실제 효과는 첫째, 방법의 이론적 효과성, 둘째, 사용의 일관성, 셋째, 성 파트너의 올바른 사용에 의존한다. 임신조절에 대한 효과적인 방법은 주의깊게 정확한 피임행위를 했을때 가능하다.

다음 질문은 피임 방법 선택시의 고려사항이다 (268p 참조). 다음의 질문에 "예" 대답은 선택된 방법을 사용할지, 안할지, 사용한다면 어떻게, 언제 사용할 것인지에 대해 영향을 미칠 수 있다.

3. 피임 방법

피임은 산아제한이라기보다는 임신조절 방법이다. 임신조절 또는 피임을 계획하려면 개인은 성과 생식력을 지닌 존재라는 사실뿐만 아니라 성생활을 할 계획이 있다는 사실을 인정해야 한다. 개인은 책임감있는 성행동을 위해 어떤 피임법을 선택하며 그것이 얼마나 믿을만한지 또는 어떤 장단점이 있는지를 알아야 한다. 개인은 유용한 피임법, 효과정도, 관련된 위험성, 접근가능성, 금기징후, 성행위에 미치는 영향에 대한 정보가 필요하다.

피임 방법이 갖추어야 할 이상적 조건은 다음과

피임법 선택 시 확인사항

- 피임법을 사용할 때 수치심, 죄의식, 갈등과 같은 감정을 느끼는가?
- 피임법을 실제로 사용하지 않기를 원하는가? 피임법을 사용하는데 문제가 있는가?
- 피임법을 사용하는 동안 임신이 된 경험이 있었나? 처방된 피임법을 사용할 수 없게 된 이유가 있었는가?
- 피임법에 대해 의문이 있는가?
- 어머니, 아버지, 여형제, 남형제, 또는 친밀한 친구가 피임법 사용에 대해 강하게 만류한 적이 있는가?
- 피임법은 나의 월경기간을 길게 하며 더 고통스럽게 하는가? 피임법의 사용은 비용이 많이 드는가? 피임법은 심각한 합병증이 있다고 알고 있는가?
- 종교적 신념 때문에 피임법을 반대하는가? 피임법으로 어떤 합병증을 경험했었나? 간호사나 의사가 이 방법을 사용하지 말라고 금지한 적이 있는가?
- 피임법 사용에 대해 파트너가 반대하는가?
- 파트너에게 알리지 않은 채, 피임법을 사용하고 있는가?
- 피임법의 사용은 나를 당황하게 만드는가? 피임법의 사용은 파트너를 당황하게 만드는가? 나와 파트너는 피임법을 사용하기 때문에 성교를 더 즐길 수 있는가?
- 피임법이 성교의 행위를 방해한다고 생각하는가?

같다.

- 피임효과가 확실해야 한다 : 피임효과는 절대적이고 확실하여야 하며 일시적이고 복원 가능해야 한다.
- 인체에 무해하여야 한다 : 피임법의 사용으로 부부 중 어느 한 쪽이라도 건강에 위험을 주어서는 안 되며, 부작용이나 합병증이 있더라도 경미하고 일시적이어야 한다.
- 성교나 성감을 해쳐서는 안 된다 : 피임법을 사용함으로써 성행위가 부자연스럽거나 불완전해서는 안 된다.
- 사용방법이 간편하여야 한다 : 아무리 효과가 좋은 방법이라도 사용하는 방법이 복잡하거나 불편하면 활용성이 떨어진다.
- 비용이 적게 들어야 한다 : 이상적인 조건들이 모두 구비되었다 하더라도 비용이 많이 드는 방법은 소수의 대상자만이 사용할 수 있다.
- 피임에 실패했다 하더라도 태아에게 악영향을 주지 않아야 한다 : 여러가지 피임법 중 100% 완벽한 피임 방법은 없다고 할 수 있으므로 피임에 실패해 임신이 되었다 하더라도 태아에게 나쁜 영향을 주지 않아야 한다.
- 성 접촉에 의한 성병 감염과 사람면역결핍바이러스(HIV)의 감염을 예방하는 효과를 지녔다면 피임효과 못지 않게 중요하다.

위와 같은 조건을 고려하여 자신의 여건에 가장 알맞는 두 가지 이상의 피임법을 서로 보완해서 사용하면 다소 불편감이 있다 하더라도 최대의 피임효과를 누릴 수 있을 것이다.

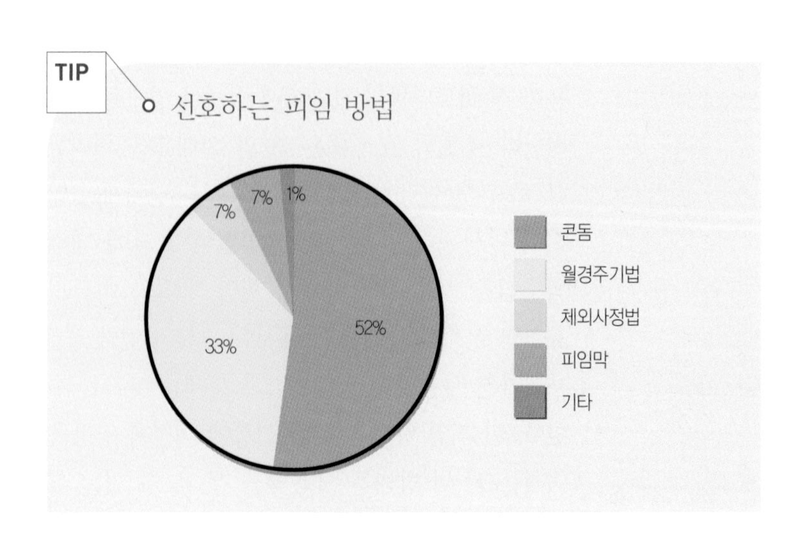

표 9-1 피임종류별 장단점

	난임수술 (남성)	난임수술 (여성)	콘돔	경구피임제 (저용량 pill)	응급피임법 (고용량 pill)	자궁 내 장치 (IUD)	살정제
방법	정관의 결찰·절단 • 수술로 정관을 결찰·절단한다.	난관의 결찰·절단 • 수술로 난관을 결찰·절단한다.	• 남성의 발기된 음경에 씌워서, 정자의 질내로의 진입을 막는다.	• 에스트로겐과 프로게스테론(프로게스토겐), 2종류의 호르몬으로 이루어지는 저용량 경구피임제(OC)를 매일 1정씩 복용한다.	72시간 이내 임신! X • 피임을 하지 않은 성교 후라도, 72시간이내에 고용량 OC pill을 복용함으로써 임신율을 75% 정도 감소시킬 수 있다.	• 특수한 기구를 자궁내에 삽입하여, 수정란이 자궁내막에 착상하는 것을 방지한다.	• 성교 전에 정자를 죽이는 약품 (살정제)을 질내에 넣는다.
장점	• 한 번 하면 효과가 영구적이다.	• 한 번 하면 효과가 영구적이다. • 다음 임신을 희망하지 않는 증례에 제왕절개술과 동시에 하기도 한다.	• 성전파성 질환을 예방할 수 있다. • 남성의 피임참가가 가능	• 여성주체로 피임이 가능하다. • 정확하게 복용하면 피임효과가 확실하다. • 피임 외의 이점이 있다.	• 피임을 하지 않거나 피임에 실패한 성교나 강간 등에 의한 임신을 예방하는 긴급수단이지 중절법이 아니다.	• 제거하면 다시 임신 능력이 회복될 수 있다. • 유즙분비에 영향을 미치지 않으므로, 출산 직후부터 사용할 수 있다. • 비교적 저렴하게 실시할 수 있다.	• 약국에서 저렴하게 구입할 수 있다. • 여성이 바로 사용할 수 있다.
단점	• 수술에 수반되는 침습이 있다. • 정관복원술을 해도 임신 능력이 회복되지 않는 경우가 있다.	• 수술에 수반되는 침습이 있다. • 난관복원술을 해도, 임신 능력이 회복되지 않는 경우가 있다.	• 여성 주체로 피임이 불가능하다. • 파손이나 탈락, 정액 누출 등이 있다.	• 복용개시 1~2주 정도까지 오심, 소량의 부정출혈이 있는 경우가 있다. • 혈전증, 심근경색 등의 위험을 수반하기도 한다.	• 오심·구토 등의 부작용의 빈도가 높다. • 배란지연을 초래할 때에는 pill복용 후의 성교로 임신할 가능성이 있다.	• 부정출혈, 동통을 초래하기도 한다.	• 성교 몇 분전에 삽입해야 한다. • 피임효과가 떨어지므로, 그다지 보급되지 않는다.

1) 호르몬 피임법

호르몬 요법은 기본적으로 여성이 임신했을 때와 같은 몸의 동일한 화학적 조건을 만들어 주는 것이다. 사용되는 호르몬은 프로게스테론과 에스트로겐이다.

호르몬 경구피임법

미국에서 미혼 여성이 가장 많이 사용하고 있는 피임 방법은 경구피임약이다. 그러나 최근 에이즈로 인한 성매개성 감염에 대한 우려 때문에 콘돔 사용이 증가하고 있으며 호르몬을 피하에 이식하는 새로운 방법들이 사용됨으로써 25세 미만 여성들에서는 피임약 복용이 다소 줄어들고 있는 추세이다. 그러나 저용량 여성 호르몬이 개발됨에 따라 1988년과 1995년 사이에 오히려 30~44세 여성들의 경구피임법 사용양이 두배 정도 증가하였고 40세 이상 여성에서는 6배 증가하였다. 이해 비해 우리나라에서는 경구피임약 사용빈도가 2.1% 정도 밖에 되지 않는데 최근 약간 증가하는 추세를 보이고 있으나 여전히 낮은 사용률을 보이고 있다. 우리나라 미혼 여성들의 높은 임신중절률에도 불구하고 미혼 여성들이 경구피임약을 기피하고 있는 이유는 "피임약을 먹으면 난임이 된다" 등의 막연한 두려움과 편견 때문인 것으로 생각된다.

경구피임법은 호르몬 제제를 구강으로 복용하는 피임 방법으로 배란과 수정을 억제하여 임신을 예방한다. 경구용 피임약은 에스트로겐과 프로게스틴이 함께 함유된 복합제제와 단독 프로게스틴제제 두 가지 종류가 있다. 우리가 흔히 먹는 피임약은 복합경구피임약이다.

새로 개발되는 피임약은 기존 약의 부작용을

표 9-2 국내에서 시판되는 경구용 피임약

상품명	에스트로겐	함량	프로게스테론	함량
마이보라	ethinyl estradiol	0.03mg	Gestodene	0.075mg
머실론	ethinyl estradiol	0.02mg	Desogestrel	0.15mg
미뉴엣	ethinyl estradiol	0.03mg	Gestodene	0.075mg
미니보라	ethinyl estradiol	0.03mg	Levonorgestrel	0.15mg
오부라로	ethinyl estradiol	0.03mg	Levonorgestrel	0.15mg
트리퀼라	ethinyl estradiol	0.03mg	Levonorgestrel	0.05mg
다상성 제제	ethinyl estradiol	0.04mg	Levonorgestrel	0.05mg
	ethinyl estradiol	0.03mg	Levonorgestrel	0.125mg

표 9-3 경부피임약 복용 시 나타날 수 있는 증상

증상	복용기간(%) 21일	복용중단기간(%) 7일
골반통	21	70
두통	53	70
유방압통	19	58
부종	16	38
진통제 투여	43	69

경구피임약의 절대적 금기증

- 혈전정맥염, 혈전색전증(가족력 포함)
- 뇌혈관질환
- 관상동맥 폐색
- 심한 간 기능장애
- 유방암
- 원인불명의 질 출혈
- 임신 또는 임신이 의심될 때
- 흡연 여성, 35세 이상
- 심한 고지혈증
- 고혈압

줄이기 위해 첫째, 여성 호르몬인 에스트로겐의 용량을 감량하고, 둘째, 남성 호르몬의 영향이 적은 새로운 황체호르몬 제제를 개발함으로써 다양한 호르몬 피임방법을 생산해나가고 있다. 에스트로겐은 주로 에티닐 에스트라디올(ethinyl estradiol)과 메스트라놀(mestranol)을 사용하고 있다. 두 성분은 사람에서의 약리 작용은 비슷하나 메스트라놀은 간에서 대사되어야 하므로 활성은 거의 두배 크지만 간에 대한 독성은 더 강하다. 도표에서 보다시피 국내에서 사용되는 경구용 피임약에는 에티닐 에스트라디올이 사용되고 있다.

이들 제제의 에티닐 에스트라디올의 용량은 대부분 0.03mg~0.04mg(35ug~40ug)로서 초창기 피임제제에 포함되어 있는 50ug에 비해 상당히 줄어들었다. 에스트로겐의 용량이 높을수록 위장장애, 기미, 편두통, 혈전전색증 등 부작용의 빈도가 높기 때문에 초창기에 개발된 경구피임약은 사용되지 않고 있다. 에스트로겐 함량에 따라 "고용량"과 "저용량" 경구 피임제제로 분류한다.

- 고용량 경구피임제제 : 에티닐 에스트라디올 함량이 50ug 이상
- 저용량 경구피임제제 : 에티닐 에스트라디올 함량이 50ug 이하

경구용 피임약은 에스트로겐과 프로게스테론의 시너지 효과를 발휘하여 배란을 억제한다. 배란 억제 효과는 특히 에스트로겐 용량에 비례하여 나타난다. 새로이 개발되는 저용량 피임약들은 배란을 억제할 수 있는 정도의 최소 여성 호르몬 용량을 찾아내어 부작용을 줄이는데 초점을 맞춘다. 몇 년전부터 유럽에서는 에스트로겐 함량을 20ug로 낮춘 경구피임약을 개발하여 판매하고 있다. 우리나라에는 머실론(한국 오가논) 20ug 경구용 피임약이 판매되고 있고 쉐링에서는 미라노바, 멜리안 등이 개발되었다. 여성 호르몬의 용량을 줄일 뿐 아니라 에스트로겐과 프로게스테론을 여성의 생리 주기에 맞추어 용량을 다르게 한 다상

표 9-4 호르몬 피임법

종류	투여	효과지속기간
• 복합 에스트로겐과 프로게스틴	경구	24시간
• 단독 프로게스틴		
Norethindrone, norgestrel	경구	24시간
Medroxyprogesterone acetate	근육주사	3개월
Levonorgesterel	피하주사	5년
Progesterone	자궁내 장치	1년 ~

성(multiphastic)제제도 개발되었고 현재 우리나라에서도 사용 중에 있다.

지금도 국내에서 판매되는 피임약은 21일간 복용하고 나머지 7일간은 복용하지 않는다(21/7). 월경이 시작하는 첫날부터 21일간 하루 1정씩 복용한다. 복용이 끝나면 3~4일 후 월경이 시작된다. 7일간 복용하지 않는 기간이 있기 때문에 중간에 약복용을 빠트릴 수 있다. 또한 약을 복용하지 않는 7일 동안 골반통, 두통, 유방압통, 부종 등의 신체증상을 경험할 수 있다.

경구피임약은 매일 일정 시간에 복용해야 한다. 대상자가 경구피임약을 복용하는 것을 잊어버렸다면, 대상자는 기억이 났을 바로 잊어버린 경구피임약 1정을 복용해야 하며, 그 다음날 경구피임약은 계획된 시간에 따라 계속 1정을 복용한다. 단 12시간 이내라면 보조피임법이 필요없지만 12시간 이후인 경우는 즉시 1~2알 복용 후 다음날부터 그대로 복용하며, 7일동안은 보조피임법을 사용한다. 만약 대상자가 이틀동안 경구피임약을 복용하지 않았다면, 생각났을 때 바로 2개의 경구피임약을 복용하고, 다음날에도 계획된 시간에 1정의 경구피임약을 복용한다. 단, 보조피임법이 다음 월경 시작할 때까지 사용되어야 한다. 만약 대상자가 3일 이상 경구피임약을 복용하는 것을 잊어버렸다면, 휴약기없이 새 포장의 피임약을 복용하고 7일간은 보조피임법을 병행하며 상황에 따라 응급피임약을 복용해야 한다.

피임 실패에 대한 중요한 원인은 복용 주기동안 한 개 이상의 피임약 복용을 망각했을 때이다. 경구피임약을 선택한 여성도 거품살정제, 콘돔, 피임용 다이아프램과 같은 보조피임법을 사용할 수 있다.

경구피임약은 오심, 체중증가, 불규칙한 출혈, 민감한 유방 등의 불유쾌한 부작용이 나타날 수 있다. 여성이 40세 이상일때, 흡연, 순환계 문제의 병력이 있거나, 고혈압, 편두통, 간질, 당뇨병, 천식이 있을 때는 경구피임약 사용을 금지한다. 특히 경구피임약을 복용시 몇몇 경고징후가 나타날 수 있는데 에이크스(ACHES)라는 약자의 머리글자들

TIP

배란기의 변화

여성의 성의 주기는 나이 및 월경 주기에 따라 정서적으로, 신체적으로 많은 변화가 일어난다. 배란기에는 유혹에 약해 진다.

배란기의 목소리(소프라노)

경관점액의 변화

안전기 배란임박 배란기 건조기

배란과 건강한 난자

배란 순간 배란된 난자

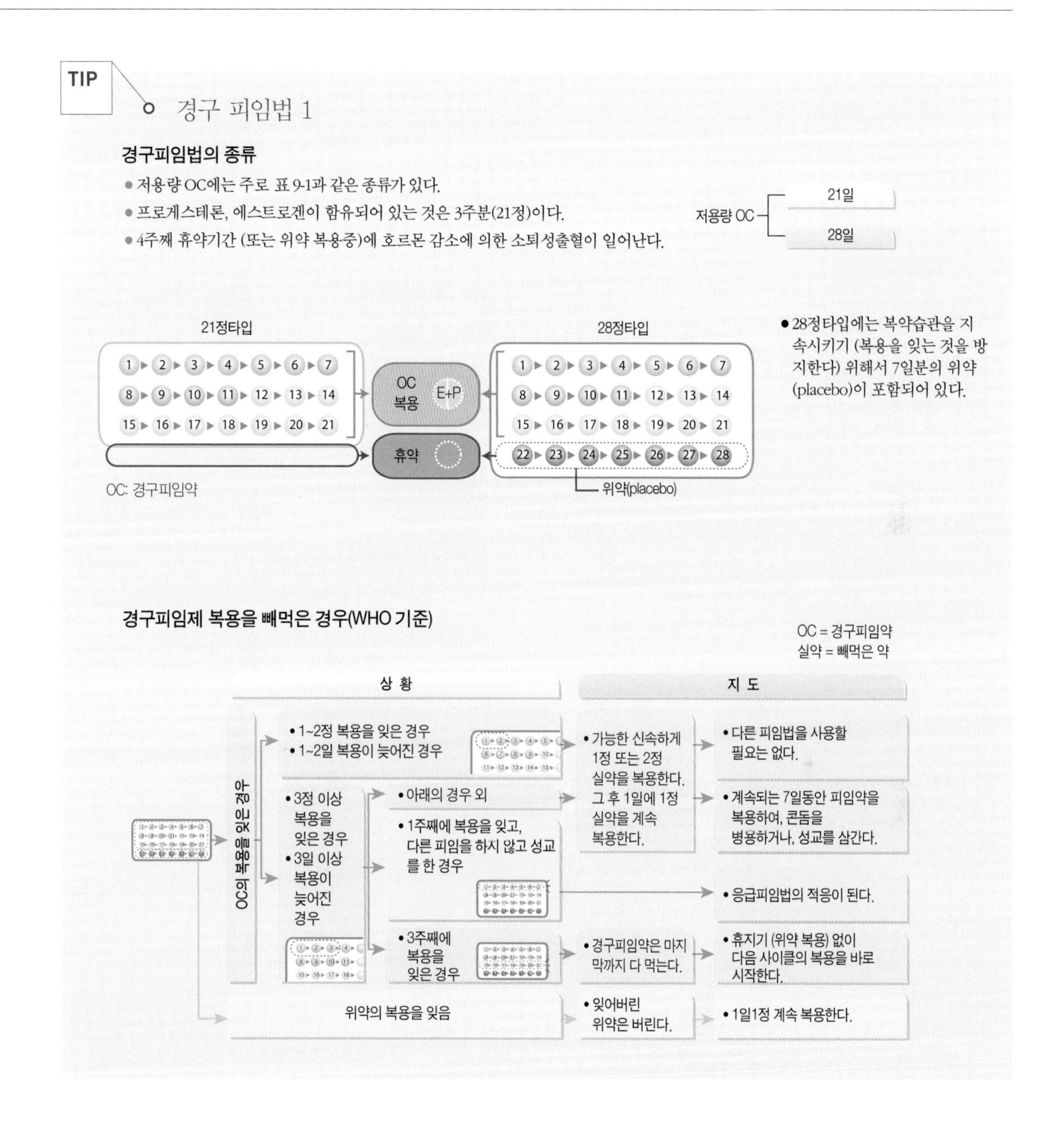

로 이러한 증상이 나타나면 의사에게 상담을 해야 한다.

- Abdominal pain(복부통증)
- Chest pain(흉통)
- Headache(두통)
- Eye problem(눈 이상)
- Severe leg pain(심한 다리 통증)

경구피임약은 성욕에 영향을 미친다. Masters와 Johnson은 성욕구의 감퇴가 경구피임약을 18~30개월 이상 복용한 여성에게서 발생한다고 하였다. 반면에 Brazonier는 여성이 사용하는 경구피임법이 여성의 성욕을 증가 또는 감퇴시킨다는 것은 명확치 않다고 보고했다. 그러나 성적만족감에는 영향을 미치지 않는다. 어떤 여성은 임신의 두려움에서 벗어날 수 있기 때문에 성교에 대한 욕구

TIP

경구 피임법 2

경구피임기전

- 경구피임제는 에스트로겐과 프로게스테론의 복합제이다.
- 경구피임제의 복용으로 FSH, LH의 분비가 억제되어, 임신을 예방하는 다양한 효과를 볼 수 있다.

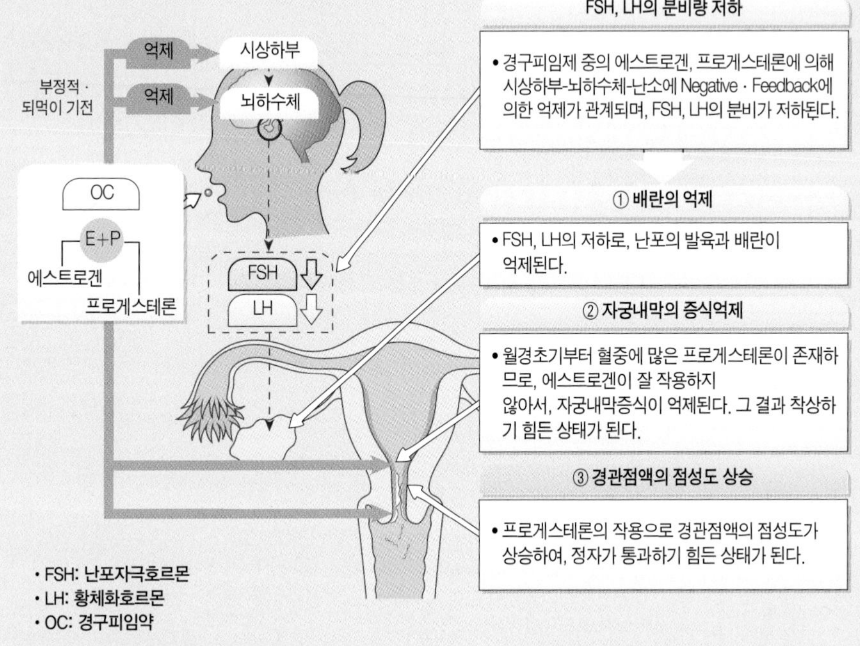

- FSH: 난포자극호르몬
- LH: 황체화호르몬
- OC: 경구피임약

경구피임의 위험요인과 장점

- 경구피임약에 함유된 에스트로겐과 프로게스테론의 작용으로 위험요인과 이점을 볼 수 있다.

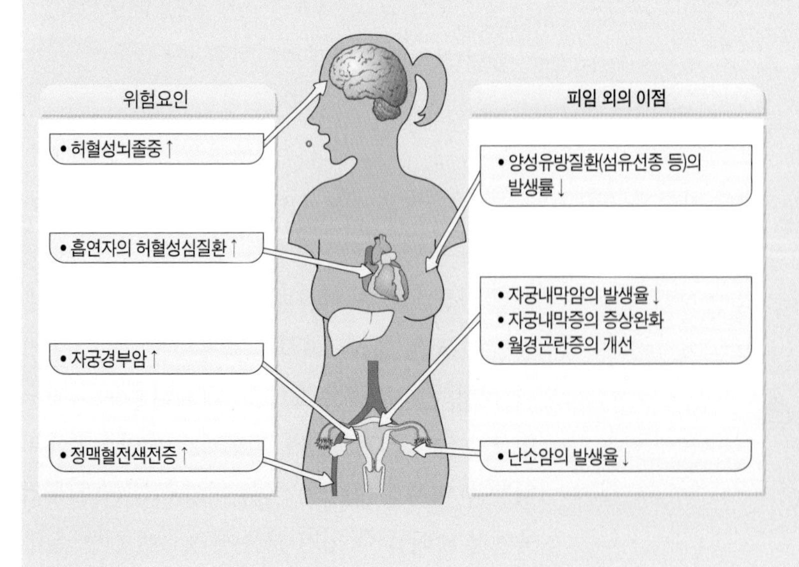

- 경구피임약의 금기는 모유수유시, 분만 후 6주이내, 장기 안정을 요하는 대수술, 35세 이상, 흡연자 등이 있다.
- 이러한 위험요소는 저용량 경구피임약의 개발로 크게 개선되고 있다.

경구피임약 복용법

- 매일 정한 시간에 휴대폰 알람을 맞춰놓고 복용(자신이 먹는 약의 설명서 참조)
- 월경의 시작 첫날에 매일 같은 시간에 1정을 시작하여 21일 동안 복용한다.
- 21일 이후 7일의 휴약기를 갖는데 이 때 2~4일중에 생리를 하게 된다. 휴약기 7일 후 8일 째에 월경이 있어도 피임약을 새로 시작한다.
- 피임약의 효과는 복용 7일 다음날부터 효과가 나타난다. 100% 효과는 복용시간을 잘 맞추었을 때이다.
- 21일 전부 복용 후 월경 개시를 늦게하고 싶은 경우 똑같은 시간에 복용을 계속하면 된다.
- 약 복용 후 5시간 이내에 구토한 경우 한알을 더 먹는다.
- 복용 중에 항경련제, 인도메타신 등의 해열진통제, 리팜핀 등의 항생제, 항응고제 등은 피임약의 효과를 감소시킨다.

가 증가된다고 하였다. 경구피임약을 상용하는 여성은 경구피임약이 사용하기가 쉽고, 편하고, 높은 효과가 있고, 비용도 저렴하다고 한다. 즉, 경구피임약(morning after pill)은 선택적 조건이다. 응급피임약은 콘돔이 파열된 경우나 피임용 다이아프램의 천공, 다양한 비보호적 성교를 하는 상황에서 사용할 수 있다.

호르몬 비경구 피임법

- 피부 접착포

피부를 통해 호르몬이 흡수된다. 이 피임법은 에스트로겐과 프로게스토겐이 함유된 접착제를 복부, 둔부에 붙인다. 접착포 크기는 4.5×4.5cm이다. 한 번 붙이면 7일간 효과가 지속된다. 매주 1번씩 3주간 붙인다. 모든 효과 및 부작용은 경구 투여와 유사하며 일주일에 1회 투여한다는 장점이 있다. 단, 90kg 이상인 여성에서 피임실패율이 증가한다는 연구결과가 있다.

- 질 피임링(누바링)

에스트로겐과 프로게스토겐이 함유된 직경이 54mm인 링을 질 내에 삽입한다. 한 번 삽입하면 질상피세포를 통해 흡수되므로 효과적이고 작용이 빠르다. 3주간 호르몬이 방출되어 효과가 지속되며 1주간 링이 없는 상태를 유지한다. 따라서 매일 복용하지 않고 한달에 한 번 삽입하고 제거한다. 삽입과 제거가 간편하고 성 관계를 방해하지 않는다. 부작용은 경구피임약과 유사하나 낮은 비율의 비정상출혈이 나타난다.

- 호르몬제 피하이식

항체호르몬(임플라논)을 함유한 가는 4cm, 2mm 크기의 관을 생리 주기 1~5일 사이에 상박 안쪽 피하에 1회 이식하면 3년간 지속적으로 호르몬이 방출되어 피임효과가 지속된다. 이 관을 제거하면 대부분 3주 후에 배란이 다시 회복된다. 에스트로겐이 함유되지 않아 혈전성 질환의 위험이 없다는 장점과 피임효과가 가장 높다는 장점이 있다. 그러나 삽입과 제거에 약간의 피부절개가 필요한 수술적 방법이라는 단점이 있다. 투여 초기에 점상출혈을 경험하게 되며 15~20%의 여성에서 무월경이 유발될 수 있다. 체중이 많이 나가는 사람은 효과가 떨어질 수 있다.

성교 후 응급피임법

응급피임법은 계획되지 않은 성교, 콘돔이 찢어졌다든지 피임 방법이 불확실할 때, 강간 등 불가피한 성교로 임신의 위험이 있을 때 임신을 방지하기 위한 방법이다.

응급피임법으로는 응급피임약, 구리 자궁내 장치(co-pper IUD), 다나졸(danazol), RU486 (mife-pristone) 등의 방법이 알려져 있으나 대표적으로 응급피임약과 자궁내 장치가 사용되고 있다.

① 응급피임약

수정난은 72시간 후에 자궁내막에 착상되므로 착상 이전의 시기에 피임약을 사용하여야만 임신을 예방할 수 있다.

대표적인 응급피임약은 성교 후 72시간 이내에 복용하면 임신을 약 75% 예방할 수 있다. 응급피임약을 먹었어도 25%에서는 임신이 그대로 지속이 되므로 생리예정일에서 1~2주가 지나도 생리가 없을 경우에는 임신을 반드시 확인하여야 한다. 또한 응급피임약은 자궁외 임신, 성 매개성 감염을 예방하지 못하며 많은 부작용이 있을 수 있다는 것을 염두에 두어야 한다.

응급피임약을 복용하면 단기간에 강력하고 폭발적인 호르몬의 노출에 의해 배란, 수정 착상이 억제됨으로 임신이 확인된 경우에는 사용해서는 안된다. 응급피임약은 의사의 처방이 반드시 필요한 약으로 성 접촉 후 72시간 이내에 첫번째 약을 복용하고 이후 12시간 이후에 두번째 약을 복용한다. 응급피임약은 여성 호르몬과 황체 호르몬의 복합 응급피임약과 황체 호르몬의 단일 응급피임약이 있다.

- 복합 응급피임약 : 응급복합피임약은 성교 후 피임약, moning after pills라고 불려지며 성교

TIP

피임법의 종류

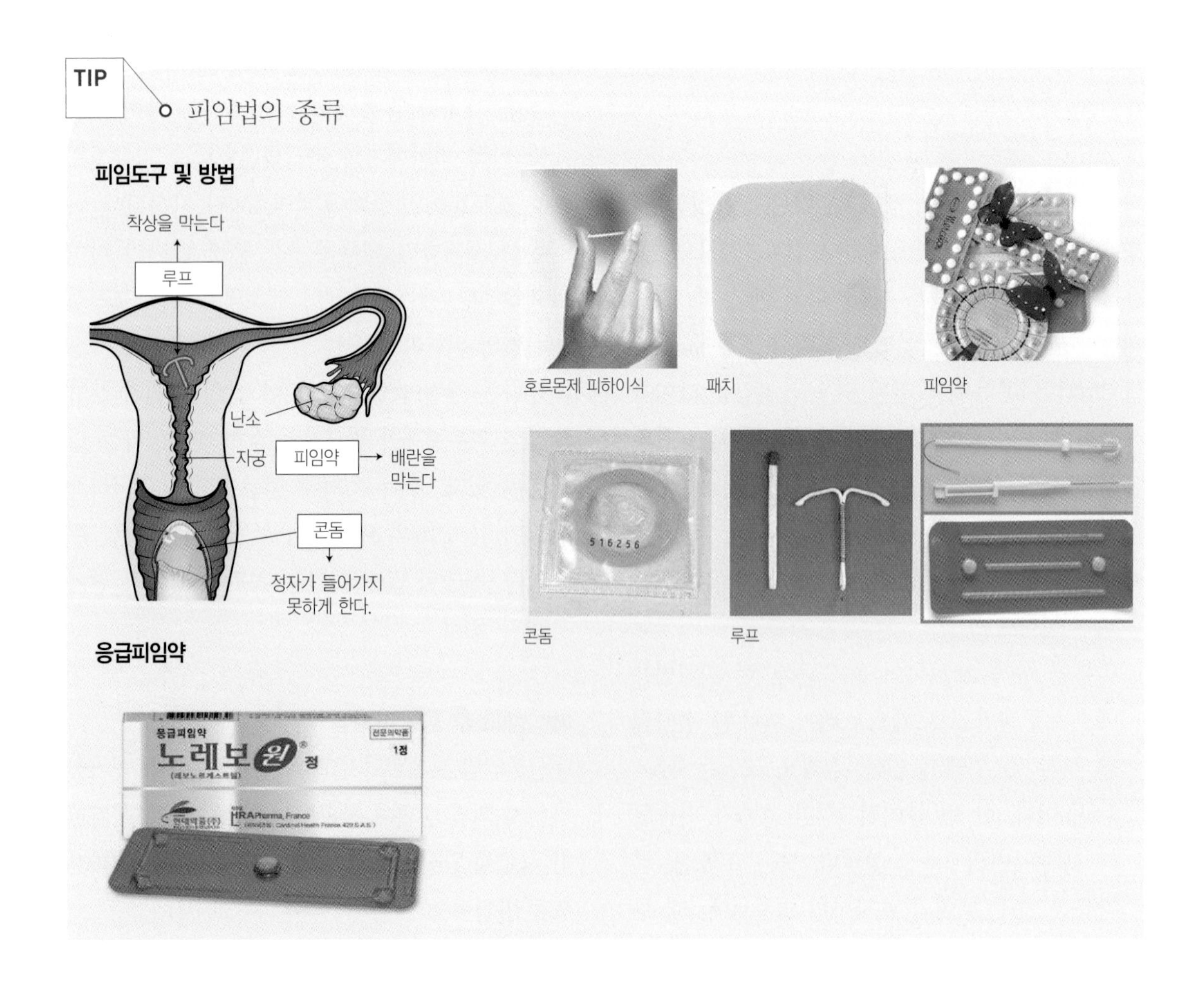

후 72시간 내에 1회 복용하고 12시간후 다시 1회 복용하게 하는 방법입니다. 여성 호르몬과 항체 호르몬의 복합제제를 사용하는 '유즈페(Yuzpe) 응급피임법'은 과거 부작용이 많았던 고용량 에스트로겐을 사용하던 방법 대신 1974년 캐나다의 유즈페 교수에 의해 기술된 방법으로 가장 많이 사용되어 왔다. 이 yuzpe 법에 의한 응급복합피임약은 여성 호르몬과 항체호르몬의 복합제이다. 우리나라에서는 복합제제 응급피임약인 테트라가이논(에티닐 에스트리디올과 레보놀게스트렐)으로 가족보건복지협회에서 처음으로 응급피임약에 대한 시범사업을 하였었으나 현재 시판되는 복합 응급피임약은 없다.

- 황체 호르몬 단일 응급피임약 : 황체 호르몬 단일제제로 만들어진 응급피임약이다. 황체 호르몬인 레보놀게스트렐 0.75mg짜리 2정으로 되어있는 노레보정(유사품 : 퍼스트렐정과 쎄스콘 원앤원정, 엠에쓰필정, 레보니아정)과 레보놀게스트렐 0.75mg짜리 1정으로 되어 있는 포스티노-원이 있다.

사용법은 성교 후 72시간 이내에 한 번 복용하는데 가능하면 빨리 복용할 수록 좋다. 응급피임약 복용 후 약을 3시간 이내에 토한 경우에는 응급 피임효과가 없으므로 다시 복용하도록 한다. 맞지않을 경우에는 구리 자궁 내 장치를 삽입하여야 한다.

다량의 호르몬을 일시에 사용하므로 부작용을 주의하여야 한다. 즉 황체 호르몬 단일 응급피임약 1회분에는 황체 호르몬 단일 사전 경구피임약(미니필) 40~50알에 해당하는 황체 호르몬이 함유되어 있으므로 한꺼번에 미니필 40~50알을 복용하게 되는 것이다.

부작용으로는 구역, 구토, 하복부 통증, 피로, 두통, 유방 긴장감, 월경과다, 월경 외 이상출혈, 설사 등이 있다. 임신 중이거나 황체 호르몬인 레보놀게스트렐에 과민증이 있는 환자, 난관염, 골반염 등을 앓아 자궁외임신 위험이 있거나 자궁외임신을 경험했던 사람, 간기능이 나쁜 사람, 심각한 소화장애가 있는 사람, 항전간제나 간효소제 등의 약을 복용하는 사람 등은 응급피임약을 사용해서는 안 된다.

② 구리 자궁 내 장치

구리 자궁 내 장치는 착상이전에 사용가능하나 이것은 호르몬 응급피임약보다 효과적이며 임신 예방효과는 99%에 이른다.

성교 후 72시간 이내에 삽입하면 호르몬 요법보다 효과적이므로 5일 이내에 삽입하여야 한다. 이 방법은 되도록 출산경력이 있는 여성이 사용하는 것이 좋고 추후 계속 피임을 원할 경우에는 원하는 기간동안 제거하지 않고 계속 피임할 수 있는 장점이 있다.

③ 응급피임법 사용시 유의점

성교 후 응급피임법에 대해 교육 및 상담하기 전에 다음과 같은 사항들을 유의하여야 한다.

- 월경력과 성교관계를 잘 평가하여 적당한 응급피임법을 선택하도록 한다.
- 종교적 또는 개인적인 사정으로 유산을 꺼리는 경우 응급피임법은 수정이나 착상을 방지하는 것이지 유산이 아니라는 것을 설명한다.
- 피임약의 실패로 인한 임신의 가능성 및 부작용에 대하여 설명한다. 임신이 지속될 경우 고농도의 호르몬으로 인한 태아기형발생 가능성은 거의 없지만 태아의 상태를 계속

관찰해야 한다. 성교 후 응급피임법이 자궁외 임신을 예방할 수 없으므로 그 가능성을 설명한다.

- 응급피임법을 사용하기 전에 감염이나 임신 등을 확인하고 사용 후에 월경이 지연되는지, 통증이 있는지를 추적 관찰한다.
- 응급피임약을 복용하면 고용량의 프로게스틴으로 구역, 구토를 호소할 수 있으므로 이때는 진토제를 1시간 전에 복용시킨다. 응급피임약 복용 후 2시간 이내에 구토를 한 경우에는 다시 한 번 약을 복용시키거나 구리 자궁내 장치 등의 다른 피임 방법을 사용한다.
- 차후의 피임 방법에 대해서도 상담하여야 한다. 구리 자궁내 장치를 사용한 경우에는 계속 피임이 유지되며 응급피임약 등을 사용한 경우에는 다음 월경이 시작하면 첫째 날부터 경구 피임약을 계속 복용하도록 한다.
- 응급피임법은 AIDS 등의 성병을 예방할 수는 없다는 것을 설명한다.

2) 차단용 피임법

콘돔

차단용 피임(barrier contraception)법은 신체의 생화학적 변화를 선호하지 않는 사람, 단지 한시적 보호의 필요성을 느끼는 사람, 경구호르몬 피임법을 보완할 필요가 있는 사람들이 주로 사용한다.

가장 오래되고, 일반적으로 가장 많이 사용되는 기계적 차단제는 콘돔이다. 콘돔은 1930년대부터 대중화되어 사용되어 왔고 성교에 의해 전파되는 성 매개성 감염 등을 예방할 수 있다. 콘돔은 발기된 음경에 잘 맞도록 고안되었으며 부드럽게 음경을 씌어 주는 도구로 사정된 정자가 질 속으로 들어가는 것을 막아준다. 이런 피임법에 사용되는 재료는 "고무", "폴리우레탄"이다. 콘돔은 약 10~20%의 부부가 정규적으로 사용한다. 콘돔은 남자 화장실 뿐만 아니라 약국에서도 판매한다.

제조자는 콘돔사용 시 저하되는 성적 감각을 자극하기 위해서 다양한 색깔과 소재로된 콘돔을 생산한다. 1700년대에는 동물의 장을 이용한 콘돔을 사용하였으나 최근에는 라텍스 고무제제를 많이 사용한다. 폴리우레탄 제제는 얇고 투명하여 체온도 전달된다는 장점이 있으며 라텍스 고무제품보다는 쉽게 파열된다는 단점이 있다. 성교시 마찰에 의한 콘돔의 파열위험은 3%이며 페트로라튬제의 윤활제를 동시에 사용하면 파열위험이 높아진다. 대부분의 콘돔은 두께 1mm 이하로 매우 얇고 늘어나는 라텍스 고무제품으로 만들어져 있으며 가장 많이 사용되는 피임법 중의 하나이다.

콘돔은 남성의 음경에 씌워져 정자가 질 내로 들어가는 것을 방해하는 방법으로 지시된 대로 사용하면 거의 완전한 피임이 이루어질 수 있다. 실패하는 이유는 콘돔이 파손되는 경우이다. 일부 콘돔은 안이나 밖에 살정제(0.5g의 노녹시놀-9)를 도포하여 효과를 증대시키고 있으나 처음 사용하는 해에 실패율은 14%이다. 그러므로 성 경험이 미숙한 경우에는 바람직하지 않다. 이런 경우에는 경구 피임약과 병행하는 것이 안전 하다.

주요 불편감은 남성의 귀두 포피의 민감도를 떨어뜨리고 쉽게 찢어질 수 있으며 콘돔이 질이나 음경과 마찰되어 부부 모두에게 국소적인 자극이나 불편감을 줄 수 있다. 값이 싸고 쉽게 구할 수 있는 이점이 있으나 사용시 주의를 기울여 제대로 사용하여야 실패율을 줄일 수 있다.

콘돔이 성기끝에 밀착된 경우에는 사정시 콘돔이 파열될 수 있으므로 성기 끝에서 1~2cm 정도의 여유공간을 두어야 한다. 음경이 발기된 후에 착용하고 질에서 뺄 때는 한 손으로 음경 주위를 잡고 다른 손으로 콘돔의 끝 가장자리를 잡아 정액이 흐르지 않도록 해야 한다. 제거한 콘돔은 정액이 쏟아지지 않게 주의해야 하며 끝을 잘 묶어 종이에 싸서 버린다(그림 9-1). 성교 시마다 항상 정확하게 매번 사용한다면 피임율은 매우 높을 것이다. 성교는 즉흥적 흥분 상태에서 시작되므로 필요시에 사용할 수 있도록 여러 개의 콘돔을 항상 주변에 보관하도록 한다. 콘돔은 고무제제로 열에 약하므로 시원한 곳에 보관해야 한다.

성 행위의 관계적 상황에서 콘돔 사용의 여부는 파트너들의 의사결정 과정과 행위가 영향을 미친다. 실제로 미혼 남녀를 대상으로 하여 부모, 동료, 파트너 중에서 누구가 대상자의 피임법에 영향을 미치는지를 조사한 결과 파트너는 남성과 여성 모두에 있어서 피임사용에 주요한 영향을 미쳤다. 그리고 성파트너가 우연히 만난 상대인지, 지속적으로 사귀어온 상대인지에 따라 콘돔 사용에 영향을 미쳤는데, 콘돔의 사용은 지속적 파트너보다는 새로운 파트너나 사귀는 관계가 아닌 사람일 때 더 높았다. 파트너와의 의사소통은 콘돔 사용에서 유의하게 관련이 있었고 파트너와 콘돔 사용에 대해 얘기하는 것이 불편하다고 지각할수록 콘돔을 덜 사용하였다.

그림 9-1
콘돔의 정확한 사용

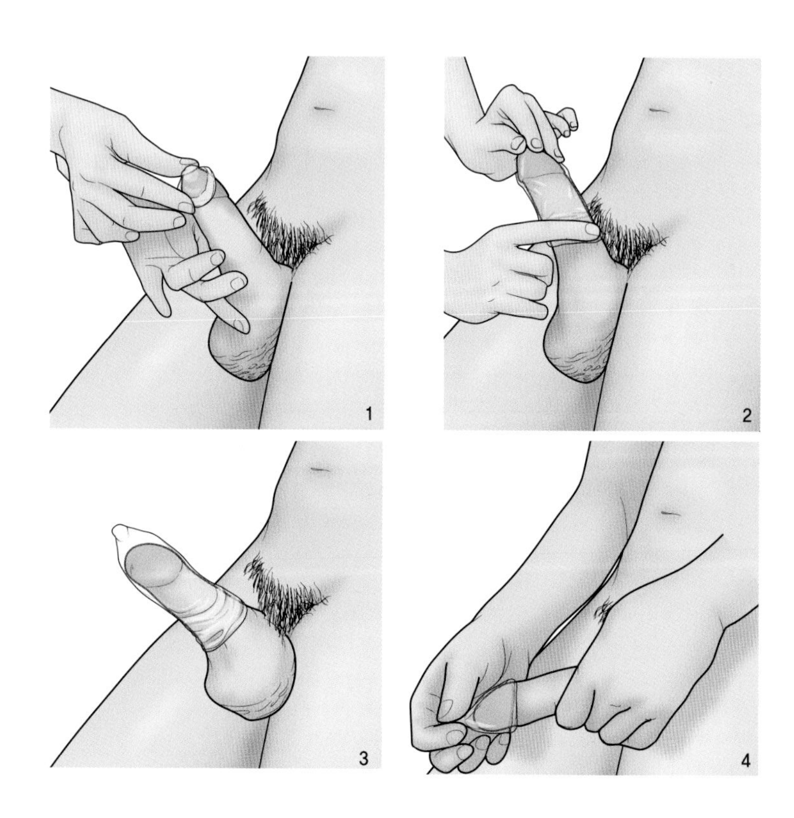

콘돔 사용에 있어서 동료들이 콘돔 사용을 해야한다고 지각하는 청소년들은 콘돔을 지속적으로 사용할 가능성이 높으며 친구들이 콘돔없이 성교를 한다고 지각하는 학생일수록 그렇지 않은 동료들보다 3배나 콘돔을 덜 사용하는 것으로 확인됐다. 친구가 콘돔을 사용한다고 보고한 여성들은 사용하지 않은 여성에 비해 더 자주 콘돔을 사용하는 경향이 있으며, 친구들이 콘돔 사용을 선호한다고 지각할수록 콘돔에 대한 자기효능감이 높으며 콘돔 사용에 대한 태도가 긍정적이었다. 동료들이 콘돔 사용을 승인하거나 에이즈 예방에 대한 관심과 일관되는 행동을 하는 지지적 동료망과 상황망을 갖는 사람들이 지속적으로 콘돔을 사용하는 경향이 높다.

성 파트너가 콘돔 사용을 어떻게 지각하느냐에 따라 콘돔 사용에 영향을 미칠 수 있다. 어떤 성 파트너는 콘돔의 의학적 냄새와 촉감을 싫어한다. 어떤 파트너는 콘돔이 음경의 삽입 감각을 손상시킨다고 불편해 한다. 또한 콘돔의 사용이 성적 활동을 방해한다고 느낀다. 어떤 남성은 콘돔을 사용할 때 발기를 유지하는 것이 어렵다고 한다.

콘돔에 대한 태도를 보면 성 파트너가 콘돔의 상표, 색깔, 비용의 선택에 대해 상호 공유할 뿐만 아니라 콘돔의 사용방법을 상호 조정함으로써 극복할 수 있다. 여성이 전희의 일부분으로 남성 파트너의 음경에 콘돔을 씌워줌으로써 파트너와 함께 성행위를 즐길 수 있다.

콘돔 사용 시에 자기효능감은 매우 중요하다. 남

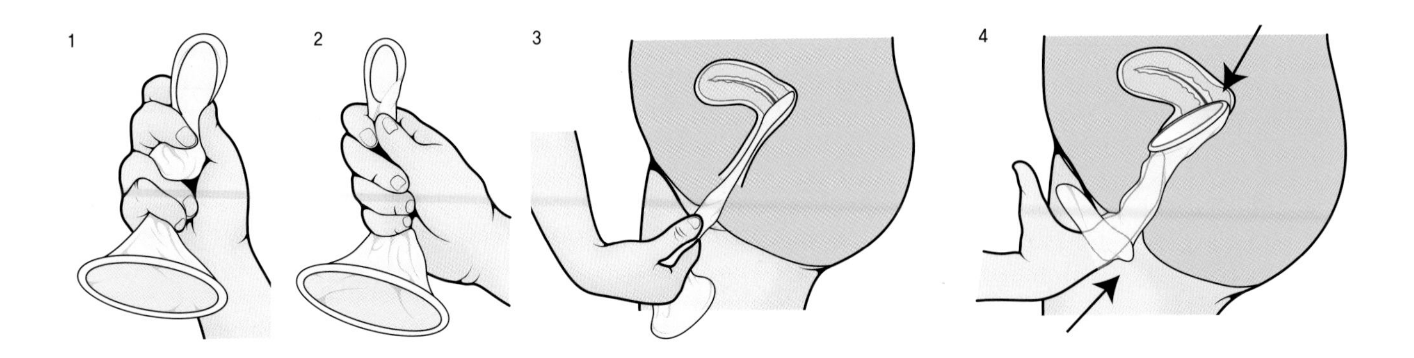

그림 9-2 페미돔의 사용법

성은 콘돔을 사용하는 기술적인 면, 콘돔 사용에 대한 파트너의 거부를 다루는 기술, 콘돔 사용을 주장하는 것, 음주나 약물 또는 흥분 시에 콘돔을 사용하는 능력 등이 있어야 한다.

콘돔의 부정확한 사용은 우발적인 임신을 야기시킬 수 있으므로 올바른 콘돔 사용법을 알아야 한다(표 9-5).

여성용 콘돔(페미돔, female condom)

여성형 콘돔은 Reality라고 하는 페미돔으로 일회용의 부드럽고 느슨하게 만든 폴리우레탄 재질의 외피로써 각각의 끝부분에는 다이아프램처럼 생긴 고리가 있다. 막혀있는 한쪽 면을 질내로 삽입하여 자궁목 바로 앞까지 끼워 질벽을 덮을 수 있게 되어 있다.

여성이 조절할 수 있는 피임 방법으로 성교 전에 질 내에 끼우는 것이며 성교 동안 남성의 음경은 여성형 콘돔인 페미돔 내에 있게 된다. 작용기전은 자궁목만이 아닌 질 전체를 페미돔 재질이 덮으므로서 성교 도중 벗겨진다 해도 음경을 덮게 되므로 정자가 자궁 내로 들어갈 수 없다. 성관계 6시간 전까지 착용이 가능하고 작은주머니 같이 생긴 안쪽과 바깥쪽 모든 면에 윤활처리가 되어 있다. 살정제는 사용할 수 있으나, 남성 콘돔과 함께 사용해서는 안된다.

여성이 조절할 수 있는 피임 방법이라는 점과 재질이 남성용 콘돔보다 두껍기 때문에 박테리아와 바이러스성 성병을 더 예방할 수 있다는 이점이 있다. 그러나 콘돔에 비해 가격이 비싸고 1회용이며 교육을 받지 않고 사용 시에는 피임효과가

표 9-5 올바른 콘돔 사용법

- 성교시 항상 콘돔을 사용한다.
- 음경이 질 주변이나 질 내에 어떤 접촉을 하기 전에 콘돔을 착용한다.
- 정액을 모아 두기 위해 콘돔의 끝에 공간을 마련한다.
- 음경을 질로부터 철회할 때 안전하게 콘돔의 가장자리를 잡는다.
- 발기가 가라앉기 전에 음경을 철회한다.
- 콘돔이 새지 않는지 확인한다.
- 콘돔을 열에 노출되지 않도록 보관한다.
- 바세린(페트로라튬)과 같은 젤리로 콘돔을 윤활하게 해서는 안된다. 쉽게 파열될 위험성이 있다.
- 콘돔은 한 번 사용한 후에는 버린다.

그림 9-3

자궁경부캡(좌)은 다이아프램(우)보다 훨씬 작은 크기로 미국 등에서는 매우 활발히 사용되고 있다.

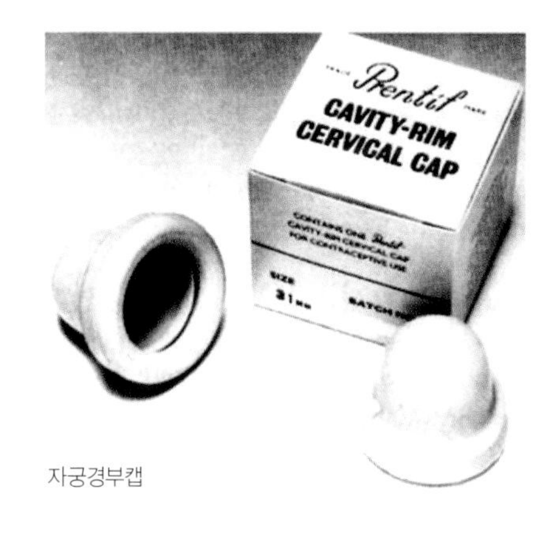

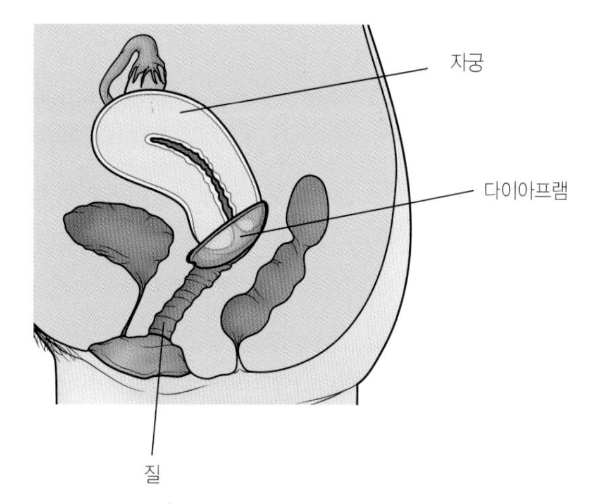

높지 않다. 사용 첫해 실패율은 21%였다. 질에 삽입을 직접 손으로 해야 하므로 성 경험이 미숙한 여성에게는 적합하지 않다. 고리 부위의 불편감은 있으나 실패 위험성은 적고 재질로 인한 알레르기 발생도 적다. 성교동안 시끄러운 소리가 날 수 있는데 이때는 윤활제를 더 많이 사용하면 이런 소리를 줄일 수 있다.

질 살정제

질 살정제는 질내 사정된 정자의 운동성을 없애거나 자궁목으로 들어가기 전에 정자를 사멸한다.

질살정제는 스폰지, 거품형(foam), 크림형(cream), 좌약(suppository) 또는 얇은 막(film)으로 정자를 죽이는 노녹시놀-9제제인 화학물질이다. 이는 정자세포막을 파괴하는 계면활성제이며 우리나라에는 좌약만 있다.

처방전 없이 구할 수 있고 비교적 값이 싸고 여러 감염성 균을 죽이기 대문에 성매개성 감염을 어느 정도 예방할 수 있다. 임균 및 클라미디아균을 죽인다. 그러나 바이러스와 세포 내 다른균들은 살정제에 덜 민감하므로 성병을 완전히 예방할 수는 없다.

모든 살정제는 질내에 투입되면 체온으로 인해 활성화되며 살정효과는 1시간 정도 지속된다. 재차 성교 시에는 다시 삽입해야 하며 성교 후 최소한 5시간 이내에는 질 세척을 피해야 한다. 콘돔을 병용하면 살정제의 효과를 배가시킨다. 실패율이 높은 방법이므로 45세 이상의 수태력이 감소된 여성, 수유부, 희발월경(월경 주기가 45일 이후 형)이나 무월경 여성들은 다른 피임법과 병행해서 사용하는 것이 안전하다.

남성은 전희의 부분으로 여성 파트너의 질속에 거품살정제를 삽입해 줄 수 있다. 이것은 또한 여성 스스로 자신의 성기를 만지는 것에 대해 불편함을 느낄 때 제안될 수 있다. 구강 성교를 원하는 사람은 거품살정제를 사용할 수 없다. 이것은 구강-성교 후에 거품살정제를 사용함으로써 극복할 수 있다.

자가관리방법은 질정일 경우 겉포장을 벗기고 손가락으로 가능한 한 깊이 집어 넣어 성관계 10분 전에 질상부 자궁목이 맞닿는 부위에 깊숙이 삽입한다. 사용 전에 반드시 비누와 물로 손을 씻는다.

다이아프램(피임용 질격막)

다이아프램은 유연성을 가진 손바닥만한 크기의

둥근 고무컵 모양으로 이루어져 있다. 자궁목을 씌울 수 있도록 0.5~0.95cm의 얇고 볼록한 모양의 고무로 된 기구이며 가장자리 구조도 편평한 스프링, 감긴 스프링, 궁상 스프링 형태로 이루어져 있다. 가장자리 한쪽은 자궁목 후면에 다른 쪽은 두덩뼈 후면을 향하여 편안하게 고정한다.

질에 삽입하기 전에, 살정제 젤리와 크림을 컵 안쪽 뿐만 아니라 다이아프램 테 위에도 바른다. 삽입 시 편안함을 느껴야 하며 고정이 잘 되지 않으면 정자가 통과할 수 있으므로 살정제를 사용해서 피임효과를 높여야 한다. 다이아프램은 기술적으로 사용해야 하며 일반적으로 처방을 받아서 사용한다.

다이아프램 사용하고자 하는 개인은 삽입과 제거에 대한 교육을 받아야 한다. 다이아프램은 매 사용 전이나 후에 면밀히 검토해야 하며, 임신 후(산후 6~8주) 분만 후나 심한 체중증가나 감소 후에는 재조정되어야 한다. 다이아프램은 최소한 성교 6시간 전에 삽입되어야 하며, 성교 후 6~8시간 이상 유지되어야 한다(그림 9-3). 다이아프램이 제거될 때까지 질세척을 해서는 안된다. 다이아프램은 월경 때에도 성교를 가능하게 한다. 다이아프램의 삽입은 전희로 통합될 수 있다.

다이아프램의 사용과 연관된 위험이나 금기사항은 없다. 그러나 고무나 살정제에 알레르기를 가진 여성이나 남성은 이런 방법을 사용할 수 없다. 질 격막이나 살정제에 대한 일시적인 알레르기 반응을 제외하고는 고정이 잘 되면 부작용은 없다. 골반 근육이 이완(자궁탈출)이 되었거나 방광탈출증이 심한 경우 질격막을 사용할 수 없다.

사용 후 관리방법은 미지근한 온수에 순한 비누로 씻고 말려 녹말가루를 부려서 보관용기에 두며 지용성 제품이나 베이비 파우더 등은 고무를 약하게 할 수 있으므로 사용하지 않는다.

어떤 여성은 다이아프램의 사용이 성적 의사결정을 하는데 도움을 준다고 한다. 성 파트너와 다이아프램의 사용에 대해 편하게 논의를 할 수 있는 것은 성적 친밀감의 정도와 자율성의 지표가 될 수 있다. 성교동안 피임법 사용에 대한 정보를 공유하고, 감정을 표현하는 것은 성적 친밀감을 증진시킬 수 있다.

3) 기계적 피임법: 자궁 내 장치 (intrauterine device)

자궁 내 장치(IUD)는 자궁경부입구를 통해 자궁내로 삽입하여 정자와 난자가 수정 및 착상을 막아주는 작고, 가벼운, T자 모양의 삽입용 플라스틱 물체이다.

자궁 내 장치의 종류로는 구리가 감겨 있는 자궁 내 장치(제품명 : 노바티 Nova T, 멀티로드 multiload, 쿠퍼티 copper-T)와 황체 호르몬을 함유하고 있는 레보놀게스트렐분비 자궁내장치(levonorgestrelreleasing intrauterine system:미레나)가 있다.

구리 자궁 내 장치(노바 T)

화학적으로 활성화된 구리가 감겨 있는 자궁내 장치는 자궁내막에 국소적인 염증 반응과 자궁내 착상을 방해한다. 전신적인 영향으로 수정난의 자궁내막 세포의 융해 작용을 한다.

자궁 내 장치는 임신이 아닌 것만 확인되면 어느때도 삽입이 가능하나 정상 월경이 끝날 무렵의 자궁경관이 가장 부드럽고 약간 개대되어 있어 삽입이 용이하다. 그리고 분만 후에는 6~8주 후가 좋으며 임신 초기 유산수술 시에는 염증이 없으면 수술과 동시에 삽입할 수 있다. 삽입과 제거는 산부인과 의사가 시술해야 하며 일단 삽입하면 반영구적(5~6년)이다. 피임의 효과, 사용의 간편성, 적은 비용의 부담 등 많은 장점을 갖고 있어 어느 계층에서나 효과적인 방법으로 사용할 수 있다.

부작용으로는 월경량의 증가, 요통, 복통, 자연배출, 골반염증의 증가, 자궁천공 등을 들 수 있다. 월경 후와 배란 시 자궁내 장치의 실이 있는지 기구의 배출유무를 확인하도록 하며 자궁내 장치를 삽입한 여성이 무월경을 보이는 경우에는 임신 여부를 확인하여 자궁강내 임신이 확인되면 자궁내 장치는 즉시 제거하여 유산, 패혈증, 조산을 방지하여야 한다. 자궁 내 장치가 태아의 선천성 기형 발생에 영향을 미치지는 않지만 성병과 골반염을 악화시킬 수 있으므로 청소년의 피임법으로 장기간 사용하는 것은 바람직 하지 않다.

금기증으로는 무증상의 임균 감염증, 최근 골반염을 앓은 경우, 자주 재발하는 골반염증, 심한 월경통, 자궁목 협착증, 자궁강 형태이상, 월경과다증 및 빈혈, 혈액응고장애, 과거 자궁외 임신력 등이 있는 경우이다.

■ 레보놀게스트렐 자궁 내 장치 : 미레나

미레나는 보통 자궁 내 장치에 감겨 있는 구리 대신에 황체 호르몬을 함유하고 있는 실리콘 막이 달려있다. 경구 피임약의 장점과 자궁 내 장치의 장점을 합쳐놓은 피임 방법이다. 달려있는 실리콘 통속에는 레보롤게스트렐이라는 호르몬이 약 5년 동안 미량으로 배출되게끔 디자인되어 있다.

미레나를 자궁강 내에 넣어두면 약 5년간의 피임효과가 있다. 황체 호르몬인 레보놀게스트렐이 매일 20ug씩 자궁강 내에 유리되어 자궁 내에만 주로 작용하므로 전신적인 부담없이 실패율 0.1%의 우수한 피임효과를 나타낸다.

구리 자궁 내 장치의 단점은 간혹 생리량과 생리기간을 증가시키는데 비하여 미레나는 황체 호르몬이 자궁내막을 위축시켜 생리량을 현저히 감소시키므로 빈혈을 예방할 수 있다. 그러므로 월경과다증의 치료에 수술대신 사용하기도 한다.

가역적인 피임 방법이면서도 난임수술과 맞먹는 탁월한 피임효과를 나타내는 미레나의 주요 작용기전은 자궁 내 유리되는 레보놀게스트렐의 영향에 의하여 자궁목점액을 끈끈하게 하여 정자의 통과를 막고 자궁내막을 얇고 위축시켜 착상을 방지하는 것이다. 미레나의 이점은 피임효과가 좋고 월경량이 현저히 감소되며 월경통이 감소한다. 제거 즉시 월경이 정상적으로 돌아오며 수태 능력의 회복이 빠르다. 부작용이 적고 월경증후군을 감소시키며 여성 호르몬을 투여할 수 없는 여성이나 수유부에게 투여할 수 있다.

미레나의 단점은 30만원이 넘는 고비용과 6개월 동안 소량의 출혈, 탈모, 체중 증가 등이다. 그러나 1년이 추가되면 전신적 영향은 미미하게 된다.

자궁 내 장치가 소실되지 않도록 하기 위해서는 장치에 부착된 실을 첫 3개월 동안은 1주일에 1번, 그리고 적어도 매월 월경 후에 한 번은 확인해야 한다. 여성과 성 파트너는 성교하기 전에 이 장치가 제 위치에 있는지를 확인해야 한다. 자궁 내 장치의 실이 발견되지 않는다면, 여성은 이 장치의 유무를 확인할 때까지는 즉시 대안적 피임 방법을 사용해야 한다.

어떤 남성은 성교 동안 자궁내 장치에 달린 실에 대한 느낌을 싫어한다. 또한 어떤 여성은 자궁내 장치를 삽입 후 지속적인 하복부의 통증을 호소한다. 이러한 불편감이 지속될 경우에는 자궁내 삽입 장치의 제거나 다른 피임법을 선택할 수도 있다.

4) 행동적 피임법

행동적 피임법이란 금욕법, 질외사정법, 월경 주기 조절법으로 생리적 주기에 기초하여 자신의 의지로, 자율적으로, 성적 자기결정을 행동으로 조절하는 자연피임 방법이다. 그러나 임신가능기간 동안 성교를 완전히 금욕한다는 것이 어렵고 수정기간을 추정하는 것도 어렵다. 이 방법은 임신을 해도 무방하다고 생각할 때 사용하는 방법이다.

금욕법

금욕과 질외사정은 가장 오래되고 가장 자주 사용하는 피임법이다. 금욕, 질외사정, 그리고 월경주기 조절법은 자연스러운 피임 방법이다. 거의 모든 사람은 어떤 시점에서 이 3가지 방법 중의 하나를 사용한 적이 있다.

금욕은 사람들이 피임을 하고자 했을때 제일 먼저 사용하는 첫 번째 방법이다. 금욕(성행위에 대한 자기억제와 자기훈련)은 피임을 보장할 것이다. 금욕은 성행위나 성 표현을 전혀 하지 않겠다는 부인을 의미하는 것이 아니라 음경-질 성교를 억제함으로써 임신을 예방하겠다는 목적이 있는 회피를 의미한다. 성 파트너와 상호 만족감을 즐길 수 있는 구강 성교, 상호 자위행위, 그리고 다른 형태의 성행위는 한다.

금욕은 성행동을 조절함으로서 임신을 예방한다. 금욕은 임신이 될 수 있는 성행위 방법은 피하면서 성행위를 할 수 있는 성 파트너를 선택할 수 있다. 금욕을 하는 대상자가 임신의 위험 없이, 성적 친밀감을 증진시킬 수 있는 다양한 성행위를 경험하도록 한다.

질외사정법

질외사정 또는 성교중단법은 남성이 사정하기 전에 음경을 철회하는 임신조절 방법이다. Macary는 첫 사정때 정액 내에 정자가 가장 많이 포함되어 있다고 한다. 질외사정 시 피임의 효과를 거두기 위해서는 정액이 질에 아주 적은 양이라도 있어서는 안된다. 어떤 성 파트너는 이 방법의 효과를 높이기 위해 주의해야 하는 필수적인 시간맞추기가 불안을 증대시키고, 쾌감을 감소시킨다고 한다. 다른 행동적 피임법과 마찬가지로 임신의 위험성이 높다. 질외사정도 성 파트너의 협조와 방법에 따라 효과가 달라진다.

월경 주기 조절법

월경 주기 조절법은 1924년 일본의 오기노씨의 학설에 의한 것으로 월경 주기에 대한 세 가지 가정을 근거로 하여 금욕일을 정하는 방법이다.

여성의 월경 주기는 매월 일정한 것이 아니고 불규칙 할 수 있으나 배란은 월경 주기에 관계 없이 항상 다음 월경시작 전 12~16일 사이의 5일간에 일어난다. 그리고 정자는 여성 생식기 내에서 72시간, 난자는 배란 후 24시간 생존한다.

이 방법을 시작하려면 적어도 6~12개월간 월경주기 기록이 있어야 적용할 수 있다. 여러 월경 주기를 기록한 후 월경 첫날부터 계산되는 월경일수에 근거하여 임신 가능시기를 계산할 수 있어야 한다. 계산방법은 가장 짧은 월경 주기에서 18을 뺀 날부터 금욕을 시작해야 할 첫날이고, 가장 긴 주기에서 11을 뺀 날이 수정 가능한 마지막 날이다. 예를 들면 가장 짧은 주기가 24일, 가장 긴 주기가 30일이라면, 24-18=6, 30-11=19이므로 월경주기 6일째부터 19일까지가 금욕을 해야 할 기간이다.

월경 주기는 다양하다. 배란이 가능한 날짜를 기록함으로써 측정할 수 있다. 월경 기록은 임신할 수 있는 시기(불안전한 시기)와 임신할 수 없는 시기(안전한 시기)를 결정하기 위해 12개월 동안 계속해서 기록한다.

파트너가 월경 주기 조절법에 관심을 갖는다면 효과는 증진된다. 정보를 공유하는 것은 성파트너와 더욱더 친밀한 관계를 유지할 수 있다. Medvin(1978)

은 월경 주기 조절법을 사용하는 남성은 기구를 사용하는 남성보다 더 흥분감을 느낀다고 하였다.

기초 체온법

기초 체온은 자고 일어나 아무 활동도 하지 않은 상태에서의 체온을 의미한다. 기초 체온법은 여성이 적어도 3개월 동안 매일 같은 아침 시간에 체온을 측정해야 한다. 체온은 어떤 활동(기상, 목욕, 심지어 전화 받기)을 하기전에 재야 한다.

생리 주기는 체온의 변화를 볼 수 있는데 그 이유는 프로게스테론이 체온을 상승시키기 때문이다. 대체로 여성은 월경부터 배란까지는 체온이 저온상태를 유지하다가 배란부터 다음 월경 시작까지는 고온상태가 된다. 특히 배란기는 더 낮은 기초 체온에서 갑자기 더 높은 체온상태로 상승이 나타나는 시기이다. 즉, 체온 하강은 배란시작 약 12~24시간 보다 먼저 나타나며, 그 후 적어도 3일 동안은 체온상승(0.3~0.4℃)이 나타나고 월경시작 전 2~4일까지 일정한 상승상태를 나타낸다. 배란은 낮은 체온에서 높은 체온으로 이행되는 기간에 발생되며 배란 후에는 난소의 성숙난포는 황체로 변화되어 황체 호르몬을 분비한다. 황체 호르몬인 프로게스테론은 체온상승작용이 있으며 체온이 높아진다는 것은 배란이 됐다는 것을 의미한다.

기초체온법은 매일 체온을 측정해서 전날과 비교하는 것이므로 체온은 항상 일정한 시간, 일정한 상태에서 측정해야 한다. 아침에 잠이 깨면 조용히 누운 상태에서 측정해야 한다. 낮은 체온이 계속되는 경우에는 배란의 위험이 있다. 낮은 체온 후 높은 체온이 되었다 하더라도 단 하루만 가지고는 배란이라고 단정하기 어렵고, 3~4일 계속 높은 체온이 계속되어야 배란이 끝난 것으로 생각할 수 있다. 배란 후 3일 저녁부터 월경이 시작될 때까지의 기간은 안전 기간으로 성관계를 가져도 무방하다.

월경 주기의 첫 중간시기, 또는 체온이 상승해서 적어도 3일 상승하는 시기동안은 금욕이나 다른 피임법을 사용해야 한다. 월경 주기 조절법을 사용한 성 파트너는 기초 체온으로 배란일을 정확하게 측정할 수 있어야 한다.

점액 관찰법

점액 관찰법은 배란 전후에 분비되는 자궁경관 점액을 관찰하여 가임기를 판단하는 방법이다. 여성의 경관은 배란일이 가까워지면 정자가 자궁 속으로 쉽게 올라와 난자를 만날 수 있도록 하기위해 점액의 분비물을 증가시킨다. 이 방법은 점액의 탁도와 점성도를 수개월간 관찰하고 기록하여 배란을 추정하는 방법이다.

경부점액의 특징적인 변화는 다음과 같다. 월경 후 몇일간은 자궁경부점액이 거의 없으며, 질과 자궁경부가 건조한 경우이다. 그 후 배란일 몇일 전부터 점액이 분비되기 시작하여 초기의 점액은 탁하고 걸죽하지만 점차적으로 색깔이 없어지면서 탄력적으로 변한다. 배란일에 가까워지면 생계란 흰자와 같이 투명하고 탄력적이고 미끈 거리며 점액의 양이 많아진다. 배란 후에는 3일기간까지 점액의 양이 감소하고, 다시 탁해지고 진해진다. 투명하고 탄력적이며 미끈거리는 점액이 나오는 기간이 임신가능성이 높은 기간이다.

임신을 피할 수 있는 안전 기간을 찾기 위해 성 파트너가 한달 동안 매일 배우자의 자궁경부점액의 특성을 주목하고 관찰하는 것은 임신조절 뿐만 아니라 성적친밀감을 위해 추천되는 행동기술이다.

임신조절을 위한 행동적 방법은 성 파트너가 여성의 생리적 주기에 대해 이해함으로서 질-음경

성교의 적절한 시기를 상호 의사결정 할 수 있도록 한다. 피임에 대한 책임감을 수용하고 배려하는 태도는 두 사람의 상호관계를 더 깊게 하며, 성적 친밀감을 고양시킨다.

5) 영구적 피임 방법

영구적 피임 방법은 영구적으로 임신을 예방할 수 있는 외과적 수술이다.

여성의 난임시술

분만 후 즉시(24~72시간 이내), 유산과 동시에 또는 월경 주기 중 어느 시기 동안이라도 시행할 수 있다. 월경 주기 중에 난임수술을 시행한다면 임신여부를 확인해야 하며 실패율은 0.5%이다.

- 난관폐쇄 개복술 : 분만 후에 가장 쉬운 방법으로 자궁이 아직 복강 내에 있기 때문에 진정제와 국소 마취하에 약간만 절개하여 시술할 수 있다. 분만 후 12시간이 지나면 할 수 있다. 분만 후 1주일이 되면 자궁이 골반강쪽으로 퇴축되어 있어서 전신마취를 해야하고 보다 크게 절개를 하기 때문에 오래 입원하여야 한다. 자궁이 완전히 퇴축된 후에는 국소마취하에 미니랩(minilap)으로 시술할 수 있다. 미니랩은 개복을 두덩결합(symphysis pubis, 치골결합) 위에서 하며 난관을 잡아 결찰시킬 수 있도록 질을 통해 자궁을 밀어 올린 다음 결찰한다(그림 9-4).
- 질식 난관 결찰술 : 전신 마취하에서 전·후 질구석(fornix, 질원개)을 통하여 복강으로 들어가 난관을 당겨내린 후 결찰한다. 복부수술보다 빨리 퇴원할 수 있으며 이 수술은 자궁퇴축이 완전히 이루어진 후에 시행할 수 있으나 복부 수술보다 약간 어렵다.
- 복강경 난임시술 : 복강경을 이용한 난관 난임시술은 1970년대에 개발되었으며 개복수술에 비하여 간편하고 안전하며 비침습적인 방법이다. 난관을 전기소작하여 결찰하는 방법과 실라스틱 링(Yoon's ring)을 이용한 결찰방법이 있다.

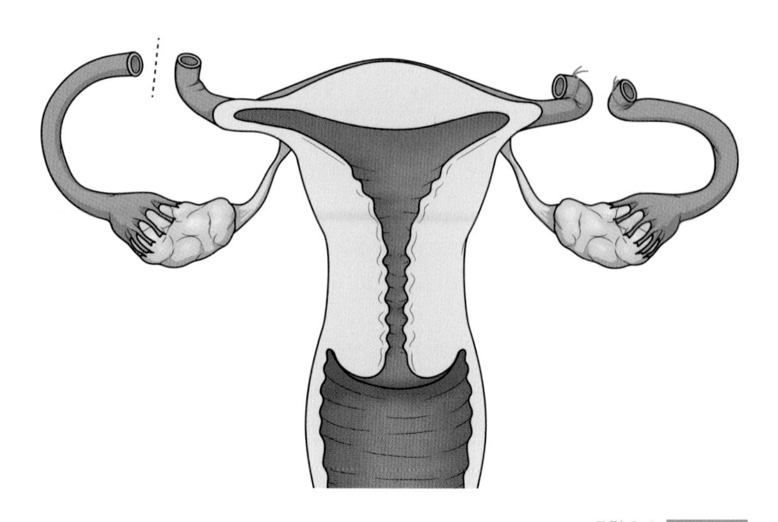

그림 9-4 난관결찰술

복강경 난임시술은 대개 진정제를 투여한 후 시행하지만 간혹 전신마취가 필요한 경우가 있으므로 미리 준비해 둔다. 복강경 난임술은 장폐쇄 전이성 악성 종양, 급성 골반 결핵, 재출혈이 심한 자궁외 임신인 경우에는 절대 금기이며 급성 골반염증이나 복강내 대수술의 경험이 있는 여성은 난임 목적만으로는 이 방법을 사용하지 않는다.

남성의 난임시술

남성의 난임시술에는 다음과 같은 방법이 있다.

- 정관절제술 : 정관절제술은 손쉽고 흔히 시행되는 남성 난임술로 국소마취하에서 시행되며 음낭의 양측에 작은 절개를 하고 양쪽 정관의 적은 부분을 전기소작으로 폐쇄시키거나 잘라내는 방법이다.

  수술 후 정상적인 일상생활로 복귀하도록 자가간호를 교육하며 부종과 불편감을 감소시키기 위해 수술 후 몇 시간 동안 간헐적으로 냉찜질을 하도록 하고 음낭 지지대를 사용한다. 약 2일간은 국소적인 음낭의 압통 때문에 중 정도의 활동을 권한다. 피부 봉합실은 5~6일째에 제거한다.

수술 후 성관계는 정관 내에 1주~몇달간 정자가 남아 있을 수 있기 때문에 사정 후 연속적으로 두 번의 정자검사에서 정자수가 0으로 떨어질 때(약 20번의 사정)까지는 다른 피임법을 병용해야 한다.

정액의 양과 내용물, 그리고 발기기능과 유지 능력은 변하지 않는다 테스토스테론이라는 호르몬의 생산은 계속되므로 이차 성징에도 영향을 주지 않는다. 정자 생산은 지속되나 정자는 부고환을 떠날 수 없으므로 면역체계에 의해 용해된다. 종종 혈종, 감염, 부고환염이 나타날 수 있다. 드문 증상으로는 정자의 축적에 의한 통증성 육아종이 있다. 합병증은 드물고 보통 경미하지만 출혈(보통 외부출혈), 봉합반응, 그리고 마취제에 대한 반응이다.

영구적 피임법은 100% 효과가 있다. 외과적 복원을 시도할 수 는 있지만 임신을 다시 할 수 있을지는 보장할 수 없다. 영구적 난임은 영구적 피임 수술의 결과이다. 정관절제술이나 정관결찰은 호르몬 분비에는 영향을 주지 않는다. 일반적으로 여성의 난임시술은 여성의 성적 관심과 능력에 직접적으로 영향을 미치지 않으며 또한 여성의 월경 주기도 변화시키지 않는다. 여성은 임신에 대한 두려움이 없기 때문에 성교동안 스스로 더 반응적이고 덜 억제하는 경향이 있다. 그러나 출산 능력의 상실 때문에 성적 이미지와 성적 자아개념이 부정적이 되었다면 상실감과 우울의 감정을 경험할 수 있다.

정관절제술을 받은 남성은 정서적 문제를 가질 수 있는데 이와같은 경우는 그의 성파트너가 정관절제술을 받도록 강요를 했을 때이다. 특히 그는 상실감, 우울, 분노의 감정을 경험 할 수 있다. 정관절제술을 받도록 압력을 가한다면, 수술은 그에게 더 정서적 문제를 유발할 것이다.

남성이 남성성에 대한 자부심을 여성을 임신시킬수 있는 능력에 의존한다면, 그는 상실감, 우울, 분노의 감정을 경험할 수 있다. 지금까지 성관계에 문제가 없거나, 정관절제술을 자발적으로 선택하였다면 성관계에 어려움을 초래하지 않는다. 그러나, 만약 성관계에 문제가 있다면, 정관절제술은 더 많은 문제를 유발할 수 있다고 한다.

영구적 피임법은 영구적이기 때문에 개인의 의사결정에 속한다. 상호 동의와 상담은 영구적 피임 수술의 선결조건이다. 대상자가 영구적 난임방법을 결정하고자 할 때에는 가족, 친구, 건강 전문가로부터 어떠한 압력 없이 결정해야 한다. 각 개인이 영구적 난임에 대한 느낌이 경제적 상황의 변화, 부부 상황의 변화, 현재 있는 자녀의 가능한 상실, 또는 새로운 성 파트너와의 관계에 어떻게 영향을 미치는지에 대해 자기 나름대로의 결론을 스스로 내릴 수 있도록 도와야 한다.

6) 기타 남성의 피임법

- **고농도 테스토스테론** : 남성에게 고농도 테스토스테론을 투여하여 심한 정자과소(oilgospermia)와 무정자증(azospermia)을 유도하여 피임을 유발한다. 남성피임에서는 무정자증이 되어야만 좋은 피임 효과를 기대할 수 있다. 그러나 고농도 테스토스테론을 투입한다고 해도 동양인에서는 100% 무정자증이 일어나지만 백인의

경우 60%에서만 무정자증이 일어나는 등 인종에 따른 반응이 다르기 때문에 좀 더 신중한 연구가 필요하다. 지나친 다량의 호르몬 투여는 신체에 좋지 않은 영향을 미칠 수 있기 때문에 피임만을 위해 단독으로 사용하는데는 많은 어려움을 겪고 있다.

최근 연구는 테스토스테론과 프로게스틴을 같이 함께 사용함으로써 테스토스테론 용량을 감소시킬 수 있고 단지 정자생산만을 감소시킴으로써 성욕을 유지시키는 피임 방법을 연구 중에 있다. 즉, 이 피임약은 정자의 성숙을 방해하여 운동성을 감소시켜 난자와 결합할 능력을 감소시켜 피임효과를 나타내게 한다.

앞으로 개발되는 피임 방법은 피임효과와 안전성이 뛰어나야 할 뿐만 아니라 다른 부수적인 효과로 신체건강에 도움이 되거나, 쉽게 사용할 수 있어야만 이용될 것이다. 특히 성매개 감염병이나 에이즈도 피임과 함께 예방할 수 있는 두가지 목적을 지닌 피임 방법 개발에 박차를 가하고 있다. 이러한 변화는 남성들이 주도적으로 피임 방법을 사용하게 될 것이라는 예측을 할 수 있게 한다.

피임법에 대한 정보교육을 주로 여성을 위주로 한다. 지금까지 남성은 비참여적인 역할을 해왔다. 피임법의 선택은 상호 협조적이어야 하며, 만족감을 방해하지 않도록 하는것이 피임법을 사용하는데 있어서 선결요건이다. 이것은 인간관계의 평등을 의미하며 성 파트너 상호간에 존중과 배려를 증진시키는 행위이다.

여성 해방운동은 남성의 전통적 역할을 재검토하도록 하였다. 남성도 이제는 출산과 자녀양육과 피임계획에 참여하기 시작했다. 책임감을 상호공유하기 위해서 남성은 가능한 피임에 대해 많이 알아야 한다. 효과적인 피임 방법을 개발하기 위해서는 남성이 당연히 참여해야 하며, 피임 방법이 남성에게 유용하도록 만들어져야 한다. 공유된 성적 만족감과 피임에 대한 책임감은 남성이 피임 계획에 대해 알고, 능동적으로 참여하는 것을 의미한다.

4. 청소년기 피임법

최근 15~16세의 청소년들이 성적으로 활발하기 때문에, 혼전임신율이 증가하고 있다. 청소년을 위한 피임정보와 피임도구사용이 쉬워졌다라는 이유로 10대의 성행위가 촉진되었다고 한다. 그러나 성행위에 참여한 10대는 피임법에 대한 지식이 거의 없었다고 하며 10대가 피임법을 사용하기 이전 1년 이상 동안 자주 성적으로 적극적이었고 활발했다고 하였다.

Zelnik와 Kantner는, 대도시에 거주하는 18세의 청소년을 대상으로 연구를 실시하였는데 10명의 소녀 중 6명, 10명의 소년 중 7명이 혼전 성교를 경험했다고 하였다. 15~29세의 대상자가 빠른 시기에 피임을 한다 하더라도, 혼전임신은 계속 증가하고 있는 추세이다.

우리나라의 경우 1995년의 보고자료에 의하면 6대 도시 13~19세 청소년기 여성 11,006명을 대상으로 조사한 결과 574명(5.2%)이 성교를 경험한 바 있고 그중 82명(0.75%)이 임신을 경험했으며 또 그중 49명(0.4%)은 임신중절을 경험하였고, 그중 14명(0.1%)은 분만을 하였다고 한다. 이런 증가의 원인은 피임법을 사용하는 10대가 경구피임약과 같은 효과적인 방법보다는 질외사정과 같은 덜 효과적인 방법을 사용하기 때문이다.

피임법에 대한 정보는 청소년 각각의 행동패턴에 맞추어야 할 필요가 있다. 좀 나이가 든 청소년

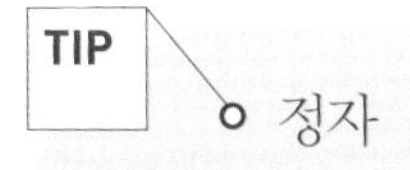

정자의 구조

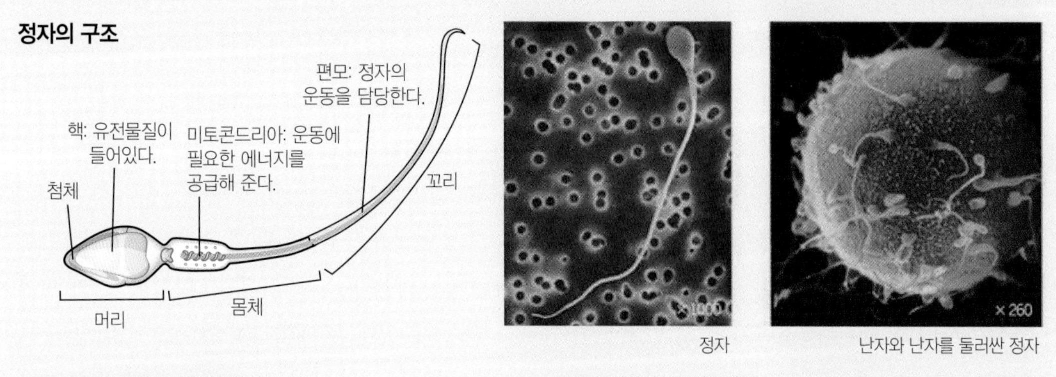

정자 　 난자와 난자를 둘러싼 정자

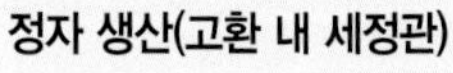

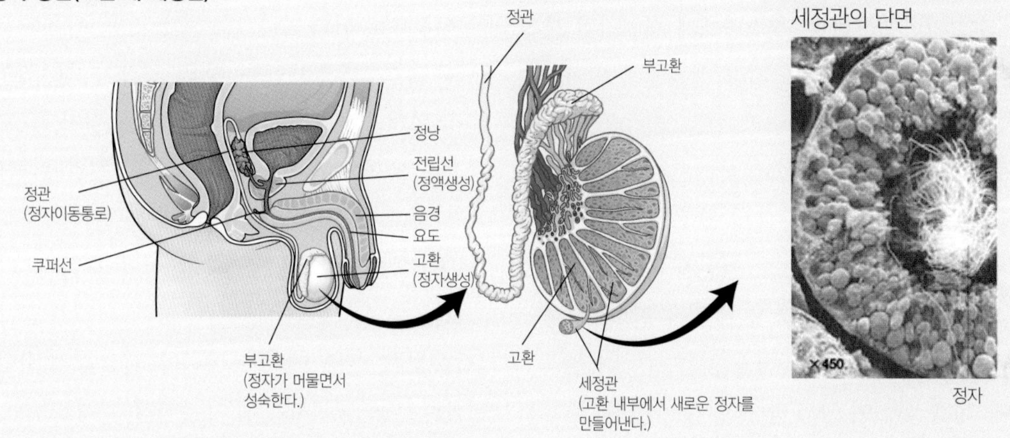

정자

최근 연구에서 정자 수 감소현상 나타남. 그 원인과 영향요인

- 환경호르몬, 음주, 흡연, 비만, 스트레스에 지쳐가는 정자
  - 정자의 운동성 저하, 기형도 상승(태아 뇨도하열 증후군), 정자수 저하
- 환경호르몬(내분비교란물질): 여성 호르몬 에스트로겐과 비슷한 작용하면서 테스토스테론을 억제
  - 담배의 니코틴 : 테스토스테론 분비를 저하하고 정자의 형태를 변형시킨다.
  - 알코올 : 과도한 음주는 정자수 감소와 성기능 장애 초래
  - 기타 : 플라스틱 용기, 비닐, 랩, 쿠킹호일, 캔, 컵라면, 살충제, 일회용 컵, 캔 음료에 있다.
- 농약 오염 농산물 증가 추세
- 꼭 달라붙는 스키니진, 팬티는 금물
- 열감이 느껴지는 방석
- 스트레스를 받을 때 생기는 코르티솔은 정자의 수와 기능을 떨어뜨린다.

정자 생성 촉진 요인

- 아연과 비타민A가 풍부한 간, 새우, 굴, 정어리, 청어, 대합
- 친환경적인 (농약무) 유기농 농산물 : 마늘(셀레늄), 토마토(라이코펜), 콩류, 현미, 호두 등
- 적당량의 포도주, 원두커피의 카페인, 코코아, 초코렛

은 어린 청소년보다 신체기능에 대한 지식과 성적 경험을 더 많이 가지고 있다. 좀 더 어린 청소년의 경우에는 성 파트너의 태도와 통제의 정도에 따라 피임의 여부와 피임법의 종류에 영향을 미쳤다.

성 행위시 10대 남성의 역할이 성적 의사결정에서 여성에 비해 중요한 위치를 차지한다. 피임에 대한 교육과 상담은 청소년기에 있는 여성뿐만 아니라 남성을 포함해서 시행할 필요가 있다.

청소년을 상담할 때는 청소년기에 성취해야 할 발달 과업 중의 하나가 친밀한 관계를 유지한다라는 인식에 기반해야한다. 청소년에게 피임법의 사용기술에 대한 정보뿐만 아니라 성관계시 피임법 사용에 대한 의사소통 능력과 행동적 기술을 습득하도록 도와주어야 한다.

피임법에 대한 교육과 상담을 통해 청소년이 성행위 시 피임법을 능동적으로 어떻게 적용해야 할지를 알고 결정하도록 도움을 주어야 한다. 청소년은 불편하거나 혹은 적합하지 않은 사람의 성적 행동에 대해 본인이 "No"라는 말을 어떻게 해야 하는지를, 어떻게 멈추게 할 수 있는 지를 구체적으로 알기를 원한다. 또한 남성이 성적 충동이 있을때 성적 활동을 시도하거나 조절하는 방법을 가르쳐 주어야 한다.

피임에 대해 책임 있게 자율적으로 의사결정을 하기 위해서는 "피임에 대해 어떻게 느끼는가", "당신이 사용하는 피임법은?" 또는 "피임을 사용할 시간이 필요한가" 같은 질문에 대해 충분히 이해하고 대답할 수 있을때 가능하다. 청소년들이 성행위 결과로 경험할 수 있는 의도하지 않은 임신과 성병감염에 대한 위험을 높게 지각한다면 성행위 시 피임을 할 것이며 콘돔을 사용할 것이다.

한국 청소년들의 피임 및 콘돔 사용은 매우 부진하다. 의도하지 않은 임신이나 에이즈를 포함한 성매개성 감염에 노출되지 않도록 하기 위해서 콘돔 사용이 적극 권장되어야 한다.

다음은 콘돔 사용을 수월하게 할 수 있는 전략이다.

- 성교육을 통해 콘돔 사용의 중요성을 인식시키고 청소년이 성행위를 할 때는 콘돔을 사용하는 것이 안전하고 자연스러운 것이고 자율적인 행동이므로 콘돔에 대해 친숙하도록 한다.
- 콘돔 구입의 가능성 및 용이성을 위하여 청소년들이 쉽게 구매할 수 있도록 구입상의 방해요인을 조사하여 방해 요인을 없애고 구입이 용이하도록 한다.
- 콘돔을 사용하였을 경우 성감이 저하된다는 부정적인 태도를 감소하기 위해 질이 좋으면서 성감을 방해하지 않거나 오히려 성감을 극대화시키는 콘돔 종류를 보급하도록 한다.
- 학교뿐만 아니라 지역사회, 국가 차원에서 무료 배포를 실시한다.
- 콘돔은 성병 예방뿐 아니라 임신을 방지할 수 있는 이중효과때문에 사용한다.
- 개별상담이나 인터넷사이트를 통해 성병과 임신의 위험도를 측정할 수 있도록 하여 위험지각을 높인다. 보다 안전한 성행위 실천을 강화한다.
- 콘돔 사용 자기결정과 관련해서는 성파트너와 미리 콘돔에 관해 논의하도록 하고, 보호받는 성관계를 하도록 하며 압력이 있을 때 이를 거부할 수 있는 의사소통 기술과 자기주장 훈련을 교육한다.
- 청소년에게 여러가지 채널을 통해서 정확하고 지속적인 콘돔 사용은 성적 위험을 최소화할 수 있다는 것을 인식시킨다.
- 친밀감, 사랑, 신뢰관계의 맥락에서 상대방에 대한 배려를 위해 콘돔을 지속적으로 사용하도록 하는 책임있는 행위를 강조한다.
- 청소년들에게 금욕과 성적 의사결정권과 책임

TIP

배란장애(다낭성난소증후군)

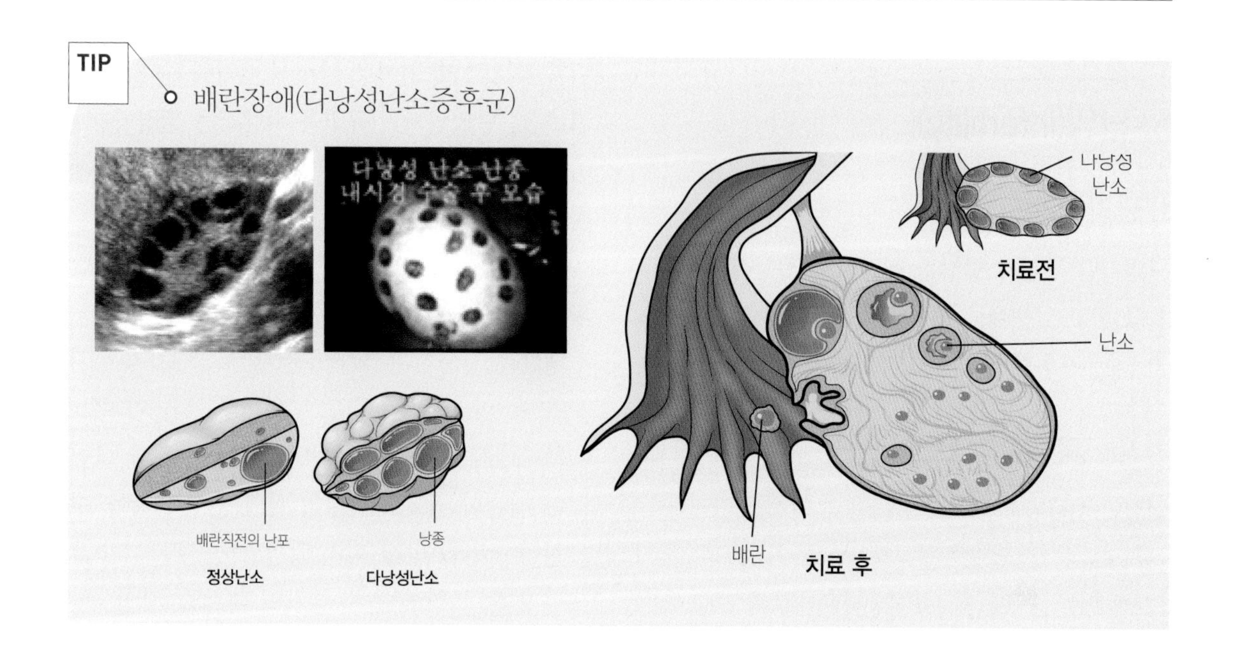

있는 행동이 중요하다는 것을 강조한다.

- 청소년들에게 안전한 성행위의 관계를 인식시키고, 콘돔배포나 애니메이션 관람 등을 통해 동료들간에 예방적 행위를 중시하는 분위기를 조성한다.

성행위 시 콘돔 사용을 해야한다는 의식과 노력은 가족, 학교, 지역사회 단위에서 그리고 성장발달 주기상에서 사회적 연계망을 통해 협력적으로 이루어져야 한다.

그림 9-5
난임인자의 종류

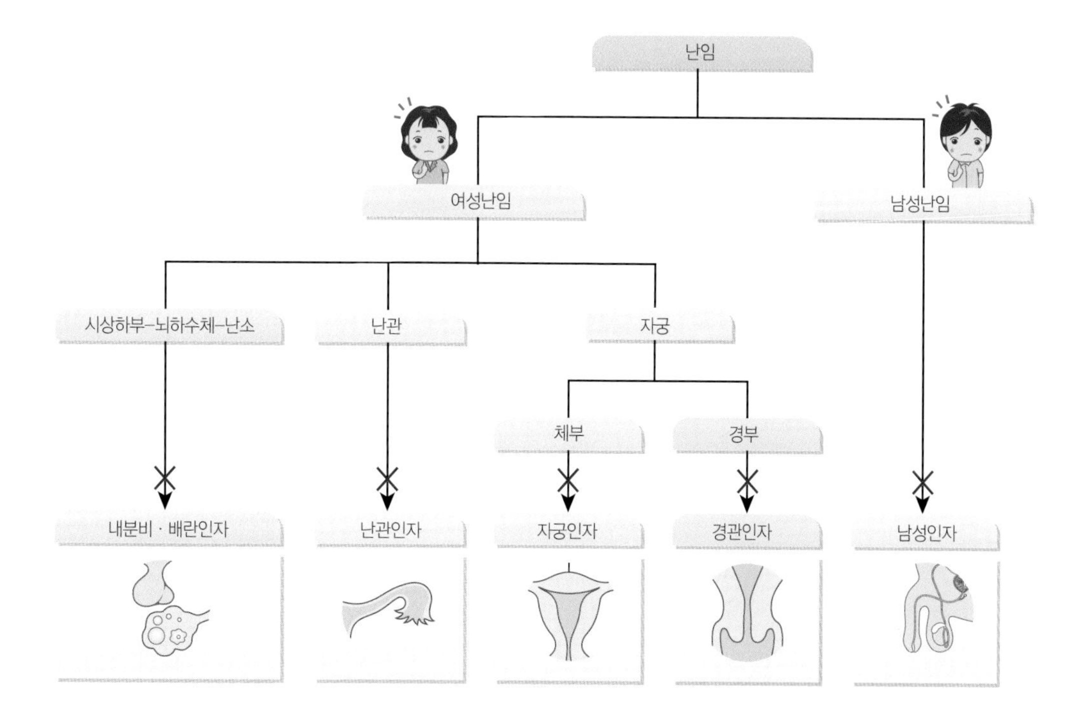

5. 난임(Infertility)

1) 난임의 정의

난임이란 부부가 임신을 희망하여 정상적인 성생활을 하고 있음에도 불구하고 1년 이상 임신이 되지 않는 경우를 말한다.

2) 임신의 흐름과 난임

임신이 성립되기 위해서는 다음의 단계를 거친다.

1단계 배란 → 2단계 난자의 난관내로의 보충·이동 → 3단계 정자의 생성·수송, 질 내로의 사정 → 4단계 정자의 자궁·난관으로의 진입 → 5단계 난관팽대부에서의 수정 → 6단계 수정란의 발생·분할 → 7단계 수정란의 자궁 내로의 이동 → 8단계 분비기 자궁내막의 형성 → 9단계 수정란의 착상

위의 단계 중 어느 단계에서 이상이 생겨도 난임이 될 수 있다. 임신이 한 번도 성립되지 않은 경우를 원발성난임, 과거에 임신한 적은 있지만 그 후 임신이 되지 않는 것을 속발성난임이라고 한다. 즉 난임이란 이러한 일련의 현상 어딘가에 장애가 생겨 임신이 되지 않는 상태를 뜻하는 것이다.

남성이 원인으로 일어나는 난임과 여성이 원인으로 일어나는 난임의 비율은 거의 같다. 그렇다고 해도 임신 성립의 메커니즘은 불분명한 점도 많아서, 원인이 불분명한 난임도 전체의 20~50%를 차지한다. 또 원인이 하나가 아니라 여러 가지 원인이 서로 얽혀서 난임을 일으키고 있는 경우도 적지 않다.

3) 난임인자

난임의 원인인자는 배란인자, 난관인자, 자궁인자, 경관인자, 남성인자, 자궁내막증성인자, 그 밖의 인자 등으로 몇 가지로 나누어 생각할 수 있다(그림 9-5). 난임의 원인규명을 위해서는 월경력이나 임신력, 산과력 등에 관한 상세한 문진, 그리고 생식기를 포함한 전신의 진찰을 해야 한다.

배란인자

배란은 시상하부·뇌하수체·난소의 3가지 장기가 잘 연관되어야 비로소 일어나므로, 이 어느 하나에라도 이상이 생기면 무배란이 된다. 그러나 배란이 있어도 난자의 질에 문제가 있어, 수정이나 난할이 잘 되지 않을 가능성도 있다(그림 9-6). 또한 좋은 수정란이 생겨도, 자궁내막에 원인이 있어서 착상이 되지 않는(임신이 성립되지 않는다) 경우가 있다. 이는 황체기결함으로 자궁내막이 분비기 내막으로 변화되지 않아서 착상을 위한 준비가 되지 않은 것이다. 이렇듯 배란이 일어나지 않았거나, 좋은 난자가 배란되지 않은 경우, 황체기결함으로 착상이 되지 않은 경우 등으로 난임이 된다.

이럴 때에는 무월경검사, 난포발육의 관찰과 배란 확인을 할 수 있는 경질초음파단층법, 난자의 질을 확인 할 수 있는 체외수정검사을 통해 문제의 원인을 확인하고 배란유도 등의 치료를 한다.

난관인자

난관의 역할인 난자수송이나 정자의 진입, 수정이 장애를 받음으로써 난임이 되는 것이다. 예를 들면 감염증이나 수술후의 치유·수복과정에서, 난관이 유착되어 통로가 나빠졌거나 막히는 경우 등이다(그림 9-7).

이럴 때에는 난관에 공기나 물을 흘려 보는 방법인 난관통기법(Rubin test), 조영제를 흘려 넣어 X선으로 사진을 찍어 보는 방법인 자궁난

그림 9-6
난임인자

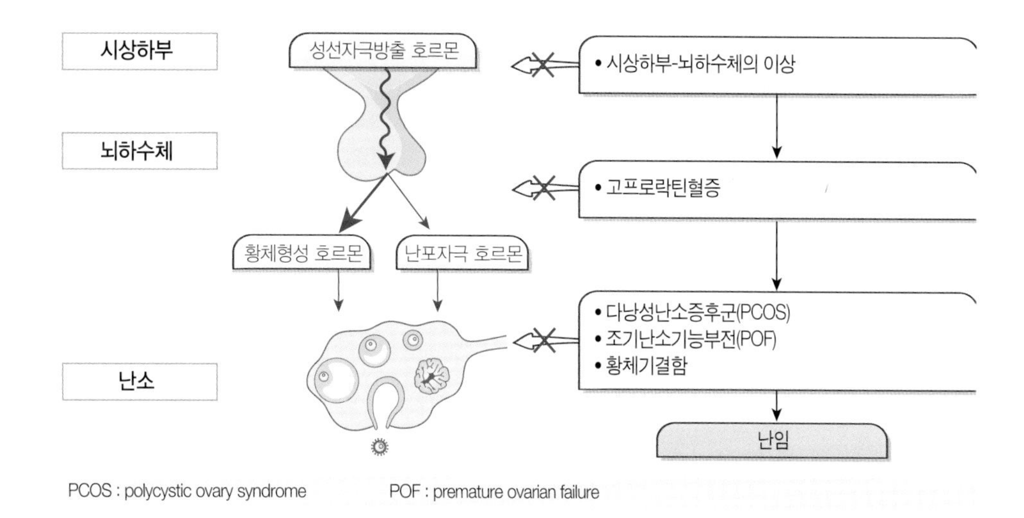

관조영법(HSG) 등과 같은 통과성 검사를 한다. 이 때 이런 통과성 검사만으로도 난관의 통과성 회복이 이뤄지는 경우도 있지만 통상 치료는 복강경하 난관성형술(난관술 또는 그 주위의 유착 제거), 난관경하 난관성형술(난관간질부의 폐색 제거), 체외수정·배아이식(IVE-ET)을 사용한다.

자궁인자

자궁의 내강이 좁아지는 등 자궁의 형태 이상으로 인해서 착상에 방해를 받아 난임이 되는 것이다. 원인으로 자궁근종이나 Asherman증후군, 자궁기형 등이 있다(그림 9-8).

초음파단층법(USG), 자궁난관조영법(HSG), 직접 자궁내강을 보는 자궁경 등을 통해 검사를 한다. 치료는 자궁근종인 경우 근종절제술이나 성선자극호르몬방출호르몬(GnRH) 아날

그림 9-7
난관인자

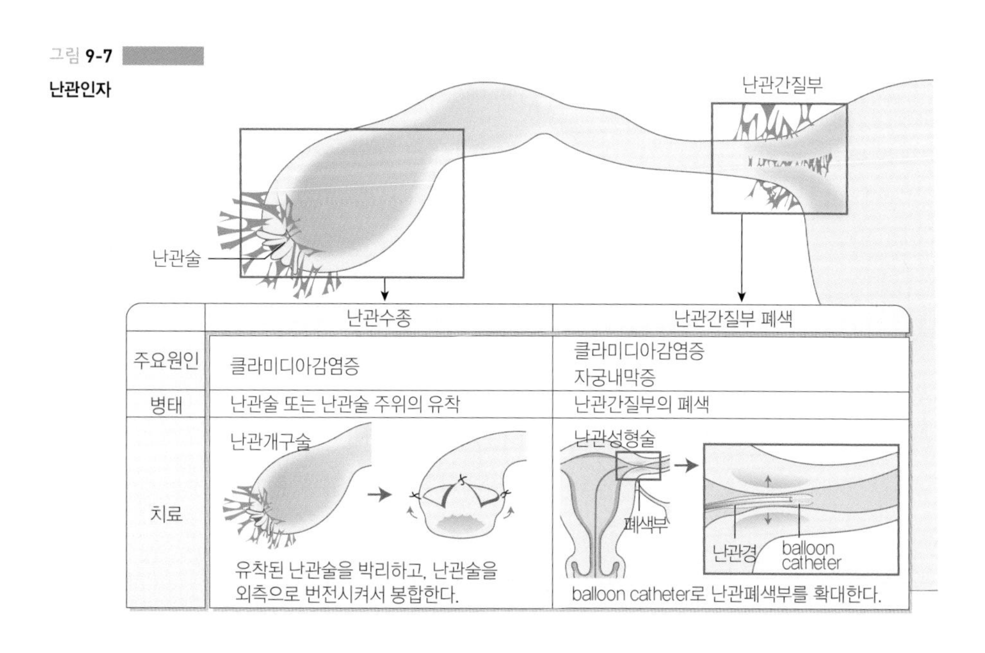

	난관수종	난관간질부 폐색
주요원인	클라미디아감염증	클라미디아감염증 자궁내막증
병태	난관술 또는 난관술 주위의 유착	난관간질부의 폐색
치료	난관개구술 유착된 난관술을 박리하고, 난관술을 외측으로 번전시켜서 봉합한다.	난관성형술 balloon catheter로 난관폐색부를 확대한다.

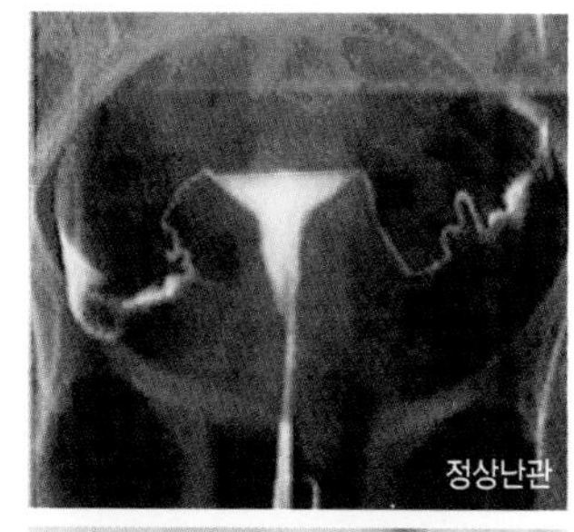

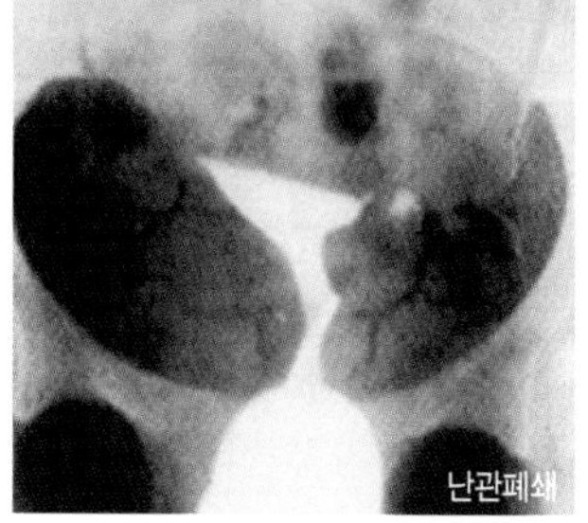

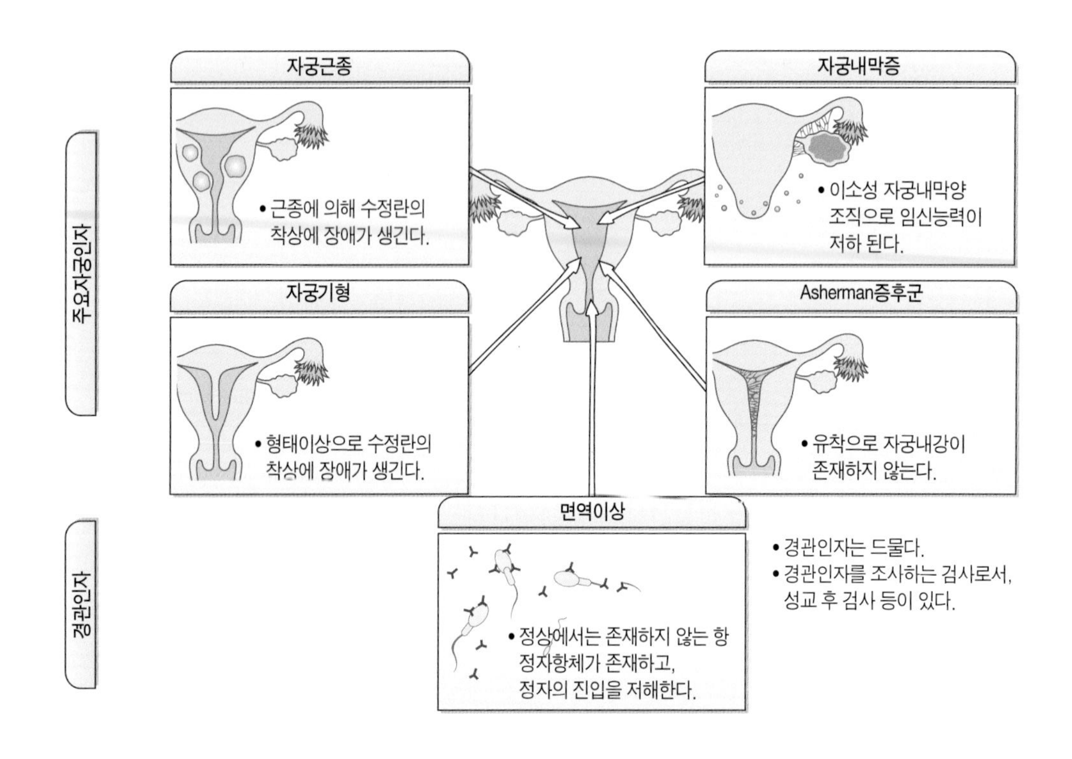

그림 9-8 자궁 및 경관인자

로그에 의한 근종의 축소를 시행하며 자궁기형이나 Asherman증후군의 경우는 자궁경수술이나 개복수술로 치료한다.

경관인자

경관점액의 이상에 의해서 자궁강 내로 사정된 정자가 진입할 수 없어서 난임이 되는 것이다. 에스트로겐 분비부전 등의 이유로 경관점액의 양이 적어서 정자가 지나갈 수 없다거나, 정자에 대한 항체가 존재하여 정자와의 수정에 어려움이 일어난다.

이를 알아내기 위한 검사로는 배란기의 경관점액을 채취하여 성상을 검사하는 방법인 경관점액검사, 성교 후에 자궁강 내를 흡인하여 경관점액 속을 헤엄치고 있는 정자를 관찰하는 방법인 성교후 검사가 있다. 이를 통해 항정자항체가 없는 경우로 밝혀지면 배우자간 인공수정(AIH)으로, 항정자항체가 있는 경우라면 체외수정·배아이식(IVH-ET)으로 치료한다.

자궁내막증성인자

자궁내막양조직에 의해서 난자의 수송장애 (난관의 운동장애, 협착이나 폐색)나 수정장애 (자궁내막증조직이 분비하는 사이토카인이 정자운동이나 수정을 저해한다) 등에 의해서 난임이 되는 것이다.

영상진단에 의한 자궁내막증 진단은 어려운 경우도 많아서, 복강경 등으로 직접 병변을 보는 검사를 실시하며 자궁내막증 치료를 한다.

남성인자

정소에서 만들어진 정자는 정소상체(부고환), 정관을 거쳐서 정소(고환)에 저류된다. 그리고 전립선에서 분비된 분비액과 함께 정액을 구성하고, 성적 절정시에 사정한다. 이 기능들 중 하나라도 장애를 받게 되면, 남성난임의 원인이

그림 9-9
남성인자

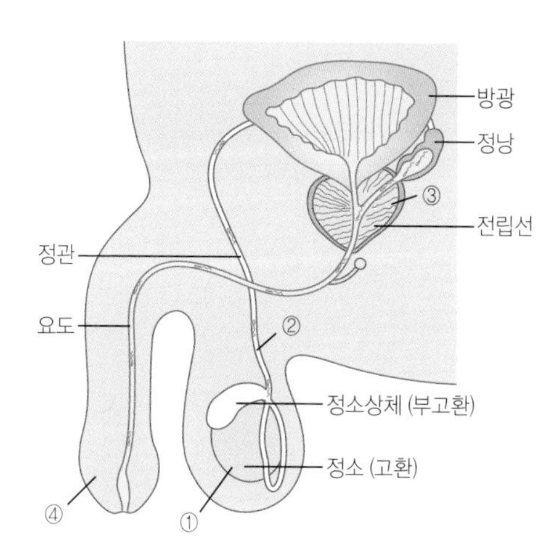

	주요병태	주요원인
① 정자생성 장애	정자의 형성이나 성숙이 불가능하다.	• 특발성 • 염색체이상 (Klinefelter증후군) • 정소정맥류(정계정맥류) • 정류정소 • 정소염(고환염)
② 정로통과 장애	정자의 수송경로가 장애를 받고 있다.	• 선천적인 발육부전 • 정관염 • 정소상체염(부고환염)
③ 부성기 장애	정낭 · 전립선의 염증으로, 정자가 영향을 받는다.	• 정낭염 • 전립선염
③ 생식기능 장애	성교 또는 사정을 할 수 없다.	• 성교장애 • 사정장애

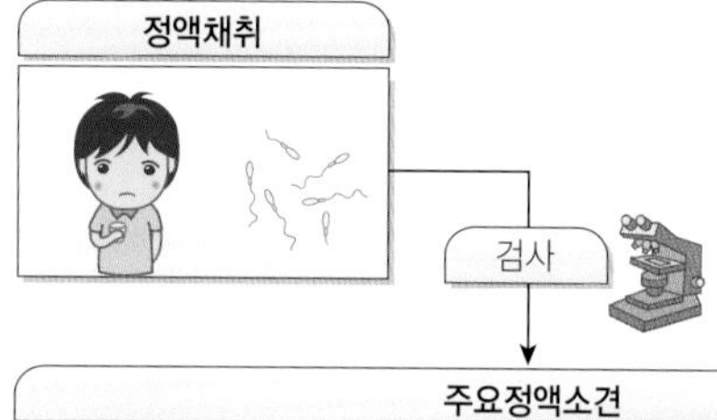

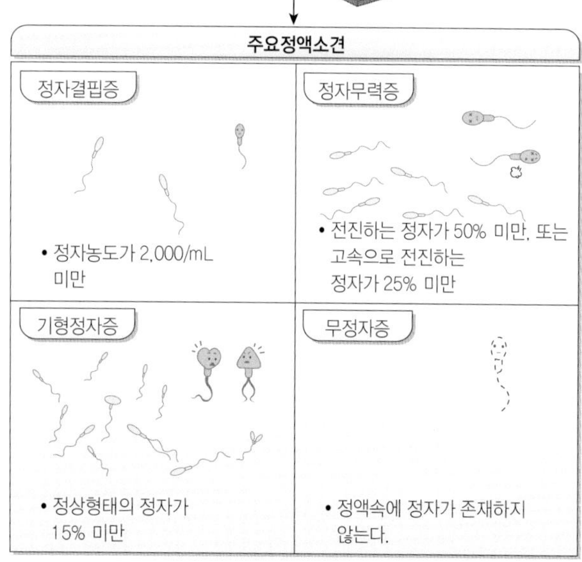

정액검사의 정상치 (WHO, 1999)

정액량	• 2.0mL 이상
pH	• 7.2 이상
정자농도	• 20×10^6 이상
총정자수	• 40×10^6 이상
정자운동률	• 전진하는 정자가 50% 이상, 또는 고속으로 전진하는 정자가 25% 이상 (채취 후 10분이내)
형 태	• 정상적인 형태의정자가 15% 이상
정자생존률	• 75% 이상
백혈구	• 1×10^6/mL 미만

된다. 남성난임 중에는 조정기능장애가 가장 많아서, 전체의 70~80%를 차지하고 있다.

정자생성장애 중에서 가장 많은 것은 특발성(원인불명) 정자결핍증이다. 그로 인한 남성난임이 의심스러운 경우, 정자의 성상을 검사하기 위해서 정액검사가 행해진다(그림 9-9).

검사 결과가 운동정자수가 충분하면 배우자간 인공수정(AIH), 체외수정·배아이식(IVF-ET)을, 운동정자수가 충분하지 않으면 세포질내정자주입술(ICSI)을 한다. 한편 무정자증이라면 정소 내에 정자가 있으면 정소 내 정자회수에 의한 세포질내정자직접주입술(TESE-ICSI)

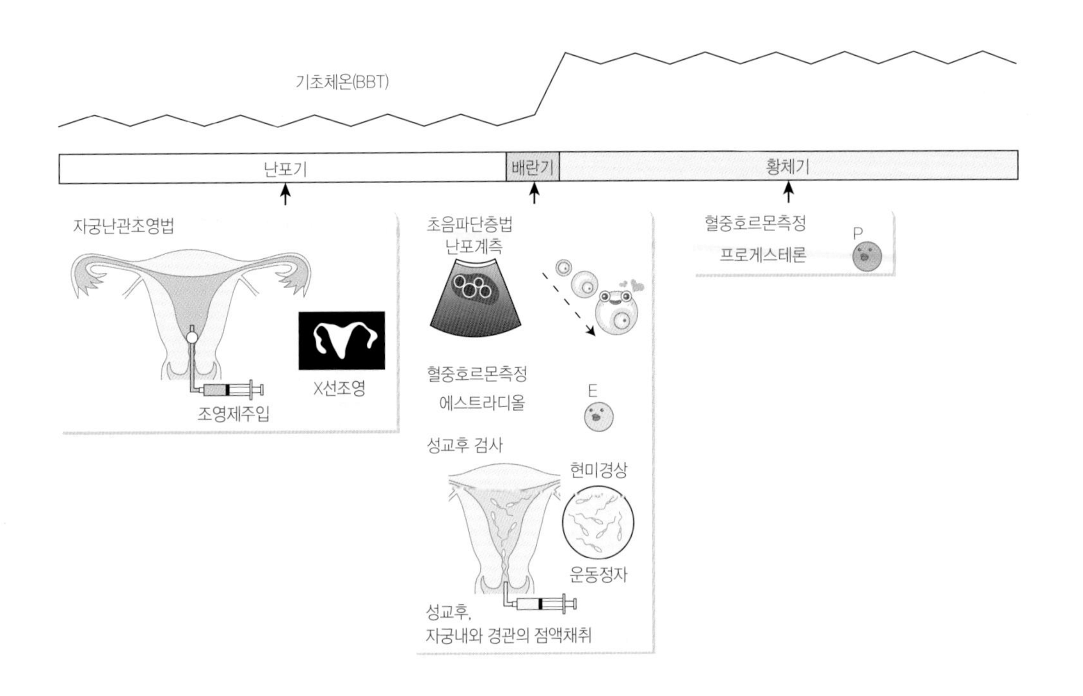

그림 9-10
난임검사 과정

을, 정자가 전혀 없으면 비배우자간 인공수정(AID)으로 치료한다.

기타 인자

기능성(즉 원인불명)인 것이다. 연령이 높은 여성에서는 임신할 가능성이 감소되어, 기능성난임이 되는 경우가 종종 있다.

이런 경우 기초체온을 측정하거나, 초음파검사로 난포크기를 측정하여, 배란시기를 추정하여 성교타이밍 지도, 배란유도, 배우자간 인공수정(AIH), 체외수정-배아이식(IVF-ET)으로 치료한다.

4) 난임검사

난임이 의심스러운 경우에는 우선 난임검사를 하여, 난임인자를 진단한다. 난임검사는 기초체온, 호르몬 부하시험, 혈중 호르몬측정, 클라미디아검사, 자궁난관조영, 초음파검사, 정액검사 등으로 이뤄진다. 이러한 검사를 통해 내분비·배란이자(시상하부-뇌하수체-난소 이상, 고프로락틴혈증, 황체기결함, 다낭성난소증후군(PCOS), 조기난소기능부전(POF)), 난관인자(클라미디아감염증(난관주위유착, 난관폐색), 난관수종, 자궁내막증), 자궁인자(자궁기형, Asherman증후군, 자궁근종, 자궁샘근증, 자궁내막증), 남성인자(정사 생성의 장애 등)의 난임인자가 특정되면 2차 검사를 하여 난임원인을 정밀검사하고 질환에 따라 치료한다.

그림 9-10은 난임검사의 과정이다.

난소과자극증후군

배란유도에 의한 자극으로, 다수의 난포가 크게 발육되어 난소가 증대되고, 난포에서 에스트로겐이 현저하게 상승된다. 에스트로겐에는 혈관투과성을 상승시키는 작용이 있으므로, 흉수·복수저류 혈액농축 등을 초래하기 쉽다.

5) 난임치료

난임부부에게 배란유도, 배우자간 인공수정(AIH),

보조생식술(ART)을 시행하는데 ART란 체외수정-배아이식(IVF-ET), 세포질내정자주입술(ICSI), 정소 내 정자회수에 의한 세포질 내 정자 직접주입술(TESE-ICSI)을 말한다.

배란유도

- Clomiphen요법

  Clomiphen은 에스트로겐과 경쟁적으로 시상하부의 에스트로겐 수용체에 결합하므로, 시상하부는 에스트로겐농도가 낮은 것으로 인식하여, 성선자극호르몬방출호르몬(GnRH)의 분비를 항진시킨다. 그로 인해 뇌하수체전엽에서 FSH와 LH 분비가 항진되어, 배란을 촉진시킨다. 혈장 에스트로겐 농도가 정상인 경우 적용한다. clomiphen요법은 배란률은 비교적 높지만, 임신율이 낮다는 것이 결점이다.

- 성선자극호르몬요법(Gonadotropin hormone therapy)

  난포자극호르몬제를 투여하여, 난포의 발육을 촉진시킨다. 충분히 난포가 성숙한 시점에서 황체형성 호르몬 작용을 하는 융모성 성선자극호르몬을 투여하여, 배란을 유도한다. 난포자극호르몬제는 이전에는 갱년기 여성의 요에서 제조한 사람폐경기 성선자극호르몬(hMG)제가 사용되었는데, 최근에는 유전자 재조합기술을 이용한 재조합된 난포자극호르몬제가 사용된다. 이 치료에서는 난소에 대한 자극이 과잉이 되는 것에 의한 난소과자극증후군(OHSS)이나, 과배란에 의한 다태임신이 문제가 된다.

배우자간 인공수정(artificial insemination with husband's semen, AIH)

정자 또는 그것을 포함한 액을 배란기의 자궁에 주입함으로써, 인공적으로 정자를 난자의 근처까지 이동시켜서 수정시킨다. 정상적인 임신에서는 정자가 질에서 자궁경관→자궁→난관으로 이동하는데, 그 과정에서 사정했을 때 수천만이던 정자가 난관에 이르는 시점에서는 불과 수십 개로 줄어든다. 그러나 이 이동을 인공적으로 우회(bypass)시키면, 대량의 정자가 난관에 도달할 수 있다.

- 보조생식술(assisted reproductive technology, ART) : 일반적인 체외수정으로 임신이 되지 않는 경우에 미세조작술이 행해진다. 배우자에게 인공적인 보조를 하여 수정시켜서 임신케 하는 방법이다. 2006년, 일본에서 태어난 아기 65명에 1명은 보조생식술에 의해 임신한 아기라고 추정된다. 배란유도(hMG투여)로 난소과자극증후군(OHSS)을 초래하기도 한다.
- 체외수정-배아이식(in vitro fertilization and embryo transfer, IVF-ET) : AIH는 수정을 여성 자궁에서 하는 것인데, 이 방법은 시험관 내에서 수정시킨다. 구체적으로는 배란직전의 성숙난포에서 경질초음파단층법을 사용하여 천자함으로써 난자를 채취하고, 시험관 내에서 남편의 정자와 수정시켜서 난할한 상태(초기배)로 여성의 자궁에 이식한다. 최근 배양액의 개선으로 수정 후 배포까지의 배양이 가능해져서, 좀 더 양호한 성적을 얻게 되었다. 세포질 내 정자주입(ICSI)으로 수정된 수정란도 위와 같은 방법으로 자궁내막에 이식 한다.
- 세포질내정자주입술(intracytoplasmic sperm injection, ICSI) : 채취한 난자의 세포질 내에 현미경하에서 가는 유리관을 사용하여 정자를 주입하여 수정시키는 방법이다. 이렇게 함으로써 무정자증인 남성이라도 정소 내에 정자가 있으면 아기를 가질 가능성이 있다.

TIP

체외 수정과 배아 이식 과정

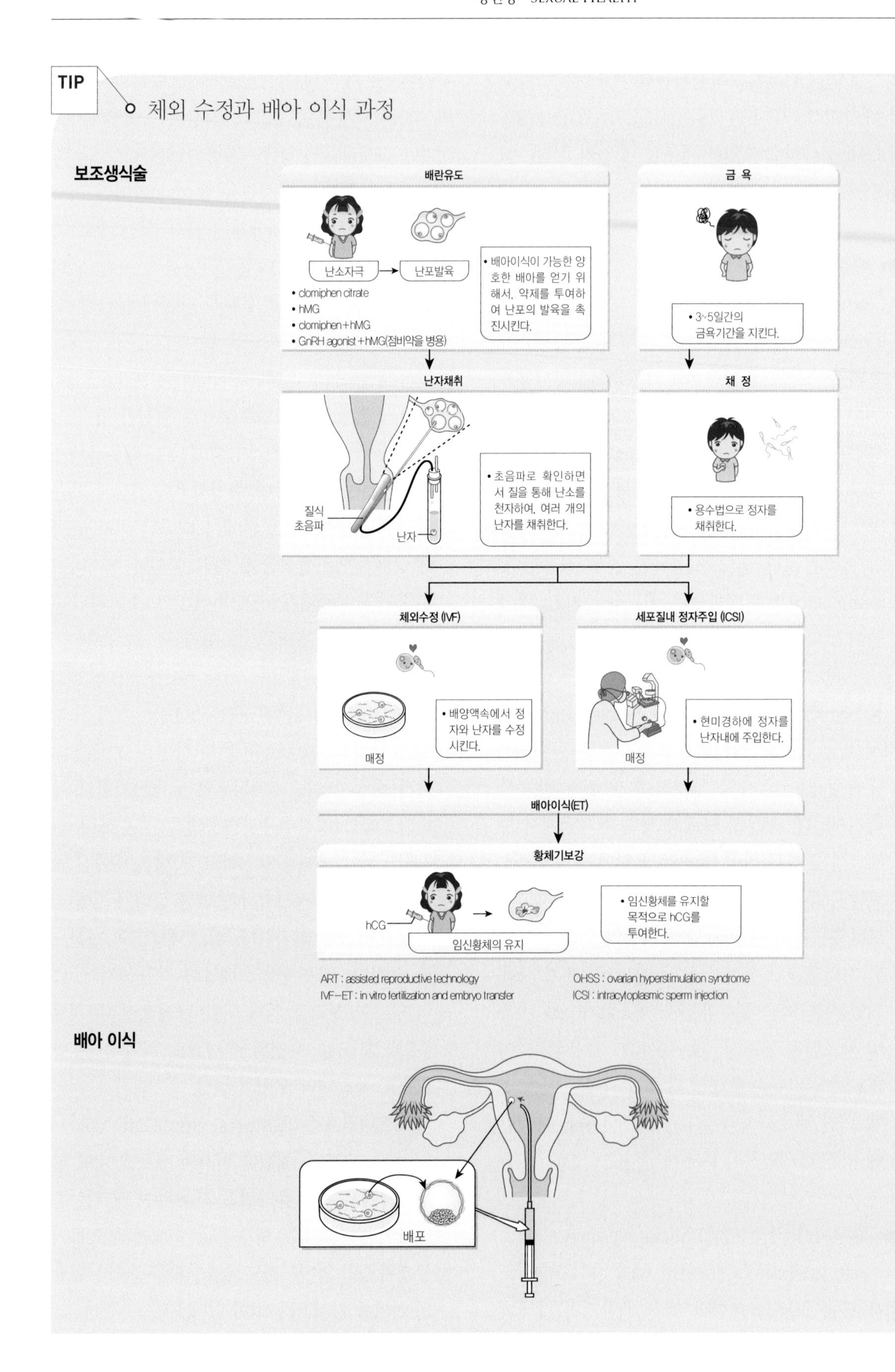

나팔관 또는 자궁강에 이식하는 과정

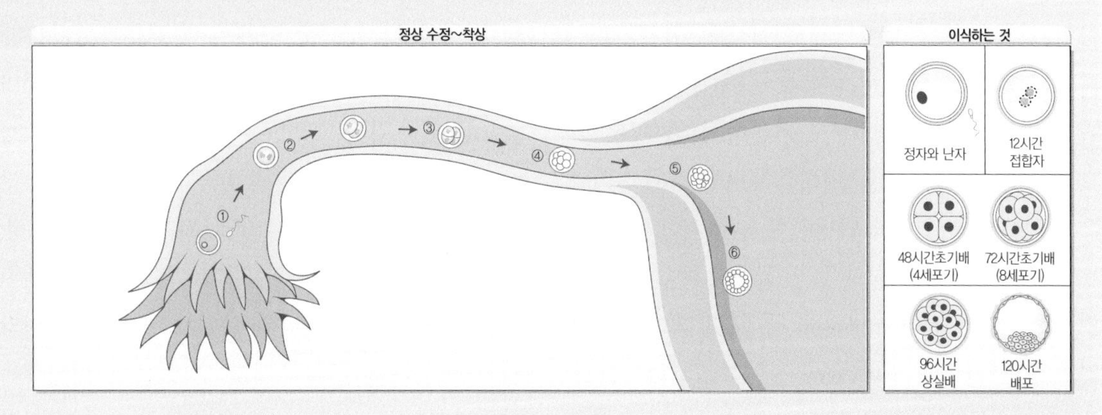

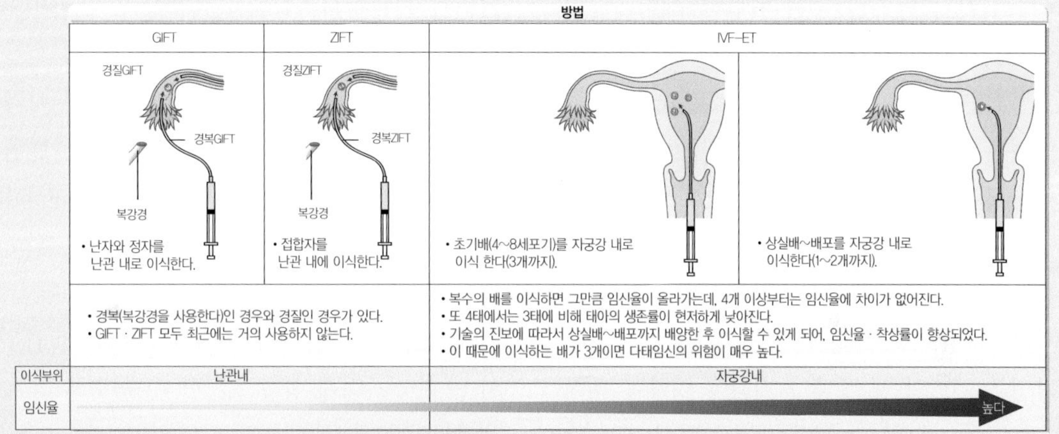

GIFT : gamete intrafallopian transfer ZIFT : zygote intrafallopian transfer

세포질내정자주입술

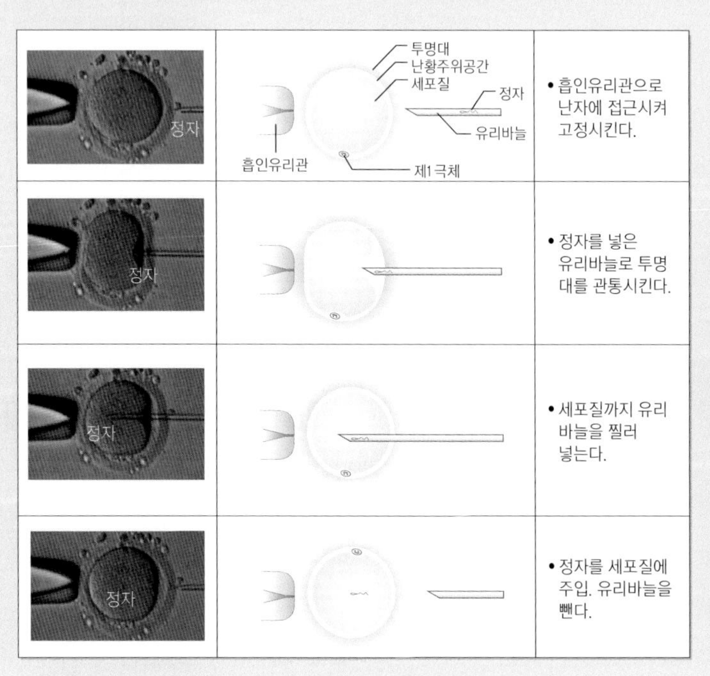

6) 난임부부의 성

난임은 징후나 표시가 없다. 개인은 임신이 되지 않았을 때 비로소 자신이 난임인지를 안다. 난임은 성 파트너뿐만 아니라 임신 능력에 정서적 부담을 주는 가족이나 친구도 관련이 있다. 일반적으로 부부들은 출산을 기대하며, 난임 파트너들은 임신에 대한 기대에 압박감을 느낄 것이다.

임신은 성행위의 결과이다. 실제로, 임신은 월경 주기의 배란기에 발생한다. 성행위를 하는 파트너들은 9개월 정도 되면 80%가 임신이 된다. 성교 1년 후까지도 난임으로 있는 부부의 수는 15% 정도 된다. 난임은 원인이 무엇인지에 대해 진단할 필요가 있다.

난임은 성교를 하는 부부에서 1년 이후에도 임신이 되지 않는것을 의미한다. 절대적 난임, 또는 영구적 난임은 임신의 무능력을 의미한다. 상대적 난임은 저하된 임신 능력을 의미하며, 임신을 할 수 있는 가능성도 포함된다.

난임은 개인의 성 정체감 지각에 영향을 미칠 수 있다. 임신을 할 수 있다는 것은 여성 또는 남성의 동등성을 나타낸다. 임신에 대한 무능력은 자기가치감의 상실을 초래할 수 있다. 난임이 확정될 때, 각각 파트너는 그들의 관계뿐만 아니라 자신의 난임과 관련된 문제에 대해 대처해야 할 것이다. 난임에 대한 인정은 쇼크, 불신감, 당황함, 분노, 우울, 슬픔의 감정을 일으킬 수 있다.

성 정체감과 관련된 갈등은 개인 자신의 성행동 지각에 대한 갈등일 수 있다. 어떤 사람은 임신을 성행위와 같은 의미로 본다. 성은 임신뿐 만 아니라 정서적인 면이 통합된 개념이다. 성과 임신을 분리해서 생각하는 사람들은 자기자신에 대해 더 긍정적인 태도를 갖는다. 자기-가치는 파트너와 대화를 통해 증진될 수 있다. 난임 문제를 해결하기 위해 양자를 입양하는 것은 자녀를 갖고 싶은 요구를 만족시킬 수 있다. 그러나 난임의 문제는 여전히 남아있다. 양자를 입양하는 것이 임신에 영향을 미친다는 증거는 없다.

난임에 대한 성공적인 대처는 파트너의 좌절과 분노를 다루는 능력뿐만 아니라 실망감과 상실감을 수용하는 능력에 달려있다. 난임 파트너는 분노와 실망감을 억제하기가 어렵다. 억제된 감정, 수치심, 죄책감 그리고 당황감은 부부간의 성행위에 부정적인 영향을 미치며 발기부전뿐만 아니라 성적 욕구의 저하를 초래할 수 있다. 난임이라는 낙인이 일시적 사정장애를 유발할 수 있으며 이것은 난임 사례의 반 이상에서 발생한다.

난임부부의 성교는 친밀감의 공유라기 보다는 임신을 위한 책임감의 공유가 될 것이다. 난임부부가 임신을 위한 성행위를 할 때 난임 대상자의 섹스에 대한 감정은 슬프고, 부정적이고, 위협감을 느낄 것이다.

Menning은 난임 파트너들이 성행위 시 위축되지 않고 건강하게 성행위를 할 수 있도록 다음을 제안하였다.

- 즉, 파트너는 난임파트너의 요구에 대해 상호 수용적이고 민감해야 한다.
- 시간, 체위, 장소의 변화는 만족스럽지 못했던 기억들을 해체시키고 성적 상호관계에 생기를 불어 넣어줄 수 있다.
- 난임부부가 성적 상담을 받는 것은 부부의 친밀한 의사소통과 다양한 행위의 변화를 촉진시킬 수 있다.
- 파트너는 상호간의 배려를 증진시킬 필요가 있다.
- 성행위는 개인적 쾌락과 부부간의 상호 만족감과 친밀감에 있음을 인식시킨다.

난임을 염려하는 부부들에게는 난임의 원인을

TIP
인공수정 종류

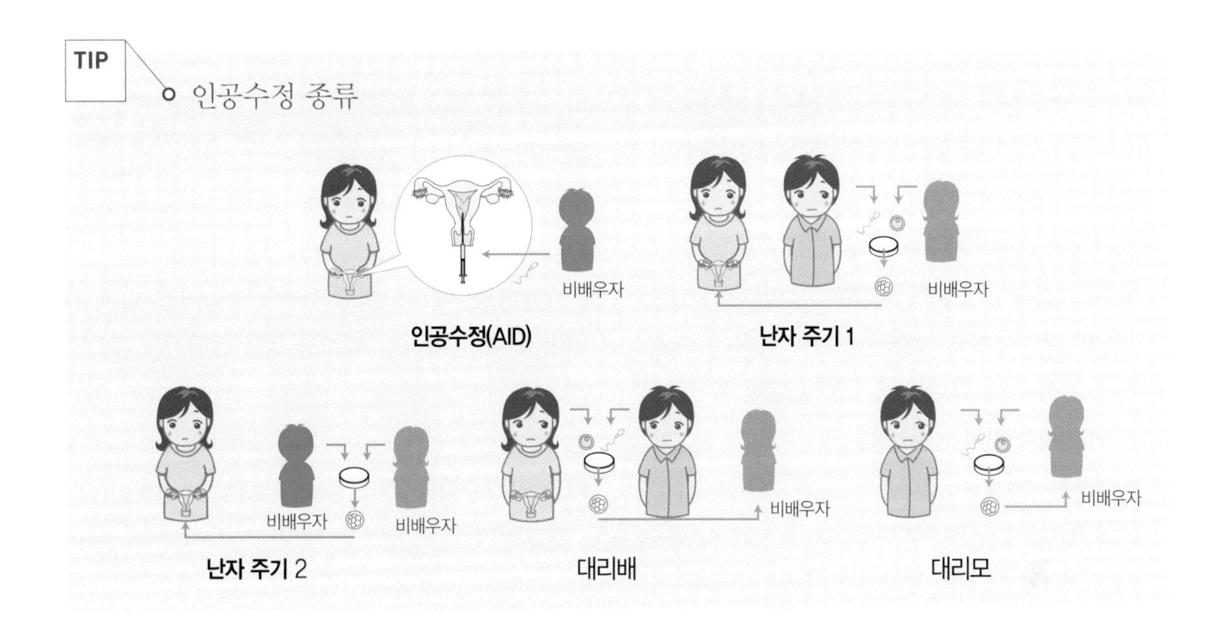

사정하기 위해 철저한 건강력과 신체검사, 또는 난임검사가 계획된다. 성건강력은 특별한 주의와 배려로 조사되어야 한다. 조루증, 발기부전과 같은 성기능 장애는 많은 난임 사례에서 나타난다. 어떤 습관적 행동은 임신에 영향을 미친다. 예를 들면, 성교 직전, 후에 윤활제나 질세척을 하는 것은 정자를 죽일 수 있다. 하루에 한 번 이상의 성교는 정자 수를 고갈시킬 수 있다.

영구적 난임은 단독 원인뿐만 아니라 복합적 요소를 가지고 있다. 두 명의 성 파트너 모두에게 난임검사가 시행되어야 한다. 여성은 난소와 자궁에 이상이 있는지, 난관이 폐색되었는지, 정자의 운동을 방해하는 여성 성 기관에 이상이 있는지를 살펴본다. 남성은 정자생산에 이상이 있는지, 성 호르몬 분비기능에 이상이 있는지, 정관에 이상이 있는지를 살펴본다.

난임에 대한 사정은 몇 달, 또는 몇 년 이상 계속될 수 있으며, 재정적, 정서적으로 문제를 야기시킨다. 관련된 파트너는 난임에 대한 진단과 치료가 개인적, 경제적, 성적 생활에 고통을 줄 수 있는 길고 복잡한 과정이 될 수 있음을 알아야 한다.

특히 아이를 갖기 위한 의무적인 성생활이 되지 않도록 그 개념을 설명해 주고 부부간의 대화를 통해 그들에게 아이가 어떤 의미를 주는지 생각하도록 권유하며 서로 화합하고 노력하며 의사가 정해준 부부 관계에 대해 강박관념을 갖지 않도록 한다.

7) 난임과 윤리적 문제

보조생식술로 임신이 되지 않은 경우 비배우자간 인공수정을 추천한다.

- 비배우자간 인공수정은 비배우자로부터 정자를 제공 받아 인공수정법을 한 후 부인의 자궁에 이식하는 것으로 남성이 무정자증이나 정자가 전혀 없는 경우 적용된다.
- 난자받기는 비배우자로부터 난자 혹은 배아를 제공 받아 진행하는 시술이다. 부인이 조기난소기능부전(POF)인 경우는 비배우자로부터 제공받은 난자를 체외수정하여 부인의 자궁에 이식

한다. 또한 부인이 조기난소기능부전이고 남편이 무정자증인 경우에는 체외수정배아이식(IVF-ET) 등으로 생긴 비배우자의 배아를 부인의 자궁 내에 이식한다.

- 대리배는 비배우자로부터 자궁을 제공 받아 진행하는 시술이다. 부인의 자궁이 없는 경우로 남편과 부인에게서 채취한 난자와 정자를 체외수정 시켜 얻은 수정란을 비배우자의 자궁 내에 이식하여 임신, 출산하게 하는 것이다.
- 대리모는 비배우자로부터 난소와 자궁을 제공 받아 진행하는 시술이다. 부인이 난소와 자궁이 없는 경우로 남편의 정자와 비배우자로부터 제공된 난자를 인공수정한 후 임신, 출산하게 하는 것이다.

이러한 다양한 인공수정 방법은 아이를 갖고 싶어 하는 난임부부에게 희망을 제시하고 있지만 한편 윤리적으로 매우 논란이 되고 있다.

6. 성건강 전문가의 역할

성건강 전문가는 생식 건강관리에서도 교육자-상담자의 역할을 해야 한다. 또한 대상자에게 개인 자신의 성적 가치체계에 일치하는 피임 방법을 선택하도록하며, 생식 건강을 증진하고, 생식 능력을 조절할 수 있는 개개인의 권리를 인정하고 존중해야 한다. 간호사는 남성, 여성 모두가 생식 건강 증진을 위해 책임감 있는 성적 의사결정을 할 수 있도록 하고, 이러한 결정을 통해 성적 관계, 성적 파트너 간의 생활 환경에서 발생하는 변화를 재평가하도록 한다.

교육자로서 간호사는 대상자에게 피임이나 난임과 관련된 신체에 대한 신화나 오해를 교정하도록 정보를 제공해야한다. 간호사는 대상자가 그들의 쾌락과 친밀감을 위한 성에서 임신만을 위한 성행위로 대치함으로써 야기될 수 있는 문제, 불안, 갈등 등을 경청하고 상담해야 한다.

간호사는 피임이 필요한 배우자들에게 먼저 피임법에 대한 정확한 정보를 제공한다. 즉 피임법의 선택여부, 위험 요소, 장점과 단점에 대한 정보를 제공한다. 간호사는 각 개인의 요구와 목표에 따라 가장 적합한 피임법을 선택하도록 안내한다.

간호사가 특히 청소년 대상자에게 교육과 상담을 할 때는 민감해야 한다. 청소년은 새롭고, 즐겁고, 다양하고, 놀라운 것 등이 복합된 특별한 감정들이 성관계에 포함되어 있기 때문에, 간호사는 청소년이 자신의 성건강 문제를 자세하게 표현할 수 있도록 지지를 해 주어야 한다. 간호사는 청소년들의 감정을 수용하고, 그들의 행동에 대해 비판단적인 태도를 취함으로서 청소년의 책임감있는 의사결정을 할수 있도록 도와줄 수 있다. 간호사는 청소년들이 자신의 깊은 감정과 발달 중인 성적 가치체계에 기반을 둔 성적 의사결정을 할 수 있도록 도와주어야 한다. 간호사는 청소년의 성행위가 사랑이 결부된 경험이 되도록 도와야 하며 개인이나 또는 집단의 압력에 의한 반응으로 성행위를 경험하지 않도록 도움을 주어야 한다. 간호사는 청소년에게 현재의 발달 주기는 금욕하는 것이 더 유익하며 성행위를 하지 않는 것이 더 정상적인 행동이고 자제하고 조절하는 것이 건강한 것이며, 더 수용할만한 것이라는 확신을 주어야한다.

난임관리에 많은 시간과 정열을 투자한 성적 파트너에게 간호사는 복잡한 진단적 절차와 성교의 적절한 시기, 치료에 대한 명확한 정보들을 주어야 한다. 난임의 진단과 치료과정 동안 그들의 개인적 자아존중감과 성관계에 대한 사생활과 그들의 인격이 손상되거나 상처를 받지 않도록 지지가 필요하다. 자조집단, 그리고 집단적 지지와 상담은 난임 파트너의 안전감과 끈기있게 노력하는 성취감을 가질 수 있도록 기여할 수 있다.

간호사는 가족계획과 피임, 난임관리가 주요한 성적 건강간호라는 것을 인정할 수 있어야 하며, 간호에 필요한 기초 지식과 대인관계 기술을 발달시켜야 한다.

간호·상담 과정(피임)

대상자 최OO. 22세 이혼한지 6개월 됨, 15개월 된 한 자녀를 두고 있음
간호사 김OO. 가족계획 클리닉 간호사

사정

주관적 자료

피임을 하기 위해서 왔어요. 이혼하기 전에 나는 거품살정제를 사용했고, 남편은 콘돔을 사용했어요. 남편은 콘돔을 좋아하지 않아요. 그래서 대부분 피임은 내 몫이었어요. 나는 피임용 거품살정제를 계속 사용했지만, 언제나 성교 후에 질세척을 하곤 해서 신경질이 났어요. 나는 지금은 젊은 친구와 사귀고 있고, 우리 둘은 임신을 원하지 않기 때문에 더 좋은 피임법이 필요해요. 우리는 언젠가 결혼할 거예요. 아직은 결혼에 대한 준비가 안되었구요. 나는 복잡하지 않은 피임법을 원해요. 그는 내가 원한다면 콘돔을 사용할 것이라고 말해요. 경구피임약을 사용해 본 내 친구는 피임약은 부작용이 많다고 하고, 남자 친구가 흡연을 한다면 경구피임약은 사용해서는 안된다는 말을 들었어요. 그래서 나는 경구피임약을 원하지 않아요.

객관적 자료

- 16세 때 인공 유산한 경험이 있다.
- 교외에 있는 두 개의 방을 가진 아파트에 15개월 된 딸과 함께 생활한다.
- 시내의 큰 호텔에서 여종업원으로 야간근무를 한다.
- 딸의 양육보조금을 불규칙적으로 지급받는다.
- 팁과 봉급으로 살며 경제상황은 만족한다.
- 가장 가까운 친척은 90km 정도 떨어져 있다.
- 퇴근할 때까지 자신의 아파트에서 이웃 아주머니가 아이를 돌봐준다.
- 첫 임신은 부적절한 피임 때문이라고 믿는다.
- 경구피임약의 복용은 고려하지 않고 있다.
- 남자 친구가 담배를 피운다.
- 지연된 월경력을 가지고 있다.
- 파트너는 콘돔 사용을 꺼리는 것 같다.

간호진단

피임법과 관련된 지식부족

계획

- 월경력을 수집한다.
- 의학적 병력을 수집한다.
- 골반과 유방검사를 수행한다.
- 샘플 등 시각적 방법을 사용하여 피임법에 대해 논의한다.
- 피임법의 효과율, 위험, 장점과 단점, 그리고 금기사항에 대해 논의한다.
- 파트너 상호간에 의사결정을 하도록 격려한다.
- 임신조절의 상호책임감에 대해 논의 한다.
- 피임법의 선택, 정확한 사용, 그리고 주의깊은 실천에 대해 논의한다.
- 타인으로부터 들은 피임 방법의 부정적 의견을 최소화 하도록 조언한다.
- 제시된 피임법에 대한 감정을 탐색하고, 선택을 촉진시킨다.
- 다이아프램에 대한 크기와 다이아프램 플라스틱 모형 위에 살정제 젤리 적용을 보여준다.
- 다이아프램의 삽입과 제거의 절차를 설명한다. 대상자가 다이아프램을 삽입하고 제거하는 것을 관찰한다.
- 전희의 일부로서 다이아프램의 사용을 설명한다.
- 2주동안 이 방법을 사용하고 평가하기 위해 재약속을 한다.

수행

- 성 파트너와 피임법 선택에 대해 논의한다.
- 성 파트너에게 피임법으로서 다이아프램의 선택에 대해 설명한다.
- 임신조절에 대한 상호 책임감에 대해 논의하기 시작한다.
- 다이아프램의 올바른 사용과 주의깊은 실행에 관해 논의한다.
- 감정을 공유하도록 격려한다.
- 상호의사결정 하는데 참여하도록 격려한다.
- 가족 계획 클리닉 방문에 대한 추후 약속을 한다.

평가

- 선택한 피임법에 대해 파트너가 긍정적인 태도를 보인다고 한다.

No.

NAME
NOM

- 파트너가 콘돔을 선호하지 않는다고 말한다.
- 파트너가 전희의 일부로서 다이아프램의 삽입을 수용한다.
- 신중하게 피임법을 실행했다고 한다.
- 선택한 피임법이 만족하다고 한다.

간호·상담 과정(난임)

대상자 박OO. 28세, 결혼한 지 6년됨, 자녀가 없음
간호사 김OO. 난임클리닉 간호사

사정

주관적 자료

우리는 3년 동안 임신하려고 노력했어요. 우리 부부의 집은 대가족이고 아이를 갖는 것이 우리 뿐만 아니라 친척에게도 중요해요. 나는 가게를 하고 있기 때문에, 결혼 후 바로 아이를 갖도록 노력하지는 않았지요. 그러나 지금은 가게도 어느 정도 안정되어 내가 거기서 많은 시간을 보낼 필요가 없어요. 시댁뿐만 아니라 친정도 우리에게 점점 더 많은 압력을 줘요. 시댁 식구는 실제로 나에게 와서 "가게가 남편보다 더 중요한 것 같다"고 말해요. 나는 시댁식구에게 당신들이 생각하는 것과 달리 우리는 오래 전부터 노력하고 있다는 것을 말하고 싶었지만, 그렇게 말할 수가 없었어요. 그들에게 우리도 역시 아이를 원하고 있고 노력하고 있다는 것을 말할 수도 없고, 그렇게 하고 싶지도 않아요. 그는 내가 이 문제에 대해 어떻게 느끼는지 알고 있어요. 그도 나와 같이 느끼기 때문에 그의 가족과 논의하지 않아요. 남편은 어느 누구도 우리를 간섭할 권리가 없다고 말해요.

객관적 자료

- 대상자는 성공한 의류상점 주인이다.
- 남편은 사립대학의 축구 코치이다.
- 결혼하기 2년 전에 자궁내 삽입장치를 6개월간 사용한 경험이 있다
- 심각한 부작용 때문에 자궁내 삽입장치를 제거했다
- 피임용 거품살정제와 콘돔을 시도했다. 이 방법은 성욕을 억제시켰다.
- 부작용 없이 2년 동안 경구피임약을 복용했다. 3년 전에 중지했다
- 3년 동안 어떤 피임법도 사용하지 않았다.
- 월경은 규칙적이다.
- 월경량은 첫날에 많고, 그 이후 3일 동안은 중간 정도이며, 나머지 3일 동안은 갈색의 적은 양이다.
- 성교는 1주일에 2번한다. 여성의 상위체위를 선호한다.
- 성행위의 쾌락이 감소되고 있다고 말한다.

- 감정을 표현하는데 어려움이 있다.

간호진단

임신불능과 관련된 자존감 저하

계획

- 의학적 병력을 수집한다.
- 신체검사를 수행한다.
- 난임에 관한 잘못된 통념을 논의한다.
- 성적 자아개념을 탐색한다.
- 성 파트너에 대한 감정을 논의한다.
- 성관계에 대한 감정을 논의한다.
- 임신기간을 결정하는 방법에 대해 논의한다.
- 계획된 성교의 중요성에 대해 논의한다.
- 치료적 성행위 시 상호 책임감에 대해 논의한다.
- 쾌락적 성관계를 유지하는 방법에 대해 상호 의논하도록 격려한다.
- 상담서비스에 대한 정보를 제공한다.
- 정보와 상담의 유용성에 대해 논의한다.
- 한 달 후 약속을 한다.

수행

- 감정에 대해 논의하고 표현 하도록 한다.
- 문진과 신체검사시 수집된 자료에 관해 논의한다.
- 임신 가능 시기를 결정하는 방법에 대해 논의한다.
- 기록을 유지하도록 설명한다.
- 상담서비스의 이용에 대해 논의한다.
- 치료적 성행위에 대한 감정을 서로 공유한다.
- 상담서비스를 예약한다.
- 파트너는 한달 후에 적당한 시간을 예약한다.

평가

- 치료적 성행위에 적응한다고 한다.
- 만족스러운 기록을 하고 있다고 한다.
- 상담서비스에 만족하고 있다고 한다.
- 성관계가 향상되었다고 한다.

NO.

NAME
NOM

*SEXUAL HEALTH CARE

CHAPTER

문제임신과 **인공유산**

Problem pregnancy, Induced abortion

가치 명료화 **훈련**

문제임신은 임신을 중절시켜야 하는가? 이 질문은 의학적, 종교적, 윤리적, 법적인 문제들과 연관되어 있는 복잡한 질문이다. 먼저 자신의 감정들과 태도를 아는 것이 중요하다. 왜냐하면, 자신의 감정과 태도는 문제가 있는 임신을 경험하고 있거나 인공유산을 고려하는 대상자들과의 상호작용에 영향을 미치기 때문이다.

당신은 '인공유산에 대한 태도' 질문에서 당신의 생각이 동의인지 아니면, 반대인지 또는 불확실한 것인지를 답해 보자. 옳거나 틀린 답은 없다. 이런 질문들을 통해 당신의 생각과 태도가 무엇인지를 확인할 수 있을 것이다.

당신의 대답들을 검토해 보자. 특히 가장 관심이 있는 질문은 무엇인가? 민감성과 불편감을 갖게 하는 주제는? 나는 어떤 태도를 가지고 있는가? 이런 태도는 어떻게, 어디서 획득했다고 생각하는가? 부모들의 가르침 때문인가? 종교적 신념 때문인가? 또래집단의 정보인가? 기타 다른 사람으로부터? 이런 태도는 대상자간의 상호작용에 어떻게 영향을 미치나? 태도를 재구축한다면 나의 간호에 변화가 일어날까?

자신의 감정과 태도를 사정한 후에 자신의 감정과 태도를 동료들과 나누어 보자. 유사점과 차이점을 확인해 보고, 집단은 이런 차이점들을 어떻게 수용해야 하는지에 대해 논의해 보자. 또한 차이점과 유사점을 어떻게 간호에 적용해야 하는지도 생각해 보자.

행동 **목표**

이 장을 끝마친 후

- 문제임신을 정의할 수 있다.
- 인공유산을 정의할 수 있다.
- 인공유산의 방법을 기술할 수 있다.
- 인공유산을 둘러싼 법적, 윤리적 문제들에 대해 논의할 수 있다.
- 인공유산 서비스를 원하는 여성들의 사회, 경제적 특성을 확인할 수 잇다.
- 인공유산에 대한 실태와 문제를 관련지을 수 있다.

- 문제임신시 의사결정의 5가지 단계를 설명할 수 있다.
- 의사결정을 지연시키는 심리사회적 요소들을 설명할 수 있다.
- 인공유산을 거부하는 의사결정 요소들을 설명할 수 있다.
- 인공유산이 피임 실천에 미치는 영향을 논의할 수 있다.
- 피임의 실패에 따른 위험과 반복적인 유산을 관련 지을 수 있다.
- 인공유산의 심리적인 결과를 논의할 수 있다.
- 한국 청소년들의 인공유산 실태를 논의할 수 있다.
- 인공유산을 고려하는 대상자에게 상담자의 역할을 할 수 있다.

인공유산에 대한 태도

다음 질문 중 당신의 생각을 반영하는 것에 ○표를 하시오.

5=매우 그렇다 4=그렇다 3=그저 그렇다 2=그렇지 않다 1=전혀 그렇지 않다

1	인공유산은 모든 여성에게 이용가능해야 한다.	5	4	3	2	1
2	종교적 이유로 인공유산을 강하게 반대하는 간호사는 인공유산을 고려하는 대상자를 간호해서는 안 된다.	5	4	3	2	1
3	생명은 수정으로부터 시작된다.	5	4	3	2	1
4	복지기금은 인공유산을 돕는 비용으로 사용해서는 안 된다.	5	4	3	2	1
5	인공유산은 강간이나 근친상간에만 허용되어야 한다.	5	4	3	2	1
6	여성은 자신의 신체에 대한 권리가 태아의 권리보다 우선한다.	5	4	3	2	1
7	인공유산은 성적 파트너의 동의가 있어야 한다.	5	4	3	2	1
8	인공유산은 원하지 않는 아이를 세상에 내보내는 것보다 낫다.	5	4	3	2	1
9	인공유산은 살인이다.	5	4	3	2	1
10	태아가 성숙지연이거나 결함이 있다면, 인공유산은 허용되어야 한다.	5	4	3	2	1
11	어머니가 태동을 느낀다면 태아는 생명이 있는 것이다.	5	4	3	2	1
12	인공유산의 수월성은 성적 문란을 증가시킨다.	5	4	3	2	1
13	태아의 생명은 출생부터 시작된다.	5	4	3	2	1
14	임신 3개월 이후에는 인공유산을 금지해야 한다.	5	4	3	2	1
15	인공유산은 의사가 수술해야 한다.	5	4	3	2	1
16	여성의 선택 권리를 옹호하는 간호사는 인공유산을 하고자하는 대상자를 간호해서는 안 된다.	5	4	3	2	1
17	간호사가 문제임신을 경험하고 있다면 아마도 인공유산을 선택할 것이다.	5	4	3	2	1
18	10대의 딸이 인공유산의 여부를 결정할 때 부모들은 결정과정에 참여하여야 한다.	5	4	3	2	1
19	인공유산은 모성에게 위험을 줄 수 있는 수술이다.	5	4	3	2	1
20	피임은 인공유산의 횟수를 감소시킬 것이다.	5	4	3	2	1
21	인공유산은 책임감이 없는 성행위를 증가시킬 것이다.	5	4	3	2	1

1. 정의

모자보건법에서 인공유산을 태아가 모체 밖에서는 생명을 유지할 수 없는 시기에 태아와 그 부속물을 인공적으로 모체 밖으로 배출시키는 수술이라고 정의한다.

'계획하지 않은', 그리고 '원치 않는 임신'과 같은 동의어로 문제가 있는 임신을 정의하는데 주로 사용한다.

이런 단어들은 임신의 한 측면만을 강조하는 경향이 있다. 문제임신(problem pregnancy)이란 여성이 신체적, 정신적, 정서적, 사회적 안녕을 위협하는 임신을 경험하고 있는 것을 의미한다.

유산(abortion)은 태아 등 임신의 산물이 자궁으로부터 조기에 떨어져 임신이 종결되는 것을 의미한다. 자연 유산은 다양한 원인으로 초래된다. 인공적, 의도적, 선택적 유산은 인공적으로 임신을 중절하는 의도적 행위이다.

2. 인공유산 시술방법

인공유산은 임신 28주 이내에 임신을 중절시키는 것으로 모체와 태아에게 위험이 크다. 과거 우리나라는 산아제한에 의한 가족계획 수단으로 인공임신중절을 묵인하였으나 1973년 모자보건법이 발효되어 정당한 사유 없이는 인공임신중절을 하지 못하도록 법으로 규정하고 있다. 법으로 규정하는 정당한 사유가 있는 경우는 의료인에 의해 중절할 수 있다.

- 우생학적 또는 유전학적 정신장애나 신체질병이 있는 경우
- 본인 또는 배우자가 전염성 질병이 있는 경우
- 강간 또는 준강간에 의하여 임신한 경우
- 혈족 또는 친척간에 임신한 경우
- 의학적으로 모체의 건강을 심히 해하거나 해할 우려가 있는 경우이다.

그러나 원치않는 임신으로 인한 불법적인 인공임신중절 시술이 많다.

우리나라 인공임신중절비율은 1994년 28.4%였으나 2000년 24.1%로 낮아졌다가 2005년 29.8%로 다시 높아졌다. 이 중 기혼 여성의 임신중절비율은 28.6%인데 비해 미혼 여성은 31.6%로 높다. 특히 25~29세의 미혼 여성의 인공임신중절비율은 57.8%로 같은 연령대의 기혼 여성의 인공임신중절비율 40.0%에 비해 현저히 높다. 특히 10대 청소년의 비의료기관에서의 불법적인 인공임신중절은 통계에 포함되지 않아 그 비율은 더욱 높을 것으로 생각된다. 불법적이고 비위생적인 인공임신중절은 출혈, 감염, 자궁 및 장천공으로 생명이 위험할 수 있어 모성사망률을 상승시킨다. 또한 회복되었다하더라도 나팔관 폐쇄 및 협착, 만성골반염 등으로 후에 난임을 초래할 수 있다. 실제로 난임환자 중 많은 수가 첫 임신 후에 나타나는 속발성 난임환자라고 한다.

최근 여러 매체를 통해 무분별하게 전파되는 성 충동적 문화는 청소년들에게 성에 대한 가치관과 성행위 후에 나타나는 원치않는 임신을 준비시키지 못하고 있다. 나날이 증가되는 원치않은 임신과 인공임신중절을 예방하기위해서 체계적이고 쉽게 접근할 수 있는 성교육과 제도 및 생명을 중시하는 인성교육이 요구된다. 특히 기혼 여성을 위해서는 다양한 피임 방법을 소개하여 자신에게 적합하고 효과적인 피임 방법을 사용하도록 하며 원치 않은 임신으로 인한 인공유산을 감소시키는

교육이 필요하다.

1) 월경 조절법(Menstrual Regulation/ Menstual Induction: 임신 0~6주)

월경의 유도를 목적으로 하는 월경 조절법은 질을 통해 수정란이 착상된 자궁내막을 흡인하는 방법이다. 월경 조절법은 경관확장이나 부분마취를 하지 않는다. 유연성 있는 플라스틱 흡인 튜브를 자궁강에 삽입하고 경한 압력의 기계 펌프나, 큰 주사기로 시행한다. 이 방법은 임신기간에 따라서 1~10분 가량 소요된다. 시술 후 간단한 휴식 후에 정상활동을 할 수 있으며, 1주일에서 10일까지는 성교를 금지한다. 최근에는 임신 1주일이면 임신을 확인할 수 있기 때문에, 유산을 위해 자궁내막을 흡인하는 월경 조절법이 증가하는 추세이다. 합병증으로 착상된 수정난이 흡인되지 않아 임신이 유지되거나 자궁의 천공이 발생할 수 있다.

2) 자궁경관확장진공소파술(Dilatation and Evacuation, D/E: 임신 6~14주)

자궁경관확장진공 소파술은 미국에서 행해지는 모든 낙태절차의 80%를 차지한다. 진공 소파술은 임신 첫 3개월 이내에 임신을 종결하는 방법이다. 이런 절차는 병원에서 부분마취를 통해 시행된다. 자궁경부를 확대하고, 플라스틱 튜브를 자궁강에 삽입한다. 튜브를 전기 흡인 펌프 기계에 부착한 후 수태산물을 흡인해 낸다. 절차는 보통 5분에서 15분 정도 소요된다. 임신 5~6주의 조직과 혈액의 전체 양은 약 20g이다. 11~12주의 전체양은 약 100~150g이다. 흡인한 후, 의사들은 모든 조직을 완전히 제거하기 위해 소파수술을 할 수 있다. 이 절차는 자궁벽의 천공, 출혈, 감염 등의 합병증이 생길 수 있다. 여성들은 이 시술 동안이나 후에 동통이 있지만 진통제를 필요로 하지는 않는다. 시술 동안에 부분 마취를 사용한 경우, 대부분 여성들은 이 절차가 끝난 한 시간 후면 움직일 수 있다. 전신 마취를 한 경우, 여성은 전신 마취에서 깨어난 후, 회복실로 옮겨진다. 회복실에서 출혈여부, 활력 징후들을 자세히 검사한다. 대부분 여성은 시술 후 3~4시간이면 회복된다.

3) 소파수술(Dilatation and Curettage, D/C: 임신 12~14주)

소파수술은 임신 전반기에 유산을 유도하는 대안적 방법이다. 소파수술의 유산 절차는 자궁경부의 확장과 자궁내막을 긁어내는 절차이다. 소파수술은 자궁의 질병 유무나 난임검사, 심한 출혈을 교정하는데도 사용된다. 부분 또는 전신마취를 할 수 있고 이런 절차는 약 15~20분동안 소요된다. 자궁경부를 확장시키고 수태산물을 표준소파로 제거한다. 전신 마취 시에는 대상자를 회복실에서 관찰하고 간호한다. 대상자는 이런 절차 후 몇 시간에서 하루정도 지나서 퇴원할 수 있다. 흡인 유산에 비해 소파수술은 좀 더 긴 회복기간이 요구된다. 소파수술 후 질분비물이 있는 것은 치유과정의 일부라는 것을 교육한다. 2~3주 동안 성교를 금지하고 탐폰을 사용할 수 있으며 추후 검사를 할 수도 있다.

4) 양막천자 유산(식염수, 프로스타글라딘, 요소; Amniocentesis Abortion: Saline, Prostaglandins, Urea: 임신 15~24주)

양막천자란 양수를 제거하거나 약물을 투여하기 위해 태아와 양수가 있는 양막강에 바늘을 삽입하는 시술을 의미한다. 이 절차는 무균적 상황에서 실시해야 한다. 그리고 위험은 감염, 출혈, 잔류태반 또는 잔류조직, 그리고 수분 중독을 포함한다. 전신 마취는 하지 않는다. 미국의 경우 인공유산의 6%가 이 방법을 사용한다. 가늘고 움푹 패인 바늘과 플라스틱 튜브는 국소 마취된 하복부를 통과해서 양막강에 삽입한다. 자궁 수축과 태아사망을 유도한다. 고장성식염수, 고장성 요소(urea), 또는 프로스타글란딘을 튜브를 통해 태아를 둘러싸고 있는 양막강에 투여한다. 용액이 주사된 후 튜브는 제거한다. 프로스타글란딘은 12시간 간격으로 질 내에 삽입되거나 양수 내로 투여되어 자궁수축을 자극한다. 프로스타글라딘 질정은 종종 오심과 구토, 설사 및 약간의 체온증가를 가져온다. 20% 고장성 식염수를 양막내로 주사하면 태아는 사망하고 24시간 내에 진통이 시작된다. 사고로 식염수가 혈관 내로 투입되면 모체에 심한 전해질 불균형을 초래할 수 있다. 고장성 요소가 같은 방법으로 사용될 수 있으나 모체에 미치는 위험성이 식염수보다는 덜하다. 유산(진통)은 양막천자 후 여러 시간이 지나야 시작된다. 유산의 징후(복부 통증, 질출혈, 양막 파열)가 일단 나타나면, 옥시토신제제로 자궁수축을 강화한다. 태아는 보통 자발적이고 완전한 유산으로 만출된다. 이런 만출은 용액을 주사한 후 빠르면 6~8시간에 또는 늦으면 36~48시간 내에 발생할수 있다. 수태산물 만출은 항상 통증을 동반하는 것은 아니다. 회음절개는 하지 않는다. 유산 후 3~4시간이면 대부분 여성들은 집으로 돌아갈 수 있다.

5) 자궁절개술(Hysterotomy: 임신 15주 후)

자궁절개술은 주요한 수술이지만 유산방법으로는 거의 사용하지 않는다. 이 절차는 태아를 유산시키기 위해 복부벽과 자궁을 절개하는 것을 포함한다. 가끔은 난임시술로 나팔관결찰술을 동시에 시행할 수도 있다. 전신마취나 척추마취를 사용한다. 여성은 병원에서 수술 후 며칠동안 입원한다. 수술 후 합병증은 복부수술 후에 발생하는 합병증과 유사하다. 다른 유산시술과 같이, 생식기능이나 성적 기능에 영향을 미치지 않는다. 그러나 다음 분만시에 제왕절개술을 할 가능성이 높다.

3. 인공유산에 대한 사회적 쟁점

1950년 피임약과 피임도구의 발달은 여성을 생식기능에서 해방시켰다. 여성은 스스로 임신을 선택하고 원하지 않는 임신을 하지 않을 권리를 갖게 되었다 원치 않은 임신을 하였거나 피임에 실패한 경우 여성은 인공유산으로 임신을 중절한다. 법적으로 인공유산은 의학적으로 정당한 사유가 있거나 윤리적으로 정당한 사유가 있을 때에만 허용된다. 인공유산에 대한 사회적 쟁점은 다음과 같다.

첫째, 생명의 시작이 어디서부터인가?

생명의 시작을 어느 시기로 보느냐는 피임 방법을 선택하는 데 많은 쟁점을 불러일으킨다. 1970년대 우리나라는 가족계획을 국가사업으로 시행하면서 6주 이내의 월경 조절법(menstrual regulation)과 3개월 이내의 인공유산을 묵인하였다. 생명의 시작이 정자와 난자부터라고 하면 피임 방법의 범위는 훨씬 줄어들어 콘돔이나 다이아프램의 사용도 허용되지 않는다. 그러므로 가톨릭 교단에서는 점액법(mucose method)과 같은 자연피임법만 허용한다. 수정난이나 자궁강 내 착상 이후라고 하면 자궁 내 장치(IUD)와 월경 조절법은 살인이 된다. 생명의 시작이 출생 후부터라는 이론은 이미 사멸되었다. 최근 태아학의 발달은 태아가 이미 인간으로서의 능력을 가진 완전한 인간이라는 것을 증명하고 있다. 이러한 결정은 어떤 것이 인간에게 더 이익을 가져오느냐는 공리주의적 입장을 취한다.

한편 여성운동가들이나 인구문제를 해결하고자 하는 사회에서는 피임법은 여성의 선택이며 인구조절은 가난을 해결할 수 있는 정책으로 받아들여지고 있다. 또한 합법적인 인공유산이 허락되지 않으면 많은 여성과 태아 혹은 신생아가 불법적인 인공유산으로 생명을 잃게 된다고 경고한다. 그러나 먹는 피임약은 암 발생의 위험과 부작용으로 여성의 건강을 위협한다. 대부분의 피임 방법은 다소간의 부작용을 감수하면서 여성이 사용하는 피임 방법은 다소간의 부작용을 감수하면서 여성이 사용하는 방법이다. 이것은 남성 중심의 사회에서 여성에 대한 차별적 정책으로 또 다른 윤리적 쟁점을 초래하고 있다.

둘째, 태아에게 인간의 권리가 있는가?

이 문제는 최근 태아학이 발달하면서 더욱 쟁점화 되고 있다. 태아에게 인간의 권리가 없다고 주장하는 사람은 태아는 여성에게 완전히 의존되어 있으며 여성의 몸 안에 있는 한, 여성의 것이고 여성의 선택에 달려있다는 것이다. 그러나 태아의 생명도 여성의 생명만큼 존엄하다는 주장도 우세하다. 태아는 여성의 편리를 위해 제거해 버릴 수 있는 존재가 아니며 장차 독립적 인간이 될 존재이므로 함부로 제거할 수 없다. 태아는 임신 6주면 심장이 뛴다. 심장은 생명의 근원이다. 최근 4차원 초음파는 태아의 자궁 내 생활을 선명하게 보여준다. 태아는 자궁 내에서는 물론 자궁 외의 환경에 따라 울고 웃고 생각하고 스트레스를 받고 찡그리기도 한다. 자궁 외에서의 생활을 위해 손을 빨거나 소변을 보기도 하며 어머니의 감정에 반응한다. 비록 미숙아나 기형아일지라도 출생해서 살 수 있는 권리가 있다는 주장이다. 생명과 삶의 질 중 생명을 택한 것이다.

셋째, 여성의 권리가 우선인가? 태아의 권리가 우선인가?

흔히 고위험 임신일 경우 태아보다 임부의 생명을 더 우선적으로 고려한다. 우리나라의 경우 모자보건법의 시행으로 모체의 건강이 임신을 더 이상 유지할 수 없을 경우와 강간을 당했을 경우, 태아가 기형아인 경우 3개월 이내의 인공임신중절을 허용한다. 그러나 이러한 정책은 그렇지 않은 경우에도 시행되는 많은 무분별한 인공임신중절을 묵인하는 결과를 낳는다. 인공유산을 하건 분만을 하건 그것은 임부의 결정이지만 이 결정에 따라 태아는 죽느냐 사느냐의 문제가 달려있다. 기형아로 태어났다고 해서 그들의 삶이 반드시 비참한 것만은 아니다. 인공유산에 대한 결정은 개인의 사고 신념, 신앙, 윤리적 가치관에 달려있지만 공리주의적이거나 쾌락적인 기준에서 인공유산을 합법화할 위험이 있다.

한편 낙태를 허용하자는 여성운동가들은 헌법에서 보장하고 있는 생명권의 주체는 태아가 아니라 임부라고 강조한다. 또한 임부의 자기발전을 위한 권리와 태아의 권리가 충돌할 때는 태아의 생명은 양보될 수 있다는 주장이다. 즉, 임신부가 그 결정의 주체라고 한다. 그러나 인간존중의 개념에서는 이 세상의 어떤 것도 인간의 생명만큼 중요한 것은 없다. 또한 태아의 생명은 임신부의 건강과 직결되기 때문에 태아의 생명권은 임부와 분리해서 생각할 수 없다. 이 문제를 인간존중의 개념으로 평가할 때 걸림돌은 태아를 언제부터 인간으로 볼 것이냐 하는 것이다. 우리나라 헌법에는 이에 대한 명시가 없다. 여성의 자기발전과 태아생명권이 양립할 수 있는 방법을 모색할 필요가 있다.

4. 인공유산에 대한 의사결정 과정

여성들은 많은 이유로 임신 종결을 결정한다. 강간과 근친상간에 의한 임신인 경우 인공유산을 정당화한다. 대부분의 여성들은 사회적 혹은 개인적 이유들을 갖는다. "나는 결혼하지 않은 상태다", "나는 지금 아이를 가질 여유가 없다", "아이는 나의 학업을 방해할 것이다", "나는 지금 아이를 키울 능력이 없다고 느낀다", "나는 이미 충분한 다른 자녀들이 있다", "나는 지금 아이를 가지기에는 너무 어리다고 생각한다." 대부분 여성들은 한 가지 이상의 이유들을 가지고 있다. 인공유산을 선택한 여성들 중에서 63%는 임신한 사실을 안 후, 빠른 시간 내에 낙태를 결정한다. 약 25% 정도는 낙태 직전에 결정한다. 그리고 8%는 임신하기 전에 미리 결정한다. 이유가 어떻든, 결정을 하고 선택을 한다. 문제임신을 대처하는데는 심리적 고통이 따른다. 최근 미국의 연구에서, 임신 첫 3개월 동안 낙태를 경험한 329명의 여성들은 갈등이 있었다고 보고했다. 높은 수준의 불안과 우울이 상호 연관되어 있다. 자신을 낙태 찬성자로 지각하는 여성들은 거의 없다. 가장 심사숙고하는 시기는 임신이 확정된 후부터 임신을 종결하기 전까지이다. 유산을 경험했던 여성들은 대부분 한 파트너와 성관계를 하였다. 결혼의 유무와 상관없이 남성 파트너들은 유산결정과 시행과정에서 주요한 정서적 지지자이다. 여성들은 유산을 무척 힘든 문제로 지각하였고 임신을 종결한다는 것은 매우 어려운 마지막 해결책이다. Freeman에 의하면 인공유산은 특별한 여성들이 결정하는 특수한 선택이 아니라 정서적으로 안정된 평범한 여성들이 겪는 경험이라고 하였다.

연구에서 인공유산을 선택한 여성과 선택하지 않은 여성들간의 특성을 비교하였다. 인공유산을 선택하지 않은 여성들은 우유부단하였고, 인공유산의 절차와 인공유산 결과에 대해 더 많은 염려를 표현했으며, 교육수준이 낮았으며, 모든 면에서 부정적인 측면이 많다고 하였다.

인공유산을 선택한 여성들과 선택하지 않은 여성들간의 비교연구에서 인공유산을 선택한 여성들이 선택하지 않은 여성들보다 미래에 대한 계획을 잘 세웠고, 더 높은 개인적 긍지를 가지며, 결혼과 모성애에 대해 더 이상적인 생각을 가지고 있었다. 결론적으로 인공유산을 결정한 여성들은 문제임신을 더 이상 지속하지 않고자 하는 특성이 있었다.

인공유산 결정은 언제나 개인적 자아존중감, 가족 명성, 그리고 전통적 가치들에 대한 문제에 직면한다. 가족들이나 친구들의 반응은 인공유산 결정에 대해 영향을 미친다. 인공유산에 대한 의사결정은 사회가 여성과 임산부에게 가지는 기대치와 여성이 문제임신을 경험하는 그녀 자신에게 갖는 기대치간의 갈등에 영향을 받는다. 갈등의 정도를 식별하는 것은 대상자의 의사결정 과정을 이해하는데 도움이 될 것이며 적절한 도움을 줄 수 있을 것이다.

다음은 여성이 문제임신을 하였을 때 의사결정을 하는 5가지 단계이다.

첫 번째 단계는 임신한 사실을 아는 것이다. 이것은 쉬운 일이 아니며, 일반적으로 부인, 무시 등의 반응을 보일 수 있다.

두 번째 단계는 대안책을 형성하는 것이다. 여성들은 3가지 가능한 선택들을 한다. 즉 임신을 계속 유지하여 자신이 아기를 키우는 것, 양자로 주는 것, 임신을 종결하는 것을 포함한다.

세 번째 단계는 임신을 계속 유지하느냐, 종결하느냐를 선택하는 것이다. 이 단계는, 여러 요소

태아의 발생과정

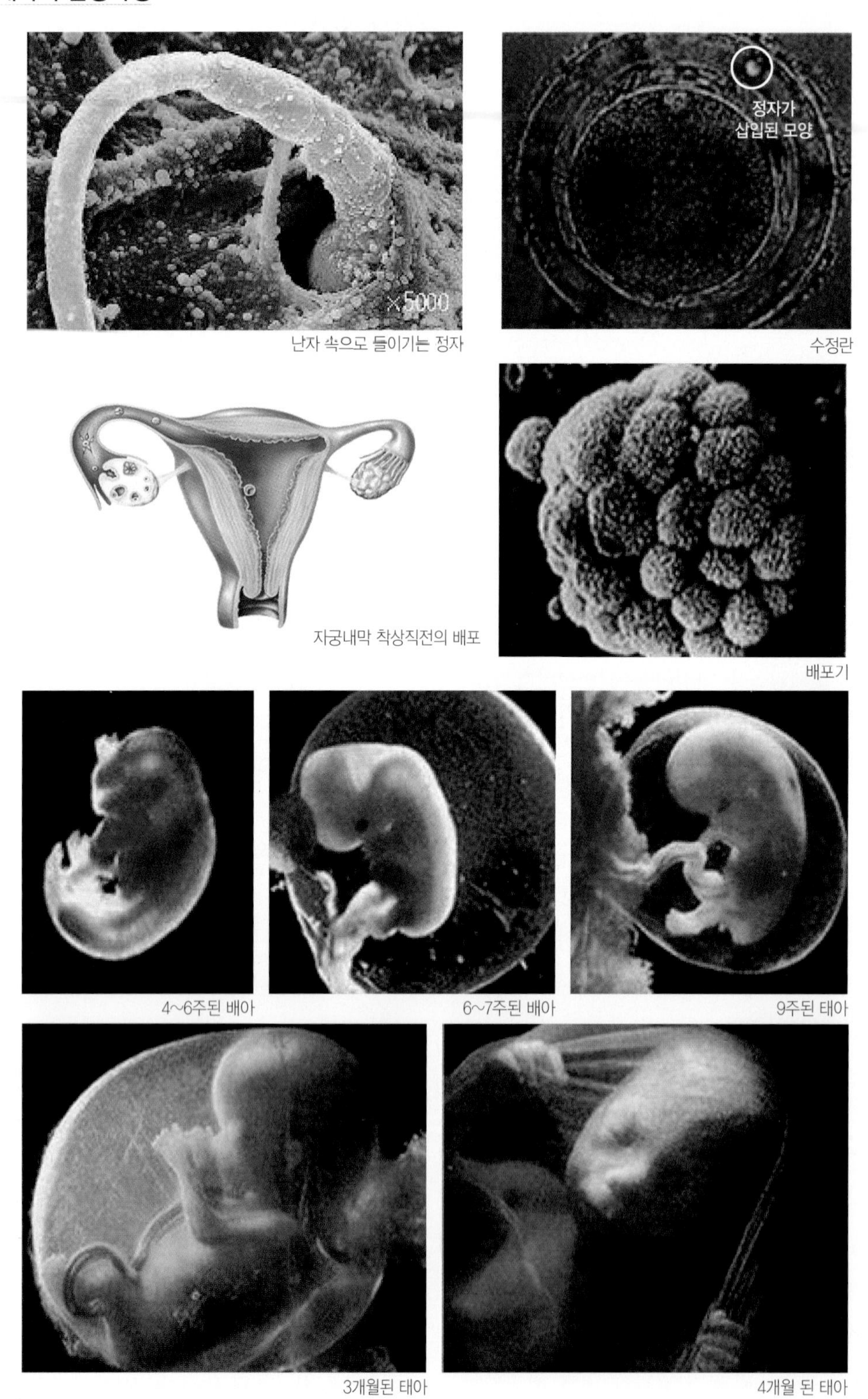

난자 속으로 들어가는 정자

수정란

자궁내막 착상직전의 배포

배포기

4~6주된 배아

6~7주된 배아

9주된 태아

3개월된 태아

4개월 된 태아

들과 개인적 문제들을 고려하여야 한다. 더 많은 요소들과 더 많은 문제들을 심사숙고했을 때 더 성공적인 결정을 내릴 수 있다.

네 번째 단계는 선택한 것을 실행하는 것이다. 만약 결정이 임신을 계속 유지하는 것이라면, 여성은 산전간호를 시작하거나 양자입양 단체와 접촉을 시작할 수 있다. 그리고 장기적, 단기적 계획에 따라 건강한 생활을 해야 한다. 만약 결정이 임신을 종결하는 것이라면, 여성은 적절한 인공유산 서비스를 선택하고, 이 과정에 대한 정보를 미리 수집한다. 결정이 어떻든간에 여성들은 그녀의 결정을 지원해 주는 사람들과 접촉하고 상호작용할 것이다.

다섯 번째 단계는 결정을 고수하는 것이다. 확고한 결정을 한 여성은 자신의 결정에 편안해 한다. 그리고 이 결정은 자신을 위한 권리이며 타인들의 지원을 받을 것이라고 믿는다.

5. 의사결정의 지연

문제임신을 한 여성들은 임신초반기에 의사결정을 할 수 있도록 도와야 한다. 문제임신시 지연된 의사결정을 하는 여성들은 주로 나이가 어린 경향이 있다. 낮은 사회경제적 수준, 낮은 교육수준, 직업이 있는 여성들은 인공유산을 지연하는 경향이 있다. 지연된 인공유산은 대부분 경제적, 교육적, 사회적으로 결함이 있는 여성들에게 자주 발생한다. 특히 어린 10대들은 인공유산의 시기를 지연시키는 경향이 있다.

어린 10대들은 지연된 의사결정으로 인공유산의 시기를 놓치는데 그 이유는 임신의 징후들을 잘 모르고 임신을 받아들이기가 어렵고 조언과 도움을 줄 수 있는 시설이나 성인들을 꺼려하기 때문이다.

또한 내적 그리고 외적 갈등이 있을 경우 의사결정을 지연 시킬 수 있다. 외적 갈등은 서비스의 이용에 대한 정보의 부족 및 병원 탐방 및 진단 절차의 어려움 등이 포함된다. 내적 갈등들은 양가감정, 부모와 파트너에게 말하는 것에 대한 두려움, 임신의 부인, 그리고 임신의 확인을 늦게한 경우이다.

인공유산시기를 지연시킨 여성들의 특성들은 다음과 같다. 부인, 월경의 불규칙성, 의사의 연기, 양가감정, 정보의 부족, 불안, 부정확한 검사결과, 경제적 문제, 지역사회자원의 활용부족, 계속적인 임신 등의 순서로 나타났다. 낮은 교육수준을 지닌 미혼 여성들에게서 가장 지연된 인공유산을 볼 수 있다. 어린 여성들은 불안과 피임법에 대한 정보의 부족으로 인공유산시기를 지연시켰고, 부인은 좀 더 나이가 있고 더 좋은 피임법에 대한 정보를 가진 여성들이 인공유산을 지연시켰다. 의사의 시행 연기나 대상자의 실수와 관련된 의사결정의 지연은 임신 6, 7개월쯤에 있는 여성들에게서 나타났다. 정보의 부족은 고루 분포되어 있었으며 교육수준이 낮은 집단에 집중되지는 않았다. 부인, 양가감정, 불안, 그리고 월경 주기의 불규칙성은 고루 분포되어 있으며 인공유산에 대한 의사결정을 가장 많이 지연시킨 이유이다.

인공유산을 반복적으로 경험한 여성들은 과거의 인공유산의 경험이 이번의 의사결정시 심리적 반응을 변화시키지는 않았고, 유산결정을 더 쉽게 만들지도 않았다고 하였다. 이들 여성이 인공유산을 결정할 때 지연된 양상이 나타나지 않는 것은 임신을 예상하고, 의심하고, 확실하게 느끼는데에 소요되는 시간이 더 짧았고, 결정을 하면 바로 유산을 위해 병원을 갈 수 있었기 때문이다.

6. 인공유산에 대한 거부

인공유산을 거부하는 경우는 다음과 같다. 문제 임신을 한 여성이 마음을 바꿔 임신 종결을 연기하는 경우이다.

Wexler(1977)는 문제임신을 한 여성이 인공유산을 시도하고자 했으나 마음이 변하여 인공유산을 거부한 여성들에 대한 추후 연구를 실시했다. 인공유산을 한 통제집단의 여성들과 문제임신을 인공유산하지 않은 여성들 간에는 통계적 인구학적 또는 부인과적으로 의미 있는 차이점들은 없었다. 여성들과 그녀의 파트너들이 인공유산을 거부하는 가장 큰 이유는 인공유산에 대한 공적 반대였다. 두 번째 요소는 성적 파트너가 아기를 소망했기 때문이고, 세 번째 요소는 인공유산 절차와 합병증에 대한 두려움이었다.

7. 반복 인공유산

반복적인 인공유산은 위험하다. 인공유산 대상자들 중에서 1/5 이상이 반복 인공유산이었다고 보고한다. 인공유산을 경험했던 여성들 17%가 이전에 한 번의 낙태경험이 있었고, 3%가 두 번의 낙태경험, 3번 이상의 인공유산경험을 가진 여성은 1%를 차지했다고 하였다.

반복 인공유산을 하는 여성들은 처음으로 인공유산을 하려는 여성들과는 차이가 있었다. 한 번이라도 인공유산을 경험한 여성들은 처음으로 인공유산을 하려는 여성들에 비해 계속적으로 피임법을 사용했다. 그러나 그들은 임신경험이 없는 여성들에 비해 덜 일관적이고 덜 정확하게 피임을 하는 경향이 있다. 반복 유산을 하는 여성들은 그들 자신을 불만족스럽게 느끼며, 그들 자신을 '운이 나쁜' 희생자로 여긴다. 그리고 그들은 생활, 특히 성적, 생식적 영역에서 자신을 조절할 수 없다고 느끼며, 현재의 인공유산에 대해 더 부정적인 감정들을 빈번하게 표현한다.

한 연구는 만약 100명의 여성들이 첫 낙태 후에 98~99%의 효과율을 보이는 한 가지 피임 방법만 사용한다면, 여성들은 10년 내에 적어도 한 번 이상의 문제임신을 할 가능성이 있다고 했다. 그리고 90~95%의 효과율을 보이는 피임용 거품이나 콘돔을 사용한 100명 중의 69~97명의 여성들은 10년 내에 적어도 한 번 이상의 문제임신에 직면할 것이다. 더욱 더 첫 1년 안에, 반복 문제임신이 일어날 수도 있다.

이런 통계들은 반복적으로 재발되는 인공유산의 원인이 심리적 문제나 부주의한 피임행위 때문만은 아니라는 사실이다.

8. 인공유산의 심리적 영향

인공유산의 심각한 영향에 대해 우려의 소리가 있다. '유산 후 우울증'은 인공유산 이전에 심각한 정신적 장애가 없었다면 일반적으로 간단하고, 경미하게 나타난다 .

Niswander와 Patterson은 인공유산을 한 116명의 여성들을 연구했다. 여성들의 95%는 자신의 상황에서 최대의 해결책으로 인공유산을 생각했다고 하였고 인공유산 후 최소한의 후회감이 있었다고 하였다. 그러나 인공유산 8개월 후에는 후회의 감정은 거의 남아있지 않았다고 하였다. 인공유산을 한 사실에 대해 일반적으로 만족하지만 많은 회의감을 갖는 여성들은 기혼 여성으로 의학적 이유들(임신 전반기의 산모의 기질적 질병, 풍진) 때문에 낙태를 한 여성들이었다. 인공유산에 대해 만족하는 여성들은 대부분 미혼이고, 의지할수 있는 파트너의 지원이 없는 여성들이었다. 문제임신이 사회적으로 수용할 수 있을 때 여성들은 인공유산에 대해 더 후회하는경향이 있었다. 예를 들면 임신이 잠재적으로 산모의 생명을 위협하고 기형아를 출산할 위험이 있는 경우에도 여성들은 임신중절을 한 것에 대해 후회하는 경향이 있었다. 이와는 반대로, 만약 문제임신이 사회적으로 수용할 수 없는 상황인 경우에는 오히려 여성들은 인공유산에 대해 거의 후회하지 않는 경향이 있다. 일단 결정을 내리면 인공유산은 치료적인 해결책이다. 즉 대상자는 인공유산을 더 좋게 느끼기 때문에 효율적으로 대처하였다.

12~13세 경이 있는 미혼 여성 57명을 대상으로 하여 인공유산이 그들의 정서적 상태에 미치는 영향들을 평가하는 연구가 실시되었다. 연구에 참여한 여성들 대부분 흑인, 기독교 신자, 출산경험이 있는 여성, 그리고 낮은 사회경제적 계층의 여성들이었다. 인공유산 전에 실시한 심리역동검사의 평균점수는 정상과 신경증간의 중간정도의 정서적 스트레스 상태를 보여주었다. 그리고 인공유산 4주 후에 획득한 점수는 스트레스 면에서 의미 있는 감소추세를 보여주었다. 그리고 여성들의 60%는 편안하고 더 좋게 느껴진다고 진술했다. 이 연구의 결론은 허용적인 분위기에서 경험한 인공유산은 대상자들에게 심리적 불편감을 유발하지 않는다는 것이다.

문제임신을 종결해야겠다는 의사결정을 하는데 있어서 지지정도가 어떻게 영향을 미치는지를 알아보기 위해 498명 여성들을 연구하였다. 이들의 인공유산에 대한 반응을 알아보기 위해 인공유산 시행 후 1시간 내에 측정하였다. 인공유산에 대한 전반적 단기적 반응은 전체 집단에 걸쳐 매우 긍정적으로 나타났다. 파트너의 지지는 나이든 여성들에게 편안한 반응을 이끌어내는데에 더 의미있게 작용했다.

인공유산을 하기로 결정한 여성들은 자신이 능동적이거나 자신의 삶을 통제할 수 있기 때문에 인공유산을 선택한 것이 아니라고 말했다. 그러나 인공유산에 대한 경험은 '그녀 자신에 대해 다른 지각'을 갖게했다고 하였다. 특히 이러한 첫 경험은 의미가 있었으며, 자신뿐만 아니라 다른 사람들에게도 영향을 미친다는 것을 느낀다고 하였다.

인공유산에 대한 의사결정 과정과 결과들을 분석하였는데 연구자들은 다음과 같은 요소들이 수반될 때, 인공유산 후 정신병적 질환이 나타날 가능성이 크다고 결론을 내렸다. 즉, 강한 양가감정, 가족 또는 건강 전문가에 의한 강요, 의학적 인공유산조건(유전적 질병), 심한 정신병적 질환의 경험, 그리고 인공유산에 대한 의사결정이 그녀 자신의 결정이 아니라고 느낄 때 등이다.

인공유산을 여성의 하찮은 경험으로 간주해서는 안된다. 인공유산은 문제임신(불안으로 가득찬 위기상황, 취약성, 의존성)의 결과로 발생한다. Friedman에 의하면, "인공유산은 임신의 종결과 수술적 절차를 포함하기 때문에 이중 부담이 되며 특히 수술은 몸의 외상과 관련된 복잡한 감정들을 야기한다"고 하였다. 상실감, 슬픔, 죄책감, 후회, 불안은 스트레스 상황에서 경험하는 개인의 정상적인 반응들이다. 인공유산 후에 정신적 질환이 나타나는 경우는 드물다. 정신적 질환은 인공유산 수술 때문이라기 보다는 임신전의 적응 정도와 더 연관이 있기 때문이다. 심한 정신적 질환의 경력이 있는 여성들은 인공유산 후에 어려움을 경험할 수 있다. 대부분의 여성들은 인공유산 후에도 수술을 받기 전과 똑같으며, 때로 인공유산 후에 전반적으로 건강이 향상되기도 한다.

대다수의 여성들은 자신에게 도움이 되는 자원을 이용할 수 있고, 민감한 상담을 받을 수 있다. 여성의 의사결정이 존중되고, 자신이 믿는 신념대로 유산을 결정할 수 있는 사회라면 인공유산은 문제임신에 대해 성공적인 대처방법이 될 수 있고 위기 해결책이 될 수 있다. 더욱더 여성을 성숙시킬 수 있는 경험으로 표현될 수 있을 것이다.

9. 10대 미혼모의 인공유산

1) 신체적 문제

한국 여성개발원의 통계자료에 의하면 미혼모의 약 25%가 10대 임신이어서 자궁발육부진으로 인한 유산, 조산, 저체중아 출산 등의 문제를 일으킬 뿐 아니라 출산 후에도 사회적 편견으로 인해 아이를 자신이 양육하지 못하고 고아원 등에 맡기게 되어, 또 다른 불행을 초래한다고 하였다.

생식기는 청소년기 후기에 급속한 성장이 이루어진다. 따라서 임신 연령이 낮아질수록 특히 10대 임신인 경우에는 아직 자궁이나 골반이 임신과 출산에 적당하게 충분히 발달되지 못하여 더욱 위험할 수 있다. 즉 태아성장부진, 아두골반 불균형, 유산, 조산, 저체중아, 기형아 출산 등과 같은 산과적 합병증이 유발된다.

10대의 미혼모들은 이들을 바라보는 부정적인 사회적 시각 때문에 건강관리기관을 이용하는 것조차 제약을 받는다. 그 결과 적절한 산전관리를 받지 못하여 임신합병증과 산모 및 아기에 심각한 건강문제를 초래하게 된다.

10대 임신인 경우 아직까지 질벽의 두께가 얇고 감염으로부터 보호해 주는 질 분비물이 충분히 분비되지 않아 산도(pH)가 저하되어 감염에 매우 취약한 상태이다. 이 시기의 성생활은 성병에 이환되기 쉽고 이로 인하여 태아의 유산, 기형, 사산을 초래하게 되며 난임으로 인해 이후의 결혼생활에 중대한 문제가 생길 수 있다.

충분한 영양섭취에 대한 인식과 정보의 부족 및 날씬함을 추구하느라 영양 불균형, 빈혈 등과 같은 건강문제도 발생하기 쉽다. 골단 성장이 이루어지는 시기에 임신을 하게 되면 혈중 에스드로겐치의 상승으로 골단의 성장이 정지되어 키가 더 이상 자라지 않을 수도 있다.

2) 심리사회적 문제

10대 미혼모들은 대부분 사회적 지지가 낮고, 학업을 중단함에 따라 지식 수준이 낮은 상태에서 저임금의 직업을 가지게 되므로 사회경제적 불이익과 어려움을 겪게 된다.

여성가족부에서 밝힌 미혼모에 대한 현황 및 욕구 조사자료(2005)에 의하면 쉼터에 입소한 미혼모의 82%는 원치 않는 임신이었으며, 출산을 하게 된 이유는 낙태시기를 놓쳤거나 아기를 낳기 위해서, 낙태가 무섭고 두려워서 및 낙태시킬 비용이 없어서라고 응답하였다. 미혼모 중 미혼부와 결혼을 약속한 경우는 6%로, 거의 대부분의 미혼모들이 미혼부와 헤어졌기 때문에 육아를 책임질 능력을 갖지 못하는 것으로 나타났다. 그리하여 출산 후 아기문제에 대해서는 31.7%가 양육을, 68.3%가 입양을 선택하고 있어 사회적인 문제가 되고 있다.

미국의 Alan Guttmacher 재단(2004)에서 제시한 십대 미혼모의 특성은 다음과 같다.

- 비의도적이고 원치 않는 임신이다.
- 임신 연령이 점점 낮아지고 있다.

표 10-1 미혼모 발생 요인별 중재

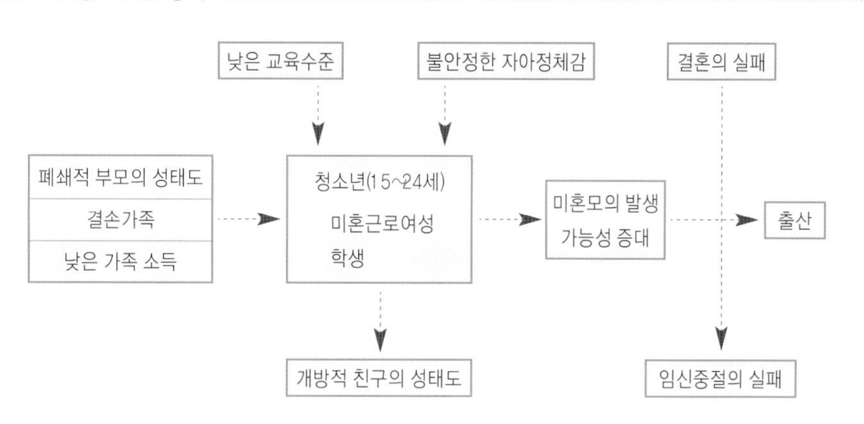

발생요인	세부요인	중재	세부 중재
사회구조적요인	가치관 혼돈	성윤리관 정립	사회일반의 성의식 성교육실시대상의 범위 확대 자발적인 참여유도
	성역할 변화 대중매체의 영향	사회적 책임감 형성 매스컴의 기능강화	사회운동 캠페인 공익광고 청소년 대상 정규 프로그램 확대
	제도적 장치의 미비	제도적 조건 정비	여성관련행정조직의 강화 관련법률의 정비 부녀상담소의 확충
가족요인	결손가족	가족기능강화	가족상담제도의 다원화, 전문화 저소득 및 결손가정에 대한 지원강화
	부모의 폐쇄적 성태도	부모 성교육	부모교육 강화
	저소득 수준	경제적 지원	
개인적 요인	성지식 결여(낮은교육수준)	청소년 성교육	학교 및 기관 성교육의 개선 성교육종합 전담기구의 설치 교사자질향상 교육내용 및 방법의 다양화
	자아정체감의 불안정	자아기능 강화	상담 및 청소년 활동 프로그램의 전문화
	대인관계	사회적응능력개발	지역사회기관의 기능 활성화 민간단체의 활성화 지역사회기관의 연계통로결성과 활성화 지역사회시설의 개방

- AIDS나 HIV 등 성병의 감염률이 높다.
- 임신중절시기를 놓치거나 지연되어 생식기 건강이 위협 받는다.
- 미혼부와의 관계가 오래 지속되지 못하여 성파트너도 여러 명이다.
- 대부분 학업을 중단하거나 포기한다.
- 적절한 지지체계가 결여되어 있다.
- 부모와의 관계가 원만하지 않은 경우가 많고,

부모를 떠나 보호받지 못한 상태에서 임신을 한다.
- 성이나 피임에 대한 지식이 결여되어 있다.
- 흡연, 음주 및 약물 남용의 빈도가 높다.
- 학력수준이 낮고 저소득의 불안정한 직업에 종사한다.
- 성에 대하여 개방적이고 충동적인 가치관을 가지고 있다.

미국의 연구에서 반복 낙태를 경험한 10대들의 인구통계적 특성과 처음으로 낙태를 경험한 10대들의 특성들과 비교하였는데 서로 매우 유사하였다. 낙태가 임신을 예방하는 방법이 아님에도 불구하고, 반복 낙태를 하는 10대들은 인공유산 후에도 피임을 하지 않았으며 피임을 하는 경우에는 한 가지 피임만을 사용하였고 사용시에도 지속적으로 사용하지 않았다.

Rerez-Reys와 Falk는 16세 미만의 소녀들을 낙태 전·후에 면담을 실시하였는데 이들 중 약 33%는 그들이 낙태한 것을 행복하게 느꼈다고 말했으며, 약 15%는 우울과 죄책감의 부정적인 감정들을 경험했다고 말했다. 이 연구의 결론은 임신을 경험한 청소년기 소녀들의 신체적, 정신적 건강은 낙태전보다 낙태후가 더 좋아졌다고 하였다.

Evans는 333명의 청소년기 소녀들에게서 낙태 전과 낙태 6주 후에 면담을 실시했다. 그들 중 20%는 낙태에 대한 결정을 후회하였는데, 이와같은 소녀들은 대부분 기독교인, 어린 연령, 낙태에 대한 보수적인 태도, 빈곤한 가정환경, 그리고 낙태를 부담으로 느낀 소녀들이라고 하였다.

10대 청소녀들이 경험하는 인공유산의 문제를 해결하기 위해서는 가족과 지역사회가 그들에게 건강 교육과 서비스를 제공하여야 한다. 간호사는 옹호적 입장에서 대상자의 감정과 능력을 사정해야 하며 10대들의 요구와 효과적인 피임사용법에 대해 더 잘 이해하여야 한다. 10대들의 성행위 시 더 적합하고, 안전하고 다양한 피임법기술에 대한 지원도 필요하다. 이용할 만하고 접근가능한 가족계획프로그램, 적절한 임신상담 서비스, 그리고 인공유산 서비스도 필요하다.

10. 인공유산 관리

인공유산은 수술이기 때문에, 건강 전문가는 모든 과정에 관련되어 있다. 건강 전문가들은 인공유산을 준비하는데에 결정적으로 중요한 위치에 있다. 건강 전문가의 태도는 인공유산을 고려중인 여성들에게 직접적인 영향을 미친다.

개인적, 윤리적 또는 종교적으로 인공유산을 반대하는 간호사들 또는 건강 전문가들이라 할지라도 대상자가 인공유산에 대해 관리를 받고자 할 때는 거절해서는 안되며, 적합한 상담과 교육을 제공해야 한다.

인공유산을 고려하고 있는 대상자들은 다양한 방법을 탐색한 후에 자신이 결정을 할 수 있도록 대상자 권리를 존중해 주는 건강 전문가를 필요로 한다. 건강 전문가들은 대상자가 인공유산을 결정을 하는데에 직접적으로 영향을 미치기 보다는 결정하는 과정에서 올바르게 그들 스스로가 결정할 수 있도록 도움을 주어야 한다.

간호학생들이 인공유산 시술에 대한 검사 및 시술과정에 대해 실습할 수 있도록 해야 한다. 인공유산은 중요하며, 법적 요소를 갖는 건강간호의 중요한 부분이다. 인공유산을 부정적으로 생각하는 병원에서 인공유산을 한 대상자들은 간호에 대해 만족스럽지 않았다고 생각할 것이다. 간호사는 그들 자신의 태도와 신념들을 인식하고, 인공유산을 경험하는 대상자의 신체적, 정서적 요구에 기초를 둔 간호계획과 간호를 수행할 책임감이 있다. 간호는 긍정적이어야 하며, 대상자들과 간호학생들에게 성장할 수 있는 기회를 제공하여야 한다. 그리고 인공유산에 대한 지식과 태도도 간호대학의 간호교과과정의 중요한 부분이 되어야 한다.

11. 성건강 전문가의 역할

인공유산을 고려하는 대상자는 갈등을 경험한다. 간호사-대상자 간의 상호작용은 안전하고, 수용적인 환경에서 위기 중재에 기초를 두어야 한다. 간호사는 대상자의 의사결정을 증진시키기, 여러 대안들을 탐색하기, 의미 있는 타인들을 관련시키기, 정서적 지지를 제공하기, 정보를 제공하기에 강조점을 둔다. 간호사는 신뢰할 수 있고, 수용적이며, 대상자의 요구와 문제, 그리고 대상자의 삶의 질과 관련된 해결책을 고려하는데 지지자로서 정보를 제공해야 한다.

의사결정 과정은 결코 쉽지않다. 간호사는 현재 대상자가 처한 상황에서 3가지 대안책을 탐색하도록 격려한다.

첫째, 대상자들에게 각각의 대안들이 장기적 또는 단기적으로 미치는 영향을 명단화 하도록 한다.

둘째, 대상자에게 자신의 생각과 감정들을 표현하고, 불안을 말하고, 양가감정을 탐색하고, 불편함에 직면하도록 촉구한다.

셋째, 충동적으로 자신의 의사결정을 하는 것을 피하도록 한다.

10대 대상자는 민감한 경청, 교육 그리고 상담을 요구한다. 간호사는 대상자에게 정보를 주거나, 질문에 사실적으로 응답한다. 그리고 임신으로 나타나는 신체적 변화, 모성의 희생, 부모 역할, 성, 생식, 그리고 피임에 대해 표현하도록 격려한다.

간호사는 감정들의 표현을 북돋아주는 것뿐만 아니라 놀라고 당황한 감정들을 인식하고 대처할 수 있도록 도움을 준다. 간호사는 비판단적으로, 단기간에 결정을 도와줄 수 있는 자원이나 신뢰할 수 있는 의뢰기관을 제공한다. 대상자는 의사결정에 능동적으로 참여하고, 강요나 수동적인 복종 없이 실행에 대한 책임감을 가지도록 촉구한다. 대상자 자신이 의사결정을 하고 난 후에는 대상자 스스로 문제 해결 능력을 획득할 수 있고, 결정에 최선을 다할 수 있다.

간호사는 대상자와 의미 있는 타인 즉 부모, 친척, 남편, 성적 파트너, 친구들, 동료들을 포함시켜 그들의 감정, 갈등, 그리고 불안을 표현하도록 한다. 그들의 질문과 문제에 대해 사실적으로 응답하고 그들의 감정을 수용함으로써 위안을 제공한다. 대상자와 대상자의 의미 있는 사람들이 그들의 돌봄과 지지를 계획하고 구조화하도록 간호사는 도움을 주어야 한다.

간호사가 대상자의 파트너와 상담 시에는 많은 주의가 요구된다. 파트너가 경험하는 인공유산은 정서와 관련되어 있다. 불안, 무기력, 죄책감, 책임감의 동요, 그리고 후회는 보통 표현하는 문제이고 감정이다. 남성들은 처음에는 지지적이고 책임감은 있지만 제한적 역할만을 원한다. 그러나 피임과 인공유산 절차에 대해 정보를 얻은 후에는, 그들의 표현이 증가했고 대상자의 경험에 함께 동참하고자 하였다.

임신검사나 골반검사로 임신을 확인하는 것은 인공유산에 대한 첫 번째 단계이다. 임신검사를 확인하고, 임신을 진단하는 것은 의사의 책임이다.

인공유산에 대한 상담은 피임 상담을 포함해야

한다. 간호사는 피임의 모든 방법과 지역사회의 피임 서비스를 모두 알아야 한다. 대상자에게 성욕과 생식기 건강에 대해 교육해야 한다. 간호사는 대상자가 책임감 있는 결정을 하도록 도움을 주어야 한다. 또한 인공유산 후의 피임 방법 선택에 대해서도 정확한 정보를 주어야 한다.

인공유산 절차에 대한 정보 또한 상담의 중요한 부분이다. 간호사는 임신초기에 인공유산을 하는 것이 인공유산을 늦게 하는 것보다 위험이 적다는 정보를 제공한다. 그리고 절차가 어떻게 수행되는지, 인공유산 서비스를 제공하는 장소와 비용 등의 정보도 제공한다. 인공유산 절차에 대한 대상자의 두려움을 완화시키고, 갈등과 불안을 조절할 수 있도록 한다. 간호사는 대상자에게 유산 절차에 사용되는 실제 도구를 보여줌으로써, 또한 의료진을 소개함으로써 대상자가 자신의 생리적 상태를 이해하도록 돕는다. 이것은 개인적 또는 소집단으로 행해진다. 집단교육에서 대상자의 공통적인 두려움과 불안들을 상호 공유한다. 해부학적 차트와 그래프는 효과적인 교수 보조도구이며 치료적 의사소통 기술이 사용되어야 한다.

양막천자를 이용한 낙태에 대한 정보는 민감한 주의를 요구한다. 대상자는 분만에 대한 준비가 필요하다. 태아의 성장과 발달에 대해 정보를 주고자 할 때는 낙태산물은 도움이 된다. 어떤 대상자는 성별에 대해 질문하고, 어떤 대상자들은 태아를 보여달라고 요청한다. 대상자는 자신이 혼자가 아니라는 것을 알 필요가 있다. 간호사는 대상자의 질문들에 답하고, 대상자의 감정을 공유해야 한다.

인공유산 절차에 대한 정보는 인공유산 전, 인공유산 적용 시, 인공유산 후에 발생할 수 있는 감정들에 대해서도 대상자와 가족들에게 제공되어야 한다. 대상자가 경험하는 두려움, 무기력, 슬픔, 외로움, 상실감과 같은 감정들은 수용하여야 한다. 대상자와 의미 있는 타인들은 이런 감정들이 정상적이며, 수용해야 하고, 적절하며, 표현될 수 있다는 확신이 필요하다.

대상자가 임신을 계속 유지하기로 선택을 한다면, 간호사는 양자알선에 필요한 절차와 양자알선 기관, 모자 복지에 관련된 지역사회의 사적 그리고 공적 기관에 대한 정보를 제공할 수 있다.

대상자가 임신을 종결하기로 선택한다면, 유산 절차는 며칠 이내로 계획된다. 서명 동의와 병원 도착과 입원시간에 대해 명시한다. 언제나 간호사는 대상자의 불안을 경감시키기 위해 정보를 반복해서 전달하고, 명료화하여 대상자가 충분히 이해하도록 한다.

인공유산에 대한 상담은 인공유산절차 이전부터 시작한다. 그리고 언제나 대상자에게 24시간 응급 전화를 사용하도록 격려한다. Rh면역검사는 상례적으로 시행하는 검사이다. 대상자에게 예상되는 신체 현상, 정상적인 징후, 가능한 합병증, 그리고 조심해야 할 행동 등에 대해 언어나 문서로 정보를 제공한다. 대상자는 하루에 두 번 체온을 측정해서, 체온이 상승하면 보고한다. 샤워나 목욕도 할 수 있으며, 위생적인 패드를 착용한다. 그리고 만약 유즙이 분비 된다면 깨끗한 브레지어를 하도록 한다. 그리고 2주 동안 추후치료와 상담이 이루어진다. 대상자는 2주 동안 성행위나 탐폰을 사용해서는 안된다.

인공유산 후에 경험할 수 있는 정서 상태도 확인한다. 대상자는 성적 파트너에게 분노할 수 있다. 즉 대상자는 성교를 피하거나, 보호받지 못하는 성교로 인해 위험에 처할 수도 있다. 대상자는 상실감을 느끼거나, 잃어버린 아이에 대해 슬퍼할 수 있다. 이런 감정이 있을 때는 상담을 받아야 한다. 인공유산의 경험이 대상자 자신의 정신적, 신체적 안녕을 증진시킬 수 있도록 지지되어야 한다.

간호·상담 과정

대상자 서OO, 42세, 독신(결혼생활 6개월 후에 이혼, 이혼한지 20년 됨),
비서, 상사와의 성관계로 임신이 됨
간호사 심OO , 산부인과 외래 진료실

사정

주관적 자료

"임신한 지 5주되었다. 나는 낙태하기에 늦지 않았다고 생각한다."
"이 박사가 내가 임신했다고 말했다."
"석진씨는 나와 결혼하기를 원한다고 말한다. 그러나 그에게는 부인과 아이들이 있다. 그는 아이들이 좀 나이가 들 때까지 기다려야 한다고 말한다. 언제까지 기다려야 하는지 알 수 없다."
"사무실이 옆에 있기 때문에 우리는 일주일에 한두 번 이상은 마주 친다. 그러나 이번 주에는 만나지 않았다. 나는 정말 이 관계에 대해 무엇인가를 해야한다."
"나는 피임용 다이아프램을 주의 깊게 사용하였다. 나는 언제나 정확하게 사용한다."
"그는 내가 낙태하기를 원한다. 그는 낙태 비용을 지불할 것이다. 그는 모든 것이 예전과 다를 바가 없다고 한다. 그는 그의 생활이 변화되는 것을 원하지 않는다. 그러나 나의 생활은 어떤가? "
"낙태에 관해서 그의 생각이 아마도 옳을 것이다. 그러나 나는 예전으로 돌아가는것은 원하지 않는다. 그는 언젠가는 내 말을 이해할 것이다."
"나의 두 친한 친구, 영과 숙은 이 사실을 알고 있다. 숙은 이 곳에 같이 왔다."
"어머니가 생각하는 것처럼 나는 아기를 가져야 되는 것은 아니다. 내가 10년만 젊었다면 아기를 가질 수도 있다. 그러나 나는 지금 혼자라고 느끼지 않는다."
"양자알선?""싫다. 나는 그것에 대해 나쁘다고 생각한다."
"인공유산에 관해 알고 싶다. 나는 내가 인공유산을 원한다고 확신한다."

객관적 자료

- 임신 검사는 임신에 대한 양성 반응을 보인다고 했다(의사 보고).
- 골반검사는 임신을 확인하였다(의사보고).
- 성 파트너는 기혼자이며, 자녀들도 있다.
- 파트너와 관계 변화를 원한다.
- 양자알선은 원하지 않는다.
- 독신의 부모 역할은 반대한다.
- 인공유산에 관한 정보를 원한다.

간호진단

- 문제임신과 관련된 이용 가능한 대안에 대한 정보 부족
- 의미 있는 타인(어머니)으로부터 받는 정서적 지지결여와 관련된 분노
- 비생산적 의사소통과 관련된 성적 파트너에 대한 회의감

계획

- 3가지 이용 가능한 대안에 대한 탐색을 격려한다.
- 임신기간과 상대적 위험 요소를 명료화하고 인공유산절차에 대한 언어적, 문서화된 정보를 제공한다.
- 산전간호, 양자알선, 모자 건강, 인공유산에 대해 지역사회 자원을 언어 또는 문서화된 정보를 제공한다.
- 피임 방법과 이 방법의 위험 요소들을 설명한다.
- 의사결정을 격려한다.
- 의미있는 타인들의 감정 표현을 격려한다.
- 의미있는 타인들로부터 정서적 지지를 받을 수 있도록 격려한다.
- 의미있는 타인들의 지지를 동원하도록 격려한다.
- 성 파트너와의 상호관계를 깊게 생각해보도록 격려한다.
- 성 파트너에게 관계의 변화를 요청하도록 격려한다.
- 성 파트너와 함께 상호문제 해결을 하도록 격려한다.
- 더 정도 깊은 상담을 하도록 정보를 제공한다.
- 추후 방문을 격려한다.

수행

- 3가지 대안들의 단점과 장점에 대한 분석표를 작성한다.
- 의미 있는 타인의 명단과 결정들에 대해 논의한다.
- 의사결정을 한다.
- 어머니의 지지 결여에 대한 감정들을 표현한다.
- 의미 있는 타인들로부터의 지지를 요청한다.
- 의미 있는 타인들의 지원을 동원한다.
- 피임 방법에 대한 여러 가지 위험 요소들을 안다.
- 성 파트너와의 관계에서 수용할 수 있는 것과 수용할 수 없는 것에 대한 내용을 작성한다.
- 성 파트너에게 현재 관계의 변화를 요청한다.
- 성 파트너와 상호문제 해결을 하도록 요청한다.
- 인공유산 클리닉과 접촉한다.
- 인공유산 후, 추후 방문에 대해 간호사와 접촉한다.

평가

인공유산 후 3주경에 추후 방문했을 때 대상자는 다음과 같이 이야기한다.

- 결정에 대해 후회가 없다 – "옳은 결정이었다고 믿는다"
- 인공유산 경험은 만족스러웠다.
- "합병증의 징후는 없다."
- "내가 예상했듯이 회복되어가고 있다."
- "거의 슬프지 않다. 친구들이 많이 도와주었다."
- 어머니가 많은 지지와 돌봄을 주었다.
- 친구들은 특히 지지적이다.
- 성 파트너는 관계가 변화되는 것을 싫어한다.
- 파트너와 관계의 상호종결을 합의했다.
- 성관계 시 다이아프램을 사용할 것이며 또한 파트너에게도 콘돔의 사용을 요청할 것이다.

*SEXUAL HEALTH CARE

성매개 **감염병**

Sexually Transmitted Infection

가치 명료화 **훈련**

다음은 성매개 감염병 대상자 간호상담과 관련된 상황이다. 이 감염에 대해 당신은 어떤 가치를 가졌는지 확인할 수 있다. 다음 상황을 읽고, 질문에 답해 보자. 그때, 당신이 경험하는 감정도 주목해 보자.

최○○는 23세로 경영학을 전공하는 대학생이다. 그는 3일 전부터 배뇨통과 음경에서 흰색 분비물이 배출되며, 골반 통증 등의 증상 때문에 학교보건실을 방문했다. 6개월 전부터 "미래를 약속한" 여성과 동거를 하고 있다. 그러나 최근 1주일 전에 우연히 한 여성과 성교를 한 적이 있다고 한다.

이 상황에서 느끼는 당신의 감정을 적어보자. 당신의 태도와 신념은? 당신의 신념은 어떻게 학습되었다고 생각하는가? 당신의 태도와 신념 중에서 어떤 것이 이 대상자의 간호상담을 수행하는데 방해 또는 도움이 되는가? 당신은 이 상황을 어떻게 생각해야 하는가?

다음은 사실적 문제와 이 문제에 대해 느끼는 가치들이 나열되어 있다. 다음을 읽고, 당신의 반응과 비교해 보자.

- 그는 실제적으로 문제가 있다.
- 그는 조기 치료를 받으러 왔고 책임감이 있는 남자이다.
- 미래의 배우자가 될 여성과 최근의 여성 중에서 누가 증상의 원인을 제공했는지가 궁금하다.
- 그는 자신의 성적 욕구를 관리할 방법을 알고 있다. 단지 성병에 대한 정보가 필요하다.
- 왜 그는 콘돔을 사용하지 않았을까?
- 이전에도 이러한 증상을 경험한 적이 있었을까?
- 그는 배우자가 될 여성에게서 충분한 성적 만족을 얻지 못한 것은 아닐까?
- 그들은 결혼 후에 있을 수 있는 문제를 미리 경험하고 있다.
- 이 사건은 그들 커플의 관계에 어떤 영향을 미칠까?

- 미래의 부인이 될 여성에게 어떻게 이 상황을 설명할 것인가?
- 미래의 부인이 될 여성은 그와 계속 있을 것인가, 아니면 떠날 것인가?
- 미래의 부인이 될 여성도 역시 다른 파트너와 성관계를 하는지가 궁금하다.
- 현재의 여자 친구는 그에게 어떤 의미를 주는 것일까?
- 현재의 여자 친구가 다른 남성과의 성관계를 통해 성병에 감염되었는지, 아니면 그와의 성교를 통해 성병에 감염된 것인지?
- 그는 미래의 부인이 될 여성에게 심한 잘못을 저지른 것인가? 아니면 반대로 그녀가 그에게 잘못을 저지른 것인가?

이상의 반응은 당신의 반응과 유사한가? 아니면 어떻게 다른가? 당신의 결정은 다른 사람들의 결정과 일치하는가, 또는 반대되는가? 당신의 반응은 대상자의 상태를 수용하는가? 미래 부인이 될 여성에 대한 당신의 관심은 어떤가? 최근에 사귀었던 여자 친구는 어떤 느낌이 드는가? 대상자와 그의 미래의 부인이 될 여성과의 관계가 앞으로 어떻게 되리라고 생각하는가?

당신의 가치관은 이 대상자의 간호상담을 계획하고, 적용할 때에 언어와 행동으로 나타날 것이다.

동료와 함께, 당신의 반응을 공유해 보자. 집단 내에서 반응의 유사점과 차이점을 주목해 보자. 상담자는 자료를 수집해야 한다. 당신이 간호사라면, 당신의 가치관이 어떻게 당신의 반응과 수집한 자료에 영향을 미치는지, 집단에서 다른 구성원의 가치관은 어떤지, 어떻게 영향을 미치는지에 대해 논의해 보자.

행동 **목표**

이 장을 끝마친 후

- 성매개 감염병을 설명할 수 있다.
- 성매개 감염병의 예방 및 치료에 미치는 심리·사회적 요인을 설명할 수 있다.
- 우리나라의 성매개 감염병 관리체계를 설명할 수 있다.
- 성매개 감염병의 예방지침을 설명할 수 있다.
- 성매개 감염병의 종류별 질병 과정과 증상 치료 등을 설명할 수 있다.
- 성매개 감염병이 현재뿐만 아니라 미래의 성생활에 미치는 영향을 설명할 수 있다.
- 성매개 감염병 대상자와 그들의 파트너에 대한 교육자-상담자의 역할을 설명할 수 있다.

1. 성매개 감염병

성병 또는 화류병으로 알려진 성매개 감염병은 인류 역사와 함께 해 온 오래된 질환으로 현재도 높은 발생율을 나타내는 감염병이다. 성병은 1990년대에 들어와서 성전파성 질환으로 바뀌게 되었고 최근에는 성매개 감염병이라는 용어를 사용하면서 전파와 감염이라는 예방적 의미가 더 강조되었다. 성매개 감염은 증상이 있는 환자나 무증상 환자를 모두 포함한다. 성매개 감염병이란 성 접촉을 통하여 전파되는 모든 질환을 의미한다. 특히 보건복지부 장관이 고시하는 감염병으로 제3군 전염병인 매독과 지정 감염병인 임질, 클라미디아 감염증, 연성하감, 성기단순포진, 첨규콘딜롬의 6종이 있다.

성매개 감염병에 감염된 대상자는 의학적 치료를 받는것 뿐만 아니라 현재 혹은 가능성이 있는 성적 파트너를 고려하여 자신의 성행위 여부를 결정해야 한다. 성매개 감염병은 사회적 오명과 쾌락적 고통을 경험한다. 성매개 감염병은 한 사람이나 두 사람 모두에게 질병의 어떤 징후도 나타나지 않을 수 있다. 그러므로 증상과 치료에 대한 인식을 가져야 하며 재감염의 예방, 본인은 물론 파트너의 합병증 방지, 사회적으로 성매개 감염병이 확산되지 않도록 간호사는 안전한 성행위와 관련된 교육 및 상담을 수행해야 한다.

성매개 감염병은 국가와 사회에 따라 각 감염의 유병률은 다르다. 미국연방질병통제센터는 2014년 성매개 감염병 보고서를 통해 미국 내 성매개 감염병 건 수가 역대 최고라고 발표하면서 "심히 우려되는 수준"이라고 하였다. 성매개 감염병 중 클라미디아 감염이 가장 높았다고 하였다. 다음은 우리나라 2012년 성매개 감염병 신고현황이다(표 11-1).

1) 심리사회적 영향 요인

수세기 동안 성매개 감염병은 수치스럽고, 금기시하는 더러운 행위의 결과로 오는 것이라고 하였다. 또한 이런 질환은 난잡한 성행위에 대한 벌이라고 하였다. 이러한 부정적인 사회적 태도는 성매개 감염병에 대한 치료를 받아야 하는 대상자들의 의사결정을 지연시킨다. 치료 과정이 비교적 간단하고, 효과적임에도 불구하고, 이 질환에 대한 두려움과 지역사회의 성매개 감염병에 대한 비난 때문에 치료를 꺼린다. 게다가 임질, 매독, 연성하감, 성병성 림프육아종, 첨형콘딜로마와 같은 특정 성매개 감염병에 감염된 사람의 명단을 의료 팀은 보건소에 보고된다. 이러한 사실은 비밀보장과 사생활 노출에 대한 두려움을 유발하여 대상자에게 치료를 회피하는 구실을 제공한다.

사회는 성행위와 성매개 감염병에 대해 아직도 부정확하고 모호한 윤리 교육을 제공하고 있다. 대상자는 성매개성질환에 노출되지 않도록 예방에 대한 지식을 가져야 하고, 성행위 시 성매개성 질환을 예방 할 수 있는 태도와 기술을 가져야 한다. 성행위 시 자신과 성 파트너 모두의 건강을 위해 성적 자기결정과 책임감은 매우 중요하다.

성매개 감염병을 진단 받은 대상자는 혼란, 당황함, 죄책감, 분노 등의 정서적 반응을 나타낸다. 대상자는 성행위가 감염의 원인이라는 사실에 대해 수치스러워한다. 대상자는 성매개 감염병에 대해 치료를 받아야 하는 초기에 가장 불안해 한다. 이런 불안은 치료 후 증상이 완화되는 약 1주일 정도가 지나면 감소하기 시작한다.

대상자의 사회적 관계는 성매개 감염병의 진단 결과를 아는 성적 파트너, 배우자, 가족의 반응에 따라 다양하다. 비밀보장에 대한 걱정은 불안과

그림 11-1 **2012년 성매개 감염병 신고현황**
(질병관리본부, 2012감염병 감시연보)

성매개 감염병 실태

1위 : 클라미디아감염증 3,488건(전체의 34.9%)
2위 : 성기단순포진 2,618건(26.2%)
3위 : 임질 1,612건(16.1%)
4위 : 첨규콘딜롬 1,495건(14.9%)
5위 : 매독 787건(7.9%) 연성하감 보고건 수 없음

※ 성매개감염병은 표본감시 대상 감염병임
※ 매독은 3군 감염병으로 전수감시 대상임

- 성매개감염병은 2012년 한 해 10,000건이 보고되어 2011년(9,337건) 대비 7.1% 증가 함
- 병원균 종류는 세균성 5,887건(58.9%), 바이러스성 4,113건(41.1%)이 있다.
- 세균성은 감소하는 반면 바이러스성은 증가 추세임
  - 세균성 성매개감염병 : 매독, 임질, 클라미디아, 연성하감
  - 바이러스성 성매개감염병 : 성기단순포진, 첨규콘딜롬

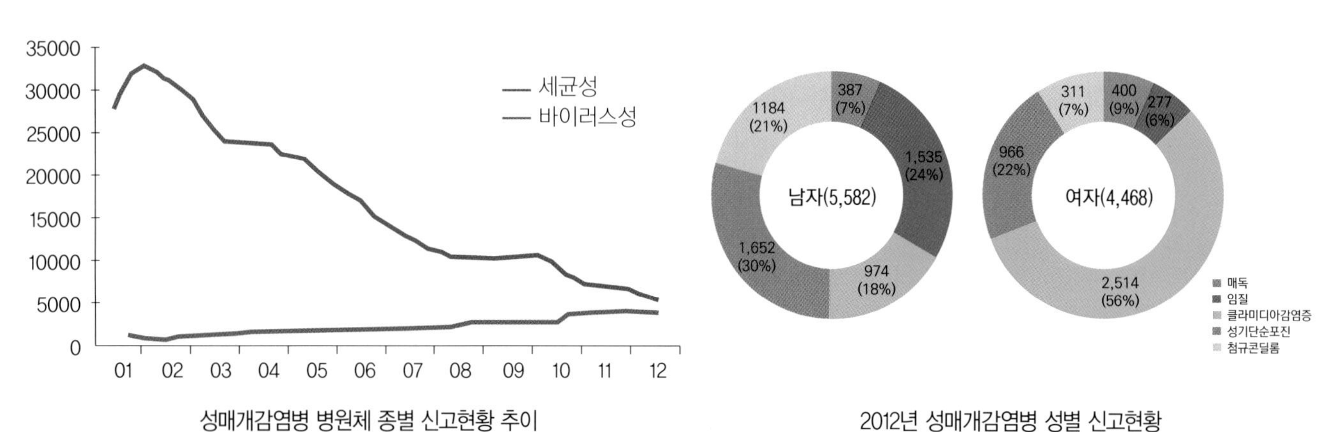

성매개감염병 병원체 종별 신고현황 추이

2012년 성매개감염병 성별 신고현황
*연성하감은 보고건수 없음

TIP

성매개 감염병 전파경로

피부 접촉(skin to skin)
- 성교 시 피부 접촉
- 키스
- 간접 피부 접촉(속옷, 이불 등)

체액(혈액, 정액, 질액) 접촉
- 성교 시 체액이동
- 섹스토이
- 주사바늘
- 수혈
- 산모-신생아 수직감염

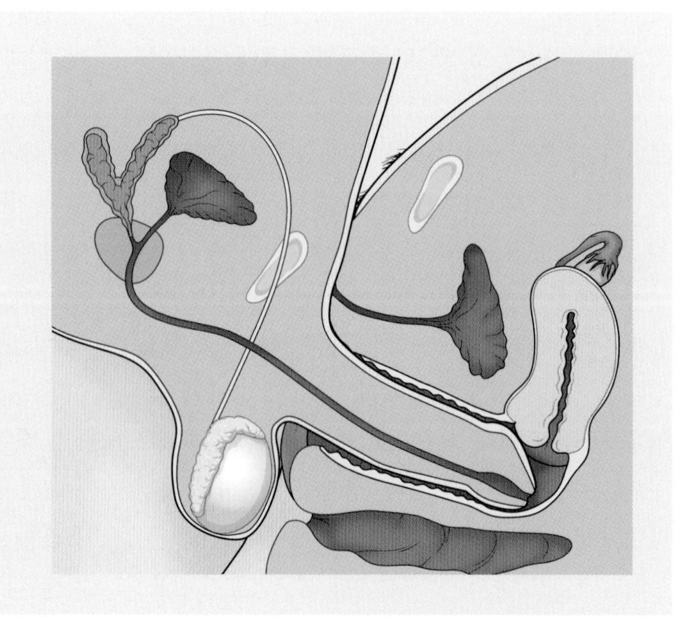

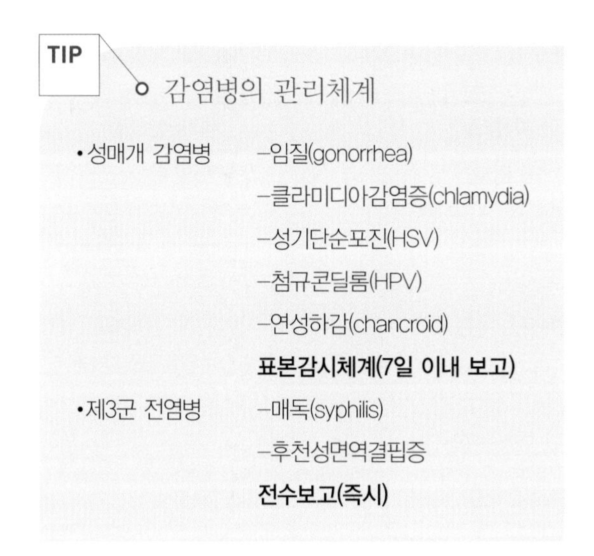
TIP
감염병의 관리체계

• 성매개 감염병 –임질(gonorrhea)
–클라미디아감염증(chlamydia)
–성기단순포진(HSV)
–첨규콘딜롬(HPV)
–연성하감(chancroid)
표본감시체계(7일 이내 보고)

• 제3군 전염병 –매독(syphilis)
–후천성면역결핍증
전수보고(즉시)

우울증을 초래하고, 관계를 파괴할 수 있으며, 성적 반응을 억압할 수 있다.

치료적 효과는 의료팀과 협력하고 건강행위를 하는 환자의 태도에 달려있다. 자신이 받고 있는 관리가 모욕적이라고 느낀다면 대상자는 비협력적인 태도를 보일 것이다. 또한 진료 시간의 지연, 무분별한 검사, 과다질문 등에 의해 비인격적인 치료를 받는다고 생각한다면 그 대상자는 치료에 비협조적일 것이다.

성교와 관련된 질문을 사생활 침해라고 생각하는 대상자는 치료 및 간호 제공자의 간단한 질문조차도 비협조적인 반응을 보일 것이다. 이러한 대상자에게는 그들의 수치심과 당황함을 배려해 주어야 한다. 대상자의 비협조적 반응은 성매개 감염병을 조기에 발견하고 치료하는데 장애 요인이 될 수 있다.

2) 사회성적 유발 요소

사회성적 요소는 성매개 감염병의 만연율과 연관되어 있다. 클라미디아감염증은 성매개 감염병 중 가장 많으며 임질과 함께 잘온다. 남성의 경우 요도가 여성의 경우는 질이 가장 흔히 감염되는 기관이다. 통계 자료는 청소년의 성관계 빈도의 증가를 반영한다. 성매개 감염병의 가장 높은 발생률은 20~24세의 인구에서 나타나며, 특히 대학생의 집단에서 가장 많은 성매개 감염병의 증가를 나타내고 있다.

많은 수의 성적 파트너와 관계를 하는 사람은 성매개 감염병에 노출될 기회가 많다. 성적 파트너를 무분별하게 선택하는 것은 모든 연령 집단에서 볼 수 있으며 동성애 남성에서 흔히 발견된다. 최근 구강 성교가 증가하므로서 구강 부위의 인두 등에서 감염 사례가 증가하는 추세이다. 동성애자의 경우는 직장에서 감염균을 볼 수 있다.

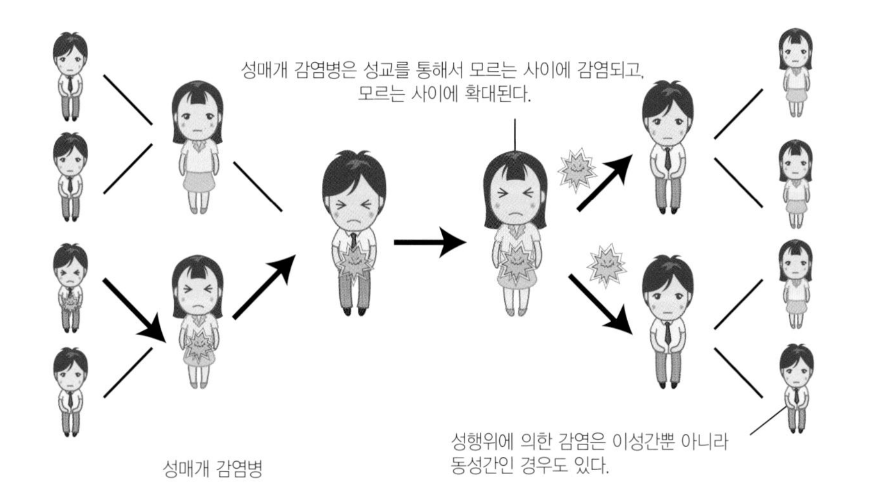

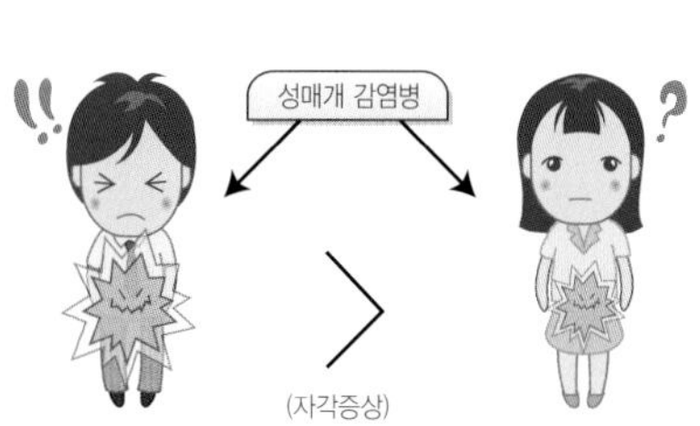

그림 11-2 **성매개 감염병의 감염경로**
성교파트너의 감염, 부적절한 치료 등 다양한 감염의 가능성이 있다.

표 11-1 성매개 감염병

질환명		임질	클라미디아감염	성기단순포진
원인	속성	세 균	클라미디아(세균)	바이러스
	명칭	임 균 Neisseria gonorrhoeae	Chlamydia trachomatis	단순헤르페스바이러스 Herpes simplex virus
잠복기간		2~며칠간	2~3주간	3~7일간
외음부 소견 주요 자각증상		• 대부분은 경증 • 외음부 가려움증	• 대부분은 무증상	• 강한 동통을 수반하는 수포 • 얕은 궤양성 병변
질	양	증 가	경도 증가	–
분비물	성상	농 성	물같은 투명한 장액성	–
	악취	있 음	없 음	없 음
그 밖의 특징		• 방치하면 상행성 감염이 진행. 난관성난임 등을 초래한다. • 클라미디아에 비해 증상이 강하다.	• 경우에 따라서 간주위염을 초래한다.	• 세포진에서 핵내봉입체, 다핵거세포
치료		• ceftriaxone • spectinomycin	• macrolide • fluoroquinolone • tetracycline	• acyclovir • valacyclovir
질환명		**첨규콘딜롬**	**트리코모나스 질염**	**칸디다성 감염**
원인	속성	바이러스	원 충성	진 균
	명칭	human papillomavirus	Trichomonas vaginalis	Candida albicans, Candida glabrata 등
잠복기간		3주~8개월	5일~1개월간	상재균
외음부 소견 주요 자각증상		• 양배추상으로 융기된 사마귀성병변(외음부 외에도) • 외음부 가려움증	• 외음부 가려움증	• 외음부 가려움증
질	양	–	증 가	증 가
분비물	성상	–	황색~옅은 회색, 포말상	죽상, 요구르트상
	악취	–	있 음	있 음
그 밖의 특징		• 조직진에서 이상한 각화 • 3개월이내에 재발하는 경우가 많다.	• 의료, 변기, 입욕, 내진, 검진대 등에서도 감염	• 성교 외에 당뇨병, 항균제복용, 임신 등에서도 발증
치료		• 전기소작 • 외과적 절제 • 냉동요법 • 항종양제(5–FU 등)	• metronidazole • tinidazole	• 유발 요인 제거 • 질세정 • imidazole

현재의 출산조절 방법도 성매개 감염병의 발생률에 영향을 미친다. 경구 호르몬 피임법은 여성의 질내 pH를 변화시키기 때문에 병원균의 성장을 촉진시킨다. 자궁내 장치 또한 자궁과 골반의 염증을 자극할 수 있다.

성매개 감염병을 예방할 수 있는 방법은 콘돔의 사용이다. 질의 정상 박테리아수를 감소시키는 살정제, 살정제와 같이 쓰는 다이아프램의 사용은 성매개 감염병을 유발하는 원인이 될 수 있다.

베트남 전쟁 참전 병사로부터 유입된 새로운 임

질균은 페니실린에 대해 치료효과가 높지 않다. 또한, 클라미디아와 임질의 증상이 나타나지 않는 여성(70~80%)과 동성애 남성(50~90%감염)은 그들 자신도 모르는 사이에 관계를 통해 질병의 전파를 확산시킨다.

국가의 성매개 감염병 통제 프로그램은 청소년, 젊은성인, 직업 여성, 알콜이나 약물 중독자, 그리고 대도시에 거주하는 사람 등 고도의 위험집단을 위해 효과적인 예방 역할을 해야한다. 또한 대상자들이 성매개 감염병에 감염이 되었는데도 의료체계의 이용을 꺼리기 때문에 위험성이 더욱 증가하는 실정이다. 인구의 유동성 증가는 성매개 감염병을 빠르게 널리 전파시킨다. 즉, 군인이나 이민자, 그리고 여행자들에 의해 전파될 수 있다. 대중에게 시행하는 성매개 감염병에 대한 기초예방교육은 매우 중요하다. 더욱 더 의미가 큰 것은

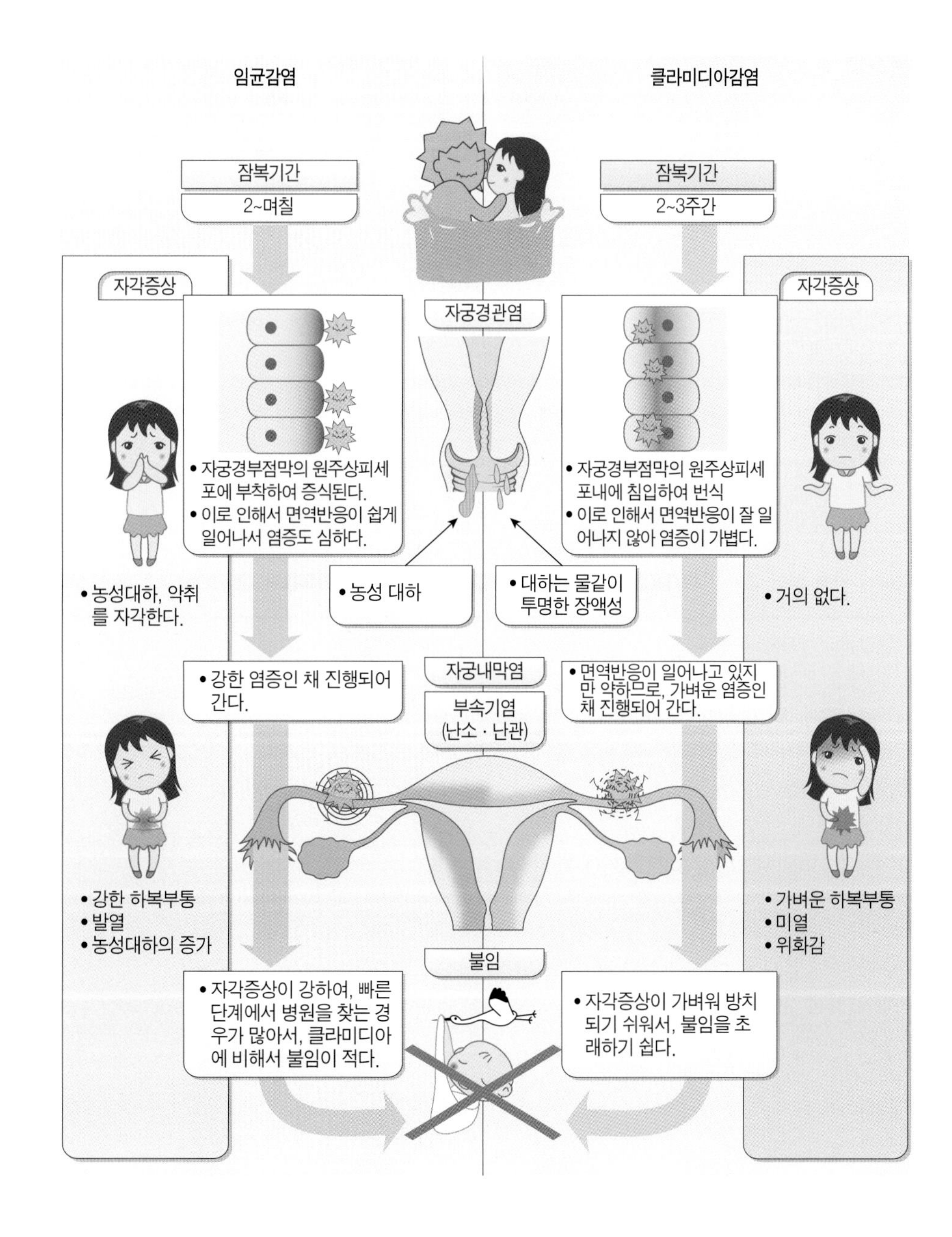

그림 11-3 임균감염과 생식기 클라미디아감염의 증상

위험에 처한 대상자에게 대상자 스스로가 치료를 받도록 유도하고, 새로운 자금도 이런 영역에 더욱더 높게 사용되어야 한다.

3) 예방교육

성매개 감염병에 대한 예방 교육은 가장 중요하다. 성적으로 책임감이 있는 사람은 성매개 감염병이 어떻게 전염되고, 예방책이 무엇인지를 알아야 한다. 성행위를 금하는 것은 100% 효과가 있다. 그러나 성행위의 완전 금지나 통제는 불가능하기 때문에, 성매개 감염의 위험인자를 확인하고(표 11-2) 다음의 방법을 통해 감염의 기회를 감소시켜야 한다(표 11-3).

2. 종류

성매개 감염병은 원인균의 속성에 따라 다음과 같이 분류한다(표 11-4).

1) 임질

임질은 임균(Neisseria gonorrheae)이라는 세균에 의해 초래되며 감염부위는 남성에서 요도가 가장 흔하며 인후(이성애자 7%, 동성애자 40%), 직장(동성애자 25%) 등에서 볼 수 있다. 임질이 있는 여성과 한 번의 성관계를 가졌을 때 전염될 확률은 17~20% 정도이나 임질에 감염된 남성과 성관계를 가진 여성은 80% 정도 감염된다. 대개 잠복기는 병원균에 노출된 후 2~7일이다. 임질 분비물을 24~48시간 동안 배양하면 세균을 확인할 수 있다. 이 세균은 체외의 건조하고 차가운 온도에서나 또는 소독을 한다면 4~5초 내에 사멸된다. 임질에 처음으로 노출된 사람 중 75%가 감염을 나타낸다.

남성의 징후는 배뇨시 작열감, 누런 회백색의 요도 분비물의 배출, 배뇨통, 요도 가려움과 요도구의 부종과 충혈, 고환 통증, 종창, 부고환염, 직

표 11-2 성매개 감염 위험 요인

- 성매개 감염인과의 성접촉
- 성적으로 활동적인 25세 미만 남녀
- 새로운 성파트너 또는 지난 1년 동안 2명 이상의 성파트너
- 현재의 파트너 이외에 이전의 성파트너와의 관계를 지속하고 있는 사람
- 피임을 하지 않거나 피임시 콘돔이외의 단독요법을 사용하는 경우(경구피임약, 자궁 내 장치 등)
- 주사제 약물 사용자
- 알콜이나 마약중독자(마리화나, 코카인, 엑스터시, 필로폰 등)
- 안전하지 않은 성관계를 한 경우(콘돔 등을 사용하지 않은 성관계, 구강 항문 성교 및 가학피학증을 포함한 성관계와 함께 혈액 접촉이 일어나는 경우)
- 성접대부와 그들의 고객들
- 돈이나 마약, 음식 등 생존을 위하여 성을 파는 경우
- 길거리 청소년, 노숙자
- 익명의 성파트너(인터넷 만남, 즉석 만남, 광란의 파티)
- 성폭행 피해자, 가해자
- 이전의 성매개감염의 과거력

표 11-3 성매개 감염병 예방지침

1 금욕 또는 자위행위, 삽입되지 않는 성 접촉을 한다.

2 정확하고 철저한 콘돔의 사용은 성매개 감염병의 예방에 필수적이다. 콘돔은 음경만을 덮기 때문에 요도분비물이나 사정액, 음경피부를 통한 감염은 예방할 수 있지만 콘돔으로 덮여지지 않은 음경 주위의 피부는 여성의 외음부에 접촉되므로 피부 접촉에 의한 성매개 감염병을 예방할 수 없다. 콘돔 사용의 실패는 콘돔의 손상보다 부적절한 사용에서 비롯된다. 음경이 발기된 후 파트너와의 음부접촉 전에 착용하고 콘돔의 끝부분에 공기가 들어가 성 접촉시 콘돔이 밀려나와 빠지지 않도록 해야하며, 성교가 끝나면 콘돔이 벗겨지지 않도록 성기 뿌리쪽 링부분을 잡고 빼야 한다. 성행위 시는 처음부터 끝까지 콘돔을 올바르게 사용해야 한다(성기단순포진, 첨규콘딜롬, 사면발이는 예방안됨)

3 파트너의 수가 많을수록 성매개 감염의 기회가 증가한다. 새로운 파트너와는 성매개 감염병 예방에 관한 의사소통을 해야 한다.

4 성적으로 성숙된 여성은 성매개 감염병의 예방을 위해 자신의 보호를 위해 콘돔을 휴대해야 한다. 골반 내의 병원균 통로를 차단할 수 있는 살정제 거품, 크림, 젤리를 사용할 수 있으나 완전하지는 못하다. 다양하고 관능적인 유색 콘돔을 사용할 수 있으며, 이러한 감각적인 유색 콘돔은 무색 콘돔보다 더 효과적이다. 성교 전·후에 생식기를 비누와 물로 씻거나 질세척은 미생물의 수를 감소시키고 질산도를 변화시킨다. 빈번한 질세척은 유해하다. 파트너간 서로의 성기를 면밀하게 조사함으로써 감염의 증상을 확인한다. 염증이나 분비물의 배출은 성매개 감염병의 증상이며, 이때도 증상을 확인할 수 없는 성매개 감염병도 있다.

5 남성은 성교 직후에 배뇨함으로써 성매개 감염병을 어느 정도 예방할 수 있으나 신뢰성은 불확실하다.

6 증상이 있을 때는 성매개 감염병의 검사를 빨리 받는다. 대상자는 검사결과가 음성으로 나올 때까지 금욕적인 생활을 해야 한다. 성매개 감염병이라면 의사의 처방하에서 항생제와 약물을 사용한다.

7 성매개 감염병을 예방할 수 있는 확실한 백신은 아직 개발되지 않았다. 만일 대상자가 B형 간염 환자 또는 보균자이고 본인은 B형 간염 항체 음성인 경우에는 B형 간염백신을 맞아야 한다. A형 간염은 구강 및 항문 성교를 하는 환자에서 볼 수 있다. 이러한 경우 혈청 글로부린을 투여받아야 한다. 인유두종바이러스(첨규콘딜롬 감염예방을 위해 가다실을 예방접종한다.)

8 산모가 매독균, B군 연쇄상구균, 단순포진바이러스, 임균, 클라미디아 등에 감염되었을 때는 태아 또는 신생아에게 치명적일 수 있으므로 출산 전에 치료가 필요하다.

9 성매개 감염병을 가진 대상자들은 배우자에게 사실을 알려야 하는 도덕적 의무를 갖는다. 또한 성매개 감염병을 가진 환자와 접촉한 성파트너도 치료를 해야 한다.

10 국내 법정 전염병 신고기준에 따르면, 매독, 임질, 클라미디아, 연성하감, 음부단순포진, 첨규콘딜롬 등이 성행위로 전파될 수 있는 전염병으로 분류되어 있다. 이들은 의사와 환자 스스로가 7일 이내에 보건소에 신고하여야 한다.

표 11-4 성매개 감염병의 원인균

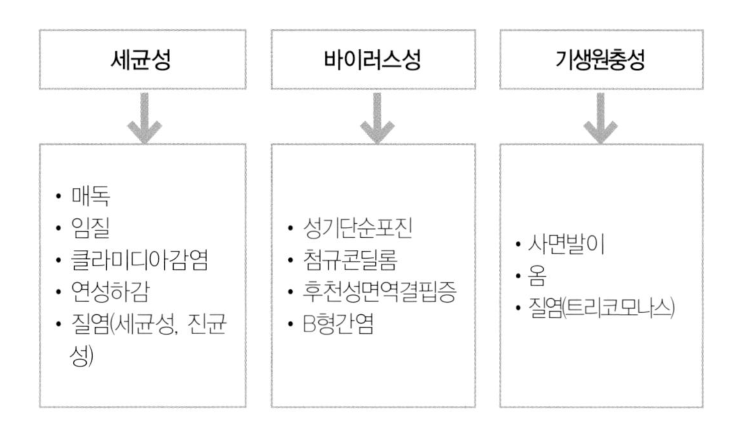

장염 시에는 직장통증 및 분비물, 난임 등을 유발한다. 무증상이 10%다.

여성의 증상은 질분비물과 방광염 증상이 나타난다. 여성은 소변볼 때 통증이 있으며 소변을 본 후에도 시원하지 않고 잔뇨감이 있으며, 때로 소변에 피가 섞여 나오기도 한다. 자궁경부나 내막에 염증이 생기면 질분비액이 많아지고 비정상성 질출혈이 있거나 성교통이 있다. 여성의 70~80%에서 무증상이다. 하복통, 하부요통, 고열, 골반염증성 질환, 바톨린선과 스캔선의 농양, 난관염으로 진전될 수 있다. 내진은 통증이 있기 때문에 부드럽게 해야 한다. 2개월 동안 전신으로 진행되며, 급성 관절염, 심낭염 등을 초래할 수 있다. 조기에 치료하지 않으면, 만성이 되어 난관염, 난관유착과 관련된 자궁외임신, 영구적 난임을 유발할 수 있다.

인두염은 구강 성교 후 임질 세균에 의해 발생되고, 직장의 감염은 항문 성교 후 전염된다. 그러므로 감염의 가능성이 높은 부위는 주의해야 한다.

임질에 감염된 임산부는 신생아를 전염시킬 수 있다. 분만 시, 신생아가 산도를 통과할 때 눈이 감염될 수 있으며, 심한 경우, 임균성 결막염으로 시력을 상실할 수 있고 패혈증을 유발할 수 있다.

임질에 대한 치료는 일차로, 페니실린과 테트라싸이클린을 조합하여 사용한다. 이 치료는 감염부위의 염증을 감소시킨다. 질병의 징후는 2~3일 후에 사라진다. 성교는 임질균이 음성 반응을 나타낼 때까지 금한다. 약 1~2주일 정도의 시간이 소요된다.

남성은 음성 반응이 나타난 후에도 배뇨통을 경험할 수 있으므로 남성에게 감염이 지속되는 것이 아니고 일시적 증상이라는 것을 교육할 필요가 있다. 감염된 사람은 질병의 전염과 감염부위의 악화를 예방하기 위해 생식기, 구강, 항문 성교와 자위행위를 삼가하도록 한다. 알코올, 커피도 감염이 치유될 때까지 삼가해야 한다. 왜냐하면 요도에 자극을 주기 때문이다. 증상이 있을 때는 모든 성적 파트너는 감염 가능성의 여부를 검사받아야 한다.

치료 종료 후 1주일 정도까지는 금욕한다. 임균감염증 대상자는 반드시 파트너에게 통지하도록 한다. 또한 진단일로부터 60일 이내에 성접촉한 모든 파트너는 평가를 받아야 한다. 재감염의 위험이 높은 경우 치료 후 3~6개월 중에 재검사 받

TIP

임질

- 원인균 : Neisseria gonorrhoeae
- 감염부위 : 남성 요도점막, 여성 자궁경부점막, 직장점막, 구강점막
- 증상
  - 남성 : 무증상 10% 이상
    요도 분비물
    소변볼 때 쓰라림, 작열감
    뇨도구주위의 가려움증 또는 쓰라림
    고환주위의 통증 또는 부어 오름
    미열(부고환염 또는 고환염으로 진행했을 때)
  - 여성 : 무증상(70~80%)
    질 분비물
    소변볼 때 쓰라림, 작열감
    아랫배 통증, 성교통
    비정상적 질출혈
    미열 (합병증 발생 시의 후기증상)
  - 치료 : Cefixime, Ceftriaxone이나 Spectinomycin
    클라미디아 함께 감염인 경우는 Azithromycin이나
    Doxycycline 사용

도록 한다.

2) 클라미디아

성매개 감염병 중 가장 빠른 증가 추세를 보이며 가장 높은 발생율을 나타낸다. 클라미디아 트라코마티스라는 세균에 의해 전염된다. 미국에서는 남성에 비해 여성의 발생률이 3배 이상 더 높다. 질이나 항문 또는 구강 성교 시 감염(인후염)되며 이 균에 감염된 산부가 질식분만을 할 경우 신생아에게 클라미디아를 전파할 수 있다. 이때 신생아는 눈, 귀, 폐에 감염된다(그림 11-4).

증상은 보통 성교 후 2~3주 후부터 나타난다.

TIP

임질과 클라미디아 감염증상 비교

	잠복기 (days)	요도 분비물		증상발현
		색깔	양	
임균	2~7일	투명	황색고름 양이 많음	갑자기 발생 심함
클라미디아	2~3주	흰색 장액성	적다	서서히 발생 증상이 심하지 않음

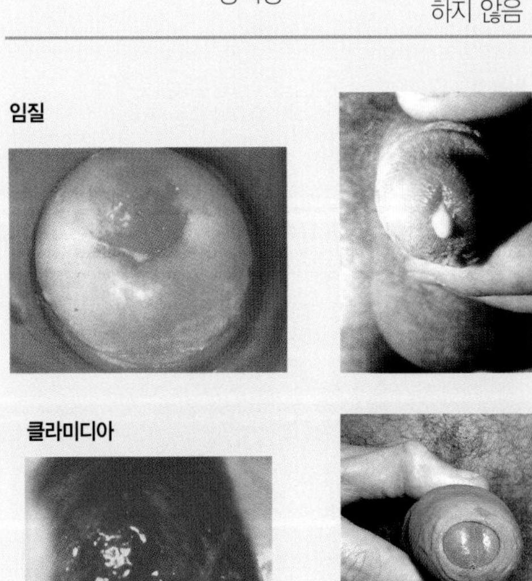

여성에게 나타나는 초기 증상은 물 같은 투명한 장액성 대하, 배뇨 시 화끈거림과 잦은 배뇨 등이 나타날 수 있고 후기 증상은 하복부통증, 요통, 월경 주기 사이의 출혈, 성교 시 통증 등이 나타난다.

남성에게 나타는 증상은 임질보다는 양은 적지만 요도로부터 투명한 장액성 분비물, 비뇨기계 감염 징후를 보인다. 즉 배뇨통, 빈뇨, 화끈거림, 가려움, 긴박성 배뇨 등 요도 부위의 자극 증상이 주로 나타난다. 이 외에도 부고환염을 나타내는 고환의 통증과 부종, 낮은 발열도 나타나며 부고환염을 치료하지 않으면 난임으로 이어질 수 있다.

클라미디아는 침묵의 질명이라 하는데 그 이유가 감염된 여성의 75%, 감염된 남성의 50% 이상에서 무증상을 나타내기 때문이다.

분비물을 현미경 검사로 클라미디아와 임질을

TIP

클라미디아

- 원인균 : Chlamydia trachomatis
- 감염부위 : 남성 요도점막(요도염), 여성 자궁경부점막(자궁경부염), 직장점막
- 증상
  - 남성 : 무증상(50%)
    요도 분비물
    소변볼 때 쓰라림, 작열감
    성기주위의 가려움증
    고환주위의 통증 또는 부어 오름
    미열(부고환염 또는 고환염으로 진행)
  - 여성 : 무증상(70~80%)
    질 분비물
    소변볼 때 쓰라림, 작열감
    아랫배 통증
    생리기간 외의 하혈
    미열 (합병증 발생 시의 후기증상)

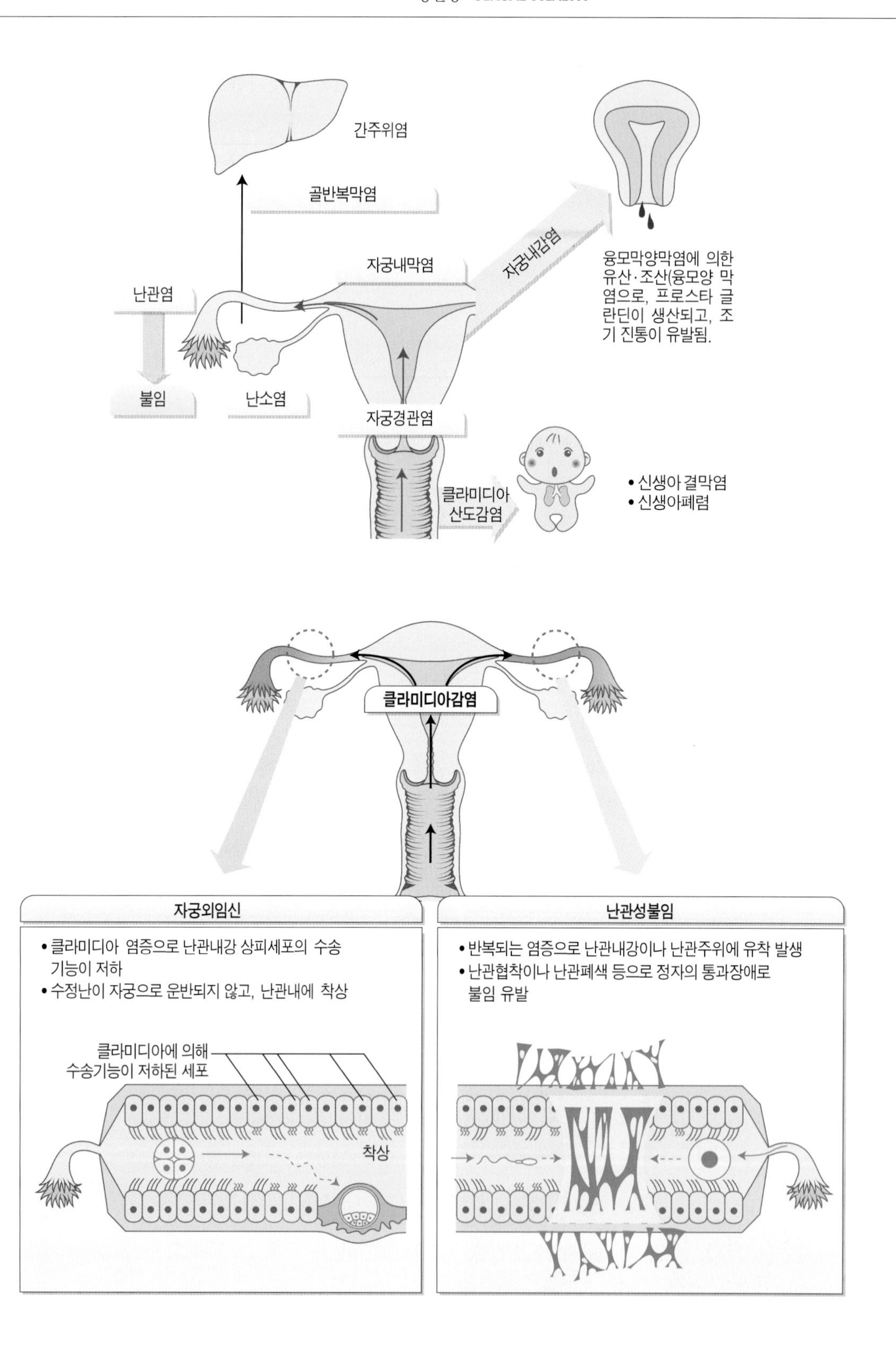

그림 11-4 여성생식기 클라미디아감염시 합병증

구별하며 이는 적절한 치료를 결정하는데 필요하다. 신체 상태가 허약한 경우에는 질병에 대한 취약성이 높다. 클라미디아는 임질을 수반할 수 있다. azithromycin doxycycline, 또는 erythromylsin 등을 사용할 수 있다. 반드시 성파트너와 동시에 치료해야 한다. 치료과정 동안 징후가 계속 나타날 수 있으며 임질과 마찬가지로 성교, 자위행위, 알코올, 커피는 피해야 한다.

클라미디아 감염증 예방을 위해서 8주 또는 6개월 이내에 성접촉한 모든 파트너에게 검사를 받아 볼 것을 권장하고 치료를 받도록 한다.

3) 매독

매독은 조직을 체계적으로 감염시키고 파괴시키는 treponema pallidum, 스피로헤타라는 나선형균에 의해 발병되는 세균성 성매개 감염병이다. 매독은 주로 성교나 키스를 통해 전염되며 태아에게도 감염시킬 수 있다(태아감염은 임신 16주 이전에는 일어나지 않는다).

매독은 제1기, 제2기, 제3기로 구분되며 치료를 받지 않았을 때 단계별로 진행된다(그림 11-5).

매독균은

- 감염자와의 질, 항문 또는 구강 성행위
- 매독궤양(질, 항문)과의 직접적인 접촉
- 감염된 임산부에서 태아에게 전염된다.

잠복기는 노출 후 7~90일 정도이다. 이 기간동안 대상자는 감염증상이 대개 나타나지 않는다.

제1기 매독은 경성하감으로 대개 성 접촉 2~4주 후 접촉된 부위에 따라 입과 외성기(여성의 경우 자궁경부)와 주변부(치골상부, 항문주위)에 무통성 붉은반점으로 시작된다. 그 부위는 단단하고 둥글고 통증이 없고 깊은 궤양이 생기고 농을 형성하기도 한다. 병원균이 침입한 부위에 1(70%)개의 경성하감이라는 궤양이 발생한다. 경성하감은 남성의 경우 귀두부, 포피, 음경몸체, 음낭, 유방, 혀, 입술, 손가락, 직장, 복부 등에서 발견된다.

치료를 하지 않아도 경성하감은 자연 치유된다. 그러나 감염이 자궁경부나 음낭에 위치한다면, 감염된 사람은 감염 사실을 잘 알지 못한다. 성교 동안에 정액, 질분비물, 타액, 혈액에 의해 전염된다. 서혜부 임파선이 커져 있다. 검사는 암시야 현미경 검사나 매독 혈청검사를 통해 확진한다.

암시야 현미경 검사인 표본 도말검사는 매독균의 주요 증상인 경성하감 부위에서 분비물을 채취한다. 검사하기 전에 표본도말부위(경성하감)에 알코올이나 항생제, 페니실린 연고를 사용했다면 매독균이 가음성 반응을 나타낼 수 있으므로 주의를 해야 한다.

매독 2기는 초기의 경성하감이 나타난 후 3~12주에 발생한다. 이 시기에는 매독균이 전신으로 퍼져 피부발진이 생기고 이후 수개월에서 수년의 잠복기를 거친다. 손바닥과 발바닥에 빨간 피부발진(흑인은 회색빛의 푸른색을 띤 발진)과 편평콘딜로마 등 일반화된 신체 반응이 나타난다. 발진은 입술, 구강내부, 구강 등에도 나타난다.

편평콘딜롬(콘딜롬라타)는 매독 환자의 9~44%에서 발생하며 습하고 따뜻하며 피부가 겹치는 부위에서 관찰되며 주로 성기, 항문에 호발하고 드물게 입술 점막, 얼굴 등에 나타난다. 대상자는 비대해진 림프선, 두피원형탈모, 고열, 식욕감퇴, 그리고 오심의 증세가 며칠동안 지속된다. 이 기간 동안, 매독의 혈청검사(VDRL FTA-ABS)는 미세한 양성 반응을 보이며, 심지어 치료 후 어느 기간 동안까지도 계속 양성으로 나타난다. 2기 매독검사는 혈액, 뇌척수액에서 트레포네마 검사가 양성일 때 확진한다.

이 단계는 치료하지 않아도 증상은 사라지며 잠복기로 들어간다. 매독에는 감염된 상태지만 증세

그림 11-5
매독(Syphilis)

- 원인균 : Trepenoma pallidum, 나선형 세균
- 치료 안 하면 뇌 손상까지 올 수 있는 위험한 질환.
- 페니실린으로 잘 치료 됨.
- 배우자, 파트너도 꼭 치료해야 함.

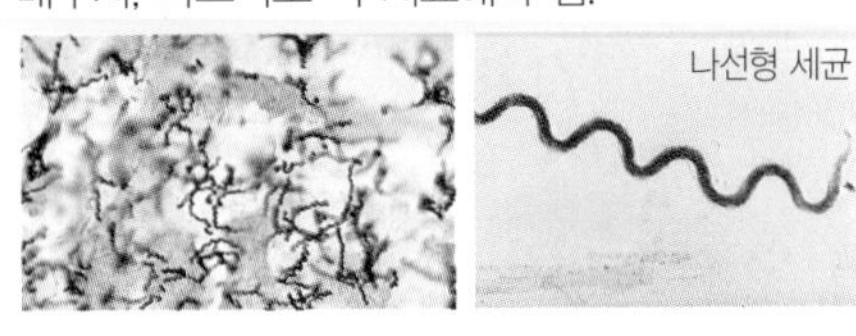

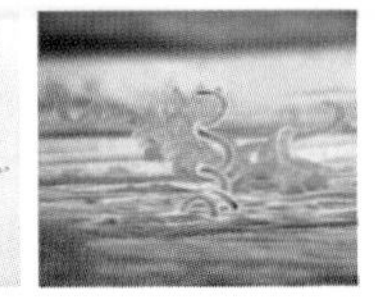

1기 매독 - 경성하감

- 잠복기 : 10~90일(평균 3주)
- Chancre(경성하감)
  - –초기 : 뾰루지 → 헐기시작
  - –후기 : 궤양생김 – 바닥은 깨끗하고, 무통증, 단단한 둘레
  - –15~30% 환자는 모르고 지나감
  - –1~5주 후 저절로 없어짐
  - –전염성이 매우 강함
- 경성하감(hard chancre)과 연성하감 비교

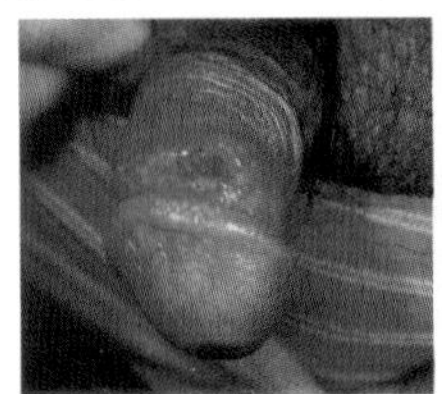

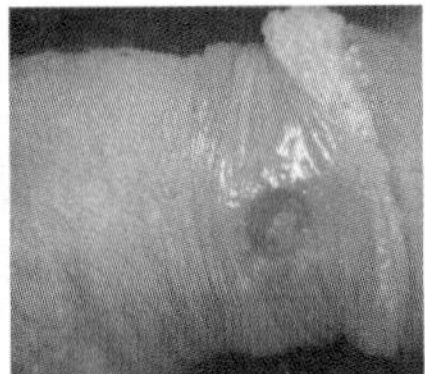

–연성하감(soft chancroid) : 연성하감은 부드럽고 통증이 있다.

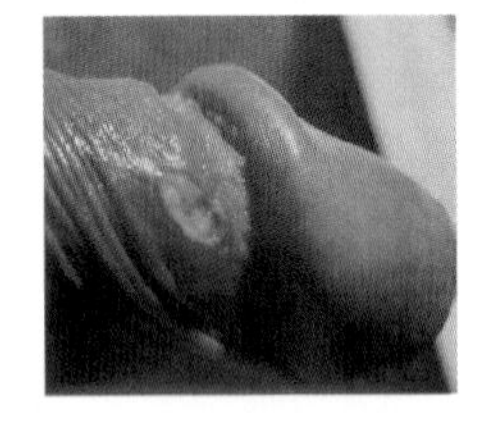

2기 매독 - 발진과 편평콘딜롬

- 매독균이 혈액을 타고 전신으로 퍼짐
- 편평콘딜롬은 경성하감이 나타난 후 2–8주 후에 나타남
- 증상
  - –피부발진(80%) – 전신부위 : 손바닥, 발바닥
  - –점막의 반점
  - –편평콘딜롬(9~44%) – 전염성이 매우 강함
  - –전신 증상
- 증상은 2–10주 경과 후 소실
- 전신피부발진

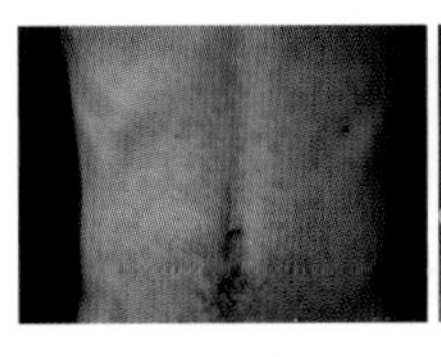

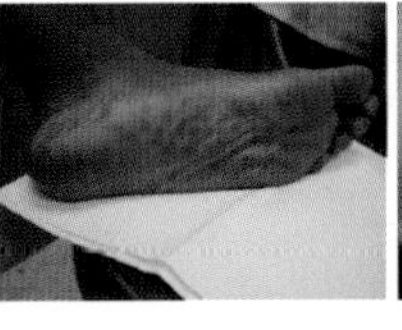

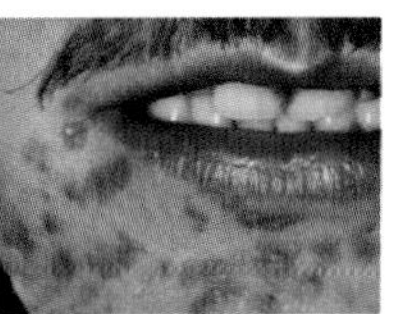

- 구강 내, 혀, 홍반성구진

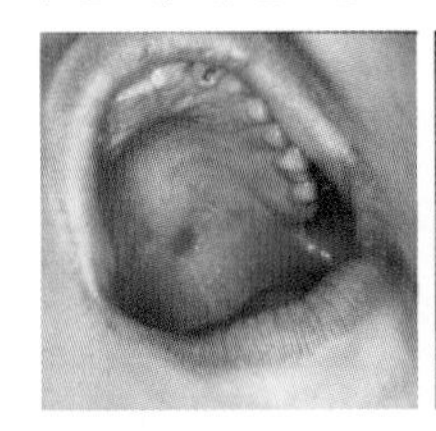

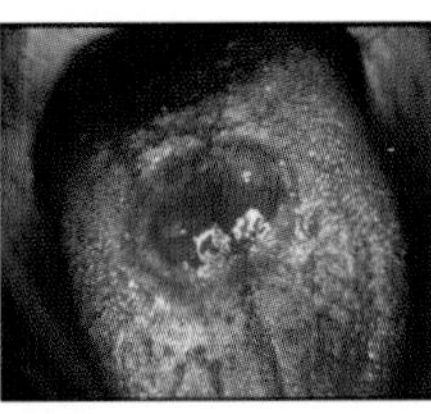

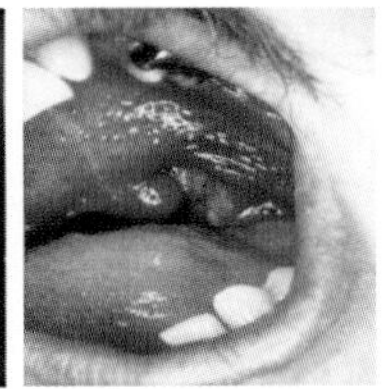

편평콘딜롬(Condylomata Lata) : 성기, 항문주위

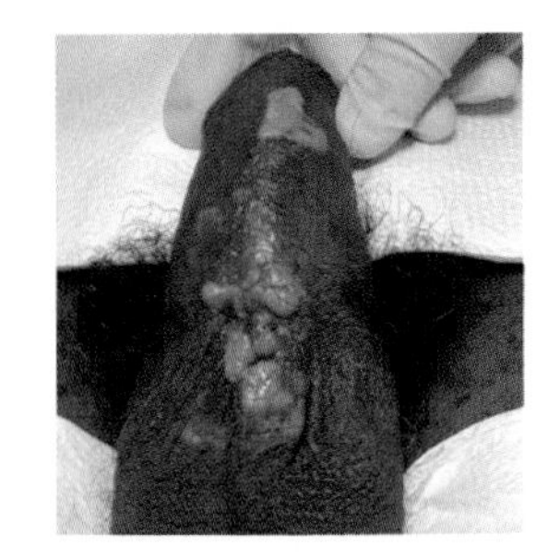

3기 매독

- 심장과 대동맥, 뇌, 중추신경계, 시신계 등 신체 내의 어떤 조직도 감염
- 임산부는 물론 2세에게도 치명적인 악영향
- 영구적인 기형, 유산

가 외부로 드러나지 않는다. 1~2기 매독은 감염율이 가장 높으며, 80~90%가 전염력을 갖고 초기잠복매독은 70%, 만기잠복매독은 10% 정도가 전파된다.

매독 3기는 2년에서 40년 후까지이다. 이 기간 동안, 나선형 매독균은 신체의 주요 기관을 침범하며, 심장, 두뇌, 뼈, 간의 조직을 파괴한다. 치료되지 않은 2기 매독환자 중 25%가 3기 매독으로

발전한다. 이 기간 동안은 질병의 진행을 억제할 수 있지만 완치하기는 어렵다.

매독의 치료는 질병의 단계에 따라 며칠에서부터 몇 주에 걸쳐 페니실린을 사용한다. 경성하감에 대한 치료가 시작되면 12시간 내에 신체적 반응이 나타난다. 치료에 대한 반응은 1개월, 3개월, 1년 후에 재평가를 통해 확인 할 수 있다. 성공적인 치료는 VDRL 혈청검사에서, 매독 1기는 6~12개월 동안 음성 반응이, 매독 2기는 12~18개월 동안 음성 반응이 나타나야 한다. 잠복기 동안에 더 광범위한 추후 사정이 요구된다.

모든 성매개 감염병과 마찬가지로, 감염된 개인의 성적 파트너는 질병의 관찰과 치료를 위해 매독에 감염된 사실을 즉시 알아야 한다. 감염된 개인이 1기 또는 2기인 경우 금욕기간은 치료 완료 후 병변이 완전히 아물때까지 또는 1개월까지 성교를 피해야 한다.

매독치료에 대한 반응은 혈청검사인 비트레포네마검사(VDRL)의 역가 감소로 나타난다. 후기 잠복매독의 경우는 성접촉에 의한 전염력이 거의 없으므로 특별히 금욕기간이 필요하지 않다.

4) 연성하감

연성하감은 헤모필러스듀크레이 세균에 의해 초래되는 세균성 성매개 감염병이다. 연성하감은 성접촉에 의해 전염되며 붉은색을 띄는 구진으로 시작하여 농포가 통증을 일으킨다. 궤양은 보통 부드럽고 바닥은 쉽게 부서지며 출혈한다. 대개 화농성 분비물이 나타나고 서혜부 임파절에 림프절 폐색을 일으켜 림프부종을 일으킬 수 있다. 궤양 발생 부위는 남자는 음경의 표피, 귀두 등에 발생하고 여성은 음순, 질 입구, 항문 주위에 다발성으로 발생한다. 연성하감은 구강 성교, 성기성교, 항문성교에 의해 전염되고 림프선과 관련된다. 이것은 또한 세균으로 오염된 손가락, 타월, 의복, 도구 등으로도 전염된다.

잠복기는 성행위 후 5~14일이다. 진단은 궤양 부위의 농으로부터 균 도말염색으로 확인하거나 조직검사로 확진한다.

연성하감은 항생제인 에리스로마이신, 세프트리악손으로 치료한다.

연성하감은 성접촉 시 콘돔을 올바르게 사용하며 감염시에는 성병이 완치될때까지 성접촉을 피한다.

5) 트리코모나스 질염

트리코모나스 질염은 원충감염이다. 성관계로 전파되나 대부분 감염된 남성은 증상이 없고 잠복기

TIP

트리코모나스 trichomoniasis

- trichomonas vaginalis라는 원충에 의함
- 여성에게 가장 흔한 질염
- 간혹 옷, 타올 등으로도 감염
- 쉽게 치료되며 파트너도 치료할 것

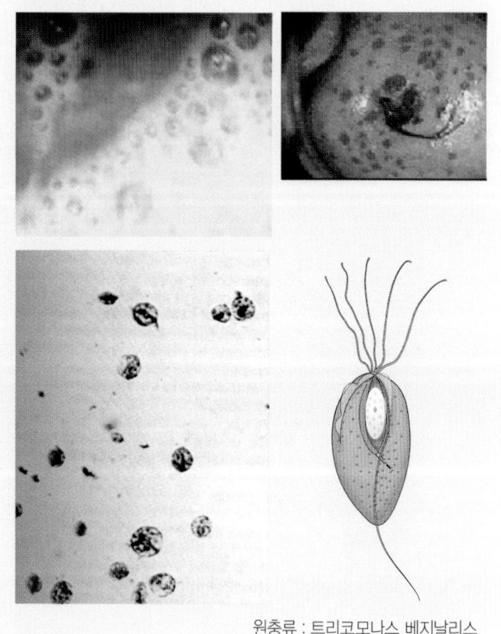

원충류 : 트리코모나스 베지날리스

는 4~28일 정도이다. 원충은 습기 표면에서 여러시간 동안 생존할 수 있다. 그래서 성교뿐만 아니라 감염된 사람이 앉았던 변기, 의복 등에 의해서도 감염될 수 있다.

여성에게만 나타나는 징후는 질에서 거품이 나고, 백색, 황색, 녹색의 악취가 나는 분비물이 발생하며, 외음에 부종이 발생한다. 이 감염은 포경 음경의 포피와 정액을 통해 이루어지며, 성적 파트너 사이에 핑퐁 전염으로 재발이 일어나기 때문에 파트너와 함께 치료를 받아야 한다.

진단을 위한 검사물 채취는 질부위에서 생리 식염수를 적신 면봉을 사용한 습식도말을 통해 트리코모나스 바지날리스라는 원충을 확인한다. 치료는 경구용 metronidazole(flagyl)로 한다. 이 약물의 부작용은 위장계를 악화시킬 수 있다.

콘돔을 사용하지 않는다면, 성교는 두 파트너가 1주일 치료를 마친 후에야 할 수 있다. metronidazole은 만약 환자가 임신 초기나 모유수유를 하고

TIP

칸디다 질염

• 병태생리

–생식기 칸디다증은 곰팡이균 감염증이다.

–칸디다속의 보균률은 비임산부에서 약 15%, 임산부에서 약 30%이다.

* 임신부는 고에스트로겐·프로게스테론상태이며, 이 호르몬들의 작용으로 질상피내의 글리코겐이 증가한다.

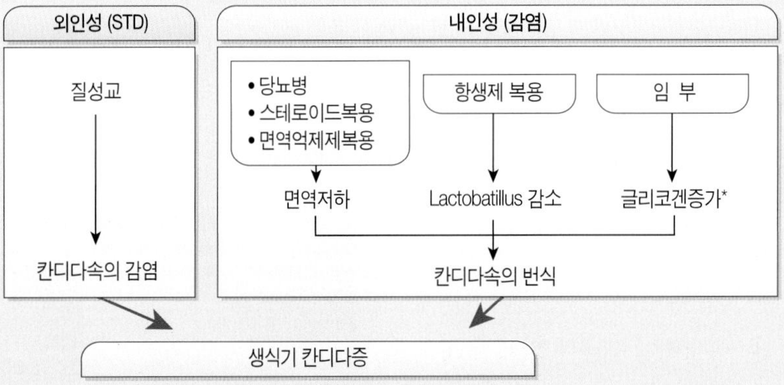

외인성 (STD)
질성교 → 칸디다속의 감염

내인성 (감염)
• 당뇨병
• 스테로이드복용
• 면역억제제복용
→ 면역저하
항생제 복용 → Lactobatillus 감소
임 부 → 글리코겐증가*
→ 칸디다속의 번식

→ 생식기 칸디다증

• 성매개 감염병이다.

• 증상 : 외음부의 경도 발적, 종창이 보이며, 질내에서 백색대하가 확인된다.

죽상, 요구르트같은 백색대하

• 병리소견 : Candida albicans가 보인다.

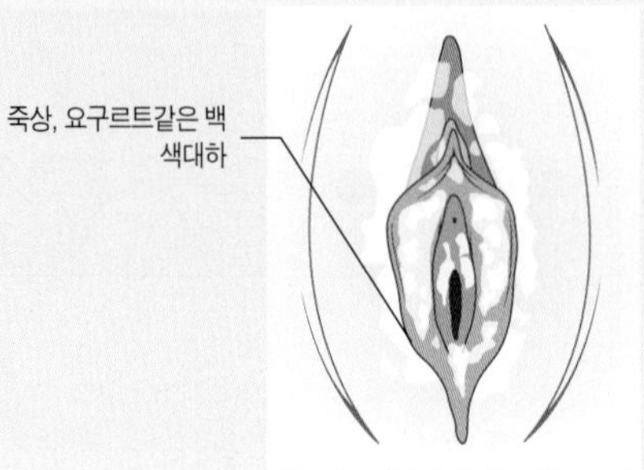

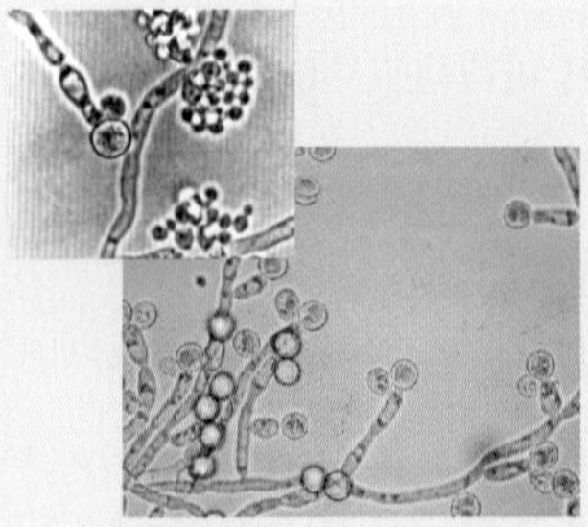

있다면 피해야 한다. 이 약물은 태반의 벽을 통과하여 태아기형 발생가능성이 있으며 모유 속으로 들어갈 수 있다. 알코올 섭취도 피한다.

6) 칸디다 질염

칸디다 질염은 효모균과 같은 곰팡이균인 칸디다 알비칸스에 의한 감염이다. 이것은 백색 치즈와 같은 분비물, 우유와 같은 끈적한 분비물, 질과 외음부의 홍반, 배뇨통, 성교통, 귀두염, 그리고 음경의 피부병을 나타낸다.

칸디다는 입, 장, 질 부위에 자연스럽게 존재한다. 성행위만으로 오는 것은 아니기 때문에 성매개 감염병으로 간주하지 않는다. 만약 여성이 당뇨병이 있거나 임신, 피임약이나 항생제의 복용, 지나친 질세척, 면역력이 저하된 여성은 곰팡이 성장을 촉진할 수 있다. 이 상황은 질의 정상적인 산성도를 방해하며 칸디다의 성장을 증진시키기 때문이다. 효모균은 생식기, 손가락, 구강 접촉에 의해서도 전염될 수 있다.

칸디다는 습윤상태의 표본도말 검사로 진단한다. 치료는 nystatin, miconaxole, clotrimazole 등의 질정이나 질내 크림을 사용한다.

감염의 예방책은 면 소재의 속옷 착용, 자신이나 성 파트너의 생식기를 만지기 전 후에 손을 깨끗이 씻어야 한다. 너무 잦고 지나친 질세척은 피한다. 초산 질세척(식초 2T/물 250mL) 또는 이와 유사한 제품은 의심이 되는 여성의 감염을 예방할 수 있다. 그러나 일단 감염되었다면 치료하지는 못한다. 이 곰팡이는 질분만 시 신생아 구강에 아구창을 유발시킨다.

7) 성기단순포진

성기단순포진은 단순포진바이러스에 의해 초래되는 매우 감염성이 큰 성매개 감염병으로 작은 수포가 여러개 몰려서 성기 주변에 나타나며 자주 재발한다. 이 감염은 여성에게 더 흔하다.

잠복기는 24시간에서 3개월까지 다양하다. 초기 감염 후 1~4주 동안 항체가 형성되지만, 질병의 재발을 막지 못한다. 바이러스는 점막과 피부의 경계부위를 침투하여 수일 후 성기주위부터 찌릿하고 타는 듯한 느낌이 나타나면서 물집이 나타나다. 성교동안 극도의 고통을 초래하는 홍반성 수포가 남성에게는 음경에 여성은 질 입구가 가장 흔하며 작고 바닥이 붉은 투명한 하나 혹은 다수의 수포들이 24시간이 지나면서 터진 후에 통증이 있는 궤양으로 변한다. 그 후에 딱지가 생기고 1~2주후에 자연 치유된다. 일반적인 증상은 서혜부 림프의 확대와 통증, 고열, 근육통, 배뇨 곤란, 질 분비물, 식욕감퇴, 그리고 오심을 나타낸다.

임신 시 감염은 유산, 또는 사산을 초래할 수 있다. 질분만으로 감염된 신생아의 50%는 뇌막염 등으로 사망까지 초래할 수 있다. 제왕절개 분만은

TIP

성기단순포진(HSV-II)

- Herpes simplex virus, HSV type, II 감염
- 3대 흔한 성병 중 하나
- 주로 무증상 상태에서 전파가 일어난다. 직접접촉에 의한 전파
- 초기 감염은 대부분 무증상
- 수포형성 → 통증성 궤양 → 딱지
- 평생을 두고 재발한다.
- 신생아 감염, HIV 감염 위험의 증가

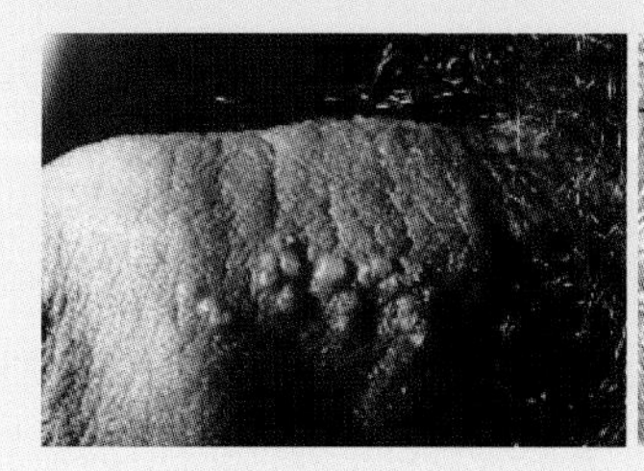
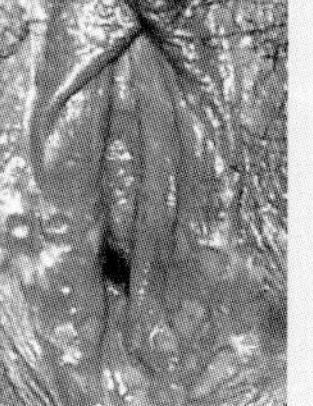

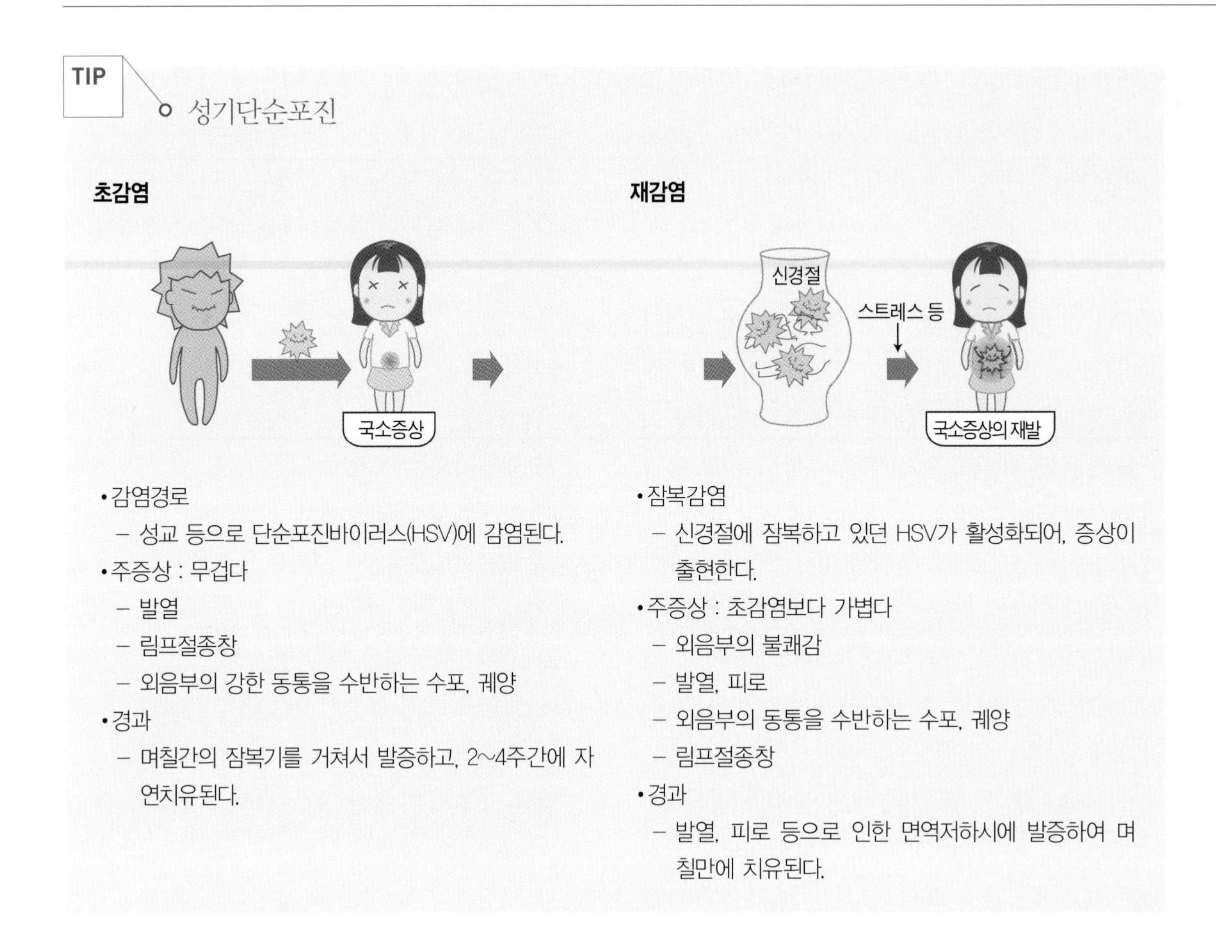

신생아의 감염을 예방할 수 있다.

단순포진바이러스에는 1형과 2형의 2종류가 있다.

- 단순포진바이러스-I형은 주로 입술, 구강에 잘 생기고 주로 유아기나 아동기에 균이 침입한다. 이것은 3~7일 정도 지속되고 자주 재발하지만 전염성은 없다.
- 단순포진바이러스-II형은 성기에 잘 생긴다. 성기에 물집이 있을 때 성관계를 하면 감염된다(그림 11-6).

의학적인 치료가 유용하지 않더라도, 음부에 발생한 포진 바이러스 유형 II에 대한 치료는 증상 완화에 촛점을 맞춘다. 성기포진은 증상이 사라지더라도 바이러스균은 척수 속에 들어가 잠복한다. 긴장과 정서불안, 햇빛에 과다노출, 월경, 감기, 몸살, 피로와 같은 면역저하상태가 있게 되면, 바이러스는 신경을 따라 내려와 재발한다. 재발은 보통 1년에 4~7회 일어나며 증상은 더 심하다.

수포를 자연건조시키고 좌욕, 국소마취, 진통제, 침상안정은 편안함을 증진시킨다. 포진 환부는 3~4주면 치료될 수 있다. 콘돔은 성교시 활동적인 바이러스 전염을 예방하기 위해 사용한다. 포진바이러스에 감염된 여성은 원인균은 아니지만 자궁경부암에 노출될 가능성을 높인다. 이러한 여성은 해마다 경관도말 검사를 받아야 한다.

환부치료는 미지근한 소금물이 좋으며 자연건조시키고, 공기에 노출시키는 것이 좋다. 항생제 연고는 좋지 않으며 딱지가 생기면 바세린을 발라서 피부의 건조를 막는다. 증상이 나타난 첫 24시간은 얼음팩이 도움이 된다. 전구증상이 나타날

그림 11-6
단순포진바이러스 I형과 II형

HSV-I(단순포진바이러스)

주증상 : 구순 등에 수포, 궤양이 생긴다(구순헤르페스).
잠복부위 : 3차 신경절
발증부위 : 3차신경지배영역인 눈, 뇌에도 증상이 출현한다.

HSV-II(성기단순포진바이러스)

주증상 : 외음부에 심한 동통을 수반한 수포, 궤양이 생긴다 (생식기헤르페스).
잠복부위 : 요천신경절

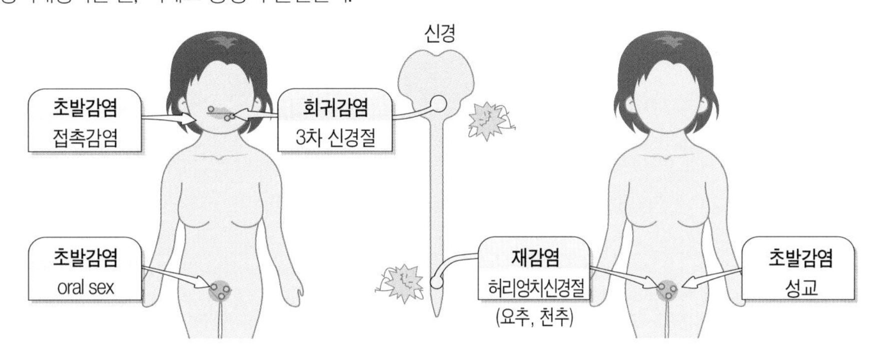

육안소견 : **구순 포진**

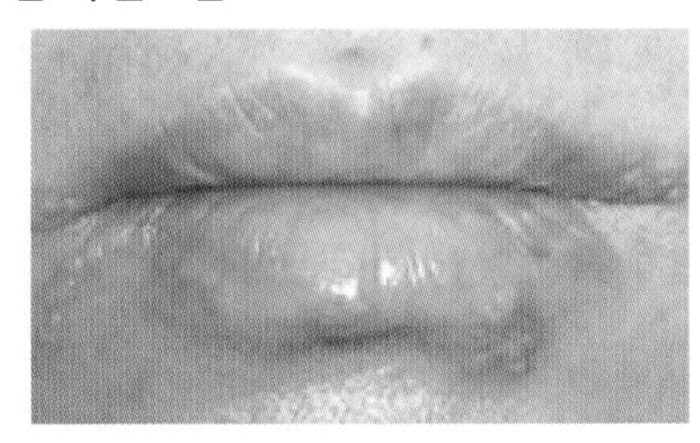

특징

- 접촉감염으로 20대까지 약 70%가 감염되고 있다.
- 최근 구강 성교의 보급으로 생식기에 감염 (초감염) 을 초래하는 경우도 많다.
- 재감염은 3차신경절이 잠복부위이므로, 생식기에는 증상이 나타나는 경우가 적다.

육안소견 : **성기 포진**

- 수포와 궤양이 다수 보인다.
- 이 종양은 좌우대칭 (좌우의 음부가 서로 접하는 위치)으로 생기는 경우가 많아서 kissing ulcer라고 부른다.

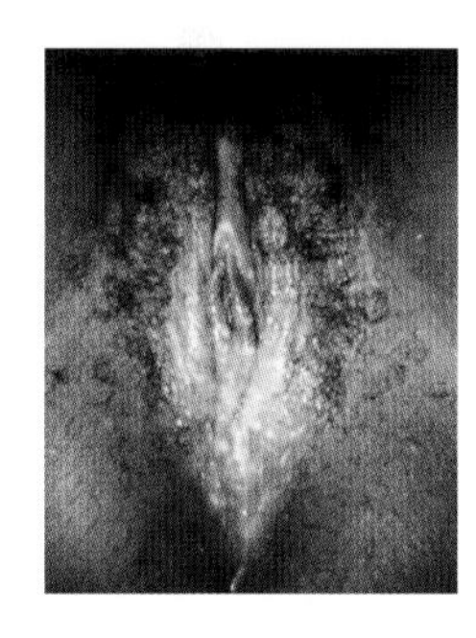

특징

- 초감염에서는 대부분이 성행위에 의해 감염되고, 재감염에서는 요천수신경절에 잠복한 HSV가 활성화되어 증상을 나타낸다.
- 재발하는 생식기헤르페스는 HSV-2의 빈도가 높다.

때부터 병변이 딱지가 되어 완전히 사라질때까지 성접촉을 피한다. 성행위시 콘돔을 사용한다. 물집이나 궤양이 있을 때는 성교는 금한다. 손을 잘 씻어야 한다. 어린이가 전염되지 않도록 한다. 성기포진을 완치시키는 약은 없다. 아씨클로버(acyclovir)를 국소도포하거나 복용 시에는 치료시기를 단축시킬 수 있고 재발의 빈도를 감소시킬수 있으며 전파의 위험을 예방할 수 있다.

8) 첨규콘딜롬(인유두종바이러스)

첨규콘딜롬(condyloma acuminata)은 성병성 사마귀로 인유두종 바이러스가 원인균이다. 인유두종 바이러스는 음부의 첨규콘딜롬(6, 11, 16형)을 잘 일으키고 자궁경부암(16, 18, 31, 45형)의 원인균이다(그림 11-8).

성기와 항문 주변에 닭벼슬과 같은 사마귀를 형성하고 부드럽고 동통이 없다. 종류는 습한 피부나 점막에 발생하는 부드러운 증식형이 있고(귀두, 안쪽 표피), 건조하고 딱딱한 각질화가 된 음경 내부, 치골 상부, 음낭, 항문 주위 등에 발생하는 각질화된 고착형이 있다. 습한 부위의 사마귀는 붉은 빛깔을 띠며 작고 단단하나 건조한 부위는 노란 회색을 띤다. 흔히 포경수술을 하지 않은 남성의 음경귀두에서 자주 발견된다. 대개 육안적으로 식별된다. 이 사마귀는 임신 동안 증식되며, 임신 후에는 자발적으로 사라질 수 있다.

잠복기는 노출 후 2~3개월 정도이다.

대부분 젊은나이(15~19세)에 감염되며 80% 이상에서 18개월 이내에 자연소실된다. 남녀 모든 연령에서 감염이 가능하다. 현재까지 인유두종바이러스를 박멸할 수 있는 효과적인 치료는 없다. 인터페론이 치료에 이용되고 있으나 효과가 크지 않다. 일반적 치료방법으로 20% 포도필린(podophyline)용액을 도포하는데 치유율이 22% 정도이다. 다른 세포독성 약제로써 5-Fluorouracil(5-FU)나 trichloroacetic acid가 있다. 외과적 치료방법으로 냉동요법(cryotherapy), 전기소작(electrocautery), 가위절제(scissor excision)가 있고 최근에는 레이저를 사용하기도 한다.

예방을 위해 백신이 개발되었다. 4가지 유형의 인유두종바이러스로 유발되는 자궁경부암, 질암, 외음부암을 예방할 수 있고 성기사마귀, 첨규콘딜롬을 예방할 수 있다.

첨규콘딜롬이 제거된 후에도 성접촉에 의해 바이러스 전파가능성이 있으므로 금욕 또는 지속적인 콘돔 사용을 해야한다. 치료 후에도 반드시 추적검사를 해야 한다. 추적 관찰은 환자 교육과 상담을 통해서 제공한다. 특히 여성환자들에게는 자궁암선별검사를 받도록 한다.

대상자에게는 클라미디아와 임균의 무증상 감염의 가능성을 고려하여 선별검사를 시행한다. 후천성면역결핍증 검사와 B형 간염예방접종도 고려한다(그림 11-7).

그림 11-7 **첨규콘딜롬(성기사마귀, Human Papilloma Virus, HPV)**

- 인간유두종바이러스(human papillomavirus, HPV)로 감염 항문과 생식기 사마귀 질환. 90% 이상 HPV 6형, 11형이다.
- HPV 감염(16, 18형)은 자궁경부암, 외음부암, 항문암, 음경암과 연관이 있다.
- 증상
  - –음경, 항문 주위에 사마귀가 생긴다
  - –포경수술을 안한 경우 음경포피 공간에 가장 흔하다.
  - –포경한 남성은 음경몸통에 흔하다.
  - –음낭, 사타구니, 회음부, 항문주위에도 발생한다.
  - –요도구에는 남성 20–25%, 여성의 4–8%에서 발생한다.
- 치료 : 냉동치료, Podophyllin 10~25%, Trichloracetic acid (TCA) 80~90% 등이 1차 치료로 권장된다.

음경과 회음의 첨규콘딜롬

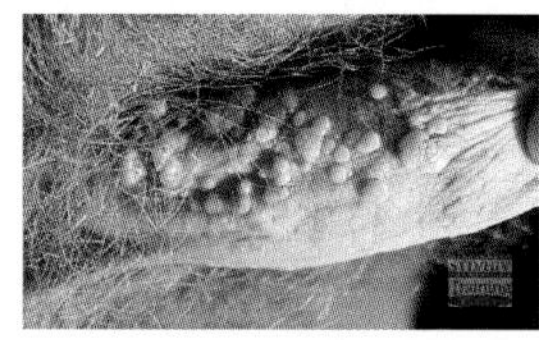

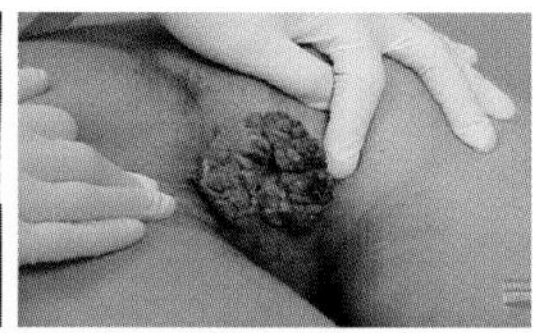

가다실(Gardasil) – 인유두종 바이러스 백신, 자궁경부암 예방백신

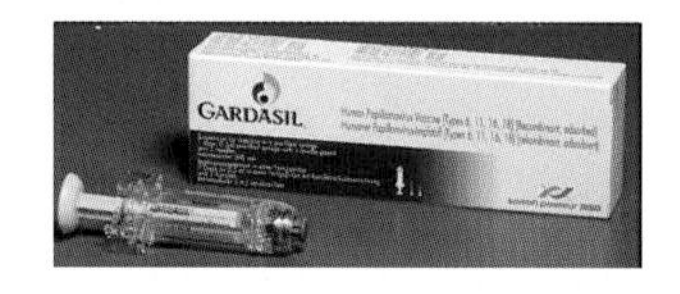

- 0.5 mL, 근육주사 3회, 0, 2, 6월(1차 접종 후 2개월, 2차 접종 후 4개월)
- vaccination 투여시기 : 11–12세

그림 11-8 **인유두종바이러스**

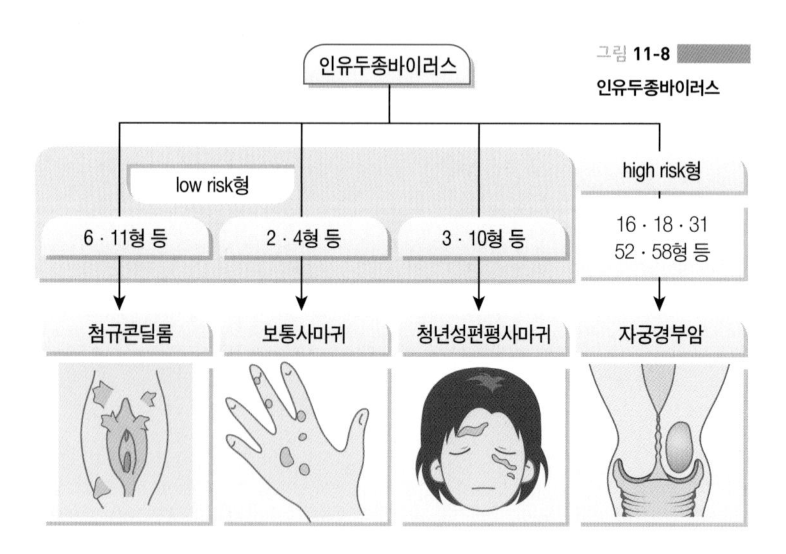

그림 11-9
사면발이
(Pediculosis Pubis)

- 전파 : 성 접촉, 옷, 이불
- 증상
  - 음모 부위의 심한 가려움증과 붉음증
  - 가끔 겨드랑이 털이나 눈썹에서도 발견
- 진단 : 눈으로 성충이나 서캐를 확인
- 치료
  - 살충로션, 옷 이불은 삶거나 드라이클리닝
  - 성파트너에게 알릴 것.
  - 콘돔은 아무 효과 없다.

9) 사면발이

사면발이는 기생원충 성매개 감염이다. 치모에 기생하는 이는 치골부위 피부분비선에 붙어있는 노란-회색 혹은 적갈색(rust)반점, 까만점처럼 보인다. 치모의 이는 24시간 이상은 생존할 수가 없다.

그림 11-10
옴 (Scabies)

- 전파 : 성 접촉, 옷, 피부 접촉
- 잠복기 : 2~6 주
- 증상 : 심한 가려움, 피부반점, 구진, 결절
- 진단 : 피부도말검체의 현미경 관찰
- 치료 : Permethrin 5% 크림이나 Lindane 1% 로션을 목에서 발끝까지 피부전체에 바른 후 8~14시간 후에 씻어낸다.
- 전염예방 : 의복 및 침구류는 50℃ 이상의 뜨거운 물로 세탁하거나 드라이클리닝을 한다.

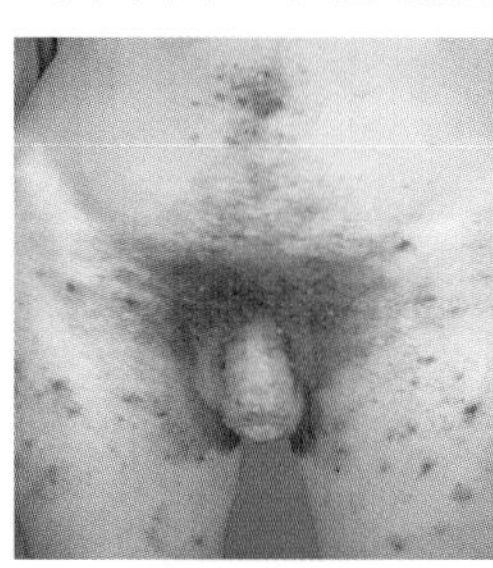
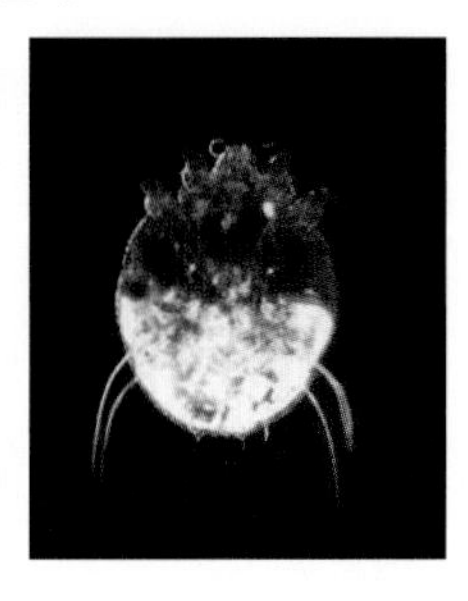

치모의 이는 사람들 사이의 성적 접촉과 비성적 접촉으로 전파된다. 털에 들러 붙어 있는 이 또는 유충으로 관찰된다. 가려움, 긁힘, 홍반, 피부자극과 염증은 모두 이에 물린 반응이다. 광범위한 감염은 발열과 권태감을 유발하고 2차 세균성 피부감염을 일으킬 수 있다.

치료는 4~5분 정도 Kwell비누(gamma benzene hexachloride)의 거품을 바르고 헹굼으로써 이를 죽일 수 있다. 사용되는 다른 화학물질은 A-200 pyrinate와 benzyl benzoate로션이다. 7~10일간 치료를 반복하면 유충을 생성하지 못한다. 또한 Perrnethrin로션을 환부에 바른 후 씻어낸다. 린단도 도움이 된다. 성 파트너는 이가 있는지 검사해야 하며, 모든 침구류와 속옷도 청결해야 한다(그림 11-9).

10) 옴

옴은 진드기에 의해 초래되며 7년 소양증이라 불리울 정도로 가렵다. 청결하지 못한 생활 환경과 연관된다. 이것은 피부 접촉이나 의복, 침구류에 의해 전염된다. 소양증은 따뜻할 때, 즉 목욕한 후나 잠잘 때 증가한다. 치료는 목욕 후 benzyl benzoate 로션을 1주일 동안 계속 바른다. 감염자는 치료를 해야한다. 가려움증은 항히스타민제나 국소 스테로이드제를 사용한다(그림 11-10).

11) B형 간염

이 감염은 위장계에서 발견되는 바이러스에 의해 초래되고 항문, 구강 성교와 관련된 성행위는 이 바이러스의 전염과 연관이 있다. 잠복기는 성교 후 60~180일이다. 질병의 징후는 점진적으로 위장계의 징후로 나타나고 황달로 진행된다. 진단은 혈액검사로 가능하다. 증상을 완화하는 것 외에는 치료법이 없다. 이 질병은 잠복기 동안이나 증상이 있을 때 전염력이 있다.

12) 후천성 면역결핍증후군(HIV, 에이즈)

우리나라의 에이즈의 유병률은 0.1% 미만으로 약 3%를 유지하는 전세계 유병률에 비해서 낮은 편이나 질병관리 본부에 보고되지 않은 감염자도 상당히 존재할 것으로 생각된다. 질병관리본부의 2014년 에이즈 현황자료에서 에이즈에 감염된 사람은 약 8,600명에 이른다고 했으며, 대다수는 남성(92.1%)이라고 하였다. 2013년 한해만 1천 114명의 에이즈 감염사례가 신고됐는데 모두 성접촉으로 감염된 경우이다. 해마다 증가추세이다. 혈액제제와 수혈에 따른 원인은 없었다.

에이즈는 감염인의 혈액, 정액, 질 분비액, 모유에 고농도로 포함되어 있고, 이들 체액이 다른 사람의 체내로 들어갈 때 HIV가 전파된다. HIV가 사람에서 다른 사람으로 전파되는 가장 흔한 경로는 다음의 세 가지이다.

- HIV 감염인과의 성행위
- HIV 감염인과 정맥용 마약 주사바늘을 함께 사용하는 경우
- 수직감염

이 밖에 HIV에 오염되어 있는 혈액제재의 수혈을 통해 감염될 수도 있다. 그러나 우리나라에서는 HIV 감염여부를 확인하기 위한 헌혈 혈액의 스크리닝 검사가 시행되고, 혈액제재에 대한 멸균요법 등이 도입되었기 때문에 혈액제재를 통해 HIV가 감염될 위험성은 극히 낮다. 또한, HIV 감염인을 진료하는 중, 의료인이 HIV 바이러스에 오염된 바늘이나 기타 날카로운 도구에 의해 갑작스럽게 찔리거나 상처를 입었을 때에도 HIV에 감염될 수 있는데, 한 번의 찔림이나 상처로 인해 HIV에 감염될 확률은 0.3% 정도이다.

> **TIP**
>
> **에이즈 진단**
>
> - 혈액에서의 CD4$^+$ 림프구수가 200개 이하로 감소
> - "에이즈 정의 질환"의 발병
>
> "에이즈 정의 질환(AIDS-defining illness)"이란 CD4$^+$ 림프구수 감소로 인한 면역 저하상태에서 발병할 수 있는 기회감염이나 특정 악성종양이다. 2008년 개정된 미국질병관리본부의 지침에 의하면, 캔디다, 크립토콕쿠스, 거대세포바이러스, 헤르페스바이러스, 비정형미코박테리움, 폐포자충 등의 미생물에 의한 감염증과 카포시육종(입이나 피부에 검붉은 종괴가 나타나는 피부암), 자궁경부암, 특정 종류의 비호지킨성림프종 등의 악성종양 등 모두 27개 질환이 이 "에이즈 정의 질환"으로 지정됨.

HIV는 환자의 몸 밖으로 나오면 외부 환경에 매우 취약하기에 장시간 생존할 수 없다. 그러므로 이 바이러스는 악수, 포옹, 가벼운 입맞춤과 같은 일상행위로는 전파되지 않는다. 또한 모기와 같은 곤충에 의해서도 전파되지 않는다.

증상

HIV에 감염된 초기에는 발열, 인후통, 발진, 오심, 구토, 설사, 피로감, 근육통, 두통, 관절통, 림프절 종창과 같은 독감과 비슷한 증상이 나타날 수 있다. 이를 급성 HIV 증후군이라 한다. 감염된 환자의 50~90%가 에이즈에 감염된 후 수주 이내에 이러한 증상을 경험하는데, 환자들은 이런 증상을 감기나 독감에 의한 증상으로 생각하고 그냥 지나치게 된다.

급성 HIV증후군에 의한 증상이 사라진 후 무증상 시기는 대개 8~10년 정도 지속된다. 그러나 이 무증상 시기는 개인마다 차이가 매우 커서, 어

떤 사람은 수개월 만에 에이즈 감염에 의한 증상이 나타나는가 하면, 다른 사람은 무증상 시기가 15년 넘게 지속되기도 한다. 무증상 시기에도 HIV는 활발하게 증식하여 면역세포를 파괴시키고 있다. 림프구수가 정상보다 감소하면서 림프절이 붓거나, 지루성 피부염, 건선과 같은 피부 병변이 나타나기도 하고, 그 밖에 기타 사소한 감염증도 나타날 수 있다. 피부병변이나 입 주변의 궤양이 더 자주 발생한다. 헤르페스 감염과 대상포진이 반복적으로 나타나기도 하고 또 많은 이들이 설사, 발열, 이유를 알 수 없는 체중 감소, 관절통, 근육통, 만성 피로감 등의 증상을 경험한다.

CD4+ 림프구수가 특정 수준 이하로 감소하게 되면 에이즈가 발병한다(그림 11-11).

치료 및 예방

HIV감염증을 치료하기 위해 여러 종류의 항HIV 약제를 동시에 투여하는데 이를 소위 "HAART(Highly Active Antiretroviral Therapy)" 혹은 "칵테일요법"이라 한다. 이는 HIV가 증식하는 과정 중 여러 과정을 한꺼번에 억제함으로써 HIV의 증식을 보다 강력히 억제하고 또 약제에 대한 내성이 잘 발현되지 않도록 하기 위함이다.

지금까지 많은 종류의 백신이 연구 중에 있지만, 현재 사용할 수 있는 백신(예방주사)은 없다. 그렇기 때문에 HIV 감염의 예방을 위해서는 무엇보다 HIV 감염이 일어날 수 있는 위험행위를 하지 않는 것이 가장 중요하다.

- 수직감염의 예방

HIV에 감염된 산모가 출산한 아기는 아무런 예방 조치를 하지 않으면 HIV에 감염될 위험성이 30% 정도나 된다. 그러나 출산하기 전에 엄마가 감염되어 있다는 사실을 발견하고, 아기의 감염을 예방하기 위한 조처(엄마에게 항레트로바이

그림 11-11 에이즈 감염증

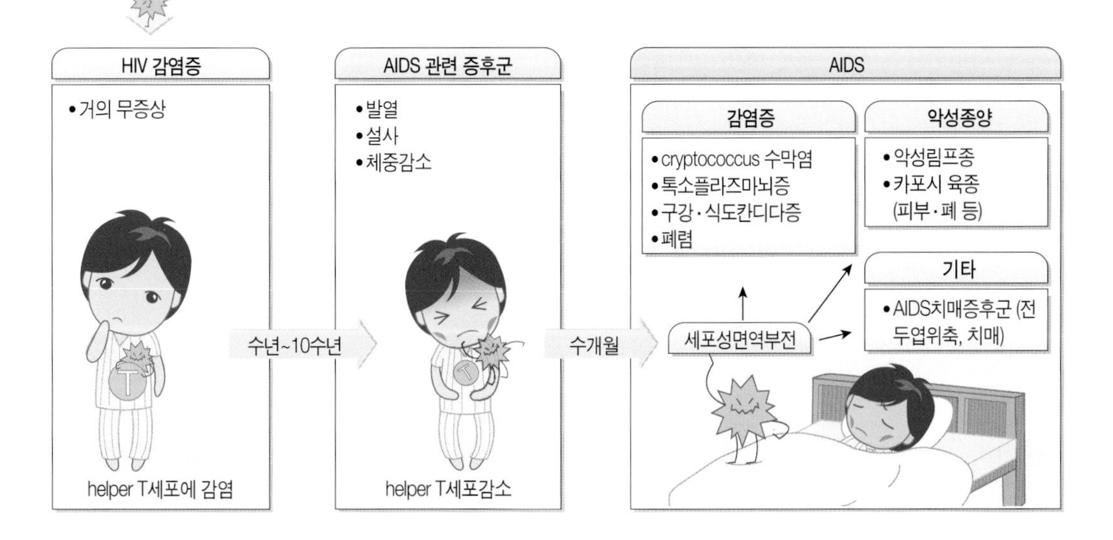

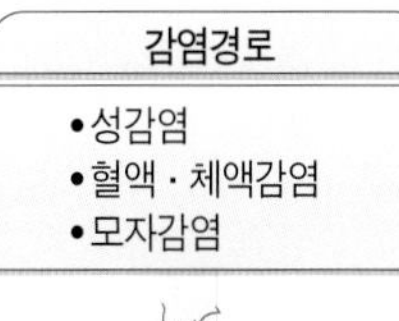

러스 약제 투여 + 신생아에게 1개월간 항레트로바이러스 약제 투여, 양수가 터지기 전에 제왕절개, 아기에게 엄마 젖 먹이지 않음)를 한다면 감염의 위험성을 5% 미만으로 낮출 수 있다. HIV에 노출된 의료인의 감염예방을 위해서는 HIV에 오염된 주사바늘에 찔릴 경우 HIV에 감염될 위험성은 약 0.3%이다. 이런 상황에서 빨리 항레트로바이러스를 투여하면 HIV에 감염될 위험성을 80% 이상 줄일 수 있다.

• 상담 및 관리

서울 몇몇 종합병원에는 감염인들의 건강관리 및 치료, 심리안정을 돕기 위한 상담간호사들이 상주하고 있다.

상담간호사가 배치되어 있는 종합병원은 국립의료원, 신촌세브란스병원, 강남성모병원, 삼성서울의료원, 서울아산병원, 인하대학병원, 고려대학교구로병원, 원주기독병원이다. 이곳을 이용하는 감염인들에게 초기상담 및 치료순응도에 관한 상담 등 적절한 건강 상담서비스를 제공하고 있다.

현재 우리사회에서 감염인들이 처해있는 상황은 사회적 차별이나 편견 등에 있어서 비감염인들은 상상도 못 할 정도로 크다. 직장에서의 따돌림과 의료기관에서의 진료거부, 인간적 모멸감과 불친절, 가족과의 관계 단절 및 버림받음 등은 감염인들에게 순간순간의 소외감과 죽음을 생각하게 만들고 있다.

이같이 과도한 사회적 제약은 에이즈에 대한 오해와 더불어 에이즈가 법정전염병으로 지정관리됨으로써 감염인들이 국가의 관리를 받아야 하는 문제와 관련이 깊다. 또한 정부의 미온적인 인식개선 노력과 미디어의 잘못된 보고, 그리고 사회적 편견차별이 만들어낸 억압과 감염인에 대한 지나친 도덕적 비난이 합쳐져 생겨난 잘못된 현상이라고 본다.

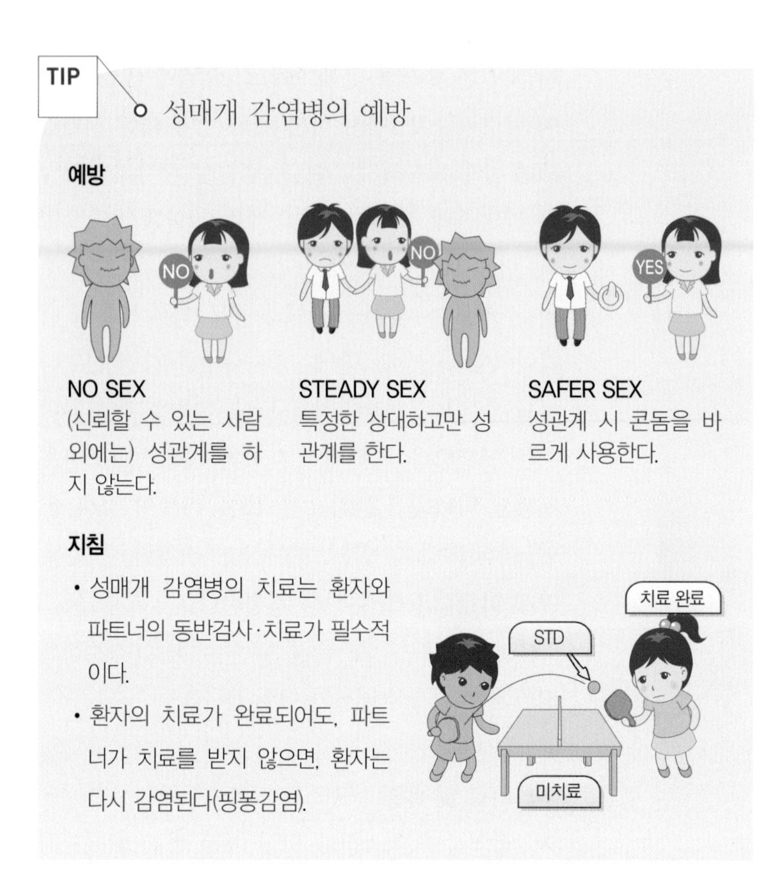

에이즈는 하나의 질병에 불과하다. 어떤 사람이 질병에 걸렸다고 해서 그 사람이 인격적으로 차별받아야 하는 것은 아니다. 오히려 질병에 감염되었기 때문에 적절한 관심과 보살핌을 받아야 할 대상이 된 것이다.

이제는 에이즈 감염인들도 보호를 받아야 할 인권을 지녔고 비감염인들과 마찬가지로 인간으로서의 존엄성과 행복추구권을 비롯하여 법적인 보호를 받을 권리가 보장되어야 한다는 사회적 분위기가 형성되어야 할 것이다. 감염인 역시 후천성 면역결핍증 예방법에 따라 권리와 의무를 가진다(표 11-5).

표 11-5 에이즈 감염인의 권리와 의무

권리	• 인간으로서의 존엄과 가치를 존중받을 권리를 가진다. • 감염사실 등 신상비밀이 관련자 즉 감염인 보호 관리업무종사자, 진단간호에 참여한 자, 기록을 유지관리하는 자 이외에는 알려지지 않도록 보호받게 된다. 감염인의 가족에게 감염사실을 통보하도록 되어 있으나, 그 시기 및 방법은 당사자의 의사를 존중하여 결정된다.
의무	• 에이즈에 관한 올바른 지식을 가지고 재감염, 발병 및 감염전파예방을 위한 주의를 하며, 법에 의해 행해지는 제반조치에 협력해야 한다. • 감염경로와 성 접촉에 관한 조사에 협조하여야 한다. • 혈액 또는 체액을 통하여 타인에게 감염을 전파시킬 수 있는 행위 즉 헌혈이나 콘돔을 사용하지 않는 성행위를 하지 말아야 한다. • 성병에 관한 건강진단을 규정하고 있는 직업에는 종사할 수 없다. 그러나 에이즈는 성병이 아니라 법정 제3군 전염병으로 분류되어 있다. • 거주지 이전 시 즉시 관할 보건소장에게 신고하여야 한다. • 감염인의 성생활은 첫째, 성상대자에게 전파가능성이 있는가? 둘째, 본인의 건강에 위해를 가져오지 않을 것인가가 문제이다. 그래서 콘돔없는 성관계는 피해야 한다.

3. 성건강 전문가의 역할

성건강 전문가인 간호사는 성건강에 대한 교육과 상담을 제공해야 할 위치에 있다. 간호사는 성건강에 대해 올바른 태도를 가져야한다.

대상자와 신뢰관계를 갖기 위해서는 정직하고, 개방적인 접근을 해야한다. 특히 10대 청소년들은 권위적이고 모호하며 판단적인 교육을 수용하지 않는다. 그들은 비언어적인 행동을 싫어하며 이성애나 동성애 행위와 같은 배타적인 용어의 사용도 피해야 한다.

TIP

안전한 성행위하기

안전한 성행위	안전할 가능성이 있는 성행위	위험한 성행위
• 포옹 • 키스(프렌치키스는 안됨) • 마사지 • 쓰다듬기 • 자위행위(성기에 궤양이나 찰과상이 없을 때) • 성비디오, 책 등을 보기 • 신뢰할 수 있는 사람 외에는 성관계를 하지 않기	• 딥키스, 프랜치키스(입안에 상처가 없어야 함) • 라텍스 콘돔을 사용하고 질 성교 하기 • 라텍스 콘돔을 사용하고 펠라치오 하기 • 월경이나 질염이 없는 상태에서, 라텍스 덴탈 댐을 사용한 상태에서 커닝링거스 하기 • 라텍스 콘돔을 사용하면서 항문 성교하기 • 특정 상대하고만 성관계를 하고, 성관계 시 콘돔은 바르게 사용하기	• 라텍스 콘돔없이 질이나 항문 성교하기 • 라텍스 콘돔없이 펠라치노 하기 • 월경이나 질염이 있는 상태에서 덴탈 댐을 사용하지 않고 커닝링거스하기 • 덴탈 댐을 사용하지 않고 구강 – 항문 접촉하기 • 월경혈을 포함하여 혈액에 접촉하기 • 입안에 정액 넣기 • 진동기, 딜도, 기타 성인용 장난감을 세척하지 않고 재사용하기

성매개 감염병에 노출된 대상자는 죄의식과 분노로 괴로워할 수 있으며, 자신이나 파트너, 가족, 그리고 동료집단들이 자신을 부정적으로 판단한다고 생각할 것이다. 간호사가 대상자에 대해 민감성을 갖는다면 대상자와 성적 파트너는 이런 감정에 잘 대처할 수 있을 것이다. 간호상담자는 대상자와 성적파트너가 상호 역할 바꾸기를 제안할 수 있다.

성건강 전문가는 성매개 감염병의 위험도를 평가할 수 있어야 한다(표 11-6). 간호사는 내담자의 전신증상 즉 체중 감소, 발열, 림프절 증대 등 외부생식기, 항문 주위 필요시 항문검사 또는 직장수지검사를 교육하고 지지한다. 특히 남성에세는 음낭, 부고환, 성기포피, 요도 및 요도분비불을 확인한다고 설명한다. 여성에게는 소음순, 질입구, 질경검사(질벽, 자궁경부), 양손 진찰(자궁과 자궁수속기의 혹이나 압통)에 대해서는 설명하고 검사를 지지한다. 간호사는 유방자가진단, 도말검사, 고환 확인검사의 필요성 뿐만 아니라 성관계 문제, 성기능부전, 임신, 피임법에 대한 상담과 정보를 대상자들에게 제공해야 한다. 그러나 대상자의 개인적인 권리는 항상 존중되어야 한다.

간호사는 음성 반응 결과가 나올 때까지 성매개 감염병에 대한 재검사의 필요성을 강조한다.

안전한 성행위는 건강한 생활을 유지하는데 꼭 필요한 요소다. 가장 안전한 성행위가 무엇이고 위험한 성행위가 무엇인지를 교육함으로써 성매개 감염병을 예방해야 한다.

표 11-6 성매개 감염병 확인을 위한 질문

항목	질문
성적관계	• 정기적인 성파트너가 있나요? • 있다면, 관계를 가진지는 얼마나 되었나요? • 성관계에서 우려할만한 일이 있었나요? • 있었다면, 어떤 것이었나요? (폭행, 학대, 강압 등)
성행동의 위험요소 파트너의 수	• 가장 마지막 성관계는 언제였나요? 그것이 정기적인 파트너와의 관계였나요? 아니면, 다른 파트너였나요? • 지난 2개월과 1년 동안 성관계를 가진 파트너의 수는 몇 명인가요?
성적 선호/취향 성행위	• 동성애 또는 양성애의 경험이 있나요? • 구강 또는 항문성교의 경험이 있나요? • 외국여행에서의 성경험이 있나요? 있다면, 언제/어디서? • 인터넷 만남, 즉석 만남, 파티 등에서 익명의 파트너와의 성경험이 있나요? • 콘돔을 사용하나요? (항상, 때때로 아니면 전혀 사용하지 않음)
성매매감염의 과거력	• 성매개감염이나 HIV검사를 받아본 적이 있나요? 있다면, 마지막 검사는 언제? • 과거 성매개감염에 걸린 적이 있나요? 있다면, 무엇/언제? • 만약, 현재 증상이 있다면, 그런 증상을 느낀지는 얼마나 되었나요?
임신/출산 관련 과거력	• 피임을 하나요? 한다면, 어떤 방법? 안한다면, 왜? • 임신/출산과 관련하여 어떤 문제가 있었나요? 있었다면, 언제/무엇? • Pap검사에서 이상이 있었나요? 있었다면, 언제? 결과는? • 임신한 경험이 있나요? 있다면 몇번? 결과는? (출산/유산)

간호·상담 과정

대상자 최OO.
간호사 박OO. 간호사. 비뇨기과 외래진료실

사정

주관적 자료

얼마 전부터 배뇨통이 있고 음경으로부터 흰색의 분비물이 나와요. 6개월 전부터 결혼할 여성과 같이 살고 있어요. 이OO(동거녀)은 내가 다른 여성과 성관계를 가진 것을 몰라요. 나는 1주일 전에 옛날 여자 친구와 관계를 가졌어요. 이OO와 동거하고 나서 다른 여성과 잔 것은 이번이 처음이에요. 지난 주, 옛날 여자 친구와 3번의 성교를 가졌어요. 나는 이OO가 감염되지 않기를 바래요. 우리는 정기적으로 질성교를 해요. 아무도 내가 이런 증상이 있는지 몰라요. 그리고 내가 병원에 와서 도움을 요청하는지도 몰라요. 나는 페니실린에 알레르기는 없어요.

객관적 자료

- 뇨 검사물로부터 임질로 진단됨
- 골반 통증
- 임질의 증상은 알지만 치료에 관해서는 알지 못함
- 임질이나 다른 성매개 감염병에 대한 과거력이 없음

간호진단

- 임균성 성병 치료와 관련된 지식 결여
- 외도와 관련된 동거녀와의 갈등의 잠재성
- 새 파트너 간의 성행위와 관련된 성병재발의 위험성
- 성행위와 관련된 동거녀의 성병감염 위험성
- 성병 고지와 관련된 의사소통 부족

계획

- 성병과 관련된 문제와 자신의 감정을 표현하도록 한다.
- 조기 치료의 가치를 강조한다.
- 치료의 과정(약물관리와 추후관리)을 설명한다.
- 검사결과가 음성 반응이 나올 때까지 성행위를 억제할 필요가 있음을 설명한다.
- 처방된 약물 치료를 시작한다.
- 두 명의 성적 파트너에게 감염의 잠재성에 대한 정보를 논의한다.
- 성 파트너에게 감염사실을 알리기 위한 유용한 대안을 탐색한다.
- 의사결정을 격려한다.
- 성 파트너(동거녀)에게 감정을 표현하도록 격려한다.
- 성관계에 대해 성적 파트너도 상호의사결정을 하도록 격려한다.
- 이용할 수 있는 상담 서비스에 대해 정보를 제시한다.

수행

- 치료에 대해 개인적인 시간을 정한다.
- 치료과정에 전념한다.
- 두 명의 파트너(동거녀와 옛날 여자 친구)에게 임질의 노출 가능성에 대해 알린다.
- 성적 파트너(동거녀)에게 임질감염에 대한 감정을 표현한다.
- 동거녀와의 관계에 대해 논의를 시작한다.
- 성행위를 변화시킨다.

평가

- 동거녀와 지속적인 관계를 유지하면서 감염 사실을 고백했다고 한다.
- 두 파트너(동거녀와 옛날 여자 친구)는 임질에 대해 알았고, 의학적인 치료를 받는다고 한다.
- 더 심한 증세는 나타나지 않는다고 한다.
- 예방책에 대해 논의한다.

memo

No.

NAME
NOM

*SEXUAL HEALTH CARE

성기능 **장애**

Sexual dysfunction

가치 명료화 **훈련**

다음의 질문을 통해 당신은 성기능 장애에 대해 알고 있는 것과 성치료에 대해 믿고 있는 것이 무엇인지를 확인할 수 있다. 질문에 응답해 보자. 당신의 응답을 적어보고 서로 공유해 보자.

- 성건강 전문가 당신에게 의미하는 것은 무엇인가? 성치료를 받는 사람은 환자인가? 성치료는 오랜 시간이 걸리는가?
- 성건강 전문가는 건강 전문가라고 생각하는가? 모든 건강 전문가는 성치료도 할 수 있도록 준비해야 하는가? 성치료 전문가는 일정기간의 임상경험이 있어야 하는가? 성치료 전문가의 성별은 대상자의 치료에 영향을 미치는가?
- 성건강을 위해 교육, 상담 치료를 받아야 하는 이유는?
- 성치료를 받아야 하는 사람은 누구인가? 섹스리스 부부인가, 독신자인가, 동성애자인가, 양성애자인가, 성폭력 피해자인가?
- 성기능 장애의 징후와 증상은 무엇인가?
- 성건강 교육 상담 치료는 개인의 삶에 영향을 미칠 수 있는가? 성건강 문제에 대한 치료의 결과는 성건강 전문가의 책임인가? 성건강 전문가와 대상자 모두에게 책임이 있는가? 혹은 대상자에게만 책임이 있는가?

행동 **목표**

이 장을 마친 후

- 섹스리스 커플의 문제를 설명할 수 있다.
- 성기능 장애를 설명할 수 있다.
- 성기능 장애의 검사 및 치료를 설명할 수 있다.
- 남·녀의 성기능 장애를 분류할 수 있다.
- 성기능장애에 대한 최근 치료와 상담을 설명할 수 있다.
- 남성의 성기능 장애를 설명할 수 있다.

- 여성의 성기능 장애를 설명할 수 있다
- 성건강 전문가의 역할을 설명할 수 있다.

지금까지 성 문제에 대해 터놓고 이야기 할 수 있었던 것은 성병, 난임, 원치 않은 임신 정도였다. 지금도 이와 같은 문제가 없어진 것은 아니지만 최근에는 이것과는 사뭇 성격이 다른 문제인 현재 당신의 성생활과 성행위 자체를 둘러싼 어려움과 성기능 장애가 더 큰 문제로 떠오르고 있는 실정이다.

성에 대한 논의를 터부시 하기보다는 개인의 권리로 보는 사회적 시각의 변화와 여성들이 성을 표현하고 즐기는 문제에 대해 적극적으로 자문을 구하는 등 성 문제에 대해 상대적으로 여성들의 목소리가 높아지고 있다. 따라서 성기능 장애에 대한 치료요구가 높아지고 특히 경구용 발기부전 치료제의 등장은 성치료에 대한 기대를 더욱 촉진시키고 있다.

우리의 성적 욕구와 성적 행동은 계속 변화한다. 왕성하게 성생활을 하던 부부도 때때로 성기능 장애나 문제를 경험하고 서로간에 좌절하고 실망하여 섹스리스 부부가 된다.

섹스리스 부부들은 성기능 장애 원인, 성적인 불만, 성적인 곤란, 성적인 관심부족 등을 갖는다. 부부 관계에서 섹스리스가 부부 관계 문제인지, 부부의 성적 문제인지를 확인해야 한다.

부부 생활에 있어서 성생활의 만족도는 그들의 삶의 질 및 관계의 질에 크게 영향을 미친다. 성생활은 우리가 삶에서 느끼는 흥분과 지루함, 친밀감과 거리감, 감정적 안녕과 괴로움, 건강과 질병상태를 반영하기 때문이다.

1. 섹스리스 부부

Barry McCarthy와 Emily McCarthy는 섹스 빈도가 낮거나 전혀 없는 결혼생활에 도움을 주는 단계적 프로그램에서 1년에 10회 미만의 섹스를 하는 섹스리스 부부에게 성행위 시 예기 불안(anticipatory anxiety)과 부정적 경험이 섹스를 기피하는 결혼생활을 하게 된다고 하였다.

메카시는 5쌍의 기혼 부부 중에서 한 쌍이 섹스를 하지 않는다고 하였다. 부부가 성적인 접촉을 장기간 하지 않으면 그 주기를 깨기가 어렵고 이로 인해 더 많이 상대방을 비난하게 된다. 또한 이 문제에 대해 더 많이 부끄럽게 느낄수록 그 주기를 깨기가 더 어렵다고 하였다. 결혼생활에서 섹스리스 주기는 부부의 계획에 없는 주기이다.

부부가 처음 사랑에 빠지면 서로는 상대방에 대한 강렬한 감정을 느끼고 서로를 사랑하는 마음이 자연스러운 피부 접촉으로 연결되어 성관계로 이어진다. 성행위는 결혼생활에서 서로를 결합시키는 강력한 결속 행동이다. 부부는 서로의 신체와 마음에 배려와 헌신하고 싶은 마음이 생기고 이를 성적 행동으로 표현한다. 부부간의 성행동과 성적 관계는 애착관계와 친밀감을 더 강하게 만든다.

1년에 10회 미만의 성관계를 갖는 부부를 섹스리스 부부로 정의한다. 이 기준을 결혼한 부부에게 적용하면 20%가 이에 해당되며 조사에 의하면 결혼한 남성 14.1%, 결혼한 여성 14.9%가 지난 1년 동안에 성관계를 거의 하지 않거나 전혀 하지 않았다고 한다.

섹스리스부부의 가장 큰 이유는 한쪽의 파트너가 상처를 입었거나 상대방에게 여러번 거절당한 경험 때문에 서로가 성관계를 철회하는 경우가 많다. 또한 한 파트너가 일 때문에 너무 바쁘거나, 성에 대해 소홀한 태도를 보이거나, 자녀양육으로 여성의 심신이 지치거나 피로함, 부부 의사소통의 장애, 결혼생활에서 신뢰감 부족, 재정적문제, 이해 부족 등이다.

특히 외도로 인한 섹스리스는 외도 2년 이내에 나타나며 외도로 인해서 자신의 아내(남편)에 대한 성적인 매력이 상실되고, 외도로 인해 파트너에 대한 죄책감으로 발기부전을 일으키기도 한다. 외도가 적발된 경우에는 피해를 입은 배우자가 성관계를 거부한다.

피해 배우자에 대한 권태감, 상대방에 대한 습관화로 성적인 신선감 상실, 한 배우자의 신체적인 매력 감소(결혼 후 1~2년에 발생함), 반복적이고 동일한 방식의 성관계는 성관계에 대한 흥미를 상실한다.

미국 부부에서 가장 많이 나타나는 성기능의 문제, 섹스리스 문제는 성욕 억제이다. 결혼한 부부의 절반 이상은 성욕 저하나 일정 시점에서 욕구의 차이를 경험한다. 성욕 억제나 차이에 따른 섹스리스는 결혼생활에서 좀 더 많은 스트레스를 유발한다.

섹스리스는 처음에는 서로가 피곤해서, 또는 다른 문제로 성관계를 회피하는 것으로 출발하지만

TIP

sexless 정의의 어려움

- 성적 만족감에 대한 견해가 주관적이다.
- 나는 성관계가 없어도 행복한 데, 왜 문제가 되는 가?
- 성적인 관심과 생각의 결여인가? 심신피로 때문인가? 환경의 문제인가?
- 나의 문제인가? 상대방의 문제인가?
- 성적인 문제인가? 부부의 애정문제인가? 둘 다의 문제인가?
- 남·녀의 성적 다름과 고유 성에 대한 무지

SEXLESS 원인: 상대방 문제입니까, 아니면 당신의 문제입니까?

"너무 피곤해서 섹스는 생각도 못합니다. 결혼한지 10년째인데 솔직히 말하면 짜릿함이 사라진지 오래됐어요."

"남편에게 문제가 있는것 같아요."

"마누라가 불감증이에요. 내 아내가 고쳐야 해요."

"우리는 보기만 해도 싸우는데 어떻게 성행위를 제대로 하겠어요."

"그이는 1주일에 3번이나 원해요. 난 1개월에 3번도 힘든데……."

"바빠 죽겠는데 섹스할 시간이 어디 있어요?"

"성행위 시 원하는 것을 솔직히 말할 수 없어요. 쑥스럽기도 하고 이상하게 생각할 것 같아서."

"우린 완벽한 편이에요. 섹스지침서 같은 것은 필요 없어요."

"섹스를 즐기고 싶은데 몸이 예전 같지 않아요."

"솔직히 말하면 내몸의 밑에 부분이 어떻게 되어 있는지 잘 모릅니다."

"둘째 아이를 낳고는 섹시한 느낌과 거리가 멀어졌어요."

"어떻게 해야 상대방을 즐겁게 해 주죠? 터놓고 물어 볼 수도 없고."

"남편이 허약해요. 그래서 눈치만 봐요."

"심장 질환을 앓고 있는데 어떻게 섹스에 대해 말할 수 있겠어요."

내 자신이 원인인 Sexless 척도(scale) (1, 2 중 하나를 포함한 4개 항목이 원인인 경우 내가 원인임)

1. 나는 파트너와 동거하면서 최근 2개월간 sex를 하지 않았다.
2. 나는 1년을 기준으로 파트너와 10회 미만의 성관계를 했다.
3. 나는 파트너와 성관계를 안 해도 괜찮다.
4. 나는 파트너와 성관계 하기가 싫고 번거롭다.
5. 나는 상대방에 대한 성욕이 이전에 비해 현저히 감소 되었다.
6. 나는 파트너와 성관계 하는 것 자체가 시간낭비라고 생각한다.
7. 나는 파트너와의 성관계 필요성을 느끼지 못한다.
8. 나는 파트너와 성관계보다 자위행위로 해결하는 편이 낫다.
9. 나는 파트너와의 성관계를 회피하고 싶고 무섭고 두렵게 느껴진다.
10. 나는 심신이 피로하고 지쳐서 파트너에 대한 성적인 욕구가 사라졌다.

상대방이 원인인 Sexless 척도(scale) (1, 2 중 하나를 포함한 4개 항목이 원인인 경우 상대방이 원인임)

1. 나는 파트너와 동거하면서도 최근 2개월간 sex를 하지 않았다.
2. 나는 1년을 기준으로 파트너와 10회 미만의 성관계를 했다.
3. 내 파트너는 나에 대한 신체적인 매력이 저하된것 같아 자존심이 상한다.
4. 나는 파트너와의 성관계 불만으로 이혼할까 심각한 고려중이다.
5. 나는 파트너와 성적 불만 때문에 결혼을 왜 했나 후회한 적이 있다.
6. 나는 파트너가 아닌 다른 대상과 성관계를 하고싶은 생각이 든다.
7. 파트너는 의도적으로 성관계를 피하고 나를 무시하는것 같다.
8. 성관계를 시도할 때 파트너에게 거절 당한 경험때문에 더 이상 성적인 접촉을 시도하지 않는다.
9. 파트너가 나에게 성적인 관심이 없는 것을 보니 외도나 성매매를 하지않나 의심이 간다.
10. 파트너에 대한 성적인 불만족으로 애정이 식었고 감정이 사라졌다.

즐거운 성생활 조건

늘 성생활을 즐기려고 노력한다. 특히 성관계 시에는 남성, 여성 모두 심리·신체적으로 이완 되어야 하므로 내적 갈등은 사전에 해결하는 등 자신과 상대의 성적 감각에 몰입하도록 한다.

여성이 기대하는 성	남성이 기대하는 성
• 너무 서두르지 말고 무드와 과정에 신경 쓰고 애무에 최선을 다할 것. • 애무의 순서, 손가락의 각도 등 새로운 것을 다양하게 시도할 할 것. • 여성이 긴장을 풀고 몸을 이완시킬 수 있도록 신뢰감을 주는 편안한 분위기를 만들 것. • 자신이 흥분됐다고 만족하지 말고 여성이 극도로 흥분될 때까지 참을성 있게 기다릴 것. • 목욕, 양치질 등 신체상의 청결을 유지할 것. • 평소에 사랑한다고 말하는 등 친밀한 표현을 자주 할 것. • 성행위 시 선정적이고 칭찬하는 사랑의 밀어를 속삭여 여성이 성적 환상에 도취될 수 있도록 할 것. • 여성의 음핵(클리토리스) 부드럽게, G-spot 강하게 등 성감대를 적절하게 터치할 것. • 오르가슴 후에도 안아주고 사랑한다고 말할 것.	• 적극적으로 성생활에 참여할 것. • 성을 수단으로 파트너 통제하지 말 것. • 분위기 있는 옷을 입거나 완전 나체 등 시각적인 자극을 줄 것. • 남성의 성적인 행동에 비판보다는 격려해 줄 것. • 남성의 성기 크기로 농담하지 말 것. • 가끔은 먼저 성적인 관계를 시도할 것. • 다양한 성체위에 대해 적극적 일 것. • 남성이 성행위에 실패한 경우, 다음에 잘하면 된다고 말해줄 것. • 자신이 원하는 자극과 체위, 횟수 등에 관해서 말해줄 것.

점차적으로 성관계가 식어가면서 최후에는 이혼으로 정리된다. 그래서 섹스리스는 필히 부부 치료가 필요하다.

2. 성기능 장애

1) 정의

성기능은 정상과 장애 사이의 경계가 명확하지 않다. 성적인 욕구와 이를 표현하는 방식이 각기 다르고 다양하기 때문에 차이가 있다고 해서 성기능 장애라고 할 수는 없다. 성기능 장애는 '성기능부전'으로 사용되기도 하며 성기능에 대한 불만족이라고 정의할 수 있다.

세계보건기구(1992)국제질병 분류에 따르면 성기능 장애란 한 개인이 자신이 바라는 성적 관계에 참여할 수 없는 다양한 문제를 말한다고 하였다.

미국 정신의학협회의 『정신장애진단 및 통계 매뉴얼』은 성기능 곤란을 장애로 규정하고 있다. 일반적으로 성기능장애란 성행위와 관련하여 나타나는 성반응주기의 장애 또는 성교 통증을 의미하며 성적 욕구장애, 성적 흥분장애, 절정감 장애, 성적 통증장애로 분류한다.

2) 검사

문진 및 설문지

자세한 문진은 성기능 장애에 대한 문제확인과 해결에 중요한 정보를 제공한다. 과거 및 현재 병력과 자세한 성 관련 병력을 아는 것이 중요하다.

성 반응 주기 중 어느 단계에 문제가 있는지, 성생활의 양상, 현재 성생활의 만족도, 현재의 성생활에 영향을 줄 수 있는(성폭력, 잘못된 성교육 등)이 없는지 등을 세심한 문진을 통해 파악한다(표 12-1). 임상적으로 이를 객관적으로 확인할 수 있는 설문지를 이용할 수 있다. 또한 현재 복용하고 있는 약물 여부, 특히 혈압하강제나 항우울제, 위장관 궤양 치료제 중 성기능 장애를 유발할 수 있는 약제를 복용하고 있는지, 경구용 피임약, 호르몬 보충제 를 복용하는지 유무 등도 확인한다.

성기능 장애에 대한 설문지는 남성의 경우 성기능 장애가 있다고 대답한 환자에 대해 발기 능력 측정 설문지(International Index of Erectile Function: IIEF, 부록)를 이용하여 평가할 수 있다. 발기 능력측정설문지는 성기능과 관련된 5개의 독립적 영역(발기능력, 절정감, 성적 욕구, 성교 만족도, 성생활 만족도)을 평가하는 15개 문항으로 구성되어 있으며 국내에서 유효성을 공인받은 측정 도구이다. 또한 성기능 장애에 대한 치료의 반응을 측정하는 데에도 높은 민감도와 특이도가 증명되었다.

설문지를 사용하면 대상자가 사생활을 침해받는 느낌을 줄여줄 수 있다. 이 검사는 침습적 검사가 아니며 비용, 인력면에서 가장 효율적인 선별검사방법이다. 이 설문지 검사를 통해 남성 성기능 장애를 조기 발견할 수 있고, 악화를 예방할 수 있다. 약물복용이나 흡연 등의 악화 요인이 존재하거나 고혈압, 당뇨병과 같은 만성질환이 있는 경우 이를 조절해야 한다. 이는 성기능 장애로 인한 심리적 위축을 방지할 수 있고 성기능 장애를 심화시키는 악순환을 차단할 수 있기 때문이다.

대상자가 여성인 경우에는 먼저 "최근 성적인 문제를 겪으십니까?" 또는 "그 문제 때문에 도움 받기를 원합니까?"라고 질문을 던진다. 혹은 성기능 문제에 대한 자가기입식 문진지를 사용할 수도 있다.

서상연의 여성 클리닉 설문지(부록 표 12-2)는 외국에서 타당도가 입증된 여성 성기능 설문지에서 문항을 차용하여 배우자와 같이 사는 기혼 여성을 위한 설문지로 개발한 23문항으로 된 검사지이다. 이 설문지 검사를 통해 본인이 곤란으로 자각하기 전에 질 분비물 부족이나 성욕감퇴, 성교통 등을 발견할 수 있다. 성기능을 악화시키는 약물복용이나 만성질환이 있을 경우 이를 찾아내어 대처할 수 있다. 기질적 원인이 있으면 그에 따라서 적절한 치료를 해야겠지만 몇가지 간단한 성 훈련 기법(케겔 운동법, 성감 집중 훈련법, 압박법)으로 경한 성기능 장애에는 좋은 효과를 볼 수 있다.

3) 신체검사

일반적인 신체검사 및 질 내진을 포함하여 자세한 검사를 한다. 환자의 전반적인 건강상태를 확인하고 2차 성징 발달도 확인한다. 남성의 음경 표피의 기형, 왜소음경, 음경만곡증(페이로니병) 고환 크기 등을 본다. 여성은 요도 주위, 방광경부, 질, 자궁경부, 자궁, 음순과 음핵 등 외성기의 이상, 동통 부위를 확인한다.

4) 혈류 측정

음핵과 질 및 음경 동맥의 혈류를 측정하는 것은 성 흥분장애의 진단에 도움이 된다. 흥분반응은 외성기의 혈액 충만으로 나타나기 때문이다. 혈류의 측정은 외성기 혈액 내 산소분압을 측정하여 간접적으로 혈류 측정을 하거나 광혈류 측정기(photophlethysmography)를 이용해 혈액 충만을 알아보기도 한다. 최근에는 레이저 도플러나 복합 도플러 초음파 검사를 이용하여 음경, 질과 음핵의 혈류 변화를 비교적 자세하게 측정할 수 있다.

5) 감각 검사

음경과 음핵, 질에 분포하는 신경의 손상으로 성기의 감각저하가 성기능 장애의 원인이 될 수 있다. 따라서 외성기 감각을 측정하는 다양한 방법이 시도되고 있는데, 현재 임상적으로는 음핵과 질의 진동감각과 냉온감각을 측정하는 도구들이 개발되어 이용되고 있다. 남성의 경우 당뇨, 외인성 골반손상, 골반 내 수술, 다발성 경화증으로 신경성 발기부전이 올 수 있으므로 신경학적 검사를 한다.

6) 호르몬 검사

여성 호르몬은 여성의 생식기능 유지 뿐만 아니라 외성기의 조직 탄성도 및 혈관 공급 유지에 중요하다. 따라서 폐경 여성이나 여성 호르몬이 감소되어 있는 여성의 경우 외성기 위축이나 질 건조증을 호소할 수 있으며, 피부 질환이 동반될 수 있다.

남성에서 남성 호르몬이 감소하면 성적흥미나 성기능이 저하된다. 특히 테스토스테론은 성적 흥미를 증가시키고 성적행동 빈도를 증가시키며 야간발기를 증가시킨다.

테스토스테론은 성욕을 유발하는 필수적 요소이다. 남성 호르몬의 부족은 성욕저하 뿐만 아니라 극치감 지연, 성기 감각 저하, 근육 수축력 저하 등을 유발하고 남성에게는 발기능력 감소, 성교빈도 감소 정액양 저하를 나타낸다. 남·녀 모두 남성 호르몬의 유지가 필요하다. 여성의 경우 호르몬 검사는 생리 주기에 따라 수치가 변화하므로 배란기 전후에 채혈하는 것이 가장 이상적이다.

3. 성기능 장애 요인 및 치료

성기능 장애에 대한 치료는 Masters와 Johnson의 간행물, 'Human Sexual Inadequacy'의 발표를 계기로 발전되기 시작되었다. Masters와 Johnson은 개인의 성기능 장애를 선천적 생리적 반사작용에 역행하는 변형이라고 하였다. 즉 성기능 장애를 주요한 인격적 갈등의 징후로 고려하기 보다는 비효율적인 성적 자극에 대한 변형된 반응이라고 발표하였다. 이 이론은 인간의 성 반응을 두 개의 완

표 12-1 성기능 장애 사정을 위한 문진

1 성기능 장애의 문제가 무엇인지에 대해 '그들의 언어'로 듣는다.
2 성기능 장애가 있었던 기간, 기능적인 것인지(욕구, 분비물(발기), 삽입, 오르가슴), 상황적인 것인지, 가장 중요한 문제가 무엇인지?
3 성기능 장애의 진행과정이 어떤지? 친밀감은 어떤지? 성적 자극을 얼마나 하는지, 하면 그 효과는 어떤지? 어떤 때에 흥분하는지? 얼마나 자주 성행위를 하는지? 임신, 성병, 외도에 대한 걱정이 있는지? 성 지식과 기술이 있다고 보는지? 성과 관련된 의사소통을 상호간에 하는지?
5 상대의 성적 반응은 어떤지? 즉 성교통이 있는지?혹시 다른 파트너와의 관계는?
6 지금의 문제가 어떻게 생겼는지 ?
7 치료를 받은 적이 있는지?
8 왜 지금 치료를 받기를 원하게 되었는지?
9 자위행위를 할 때의 반응과 만족도는 ?
10 감정적, 육체적 성폭력을 경험한 적이 있는지?

전히 분리된 생리적, 심리적 체계간의 관계로 묘사하며 즉 성기능 장애란 하나 혹은 두체계가 성적 자극에 확고하게 반응하지 못할 때 초래된다는 이론이다.

과거에는 성기능 장애가 심각한 정신병리로 간주되어 치료적으로 비관적이고 장기적인 치료과정이 필요하다고 하였는데 Masters와 Johnson은 그들의 성치료 프로그램 보고서에서 이러한 전통적인 입장을 재검토해야 한다고 하였다. 즉, 성기능 장애는 정신적 갈등과는 상관없이 발생하므로 질병 그자체라고 하였다. 이들은 실험실에서 인간의 성행위를 최초로 관찰하면서 인간의 성 반응은 생리적으로 4단계로 나타남을 입증하였고 성치료에 적용하였다. 정신분석이나 부부치료 그리고 여러 행동치료를 할 때 치료과정은 거의 전적으로 치료실에서 행해진다. 주로 치료자와 환자, 배우자가 상호작용하면서 참여한다. 성치료는 체계적으로 구성된 성적 경험과 부부치료 면담을 함께 사용한다.

성기능장애를 치료하기 위해서는 전통적 치료방법인 정신심리치료를 위해 정신분석학적 치료를 하며 병행해서 환자의 신체적·성적증상의 해소나 제거에 목표를 두고 특정한 성행위지침을 치료방법으로 적용한다. 성심리치료실에서 성기능을 제대로 수행할 수 없는 원인을 정신분석학적으로 탐색하고 Master-Johnson의 행동치료이론을 적용한다. 이외에도 최면치료, 이완요법, 체계적 탈감작법, 자기주장 훈련과 같은 행동치료, 집단치료등이 있다.

심리적 성치료의 주요 목표는 대상자의 성기능 장애를 완화시키는 것이다. 성치료의 이런 제한된 목표를 갖는 정신분석 치료는 몇 년이라는 오랜 시간을 요구한다. 대상자의 무의식적인 갈등이 해결되고, 개인의 성기능 장애가 경감되고, 적응이 될 때 치료는 끝난다. 이와는 대조적으로 행동적 성치료는 시간이 제한되어 있다. Masters와 Johnson 프로그램은 2주간 매일 치료한다.

성기능 장애의 원인이 기질적, 신체적 요인이라면 심리적 요인보다 먼저 원인에 따른 성치료를 해야 한다. 심리적, 신체적 원인이 같이 올 수도 있다. 이때는 통합적 치료로 접근해야 한다.

TIP

Tiefer의 성기능 장애요인

1. 사회, 문화, 정치, 경제적 요인

성교육, 성 행복, 성건강에 대한 무지와 이에 따른 공포(언어적 표현을 이해못함, 인간 성에 대한 정보 부족, 남녀의 성역할, 기대, 신념, 행동 등에 대한 정보 부족, 피임 유산, 성병등에 대한 정보 부족 성에 대한 기피(자신의 육체나 성적 반응에 대한 걱정이나 수치심, 성적 정체성, 환상, 욕구에 대한 혼동이나 수치심, 문화, 종교 때문에 오는 갈등이나 억제 , 흥미가 없거나 가사나 일로 인한 피로

2. 배우자와 상호관계 요인

배우자에 대한 배신감, 혐오감, 공포, 무관심, 불평등 등으로 인한 부정적 의사소통, 성적 욕구의 심한 차이, 성행동의 시작, 유지, 방식에 대한 무지나 억제, 경제, 일과, 친척과의 관계 또는 난임, 자녀의 죽음 등의 큰 상처 배우자의 건강 또는 성적 문제 때문에 일어나는 욕구장애

3. 정신심리적 요인

- 성 혐오증, 성적 즐거움에 대한 억제
- 과거의 성폭행
- 자신의 성격 (애착, 거절, 협조 등 문제)
- 동통, 임신, 성병, 파트너의 상실, 파트너의 명성에 대한 걱정 등으로 오는 성적 억제

4. 의학적 요인

- 신경계, 혈관계, 순환계, 내분비계 또는 전신 질환
- 임신, 성병, 기타 성과 관련된 질환
- 약물에 대한 부작용 등
- 성기의 해부학적 구조와 생리적 기능

남녀로 구성된 성치료팀

성치료 프로그램은 보통 한 명의 남성과 한 명의 여성이 짝이 되어 치료팀을 구성한다. Masters와 Johnson(1970)은 남녀 두 명의 성치료팀을 지지했고, 남녀로 구성된 성치료팀의 장점이다.

첫째, 여성과 남성은 서로 상대방의 성 혹은 성기능 장애를 실제적으로 이해할 수 없고, 이런 개념은 대상자뿐만 아니라 치료자에게도 적용된다. 남녀 두 명의 성치료팀은 남성이나 여성의 성 경험에 대한 해설자로서 반대 성의 대상자를 위해 역할을 할 수 있다.

둘째, 성치료는 행동을 변화시키기 위한 교육적인 프로그램에 기반을 둔다. 남녀 두 명의 성치료팀은 교육 과정을 향상시킬수 있다. 대상자가 성 반응의 생리적, 심리적 측면을 학습하도록 유도한다. 두 명의 성치료팀은 잘못 인식할 수 있는 교육 내용을 대상자의 역할에서 설명하고, 명료화한다.

셋째, 남녀 두 명이 함께하는 성치료 상담은 대상자에게 정서적인 지지를 제공한다. 동성의 치료자가 있다는 것은 대상자에게 개인적 편안함을 향상시키며, 개방적인 의사소통을 촉진시킨다. 예를 들면, 남성 대상자는 여성치료 전문가가 그의 성적 관심을 이해하지 못하거나 또는 오해할까봐 두려워 할 수 있다. 남성치료 전문가의 존재는 남성 대상자에게 무언의, 그리고 솔직한 지지를 제공한다. 남녀로 구성된 치료팀은 편안한 감정과 의사소통을 할 수 있는 환경을 제공한다.

남녀 두명의 성치료팀은 성치료 프로그램에서 효과적인 도구가 될 수 있다. 그러나 Kaplan은 두 명의 성치료팀이 장점도 있지만, 이러한 접근이 성기능 장애를 가진 대상자의 치료에 항상 필수적인 것은 아니라고 주장한다.

Kaplan은 한 치료자라 할지라도 섹스에 민감성이 있고, 잘 훈련받았거나, 경험이 풍부하면 특히 생리적 성 반응과 남녀의 심리적 반응에 민감하다면 성치료를 성공적으로 수행할 수 있다고 하였다.

남녀 두 명의 치료자를 한팀으로 구성하는 것은 유용성에 대해서 전문가들 사이에 많은 의견 차이가 있다.

TIP

성 파트너들의 문제는?

- 비현실적인 성에 대한 기대감, 성에 대한 기술 부족 ?
- 성에 대한 태도 ?
- 의학적인 문제 ?
- 개인의 심리적문제, 성 정신적 문제인가 ?
- 복합적 문제인가 ?

공동 성치료

공동 성치료란 성 파트너 두 사람 모두에게 동시에 치료를 제공하는 것을 의미한다. 공동 성치료 프로그램은 Masters와 Johnson에 의해 시작되었다. 공동 성치료는 성기능 장애가 부부 상호간에 관련이 있다는 개념에 기반한다.

건강한 성기능을 발휘하기 위해서는 두 사람 관계에서 문제가 없어야 하고 적절한 신체적, 행동적 상호작용이 있어야 한다. 성기능 장애란 각각의 파트너 모두에게 상호책임이 있는 장애라고 할 수 있다. 대조적으로, 정신분석학자는 성기능 장애를 성 파트너 상호간의 관계의 단절이라고 하였다.

파트너와 적합한 성적 상호작용을 성취하기 위해서는 파트너의 성적 능력에 상호의존해야 하기 때문에 이러한 정신분석적 즉 심리적 접근만으로는 생리적 성기능의 중요 구성 요소를 간과할 수 있다.

감각집중훈련

성치료에 참여하는 대상자들은 성적인 자극을 상호 교환할 때, 서로의 신체적인 감각과 심리적인 감정을 잘 알지 못한다. 또한 성 파트너와 자신이 선호하는 성적자극의 유형이 무엇인지에 대해서도 대화하지 않는다. 대상자가 성적흥분과 성적 의사소통 능력을 성취할 수 있는 새로운 방법을 학습하여 새로운 성적자극기술을 시도할 기회를 가져야 한다.

감각집중훈련은 Masters와 Johnson이 주장한 것으로 성적으로 긴장을 풀고 성감을 즐길 수 있도록 하는 기법이다. 이 기법은 한 쌍의 커플에게 성적으로 자극하도록 하고, 개인간의 의사소통을 향상시키는 새로운 기술을 학습하도록 한다. 이런 훈련은 신체 마사지, 거품 목욕, 애무 등을 포함한다. 서로 접촉하는 것에 쾌감을 주고 받는 것에 집중하도록 한다. 접촉을 강화시키는 수단으로 후각, 시각, 청각, 미각과 같은 다른 감각도 사용한다.

감각집중도를 높이기 위해 과제를 할당하기도 한다. 부부는 자기들만의 방에서 프라이버시를 지키면서 옷을 모두 벗고 한 파트너는 상대방의 쾌감을 자극하고 다른 파트너는 그것을 느낀다. 자극을 하는 쪽에서는 파트너의 성기(질, 음핵, 음경)와 유방은 제외하고 상대방의 몸을 어루만진다. 애무를 받는 사람은 이기적이고 자신의 감각에 집중해야 한다. "민감하고 반응이 강한 부분을 파트너에게 알리도록 한다. 두분이 충분하다고 생각되면 멈추고 이번에는 다른 파트너가 애무를 받는다." 이 훈련을 통해 상호 즐기고 쾌감과 감수성이 높아지고 긴장하지 않게 되면 훈련은 성공적이므로 이번에는 성기의 자극을 포함하여 훈련을 되풀이 한다. 이 훈련의 목적은 성적흥분에 있는 것이 아니라 몸의 감각을 일깨우는데 있다. 초기에 행해지는 성기에의 자극은 부드럽고 애태우듯 천천히 행해져야 한다. 점점 쾌락을 느끼게 하는 성감을 높이는 훈련방법이다. 부부는 성 접촉과 애무 동안 자신과 파트너에 대해 학습하고, 서로의 성적의사소통을 통해 서로의 가치관에 따른 애무법에 대해서 대화를 나누도록 한다.

이 훈련은 다음과 같은 경우에는 효과가 없다. 첫째, 훈련을 제대로 받지 못한 치료자가 확신없이 실시할 경우, 둘째, 부부가 정서나 부부 관계에 문제가 있을 때, 셋째, 훈련 후에도 성감에 몰입하지 못하고 의무적으로 상대방을 만지는 경우에는 효과가 없다.

4. 남성의 성기능 장애

1) 발기부전

성인 남성에서 발기부전은 흔한 질환이다. 성인 남성의 약 52%가 발기부전을 호소한다고 한다. 대상자의 연령증가에 따라 그 심한 정도나 발생빈도가 증가한다. 발기부전은 성적 활동이 모두 끝마칠 때까지 혹은 성교를 위해 충분한 발기의 반응이

TIP

o 발기부전 : 성적 흥분장애

- 발기력이 약하거나 유지가 되지 않아 성행위를 성공적으로 끝내지 못함. 음경 내에는 미세혈관이 많아서 혈관과 혈류의 이상이 오면 발기에 이상이 온다.
- 기질성 원인은 유전적 질환, 감염, 당뇨, 영양장애, 알코올이나 약물남용, 음경 혈관계 장애, 뇌종양, 파킨스병, 다발성 경화증, 비뇨기계장애 척수손상 테스토스테론 및 프로락틴호르몬 부족 등이다.
- 심인성 원인은 사랑과 요구 사이의 갈등, 과도한 초자아, 신뢰감 부족, 부적절감, 원하는 대상이 아니라는 느낌, 기타 공포, 불안, 긴장, 분노, 그리고 도덕적 억제

지속적 또는 반복적으로 나타나지 않는 상태로 현저한 고통이나 관계의 어려움을 경험하는 것을 말한다. 심혈관 질환, 노화, 당뇨, 대사장애, 고혈압, 고지혈증, 심리적 요인, 외상적 요인 등 다양한 인자들이 관여한다.

발기부전은 발기 능력을 완전히 상실한 것은 아니다. 대부분의 이런 남성은 수면시간 동안 일시적인 발기를 경험한다.

발기부전이란 만족스런 성생활을 누리는데 충분한 발기를 얻지 못하거나 유지할 수 없는 상태로 일반적으로 이러한 상태가 3개월 이상 지속되는 경우를 의미한다.

남성의 발기부전은 대개 심리학적 면에 기인한다. 왜냐하면 대개 남성이나 그의 파트너가 그 장애에 불만족해하고 괴로움을 당할 때에 진단되기 때문이다.

발기부전 대상자의 성적 문진

- 증상의 지속 시간
- 간헐적인가? 또는 지속적인가?
- 발기의 어려움인가? 발기 유지의 어려움인가?
- 삽입은 가능한가?
- 야간 또는 조기 발기는 있는가?
- 자위행위시의 발기 정도는?
- 발기부전이 서서히 생긴건가? 갑자기 생긴건가?
- 성기 주변의 외상력이 있는가?
- 신체적 질환 또는 사회적 사건과의 시간적 연관성은?
- 성교시 성기의 뒤틀림 경험이 있는가?
- 발기시 성기가 굽어지나?
- 발기시 통증은?
- 성욕의 정도는?
- 우울하지는 않은가? 환자 자신이 느끼는 우울 정도는?

원인

발기부전의 원인은 과거에는 90% 이상이 심인성(심리적) 발기부전으로 믿었으나 최근에는 80% 이상이 기질성(신체적) 발기부전으로 알려져 있다. 50세 이상에서 그 빈도가 높은데 노화에 종종 동반되는 건강문제로 본다.

Kaplan은 발기부전의 시작과 기질적, 심리적 요인들을 구별하는 것은 불가능하다고 지적했다.

발기부전의 원인을 분명하게 확인할 수 없더라도, 대부분의 성치료 전문가는 의학적 정보와 성 건강력에서 얻은 자료를 통해 치료계획을 세운다. 대상자를 효과적으로 치료하기 위해서는 발기부전의 가능한 원인을 정확하게 확인하여야 한다(표 12-2).

발기부전의 원인은 일차적으로 기질성과 심인성을 감별하는데 있다. 아직 완벽한 진단 방법은 없으므로 모든 검사를 종합하여 원인이 무엇인지를 확인하여야 한다. 검사순서는 비침습적 방법에서 침습적 방법으로 선택한다. 발기부전의 진단은 자세한 병력 청취로부터 시작한다.

발기부전은 그 질환 자체가 지니는 특수성으로 인하여 자세한 임상적 면담이 중요하다.

치료

발기부전 치료의 기본전제는 성교의 순간에 일어나는 불안이 환자의 발기 반응을 손상시킨다는 것이다. 이러한 불안을 감소시키기 위해서는 자신감이 회복되어야 한다. 발기부전의 원인이 심리적 요인일 때 감각집중훈련법은 매우 효과적이다. 감각집중훈련을 초기에 시행할 수 있다. 이것은 남성이 의무감이 없이, 발기에 필요한 성적 쾌락을 충분히 경험해야 한다는 이론에 기초한다(Masters와 Johnson).

감각집중훈련은 남성에게 발기를 통제하도록 하

표 12-2 발기부전의 요인

신체적 요인	
• 심혈관 상태 • 현재 복용중인 약물 • 음주, 흡연, 신부전 당뇨, 신경질환, 정신질환 • 과거 골반수술, 외상, 방사선 치료 병력	
심리적 요인	
정신내적 원인	–해결되지 않은 오이디푸스 갈등 –친밀감에 대한 공포 –여성에 대한 적대감 –성적인 죄책감 –약한 남성성 상 –성적 공격심
상호관계 요인	–경쟁적 갈등 –만성적 불안과 원망 –배우자의 만성질환 –인생의 위기 상황
경험–행동적 요인	–성에 대한 지식 부족 및 잘못된 경험 –수행불안

면서 성적 쾌락을 제공한다. 이런 훈련을 통해 남성의 파트너는 즐거움을 주는 자극적인 기술을 배울 수 있다. 예를 들면, 치료자는 남성의 파트너에게 성적 전희를 모방하는 성적 유희에 참여시키거나 성기의 접촉은 금지시킨다. 이런 훈련을 통해 남성의 관심을 음경과 음경의 반응으로부터 다른 신체 부위로 관심이 전환 되도록 한다.

남성의 파트너는 서로 접촉하고, 애무하고, 마사지하면서 쾌락을 제공하는 성행위에 참여한다. 남성은 발기하는데 집중하지 않도록 하며 단지 이완하고, 즐기도록 한다. 파트너가 제공하는 성적·신체적 감각을 지각하도록 한다.

대상자는 자신의 성행위에 자신의 음경 반응을 보고 평가하는 관찰자로서 방관자적 태도를 갖는다. 대상자가 방관자적 태도를 가질 수 있을 때 치료적 지시사항이 주어진다. 대상자가 방관자적 태도를 취하면서 발기부전 남성은 발기를 기다리고, 발기되는 것을 살피고, 계속적으로 발기의 지속성과 강도를 평가한다. 감각집중훈련 동안 발기는 자주 자발적으로 일어난다. 즉 자신의 주의를 발기로부터 다른 것으로 옮김에 의해 보다 느긋한 마음으로 자연스럽게 흥분 조직체를 다시 활동시킴으로써 발기부전을 치료하는 훈련이다.

TIP

수행불안감소 훈련

- 성적인 목적이 아닌 신체적 접촉을 통해서 서로가 편해지기.
- 상대방의 신체를 즐기기.
- 가벼운 스킨쉽을 통해서 정서적 표현 잘하기.
- 성을 자연스럽게 즐기고, 몰입하기 훈련.
- 의도적인 오르가슴 연기.

이런 경험을 통해, 남성은 문제가 해결될 수 있다는 자신감을 얻을 수 있다. 만일 자극을 했는데도 발기가 되지 않을 경우, 대상자인 남성에게 치료 시간 동안에는 발기가 되지 않도록 치료자에 의해 조작된 것이라고 격려하며 또는 발기가 되지 않은 것은 처방된 과제를 성공적으로 수행한 것을 의미한다고 위로한다. 치료자는 대상자의 수행불안을 제거하기 위해 성공의 확신을 서서히 교육한다.

감각집중훈련은 파트너가 성취감을 갖도록 필요한 환경과 도구를 제공하는 것이다. 한 번의 발기로 발기부전이 치료되는 것은 아니다. 감각집중훈련으로부터 성취한 발기에 대한 자신감을 커플과의 성적 레파토리에 통합하도록 해야한다.

성치료의 궁극적인 목표는 자신감을 통해 발기 수행을 성취하는 것이다.

발기가 처음으로 되면 성적 파트너는 발기반응을 성교로 연결하도록 한다. 발기반응 훈련을 통해 자신감을 갖게 되면 대상자는 첫째, 발기할 수 있고, 둘째, 지속할 수 있으며, 셋째, 소실되어도 다시

표 12-3 발기부전 치료

심리적 요인 : 상담적 중재

- 발기부전 남성은 자신의 상태에 대해 소극적이며 당황하고 어디론가 숨어버리고 싶어하면서 아직도 남성들은 자신의 발기부전이 자연스럽게 사라 질것으로 믿고 있다. 발기부전의 대부분이 신체기관 문제이다. 의료팀에게 털어놓기 가장 어려운 내용이 발기부전이며, 치료약도 일관성 있는 효과를 보이지 않는다.
- 피곤할때 성관계하지 않는다.
- 약한 술 한두잔 먹는다.
- 정신적으로 긴장 시에는 성행위를 금한다.
- 파트너와 친숙해진 후 성관계를 한다.
- 충분한 전희를 한다.
- 여러 체위를 시도해본다.
- 성기감각보다 신체감각에 집중 한다.
- 섹스가 의무가 아닌 오락으로 생각한다.
- 나이가 들어갈 수록 자극적인 것을 선호한다.
- 20회 정도 심호흡을 하면서 발기를 원치 않는다는 생각을 하고 발기상태를 죽이도록 노력한다.

신체적 요인 : 약물요법

경구용 PDE-5 억제제(Phosphodiesterase) : 발기부전 치료제

경구용 발기부전치료제는 음경 해면체에 혈액을 공급하는 동맥을 이완시키고 정맥은 수축 시켜 음경 내에 혈액을 보유시키는 작용을 한다. 혈관의 수축과 이완을 조절하는 물질이 C-GMP 효소인데 이 효소를 분해하는 효소가 PDE5이다. 발기부전 치료제들은 이 작용을 억제하는 물질을 가지고 있다.

5가지 종류	비아그라	씨알리스	레비트라	자이데나	엠빅스
	50~100 mg	10~20 mg	10~20 mg	100~200 mg	50~100 mg
발현시간	30분~1시간	16분	10분	30분	30분
지속시간	4시간	36시간	12시간	12시간	12시간
마케팅 전략	강자의 만족	장시간 효과	빠른 발현	국산	국산, 부작용
발매년도	1999년	2003년	2003년	2005년	2007년

발기할 수 있다는 자신감을 갖게 된다. 발기에 대해 자신감을 획득하는 것은 남성의 발기실패에 대한 두려움을 완화할 수 있다. Masters와 Johnson은 수행불안을 감소시키고 발기에 자신감을 강화하기 위해 티징(teasing)의 사용을 제안하였다. 파트너는 발기가 될 때까지 성적 유희에 참여한다. 일단 발기가 되면, 성적인 자극을 중지하고, 남성은 발기가 사라질 때까지 주의를 다른 것으로 전환시킨다. 발기를 유도한 성적인 자극을 제거하고, 발기가 소멸하도록 성적 유희를 재형성하는 주기를 반복한다. 이런 주기동안 반복적으로 과업이 성취되면 남성은 자신감이 향상되고, 수행불안은 감소된다.

치료가 진전됨에 따라 수행에 대한 두려움이 감소되고, 자발적인 발기 능력이 감각훈련과 티징(teasing)기술로 증진되면 질성교를 허용한다.

초기에는 여성상위 체위를 취하고, 음경의 삽입을 시도한다. Masters와 Johnson은 성행위 시 초기 삽입의 시도는 주로 여성이 리드한다고 하였다.

남성은 감각자극으로부터 흥분을 피하기 위해 성행위 시 수동적인 자세를 취하는 반면에 여성은 남성의 불안을 최소화하기 위해 능동적인 행위를 취한다. Masters와 Johnson은 만약 성행위 시 질 삽입이 초기에 성공한다면 남성은 실패에 대한 감각을 갖지 않을 것이다. 반복적인 시도는 여성에 의해서 시도되어야만 한다. 골반 운동을 하기 전에 성공적인 질 삽입이 이루어져야 한다.

여성의 상위체위에서, 골반 운동은 남성의 발기 여부에 상관없이 여성에 의해 주도된다. 초기에는 오르가슴을 경험하지 않는다. 여성은 질삽입과 골반 운동을 반복해서 하고, 남성도 움직이도록 격려한다. 음경의 삽입이 느리게 시도될 수 있다. 점진적인 삽입은 남성에게 더 이상 위협을 주지 않으므로, 움직임은 오르가슴을 경험할 때가지 활발하게 할 수 있다.

발기부전의 치료는 남성의 수행불안을 완화시키고 치료를 통해 발기에 대한 자신감을 갖게함으로써, 기본적인 성기능 장애를 완화시키도록 한다. 치료 후 1차적 발기부전인 경우 실패율은 66.6%, 2차적 발기부전인 경우 실패율은 26.2%로 나타났다. Kaplan은 건강한 남성은 예후가 좋다고 하였다.

성치료 후 재발이 될 수 있다. Kaplan은 성기능 장애의 재발을 경험한 대상자라 할지라도 다시 시작하면 성공적인 결과를 기대할 수 있다고 하였다.

1980년대 초 이후로 남성의 발기부전 치료제로 수많은 약물학적 치료법이 소개되었다. 이들 중에는 치료가 효과적이다. 발기부전 치료제인 비아그라, 씨알리스, 레비트라, 자이데나, 엠빅스는 성적 자극이 있는 경우 음경으로 가는 혈류량을 증가시켜서 고혈압, 당뇨병, 전립선 질환이 있는 남성들이 발기를 할 수 있도록 도와준다(표 12-3).

발기부전 치료제의 문제는 발기를 해야만 남성, 여성 모두가 성적경험에서 만족스러움을 느낀다는데 있다. 발기부전 치료제는 신체적 문제인 음경의 혈관기능을 촉진시키지만 건강한 남성에서 발기장애를 유발하는 심리적 문제와 관계상의 문제를 해결해 주지 못한다는 것이다.

2) 조루증

조루증은 사정 장애로 음경을 삽입하기 전이나 삽입한 직후에 최소한의 성적자극으로도 사정하는 것이 지속적 및 반복적으로 나타나서 현저한 고통이나 성관계에 어려움을 경험하는 것을 의미한다.

조루는 남성의 가장 흔한 성기능 장애이다. 조기사정을 정의한다는 것은 매우 어렵다. 그 이유는 성적으로 흥분한 남자가 질내에서 견딜 수 있는 시간을 양적으로 정의한다는 데 있기 때문이다.

일반적으로 질내 삽입 후 2분 이내에 사정하면 조루증이라 한다. Kinsey, Pomeroy와 Martin은 남성의 75%가 질 삽입 후 2분 이내에 사정한다고 하였다. Kaplan은 시간을 30초로 한정하여 조루증의 정의를 내렸고 다양한 성치료 클리닉에서는 1분, 1분 30초, 2분 이내에 사정하면 조루증이라고 한다. 또한 남성의 오르가슴 이전에 발생하는 음경 피스톤 운동의 횟수를 조기사정에 대한 기준으로 사용하기도 한다. 즉 오르가슴 이전에 10회의 피스톤 운동을 할 수 있는 능력을 기준으로 하여 이하인 경우 조루증이라고 한다.

Masters와 Johnson은 조루증을 성교 회수의 50% 이상에서 여성이 오르가슴에 도달하기 전에 사정하면 조루증이라고 하였듯이 사정이 빠르니 늦으니 하는 판단에는 문화, 사회, 심리, 연령 등 다양한 요소가 작용하므로 양적으로 정의할 수는 없다.

Kaplan은 "조루증의 가장 중요한 측면은 2~5회의 음경피스톤 운동이나 여성이 오르가슴에 도달하기 전이나 후에 사정이 되든 상관없이 사정 반사의 자율적 통제력이 결여된 상태라고 하였다. 따라서 남성은 격한 흥분상태를 경험하면 자율적 통제력을 잃고 사정이 반사적으로 일어난다.

조루증을 호소하는 대부분의 남성은 구강 성교나 자위행위시에는 이런 문제가 없다고 말한다. 가장 적절한 정의는 자기자신이 정의하는 것이다. 만약 남성이 사정조절에 대해 염려하며, 이것이 성관계를 방해한다고 느낀다면, 또는 파트너가 남성의 사정조절 능력이 문제라고 생각한다면 조루증이다.

세계보건기구는 남성이 수의적 사정 조절 능력이 부족하여 스스로 원하기도 전에 사정하는 것이라고 하였다. 정의가 어떻든 남성의 사정통제 능력은 성행위에 중요한 역할을 한다. 이것은 여성이 남성보다 성적 반응이 늦게 나타나기 때문에 남성은 흥분상태를 오랫동안 유지할 필요가 있다.

조루증은 여성이 오르가슴에 도달하기 전에 끝나기 때문에 여성이 성적 만족감에 도달하기가 어렵다. 남성 또한 자신의 조절 능력에 자신이 없기 때문에 자신이 흥분하면 언제 사정하게 될지에 대해 불안해서 도저히 상대방의 성적 욕구를 고려할 여유가 없다. 이런 경우 여성은 성적으로 불만족을 느끼는 반면에 남성은 여성이 너무 많이 요구한다고 느낄 수 있고, 상당한 죄책감과 불안감을 느낄 수 있다. 그러면서 부부는 서로 성적 접촉을 피할 수 있다.

원인

조루증에 대한 다양한 원인이 밝혀졌다. 그러나 생리적 원인은 명확하지 않다. 많은 성치료 전문가는 조기에 사정하는 남성은 이미 학습된 경험이 있다고 하였다. 즉 어릴적 여성에 대한 부정적 경험이 여성에 대해 불신이나 분노를 갖도록 하여 여성이 성적쾌락을 즐기는 것을 방해하기 때문이다. 다른 보편적 이론은 성적 감각에 대한 남성의 지나친 감수성의 결과라고 하였다.

Kaplan은 남성이 자신의 오르가슴 전조를 지각하지 못하는 것이 사정 조절 수준을 자율적으로 할 수 없는 가장 큰 방해 요소라고 하였다. 이 외에도 자기도 모르게 자위행위를 하는 동안 빨리 사정하도록 훈련되었거나 성교시 긴장상태에 있거나, 관능적이지 않은 상황에서 사랑을 나누거나, 성행위 동안 음경과 파트너의 성기에만 집중한 경우에 유발된다.

치료

가장 성공적인 조루증의 치료법은 1956년에 비뇨

기학자 James Semen에 의해 제안된 '멈춤과 시작(stop-start)'의 수정기법이다. Masters와 Johnson은 압착(squeeze)기술을 사용하였다. Kaplan은 수정된 '멈춤과 시작기법'을 지지하였다. 이런 기술은 남성의 사정 전 감각을 인식하도록 지지함으로써 원하는 대로 사정 반사를 조절하는 방법이다.

Kaplan의 조기사정치료 방법은 두 파트너의 정신적 심리적 평가를 우선시한다. 자세하게 성건강력을 조사하고, 관계도 평가한다. 파트너는 성치료 절차에 대해 이해해야 하며, 조루증의 치료는 처방된 과제를 충실히 수행할 때 예후가 좋다고 설명을 한다.

조루증의 치료는 먼저 파트너와 좋은 관계를 수립할 수 있도록 지지해야 하며 성공적 치료 또한 부부에게 있음을 지지할 필요가 있다. 파트너는 전체 6~12시간, 일주일에 1~2회 공동으로 같이 치료를 받는다.

파트너는 프라이버시가 유지되는 상황에서 발기를 유발할 수 있는 전희에 참여한다. 여성이 구강이나 손으로 음경을 애무하는 동안, 남성은 자신이 받고 있는 쾌락적이고 성적인 감각에만 집중하도록 한다.

남성은 사정 전의 느낌인 촉구감을 파트너와 함께 대화한다. 이때는 음경 애무를 중지한다. 사정감각이 중지되면, 여성은 음경에 대한 성적인 자극을 다시 한다. 여성은 남성이 다시 한 번 사정감각의 촉구감을 지각하도록 자극한다. 이런 절차는 남성이 사정하기(4번째 경험) 전까지 3번 반복하도록 한다. Kaplan은 초기의 3번까지는 사정의 절박감을 조절하도록 한다. 이런 시도는 남성이 사정하기 이전의 성적 감각에 대해 조절할 수 있는 사정 통제력을 익히기 위함이다.

남성에게 오르가슴 이전의 성적 감각에만 집중하도록 하고, 남성이 사정촉구감을 지각하거나 경험할 수 없다면, KY 젤리 같은 윤활제를 이용해 본다. 윤활제의 사용은 질 삽입동안 음경 감각을 실제적으로 더 자극할 수 있다.

Kaplan은 시작 방법과 3번의 멈춤 그리고 한 번의 사정으로 구성된 치료방법을 3~6회 시도했더니 치료 후에, 남성은 사정 조절에서 주목할만한 진전이 있다고 했다. 초기에는 여성상위체위를 한다. 사정이 남성상위체위보다 더 느리게 나타나기 때문이다. 멈춤과 시작 방법은 여성상위체위나 측방성교체위에서 질 삽입 동안 다시 사용할 수 있다. Kaplan은 사정 조절은 공식적인 전문 성치료가 끝난 후 3~4주 내에 이런 성교 자세에서 일반적으로 획득되며, 조절력은 남성상위체위에서 성취되었다고 하였다.

Kaplan은 치료의 단순성을 인정하면서도, 다른 한 쪽 파트너의 치료에 대한 반대가 전형적으로 나타났다고 지적했다. 또한 파트너의 주저함은 불안이 원인이었으며 그러나 치료에 함께 참여하고 협력해야만 성공적으로 치료될 수 있다고 하였다.

치료시 완치율은 Masters와 Johnson에 의하면 186명의 대상자에서 98%가 Seman은 8명의 대상자에서 100%의 완치율을 보고했다. Kaplan은 조루증이 있는 남성에게 절박한 사정 감각이 있을 때 이 감각을 객관화시키는 지각을 강조하였다. 치료는 성공했으며, 대부분의 대상자는 조루증이 완화되었다고 한다(표 12-4).

3) 지루증

지루증은 지연된 사정 장애로 발기부전, 사정불능, 그리고 지루증으로 분류한다. Kaplan(1974)은 지루증을 남성이 사정감각을 지각하고 반응하며 발기할 수 있지만, 사정할 수 없는 상태로 사정 반사 기제의 특수한 손상이라고 정의한다. 기능장애의 심각성의 정도는 사정이 잘 일어나지 않는 경

표 12-4 조루증 치료

상담치료 : 귀두의 민감성 저하시킨다.
• 사정하기 직전까지 흥분상태가 올라가도록 자위행위를 한다. • 사정은 금물이다. • 자위행위를 하고 잠시(20~30초) 후에 다시 자위행위한다. • 사정하기 바로 직전까지 자위행위를 하다가 다시 멈춘다. • 위의 행위를 3회 반복하고 멈추고 4번째 때 사정 • 상기 과정을 1주일에 5~6회씩 2주 동안 반복하고 2주 후 오일을 사용하여 자위행위를 하고 파트너와 성관계를 시도한다.
경구용 약물치료
•귀두의 과민성 저하 물질 •국소형 마취제 도말(칙칙이) •프릴리지 : 세로토닌 분비를 증가시켜 사정을 지연시킨다. 세로토닌은 평온, 행복물질이다.

우에서부터 불능까지 정도가 다양하다.

Masters와 Johnson은 11년 동안 510명의 사정 장애 대상자를 연구한 결과, 단지 17명의 남성만이 지연된 사정으로 고통받았다고 하였다. 성기능 장애의 발생률을 정확하게 확인할 수는 없지만 최근 지연사정을 호소하는 대상자의 수가 증가하는 추세에 있다.

지연사정의 종류는 원발성과 속발성으로 나눈다. 원발성 지연사정은 성 접촉의 시작 이후에 사정이 안되는 기능장애이다. 성기능부전과 함께 사정 억제가 나타나면 속발성 지연사정으로 간주한다.

지연사정 장애의 원인은 기질적 또는 심리적 요인으로 나눌 수 있다. 대부분 심리적인 것에 기인한다.

- 사정함으로 죽지나 않을까 두려워할 때,
- 사정으로 병을 옮기지나 않을까 하는 불안감,
- 여성에 대한 혐오감,
- 성적 파트너에 대한 불만 및 적개심,
- 임신시키고 싶지 않을 때,
- 사정을 하고 싶지 않을 때 등이다.

기질적 원인으로는 척수의 손상과 질환, 교감신경계 손상, 당뇨병, 약물복용(아편 등의 최면제, 알콜 등의 진정제, 항 남성 호르몬제, 교감신경차단제, 항우울제, 신경안정제 등)이다.

그러나 아직까지 지연사정의 명확한 원인을 찾을 수 없다. 사정 장애가 거의 생리적인 원인이 아니라 하여도, 성치료 전문가는 항상 가능성을 지각해야 하며 항상 생리적으로 필요한 절차를 수행해야 한다.

치료

지루증에 대한 성치료는 기질적 원인이나 질병에 있다면 그 원인 요소를 치료해야 하며 정신 심리적 원인이라면 대상자의 불안감과 죄책감을 극복하도록 하고, 성적 흥분을 감소시키는 정신적 요인을 치료해야 한다. 지연사정 장애는 행동적 탈조건화의 방법을 통해 교정할 수 있다.

현재 성치료는 심리치료요법을 받는 남성에게 성적 환상과 자극을 사용하여 둔감화하는 요법을 사용한다. 대상자에게 자신이 선호하는 상황에서 사정할 수 있도록 한다. 점진적으로 사정행위는 발전되어 질 내에서 사정한다. 치료기술은 고정된 순서로 진행하지 않으며 각각 개인의 상황과 필요에 적합하게 수정한다.

TIP

여성의 성기능 장애 요인

성관계에 대한 오해

- 성관계에 대한 무지
- 기대해야 할 바를 알지 못함
- 행동하는 방법(어떻게 해야 하나)을 모름
- 지나친 기대

성관계에 대한 잘못된 감정

- 몰입되는 것에 대한 두려움
- 너무 큰 소리를 내어서 타인이 들을 것에 대한 두려움
- 중단될 것에 대한 두려움
- 정상적으로 성행위를 하지 못하는 것에 대한 두려움
- 교양이 없는, 자제하지 못할 것에 대한 두려움
- 죄책감 : 성관계나 성행위가 잘못된 것이라는 믿음
- 성관계가 더럽고 지저분하다는 혐오감

상호관계의 문제

- 분노나 폭력
- 적개심이나 비통함
- 배우자에 대한 경멸감
- 불안전감
- 신체적으로 상처를 입을 것에 대한 두려움
- 배우자의 떠남에 대한 두려움
- 미래에 대한 두려움

여성의 정서 장애

- 우울
- 무가치감
- 낮은 자존감
- 매력없음
- 신체상에서의 부적당감

성적 감정을 저하시키는 환경

- 지나친 빈곤
- 걱정
- 다른 일에 사로잡힘
- 아기나 아이들
- 따스함이나 편안함의 결여
- 따뜻함이나 편안함의 결여
- 상실과 사별
- 사생활 보장의 결여

신체적 질병

- 선천적, 후천적 성기이상
- 심장·폐, 간 및 심장질병 등의 전신질병
- 갑상샘, 난소, 부신의 장애 및 당뇨병 등의 내분비 및 대사질병

약물

- 항우울제 및 정신질병 치료제
- 자율신경차단제
- 호르몬 및 항호르몬제제

수술 후

- 복강 내 수술
- 골반강 내 수술
- 유방수술

Master, Johnson과 Kaplan은 파트너가 대상자의 사정을 유도하는 방법을 사용하여 치료하도록 하였다. 점진적으로 먼저 사정을 질 밖에서 유도하고 사정 직전에 질 삽입을 하도록 한다. 즉, 사정행위는 질 삽입 동안 질의 마찰로부터 일어나도록 유도한다.

Masters와 Johnson은 프로그램에 참여한 17명 중에 10명이 치료가 성공적이었다고 한다. Kaplan에 의하면 임상 성 연구자들은 지연사정에 대한 치료적인 예후는 지연된 사정의 심각성(원발성 또는 속발성), 관련된 부부 상태, 그리고 심리적인 원인과 직접적인 연관이 있었다고 한다. 사정관 폐

쇄에 의한 사정불능은 수술로 치료가 가능하나 노인성인 경우에는 치료가 어렵다.

5. 여성의 성기능 장애

여성의 성기능 장애는 매우 복잡하며 여전히 충분히 연구되지 않은 분야이다. 1992년 발표된 한 연구에 의하면 약 43%의 여성에서 성기능 장애가 있음을 보고하였고, 2004년 연구에서는 40~80세에 해당하는 성적으로 활동적인 여성 중 약 39%에서 성생활에 문제가 있다고 보고하고 있다. 2008년 발표된 약 3만 여명을 대상으로 진행된 한 연구에 의하면, 전체적으로 성적 문제가 있는 여성은 약 43%였고, 이 중 22%가 성적으로 연관된 개인적인 불편감이 있었다고 하였다.

정상적인 여성의 성 반응을 이해하는 것은 성기능 장애를 진단하고 치료하는 데 매우 중요하다.

여성 성 반응은 상당히 개별적이라서 특정한 하나의 모델로써 설명하기가 어렵지만 남성의 성반응을 기본으로 한 선형모델을 기본으로 한다. 즉, 욕구가 흥분기, 절정기 및 해소기이다. 미국 정신의학회에서 분류한 여성 성기능 장애를 기본으로 한다. 그중 성욕구장애, 성흥분장애, 절정감 장애, 성교통증장애로 분류할 수 있다.

성기능 장애는 성적 반응의 단계에 따라 여러가지 형태로 나타나게 되는데, 이 중 성욕구장애가 여성 성기능 장애 중 가장 흔하며, 성 흥분 장애와 절정감 장애가 다음으로 많고, 복합적으로 나타나는 성통증장애가 있다.

1) 성 욕구 장애

성 욕구는 성욕을 향한 남녀의 육체적 욕구로 뇌의 기능이며 성선의 발육과 성 호르몬 등에 의해 일어난다. 연령, 건강상태, 결혼생활, 성행위 유형 등이 연관되며 친밀감, 사랑과 같은 감정에 의해 유발되고 분노, 근심, 우울 등의 감정에 의해 억제된다. 성 욕구 장애는 가장 많은 성기능 장애유형이다.

성 욕구 장애는 개별적인 임상 문제로 인정되며, 성적 환상과 성적 활동에 대한 욕구가 지속적 또는 반복적으로 결핍되거나 부족해져서 현저한 고통을 당하고 대인관계에서 곤란을 겪는 심리 성적 기능장애이다.

성 욕구 장애는 성적 욕구를 느끼지 못하는 상태로 성욕 감퇴 장애와 성적 혐오 장애로 세분하기도 한다. 대부분 성욕 감퇴로 일반화되어 있으며 다양한 심리적, 신체적 원인이 있다. 성적 혐오 장애는 성욕이 감퇴 또는 없는것 뿐만아니라 성 접촉에 대한 혐오감, 분노, 증오심 등이 결부되어 있다.

(1) 성욕 감퇴장애

성욕 감퇴장애는 심리적 원인에 의해 주로 생기며 부부간의 갈등이 가장 흔한 문제이다. 성 욕구 감퇴 장애는 성적 민감성의 저하와 동시에 성행위의 빈도저하를 나타낸다. 전체 인구별 실제적인 빈도는 알려지지 않았다. Lief는 필라델피아의 한 결혼상담소에서 115명의 대상자 중에 32명(27%)이 성 욕구 장애로 진단을 받았다고 하였다. 여성 대상자의 비율(37%)은 남성의 비율(18.79%)보다 거의 2배를 차지했다.

성 욕구 장애는 중요한 진단적 특징이 있다. 인간의 성 반응 주기는 순서적으로 크게 3단계의 성 반응 주기를 나타낸다. 즉 욕구 단계는 흥분 단계와 절정감 단계보다 먼저 일어난다. 각각의 단계는 독특한 특징이 있으며, 개별적으로 반응이 억제될 수 있다.

성욕구 장애는 파트너가 다른 것에 성적 관심을 가질 때 발생하는 현상과는 다르다. 실제적으로 성욕구 장애로 고통받는 대상자는 성행위에 대한 욕구나 관심이 없다. 욕구장애는 상황적 일 수 있다. 다시 말해서, 어떤 파트너와 어떤 환경은 성욕구가 없는 반면에 다른 특정 파트너와 환경은 성욕구에 영향을 미칠 수 있다.

성욕구 장애를 호소하는 사람은 성적으로 상당히 기능적일 수 있으며, 성적 흥분 또는 절정감의 반응에 어려움을 경험할 수 있다. 파트너는 수용적 적응의 개념(문제가 없는 파트너가 문제가 있는 파트너를 성적으로 자극하며 조정한다)에 기반한 성적 레파토리를 확립함으로써 자주 억제된 성욕에 대처할 수 있다. 이런 경우, 수용적인 적응이 가능하다.

어떤 경우는 다른 성기능 장애가 성욕구 장애와 함께 발생한다. 이런 상황에서는 먼저 성욕구 장애가 나타나고, 다음에 다른 성기능 장애가 나타난다. 임상적으로, 성욕구 장애가 다른 성기능 장애와 공존할 때, 어떤 기능장애가 1차적 원인인지를 결정하기가 어려울 수 있다.

원인

성욕구 장애의 원인에는 기질적인 요인과 심리사회적 요인이 있다.

기질적 원인은 당뇨병, 심장병과 같은 만성질환으로 이들은 성 욕구에 영향을 준다. 우울, 정신적 외상 경험, 스트레스가 많은 일, 공포, 금지, 대인관계의 어려움으로 오는 심리적 고통 등도 영향을 미친다. 이 요인이 가장 흔하다. 계속되는 것이든 상황에 따라 달라지던 성 욕구가 소실되는 것은 관계에 악영향을 미친다.

부부 관계에서 상호분노감정은 성욕을 저하시킨다. 분노가 지속되면 분함과 증오심으로 발전한다. 대부분의 사람들은 분노를 느끼는 사람이나 원망하는 사람에게 성 욕구를 느낄 수 없다. 근친상간이나 강간은 종종 성 욕구 장애를 유발한다. 개인의 실패와 거부에 대한 두려움도 성 욕구 장애를 초래할 수 있다.

갈등이 있는 파트너는 상호간에 성적 매력의 감소를 느낄수 있다. 그리고 한 명이나 둘 모두가 손상된 성욕으로 섹스를 회피하며 다른 일이나 사람에게 핑계를 댄다.

대부분 갈등이 있는 사람은 전형적으로 성욕의 감소를 경험하며 성행위에서 남성이 항상 주도권을 가져야 한다고 생각하는 남성은 자신의 파트너가 성행위를 리드할 때 불편하고, 상황적으로 성욕구 장애가 나타날 수 있다.

TIP

성 욕구 장애의 원인

- 우울증
- 긴장과 피로감
- 불안감
- 출산
- 폐경기
- 원활하지 않은 부부 관계
- 성적 매력의 상실
- 신체 이미지
- 복용하는 약의 부작용

치료적 중재

성 욕구 장애에 대한 치료적 중재는 대상자의 성 건강력을 먼저 수집하는 것으로부터 시작한다. 집중적 심리치료는 성 욕구 장애로 고통받는 대상자를 성공적으로 치료할 수 있다. 치료 이전에 대상자가 변화하려는 요구가 있는지를 평가하는 것이 중요하다. 만약 성 욕구 장애가 있는 파트너가 변화에 대한 요구가 없다면 치료적 과제를 고의로 방해할 수 있고, 치료는 실패할 것이다.

TIP

성욕구 장애 예방

수칙

1. 체력이 정력이다: 수면, 식이 전신운동, 케겔 운동을 매일 하라.
2. 성생활 식생활을 규칙적으로 하라.
3. 긍정적, 적극적 태도를 가지라.
4. 성학적인 지식을 쌓고 상대방과 공유하고 성적대화를 하라.
5. 성기사랑과 성건강을 실천 하라.
6. 임신과 성병, 성폭력에 노출되지 않도록 책임있게 행동
7. 스트레스와 과로를 그때 그때 건강한 방법으로 해소 하라.
8. 음주와 흡연을 피하라.
9. 상대방의 성감대 지도를 만들어 이용하라.
10. 자신만의 성 테크닉을 지속적으로 연구 개발하라.

케겔 운동(골반근육강화)

산부인과 의사 아놀드 케겔 박사가 개발한 운동으로 질수축을 담당하는 치골 미골근육을 강화하는 운동방법.

- 여성의 성적 즐거움, 요실금예방, 남성의 전립선, 조루증 예방
- 1~2초 질근육 수축, 이완, 5~10초 수축, 이완
- 배뇨 시 소변을 20회 정도 나누어서 본다.
- 치골미골근육을
  - –잡았다–놓았다.
  - –꽉 잡았다–놓았다
  - –밀어냈다가–잡아당긴다.
  - –잡아당겼다–밀어낸다를 반복을 20회 정도 반복한다.

치료는 성기능 장애의 잠재적인 원인에 대해 정보를 제공한 파트너와 함께 시작한다. 원인이 확인되면 치료가 개입할 수 있다. Kolodny, Master와 Johnson은 치료자에게 자신의 능력을 과장하지 말라고 주의를 준다. 왜냐하면 정확한 원인을 결정하기란 어렵기 때문이다. 치료는 특히 부부관계의 친밀감 형성을 강조하면서 진행해야 한다.

치료적 접근은 특별히 계획하고 구조화된 처방으로 성적 과제와 심리치료를 함께 한다. 심리치료를 받는 동안, 고정된 성역할에서 오는 부정적 영향도 효과적으로 치료할 수 있다.

치료는 부부의 신체적 또는 언어적 의사소통 능력을 증진시킨다. 파트너에게 자신을 반복적으로 자신의 감정을 확인하고, 말로 표현하도록 격려한다. 이런 노력은 커플의 의사소통 기술을 발달시키는데 도움을 준다.

감각집중훈련의 초기에는 성적 각성과 절정감을 성취하고자하는 목표를 의도적으로 제거한다. 감각집중훈련의 후기에는 성행위에 참여하는 것을 허용한다. 그러나 성 접촉 동안, 한 파트너라도 지루함이나 피곤함, 어떤 형태의 불편함을 경험한다면 성행위는 즉시 중지한다. 성 욕구 장애가 있는 대상자가 그들 파트너에게 자신의 성 욕구 장애에 대한 책임을 묻는 생각이 없어졌을 때 성적 자유로움을 가질 수 있다.

성 욕구 장애에 대한 성치료의 형식은 일반화할 수는 없다. 왜냐하면 대상자 각각은 성기능 장애의 원인에 따라 개별적이며, 독특한 형식의 치료를 필요로 하기 때문이다. 대상자에게 그들 자신의 성행위를 실제로 변화시킬 수 있는 기회를 제공해야 한다. 특별하게 계획되고 고안된 성적 과제와 지지, 방향을 제공하는 심리치료와 함께 했을 때 만족스러운 치료적 결과를 예상할 수 있다.

행복한 결혼생활을 하는 부부에서도 일시적 성욕구 장애를 경험할 수 있다. 이때는 치골 미골근육을 조이는 기술과 감각초점훈련을 실시하면 효과적이다. 감각초점요법은 부부간의 의사소통 방법이다. 부부가 감각초점요법에 참여해서 접촉을 통해 배우자와 상호감정을 교류해야 한다. 치료자는 부부에게 그들 신체의 어느 부분을 접촉하고 어디는 피해야 하는지를 지도한다. 이 치료는 배우자의 몸을 접촉하도록 하여 성 욕구가 일어날 때까지 계속하도록 하는 훈련이다.

(2) 성적 혐오 장애(sexual aversion disorder)

성적 혐오 장애란 성행위 또는 성행위에 대한 사고에 공포와 같은 부정적 반응이 결부되어 지속되는 것을 의미한다. 성욕이 감퇴 또는 없는 것뿐만 아니라 파트너와의 성기접촉을 할 가능성이 있다는 느낌이 들 때 불안이나 혐오감 또는 두려움이 생기고 어떤 사람들은 섹스를 피하기 위해 은밀한 전략을 짜기도 한다.

지속적으로 파트너와의 성적 접촉을 기피하기 때문에 파트너와의 성직 접촉을 하는 빈도가 드물고 중증의 관계스트레스에 빠진다. 과거의 성폭행이나 성추행, 학대나 근친상간 같은 충격적인 성경험 등의 정신심리적 요인이 성혐오증에 관계가 있다고 한다.

성적 혐오는 남성, 여성 모두에게 발생하며, 여성에게 더 일반적이다. 성적 혐오를 가진 대상자는 성적으로 어떤 기능장애가 있는 것은 아니다. 남성은 완전한 성기능을 행사할 수 있고 사정할 수 있다. 여성은 절정감을 경험할 수 있다.

성적 혐오는 섹스에 대해 강한 증오심이나 특정 성행위에 대한 강력한 미움을 포함한다. 또한 성적 혐오를 가진 개인은 성적 접촉 시에 불쾌감과 압도적인 불안을 경험한다. 반응이 내면화되거나, 겉으로 들어나지 않을 경우에는 신체적으로 심한 발한, 오심, 구토, 설사, 빈맥의 현상을 관찰할 수 있다.

성적 혐오는 특정 파트너, 또는 이성이 접촉하는 경우에만 발생하는 상황적 특성이 있다. 그러나 성적 혐오 장애는 대상자와 모든 성적 접촉에서 지속적인 공포 반응이 있을 때만 진단이 내려진다.

2) 성흥분장애

성흥분장애란 성적 접촉에서 흥분기와 고조기에 나타나는 반응을 거의 느끼지 못하는 상태로, Kaplan이 명명한 용어이다.

성흥분장애는 오르가슴은 느낄 수 있으나 오르가슴 이전의 성적, 생리적 전조적 감각이 없다.

성흥분장애는 1차적, 2차적 원인으로 분류된다. 1차적 성흥분장애 여성은 성행위에서 흥분기와 고조기의 반응을 경험하지 못한다. 2차적 성흥분장애 여성은 과거에는 성행위동안 흥분기와 고조기의 반응(각성)을 경험했지만 여러 가지 이유로 그 능력을 상실한 여성이다. 성흥분장애의 원인은 대부분 심리적 요인이 많다.

Kaplan은 일반 성흥분장애의 발생과 발달의 역동을 설명하는 정신신체적 모델을 제시하였다. 생리적으로, 여성의 성적 흥분은 자율신경계에 의해 조절되는 내장의 반응이다. 불안, 두려움, 미움 등은 자율신경계의 기능을 방해하거나 변형시킬 수 있다.

성적으로 흥분 내지 고조되는 여성의 성 반응은 자율신경계에 의해 쉽게 영향을 받는다. 즉, 불

TIP

성흥분장애

남성 – 음경발기부전증

- 발기의 질(강직의 정도가 삽입 불가능, 삽입이 어려움)
- 삽입수행에 대한 불안
- 음경의 각도
- 발기의 지속성

여성 – 질건조증

- 애액분비
  –증가 : 알레르기, 질염
  –감소 : 애무, 전희의 부족, 진균성 질염, 갱년기 여성 호르몬 부족
- 질건조증 → 성교통 → 불감증 → 자신감 상실 → 섹스리스 → 부부 사이 관계 단절 → 남편의 외도
- 애액분비에 영향을 미치는 요인
  –성적 자극, 질혈류량, 신경계, 산화 질소, 성 호르몬

안 수준이 높은 여성은 성 반응의 기본이 되는 반사적 성기 혈관 충혈이 손상될 가능성이 높다. 결국 이것은 성적 자극에 대해 성적으로 반응하는 여성의 능력을 손상시킨다.

흥분기의 문제들은 인지적, 감정적 문제들을 포함하고 있는데 대부분의 대상자들은 단지 성기의 문제만을 증상으로 표현한다. 이런 경우에 이들 증상과 징후가 흥분 장애를 말하는 것인지 아니면 흥분에 필요한 충분한 자극부족으로 인한 것인지를 구별하는 것이 중요하다. 일반적으로 성적흥분 장애를 가진 사람들은 성 욕구가 있고 성행위에 관심은 있지만 흥분의 정도를 서로 만족스러운 성행위에 이를 때까지 유지를 할 수가 없다.

성흥분장애는 성 활동이 완료될 때까지 적절한 윤활액의 분비 및 흥분을 통한 팽창반응을 달성하거나 유지를 못하고 지속적으로 또는 재발해서 나타난다. 대상자들은 어떤 자극을 통해서도 성적인 각성, 흥분 및 쾌감이 없거나 줄어들고 있다는 것을 느끼며 우울이나 다른 정신 장애와 결합해서 나타날 수 있다.

성흥분장애는 성행위에 잘 적응하고 성적으로 관심이 높은 사람들에서도 나타날 수 있다. 원인은 내적 갈등(종교적 터부, 사회적 제약, 자신의 성의식 결여, 죄의식), 임신에 대한 걱정이나 혼전 섹스 등으로 인한 혼란, 소란한 주위, 불안한 분위기 등의 심리적·물리적 분위기, 또 파트너에 대한 분노 혹은 갈등 상황, 과거력(과거나 현재의 폭행 경험, 강간, 경험미숙), 생활 속 스트레스(경제적 문제, 가정이나 직장의 문제, 가족의 질병이나 사망), 대인관계의 갈등(관계 갈등, 혼외정사, 성욕 갈등) 등의 여러 가지 원인이 있다. 이외에 난소제거 수술, 폐경기 등의 이유도 원인이 될 수 있다.

■ 치료

성흥분장애에 대한 성치료는 여성의 억제된 성체계를 수정함으로써 흥분을 촉진하도록 한다. 감각집중훈련이나 성기 자극과 같은 성적흥분을 유발할 수 있는 프로그램에 참여하므로서 여성은 성적인 감각을 경험하고 반응하는 방법을 학습할 수 있다.

TIP

절정감 상태

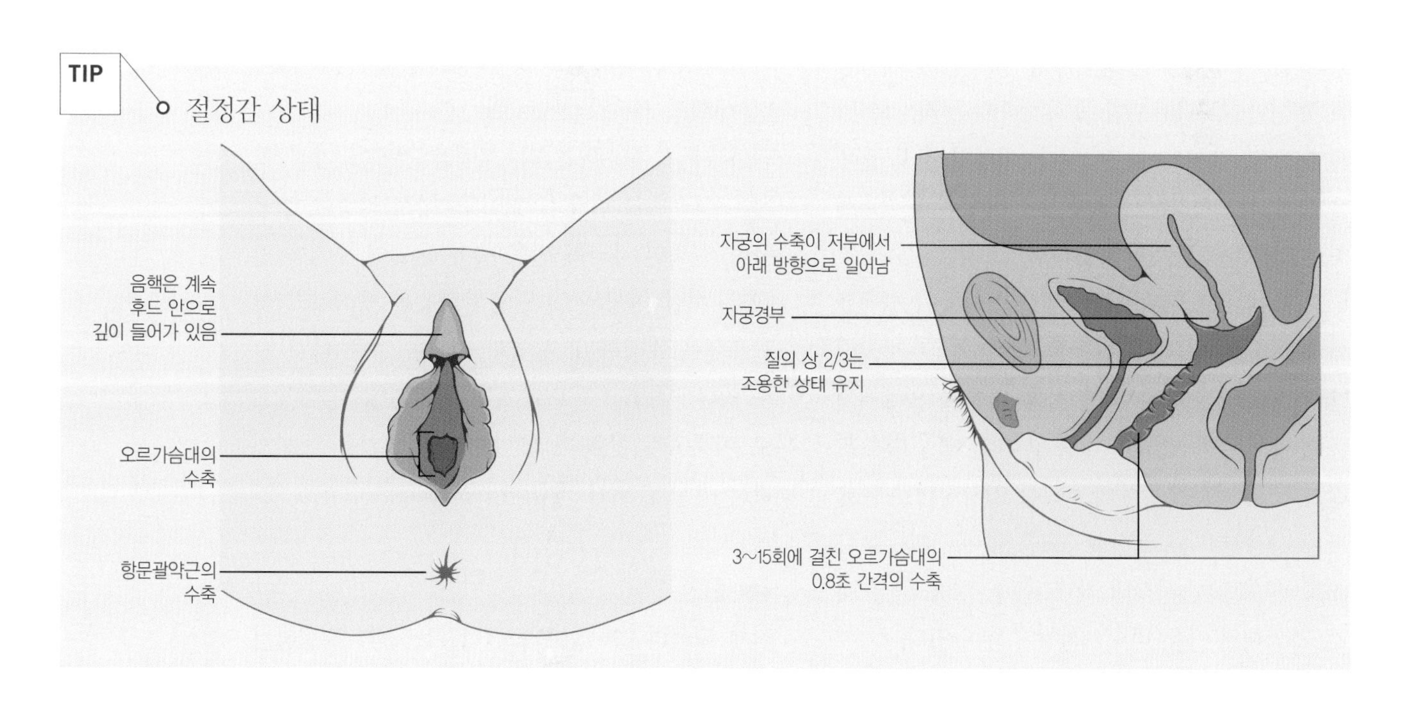

파트너도 함께 성기의 접촉이 없는 감각 집중 훈련에 참여한다. 여성이 감각집중 훈련인 자신의 신체를 애무하는 동안 성적으로 흥분된 감각을 느끼면, 파트너도 성기 유희에 참가한다. 성기 유희 동안, 남성은 대상자가 요구하는 방법대로 하지 않도록 주의한다.

여성은 성기 유희로부터 성적 자극을 받고 싶을 때 성교를 시작할 수 있다. 한 번 더 파트너는 요구하지 않은 방법으로 성교에 참여한다. 여성은 성교동안 질과 음핵의 자극적인 감각에 집중하도록 교육받는다. 성교에 사용하는 체위는 다양하다. Masters와 Johnson은 여성이 성교를 리드하는 여성상위체위를 추천한다. 그러나 Kaplan은 어떤 체위든지 여성이 신체적 자극에 반응할 수 있는 또는 성적으로 흥분할 수 있는 체위라면 바람직하다고 한다.

여성이 성적 흥분을 유도할 수 있는 성적 과제는 파트너에게 서로의 성행위의 필요성과 성적 반응에 대해 정보를 제공하고, 의사소통을 증진시키는 기회를 제공한다. 개방적인 의사소통은, 치료동안 대상자의 저항감을 확인할 수 있기 때문에, 심리치료시 효과적인 방법이다. 대부분의 저항감은 여성이 흥분된 느낌을 지각하지 못하도록 하는 학습된 방어기제 때문이다. 여성의 성적 반응을 방해하는 심리적 갈등을 해소하기 위해서는 성치료 전문가의 도움이 필요하다.

Kaplan은 성흥분장애를 가진 여성들이 성치료에 참여한 후에 성적 반응을 획득했다고 보고했다. 성치료의 실패는 종종 성적 반응을 억제시키는 뿌리 깊은 적대감과 갈등을 가진 대상자와 관련이 있다. 성흥분장애의 치료는 일차적으로 윤활제를 사용하고 호르몬 보충요법, 관계 상담, 부부대화 기술훈련, 성감대 찾기 훈련, 성적 환상 갖기, 자위행위 연습, 바이브레이터 등이 있다.

3) 절정감 장애

절정감 장애란 흥분기를 경험하면서도 절정감을 느끼지 못하는 경우이다. 절정감은 쾌감을 느끼는 감각으로 우리나라 여성은 4~6회 정도의 강한 수축을 0.8초 간격으로 느끼는데 미국 여성에 비해 적은 편이다.

절정감 장애의 원인은 성행위 시 적절한 자극부족으로 인해 초래되는 경우가 많으므로 전희 등 기술적인 문제 파악이 우선되어야 한다. 그외 요인으로 부부 관계, 만성 질병, 과음, 성폭행 등으로 나타나고 있다.

절정감 장애는 1차적 장애와 2차적 장애로 구별한다. 1차적 장애는 지금까지 한번도 느낀적이 없는 경우이고 2차적 장애는 과거에 경험을 했으나 현재 못 느끼는 경우와 특정한 상대자와는 오르가슴의 능력을 상실한 경우이다.

절정감 장애를 상황적 유형과 절대적 유형으로 보다 상세히 분류할 수 있다. 예를 들어, 음핵을 자극하거나 성교동안 어떤 상황에서도 절정감을 느끼지 못한다면 절대적 기능장애로 간주한다. 그러나 만약 여성이 자위행위나 특정 성 파트너나 특별한 어떤 환경에서만 절정감을 느낄 수 있다면, 상황적 절정감장애로 간주한다.

성흥분장애와는 달리, 절정감 장애를 가진 여성은 성적으로 반응을 보이고, 성적 접촉을 추구하며, 성적인 자극에 반응한다. 성 반응 주기 측면에서, 이런 여성은 질의 윤활작용과 생식기의 혈관충혈을 경험하며, 삽입과 성교를 자주 즐길 수도 있다. 그러나 성 반응 단계에서 고조기 이상으로 이동하지 못한다. 왜냐하면 절정기를 느끼게 하는 구성 요소가 억제되어 있기 때문이다.

■ 원인

전체 여성의 8% 정도가 절정감을 전혀 경험하지

못한다. 여성은 상황적으로 남성에 비해 절정감을 잘 경험하지 못한다.

여성은 특정 남자의 존재에 대해 무의식적인 두려움을 가지고 있다. 만약 여성이 파트너에게 성적 쾌락을 주기 위해 성적으로 공격적이거나, 또는 강박적으로 되는 것에 대한 거부감이 있다면 자신의 절정감을 억제시킨다. 여성은 삽입과 성교에 대해 무의식적인 갈등을 가질 수 있다. 때로 여성은 파트너와 성행위가 아닌 자위행위나 파트너가 직접적으로 자극하는 음핵 자극을 통해 절정감을 경험할 수 있다.

드문 경우지만, 신체적인 요인이 절정감 장애를 초래할 수 있다. 음핵의 유착이나 기능부전, 또는 치골미골근(pubococcygeal)의 약화는 여성의 절정감 장애의 원인이 될 수 있다. 절정감 반사작용에 대한 불수의적 억제는 여성의 절정감 장애의 주요한 원인이다.

여성의 절정감 반사작용은 쉽게 조건화될 수 있기 때문에, 절정감을 의식적으로 억제한 수 차례의 성 경험 후에는 절정감 기능장애가 점진적으로 나타난다. 여성이 이완되어 있고, 성적으로 반응을 한다하더라도 의식적으로 절정감을 여러 번 부인하면 후에는 이런 억제 과정이 자동적으로 나타나고, 오르가슴을 자발적으로 성취하는 능력은 사라진다. 이에 따라 절정감을 느끼지 못하게 된다.

Kaplan은 여성이 성적으로 반응하려면 3가지 선행요건이 충족되어야 한다고 하였다.

첫째, 여성은 적절한 성적 자극이 필요하다.

둘째, 여성은 성 경험 동안 성적 자극에 반응하고, 성적 쾌락에 자신을 맡길 수 있을 만큼 충분히 이완되어야 한다.

셋째, 학습된 절정감 억제 과정은 여성의 절정감 작용에 부정적으로 작용하기 때문에 해소되어야 한다는 것이다.

여성을 자극시키는 성적 자극의 유형은 여성마

TIP

절정감 장애 중재

상담적 중재

- 여성의 성감대가 제대로 자극 받도록 한다.
- 여성은 성교시 충분히 이완되어 있어야 한다.
- 불유쾌한 성 경험은 정신적으로 억압되어 있다.
- 성행위에 몰두하지 않으면 자극을 느낄 수 없다.
- 성관계에 몰두할 수 있는 환경을 조성
  –옆에서 애기가 울고 있다든가, 옆방에 시부모님의 기침소리가 들린다면 아무리 무신경한 여성이라도 자신의 느낌에 몰두하기 어렵다.
- 자위행위를 통해 성감대와 자극부위를 확인한다.
- 여성 분비물을 대신하는 KY 젤리 질액을 사용한다.
- 심리적 불편증상을 없앤다.
- 충분한 전희(마사지)행위를 한다.
- 성관계 전 더운 물 샤워, 자위행위, 포르노 잡지를 이용한다.
- 새로운 다양한 체위를 시도한다.
- 케겔골반운동을 한다.
- 거짓 오르가슴해왔다면 멈추고 성행위에 집중
- 낭만적 분위기가 있는 환경 변화

치료적 중재

- 파트너와 함께 참여
- 성 지식, 태도를 교육
- 성감대 찾기 훈련
- 케겔 운동
- 자위행위요법
- 커플 대화기술 훈련
- 관계 상담

다 다양하다. 여성의 성적 욕구도 여성의 성적 경험과 함께 다양하다. 여성은 성 파트너와 성적 흥분을 자극시키는 방법에 대해 열린 대화를 해야 한다. Kaplan은 만약 여성이 성적으로 반응하고자 한다면, 자신에게 실제적으로 필요한 성적인 자극의 방법과 정도에 관해 파트너와 대화해야 한다고 한다. 이런 책임감과 더불어, 여성 또한 성적 능동성이 남성에게만 있다고 믿어서는 안된다. 여성은 성적 자극에 반응하는 수용자가 되고, 성적 능력을 발휘할 수 있는 성적 자율성을 발달시켜야 한다.

여성이 성적 자율성을 발달시킬 수 없는 것은 대부분 문화적, 종교적 영향이 크다. 종교에 심취된 여성이 자신의 성행위에 대해 갖는 불안과 죄의식 혹은 여성이 적극적으로 성적 행동을 할 때 상대방이 거절 할지도 모른다는 불안감은 여성이 성적으로 절정감을 느끼지 못하도록 방해할 수 있다.

Mead는 여성의 절정감 성취에 대한 잠재성은 문화적인 요인이 영향을 미친다는 것을 발견했다. 사회가 여성의 절정감이 중요하다고 생각한다면, 이를 보장하는 필수적인 사랑의 기술을 가르쳐야 하고 수행하도록 해야 한다. 만약 여성의 절정감이 중요하지 않다고 보는 사회문화라면, 여성이 성적으로 많이 알기를 원하지 않을 것이며 경험의 다양성이라던지 여성이 성적인 느낌을 표현하는 것을 위축시킬 것이다. 결국 사회문화는 여성이 절정감을 느끼는 데에 필요한 지식·태도·기술을 사용하지 못하게 할 것이며, 그래서 여성은 절정감을 경험하지 못할 것이다.

TIP

절정감 성취를 돕는 성행위

개인간의 차이가 있음을 인정하고 섹스 주기를 활용하고 선호하는 것을 먼저 고려한다.

- 자위행위
  - 몸의 성감대 확인
  - 성 불감증 치료방법
  - 윤활제사용: 코코넛기름, 수용성 오일
  - 진동기 : 음핵, 음경뿌리 자극
- 다양한 성행위
  - 오랄섹스: 69체위
  - 애널섹스: 항문, 엉덩이에 척수로 올라가는 신경
  - 질섹스: G spot 찾기, 다양한 성체위
  - 뇌섹스 : 환상을 이용한 성적흥분을 즐기는 것
- 다양한 성체위

■ 치료

모든 절정감 장애는 치료할 수 있다. 치료적 중재는 기능장애의 특정 원인에 따라 다양하다. 치료는 개별적인 대상자의 특정 요구나 파트너의 요구가 충족되는데 있다. 1차적, 2차적 또는 절대적, 상황적 절정감 장애에 대한 성치료는 특별히 계획되고 처방된 성적 과제와 심리치료의 통합으로 구성된다.

여성의 절정감 반응에 대한 무의식적인 억압과 통제를 경감시키는데에 치료의 초점을 둔다. 다양한 기술을 통해, 대상자는 절정감 전조의 감각에 집중하도록 하고, 자유롭게 진전하도록 학습한다.

심리치료는 대상자의 인식과 절정감을 방해하는 심리적, 상호 교환적 문제와 해결책을 찾도록 한다. 특별히 고안된 성적 과제는 여성이 절정감 반사작용을 억제하지 않는 방법을 학습하도록 처방한다. 처방된 성적 과제란 성 자극적인 성행위만 학습하는 것은 아니다. 이것은 파트너들간의 건설적인 의사소통을 증진시키고, 파트너 서로의 특별한 성적요구를 인식할 수 있도록 특별하게 계획된 성적 경험을 갖게 하는 것이다.

• 1차 절정감 장애

1차 절정감 장애에 대한 성치료는 이들 절정감 반사작용이 억제된 것이지, 파괴된 것이 아니라는 점에 초점을 둔다. 여성이 강렬하고 자극적인 성적 흥분에 충분히 도달할 수 있다면, 자신의 성적 자극을 억제하는 요인을 제거할수 있고 절정에 도달할 수 있다. 치료절차는 여성의 자극적인 성적 흥분을 최대화하고, 절정감 반응을 억제하는 요인을 최소화하는데 있다.

처방된 성적 과제와 동시에 시행되는 심리치료는 심리적인 갈등을 확인하고, 대상자의 성기능을 방해하는 갈등을 완화시키는 방법으로 적용한다. 더욱더 죄의식, 수치심, 두려움, 성역할과 같은 다른 억제 요소를 심리치료 동안 확인할 수 있고 제거할 수 있다.

성치료 전문가는 여성의 절정감 반응을 방해하는 커플의 상호교류적인 문제를 다룬다. 의사소통은 심리치료의 중요한 기술이다. 치료자는 상호 커플의 의사소통 능력을 증진시키도록 노력한다.

초기의 치료는 여성이 첫 절정감을 경험하도록 도움을 주는 것이다. 절정감을 성취하는 것은 여성에게 절정감을 획득할 수 있다고 자신감을 넣어 주는 것이다. 첫 절정감의 성취는 절정감의 억제 요인을 소멸시키는 것으로부터 시작하는 중요한 단계이다.

여성의 절정감장애의 초기 치료방법은 긴장감이 없는 편안한 자세로 성행위를 하도록 한다. 즉 남성에게 여성의 성감대를 효과적으로 자극할 수 있는 기본적인 기술을 가르친다. 부부가 손을 사용한 자극으로 충분히 흥분이 되면 그들에게 성교의 체위를 가르쳐 주고 의사소통을에 대한 감흥을 높일 수 있는 성적 율동과 자유스러운 체위로 성행위를 하도록 한다. 여성 상위 체위와 측와위는 추천할 수 있는 체위이다. 대부분 1차 절정감 장애가 2차 절정감 장애보다 치료효과가 더 좋다.

커플의 공동노력으로 여성이 절정감을 경험할 수 없다면, 자위행위를 하도록 한다. 직접적인 자위행위, 탈감작에 의존하는 행위치료에서 여성은 자신의 성기를 시험해보고 성 욕구 없이 성기를 접촉하여 즐거운 기분이 들도록 하며 마지막으로 기간과 강도를 늘려 그 부위를 집중적으로 접촉하는 자위행위를 하도록 한다.

자위행위를 통해서 대부분의 성불감증 여성은 상대적으로 쉽고, 빠르게 절정감을 경험한다. 이 치료의 단점은 혐오감이다. 왜냐하면 파트너와의 성적 상호관계를 통해서 얻는 만족감이 아니고 자신이 자신의 성감대를 자극해서 쾌감을 얻기 때문이다. 자위행위를 통한 절정감의 성취는 파트너(주요한 억제 요인으로 알려짐)에게 문제가 있음을 확인해 주는 것이다. 만약 대상자가 자위행위(손 사용)를 통해서도 절정감을 경험할 수 없다면, 바이브레이터(진동기)를 사용할 수 있다. 바이브레이터는 다른 모든 방법이 실패한 경우에만 사용해야 한다. 대상자는 계속적으로 바이브레이터를 사용하지 않도록 주의해야 한다. 왜냐하면, 바이브레이터의 사용을 통해 음핵자극의 절정감을 성취하였다면, 실제 성교를 통해서는 음핵자극을 획득하기가 어렵기 때문이다.

여성의 경우 손을 사용한 자위행위는 처음에는 절정감에 도달하는 데에 시간이 오래 걸린다. 점차적으로 이런 과정을 통해 절정감에 이르는 시간이 단축되면 대상자는 파트너와 함께 절정감을 경험하도록 한다. 커플은 남성이 절정감을 성취할 수 있는 일상적인 형식으로 성교한다. 남성이 성적으로 편안하면, 여성도 빨리 끝내야 한다는 압박감에서 벗어날 수 있다. 남성이 사정을 먼저 했다면 여성이 절정감을 경험하도록 남편의 손으로 자극을 주도록 교육한다. 여성은 파트너가 손으로 자극을 하는 동안에 자신의 절정감을 억제하고자 하는 강압적인 힘에 집중하지 않도록 한다.

Kaplan(1974)은 성치료를 받은 절대적 1차 절정감장애를 가진 모든 대상자는 절정감을 경험했으며, 대부분 파트너와 성적으로 만족스런 관계를 즐긴다고 보고했다.

4) 성교통증장애(관계적 성기능 장애)

(1) 성교통증

성교통은 남성이 여성에게 삽입을 하고자 할때나 성교동안 또는 성교 후에 고통을 경험하는 것을 의미한다. 성관계를 할 때 성교통증이 유발되기 때문에 관계적 성기능 장애라고 한다. 원인은 신체적, 심리적 또는 복합적으로 온다.

여성의 경우, 동통은 질 입구나 음핵부근, 골반 심층 부위, 하복부에서 느낀다. 남성과 여성은 성교통을 유발하는 많은 신체적인 원인이 있다. 여성은, 대부분 심리적인 요인과 복합적으로 관련되어 있다.

여성의 성교통의 심인성 요소는 이전의 성교에서 실제로 경험한 동통과 밀접한 관련이 있다. 동통 재발에 대한 공포는 성행위 시 고통 그 자체로 나타난다.

여성의 성교통의 신체적 원인은 파열되지 않은 처녀막이나 회음절개술 부위의 동통성 환부, 바르톨린선 감염 등이다. 음핵의 통증은 염증(트리코모나스)이나 유착으로부터 온다. 질의 윤활작용부족은 성교통의 일반적인 원인이며, 질과 외음 감염, 화학적 피임약의 자극, 질세척, 여성청결제 사용 등은 동통성 성교를 초래한다. 임질성 골반감염, 자궁 내막증, 난소낭종, 방사선 암치료 후에도 성교통이 올 수 있다. 경관의 이상, 경관의 양성종양(폴립과 유두종)과 악성종양은 성행위 시 동통을 유발하며, 자궁근종 혹은 자궁육종, 자궁후굴, 광인대 파열도 성교통을 초래한다.

여성의 성교통의 발달적 요인으로는 가족, 종교적 터부, 질을 접촉해서는 안된다는 주의, 근친상간이나 강간같은 성적외상, 배우자에 대한 적대감과 같은 성적 상호관계 문제, 완전한 성충동 결핍 등에서 온다.

남성의 경우 성교통의 심리적 원인은 신념과 통념에 기반을 둔 성적자극에 대한 공포, 거부에 대한 공포, 실패에 대한 공포, 환상에 대한 갈등 등이다.

남성의 성교통의 신체적 원인은 부적합한 청결로 이물질이 음경의 포피밑에 축적된 경우에 초래할 수 있다. 질의 건조, 크림, 젤리, 거품과 관련된 이물질은 성교통을 유발한다. 포피가 퇴축될 수 없는 포경(Phimosis; 포피구가 작거나 귀두와 유착되었기 때문에 포피가 반전 불가능한 상태)은 동통이 심해 성교를 불가능하게 한다. 음경 해면체의 섬유질화와 경화를 초래하는 페로니병(peyronie)은 칼슘이 침착하고 질긴 섬유조직이 음경 해면체 내에서 발달하기 때문에 음경이 일직선이 되지 않고, 점진적으로 바나나처럼 중간부위가 왼쪽이나 오른쪽으로 치우쳐 휘는 모양을 하며, 또한 음경을 위쪽으로 굴곡시키는 결과를 초래한다. 이런 증상은 노인 남성에게 자주 일어나고 고통스러운 성교를 초래하므로 발기와 성교를 제한한다. 약물치료나 외과적 치료는 불편함의 원인을 완화시킬 수 있다. 음경은 정상 남성인 경우에도 완전히 직선인 경우는 드물고 어느 한쪽으로 치우쳐 있다.

어떤 남성은 음경귀두의 과민성으로 인해 옷이

TIP

여성의 성교통증장애

성교통

- 질 하부의 1/3부분 근육층 반복적 지속적인 불수의적 경련으로 성교행위가 곤란.
- 성행위 직전이나 도중, 직후에 다양한 통증
- 통증부위 내부 성 기관, 외부성기, 하복부 항문
- 통증의 예측은 더 이상의 성행위를 거부
- 상대가 통증을 무시하고 강행하면 사태는 더욱 악화, 근육경련이 심한 경우엔 음경의 삽입이 전혀 불가능, 교육수준이 높은 상류계층의 히스테리적 여성에 잘 발생
- 원인
  –기질적 원인이 흔하므로 철저한 신체적 검사가 요구
  –심리적 원인은 의식적으로 남근 삽입 거부
  –성에 대한 죄책감 부정적 태도가 있을때 ,상대에 대한 반항감, 불안, 긴장, 상대자를 조종하려는 무의식적 동기, 거부감
  –고통스러운 첫경험
  –성폭행을 경험한 여성
  –치료원칙은 질삽입을 방해하는 근육의 불수의적 경련을 탈감작 치료

질경련

- 신체적 요인
  –의학적 상태 : 요도감염, 효모감염, 성병, 자궁내막증, 생식기 종양, 악성종양, 골반감염질환, 질탈출증
  –출산 : 분만, 난산, 제왕절개, 유산
  –노화에 따른 변화 : 폐경기, 호르몬 변화, 질건조증, 윤활액 분비 저하
  –일시적인 불편 : 전희가 불충분했거나 부적절한 윤활액 분비
  –골반 외상 : 골반수술, 골반 검사
  –학대 : 육체적 외상, 강간. 성적/신체적 학대나 폭력
  –약물 복용 : 부작용으로 골반 통증을 유발할 수 있음.
- 심리적 요인
  –성교 동안 통증을 기대함, 골반 외상(예 : 출산) 후 신체적으로 치유되지 않음, '찢어짐', 임신, 골반합병증에 대한 염려.
  –불안이나 스트레스 : 수행에 대한 압박감, 과거의 불쾌했던 성 경험, 섹스에 대한 부정적인 성향, 죄의식, 정서적 충격, 부적합한 성적 감성
  –파트너 문제 : 학대, 정서적 무관심, 책무에 대한 공포, 불신, 불안감, 통제력 상실
  –충격적인 사건 : 과거의 정서적/성적 학대, 폭력이나 학대를 목격함, 억제된 기억
  –유년기 경험 : 엄격한 양육, 종교적 금기(섹스는 죄악), 충격적인 성적 이미지에 노출됨, 부적절한 성교육
  –원인 불명

나 신체 접촉 시 불쾌감과 통증을 호소한다. Masters와 Johnson은 질의 정상적인 pH(산성)수준을 견딜 수 없어서 음경귀두에 수포가 생기거나 음경귀두의 표면이 벗겨지는 남성에 대해서도 보고하였다. 이런 남성의 유일한 치료는 음경에 콘돔과 같은 보호막을 씌우는 것이다.

고환의 환부나 종양은 통증을 가져온다. 방광과 전립선의 임균 감염은 배뇨와 사정 시에 방사되는 동통을 유발하고, 음경 요도의 길이를 따라 협착을 형성할 수 있다.

성교통의 신체적 원인에 대한 검사는 심리적 요인을 확인하기 전에 시행해야 한다. 동통을 처음 경험한 시기, 장소, 방법을 확인하고 주의깊고 세밀한 성건강력을 수집한다. 특히 불편함, 동통, 아픔을 야기시키는 생식기 부위가 어디인지에 관심을 두면서 신체검사와 골반검사를 수행한다. 의학적 진단과 치료는 의사가 하며, 간호사는 효과적인 간호과정을 적용하고 대상자를 도와주어야 한다.

치료와 간호수행을 적용한 후에도 성교통이 아직 남아있는지를 재평가해야 한다. 성교시 동통이 장기간 동안 있을 경우는 성교를 회피하고자 하기 때문에 재치료를 해야 한다. 성교를 하고자 했을 때, 조건화된 예상과 신체적인 회피반응은 치료적 중재를 필요로 한다.

치료는 여성이 감각초점훈련 등으로 질삽입 전에 충분히 자극하여 질 분비물이 충분히 나왔을 때에 성교를 시도하도록 한다. 남편의 성기가 유난히 길거나 여성의 질이 짧아서 생기는 성교통은 가슴 밑에 베개를 받치는 슬흉위 체위에서 뒤에서 삽입하면 성교통을 완화할 수 있다. 폐경 여성의 경우 에스트로겐 결핍, 질성형 수술(예쁜이 수술)을 받은 여성, 체구가 작은 여성, 폐경 후 오랫동안 성교를 하지 않은 경우에는 질 윤활제를 사용하면 성교통을 경감할 수 있다. 기타 신체적 원인도 치료를 해야 하며, 심리적 또는 상호관계적 성 문제는 전문가의 집중 상담 및 치료를 받을 수 있다.

(2) 질경련증(Vaginismus)

질경련은 여성의 질 하부 1/3의 근육층에 본인의 의지와는 상관없이 지속적 불수의적인 경련이 나타나 성교를 방해하고 현저한 고통과 대인관계의 어려움을 유발하는 심리·생리적 성기능 장애이다. 근육반응은 질의 입구나 통로 등에 분포된 모든 근육에 나타날 수 있다.

질경련이 있는 경우 질구 주변의 근육이 불수의적으로 강하게 수축하여 음경, 손가락, 탐폰, 질경을 삽입할 수가 없고 때로 음경의 삽입은 가능하거나 혹은 어려워, 여성에게 많은 불편감을 초래한다. 경련이 심하면, 질은 수축되고 음경삽입은 불가능하게 된다. 근육경련의 정도와 상관없이 질경련이 있는 여성은 성교통 혹은 성교하는데 무능력을 경험한다. Masters와 Johnson은 많은 부부가 질경련 때문에 절정감을 느끼지 못한다고 하였다.

질경련은 연령과 사회경제적 요인이 여성에게 영향을 미칠수 있다. 이 통증장애의 발생률은 나이가 많은 여성보다 좀더 어린 여성에게서 더 자주 나타난다.

질경련은 여성의 성적 쾌락 능력에 직접적으로 영향을 미치며 성교 때 질에서 고통을 느끼는 이상감각이 있다. 질경련증은 음경이 질내에 들어오는 것을 자발적으로 방어하는 상태이다. 성욕이나 수행 능력은 정상적이고 적절한 질의 윤활작용도 있지만, 오르가슴은 결여된 경우가 많다.

원인

질경련에 대한 정확한 원인은 밝혀지지 않았다.

생리적, 심리적 요소 모두가 질경련을 유발할 수 있다. 심리적 요소는 질경련의 원인으로 가장 유력하다. Masters와 Johnson의 임상연구에서 질경련은 엄격한 종교적 배경, 성적외상경험, 이성을 접촉하기 전에 경험한 여성의 동성애적 정체성과 같은 다양한 심리성적 억제 요소와 관련이 있다고 하였다.

Kolodny는 질경련이 다양한 기질적인 원인, 즉 회음절개 부위가 완치되지 않은 상태에서의 성행위, 또는 처녀막의 기형, 동통이 있는 성기감염, 산과적 외상과 위축성 질염 등 발생되는 골반의 병변 때문에 나타난다고 하였다. Kaplan은 질경련은 성교통이나 남성에 대한 두려움과 같은 다양한 자극에 의해 초래된다고 하였다. 따라서 여성의 고통스런 성교와 관련된 자극이나, 질삽입의 두려움을 주는 자극은 질경련을 초래하는 원인이 된다.

질경련은 직접적인 골반 검사로 확인할 수 있다.

진단은 골반검사를 통해 가능하다. 불수의적인 근육경련이나 수축이 있을 때, 질경련 여성이 질삽입에 대한 생각만으로도 질경련이 일어난다면 골반검사를 받아야 한다.

치료

대부분의 성치료 전문가는 질근육의 불수의적 경련을 질삽입에 대한 조건화 반응으로 본다.

질경련에 대한 대부분의 성치료는 질근육의 조건화 반응을 수정하는 것이다. Kaplan은 심리적 원인인 경우 탈감작화의 치료 과정을 받아야 한다고 하였다. 질이완 훈련은 질근육의 경직성을 둔감화하는데 사용하는 전형적인 방법이다.

Masters와 Johnson은 치료자가 성교통증장애의 생리적, 심리적인 측면에 개입하도록 하였다. 즉,

첫째, 공동치료,

둘째, 성기능 장애와 무엇을, 어떻게 발달시킬지, 그리고 어떻게 증상을 완화시킬지에 대한 철저한 설명,

셋째, 성기능 장애가 성공적으로 치료될수 있다는 확신,

넷째, 대상자 두명에게 근육경련의 신체적인 문제가 있음을 임상적으로 설명,

다섯째, 헤갈 확장기(hegar dilator)를 사용하여 경련성 질근육의 체계적인 둔감화,

여섯째, 성적으로 잘못된 개념을 바로잡는 정보를 직접적으로 제공한다.

Masters와 Johnson은 가장 먼저 질근육의 경련현상에 대해 파트너에게 임상적인 설명을 해야 한다고 제안한다. 여성에게 골반검사를 하는 동안 남성 파트너는 장갑을 낀 손가락으로 질근육 경련을 경험하도록 한다. 이러한 경험은 성행위 시 여성의 어떤 근육이 관여하는지 그 정도를 명료화할 수 있다.

부부가 참여한 임상시도 후에 파트너는 질의 탈감작화 과정에 사용되었던 일련의 헤갈 확장기에 익숙해지며, 질에 사용된 헤갈 확장기는 음경의 삽입을 용이하도록 돕는다. 헤갈 확장기의 질내 반복적인 부드러운 삽입은 질의 경련을 감소시킬 수 있다. 질반응이 저하되면 더 큰 헤갈 확장기로 바꾸어서 사용한다.

대상자의 질경련을 일으키는 근육 반응을 제거하기 위해 질확장기를 점진적으로 사용하면서 배우자의 음경을 삽입할 수 있도록 하는 치료는 질경련을 성공적으로 경감시킬 수 있다.

6. 성건강 전문가의 역할

개인들은 보다 개방적으로 자신의 성건강에 관심

을 갖는다. 성건강 전문가는 성 기관에 대한 해부생리, 성기능 장애와 연관된 증후, 그리고 성기능 장애의 심리사회적인 원인에 대해 이해해야 한다.

간호사는 성치료 전문가가 아니다. 대상자가 표현하는 불안, 공포와 관련된 문제에 직면할 때, 간호사는 문제확인을 위해 자료수집기술을 사용할 수 있다. 교육자-상담자로서의 간호사는 능동적으로 사정 및 중재 과정에 참여해야한다.

간호사는 대상자와 함께 성치료의 목적과 과정에 대해 논의해야 한다. 간호사는 대싱자의 권리를 존중해야 한다. 즉 적절한 치료계획에 대한 정보와 설명을 받을 권리, 비판단적 치료자를 선택할 수 있는 권리, 그들의 성적 가치관이 존중받을 수 있는 권리가 있다고 확신시켜 준다. 성건강 전문가의 역할을 다음과 같다.

성교육

간호사는 무엇보다 성에 대한 구체적이고 정확한 정보와 가치관, 태도를 갖게 하는 실제적인 성교육을 해야한다. 성적 어려움을 겪는 여성들에게 성교육만으로도 많은 치유 효과를 얻을 수 있다.

성생리적으로 여성들은 성 욕구 없이도 성적 자극, 성적 흥분의 절정감, 오르가슴, 만족감을 경험할 수 있다. 여성들은 성적 반응이 순서대로 일어나지 않는다 하더라도 성기능 장애라고 생각해서는 안 된다.

여성의 성건강은 절정감의 유무와 질분비물의 많고 적음에 상관없이 경험하는 복잡한 현상이다. 여성들의 성 경험은 자긍심, 신체 이미지, 친밀감, 즐거움, 만족감, 그리고 많은 다른 변수들을 포함한다.

성의식 개선

성건강 전문가는 사회와 개인의 이중적인 성의식

TIP

성건강 전문가의 태도

- 대상자의 행위를 변화시키기 위해서는 우선적으로 상담자가 변화해야 한다.
- 성 해부 생리에 대한 지식을 익힌다(욕구와 흥분, 즐거움과 오르가슴, 클리토리스와 질의 관계, 성감대, 자위행위에 관한 사항 등)
- 상담자의 편견을 버리고 주관을 삽입하지 않는다.
- 창조적인 새로운 시도를 한다.
- 말은 적게 하고, 듣기를 많이 한다.
- 단계적으로, 그리고 현실적으로 변화가 오도록 유도한다.
- 상담은 근본적인 문제를 해결해 주는 것이 아니고 그로 인한 상처를 아물게 해 주는 것이다.

상담 과정시 필수 사항

- 실제 문제확인 • 성 가치관 확인
  - 대상자가 무엇을 원하는지, 무슨 호소를 하고 있는지
  - 우울증은 없는지, 성욕이외의 다른 문제는 없는지

- 상담과정
  - 허용, 공감, 사정
  - 한정적 정보 교육
  - 특별 제안
  - 집중치료

성 욕구 장애 여성의 교육적 상담 과정

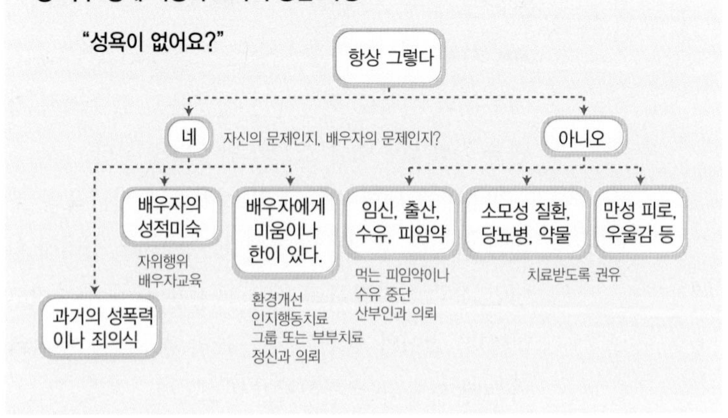

을 개선해야 한다. 여성은 남성보다 사회문화적, 관습적인 영향을 더 많이 받는다. 가부장적인 사회는 여자가 남자를 위해 많은 것을 포기하는 것

을 미덕이라 가르친다. 많은 여자들이 남성의 욕구와 섹스 스타일을 자신의 것으로 받아들여 왔다.

대부분의 여자들은 파트너의 성욕을 채워주는 것이 의무라 믿고, 자신의 성적 욕망을 무시해 버린다. 그들은 파트너와의 관계를 위태롭게 만드는 것보다 차라리 임신이나 성병을 택함으로 자신을 위험하게 만든다.

여전히 우리 사회의 이중적인 성의식과 성문화는 여성의 성적 가치관, 태도, 행동에 많은 억압으로 작용하고 있다. 남성은 성적인 정보가 많고, 경험이 많은 것이 성적 유능함으로 연결되는 반면, 여성은 성에 대해 많이 알려고 하거나, 경험이 많으면 비난을 받는다. 남성과 여성에 대한 이중적인 성의 기준은 여성성을 억압하고 위축되게 한다. 그래서 성에 대한 문제가 생겨도 여성이 상담자를 찾아오려면 큰 용기를 내야만 한다.

여성의 성심리에 대한 이해

여성의 성심리는 관계유지를 보다 더 치중하고 있음을 간과해서는 안 된다. 성건강 전문가는 남성과 다른 여성의 성심리를 이해해야 한다.

여성의 성욕은 파트너와의 친밀감과 직접적인 관계가 있다. 섹스는 일종의 버언어적 의사소통도구이다. 여성은 목표지향적 섹스보다 과정을 중요시하는 좋은 섹스를 더 선호하는 듯하다.

켈리 앤 로렌스의 “성적 만족이 전반적인 결혼의 만족에 미치는 영향에 대한 연구”에서 장기적인 성적관계에서 나타나는 성적인 만족은 그 파트너들이 갖고 있는 관계에 대한 인식에 의존하며, 커플의 친밀한 의사소통의 질이 높아야 훌륭한 관계의 만족으로 이어지고, 이것이 다시 훌륭한 성적 만족으로 나타난다고 하였다.

일반적으로 여성은 관계의 만족이 증가하면 성적 만족이 증가하고, 남성에서는 성적 만족이 증가하면 관계의 만족이 증가한다.

헌트는 자유롭고 강렬한 쾌락적 성관계를 가지는 남편과 아내는 그렇지 않은 부부에 비해서 정서적으로 훨씬 친밀할 가능성이 높으며, 친밀한 결혼생활은 동떨어진 결혼생활에 비해서 진정으로 자유롭고 즐거운 부부간 섹스를 할 가능성이 매우 높다고 밝힌 바 있다.

성생활은 생식기 뿐만아니라 전체적인 관점에서 생각해야 하며, 그것은 인간의 생물학적, 심리학적, 감성적, 사회적, 문화적, 그러고 정서적인 면을 모두 포함한다. 성생활과 육체의 쾌락추구는 삶의 질을 높이고, 인격성장을 촉진하며, 만족감을 준다.

전문적인 지식과 기술을 가지고 있는 성건강 전문가는 개인적으로 또는 커플로서의 남성과 여성을 도와주는데 초점을 둔다. 성건강 전문가는 대상자의 성 문제를 효과적으로 사정하고 해결한다. 성건강 전문가는 일반적인 상담, 심리치료, 정신적, 사회적인 연구, 성 문제 간호에 대한 지식과 기술을 가져야 한다.

성건강 전문가는 성기능과 기능장애에 대한 생리적, 심리적 지식과 상담과 치료에 대한 임상적인 훈련과 교육, 또한 부부, 가족, 집단치료에 대한 교육과 임상적인 훈련을 받아야 한다. 간호사는 추가적인 훈련과 교육을 받아야 성건강 전문가로서 역할을 잘 수행할 수 있다.

미국 성교육자, 상담자, 치료자 협회(AASECT)는 성교육자, 성상담자, 성건강 전문가, 성치료 전문가의 자격을 인정하는 전문적 집단이다. 한국에는 대한성학회가 있다. 정신건강협회, 의료협회, 실리학회, 간호협회 등은 지역사회의 유용하고 자격이 있는 성건강 전문가를 양성하는 교육, 상담, 치료, 복지 프로그램을 개발하고 훈련시킬 수 있어야 한다.

간호·상담 과정

대상자 김OO. 헤르니아 봉합수술 후, 회복 단계에 있음
간호사 박OO. 외과병동 간호사

사정

주관적 자료

나는 퇴원하면 집에서 잠을 잘 잘 수 없을 것 같아요. 집사람은 이번 수술이 더 상황을 악화시키는 것이 아닌가 걱정합니다. 아내는 성행위하는 것을 좋아했어요. 물론 나도 마찬가지였지만, 지금으로선… 그녀는 내가 너무 빨리 성행위를 마친다고 불평해요. 그녀는 내가 오랫동안 지속하길 원하고, 난 아내에게 서두르라고 말하죠. 우리가 처음 결혼했을 때, 그리고 심지어 결혼하기 전에 우리는 많은 시간을 보냈고, 그 때가 너무 좋았다고 아내는 말해요. 최근에는 나의 건강 상태가 안 좋아서, 내가 도와줄 것이 아무 것도 없는 것 같아요. 우리는 항상 대화하고, 노력은 해요. 그러나 나는 더 이상 발기를 지속할 수가 없어요. 아내는 당황해 해요. 심지어 우리는 신혼 여행 장소까지 다시 갔었어요. 그건 별로 도움이 되지 않았고… 우리는 일단 당분간 섹스를 포기하기로 했어요. 그 후로 더 악화되어 가고 있어요. 집사람은 우리가 함께 성치료를 받을 것을 원해요. 당신은 이것에 대해 어떻게 생각합니까?

객관적 자료

- 25세
- 결혼 2년차
- 직업-전기기술자
- 헤르니아 봉합술로부터 회복
- 사정 조절 무 능력에 대해 표현
- 파트너의 반응에 대해 걱정함
- 불안
- 낮은 자아존중감

간호진단

•사정 장애(조루증)와 관련된 성치료에 대한 정보 및 지식 결여
•수술과 관련된 성기능 악화의 위험성

계획

- 부드럽게 접근하여 수용적인 분위기를 제공한다.
- 공감을 표현하고,언어적,비언어적 위안을 제공한다.
- 감정을 표현하도록 격려한다.
- 주의깊게 경청한다.
- 대상자가 느끼는 정서적 반응은 적절한 것이며 일반적으로 경험하는 것이라고 설명한다.
- 대상자가 표현하는 감정에 대해 피드백을 제공한다.
- 적절한 방어기제를 사용하도록 한다.
- 상황에 대해 실제적인 평가를 하도록 지지한다.
- 타인에게 방어반응을 하는 것에 대해 충고한다.
- 아내에게 수용을 표현하도록 조언한다.
- 아내에게 사랑을 표현하도록 조언한다.
- 자신의 긴장을 인정하도록 설명한다.
- 상대자가 갖는 현실적 요구를 설명한다
- 성적 가치, 성기능, 성관계를 확인하도록 격려한다.
- 불안이 없는 것과 문제가 없는 것과의 차이를 설명한다.
- 긍정적인 자기-태도를 유지하도록 설명한다.
- 상호문제를 해결하도록 격려한다.
- 이완은 성공적인 성적 반응을 위한 필수라고 설명한다.
- 성적 반응은 정상적으로 다양하다고 설명한다.
- 사정조절 무 능력은 심리적인 원인이 있다고 설명한다.
- 성치료에 대한 정보를 제공한다.
- 성치료에 대한 효과와 제한점에 대한 정보를 제공한다.
- 성치료에 대한 지역사회의 자원에 대한 정보를 제공한다.
- 가족담당의사와 친구와 성치료에 대해 논의하도록 격려한다.

수행

- 파트너와 논의를 시도한다.
- 파트너와 수용감과 사랑의 감정을 공유한다.
- 성적 가치, 성기능, 성관계에 대해 논의한다.
- 성 반응에 대한 정보와 사정 조절 무 능력에 대해 논의한다.
- 성치료 정보에 관해 논의한다.
- 가족, 친구와 이전에 성치료를 경험한 친구 등 성치료 전문가의 선택에 대해 논의한다.
- 성치료 전문가를 선택한다.
- 성치료 전문가와 예약한다.

평가

- 성치료 전문가 선택에 만족한다고 한다.
- 성치료에 만족한다고 한다.
- 조루증의 치료에 대해 만족한다고 한다.
- 성관계가 향상되었다고 한다.

부록 1. 발기 능력 측정 설문지(International index of erectile function)

1. 지난 4주 동안, 성행위 시 몇 번이나 발기가 가능했습니까?

0= 성행위가 없었다.
5= 항상 또는 거의 항상
4= 대부분(총 횟수의 50% 이상이 훨씬 넘는다.)
3= 때때로(총 횟수의 50% 정도)
2= 가끔씩(총 횟수의 50%에 훨씬 못 미친다.)
1= 거의 한 번도 또는 한 번도 없었다.

2. 지난 4주 동안, 성적자극으로 발기되었을 때 성교가 가능할 정도로 충분한 발기는 몇 번이나 있었습니까?

0= 성행위가 없었다.
5= 항상 또는 거의 항상
4= 대부분(총 횟수의 50% 이상이 훨씬 넘는다.)
3= 때때로(총 횟수의 50% 정도)
2= 가끔씩(총 횟수의 50%에 훨씬 못 미친다.)
1= 거의 한 번도 또는 한 번도 없었다.

3. 지난 4주 동안 성교를 시도할 때, 몇 번이나 파트너의 질 내로 삽입할 수 있었습니까?

0= 성교를 시도하지 않았다.
5= 항상 또는 거의 항상
4= 대부분(총 횟수의 50% 이상이 훨씬 넘는다.)
3= 때때로(총 횟수의 50% 정도)
2= 가끔씩(총 횟수의 50%에 훨씬 못 미친다.)
1= 거의 한 번도 또는 한 번도 없었다.

4. 지난 4주 동안, 성교하는 중에 발기상태가 끝까지 유지된 적이 몇 번이나 있었습니까?

0= 성교를 시도하지 않았다.
5= 항상 또는 거의 항상
4= 대부분(총 횟수의 50% 이상이 훨씬 넘는다.)
3= 때때로(총 횟수의 50% 정도)
2= 가끔씩(총 횟수의 50%에 훨씬 못 미친다.)
1= 거의 한 번도 또는 한 번도 없었다.

5. 지난 4주 동안, 성교 시에 성교를 끝마칠 때까지 발기상태를 유지하는 것은 얼마나 어려웠습니까?

0= 성교를 시도하지 않았다.
1= 지극히 어려웠다.
2= 매우 어려웠다.
3= 어려웠다.
4= 약간 어려웠다.
5= 전혀 어렵지 않았다.

6. 지난 4주 동안 몇 번이나 성교를 시도했습니까?

0= 시도하지 않았다.
1= 1~2회
2= 3~4회
3= 5~6회
4= 7~10회
5= 11회 이상

7. 지난 4주 동안 성교를 시도했을 때 몇 번이나 만족감을 느꼈습니까?

0= 성교를 시도하지 않았다.
5= 항상 또는 거의 항상
4= 대부분(총 횟수의 50% 이상이 훨씬 넘는다.)
3= 때때로(총 횟수의 50% 정도)
2= 가끔씩(총 횟수의 50%에 훨씬 못 미친다.)
1= 거의 한 번도 또는 한 번도 없었다.

8. 지난 4주 동안 성교 시 귀하의 즐거움은 어느 정도였습니까?

0= 성교를 시도하지 않았다.
5= 매우 즐거웠다.
4= 상당히 즐거웠다.
3= 그런대로 즐거웠다.
2= 별로 즐겁지 않았다.
1= 즐겁지 않았다.

9. 지난 4주 동안 성적자극이 있거나 또는 성교를 했을 때 몇 번이나 사정을 했습니까?

0= 성적 자극이나 성교가 없었다.
5= 항상 또는 거의 항상
4= 대부분(총 횟수의 50% 이상이 훨씬 넘는다.)
3= 때때로(총 횟수의 50% 정도)
2= 가끔씩(총 횟수의 50%에 훨씬 못 미친다.)
1= 거의 한 번도 또는 한 번도 없었다.

10. 지난 4주 동안, 성적 자극이 있거나 또는 성교를 할 때, 사정을 했든지 또는 사정을 안했든지간에 몇번이나 오르가슴(절정감)을 느꼈습니까?

0= 성적 자극이나 성교가 없었다.
5= 항상 또는 거의 항상
4= 대부분(총 횟수의 50% 이상이 훨씬 넘는다.)
3= 때때로(총 횟수의 50% 정도)
2= 가끔씩(총 횟수의 50%에 훨씬 못 미친다.)
1= 거의 한 번도 또는 한 번도 없었다.

11. 지난 4주 동안 얼마나 자주 성욕을 느꼈습니까?

5= 항상 또는 거의 항상
4= 대부분(총 횟수의 50% 이상이 훨씬 넘는다.)
3= 때때로(총 횟수의 50% 정도)
2= 가끔씩(총 횟수의 50%에 훨씬 못 미친다.)
1= 거의 한 번도 또는 한 번도 없었다.

12. 지난 4주 동안 귀하의 성욕의 정도는 어느 정도이었다고 생각하십니까?

5= 매우 높았다.
4= 높았다.
3= 그저 그랬다.
2= 낮았다.
1= 매우 낮거나 전혀 없었다.

13. 지난 4주 동안 대체로 귀하의 성생활에 대해서 얼마나 만족했습니까?

5= 매우 만족했다.
4= 대체로 만족했다.
3= 그저 그랬다 또는 보통이다.
2= 대체로 만족하지 못했다.
1= 매우 만족하지 못했다.

14. 지난 4주 동안 귀하의 파트너와의 성관계에 대하여 얼마나 만족했습니까?

5= 매우 만족했다.
4= 대체로 만족했다.
3= 그저 그랬다 또는 보통이다.
2= 대체로 만족하지 못했다.
1= 매우 만족하지 못했다.

15. 지난 4주 동안 발기할 수 있고, 발기상태를 유지할 수 있다는 것에 대한 귀하의 자신감은 어느정도라고 생각하십니까?

5= 매우 높다.
4= 높다.
3= 그저 그렇다.
2= 낮다.
1= 매우 낮다.

No.

NAME
NOM

부록 2. 여성 클리닉 설문지 (표 12-2)

1. 요즈음에 경험하고 있는 바를 토대로 성생활에 연관된 다음 항목들에 관해 답해 주십시오.

	안 함	1년에 몇 번	월 1회	주 1회	주2~3회 이상
1. 성적 공상	1	2	3	4	5
2. 상호 애무	1	2	3	4	5
3. 성교	1	2	3	4	5
4. 자위행위	1	2	3	4	5

2. 지난간 1년 간 성에 관한 잡지나 사진, 비디오를 보고 성적인 흥미를 느낀 횟수는?

1) 주 2~3회 이상　2) 주 1회　3) 월 1회　4) 1년에 몇 번　5) 없음

3. 요즈음에 경험하고 있는 바를 토대로 해당번호에 동그라미 하시기 바랍니다. ('성행위'는 '자위, 전희 그리고 성교를 모두 포함'합니다).

	전혀 그렇지 않다	약간 그렇지 않다	약간 그렇다	매우 많이 그렇다	해당없음
1. 나는 성행위를 즐긴다.	1	2	3	4	5
2. 나의 삶에서 성생활은 매우 중요하다.	1	2	3	4	5
3. 현재 성생활의 횟수에 만족한다.	1	2	3	4	5
4. 나는 성행위 중 흥분을 느낀다. (심장박동수 증가/ 숨이 가빠짐/ 질이 젖음/ 얼굴이 달아오름)	1	2	3	4	5
5. 오르가슴(극치감)을 느끼는 것은 즐겁다.	1	2	3	4	5
6. 나의 성생활은 단조롭다.	1	2	3	4	5

4. 요즈음에 경험하고 있는 바를 토대로 해당번호에 동그라미 하시기 바랍니다. ('성행위'는 '자위, 전희 그리고 성교를 모두 포함'합니다)

	전혀 아니다	약간 그렇다	자주 그렇다	항상 그렇다	해당 없음
1. 성행위 시 질액분비가 부족하다.	1	2	3	4	5
2. 성행위 시 오르가슴(극치감)을 느낀다.	1	2	3	4	5
3. 성행위 시 고통을 느낀다.	1	2	3	4	5

5. 남편에 연관하여 해당번호에 동그라미 하십시오.

	전혀 그렇지 않다	약간 그렇지 않다	약간 그렇다	매우 많이 그렇다
1. 나는 남편에게 성적인 매력이 있다.	1	2	3	4
2. 나는 성 문제나 욕구에 대해서 남편과 솔직하게 대화한다.	1	2	3	4
3. 나는 남편을 성적으로 만족시킬 수 있을지 염려한다.	1	2	3	4
4. 요즈음 성병감염에 대한 두려움이 있다.	1	2	3	4

6. 남편에 연관하여 해당번호에 동그라미 하십시오.

	전혀 아니다	약간 그렇다	자주 그렇다	항상 그렇다
1. 남편의 성적인 관심이 낮은 것이 불만이다.	1	2	3	4
2. 남편이 나에게 충분한 성적 자극을 주지 않고 성교를 한다.	1	2	3	4
3. 남편의 성행위에 문제가 있다. (예. 흥분이 잘 안됨, 발기부전, 조루, 사정이 지연됨)	1	2	3	4
4. 성교시간은 충분하다고 느낀다.	1	2	3	4

No.

NAME
NOM

*SEXUAL HEALTH CARE

성폭력: 강간

Sexual Violence: Rape

가치 명료화 **훈련**

우리 사회는 강간에 대해 다양한 생각과 태도를 가지고 있다. 강간은 때때로 극악무도한 범죄로, 다른 한편으로는 성에 대한 투쟁의 한 작은 논쟁거리로 거론되곤 한다. 다음의 질문과 제시된 행동은 당신이 강간에 대해 무엇을 알고 있고, 무엇을 믿고 있는지에 대해 평가할 것이다. 또한 강간 피해·생존자와 가해자에 대한 당신의 감정의 강도와 깊이를 아는데 도움을 줄 것이다.

이 도구는 강간에 대한 지식, 신념, 감정을 평가하는 데 사용된다.
다음의 각각의 진술을 읽고 당신의 생각에 가장 일치하는 곳에 O표를 해 보자.
여기에는 정답과 오답이 없다. 당신의 대답을 검토하고 자신에게 스스로 질문을 해 보자. 강간에 대해 나는 무엇을 아는가? 강간 피해·생존자 또는 강간 가해자에 대해서는 무엇을 알고 있나? 나의 신념은 어떻게 형성되었나? 강간 생존자들을 간호할 때 나의 신념과 지식들은 어떻게 영향을 미치는가?
당신의 지식, 신념, 감정을 친구나 동료 집단과 함께 공유해 보자

당신은 다음과 같은 질문에 대해 논의할 수 있다.
우리는 강간에 대해 무엇을 아는가? 강간 피해·생존자에 대해서는? 강간 가해자에 대해서는? 우리가 알고 있고 믿고 있는 것이 어떻게 다른가? 어떻게 같은가? 우리는 강간에 대해, 강간 피해·생존자에 대해, 또는 강간 가해자에 대한 더 많은 정보를 얻고자 하는가? 우리가 강간에 대해 알고 있고, 믿고 있는 것이 강간 피해·생존자에 대한 간호에 어떻게 영향을 미치는가?

강간에 대한 태도

다음 질문 중 당신의 생각을 반영하는 것에 ○표를 하시오.

5: 매우 동의한다. 4: 다소 동의한다. 3: 불확실하다. 2: 동의하지 않는다. 1: 전혀 동의하지 않는다.

1	강간은 법적으로 여성의 의지와 상반된 폭력에 의한 성관계로 정의한다.	5	4	3	2	1
2	강간은 우발적인 정욕의 범죄이다.	5	4	3	2	1
3	강간은 계획적이고 폭력적인 범죄이다.	5	4	3	2	1
4	집단 강간은 여성에 대한 성적 착취이며 일탈적 성행위의 결과이다.	5	4	3	2	1
5	집단 강간은 힘을 사용한 공격적 행동이다.	5	4	3	2	1
6	보고된 강간의 반수 이상은 집밖에서 일어난다.	5	4	3	2	1
7	강간은 남성과 여성 사이에서 일어난다.	5	4	3	2	1
8	강간은 레즈비언이나 매춘부에게는 일어나지 않는다.	5	4	3	2	1
9	집에 있는 여성은 강간을 피할 수 있다.	5	4	3	2	1
10	여성이 강간 사실을 보고하지 않는 것은 죄책감 또는 수치심 때문이다.	5	4	3	2	1
11	강간 피해·생존자는 17~24세의 독신 여성이 가장 많다.	5	4	3	2	1
12	여성은 유혹적인 옷을 입었거나 자극적인 행동 때문에 강간당한다.	5	4	3	2	1
13	좋은 평판의 여성보다 평판이 나쁜 여성이 강간의 빈도가 높다.	5	4	3	2	1
14	여성은 강간이 그들에게 일어날 수 있는 가장 끔찍한 일이라고 생각한다.	5	4	3	2	1
15	여성은 그들이 원하지 않는 한 강간은 당하지 않는다.	5	4	3	2	1
16	여성은 강간에 대해 상상하고 실제로 강간당하기를 원한다.	5	4	3	2	1
17	여성은 강간을 즐긴다.	5	4	3	2	1
18	강간을 당한 여성의 증언은 강간이 발생한 것에 대한 충분한 증거자료가 된다.	5	4	3	2	1
19	많은 여성이 무죄의 남성을 강간 가해자로 오인하여 고소한다.	5	4	3	2	1
20	신경질적인 여성이 허위강간을 꾸며내기 때문에 죄없는 남성이 감옥에 갈수있다.	5	4	3	2	1
21	여성의 강간에 대한 허위고소 때문에 남성을 보호하기 위해 확증적인 증거가 필요하다.	5	4	3	2	1
22	강간 가해자는 주로 하위계층문화의 사람이다.	5	4	3	2	1
23	강간 가해자는 공격적이고 폭력적인 사회구성원이다.	5	4	3	2	1
24	강간 가해자는 대부분 30세 이하이다.	5	4	3	2	1
25	강간 가해자는 억제할수없는 충동에 의해 돌발적 행동을 한 미성숙한 사람이다.	5	4	3	2	1
26	강간 가해자는 정서적으로 혼란된 상태이므로 그들의 행동에 책임질 필요가 없다.	5	4	3	2	1
27	강간 가해자는 항상 피해·생존자가 모르는 낯선 사람이다.	5	4	3	2	1

행동 **목표**

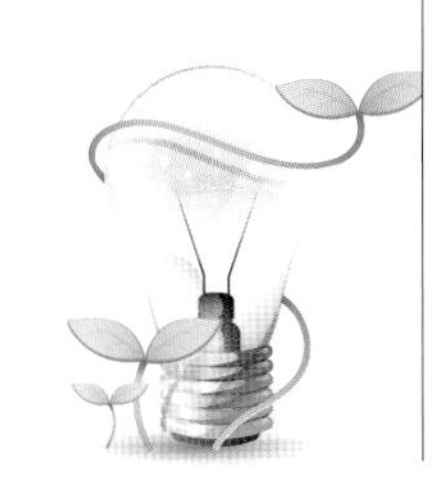

이 장을 끝마친 후

- 성폭력에 대한 사회적, 정치적 논쟁점이 무엇인지를 설명할 수 있다.
- 성폭력에 대한 잘못된 통념과 올바른 인식을 설명할 수 있다.
- 성희롱을 설명할 수 있다.
- 성폭력의 유형을 설명할 수 있다.
- 강간의 유형을 설명할 수 있다.
- 강간과 강간 피해 생존자에 대한 사회적 태도와 신념에 관해 논의할 수 있다.
- 강간 피해 생존자에 대한 가족의 태도를 논의할 수 있다.
- 강간 가해자의 강간 행동에 대해 설명할 수 있다.
- 강간 피해 생존자의 심리적 반응 및 대처 행동을 논의할 수 있다.
- 강간의 생물학적 외상을 설명할 수 있다.
- 강간위기 상담을 논의할 수 있다.
- 강간 상담의 5가지 범주를 확인할 수 있다.
- 강간 피해 생존자, 가해자에 대한 성건강 전문가의 역할을 설명할 수 있다.

1. 성폭력의 실제

성폭력(sexual violence)이란 성을 매개로 상대방의 동의없이 피해자에게 가해지는 모든 신체적, 언어적, 정신적 폭력을 포괄하는 개념이다. 성적 행위가 타인을 착취하거나 모욕을 주거나 강압, 비하시키거나, 폭력·학대를 하는 무기로 사용한다면 성폭력 가해자이다.

다양한 형태의 성폭력 중에서 가장 심각한 형태는 강간(rape)이며, 강간미수(attempted rape)나 근친상간(incest), 어린이를 상대로 한 성범죄(child abuse or molest)이며 그외에 성폭력은 음란 전화, 사이버 공간에서의 음란한 언행 등을 비롯하여 성 기관의 노출행위(exhibitionism), 타인의 사생활을 훔쳐보는 행위(voyeurism), 버스나 지하철 내에서 의도적인 신체 밀착행위(frotteurism), 굴욕감을 느끼는 성적언행 기타 변태적인 성욕 표현들을 말한다. 이러한 성폭력의 형태들 중에서 강도가 가장 높은 것이 강간이며 기타 성추행 또는 성폭행으로 분류한다.

근래에 사회적 법적문제로 부각된 성희롱(sexual harassment)은 가장 빈번하게 발생하면서도 제대로 인식하지 못한 형태이기에 논란거리가 되고 있다. 예를 들면, 일상적인 농담도 상황에 따라서 상대방의 자존심이나 기분을 상하게 했거나 수치심을 느끼게 했다면 성희롱이라는 성폭력에 해당될 수 있기 때문이다. 물론 성폭력과 성희롱 개념은 서로 관련성이 높아서 이들을 정의할 때 성희롱을 성폭력의 일종으로 또는 성폭력을 성희롱의 한 부분으로 여기기도 한다.

지난 20세기 후반부터 대다수 문화권에서는 성욕을 그 전보다 훨씬 자유롭게 표현하면서 성행위의 적법성이나 적절성에 대한 문제가 자주 제기되고 있다. 일반적으로 강간을 비롯한 대부분의 성폭력은 최소한 다음의 세 가지의 근거를 가져야 한다.

첫째, 개인의 의지와 상관없이 발생한 성행위는 모두 성폭력이다. 과거에는 강간을 당했다고 호소했던 여성이 적극적으로 반항한 증거가 없으면 대부분 강간이 아니라 성행위에 동의한 것으로 해석했다. 그렇지만 반항을 할 경우 가해자로부터 당할 피해가 더 커질 것을 두려워하기 때문에 피해생존자들은 적극적인 반항을 할 수가 없다. 그렇

TIP

성폭력과 성희롱 바로 알기

성폭력의 통념

1. 강간만이 성폭력이다.
2. 강간은 폭력이 아닌 조금 난폭한 성관계이다.
3. 나에게는 일어날 수 없는 일이다.
4. 남성의 참을 수 없는 성충동 때문이다.
5. 여성들의 심한 노출 때문이다.
6. 강간은 낯선 사람에 의해 발생한다.
7. 강간 가해자는 정신이상자이다.
8. 강간은 끝까지 저항하면 불가능하다.
9. 강간은 부부간에 있을 수 없다.

성희롱 바로 알기(○, ×)

1. 성희롱은 사적인 문제이므로 개인적 차원에서 해결해야 한다. (×)
2. 성희롱은 그냥 참아 넘기거나 무시하는 것이 상책이다. (×)
3. 불특정 다수에 대한 성적비유나 농담도 성희롱으로 성립될 수 있다. (○)
4. 성희롱을 판단하는 기준은 피해자가 어떤 영향을 받았는가보다는 가해자가 성희롱을 할 의도가 있었는지의 여부에 있다. (×)
5. 성희롱 피해 당시 거부의사를 명확하게 표현하지 않았다면 성희롱으로 문제 삼을 수 없다. (×)
6. 성적 농담이나 가벼운 신체 접촉은 인간관계에 도움을 준다. (×)
7. 성희롱 피해 남성도 법에 보호를 받는다. (○)
8. 동성간에는 성희롱이 성립될 수 없다. (×)
9. 단 한 번의 성적 언동이라도 성희롱이 성립될 수 있다. (○)
10. 성희롱은 특정장소에서 발생하는 경우에만 구제된다. (×)

기 때문에 반항 여부가 성폭력을 규정하는 절대적인 근거가 될 수 없다.

둘째, 개인이 성행위를 동의했다 하더라도 정상적인 판단이 어려운 상태에서의 동의는 성폭력이다. 예를 들면, 술이나 약물에 의해 자신도 모르게 성관계를 하였으나 이를 억울하게 생각하고 후회한다면 그 상황은 정상적인 판단을 할 수 없는 상황으로 본다.

셋째, 성행위의 상대가 법적인 미성년자인 경우는 성인의 행동은 성폭력으로 간주한다. 문화권마다 미성년자의 연령범위가 약간씩 다르지만, 통상 19세 미만의 중·고등학교에 다니는 학생이 술도 마시지 않은 상태에서 성인과 성관계에 동의를 하고서 성행위를 했다 하더라도, 성인의 행위는 성폭력에 해당된다. 특히 성폭력 피해자가 13세 미만인 경우 무조건 처벌 대상자가 된다. 그 이유는 나이가 어린 미성년자 일수록 자신의 행동에 대해 책임을 충분히 질 수 있을 정도로 상황 판단을 하지 못한다고 보기 때문이다. 다시 말하면, 미성년자는 상당한 시간이 흐른 후에 그 행위를 후회할 수 있기 때문이다.

우리나라에서 연간 몇 건의 성폭력이 발생하는지는 정확히 알 수 없다. 대부분의 피해·생존자들이 피해사실을 오히려 숨기고 있는 실정이기 때문이다. 하지만 분명한 것은 해마다 성폭력 건수는 증가하고 있다. 통계청이 발표한 2014년 한국의 사회복지표에 따르면 성폭력건수는 2013년애 2만 6,919건을 기록해 전년도보다 26.1% 증가했다고 하였다. 성폭력사건은 1995년부터 꾸준히 증가하여 18년만에 5.4배로 급증하고 있다. 청소년 성폭력(13~20세)과 아동 성폭력(12세 이하)도 증가하고 있다. 성폭력은 실제적인 건수보다 12~30%만이 보고될 뿐이다. 성폭력의 50~80%는 피해자의 아는 사람으로부터 가해진다. 남성, 여성 모두 성폭력의 대상이 될 수 있으나 여성이 대상이 될 위험성이 더 크고 특히 청소년, 아동성폭력 피해자, 장애인, 마약류 사용자, 성매매 종사자, 극빈층, 노숙자, 교도소 생활자, 군 막사생활자 등이 더욱 취약한 대상으로 분류된다.

전문가들은 성범죄의 증가원인을 성에 대한 잘못된 인식을 심어준 유해 매체의 증가에 두고 있으며 특히 스마트폰의 대중화가 더 많은 성범죄자를 양산한다고 한다. 또한 과거에는 성범죄 피해 여성들이 가능하면 숨겼지만 이제는 적극 신고해서 권리를 스스로 찾으려는 분위기로 바뀌고 있는 실정이다. 특히 CCTV수가 늘어나고 유전자 분석기술이 발달한 것도 범죄 입증능력의 향상으로 이어져 성폭력 사건의 증가로 작용하고 있다.

성폭력 피해자의 의학적 처치는 외과적 손상의 치료, 응급피임, HIV를 포함한 감염의 예방, 사회·정신과적 도움을 받아야 한다. 비록 성폭력 후 많은 사람들이 정신과적 문제를 경험하고 대부분 회복이 되지만 소수의 사람들에게서 위중하고 지속적인 장애 증세를 보이고 있어 전문가의 중재와

TIP

성폭력에 대한 인식

- 성폭력은 가부장적 사회구조의 산물, 성의 상품화의 결과다.
- 성폭력은 일방적인 폭력이고 인권을 침해한 범죄로 성관계나 순결을 잃은 것이 아니다.
- 성폭력의 잘못은 가해자에게 있지 피해자의 잘못이나 책임은 아니다.
- 어린이도 독립적인 주체이며 인격이다.
- 가정이나 학교에서 자연스러운 성폭력 예방 교육을 해야 한다.
- 성폭력의 위험성을 인식시키고 실질적 도움을 받을 수 있도록 한다.
- 좋은 접촉과 나쁜 접촉 구별 능력 및 표현 능력을 갖도록 한다.
  - –부당하고 불쾌한 접촉 경험듣기
  - –"안돼요"라는 적극적 표현 격려
  - –위험한 장소는 피한다.
  - –부모님께 자유롭게 말할 수 있는 환경조성

적극적 치료를 요구한다. 증거를 수집하는 것은 범인을 고소하는 데 매우 중요한 자료이다. 적절한 치료를 받기 위해서는 모든 치료의 준비가 되어 있고 안전하고, 법의학적으로 신뢰할 수 있는 적절한 장소(one-stop service)에서 행해지는 것이 바람직 하다.

2. 성폭력에 대한 통념

성폭력문제는 그 피해가 심각함에도 불구하고, 자신이나 주변인이 피해를 당하기 전까지는 자칫 남의 문제로 인식하기 쉽다. 더욱이 성폭력에 대한 잘못된 통념때문에 사람들은 피해자의 말을 믿기보다는 오히려 의심의 눈초리로 바라보고 비난하기까지 하는 현실이다.

다음의 표 13-1은 성폭력에 대한 통념과 올바른 인식이다. 이러한 통념은 우리사회의 성문화와 여성에 대한 인식의 수준을 보여주는 것이며 여성과 어린이를 약자로 보는 사회적 권력관계와 맞물려 성폭력을 조장하는 큰 요인으로 작용하고 있다. 왜냐하면 성폭력은 남성의 본능적인 성충동이 아니라 그 사회의 성문화와 여성의 지위를 반영하는 문화적·사회적인 현상이기 때문이다. 성폭력이 무엇인지를 올바르게 인식한다면 성폭력을 근절시

표 13-1 성폭력에 대한 통념과 올바른 인식

통념	올바른 인식
1. 나에게는 일어날 수 없는 일이다.	성폭력은 나이와 인종, 계급, 종교, 직업, 교육정도, 신체적 매력등과 상관없이 누구에게든 일어날 수 있다. 실제로 한국성폭력상담소의 상담사례를 보면, 3개월된 유아부터 71세 할머니까지 피해를 당하고 있음을 알 수 있다.
2. 대부분 성폭력은 '컴컴한 골목'에서 '낯선사람'에 의해 우연히 일어난다.	아는 사람에 의한 성폭력이 전체의 70%가 넘는다. 또 성폭력은 피해자나 가해자의 집, 주변 놀이터 등 피해자와 친숙한 곳에서 일어나는 경우가 많다. 그리고 퇴근 길목 등에서 기다렸다가 계획적, 반복적으로 성폭력을 하기도 한다.
3. 강간은 폭력이 아니라 조금 난폭한 성관계이다.	실제 많은 강간 가해자들은 무기를 지니고 다니거나 죽인다고 협박을 한다. 그리고 남성의 성기에 삽입되기는 하지만 그것은 여성의 뜻과는 전혀 관계없이 일어난 행위이기 때문에 '성관계'가 아니라 '폭력'이다. 따라서 강간당한 여성들은 '순결'을 잃은 것이 아니라 폭력을 당한 것이다.
4. 가해자들은 정신 이상자이다.	가해자 중에는 남달리 포악한 사람도 있지만 대개 강간을 일종에 성관계라고 오해하는 경우가 있다. 이들은 여자들은 좋으면서도 겉으로는 아닌 척 거절한다고 생각한다. 그리고 가해자들의 대부분은 정신이상자가 아니라, 사회생활을 정상적으로 하고 있는 사람들이다.
5. 여자들의 야한 옷차림과 정숙치 못한 행동이 성폭력을 유발한다.	눈에 띄는 옷차림을 하고 다니는 여자만이 피해를 당하는 것은 아니다. 그리고 무엇보다 어떤 옷을 입고 어느 장소에 가느냐 하는 것은 사람마다의 개성이고 자유이지, 폭력을 당하고 경멸받기 위해 하는 것은 아니다. 물론 여성들이 어떻게 주의해야 할 것인가는 알아야 하지만, 사건의 책임이 가해자가 아닌 피해자에게 돌려지는 것은 부당하며 인권침해의 하나이다.
6. 여자가 끝까지 저항하면 불가능하다. ("흔들리는 바늘에 실꿰랴?")	대부분 가해자들은 말로 위협하는 정도에서 그치지 않고 때리거나 무기로 위협하기도 한다. 이런 상황에서는 아무리 저항해도 피할 수가 없고 오히려 생명의 위협을 느끼게 된다. 그 누구도 범죄 앞에서 공포심 없이 힘껏 저항할 수는 없다. 더구나 자라면서 ' 여성다움'을 주입받아온 여성은 이 경우 저항하기보다는 무기력해지기 쉽다. 더구나 피해 시에는 흔들리는 바늘이 아니라 신체적, 심리적으로 꽉 잡혀진 바늘의 상태이다.
7. 여성들이 스스로 조심하는 것 말고는 강간을 방지할 수 있는 뾰족한 방법이 없다.	스스로 조심하는 것은 최소한의 임시방편이지 대책은 못된다. 여성들이 안전하고 자유롭기 위해서는 법적, 제도적 장치들이 마련되어야 하고, 우선 성폭력에 대한 잘못된 인식을 바로 잡는 일이 중요하다. 먼저 나의 편견부터 점검하고 주변에 성폭력에 대한 올바른 인식을 알리도록 하자.

자료: 한국성폭력상담소(1991), 나눔터, 1호 & Sydney Rape Crisis Centre(1995) Surviving Rape

키는데 중요한 역할을 할 것이다.

우리 사회의 여성운동은 성폭력 및 강간을 사회적, 정치적 문제로 부상시켰다. 남녀 노소 누구나 강간과 같은 성폭력 피해자가 될 수 있고 그 피해자의 대부분은 강간 가해자와 비슷한 나이 또래일 수도 있다. 최근에는 아동들이 피해자가 됨으로써 사회적 문제가 심각하게 되고 있다.

강간이란 피해·생존자의 신체적, 정신적, 정서적 삶에 장기적·단기적 영향을 미치는 정신외상적인 사건이다. 강간은 현재 국가적 지역적 문제로 그리고 심각한 사회심리적 결과를 초래하는 개인적 위기로 인식하고 있다. 강간 피해·생존자의 치료는 의료적, 간호적 중재와 상담적 중재 그리고 경찰과 법정에 의한 법적 중재를 포함한다. 병원, 법집행기관, 법조인들은 강간 피해·생존자에 대한 그들의 상호의존적인 책임을 인식하고 있으며 강간 피해·생존자에게 효과적이고 인본주의적인 상호작용을 보장하기 위해 그들의 서비스를 수행하는데에 서로 협력하고 있다.

3. 성희롱

성희롱이란 행위자가 피해자에게 교육, 공공기관의 지위를 이용하거나 업무와 관련하여 상대방이 원하지 아니하는 성적 의미가 내포된 신체적, 언어적, 시각적 언동으로 성적굴욕감을 느끼게 하거나 교육, 고용상의 불이익을 주는 것을 의미한다.

상대방이 원하지 않는 성적 언행이며 개인의 성적 자기결정권을 침해하는 모든 행위이다(표 13-2).

4. 강간의 법적, 사회적 정의

강간에 대한 논의는 강간의 정의에서부터 시작해야한다. 왜냐하면 강간 피해·생존자의 간호, 치료, 상담은 범죄에 대한 사회적 의미와 개인적 이해에 의존하기 때문이다. 강간은 법적으로 상대방의 의지에 상관없이 폭력적으로 하는 성교를 의미한다. 형법 제297조에서 강간 범죄자는 폭행 또는 협박으로 사람을 간음한 자로 정의하고 있다.

강간에 대한 정의는 시대나 문화에 따라 다양할 수 있다. 그러나 강간은 기본적인 3가지 요소 성교(sexual intercourse), 힘(force), 비동의(non-consent)로 구성된다.

첫째, 성교는 남성 성기가 여성의 성기에 삽입되어야 강간으로 인정하며 미약하게 삽입했다 할지라도 강간으로 지칭된다. 완전한 삽입이나 사정이 아니어도 해당이 된다. 가해자가 질 삽입을 위해 다른 신체의 일부(손가락, 혀) 또는 다른 도구(병, 빗솔)를 사용했다면 이것은 강간이 아니라 강간미수, 유사강간, 성추행으로 분류된다. 따라서 항문성교, 구강 성교, 남성피해 등은 아무리 심각한 문제라 할지라도 강간이 아닌 성추행으로 규정된다.

둘째, 힘의 개념은 누군가를 통제하고 피해·생존자의 저항을 압도하는 육체적인 힘을 사용하거나 위협적인 신체적 상해를 가하거나 또는 죽음에 대한 공포로 순종할 수 밖에 없는 협박 등을 포함한다.

셋째, 비동의 개념은 성관계에서 성적 자기결정권 침해와 관련되어 있다. 즉 남편과 아내 사이, 연인 사이, 고용인과 피고용인 사이의 관계에서 적용된다. 미국이나 우리나라에서 성공적으로 기소된 사례에서 부부라 할지라도 성적 자기결정권을 침해하는 행위는 부부 강간이며 범죄행위이다.

표 13-2 성희롱

성희롱 개념

• 법적 개념

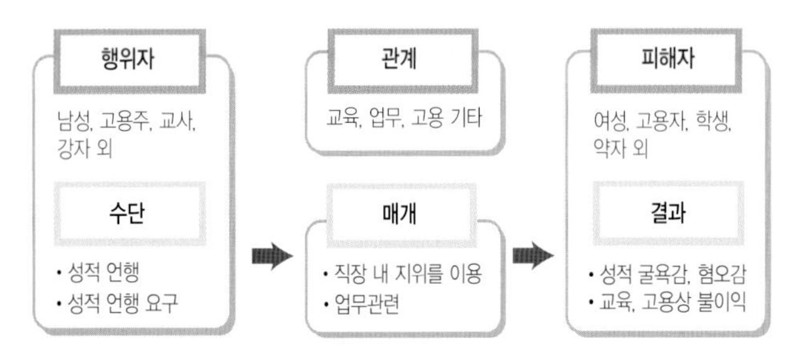

• 상대방이 원하지 않는 성적언행이며 개인의 성적 자기결정권을 침해하는 모든 행위

성적 자기결정권

• 취향, 성적 행동 등을 자율적으로 결정할 권리
• 침해, 또는 구속받지 않을 권리
• 선택에 대한 책임을 지는 권리
• 상대방의 성적자율권을 침해한 언행이자 나의 성적자율권을 침해받은 언행인 성희롱, 성폭력을 거부할 권리

성희롱의 유형

• 언어적 성희롱
  –음란전화
  –대상자에게 성적 경험이나 성생활에 관한 질문
  –듣기 거북한 음란한 성적 농담
  –외모에 대해 성적인 비유 혹은 비하 발언
  –성적 모욕과 비방
  –타인의 성적 내용과 관련된 정보를 의도적으로 유포
  –외설적이고 도발적인 소리와 음성
  –상대방이 원하지 않는 성적 관계를 강요하거나 회유
  –성적 관심이나 욕구를 표현 하는 등
• 시각적 성희롱
  –업무나 교육 목적과 관련되지 않는 음란물을 게시·유통시키는 행위
  –성과 관련된 특정 신체 부위를 고의적으로 노출하거나 만지는 행위
  –외설적이고 음란한 몸짓과 얼굴 표정, 사생활 훔쳐보기
  –성적인 낙서, 성기 노출
  –편지, email, SNS 등을 통해 성적인 내용 게시·전송
• 신체적 성희롱
  –입맞춤, 포옹, 뒤에서 껴안기 등의 신체적 접촉
  –가슴, 엉덩이 등 특정 신체부위를 고의적으로 만지거나 스치고 지나감
  –손 등을 오래 동안 만지거나 어깨동무를 하거나 필요 이상의 과도한 신체적 접촉
  –개인의 신체를 접촉
  –모임에서 성적 유희의 대상으로 삼음

성희롱 피해자의 증상

가해자가 성희롱을 의도했든 하지 않았든 피해자를 성적으로 대상화하는 것은 인권침해이며 그 과정에서 피해자는 심리적, 신체적, 사회적으로 위축된다.

• 심리적 피해: 적개심, 반감, 의심, 분노, 화, 공포, 잘 놀램, 우울증, 불면증, 모욕감, 자기비하, 죄책감, 수치심, 무력감, 자포자기 등
• 신체적 피해: 두통, 식욕상실, 소화불량, 위장염, 불면증 등
• 사회적 피해: 업무 능력 저하, 사기 저하, 직장 생활 부적응 등

성희롱 근절 대책

• 성에 대한 통념과 고정관념 타파
  – 남성의 성욕은 참기 어렵다.
  –여자가 술을 마시고 취하는 것은 자기방어를 포기한 것이다.
  – 남성과 여성의 전형적 행동 상을 만들고 그러한 행동을 강요하는 것
• 평등하고 주체적인 관계 맺기
  –개인의 성적 자기결정권 존중
  –개인의 학습관, 교육권 존중
• 성 감수성의 차이 이해
  –'성 차이'와 '성차별'은 같은 것이 아니다.
  –'내 생각'과 '네 생각'은 같지 않다.

강간이란 협박과 폭력으로 인한 공포감, 강제 혹은 약물중독에 의해 여성의 의지가 억압된 상태인 경우나 정신적 결함으로 여성이 이성적 판단을 할 수 없을 때, 여성이 독단적으로 동의할 수 없는 어린 나이인 경우에, 여성의 의지와 동의를 무시 혹은 반대하는 상태에서 하는 성교행위를 의미한다.

강간은 사회문화적 맥락하에서 경험한다. 강간은 피해·생존자 자신의 자기결정권이 거부되는 상황에서 발생되는 공격적 행동으로, 죽음의 위협을 가져오는 폭력적 행동이다. 강간 피해·생존자가 품위 있는 여성이 아니거나, 좋지 않은 시간과 나쁜 장소에 있었기 때문에 피해·생존자가 강간의 원인을 유발했다고 할 수는 없다. 여성에게 강간이란 자신에게 일어날 수 있는 가장 끔찍한 사건이며 강간 가해 남성은 여성에게 계속적으로 협박과 위협을 가했을 것이다. Bard와 Ellison은 강간은 "자아에 대한 최대의 폭력"이라고 하였다. Hilberman은 강간은 피해·생존자에게 어떤 사건과도 견줄 수 없는 심각한 무기력과 절망감을 줄 뿐만 아니라 저항할 수 없는 공포를 경험하는 폭력적이고 굴욕적인 행동이라고 하였다. 모든 연구자들은 강간을 피해자의 신체 통합을 파괴시키고 긍정적 인간관계에 대한 악의적인 침해이며 생명에 대한 위협과 낙인자로 살게 하는 행동이라고 하였다.

강간은 사람에 대한 폭력적 범죄이며, 사용되는 성적 방법은 권력과 분노 및 증오의 표현수단이라고 할 수 있다. 강간은 피해자의 의지에 상관없이 가해범과 신체 접촉을 강요받는 것이다. 피해자는 두려움을 경험한다. 강간에서 사용하는 무기는 음경이다. 가해자는 음경을 사용하여 피해자를 공격하고 굴복시키며 모욕을 준다. 여성에게 강간은 공포이고 위협이기도 하다. 처녀, 창녀, 나이 든 여성, 아동, 주부, 이혼녀, 레즈비언 등 어떤 여성이든 경험하는 내용은 동일하다. 그들의 삶은 위협을 받을 것이고 권력과 위협이 가해지는 폭력적인 상황에서 구사일생으로 생존한 사람들이다.

이러한 정의에는 여성은 강간 피해·생존자이고 남성은 강간 가해자로 이분화하고 있다. 이러한 이분화 때문에 남성의 성기가 여성의 성기에 삽입되어야만 강간으로 인정한다. 따라서 항문 성교와 구강 성교, 남성피해 등은 문제가 심각하더라도 강간으로 인정하지 않는다. 또한 감옥에서 어떤 남성은 빈번히 폭력적인 공격성으로 다른 남성을 강간함으로써 자신의 권력을 행사하기도 하고 여성도 다른 여성을 강간하는 여성 강간 가해자도 명백히 존재한다.

강간은 사람에 대한 폭력이자 권력이며 피해·생존자가 남자이든 여자이든 간에 그들은 통제의 상실, 무기력, 두려움을 경험한다.

5. 강간의 사회적 문제점

여성가족부는 2013년 전국 성폭력 실태조사에서 한국여성은 지난 1년간 1명/1,000명이 강간 피해를, 일평생 4명/1,000이 강간 피해를 받는것으로 발표하였다. 우리나라의 성폭력 신고율은 12.3~17%이다. 강간은 주로 여성에서만 조사되었고 19세 미만에서 39.3%였고 가해자는 평소에 알던 사람이 60%였다. 성폭력의 피해 정도가 심각한 강간은 경찰에 직접 도움을 요청하는 비율이 높아졌다. 그러나 아직까지 강간은 여성의 수치심과 맞물려 있어 신고율이 매우 떨어지는 상황이다. 신고되지 않은 수치를 파악하여 보다 현실적인 대책을 마련할 필요가 있다. 우리나라는 OECD 국가중에서 13위로 13.5명/100,000명의 강간범죄율을 나타내고 있다(2013). 관건은 신고율인데 스웨덴, 노르웨이 같은 인권선진국의 강간범죄율이 상위권을 차지하는 이유는 범죄가 양지로 잘들어나기 때문이라는 해석도 있다.

폭력적 강간 피해자의 수는 거의 해마다 증가하고 있다. 성범죄 피해자는 2013경찰청통계자료에서 강력범죄 피해자 26,962명 중에서 22,310명으로 압도적이었다고 한다. 그러나 폭력과 같은 살인범죄율은 OECD 국가중에서 최하위다.

우리나라에서도 한국형사정책연구원의 조사 결과에 따르면 성폭력의 신고율이 점점 증가하는 추세이나 여전히 12.3~17% 미만에 머무르는 실정이다. 이렇게 여성 성폭력 희생자들의 신고율이 저조한 이유는 여성으로서의 수치감과 신고해봤자 법적인 보호를 받기 힘들다는 생각때문이다.

강간이 가장 많이 증가하는 범죄지만 구속과 관련해서는 그 비율이 가장 낮고 강간 가해자들에 대한 피해·생존자들의 두려움과 강간에 대한 당혹감에 기인한다고 할 수 있다. 또한 강간 가해자을 확인하고 유죄로 기소하는 과정이 피해·생존자들을 낙담하게 하는 고통과 굴욕감과 오명화하는 과정이 된다. 강간 보고는 경찰신문과 보고서 작성을 필요로 한다. 강간 피해·생존자들은 그들이 도움을 요청한 경찰로부터 비난을 당하고 시달림도 겪는다. 피해·생존자들은 성적으로 적나라한 질문들을 받는데 이러한 질문들은 강간 가해자를 추적하는 것과는 관련이 없는 것 같다고 보고한다.

강간은 확증(증거보강)이 있어야 하는 폭력 범죄이다. 확증(corroboration)은 사실에 대한 단순한 주장과는 다른 증거가 확보되어야 하는 것이다. 즉, 검사가 사건을 강화하기위해 증거를 보강하는 것뿐만 아니라 범죄를 확증하기 위한 증거인 것이다. 여성 피해자가 허위로 남성을 강간 가해자로 고발할 수도 있기 때문에 피고인을 보호할 필요가 있다는 가정이 깔려있다. 즉, 강간 그 자체를 규명하기 위해 법적증거와 피해자의 특성을 조사하는 것이 중요한 목적이 된다. 수사관들은 여성이 동의했을 것이라는 가정 하에서 피해·생존자의 도덕적 책임에 대해 비난하고 왜 방어 할 수 없었는지를 확인한다. 재판과정에서도 배심원이나 법조인은 강간 고발에 대한 판결을 내릴 때에 여성의 과거 성적 행동을 문제삼고 비중을 두는 경향이 있다.

우리나라 법조인 열명 중 한 명은 '여자가 끝까지 저항하면 강간은 불가능하다'고 생각하는 등 성폭력 사건을 바라보는 시각이 여전히 남성 중심적인 고정관념에서 벗어나지 못하는 것으로 드러났다. 이는 한국성폭력상담소(2003)가 올 6~7월 판사, 검사, 변호사 등 법조인 3백51명을 대상으로 설문조사를 벌인 결과다. 설문에 응한 법조인 중 여성은 63명으로 18%를 차지했다. 조사 결과 ▶성폭력은 남자들의 억제할 수 없는 성충동 때문에 일어난다(38.7%) ▶여자들의 야한 옷차림이 원인이다(30.5%) ▶강간은 소수의 비정상인들이 저지른다(27.6%) 등 남성 입장에서 성범죄를 정당화시키는 통념을 법조인들도 상당 부분 수용하고 있는 것으로 밝혀졌다. 특히 "피해자가 가해자와 함께 여관에 들어간 경우 성폭력으로 인정받기 불리하다"는 응답이 94.3%나 됐다. 일단 강간이 신고되면 강간 피해·생존자는 매우 복잡한 법적인 과정에 연루된다. 왜냐하면 강간에 대한 신고는 피해가 아니라 고발이기 때문이다.

피해자의 동의는 피고인의 죄를 결정하는데 항상 주요한 요소이다. 만일 피해자가 절도를 당했다고 고발했다면 동의에 상관없이 금품을 빼앗긴 것을 인정할 것이다. 그때에 피해자가 죽음에 대한 공포나 위험한 신체적 상해와 관련되어 있었다는 것을 증명할 필요가 없다. 간혹 성공적으로 절도범에 대항해서 절도를 당하지 않을 수도 있으나 그러한 시도에서 죽임을 당할 수 있기 때문에 절도범과 싸우는 것을 요구하지 않는다. 저항하기를 원하고 싸울 훈련이 되어있는 사람일지라도 자신이 위험하다고 인식한다면 절대로 저항하거나 싸울 수 없다.

미국의 경우 강간 확증에 관한 법을 개정하도록 요구하였다. 강간 피해·생존자의 저항기준에 정당한 두려움을 포함시켰고 특수한 상황을 제외하고는 피해·생존자의 과거 성행동에 관한 정보의 사용을 금지하는 법을 재정하였다. 이러한 변화는 강간 피해·생존자와 다른 범죄 피해자들사이에서 발생했었던 차이와 차별을 감소시켰고 결과적으로 성폭행에 대한 신고율을 증가시켰다.

강간 피해·생존자들이 신고를 일반적으로 기피하는 이유들은 자신의 사생활을 노출시키고 싶지 않고 또한 강간 가해자의 복수에 대한 두려움, 신고 절차를 잘 몰라서, 신고해도 강간 가해자가 체포될 확률이 낮을 것이라는 통념 때문이다. 또한 수치심, 법정에서 강간 피해·생존자로서 비난받는 것에 대한 두려움, 자신의 주장을 믿어 주지 않을 것에 대한 두려움에서, 술이나 약물에 취해서 범죄가 발생했기 때문에 자포자기한다 등이다.

필라델피아경찰청은 646명의 강간 피해·생존자와 1,292명의 강간 가해자를 연구하였다. 피해·생존자들은 유아에서부터 노인까지였으나 대다수가 15~24세 연령 집단이었다. 강간 가해자의 평균 나이는 15~19세로 강간을 저지르는 대다수 집단이다.

이 보고서에는 모든 강간의 56%가 집안에서 일어나며, 18%가 개방된 공간이며, 11%는 실내, 15%는 자동차 내에서 일어났다고 하였다. 강간의 3/4은 한 명 또는 두 명의 가해자 즉 단독 강간 57%, 2인조 강간 16%이고 집단 강간(세 명 또는 그 이상의 가해자들)은 27%를 차지한다. 전체 강간에서 71%가 미리 계획된 것이었고 단지 16%가 비계획적인 것이었다. 집단 강간은 90%가 계획적이었고 단독 강간은 58%가 계획적이었다. 전체 사건의 절반이상이 잘 알고 있는 사이였고, 이웃, 남자 친구, 가족, 친척들이었다.

신체적 폭력을 사용한 강간이 전체 사건 중 가장 많았으며 나머지는 무기를 사용하여 위협과 협박을 하였고, 무기를 사용하지는 않았지만 위협과 협박 등 다양한 폭력을 사용하였다. 또한 강간 가해자는 대부분이 남성으로 남성성이 공격적인 것으로 표현되는 하층문화의 젊은 집단이었다. 강간은 성적 만족감을 취하기 위해 범죄행위를 한다기보다는 집단의 결속력을 표출하고자 하는 반사회적 행동이었다.

6. 강간의 심인성 요인

강간의 심인성 요인을 확인하기 위해 유죄판결을 받은 133명의 강간 가해자와 92명의 성인 강간 피해·생존자로부터 강간의 동기를 분석하였다. 강간의 동기는 권력, 분노, 가학 등의 동기적 요소가 성적 욕망(sexuality)으로 나타났다. 강간은 대체로 권력과 분노가 지배하고 있으며 성적 욕망을 표출하려는 것처럼 보였지만 권력과 분노, 가학을 표출하기 위해 성을 공격적 수단으로 이용하고 있었다.

강간은 3가지 유형으로 구분한다.

첫째, 권력형 강간은 가해자가 총기나 신체적인 힘, 신체적으로 해가되는 위협을 통해 피해·생존자에게 힘을 과시하게 위해 강간하는 것이다. 가해자가 피해자에게 상처를 가하려는 것이 아니라 성적인 공격을 통해 통제력과 권력을 행사하고자 한다. 성적 정복을 위해 강간을 하며 피해자를 굴복시키기 위해 그의 모든 힘을 사용한다. "나는 그녀에게 옷을 벗으라고 말했고 그녀가 거부하자 나는 그녀의 얼굴을 내려쳤다." 또한 강간 가해자는 여자를 통제하고 구속함으로써 그의 좌절된 성적 열등감을 회복하려고 한다. 강간 가해자는 피해·생존자에게 구타와 성폭행을 하고 강제로 가치비하적인 행동을 하게 하거나 복종하게 함으로써 피해·생존자에게 자신의 분노, 멸시감, 증오심을 표출한다. 권력형 강간자들은 피해·생존자가 자신에게 저항을 하면 분노를 심하게 표출하지만 때로 피해·생존자가 격렬하게 저항하면 도망을 가기도 한다.

권력형 강간은 가해자가 성적인 공격을 통해서 지배력을 발휘하고자 하며 자신의 정체성을 재확인하고자 한다. 강간을 통해 그의 좌절된 성적열등감을 회복하고자 한다.

둘째, 분노형 강간은 가해자가 피해·생존자에게 강간을 통해 가치비하와 굴욕감을 주는데 있다. 가해자는 화가 나거나 격노한 감정을 성적 공격을 통해서 해소한다. 분노형 강간은 여성에게 의도적인 분노를 표현하는 폭력행위이다. "나는 너의 콧대를 꺾기를 원했다. 내가 그녀에게 할수 있는 최악의 것이다." 가해자는 흔히 그의 아내, 상사, 삶에서 의미있는 여성과 관련된 치욕스런 경험(분노, 경멸)으로 소위 열 받아서 강간으로 푸는 것이다.

강간 행동은 신체적으로 보다 잔인하며 그의 동기는 복수, 즉 설욕과 분풀이고 목적은 피해·생존자에게 고통과 상처, 가치비하와 굴욕감을 주는 것이다.

셋째, 가학적 강간은 정신병적, 가학애를 즐기는 유형이다.

강간 가해자들은 피해·생존자를 괴롭힘으로써 쾌락과 스릴, 흥분을 얻는다. 그들은 가학적인 성향을 가지고 있으며 성적인 공격을 함으로써 분노를 해소하고 일시적 안위감을 얻는다. 가해자는 폭력을 통해 흥분하고 여자를 고통스럽게 할수록 기쁨을 느낀다. 이들은 성적으로 부적응적인 문제를 가지고 있다.

연구된 전체 사례중 50% 이상이 권력형 강간이고 35%가 분노형 강간, 가학적 강간범은 5% 등이다.

강간이란 비 성적인 욕구에서 비롯된 성적 행동이며 그런 의미에서 "강간은 명백한 성적 일탈이며 범죄행위"이다.

7. 강간 가해자의 성 행동

강간 가해자에 대한 잘못된 통념이 있다.

- 갑작스럽게 초래되는 성충동을 통제할 수 없다.
- 성적 불만족감이 있다.
- 다양한 성적 만족을 추구하는 매우 유능한 남성이다.
- 자극적이고 도발적인 여성에 의해 '유혹된' 순진한 남성이다. 그들은 희생자다.

170명의 유죄선고를 받은 강간 가해자의 표본 연구에서 강간 가해자들은 성폭행 중 비교적 심한 성적 기능부전이 나타났다고 보고하였다. 발기부전은 성적 기능부전의 가장 흔한 경우로서 강간 가해자 중 16%에서 나타났다. 어떤 강간 가해자은 단지 강간 피해자의 손이나 또는 입으로 자신의 성기를 자극받은 후에 발기가 가능한 "조건화 된 발기부전"을 경험했다고 한다. 15%는 지연사정(성교 동안 사정의 어려움 또는 실패)을 보고하였다. 3%는 조루증을 보고하였다.

강간 가해자 중 어느 누구도 강간이 아닌 비폭력적이거나 동의적 성관계 상황에서는 성기능부전을 경험하지 않았다고 하였다. 성기능부전은 강간이라는 상황과 밀접한 관계가 있다. 의학-법률적으로 정액이 존재했을 때 성교가 있었다고 확증할 수 있지만 사실 정액이 질에서 없다고 해서 성교가 일어나지 않았다고 증명할 수는 없다. 왜냐하면 정액의 부재가 강간 가해자의 성적 기능부전으로 올 수 있기 때문이다. 강간 행동은 강간 가해자에게 심각한 정서적 장애를 유발하여 성기능부전을 야기시킬 수 있기 때문이다.

Abel 등은 20명의 남성을 대상으로 강간자의 성적 흥분에 대한 연구를 하였다. 강간자들과 비강간자들에 대해 그들의 성적발기를 비교·연구하였다. 일단 그들에게 강간 상황과 비강간 상황을 묘사하는 성적 장면을 청각으로 듣게하여 발기상태를 비교 측정하였다. 두 비교 집단은 차이가 있었다. 즉 강간자들은 강간상황을 들었을 때 발기를 하였지만 반면에 비강간자들은 발기를 하지 않았다.

Symonds는 강간 피해·생존자의 심리적 반응을 확인하기 위해 강간 가해자의 행동을 연구하였다. 그는 강간 가해자를 강박형과 육욕형(predatory)으로 분류하였다.

첫번째 유형인 강박적 강간 가해자는 마음속 깊이 해결되지 않은 성적 문제때문에 강박적 만족감을 추구하고자 한다. 그들은 공포나 폭력적 분위기를 만들어 피해·생존자가 "자발적으로" 성관계를 하도록 하였다. 강박적 강간 가해자들은 피해자가 복종하기를 원했다. 만일 강간 피해·생존자가 복종을 하지 않고 반항적 행동을 하면 범인은 분노를 표출하였으며 더욱더 강간 피해·생존자를 심하게 폭행하였다.

두 번째 유형은 육욕적 강간 가해자이다. 그들은 감정이 없는 육욕적인 사람들이다. 성적만족이 좌절되면 분노와 격노상태를 나타내는 행동을 저지른다. 육욕적 강간 가해자는 주로 피해·생존자를 정복하고 만족감을 얻기 때문에 강간을 할 때 그들이 원하는 대로 복종하기를 원한다. 강박적 강간 가해자와는 다르게 육욕적 강간 가해자는 피해·생존자가 그에게 말을 거는 것을 원하지 않는다. 그의 의도는 피해·생존자의 고유성과 자존감을 파괴시키고 그들의 몸을 포식하고 익명으로 남길 원한다.

그러나 이 두 성행동 유형이 항상 구별되는 것은 아니다. 강박적 강간과 육욕적 강간이 함께 나타나는 혼합형도 있다. 강간 가해자들은 대부분 정신적·정서적 문제들이 있다.

성행위시 강간 가해자들은 피해·생존자를 복종시키기 위해 공포, 위협, 협박을 사용한다. 또한 강간 상황에서 권력을 행사하고자 한다. 그래서 대부분의 강간 가해자들은 살인을 할 수 있는 위험성이 있다.

강간 가해자들은 여성과 관련된 열등감, 의미있는 대상자와 상호관계에서 경험하는 불편감, 성적부적합감, 낮은 자아존중감을 가지고 있다. 대부분의 남성 강간 가해자들은 밤이나 주말에 알콜이나 다른 약물을 복용하고 신체적 폭력으로 피해·생존자를 당황하게 하거나 충격 및 공포상태에 있게 한다. 강간자는 피해·생존자에게 적대적으로 행동한다.

다음은 강간 행동을 촉발시킨 동기적 요소들이다.

첫째, 생리적 동기는 생리적으로 성적흥분을 일

으키는 다양한 자극이 조건화된다.

둘째, 인지적 동기는 가해자가 성폭력이 피해·생존자에게 만족감을 준다고 잘못 인지하고 있다.

셋째, 정서적 동기는 가해자가 여성에 대한 분노, 적개심 등을 가지고 있다.

넷째, 발달적 동기는 가해자가 성장 발달하는 과정에서 받는 가족, 사회의 문제점이 성폭력 동기를 유발했을 때이다.

Groth와 Burbess는 강간 행동이란 외부적 원인이라기 보다는 강간 가해자 자신의 내부적 워인으로 일어나는 병리적 행동이라고 하였다. 강간 가해자는 정서적 장애가 있는 위험한 사람이다. 의료팀은 강간 가해자의 내면세계에 대한 이해와 재활을 간과해서는 안된다.

8. 강간 피해·생존자에 대한 사회적 태도

강간이 발생하면 이 범죄 상황에서 누가 원인을 제공했고 누구의 책임이 더 큰지에 대해 관심을 갖는다. 사회는 대체로 평판이 좋은 사람에게 책임의 무게를 더 두는 경향이 있다. 피해·생존자가 평판이 좋은 사람이라면 그들의 상황에 잘못을 돌리는 것이 어렵기 때문에 그들의 행동에 잘못을 돌리는 경향이 있다.

텍사스대학교에 재학중인 234명의 학생을 대상으로 그들에게 강간 기록 보고서를 주고 피해·생존자의 잘못의 정도를 평가하도록 하였다. 피해·생존자가 처녀인가, 기혼자인가, 이혼녀인가에 따라 피해·생존자의 잘못의 정도가 다양하게 나타났다. 강간 피해·생존자가 기혼자 또는 미혼녀(가장 평판이 좋은)인 경우는 이혼녀에 비해 더 많은 범죄의 원인을 그들의 탓으로 돌렸다.

강간 가해자에게 판결을 내릴 때도 이혼녀보다 기혼녀를 강간한 범인에게 더 긴 수감기간을 판결하였다. 이것은 평판이 좋은 사람을 강간하는 것이 평판이 안 좋은 사람을 강간하는 것보다 더 심각한 범죄로 생각한다는 것이다.

기혼 여성이 강간을 당한 경우 강간은 그녀의 남편과 가족들에게 영향을 미치며 가족들은 잘못의 원인을 강간을 당한 가족에게서 찾는다. 강간 가해자에게 얼마나 많은 범죄의 원인을 피해·생존자가 제공했는지에 대해 지각하도록 한다. 피해·생존자가 경험하는 고통의 정도에 따라 강간 가해자의 수감기간을 판결하지만 범죄의 원인을 강간 가해자의 탓으로만 돌리지는 않는다.

폭력범죄 피해자들과 강간 피해자들에 대한 사회적 태도를 연구하였는데 사람들은 강간 피해자가 나타낸 행동에 대해 결백성과 우연성을 전혀 수용하지 않았으며 오히려 거부적이며 부정적인 태도를 나타냈다.

"당신은 어두워진 후 이웃 사람이 들어오는 것이 위험하다는 것을 알지 못했느냐? 또는 당신은 문을 닫았는가? 또는 당신은 왜 고함지르지 않았는가?"와 같은 질문들을 하는데 이 말에는 강간 피해자가 방어할 수 있었거나 도피할 수 있었다는 것을 함축하며 원인제공자라는 의미가 깔려있다.

강간 피해자에 대한 이런 초기 반응은 모든 사람들이 성폭력범죄 피해자에게 나타내고 있었다. 가해자의 폭력적이고 비이성적인 행동 뿐만아니라 범죄의 원인에 대한 질문이 피해·생존자 탓으로 돌려져 있기 때문에 모든 피해자들을 무기력하게 만든다.

"피해자(victim)"라는 단어는 어원적으로 제물을 위해 선택된 동물을 의미한다. 이 단어는 희생양의 개념과 매우 밀접하게 연관되어 있다. 희생양이란 단어는 불쾌한 의미를 가지고 있다. 그리고 사람들은 일반적으로 피해자와 관련되거나 피해자로 확증되는 것을 싫어한다.

사람들은 강간 피해자에 대해서 비논리적인 의례적 방어를 강조한다.

"당신이 선하게 행동했다면 어떤 나쁜 일도 당신에게 일어나지 않았을 것이다. 이러한 나쁜 일이 당신에게 일어났다는 것은 당신은 아마 선한 행동을 하지 않았을 것이다. 당신이 옳게 행동한다면 어떤 잘못된 일도 일어나지 않을 것이다. 이러한 몹쓸 일이 일어난 것은 당신이 옳은 일을 하지 않았기 때문이다."라고 한다.

일반적으로 강간 상황에서 저항을 많이 한 피해자들이 범인의 요구대로 순응한 피해자들 보다 더 사회적으로 수용되며 인정 받는다. 사회는 피해자의 생존에 대한 가치보다 그들이 그 상황에서 무엇을 어떻게 했느냐에 더 관심이 많다. 이러한 이중적 태도가 강간 피해·생존자에서 더 많이 나타난다.

강간 피해자들이 경험하는 곤경 중에서 가장 큰 어려움은 지역사회의 무관심이다. 이것은 특히 경찰과 관련되어 있다. 피해자들은 고통을 표현하는데 그것은 범죄로부터 그들 자신을 보호하지 못했다는 자책감이다. 경찰 측은 피해·생존자를 위로하기보다는 범죄예방에 대한 직무책임을 회피하거나 거부하는 데에 우선 순위를 두는 행동을 한다.

범죄로부터 고통을 당한 바로 그 사람이 성폭력 범죄에서 살아남은 피해·생존자이다. 사회가 만일 이들을 무시하거나 배제하거나 심지어 피해·생존자를 범죄를 발생시킨 원인 제공자로 비난한다면 바로 그 사람이 더 큰 가해자이며 결과적으로 사회의 희생자를 만드는 것이다.

이러한 사회의 모순적인 태도는 피해·생존자에게 소외감과 무기력감, 적대적 사회관을 갖도록 한다. 누구든지 폭력범죄의 피해·생존자가 될 수 있다는 인식은 피해자에 대한 사회적 태도를 공감적으로 변화시킬 수 있다. 사회가 피해·생존자가 느끼는 소외감과 무기력감을 완화시키고, 이들 피해·생존자를 돕고자 한다면 피해·생존자는 가해자와 사회로부터 받은 이중적 희생과 이차적 정신적 외상을 감소시킬 수 있다.

9. 강간 피해·생존자에 대한 가족의 태도

강간 피해·생존자는 강간 상황에서 받은 피해뿐만 아니라 그 이후에도 많은 불이익을 당한다.

Medea와 Thompson(1974) 그리고 Brownmiller는 강간에 대한 가족 및 관련이 있는 타인의 태도와 반응은 강간 피해·생존자에게 매우 큰 영향을 미친다고 하였다.

강간 피해·생존자의 첫 번째 관심 중 하나는 그녀의 남편, 부모, 남자 친구 또는 애인에게 자신의 강간을 어떻게 말할 것인가이다. 강간에 대한 편견 때문에 가족과 가까운 지인들은 강간 피해·생존자를 소외시키거나 거부하기도 한다. 가족들은 강간 피해·생존자를 보호하기 위해 강간 사실을 비밀로 유지하고 싶어한다. 그러나 대상자 또는 가족들의 감정과 문제가 해결되지 않는다면 후일 피해·생존자와 가족들에게 문제를 더욱 더 악화시킬 수 있다.

남편은 아내가 강간을 당한 후에 아내와 이혼하는 경향이 높다. 남편은 종종 강간 가해자에 대한 분노를 아내나 가족들에게 그대로 표출하기도 한다. 즉 강간을 당한 아내에게 이해심이 없는 행동을 하며 또한 성생활을 거부하는 행동을 한다. 어떤 남편은 그의 아내를 더럽다고 생각하며 성적으로 불쾌감이 느껴지고 역겹고 싫다고 한다. 어떤 남편은 아내가 원래부터 부정한 사람이 아닌가 하고 의심한다. 또한 아내가 보다 더 저항을 했다면, 심지어는 충분히 저항하지 않았다고 비난을 하거나 피해자인 아내가 가해자의 성적 행동에 과잉반응을 했다고 생각한다.

사실 남편은 피해자인 아내의 아픈 경험을 이해할려고 노력할 것이고 어떠한 것도 기억하지 않으려고 자기자신의 감정을 억누를 것이며 아내의 눈치를 살필것이다. 이러한 부정적인 상호간의 감정은 결혼생활에 스트레스를 더 가중시킨다.

가족들과 배우자의 부정적인 반응은 강간 피해·생존자에게 부정적으로 영향을 미친다. 개인이 위기상황에 처했을 때 가장 필요로 하는 것은 가족의 긍정적인 지지체계이다.

10. 강간 피해·생존자의 심리적 반응 및 행동 패턴

강간 피해·생존자의 반응에 대한 첫 임상연구를 Sutherland와 Scherl가 하였다. 연구자들은 피해·생존자의 3단계 반응 양상을 확인하였다.

- 첫 번째 단계는 급성 비탄 반응 단계이다.

  이 단계는 쇼크, 불신임, 정서적 붕괴 등 정상 행위 패턴들의 혼란이 나타난다. 피해·생존자는 자신에게 일어난 일에 대해 말하지 않고 그들과 친밀한 사람들에게까지 말하기를 꺼려하며 가해자를 의사나 경찰에게 알리는 것도 꺼려한다.

  죄책감이 있는 피해·생존자들은 강간에 대해 말하는 것도, 법적·의학적 도움을 받는 것조차도 가능한 지연시키도록 했다.

  자신이 떳떳하고 가해자를 통해 굴욕감을 느꼈던 여성들은 즉시 경찰에 신고하거나 도움을 주는 시설을 찾는 경향이 있었다.

  피해·생존자들은 대체로 자신의 판단력 부족 때문에 강간을 촉진시킨 것이 아닌가 하고 두려워했다.

  피해·생존자들은 가족, 친구들, 지인들에게 자신에게 일어난 강간 사실을 알렸을 때 이들이 어떻게 반응할 것인지에 대해 큰 불안을 나타냈다.

  피해·생존자들은 이 기간동안 고소를 할 것인지에 대해 결정하기, 강간을 확인시킬 요소들을 탐색하기, 공개되는 것에 대한 불안감, 임신과 성매개 감염병에 대한 염려 등에 직면한다.

- 두 번째 단계는 외적 적응 단계이다.

  이 단계는 강간 후 며칠에서 몇 주까지의 기간이 걸린다. 강간 피해 여성이 불안을 극복하고, 통제력을 회복하면서 정상 생활 패턴으로 되돌아온다. 강간 피해·생존자는 위기가 해결된 것처럼 행동하고 또한 그 자신과 타인에게도 이제는 더 이상 도움이 필요 없다고 말한다. 이 기간을 “가짜적응기(pseudo-adjustment)”라 하며, 피해·생존자는 부인(denial) 혹은 억압의 기제를 사용한다. 자신과 가족 등을 보호하기 위해 자신에게 발생한 강간사건에 대해 부인하거나 무시해 버린다. 강간 피해·생존자는 전문적인 도움을 필요로 하지 않는다.

- 세 번째 단계는 통합과 해소의 단계이다. 강간 사건과 피해·생존자인 자신의 생각을 통합시키고, 강간 피해에 대한 자신의 감정을

해소하고자 한다. 이때 우울이 나타난다. 이 기간동안 여성은 강간에 대해 강박관념을 가질 수 있고, 강간이 남은 일생동안 대상자의 삶에 어떻게 영향을 미칠 지에 대해 염려하고 불안해 한다. 대상자는 자신의 갈등적 감정을 해소하기 위해 전문가와 상담할 필요성을 느낀다.

Symonds는 강간 피해·생존자가 강간상황에서 나타내는 심리적 반응과 행동을 외상적·심리적 영아성 퇴행이라고 하였다. 이것은 강간에 대한 충격과 불신 때문이다. 이 행동은 갑작스럽게 폭력을 당했을 때 모든 사람이 경험하는 첫 반응이며 즉각적인 반응이다. 이때는 공황이 경험될 수 있으며, 이러한 공황은 지각과 판단을 왜곡시킨다. 대부분의 학습된 행동은 사라지며 강간 피해·생존자는 초기 아동기에 나타냈던 적응 패턴으로 반응한다.

강간 가해자에게 신체적 접촉을 당하는 강간상황에서 대부분의 피해 생존 여성들은 심리적으로 아기가 된 것처럼 경직된 공포반응을 나타낸다. 이런 반응은 마치 협력을 하는 행동처럼 보인다. 강간 피해·생존자는 웃을 수도 있고 심지어 성 관련행위를 먼저 시작할 수도 있다. 그 상황에서 그녀들은 오히려 편안하고 조용한 상태를 나타낸다. 이런 반응 때문에 강간 피해·생존자와 그들의 가족 그리고 친구, 경찰관 심지어 피해자 자신까지도 혼란을 경험한다. 이러한 반응은 죽음에 대한 극심한 공포때문이며, 그녀들은 죽지 않기 위해 복종하는 것이다. 강간 피해·생존자는 강간 가해자의 공격적 행동을 조금이라도 멈추도록 하기위해 강간 가해자에게 아부하며 복종적인 행동을 보인다. 그러나 강간 가해자는 피해·생존자의 간절한 요구와 복종적인 행동을 일반적으로 무시한다.

많은 피해·생존자는 놀람과 당혹감, 분노를 경험한다. 강간 가해자가 강제적으로 가하는 폭력에 대상자가 노출되었을 때에 발생하는 놀람과 분노는 피해·생존자를 위험에 빠트릴 수 있다. 피해자가 살고 싶은 욕구가 있다면 지금은 자신의 놀람과 분노를 억누르고 대신에 복종적인 행위를 할 것이다. 분노가 불완전하게 억제되는 경우에는 놀람과 분노의 수동적-저항 패턴이 나타난다. 피해·생존자들은 계속 울 것이고, 느리게 복종할 것이다. 때로 요구하는 것을 할 수가 없고 요구하는 것을 할 수 없는 것에 대해 가해자를 이해시키기도 한다. 언어적 예는 다음과 같다.

"왜 당신은 나를 원하느냐?", "나는 임산부다", "나의 어머니가 최근에 사망하셨다", "당신은 좋은 사람이다", "당신은 부끄러운 짓을 하지 않을 것이다"

다음은 강간 피해 생존자가 강간상황에서 나타내는 2가지 행동패턴이다.

- 수동적 저항 패턴은 강간 가해자가 죄책감을 갖도록 유도하거나, 양심에 호소하면서 강간 가해자가 행동을 중단하도록 노력하는 것이다. 그러나 이러한 행동은 강간을 전혀 중지시키지 못한다. 때로 피해자의 수동적 저항 행동은 강간 가해자에게 죄책감을 느끼게 하는 것보다 오히려 가해자의 분노를 유발시킬 수 있다.
- 능동적 저항 패턴은 피해자들이 강간 가해자에게 공포를 조성하고, 신체를 공격하고, 체포 및 발각될 것이라는 압박적인 말을 하면서 두려움을 야기시키는 것이다. 강간 상황에서 이러한 저항을 사용하면 때로 가해자의 폭행을 중지시킬 수도 있다. 능동적 저항 패턴은 강간 가해자의 양심 내부에 호소하는 것이 아니라 자신의 생존을 위해서 몸으로 투쟁하는 것이다. 피해·생존자가 사용하는 힘이란 능동적인

신체 저항을 의미한다.

사실 피해·생존자의 능동적 저항 행동과 신체를 공격하는 투쟁행위는 문화적으로나 사회적으로 여성에게 승인하는 행위는 아니다. 이러한 익숙하지 않는 투쟁행위는 자신의 신체를 제대로 방어할 수가 없고 가해자에게 공격을 쉽게 할 수가 없다. 여성이 공격적 강간 가해자에게 분노를 표출하고 공격적 투쟁행동을 할 수 있는 것은 피해·생존자가 교육을 통해 자신의 여성성을 변화시켰을 때이다.

Symonds에 의하면 강간 피해·생존자의 저항 패턴은 어린 시절의 생활과 양육경험이 무엇인가에 따라 좌우된다고 하였다. 어린 시절에 폭력을 경험하지 않은 사람은 대체로 수동적 저항 패턴에서 주로 언어적 패턴을 사용했다. 낮은 사회, 경제적 계층이나 어린시절에 폭력을 행사한 사람은 신체적 저항 패턴을 능동적으로 사용하는 경향이 더 높게 나타났다.

11. 강간 상황 시기별 피해자의 대처 행동

강간 외상으로 진단받은 92명의 여성에게서 나타난 상황별 대처 행동을 Burgess와 Holmstrom은 다음과 같이 분석하였다.

강간 피해·생존자가 강간 상황에서 나타냈던 인지적, 언어적, 신체적 대처 행동을 보고하였다. 강간 상황을 강간 위험시기, 강간 직전시기, 강간 시기, 강간 직후시기로 분류하였다.

첫째 단계 강간 위험시기에 있었던 피해·생존자들은 강간의 위험에 처했을 때 가장 먼저 가해자에게 위협을 해야한다고 생각했다. 그 당시의 대처 과제는 위험에 빠르게 대처하는 것이다. 그들의 전략은 상황을 머리로 사정하기, 도망을 가거나 남자를 안정시키기 등 가능한 대안책을 결정하는 것이었다.

둘째 단계 강간 직전시기에 있었던, 피해·생존자들은 의사소통 기술을 사용하여 상황을 벗어나려고 하고 스스로 평정을 찾고자 노력했다. 몸부림을 치고, 반격을 가하고 도망치는 것과 같은 신체적 행동을 한다. 어떤 피해·생존자들은 신체적으로 마비된 것처럼 있다가 과다하게 무력을 사용하기도 했다. 어떤 피해자는 강간 가해자가 친구라는 것을 알고 매우 놀라서, 또는 죽는 것이 아닌가하는 공포때문에 심리적으로 마비되었다고 한다.

셋째 단계 강간시기에 있었던 강간 피해·생존자들은 성폭행을 피할 수가 없다는 것과 이 순간의 대처는 살아야겠다는 생각뿐이었다고 하였다. 인지적으로 피해·생존자는 강간을 당하는 실제상황에서 그들의 마음을 비우기 위해 어떤 특정 생각에 주의를 집중하였다 이것은 자신이 침착을 유지했을 때에 추가적인 폭력을 피할 수 있고 살 수 있다는 전략이었다. 강간 가해자에 대해 세밀하게 기억하기와 강간에 대해 사람들이 말한 조언을 상기하는 것도 도움이 되었다. 이전에 경험했던 폭력 상황에 대한 기억도 도움이 되었다. 도움을 청하는 기도도 스트레스와 긴장을 감소시킬 수 있었다. 순응하는 것도 선택된 전략이었다.

피해·생존자는 소리를 지름으로써 언어적·정서적 반응들을 결합시켰다. 이러한 대처 기술은 긴장을 이완시키고 가해자의 공격을 지연시킬 수 있다. 많은 피해·생존자들은 강간 가해자가 성폭행하는 동안에 말을 함으로써 추가적인 폭력을 피할 수 있었다고 한다. 특히 비웃는 말은 피해·생존자가 일상적으로 사용하는 대처기술이었다. 때로 강간 가해자에게 공포 분위기를 조성함으로써 강간 상황을 벗어나려고 했다. 그리고 이런 전략은 때때로 부분적으로 성공하였다. 연구에서 피해·생존자들은 신체적으로 강간 가해자들과 싸우고 투쟁한다고 하였다. 어떤 피해·생존자들은 투쟁과 싸움을 강간 가해자들이 원한다는 것을 미리 알았다고 하였다. 심리적 방어 기제들도 대처를 위해 나타났다. 이때 사용된 심리적 방어기제들은 부인, 해리, 억압, 합리화 그리고 체념 등이었다.

강간을 당하는 시기에 강간 피해·생존자는 질식, 재갈물림, 동통, 과도환기, 구역질, 방뇨, 의식상실 등의 생리적 반응 등을 경험했다.

넷째 단계 강간 직후 시기에는 강간 가해자로부터 도망을 치려고 노력을 했고, 도움을 청하는 방법에 집중했다. 풀려나는 것을 조건으로 하는 계약이 가끔은 이루어졌다. 강간 가해자는 때때로 동정을 얻기 위해 강간 피해·생존자에게 사과하며 이 사실을 말하지 않도록 설득했다. 피해·생존자들은 말하지 않기로 약속함으로써 또는 침묵을 유지하고 가해자의 설득에 동의함으로써 자신에게 일어난 강간 사실에 대해 대처하였다. 만약 피해·생존자가 강간으로부터 정말로 자유로워졌을 때 자신이 무엇인가를 해냈다는 성취감을 토로하는 경우가 있는데 이것은 자신이 그 상황에서 죽지 않고 살아 남았기 때문이다. 그래서 우리는 그들을 강간 피해자라기 보다는 강간 피해·생존자라 한다.

대처 행동을 확인하는 것은 강간 피해·생존자에게 매우 중요하다. 전문가는 피해·생존자의 대처 행동을 경청하고 확인하여야 한다.

상담자는 이러한 대처 행동을 이해하고 피해·생존자가 고도의 스트레스 상황에서 무언가를 했었던 사람으로 그 자신을 볼 수 있도록 해야 하며 어떠한 행동이든 피해·생존자의 대처 기술을 지지하도록 한다. 대처 행동에 대한 인식과 확인은 매우 중요하다. 왜냐하면 이러한 대처행동에 대한 인식과 확인은 피해·생존자에게 위기 이전의 기능으로 회복할 수 있도록 긍정적 기대를 제공하기 때문이다.

12. 강간의 생물학적 외상

1) 신체적 외상

Burgess와 Holmstrom은 강간 피해·생존자가 치료받았던 신체 외상 부위와 정도를 보고했다.

강간 피해·생존자의 신체 검사의 결과는 다음과 같다. 147곳의 타박상과 상처 자국이 머리, 얼굴, 목, 가슴, 등, 팔, 다리에 있었으며, 안면 외상과 상처가 가장 흔했다. 부인과 검사에서는 57곳 이상의 상처 자국이 발견되었는데 회음, 처녀막, 외음, 질, 자궁경관에서 발견되었고 자궁경관, 외음, 회음, 항문부위의 찰과상이 가장 많았다. 여성의 대다수는 무기에 의해 위협받았다.

신체의 타박상은 무기 또는 가해자의 주먹에 의해 초래되었다. 그리고 강간 피해·생존자는 다리, 팔, 등에 찰과상을 입었다. 피해·생존자 중에는 2차 진단을 위해 방사선 검사를 하였고 약물, 수술, 산부인과 상담이 필요했다. 질출혈이 있어서 즉각적인 치료와 입원이 요구되었다. 다른 생존자들은 고통과 불안 때문에 검사를 받지 못했고 어떤 대상자는 질경/골반 검사를 거절했다. 또한 어떤 피해자는 월경기간 동안 강간을 당했고 탐폰으로 인해 더 깊은 외상을 입었다.

Soules은 110명의 강간 피해·생존자를 연구하였

다. 피해·생존자 중 45%가 일반적으로 신체적 외상(타박상, 상처 등)을 입었으며, 일반적 외상이 생식기 외상보다 3배가 더 많았다. 생식기 외상(처녀막 손상, 질의 상처, 회음의 상처)의 징후는 피해·생존자 중 13%에서 나타났다. 그리고 많은 피해·생존자들이 이 두 유형의 외상을 다 입었다고 보고하였다.

강간 피해·생존자들은 타박상, 상처, 경미한 찰과상 또는 복합적인 통증이10~46%에서 나타났다. 입원을 요구하는 심한 신체적 손상들은 4~15%에서 나타났다. 심한 상처를 입은 대다수 피해·생존자는 상처에 대한 후유증이 나타났으며 강간 피해·생존자에게 가장 높게 나타난 상처 부위는 생식기 부위였다.

2) 임신과 성매개 감염병

강간 가해자로부터 전염된 성매개 감염병은 강간 피해·생존자에게 나타난 가장 큰 불안 요소이다. 피해·생존자들은 클라미디아, 임질, 매독, 첨규콘딜로, 에이즈, 성기포진성 감염 등이 발견된다. 성매개 감염병의 종류나 각각의 위험이 무엇이든 간에 강간 피해·생존자는 성매개 감염병에 대한 주의가 항상 요구된다.

성매개 감염병은 클라미디아, 임질, 트리코모나스, 매독, 에이즈(HIV : human immunodeficency virus), B형 간염이 포함된다. 매독혈청검사와 HIV-검사, B형 간염을 위한 혈액검사와 임신반응 검사를 위한 뇨검사와 임질과 클라미디아, 정액 유무를 판단하기 위해 질, 항문, 구강에서 분비물을 채취하여 검사를 해야 한다.

만일 B형 간염 항체가 없다면 B형 간염 백신을 우선 투여하고, 성매개 감염병(임질, 클라미디아, 트리코모나스)의 예방을 위해서는 Ceftriaxone (Roceptin), Metronidazole(Flygyl), Azithromycin (Zithromax), Doxycyclin을 사용한다. 매독과 에이즈(HIV)의 예방을 위한 재검사는 6주 후, 3개월 후, 6개월 후에 다시 시행해야 한다.

한 번의 성교 시 에이즈(HIV)에 감염될 위험은 바이러스의 지역적 이환율과 가해자의 특성에 따라 다르지만, 질병예방센터에서는 합의에 의한 성교의 경우 항문 성교 시 0.56~3%, 질성교 시 0.1~0.2%이고, 구강 성교 시엔 이보다 적다고 하였다. HIV 전파의 위험성은 점막의 손상이 있거나 출혈이 있을 때 더욱 증가한다.

한국의 에이즈 유병률은 아직 높지는 않지만 성폭력 후 발생할 수 있는 HIV 혈청 양성변화에 대해서도 관심을 가져야 한다. 항문 강간, 성폭력으로 인한 상해, 출혈, 첫 번째 성교, 다수에 의한 집단 성폭력이나 마약류 사용자, 동성애자의 남성, HIV의 높은 지역에서의 성폭력을 당했을 때에는 지도부딘(zidovudine)을 투약하는 것이 유리하다. 성폭력 후 24시간 이내에 사용하여 28일간 유지시켰을 때 감염될 위험도를 80% 정도 감소시킬 수 있다. 성폭력 치료 후에 성병이 발생하였다면 즉시 의료진을 찾을 것과 예방 치료가 완전히 끝날 때까지 성적인 접촉을 피해야 하며 사건 후 1~2주 후엔 반드시 경과를 관찰해야 함을 교육시킨다.

강간 후에 임신할 위험성은 비교적 낮다고 알려져 있으나(약 5%), 내원 당시 임신 반응 검사가 음성인 모든 가임기 여성은 응급피임법을 사용하여야 한다. 이런 응급피임법은 성적 접촉 후 12시간 이내가 가장 효과적이며 72시간까지 사용 가능하다. 그 이후 7일 이내이고 금기사항이 없다면 자궁 내 장치(IUD : intrauterine device)가 적절하다. 이런 자궁 내 장치의 사용은 피임을 하지 않은 성관계 시에 7일 이내에 사용한 경우 99% 이상 임신 위험을 낮출 수 있다. 하지만 이 방법은 치료받지 않은 자궁경부 임질 또는 클라미디아 감염이나 이미 임신되어 있는 경우 그 이외의 다른 자궁 내 장치 금기증을 가지고 있는 여성에게는 적절치 않다.

응급피임 약으로는 여성 호르몬과 황체호르몬의 복합제제(Yuzpe법)와 황체호르몬 단일제제가 있는데 현재 가장 선호되는 것이 levonorgesterel 1.5mg인데 국내에서는 노레보-원정을 사용할 수 있다. 그 전에 사용되어진 Yuzpe법(오브랄정)은 노레보정 보다 소화 장애가 좀 심한 듯 보인다. 복용 후 2시간 내에 구토를 할 경우에는 다시 한 번 더 약을 복용시키거나 구리 자궁내 장치 등의 다른 방법을 사용한다. 응급피임약은 임신을 약 75% 예방할 수 있다. 응급피임약을 먹었어도 25%에서는 임신이 그대로 지속될 수 있으므로 생리 예정일에서 1~2주가 지나도 생리가 없을 경우에는 임신여부를 꼭 확인하여야 한다.

3) 질경련과 성교통

Masters와 Johnson은 질경련(불수의적인 질근육의 경련과 질출구를 둘러싸고 있는 근육의 수축)의 원인이 강간의 결과인지를 연구했다. 3명의 강간 피해·생존자를 대상으로 하였는데, 한 여성은 강도에게 강간을 당한 후에 질경련을 호소하였다. 이 여성은 외과적 질교정수술을 받았다. 2명의 여성들은 어릴 때 가족에 의해 강간을 당했다는데 그들은 성인이 되어서 질경련이 나타났으며 이것이 근친 강간에 의해 초래된 것임을 모르고 있었다. 불수의적 질경련은 강간으로 인한 외상 후유증이었다. 결과적으로 어렸을 때 경험한 강간이 그녀의 성생활에 심각하고 장기적인 영향을 미치고 있음을 보고하였다.

Masters와 Johnson은 3명의 강간 피해자 모두 질구와 골반 연조직의 표층과 심층에 열상이 있었다고 하였다. 연조직의 열상, 광인대의 파열은 심한 성교통을 유발시킨다. 성교통은 강간에 의한 심리적 외상과도 관련이 깊다. 이들 강간 피해 여성들은 외과적 복원수술을 하였지만 이미 21년 동안이나 성교통을 경험하였다.

4) 스트레스

강간 피해·생존자는 그들의 발달 단계에 따라 다양한 스트레스에 직면한다. Notman과 Nadelson은 강간 피해·생존자의 발달 단계별로 스트레스와의 연관성을 연구했다.

어린 시절부터 친족에게 성적 강간을 지속적으로 당한 피해자는 임신과 낙태, 가출, 매춘, 정신분열, 자살시도 등 심각한 정신 질환이 나타났다. 어린이 성폭력은 강간과 성추행을 통해 처녀막 파열, 성병감염 외에도 성적 후유증으로 초기에는 성적놀이나 성에 집착하는 태도를 보이지만 시간이 지나면서 성에 대한 혐오와 공포 등을 호소하고 때로는 과도하게 성적 호기심이 발달되는 역기능적 모습을 나타내기도 한다.

남성과의 교제는 있으나 성적 경험이 없는 젊은 독신 여성이 강간을 당한 경우 만약 강간이 이 독신 여성의 첫 성 경험이라면 여성은 폭력적인 성행위와 수치심 등으로 매우 당혹스러울 것이다. 만일 강간당한 여성이 가족과 분가하여 독립심을 확립해가는 과정에 있다면 강간의 위기 상황은 자신을 돌보는 그녀의 자율성과 능력을 파괴시킬 것이다.

가족이나 친구는 강간 피해 여성에게 좋은 지지를 제공할 수 있다. 친척이나 친구가 강간 피해 여성에게 도움과 지지를 준다 하더라도, 강간 피해 여성의 자율적 성장발달은 방해를 받을 수 있다. 피해 여성의 신체에 대한 통합성과 무결성도 또한 문제가 된다. 그녀는 골반검사에 대해 걱정을 할 것이고, 골반검사를 또 한 번의 강간으로 생각할 수도 있다.

성관계의 경험이 있는 여성들은 강간이 현재의 배우자와의 관계를 붕괴시킬 수 있다고 생각하기 때문에 파트너에게 강간 당한 사실을 숨길 수 있다. 강간을 당한 것에 대한 침묵은 배우자와의 관계를 지속할 수는 있지만 불안, 죄책감은 여전히 남아있을 것이며 강간 위기 상황에 대해 도움과 지지를 받지 못할 것이다.

이혼한 여성, 또는 별거 중인 여성인 경우에도 어려운 위기에 처할 수 있다. 왜냐하면 그녀 생활양식, 가치관, 그리고 품성에 대해 자주 비판을 받을 수 있기 때문이다.

강간 경험은 피해·생존자가 독립적으로 생활하는 것에 대해 부적절감을 갖게 할 수 있다. 자녀들을 가진 여성은 자녀들에게 무엇을, 어떻게, 언제 말할지를 결정해야 한다. 왜냐하면 이 사건이 자녀들의 학교와 지역사회에 알려질 수 있기 때문이다.

중년기의 여성은 그녀의 독립성에 문제를 초래할 것이다. 이미 남편과 자녀와의 관계가 예전과 같지 않을 수도 있고, 생활에서도 위기에 봉착할 수 있다. 그녀의 남편도 중년의 위기에 있을 수 있기 때문에 강간을 당한 아내의 정서적 요구에 적절한 반응과 지지를 나타내지 못한다. 나이 든 여성은 젊은 여성보다 잃어버리는 것이 적을 것이라는 잘못된 통념은 위기에 처한 중년기 여성의 능력을 심각하게 손상 시킬 수 있다.

강간 피해·생존자의 만성적 문제를 모두 예견한다는 것은 어렵다. 손상을 받은 감정은 배우자를 잃을 수도 있고 이러한 상태가 장기화 될 수 있다. 즉 불신, 남성회피, 성적장애, 공포반응, 불안과 우울이 나타날 수 있다. 이런 반응들은 강간 외상을 상상할 수 있는 소소한 사건에 의해 유발될 수 있고 급속하게 악화될 수 있다.

Woodling 등은 강간 가해자의 잔인성과 공격성의 정도가 약하다 할지라도 강간은 강간 피해·생존자의 정서에 외상 흔적을 남기기 때문에 용의자를 색출하여 고소해야 한다고 하였다. 용의자를 확인하지 않거나 고소하지 않은 강간 피해·생존자들은 더 높은 공포 반응에 시달리며, 낯선 남성을 더 두려워하며, 강간 후에 경험하는 대인관계에서 더 많은 문제를 겪는다.

13. 강간 위기 상담

강간은 피해·생존자의 삶을 위협하는 위기 사건이다. Lazare 등의 연구에서 강간 피해·생존자는 즉각적이고 법적인 위기 간호가 필요한 응급 대상자라고 하였다. 도움을 필요로 하는 대상자에게 상담은 중요하다. 상담을 위한 간호사의 초기 책임은 피해·생존자에게 주의집중하는 것이며 피해·생존자를 존엄하고, 가치 있는 사람으로 배려하며 피해·생존자가 경험한 강간 위기에 대해 주의 깊게 경청하고 대처해야 한다.

강간 피해·생존자가 경험하는 위기에 대해 그들의 특정상황을 고려하여 5가지 중재를 즉시 적용해야한다.

- **의학적 중재**

  "나는 의사가 필요하다"라고 말하는 피해·생존자에게는 의료팀의 치료적 역할로 응급서비스를 제공한다.

- **경찰 중재**

  "나는 경찰이 필요하다"라고 말하는 피해·생존자에게는 경찰의 방어, 지원, 보호라는 전형적 역할이 응급서비스를 제공한다.

- **심리적 중재**

"나는 누군가와 얘기하고 싶다" 이런 피해·생존자에게는 응급서비스로 정서적 지지와 의학적 간호를 제공해야 한다. 피해·생존자들은 자기 자신에게 발생한 일에 관해 얘기하기를 원하고 지지를 받고자 한다(표 13-3).

"나는 내가 무엇을 원하는지 모르겠다" 이런 피해·생존자는 무엇을 해야 할지, 무엇을 말해야 할지에 대해 확신이 없다. 다른 사람의 생각과 감정, 행동에 따라 동요하며 그들은 정보를 수집하고 경찰서나 병원에 가는 것도 항상 동의한다.

"나는 통제가 필요하다" 이런 피해·생존자는 흐트러지거나 혼미한 상태에 있다. 이런 집단은 알콜중독, 약물 남용과 정신병자 그리고 정신지체자들이다. 피해·생존자는 자신을 통제할 수 없으며 자신의 요구를 언어화하지 못하며, 자신을 관리중재할 수 없다.

간호사가 강간 피해·생존자의 위기를 확인하고 이해할 수 있을 때에 수용적 의사소통이 확립된다. 간호사가 피해·생존자의 위기에 대한 요청에 부응할 때 피해·생존자는 신체적 안전감을 회복하고, 발생했던 일과 미래에 발생할 일에 대해 이야기할 수 있고 자신을 통제할 수 있다.

표 13-3 강간 피해·생존자들의 상황별 대처

- 확인(Comfirmational concern) 과정에 있다.: "당신과 대화할 수 있다는 것을 알게 되어서 좋군요."
  이렇게 말하는 피해·생존자들은 최소한의 정보를 요구한다. 피해·생존자는 상담자가 관심을 가져주고 필요 시에 언제든지 활용할 수 있다는 점에서 만족한다. 그러나 자신의 정서와 언어적 반응을 경계하고 통제한다. 강간에 따른 복잡하고 예민한 개인적, 사회적 문제에 대해서는 정보와 조언을 요청하지 않는다. 이러한 확인과정에 있는 피해자에게는 상담 과정에서 피해자가 무엇을 생각하고 느끼는지를 파악해야 한다.
- 감정표출(Ventilation)을 한다.: "이점에 대해 얘기하는 것이 그래도 도움이 됩니다."
  이런 피해·생존자는 상담자를 자신의 문제를 함께 공유하는 사람으로 간주한다. 피해·생존자들은 대화 후에 완화된 느낌을 받는다. 그들은 항상 감정을 잘 표현하고, 강간 경험에 대해 자발적으로 얘기한다. 상담자는 피해·생존자가 자유롭게 이야기할 수 있도록 개별적 분위기를 허용하며 도움을 요청할 때, 피해·생존자에게 관심을 가져주고 존중감을 갖는 경청자가 되어야 한다. 또한 조언을 요구하는 피해·생존자에게 자신의 상황을 다루는 대안적 방법과 그녀의 생활을 통제할 수 있도록 도움을 제공할 수 있다.
- 명료화(Clarification) 한다.: "이점을 신중하게 검토해 주기를 원한다."
  이렇게 말하는 피해·생존자는 위기를 신중히 고려하여 해결책을 모색하고자 한다. 그들은 유창하게 말하며 질문에 따른 대답도 세밀하게 한다. 그리고 질문하고 의뢰한 것은 참조하며 명확한 사고와 행동을 한다. 명료화를 요구하는 피해·생존자에게는 그녀의 반응과 감정에 대한 타당한 근거와 진행과정을 기초로 해서 자신에게 일어난 강간에 대해 명확한 피드백을 주어야 한다. 강간 외상의 급성 단계에 있는 대부분 피해·생존자는 감정의 표출과 확인을 요청하며 그 후 이들 요청들은 변화해서 명료화를 요청하는 데까지 이동할 수 있다. Lazare 등의 연구결과(1972)는 상담이 이루어지면 긍정적인 결과로 나아가지만 문제를 상담하지 않으면 부정적 경향이 있다고 지적했다.
- 아무것도 원하지 않는다.(Nothing wanted): "나는 상담 서비스를 필요로 하지 않아요."
  이러한 피해·생존자는 추후에도 연락을 하지 않으며, 상담자에게 자신의 상태가 좋아졌다고 말한다. 이러한 경우는 상담자가 피해·생존자의 초기 요청을 만족시키지 못했거나, 피해·생존자가 더 정도 깊은 상담을 필요로 하지 않은 경우에서 볼 수 있다.
- 조언(Advice)을 구한다.: "내가 무엇을 해야되죠?"
  이렇게 도움을 요청하는 피해·생존자는 명백하게 강간과 관련되 법적, 사회적, 신체적, 또는 심리적 문제에 대해 대안책을 요청하거나 어떻게 해야 할 지에 대한 조언을 요청한다. 그들은 상담자를 신뢰하며 가능한 대안책을 제시해 주는 사람으로 생각하고 상담자에게 그들의 문제에 대해 조언을 구한다.

14. 강간외상증후군(Rape trauma syndroms)

강간을 당한 여성이나 피해자가 보일 수 있는 일련의 많은 증상을 강간외상증후군이라 한다. 강간외상 증상들은 강제적인 성폭력 직후 나타나는 혼돈과 장애가 특징으로 나타난다.

성폭력을 당한 거의 모든 사람들은 강간외상증후군을 경험한다. 강간은 피해자에게는 심각한 위기 상태이므로 정신과 상담은 내원 즉시 빨리 시작하는 것이 좋다. 특히 아동 성폭력 피해자는 반드시 정신과 상담을 받아야 한다. 성폭력 피해자들의 정신적인 회복은 보통 수년씩 걸리므로 숙련된 정신과 의사에게 환자를 의뢰하는 것이 필요하다.

성폭력 피해자가 겪는 심리적 상황은 첫째, 충격·혼란(shock), 둘째, 부정(denial), 셋째, 우울·죄책감(depression·guilt), 넷째, 공포·불안감(fear·anxiety), 다섯째, 분노(anger), 여섯째, 수용(acceptance)의 단계를 거친다.

성폭력은 피해자뿐만 아니라 가족에게도 영향을 미치는데, 그들은 분노와 보복심리, 무력감, 죄의식, 성적 혐오감을 가지며, 그런 이유로 피해자를 비난하기도 하고 비밀유지를 강요하기도 한다. 마찬가지로 가해자 부모들도 격렬한 부정적인 반응을 보인다.

Burgess와 Holmstrom은 146명의 강간 피해·생존자들에서 강간외상증후군을 확인했다. 이 증후군은 강간 외상으로 초래된 신체적, 정서적, 그리고 행동적 반응이 나타나며 2단계로 진행한다고 하였다.

■ 첫 번째 단계인 급성붕괴 단계는 피해자의 삶이 혼란, 붕괴, 해체되는 단계로 처음에는 충격으로 쇼크, 부정, 불신과 같은 반응을 보인다. 당황, 두려움 무력감을 표현하고 보통 자신을 비난하고 죄책감을 갖는다. 피해·생존자는 자신의 비밀보장이나 자신의 사적 공간이 침해당한 느낌을 갖는다.

이 단계에서 나타나는 주요 신체증상은 위장계의 민감성, 수면 패턴의 변화, 빈뇨와 같은비뇨생식기의 불편감, 동통, 근육긴장 그리고 무기력감이 나타난다.

정서적 반응은 불안, 공포, 기분의 동요와 혼란이 나타난다. 즉, 감정이 불안정하고 울다가 갑자기 조용해지고 주의력, 집중력, 기억력 감퇴를 볼 수 있다. 이러한 정서적 반응은 표현 유형과 통제 유형으로 나타난다. 표현 유형은 자신의 분노와 두려움을 언어로 표출시키며 울음은 비언어적인 표현 형태이다. 통제 유형은 자신의 반응을 표현하지 않으며 조용하고 침묵을 지킨다. 이런 피해·생존자의 조용함은 불신과 탈진을 반영한다. 피해자들은 신체적 손상과 삶의 상실에 대한 두려움이 있다. 주요 방어기제는 마음으로부터 오는 생각을 억압하는 것이다. 또한 약구입 비용과 직장의 상실로 재정적 어려움을 경험하기도 한다. 만약 물건이나 소유물이 도난 당했다면 없어진 물건이나 소유물에 대해서도 속상해한다. 지지를 해주는 가족이나 친구들이 있다면 그들 자신의 감정을 조심스럽게 나타내는 위축된 관계를 시도하기도 한다.

■ 두 번째 단계인 만성 재적응 단계는 위기 이전의 단계로 회복되고자 하는 재조직화 과정으로 장기과정이다. 급성 단계 후에 나타나며 며칠에서 몇 주 또는 몇 달에서 몇 년이 걸린다. 생활의 변화(이사, 전화변경, 여행), 공포와 악몽의 억제가 나타난다. 이 단계는 다시 재과정화 단계, 재조직화 단계, 그리고 재적응화 단계로 진행된다.

- 재과정화 단계는 급성기가 지난 피해자는 마치 자신이 위기를 극복한 것처럼 보인다. 직장으로 되돌아가거나 예전처럼 일상생활을 유지해 나가는 것처럼 보인다. 피해자는 이사를 가거나 직업을 바꾸며, 자신을 보호하기 위해 무기를 구입하거나 집안에 경보장치를 설치한다. 피해자는 부정과 억압의 방어기제를 사용하고 자신의 강간 피해에 대해 관심을 보이지 않고 무시하는 것처럼 보인다.
- 재조직화 단계는 통합을 의미한다. 이 시기에도 부정이나 억압은 계속 유지된다. 피해자는 자신의 생각과 느낌을 억제하려고 하기 때문에 오히려 그 생각과 느낌에 집착하게 된다. 강간 피해자가 자신의 감정과 느낌을 억압할수록 더욱 더 불안하고 우울하게 된다.
- 재적응화 단계는 복귀과정이다. 이 단계는 몇 주에서 몇 년까지 걸릴 수 있으며, 피해자는 이전의 상태로 되돌아온다. 피해자는 회복기 동안 신체적인 불쾌감이나 강간에 대한 기억들이 지속적으로 감퇴한다. 그러나 강간 피해·생존자는 수면 장애, 강간의 회상, 악몽, 일시적인 공포증을 나타난다. 강간의 회상은 예상치 않은 상황에서 강간 장면이 회상되며 일시적 공포로 경험한다. 악몽은 상황이 무엇이든 간에 두 유형으로 경험되는데 한 유형의 악몽은 피해·생존자가 무기력하고 힘이 없는 상태로 나오며, 또 다른 악몽은 상황을 조절하고 통제하는 피해·생존자로 나온다.

회복과정 동안에는 생활 변화가 특징적으로 나타나기도 한다. 직업, 가정, 학교에서 아직도 적응을 하는데에 어려움을 나타낸다. 잘 적응하지 못하는 여성은 다른 직장 또는 다른 거주지로 이사한다. 반면에 집을 떠나기를 두려워하여 독립적인 생활을 포기하기도 한다. 이 기간동안 대체로 강간피해 생존자들은 성적 두려움을 나타내며 성행위에 대한 관심이 감퇴하고, 성적 파트너에 대해 관계상의 위축 등이 나타난다. 회복단계는 개인차가 크다.

피해·생존자는 강간 상황에서 자신의 반응을 살펴보고 대면할 필요가 있다. 피해·생존자는 자신의 강간 상황을 부정 또는 회피, 두려움, 그리고 적개심을 보여서는 안된다. 피해·생존자가 법적 절차를 결정한다면 재판 준비 기간동안 피해·생존자들이 고립감과 외로움을 느끼지 않도록 지지해 주어야 한다. 피해·생존자들은 힘들더라도 그들의 관계를 다시 시작하고, 그들의 생활을 재조직하고, 일상적인 업무로 복귀하여 그들의 해야할 일과 책임을 감당할 수 있도록 노력해야 한다.

강간외상증후군은 강간에 대한 복합적 반응을 나타내고 침묵으로 반응하기도 한다. 때로 신체적 또는 정신적 질환, 알콜과 약물의존과 같은 이전의 행동징후들을 다시 경험하게 된다. 침묵 반응이란 피해·생존자가 어느 누구에게도 강간당한 사실을 말하지 않는다는 것이다.

간호사는 강간피해자들에게 다음의 징후들이 나타나는지를 살펴보아야 한다. 즉 건강력을 문진하는 동안 증가된 불안, 남성관계의 갑작스런 변화, 성적 존재로서의 자아에 대한 성행동과 감정의 특별한 변화, 그리고 공포반응이나 악몽의 갑작스런 발병이 나타날 경우에는 간호사는 아직도 해결되지 않은 강간외상증후군들을 관찰하고 확인해야 한다. 표 18-2는 강간외상 후 나타나는 스트레스 증상이다. 15점 이상인 경우 전문상담가와 정신과 의사를 찾아야 한다(표 13-4).

15. 성건강 전문가의 역할

강간 피해 생존자의 우선적인 요구는 의학적 치료와 법적대응이다. 다음은 성건강 전문가의 역할이다.

- 상처에 대한 즉각적인 간호
- 법적대응을 위해 필요한 신체검사
- 성전파성 질환(성병)의 예방
- 임신의 예방
- 단기, 장기적 심리적 영향에 대한 정서적 지지

이 목표를 성취하는 방법은 기관마다 다양하다. 간호사는 피해자가 안전감, 통제력, 자율성, 신뢰감, 자아존중감, 그리고 통합성의 감정을 회복하도록 지원해야 한다.

강간 피해·생존자는 우선순위가 매우 높은 절박한 응급 대상자이다. 특히 심리적 지지는 첫 접촉 때부터 시작해야 한다. 편안한 환경을 제공하고 피해·생존자에게 계속적인 관심을 가져야 한다.

성건강 상담자는 강간의 외상이 얼마나 심각한 문제인지를 인식하고 수용과 이해로 의사소통하며 대상자가 강간에 대해 편안하게 이야기할 수 있도록 격려한다. 피해·생존자에게 계속되어야 할 치료 방향, 의료팀이 수행할 절차에 대해 설명하고 관련된 위험 요소, 피해·생존자가 선택해야 할 정보를 제공한다. 피해·생존자에게 전달되는 많은 정보는 피해·생존자를 편안하게 할 것이며 피해·생존자가 의사결정을 올바르게 할 수 있도록 하며, 통제력과 자율성을 경험할 수 있는 힘을 회복하도록 한다.

1) 법의학적 대응 시 고려점

피해·생존자에게 의료검사에 대한 동의를 서면으로 받아야 한다. 의료팀은 강간이 범죄임을 알고 있지만 법정에 잘 보고하지 않는다. 피해·생존자는 의사가 강간에 대해 보고할 책임이 있고 본인도 법적으로 보고할 권리가 있다는 것을 알아야 한다.

증거수집(신체검사의 일부)과 증거인멸은 특별한 서면 동의가 없이는 할 수가 없다. 사진을 첨부

표 13-4 외상 후 위기(스트레스) 진단

15점 이상이면 강간 외상 후 스트레스 증상 있다.(0~3의 척도로 평가후 15점 이상인 경우 전문 상담이 요구 됨)

1. 외상 사건에 대한 원치 않은 생각이나 이미지가 떠오름
2. 외상 사건에 대한 악몽
3. 외상 사건을 재경험-마치 사건이 다시 일어나고 있는 것처럼 행동하거나 느낌
4. 외상 사건이 떠오르면 정서적인 고통을 느낌(두려움, 화남, 슬픔, 죄책감)
5. 외상 사건이 떠오르면 신체 반응을 경험함
6. 외상 사건에 대한 생각, 대화, 느낌을 회피하려고 함
7. 외상 사건을 떠오르게 하는 활동, 사람, 장소를 피하려고 함
8. 외상의 중요한 부분을 기억하지 못함
9. 중요한 활동에 관한 관심이나 참여가 줄어 듦
10. 주변 사람들과 소원하거나 단절된 느낌
11. 정서적으로 마비된 것 같은 느낌
12. 미래에 대한 계획이나 기대가 실현될 수 없을 것 같은 느낌(결혼, 임신 등)
13. 잠들기 어렵거나 잠을 지속하기 어려움
14. 지속적으로 과민해지거나 분노가 폭팔하게 됨
15. 주의를 집중하는 데 어려움
16. 지나치게 경계하게 됨(예: 비슷한 남자 등)
17. 크게 놀라거나 쉽게 놀라게 됨(예: 누가 다가오는 경우)

할 때는 추가적으로 서면 동의가 역시 이루어져야 한다. 보고를 꺼려하는 피해·생존자에게 증거를 수집하는데 동의할 수 있도록 조언을 한다. 그러나 증거가 인멸될 동의는 거절할 수도 있다.

신체 검사와 법적증거를 수집하는 동안, 간호사의 주요 초점은 강간 발생의 사실유무를 결정하는 것이 아니라 피해·생존자의 신체적, 정서적 안녕을 지지하는데 있다. 확인된 증거는 강간에 대한 피해·생존자의 주장을 강화 또는 약화시키는 자료로 법정에서 사용할 수 있다.

간호사는 피해·생존자의 신체적 증거를 수집하도록 돕고 완전하고, 정확하게 객관적인 기록을 하는 것이다. 병원과 법집행기관은 세밀한 지침들과 절차에 따른다. 증거 수집 세트에는 수집에 필요한 지시사항과 표본을 담을 용기 등이 있다. 정액체취를 위한 식염수, 습식도말 표본, 치모 표본, 손톱 상처, 지문 등과 같은 표본들을 정확한 지침에 따라 보관한다. 검사 표본은 종이에 각각 구별해서 보관하며 젖은 정액은 보관하기 전에 건조시킨다. 피해자에서 나는 신체적 증거물은 법정에서 사용할 수 있도록 보관에 주의를 기울여야 한다.

기록에 포함되는 내용은 피해·생존자의 신체

TIP

성폭력 응급 세트(강간 증거수집 키트, 순서대로 72시간내에 수행되어야 법률적 증거가 됨, 여성부)

1단계, 증거채취 및 정보·증거 제공에 대한 동의서 작성

동의서에 필요한 사항을 기재하고 피해자(또는 보호자, 대리인)가 서명하도록 한다.

2단계, 성폭력 피해자 의무기록, 진료기록 및 검진표 작성

담당의사가 필요한 사항을 기재하고 담당의사와 입회자는 서명란에 서명한다. 진단명은 모든 검사 후에 기록한다.

3단계, 이물질, 겉옷, 속옷을 제공된 종이봉투에 각각 나누어 보관·수집

바닥에 깨끗한 병원 침대보를 펼쳐 놓고 침대보 위에 이물질 보관 봉투 안에 들어 있는 종이보를 펼쳐 놓는다. 펼쳐 놓은 종이보 가운데에 피해자를 서게 하고 옷을 벗게 한다. 벗은 옷을 각각의 봉투에 담는다. 피해자의 팬티를 'underpants' 보관 봉투에 담는다. 이물질을 수거하기 위해 피해자가 서 있던 종이보를 다시 싸서 이물질 보관봉투에 담는다. 모든 봉투를 스템플러로 찍어서 봉한 다음 봉투의 겉 면에 기재사항을 모두 기입한 후 침대보는 치운다.

4단계, 파편, 부스러기 채취

파편 부스러기 수집 봉투에서 종이보를 꺼내어 편평한 바닥에 펼쳐 놓는다. 먼지, 나뭇잎, 섬유, 머리카락 등 부스러기를 모아서 종이보 가운데에 놓는다. 그런 다음 다시 이물질 부스러기를 잘 모을 수 있도록 종이보를 다시 싼다. 건조된 정액, 혈액, 침 등의 이물질 부스러기 및 파편 등은 증류수로 적신 면봉을 이용하여 부드럽게 채취한 후, 면봉으로 전체적으로 닦아 낸다. 사용한 면봉은 공기 중에 말려서 원래 들어있던 종이봉투에 담는다. 손톱을 깍아서 채취해야 한다면, 파편 채취 봉투에 들어있던 종이보처럼 2장의 종이보를 준비하여 편평한 바닥에 펼쳐 놓고 피해자의 왼손을 종이보에 올려 놓고 준비된 손톱깍이를 이용하여 종이보에 손톱의 부스러기가 떨어지게끔 다섯 손가락 손톱 모두를 깍는다. 부스러기를 담을 수 있도록 다시 종이보를 접고 그 위에 왼손이라고 표시한다. 오른손도 같은 방법으로 시행하고 오른손이라고 동일하게 표시한다. 접은 종이보와 면봉을 부스러기 채취 봉투에 담고 봉투 위에 채취한 부스러기를 신체 어느 부위에서 채취하였는지 기록한다. 봉투를 봉한 후 봉투 위에 기재된 필요사항을 기재한다.

5단계, 성폭력 당시 가해자가 흘린 음모 채취가 목적

봉투에서 종이수건과 빗을 꺼낸다. 종이수건을 피해자의 둔부 밑에 두고 빗을 이용하여 종이수건 위에 떨어진 음모나 부스러기가 떨어지도록 음모를 아래 방향으로 잘 빗질한다. 빗과 같이 종이 수건 위에 떨어진 증거물이 잘 담기도록 종이수건을 잘 접어서 음모수집 봉투에 담는다. 봉투를 잘 봉한 후 봉투 위에 필요사항을 기재한다.

6단계, 당겨서 음모채취

자르지 말고 당겨서 3~5개 정도의 음모를 다양한 부위로부터 채취하여 봉투에 담는다. 이는 범행현장이나 가해자로부터 발견된 음모와 비교하기 위해서이다. 봉투를 잘 봉한 후 봉투 위에 필요사항을 기재한다.

적, 정서적 상태에 대한 것으로 간결하고, 정확하게 진술된 객관적이고 주관적인 자료를 포함해야 한다. 그리고 주관적 자료는 피해·생존자의 언어를 그대로 사용하여 강간 발생사건을 완전히 세밀하게 설명하는 것을 포함한다.

간호사는 피해·생존자의 일반적인 외모, 그리고 신체적 부분, 정서적 상태, 주목되는 신체적, 부인과적 외상, 수집된 신체 증거, 사진, 경험된 정서적 외상에 대한 행동적 증거 등 객관적인 자료를 기록한다. 피해·생존자로부터 수집된 주관적 자료는 폭행시 환경, 폭행자의 수, 성적촉의 유형과 횟수, 폭행자의 대화특징, 신체적, 언어적 위협, 무기나 기물의 사용 유무, 신체적, 정서적 외상 경험에 대한 진술, 폭행증거 인멸 또는 변경시킨 활동(옷을 바꿔입기, 목욕, 질세척, 방뇨, 배변), 그리고 약물이나 알콜 사용의 유무를 포함한다.

2) 문제확인을 위한 사정

간호사나 모든 건강관리자는 강간을 당한 사람들

TIP

7단계, 질분비물 채취(질 삽입 시도가 있었을 경우에만 채취)

봉투에 담긴 것들을 모두 꺼내어 2개의 면봉으로 동시에 조심스럽게 질 원개(질벽)를 문지른다. 사용한 면봉은 공기 중에 말린다. 나머지 2개의 면봉으로 위에 설명한 것과 동일한 방법으로 질 원개를 문지른 다음 제공된 슬라이드글라스 위에 도말한다.

면봉과 도말한 슬라이드 글라스를 공기 중에 건조시킨 후 도말한 슬라이드 글라스는 슬라이드 글라스 보관함에 넣고 사용한 면봉은 제공된 새 면봉봉투에 담습니다. 처음 사용한 2개의 면봉이 들어있는 면봉봉투에는 "DNA(Vaginal)"이라고 표시하고 나중에 사용한 2개의 면봉이 들어있는 면봉봉투에는 "Vaginal"이라고 표시합니다. 사용한 모든 것들을 다시 STEP 7 봉투에 잘 담고 잘 봉한 후 봉투 위에 필요사항을 기재합니다.

8단계, 직장 채취(직장 삽입시도가 있었을 경우에만 채취)

2개의 면봉으로 동시에 직장을 문지른다. 2개의 면봉으로 1개의 슬라이드 글라스(나머지 1개는 예비분)에 도말한다. 면봉과 도말한 슬라이드 글라스를 공기 중에 건조시킨다. 도말한 슬라이드 글라스는 슬라이드 글라스 보관함에 넣고 사용한 면봉을 제공된 면봉 봉투에 담은 후, "Rectal"이라고 봉투에 표시한다. 사용한 모든 것들을 다시 STEP 8 봉투에 담고 잘 봉한 후 봉투 위에 필요사항을 기재한다.(예비분 슬라이드 글라스는 봉투에 넣지 않는다).

9단계, 구강 채취(구강과 성기의 접촉이 있었을 경우에만 채취)

2개의 면봉으로 동시에 구강 점막 부위나 입술 부위를 조심스럽게 문지릅니다. 2개의 면봉으로 1개의 슬라이드 글라스(나머지 1개는 예비분)에 도말하고 사용한 2개의 면봉과 도말한 슬라이드 글라스를 공기 중에 건조시킨다. 도말한 슬라이드 글라스를 보관함에 넣고 사용한 2개의 면봉은 제공된 면봉봉투에 넣고 "Oral"이라고 면봉봉투에 표시한다. 면봉봉투와 슬라이드 보관함 모두 STEP 9 봉투에 넣고 봉한 후 봉투 위에 필요사항을 기재한다(예비분 슬라이드 글라스는 봉투에 넣지 않는다).

10단계, 머리 뽑기(범행현장 또는 가해자의 몸에서 발견된 머리카락과 비교)

다음에 설명하는 두피의 각 부위에서 최소 5개의 전체길이의 머리카락을 자르지 않고 뽑아서 봉투에 담는다(중앙, 앞, 뒤, 왼쪽, 오른쪽 두피). 봉투를 잘 봉한 후 봉투 위에 필요사항을 기재한다.

11단계, 타액 채취(피해자의 것인지 감별하기 위해 모든 경우에서 채취)

봉투에서 필터 종이를 꺼낸다. 이때 안쪽 원에는 손이 닿지 않도록 한다. 접혀진 필터를 피해자의 입에 끼운 후 피해자로 하여금 안쪽 원을 침으로 완전히 적시도록 한다. 필터 종이를 공기 중에 건조시킨 후 안쪽 원에는 손이 닿지 않도록 조심하면서 STEP 11 봉투에 다시 넣고 잘 봉한 후 봉투 위에 필요사항을 기재한다.

12단계, 혈액 채취(blood typing과 DNA workup을 위해)

주의 : Blood tube 위에 표시된 폐기시한 일자가 이미 지났을 때는 병원에 비치된 다른 tube로 대체한다. 2개의 tube를 이용하여 피해자의 혈액을 채취하여 maximum volume으로 채운다. bubble pack에 2개의 tube를 다시 넣고 STEP 12 봉투에 넣고 잘 봉한 후 봉투 위에 필요사항을 기재한다.

이 갖게 되는 전형적인 신체적, 심리적, 법적인 증상과 증거를 정확히 사정해야 한다.

법적인 대부분의 성폭력 치료센터는 간호사가 통합적인 사정을 할 수 있도록 관련된 자료를 수집하고 기록하기 위해 표준화 된 사정 지침서를 가지고 있다. 경찰서에 알리거나 증거를 수집하기 전에 반드시 피해 대상자나 보호자를 동의를 받고 허가서에 서명을 받아야 한다. 만약 피해자가 16세 미만일 경우에는 소아과 의사, 서명해야 될 부모나 보호자가 필요하다. 대부분 강간 피해자는 응급실을 통해 들어오고 산부인과 의사에 의해 진료된다.

문진, 신체검사, 임상 검사의 목적은 자료수집과 사정, 진단 및 치료에 있다. 간호사나 의료팀은 피해·생존자에게 이런 과정의 목적과 절차에 대해 정보를 제공하고 선택과 치료에 대해 의사결정을 하도록 격려한다. 검사의 절차는 피해·생존자가 불편하거나 위협적인 상황이 되지 않도록 하며 검사의 시작과 중지를 피해·생존자가 할 수 있는 상황에서 수행한다.

건강력은 대상자의 일반적인 건강 상태, 만성적 질병, 현재의 질병, 알레르기, 신체적 외상 사정, 가장 최근의 월경날짜, 월경력, 피임법, 이전의 성전파성 질환(성병)의 유무, 강간 당하기 전의 마지막 성 접촉을 한 날짜와 성 접촉 유형에 대한 정보를 포함한다. 골반검사는 내부의 상처를 사정하기 위해 수행된다. 정자와 산성인산효소(acid phosphatase, 정자가 없더라도 존재할 수 있는 정액의 구성요소)의 유무를 알아보기 위해 질분비물을 채취한다. 임균을 확인하기 위해 자궁경부, 요도, 항문에서 분비물을 채취한다. 임신 여부도 확인한다.

임상 검사는 기본적으로 매독검사, 임신 소변검사, 그리고 폭행이 구강-생식기 접촉이었다면 목의 임질 배양균 검사를 포함한다. 임상적으로나 법적증거를 위해 알콜이나 다른 약물을 복용했는지에 대해 혈액검사도 한다.

강간 직후에 시행하는 임신 반응검사는 피해·생존자가 임산부일 때만 임신반응이 나타날 것이다. 만약 피해·생존자가 강간으로 인해 임신할 수 있는 위험시기에 있다면, 임신을 예방하거나 종결하는 대책이 제시된다. 이런 대책은 성교 후 피임약의 사용, 임신이 확인되면 월경조절술 인공유산을 할 수 있다. 임신의 예방, 임신의 종결 유무에 관한 의사결정은 피해·생존자의 책임이나 올바른 의사결정을 할 수 있도록 도와주어야 한다. 간호사는 6~8주 내에 검사와 추후 검사의 필요성을 교육해야 한다.

성매개 감영병 예방 및 치료를 위해 매독의 혈청검사와 임질의 배양검사를 실시할 것이다. 대부분 피해·생존자들은 예방적 치료를 한다. 근육주사나 경구용으로 procaine penicillin G의 약물이 사용된다. 이 약물은 매독, 임질에 효과가 있다. 간호사는 피해·생존자에게 매독과 임질에 관한 추후 검사에서 양성 반응이 나오면, 치료를 받아야 함을 강조해야 한다.

성폭력을 당한 피해자들은 의학적인 신체상해 치료, 법적인 증거수집과 사회심리적인 면이 고려되어야 한다. 의료팀, 경찰관계자, 사회 심리학 전문가가 협조하여야 한다.

강간 피해자에게 강조해야 할 점은 현재 "피해자는 안전하다는 것과 성폭력을 당한 것에 대해서 비난받지 않는다"는 것을 확신시켜 주어야 한다. 사정을 위해 신체검사를 시행할 경우 강간 피해자가 당황하지 않도록 사전에 충분히 설명한 후 수행하되 여성 참관자나 강간 상담자, 그리고 피해자가 선택한 사람이 참석한 상황에서 검사를 한다.

신체검사 시 다음 사항을 유의해야 한다.

- 조용하고 편안한 느낌을 주는 독립된 공간에서 진료한다.
- 가능한 한 신속히 진찰하고 부득이 지연되는 경우에는 지연되는 이유를 설명한다.
- 피해자가 원한다면 믿을만한 사람을 함께 있도록 주선한다.
- 진찰자가 남자 의사일 경우에는 간호사나 상담원 등 여성을 입회시킨다.
- 의사는 객관적 자세를 유지하고 무비판적인 태도로 임해야 한다
- 진찰에 앞서 피해자에게 자신을 소개하고 사정 및 치료과정을 설명한다.
- 피해자가 기꺼이 진술할 때까지 미뤄두는 것이 좋으나 증거 소멸을 방지하기 위해 검진을 해야 할 경우에는 충분한 설명으로 납득시킨다.
- 법적 조치를 취할 것인지 여부를 결정하도록 도와주고 동의를 얻어 경찰에 연락한다. 당장 고발할 의사도 없다 하더라도 추후 마음이 변할 수도 있으므로 증거를 확보해 두는 것이 바람직하다.
- 검진 시에 피해자와 가족으로부터 동의서를 받도록 한다.
- 피해자의 나이와 배경에 맞는 용어를 사용한다. 성을 연상시키는 단어는 피하여 사용하고 진찰 결과 정상일 때도 양호(good)라는 말보다는 건강, 전형적, 정상 등의 용어를 사용한다.
- 매 검사마다 피해자의 두려움을 줄여 주기 위하여 설명을 곁들이고 검사에 필요한 시간이나 통증 유무 등에 대해서도 솔직히 알려준다.
- 교차감염을 예방하기 위하여 한 손은 진찰하고 나머지 한 손은 기구를 다룬다. 진찰자의 손톱은 짧게 하고 불필요한 접촉은 금한다.
- 질경은 사용 전 따뜻한 물에 적셔 사용하며 윤활제 바른 것을 사용하며 오염시키지 않도록 한다.
- 진찰 후 피해자에게 출혈, 상처, 성병, 임신 등의 문제로 의학적 상담이 필요하다면 피해자에게 솔직하고 조심스럽게 알린다.
- 반응의 유형, 시간과 장소에 대한 방향감각, 집중력, 폭력에 대한 감정, 가족이나 동료 등 지지체계의 유용성 등을 사정한다.

TIP

강간 피해·생존자에 대한 간호 중재자의 태도

- 강간 범죄에 대한 지식을 습득하는 것
- 특별하고 세밀한 법의학적 기술을 발달시키는 것
- 위기 중재에 초점 두는 것
- 단기적 위기 중재 적용
- 장기적 추후 상담의 지속성

3) 간호 중재

강간 피해·생존자에 대한 간호 중재는 위기에 대처할 수 있는 상담에 원칙을 두며 강간에 대한 피해·생존자의 지각과 반응을 분석한다. 즉, 강간 피해·생존자의 대처 행동, 강간외상증후군, 특정 상황에 관련된 스트레스와 위기 그리고 상담 요청 내용을 중시한다. 간호 중재의 우선 순위는 신체적 손상에 대한 치료, 성병과 임신의 예방, 위기 중재, 법의학적 증거물과 자료의 수집 등을 포함한다.

강간 상담의 목표는 피해·생존자를 가능한 빨리 이전 수준의 정상기능과 단계로 회복시키는 것이다. 간호사는 피해·생존자의 가장 중요한 욕구와 바램이 무엇인지를 확인해야 한다. 피해·생존자들은 의미있는 사람들로부터 정서적 지지를 받고 싶어한다.

피해·생존자의 요구를 경청하고, 주의를 기울

이고, 강간외상증후군의 과정과 내용을 확인하여 장기적으로 미칠 수 있는 위험요소를 최소화해야 한다. 강간에 예상되는 후유증을 예방하기 위해서는 피해·생존자가 후유증의 경험을 이해하고 통제감을 느낄 수 있도록 간호를 제공하는 것이다.

간호 상담자의 가장 중요한 책임은 강간 위기로 심리적 고통 기간에 있는 피해·생존자에게 계속적으로 수용적인 경청자가 되는 것이다. 만약 피해·생존자가 법정에 고소를 하였다면, 법정에 출두 전까지는 피해·생존자에게 어려운 시간이 될 수 있다. 피해·생존자는 무가치감을 경험하거나 외로움을 느낀다고 한다. 이 때가 바로 간호-상담자가 가장 도움이 될 수 있는 시기이다. 간호사는 피해자가 건강 관리자로부터 희생당한다는 느낌을 가지지 않도록 주의해야 한다.

응급실에서 피해자에게 제공되어야 할 정신적 지지는 검사와 상담 시 비밀을 보장해 주고 정중한 태도로 동의를 구하는 것이다. 또한 신체를 청결히 할 수 있도록 시설 및 물품을 제공하며 바꿔 입을 옷과 머무르고 싶은 곳에 갈 수 있도록 도와주는 것이다. 가족, 친구, 각 기관 당국과의 관계에서 피해자를 도와주고 가까운 가족과 사람들에게 강간외상증후군에 대한 정보를 제공해 준다.

보통 강간으로 인한 임신의 가능성은 아주 낮다. 단 한 번의 성교로 임신될 가능성은 2~4%로 추정된다. 그러나 배란 시기에 강간을 당했을 경우에는 임신 가능성이 매우 높다. 이러한 경우 응급피임약을 사용해야 한다. 만약 응급피임 요법을 하였음에도 불구하고 무월경인 경우에는 2~3주 후에 임신반응검사를 해야한다. 임신이 되었을 경우 피해자가 임신 지속 여부에 대한 결정권을 갖고 있지만 호르몬의 과량 투여로 인해 태아의 기형이 발생할 가능성이 있음을 알려준다.

피해자의 외모 및 기능의 손상이 없도록 신체적 외상을 간호하고, 간호과정의 전 과정에 대상자가 참여하도록 계획한다.

강간외상증후군의 각 단계를 성공적으로 통과할 수 있도록 계획하고 이용 가능한 지지체계를 발굴하고 강화한다. 강간 상황의 기억을 지우기 위해 삶을 긍정적으로 회상하도록 하고 자신과 타인에 대한 신뢰감을 표시하며 현실적인 목표를 설정할 수 있도록 한다. 우울, 분노, 죄책감, 고립감을 감소시키고 자존감을 높여주며 효율적인 적응기전을 개발시키기 위해 피해자들에게 집단치료에 참여하도록 한다.

피해·생존자가 남편, 가족, 친구, 의미 있는 타인들로부터 지지를 받는다면 피해·생존자는 정상생활로 쉽게 회복할 것이다.

간호-상담자는 피해·생존자를 지지해 주는 사람들에게 강간의 특성, 피해·생존자에게 나타날 수 있는 심리적 반응들에 대한 정보를 제공하여야 한다. 상담자는 상호간에 의사소통을 증진시킬 수 있고, 피해·생존자와 관련된 의미 있는 타인들의 정서적 욕구들을 명료화할 수 있다. 또한 간호사는 피해·생존자를 도울 수 있는 의미 있는 사람들에게 역할의 중요성을 강조해야 한다. 간호사는 피해·생존자와 의미 있는 타인들에게 지역사회의 자원에 대한 정보를 제공해야 한다.

최근의 모든 보고는 강간 피해·생존자는 즉각적인 위기 상담과 12개월 동안의 형식적, 비형식적 상담이 지속적으로 필요하다고 하였다. 특히 강간 후 첫 90일간의 추후 간호는 강간 피해·생존자에게 매우 중요하며 지역사회 간호사와 정신 건강간호사가 도움을 줄 수 있다고 보고했다. 상담자는 피해·생존자가 안정될 때까지 1주일을 단위로 해서 전화로 상담하는 것이 좋다.

성폭력은 무엇보다도 예방이 중요하다. 이를 위

하여 간호사는 지역사회 관련 단체와 협력하여 남녀 모두를 대상으로 한 올바른 성윤리의 정립과 성폭력으로부터 자신을 보호할 수 있도록 교육과 홍보를 실시하여야 한다. 아울러 지역사회 내의 지지체제와 이용가능한 자원에 대한 정보를 제공함으로써 피해자와 가족이 후유증을 극복하고 정상적인 생활로 회복할 수 있도록 지지를 해야 한다.

강간은 피해자뿐 아니라 주위의 모든 사람들에게도 부정적인 영향을 미친다. 가족 역시 갑작스러운 혼돈 단계와 장기적인 재조직화의 단계를 경험한다. 따라서 간호와 상담을 제공할 경우 반드시 피해자의 가족 및 가까운 사람들을 모두 포함시켜야 한다.

간호·상담 과정

대상자 박OO. 26세 여성, 인구 7십만 명 도시에 있는 병원 응급실을 걸어서 온 대상자

간호사 김OO. 응급실 간호실

사정

주관적 자료

폭행 상황

"나는 지금 막 강간을 당했다."

"나의 아파트 앞 오른쪽에 있는 숲에서 강간을 당했다."

"나는 토요일 심야 극장에서 집으로 오는 버스를 탔었는데 그 때가 아마도 12시 30분쯤 되었을 것이다."

폭행자 수

"한 사람이 뒤에서 나를 쫓아 오더니, 갑자기 뒤에서 나를 붙잡고, 목을 졸랐다."

성적 접촉의 유형과 횟수

"그는 강제적으로 나와 성관계를 가졌다."

"잘 모르겠다."

폭행자에 관한 진술

"그는 나보다 훨씬 키가 컸던 것 같다. 아마도 약 182cm 가량 되는 것 같다."

"그는 어둡고, 미친 것 같은 눈빛을 가졌었다."

"그는 오른쪽 손에 두꺼운 금반지를 끼고 있었다."

"그는 청바지와 청점퍼를 입고 있었다. 그리고 더러운 땀에 찌들린 회색 티셔츠를 입고 있었다."

"그는 아주 햇볕에 많이 그을인 것 같았다."

"그의 머리는 검정색이고 어깨까지 내려오는 장발이었다."

"그는 거리로 도망갔다. 이것이 내가 알고 있는 사실의 전부다."

폭행자와의 대화

폭행자:

"입닥쳐라, 내가 시키는 대로만 해라."

"옷을 벗어라, 팬티를 벗어라"

"서두르지 않으면, 더 때리겠다."

"나는 너에 대해 알고 있다. 네가 어느 직장을 다니는지, 어디서 사는지 다 알고 있다."

피해·생존자:

"당신은 누구냐? 당신은 무엇을 원하는가?"

"나의 돈과 지갑 다 가져가라. 반지와 보석도 가져가라."

"제발, 나를 해치지 말아라."

"제발, 이렇게 하지 말아라."

신체적 그리고 언어적 위협

"소리 지르지 말아라. 소리 지르면, 가만 두지 않겠다."

"만약 살고 싶으면, 내가 시키는 대로 해라."

"서두르지 않으면, 더 때릴 것이다."

"누군가에게 말한다면, 너를 죽일 것이다."

무기 사용의 유무

"그는 왼쪽 손에 주머니칼을 가지고 있었다."

"그는 칼로 나의 이마, 어깨에 상처를 냈다."

신체적, 정서적 외상에 대한 진술

"그는 나의 목을 감싸 안았고, 내가 질식하도록 하였다. 나는 소리를 지를 수 없었다. 나는 거의 숨도 쉴 수도 없었다."

"그는 나의 팔을 세게 붙잡고 비틀었다."

"그는 나를 숲으로 끌로 들어가서 등과 다리를 걷어찼다. 그리고 나의 가슴과 복부를 주먹으로 때렸다."

"나는 쓰러졌고, 그는 내 위에 올라탔다."

"나는 반항을 했다. 그러나 내 힘으로 그를 중지시킬 수 없다는 것을 알았다."

"그는 나의 속옷을 벗겼다."

"나는 누군가가 지나가거나 소리를 듣기를 간절히 원했다."

"나는 그가 나를 죽일 거라고 생각했다."

"나는 '주여, 제발 살려주소서'라고 기도했던 것이 기억난다."

"나는 찢겨졌고 나의 내부가 붕괴된 것 같은 느낌이 들었다."

폭행 후의 행위

"나는 얼마나 오래 거기에 누워있었는지 모르겠다."

"나는 슬피 울었으며, 땅 위에 나의 지갑과 속옷이 있는 것이 보였다."

"나는 나의 아파트로 가는 것이 두려웠다."
"나의 물건(지갑, 속옷)을 집었고, 한참동안 걸었던 것 같다."

위기 요청

"나는 의사가 필요하다. 나는 상처를 입었다."
"여기에 경찰이 있는가? 나는 누군가에게 말해야 된다."
"나는 할머니와 남자 친구를 불러 주기를 원한다. 그러나 내가 그들에게 무엇을 말해야 될까? "

객관적 자료

일반적 외모

- 26세 여성으로 녹색 원피스를 입고 있었음.
- 왼쪽 앞부분과 오른쪽 소매부분이 찢겨 있었음.
- 스타킹에 구멍이 나 있었으며, 무릎까지 찢겨져 있었음.
- 의자에 앉아서 지갑과 찢겨진 속옷을 꼭 잡고 있었음.

신체적 상태

- 체온: 36.7℃, 맥박: 90회/분, 호흡: 25회/분, 혈압: 130/80mmHg
- 얼굴-오른쪽 이마에 2cm정도의 열상이 있음; 윗입술 왼쪽에 1/4정도의 열상이 있음; 여러 부분에 붉게 부풀어오른 타박상이 있음. 특히 왼쪽 볼과 턱 부분에 타박상이 심함
- 어깨-오른쪽 어깨에 3cm열상이 있음
- 목-오른쪽 목의 여러 부분에 붉게 부풀어오른 타박상이 있음
- 무릎-양 무릎 모두에서 붉게 부풀어오른 찰과상이 있음
- 다리-여러 부분에 붉게 부풀어오른 타박상이 있음
- 알콜과 약물 복용의 증거가 없음
- 최종월경일-10일 전
- 피임법으로 다이아프램을 사용함
- 가장 최근의 성교는 성폭행 5일 전에 남자 친구와 했음

정서적 상태

- 자진해서 정보를 제공하고, 질문에 대답을 함. 세밀하게 응답을 함
- 단조로운 목소리 톤을 가짐. 그리고 느리게 말함
- 처음에는 울었지만 경찰이 개입했을 때 울지 않았음
- 말할 때 깊은 한숨을 쉬었음
- 지갑과 속옷은 꼭 쥐고 있었음
- 신체의 손상에 대한 두려움을 표현했음
- 앞으로 어떻게 살지에 대한 두려움을 표현했음

No.
NAME
NOM

심리사회적 정보

- 독신으로 3년 전부터 도시에 혼자 살고 있음
- 학원에서 언어치료사로 일하고 있음
- 부모님은 2년 전에 자동차 사고로 돌아가심
- 유일한 가족으로 할머니가 같은 도시에 살고 있음
- 남자 친구는 출장을 가서 3일 후에 만나기로 약속이 되어 있었음

간호진단

성폭행으로 오는 극심한 외상과 관련된 격렬한 신체적, 정서적 반응

계획

정서적 지지

- 자기자신을 성폭행 피해·생존자로 인정하며 상담이 필요하다는 것을 인정하도록 한다.
- 주의를 기울이면서 경청하며 일관성 있게 참여하며 신중하게 신체적 접촉을 한다.
- 수용적 분위기, 자극이 적은 환경을 제공한다.
- 성폭행 피해·생존자를 위한 응급 서비스에 대해 설명한다.
- 감정을 표현하도록 격려한다.
- 대상자의 표현된 감정에 대해 피드백을 제공한다.
- 스트레스 상황에서 대처하는 개인의 독특한 행동에 대해 인정한다.
- 대상자의 대처 행동을 확인하고 지지한다.
- 질문을 하도록 격려한다.
- 자율성을 격려하는 상황을 만든다.
- 의미 있는 타인들과 함께 스트레스 상황을 공유하도록 격려한다.
- 지지체계를 이용하도록 격려한다.
- 성폭행 후에 일반적으로 발생하는 신체적, 정신적 그리고 정서적 반응들에 대해 예상되는 지침들을 제공한다.
- 지역사회의 강간 위기 센터에 대한 정보를 제공한다.
- 응급 서비스 후에 있을 추후 상담에 대해서도 설명한다.
- 가족에게도 상담을 제공한다.
- 상담 요청들을 확인하고, 응답해준다.
- 신체적, 정서적으로 안전한 장소로 이송하도록 돕는다.

의학적 검사와 치료

- 의학적 지원과 치료를 수행한다.
- 의학력과 검사에 대한 정보를 제공한다.
- 의학적 검사에 대한 서면 동의를 받는다.

성전파성 질환의 예방

- 성전파성 질환에 대한 임상검사를 설명한다.
- 성전파성 질환의 예방적 치료에 대해 설명한다.
- 추후 검사의 필요성을 강조한다.

임신의 가능성

- 임신에 대한 임상 검사를 설명한다.
- 임신 예방과 임신 종결에 대한 대안책에 관해 설명한다.
- 추후 검사의 필요성을 강조한다.

법적 중재

- 경찰에 제출할 보고서 작성을 준비한다.
- 신체적 증거와 사진 등 자료수집 방법과 증거인멸에 대해 설명한다.
- 신체적 증거와 사진 등 자료수집 방법과 증거인멸을 위한 서면 동의를 받는다.

수행

정서적 지지

- 대상자를 집으로 옮기기 위해 여동생과 남자 친구의 형에게 전화로 연락을 한다.
- 할머니에게 전화해서 도움을 요청한다.
- 남자 친구에게 전화로 연락해서 가능하면 빨리 출장에서 돌아오도록 한다.
- 학원장에게 전화를 해서 병결로 처리해줄 것을 요청한다.
- 강간 위기 센터의 도움이 필요함을 설명한다.
- 48시간동안은 상담자의 도움을 받을 수 있다.
- 필요할 때는 언제든지 상담자의 도움을 전화로 요청할 수 있다.

의학검사와 치료

- 의학 검사에 대해 서면 동의를 한다.
- 이마의 오른쪽 부분에 2cm 상처가 봉합됨
- 어깨의 오른쪽 부분에 3cm 상처가 봉합됨

- Darvon 65mg이 동통과 불편감 경감을 위해 구강진통제로 투여됨
- 의학력 접수함
- 의학 검사 수행
- 법집행시 필요한 신체적 증거수집을 위해 서면 동의함
- 신체적 증거(질분비물, 음모, 손톱으로 할킨 물질, 음모를 빗질한 물질)가 수집됨
- 사진 첨부에 대해서는 동의 안함

성전파성 질환의 예방

- 임상 검사-임균배양검사와 매독혈청검사가 행해짐
- procaine penicillin을 근육주사 함
- 추후 검사가 예약됨

임신의 가능성

- 임신 반응 검사가 행해짐
- 5일 동안 diethylstillbesterol 25mg, 2회 복용
- 추후 검사가 예약됨

법적 증거물 확보

- 의학검사동안 신체적 증거물을 수집함
- 경찰에게 성폭행 사실을 보고함

평가

전화 연락(강간 후 48시간)

"나는 당신이 전화할 것을 기대하고 있었다."
"신체 상처부위가 여전히 좋지 않다."
"잘 먹지는 못하지만, 잠은 잘 잔다. 그러나 악몽에 시달릴 때도 있다."
"응급피임약(디에칠스틸베스테롤) 복용으로 인해 구역질을 했다."
"할머니는 나에게 잘해 주며, 나와 오랜 시간 같이 있어 주신다."
"나의 여동생과 나의 남자 친구의 형은 나를 도와 줄려고 왔다."
"나의 남자 친구와는 연락을 할 수가 없었다. 그러나 그는 내일 집으로 올 것이다."
"학원장님은 쇼크를 받았다. 그리고 병결로 승인하셨다."
"나의 남자 친구가 집에 왔을 때, 역시 나는 그에게 말해야 되는지 잘 모르겠다."
"당신은 강간 위기 센터의 여성이 나에게 도움을 줄 수 있다고 생각하는가?"
"앞으로도 경찰과 많은 시간을 보내야만 하는가? "

memo

No.

NAME
NOM

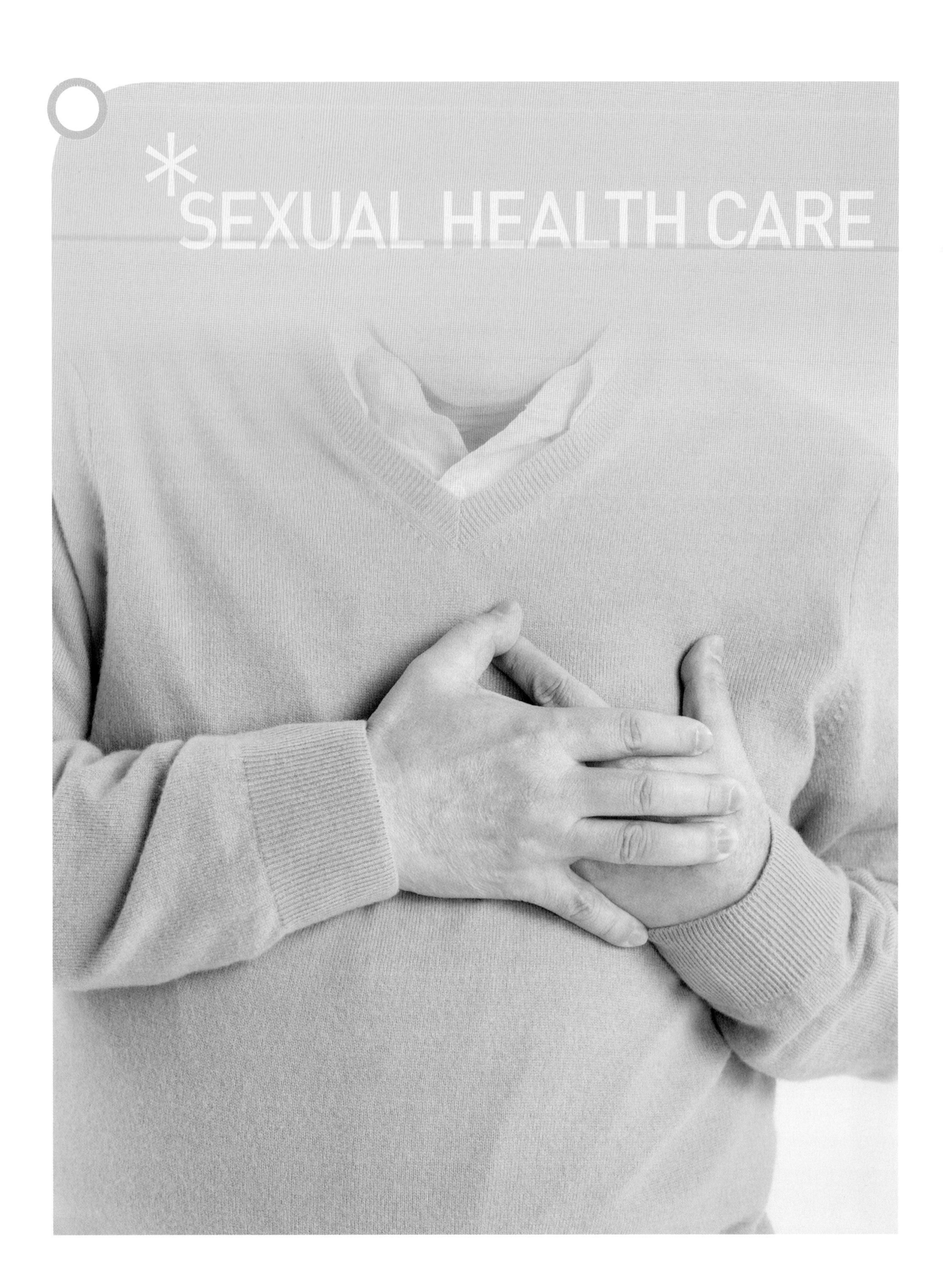
*SEXUAL HEALTH CARE

만성질환과 **성건강**

Chronic Illness & Sexual Health

가치 명료화 **훈련**

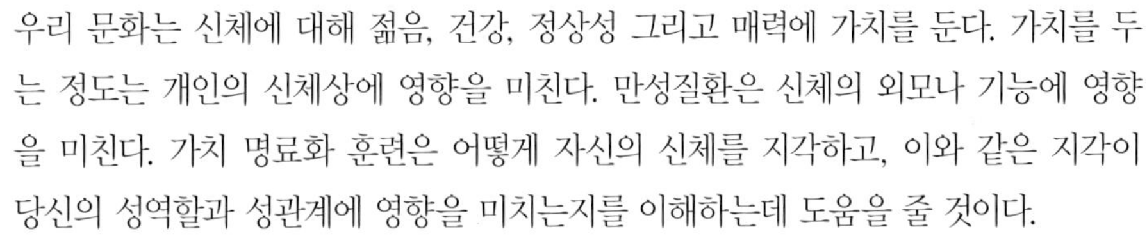

우리 문화는 신체에 대해 젊음, 건강, 정상성 그리고 매력에 가치를 둔다. 가치를 두는 정도는 개인의 신체상에 영향을 미친다. 만성질환은 신체의 외모나 기능에 영향을 미친다. 가치 명료화 훈련은 어떻게 자신의 신체를 지각하고, 이와 같은 지각이 당신의 성역할과 성관계에 영향을 미치는지를 이해하는데 도움을 줄 것이다.

당신이 6개월 전에 결혼을 했다고 가정해 보자. 결혼 직전에 당신은 갈증과 배뇨, 식욕이 증가하였다. 신혼 기간 동안 피로감과 허약한 신체 상태를 느꼈다. 2주 전에 당신은 오른쪽 발가락을 다쳤다. 발가락은 부어있고, 충혈이 되어 있으며 편한 신발을 신어도 고통스럽다, 그리고 생식기 부위도 발적과, 염증이 생긴 것을 발견했다. 의사는 당뇨병으로 진단했다.

- 당신이 이러한 징후를 경험한다면 또한 당뇨병이라고 진단을 받았다면 그때의 느낌은?
- 충격, 부인, 분노, 두려움, 불안, 당혹감, 공허함, 무기력함, 외로움 등 어떤 느낌인가?
- 당신에게 가장 힘든 징후는 어떤 것인가? 식욕과 관련된 징후, 갈증, 잦은 배뇨, 부종이 있는 오른쪽 발가락? 생식기 부분?
- 성 파트너와의 관계에서 자신을 가치 있다고 느끼는가? 관계를 계속해야 한다고 생각하는가, 혹은 종결해야 한다고 느끼는가?
- 당신은 성 파트너의 반응을 어떻게 보는가?
- 성 파트너에 대한 당신의 감정은 변했는가?
- 당신의 반응과 응답을 동료와 친구 집단과 공유해 보자.
- 당신에게 특히 더 많이 나타나는 반응과 응답은 무엇인가? 집단 구성원의 반응과 응답은 연령이나 성별에 의해 영향을 받는가? 또는 생활 경험에 의해 영향을 받는가?
- 신체상의 변화가 자아가치감 형성과 성관계에 어떻게 영향을 미치는지 서로 비교해 보자. 성관계, 신체상, 성적 자아존중감, 그리고 성 개념에 관해 학습한 것을 서로 논의해 보자.
- 만성질환에 따른 신체상 변화로 어려움을 겪고있는 대상자의 간호를 계획하고, 수행하는 것에 대해 논의해 보자.

행동 **목표**

이 장을 끝마친 후

- 만성질환이 신체상에 미치는 영향에 대해 논의할 수 있다.
- 신체상의 손상과 관련된 슬픔에 대해 논의할 수 있다.
- 심근경색 대상자의 성행위에 대해 논의할 수 있다.
- 성교와 자위행위가 심장병에 미치는 영향을 설명할 수 있다.
- 심근경색 후에, 대상자의 성교 체위에 대해 설명할 수 있다.
- 심근경색 대상자의 성행위 프로그램을 설명할 수 있다.
- 심근경색이 대상자의 가족에게 미치는 심리적인 영향을 설명할 수 있다.
- 심근경색 대상자에게 성건강 간호를 제공할 수 있다.
- 당뇨병 대상자의 신체상의 변화에 따른 다양한 심리적인 반응에 대해 논의할 수 있다.
- 당뇨병 남성의 발기부전의 원인에 대해 논의할 수 있다.
- 당뇨병 남성의 발기부전에 대한 약물과 외과적 치료에 대해 기술할 수 있다.
- 당뇨병 여성의 성기능 장애의 원인과 병태생리에 대해 논의할 수 있다.
- 당뇨병 여성의 성기능 장애의 치료에 대해 기술할 수 있다.
- 당뇨병이 난임과 임신에 미치는 영향에 대해 설명할 수 있다.
- 당뇨병 남성과 여성을 위한 유전적 상담을 논의할 수 있다.
- 당뇨병 대상자의 성건강을 위한 간호사의 역할을 설명할 수 있다.
- 암환자와 배우자를 위한 올바른 성생활을 설명할 수 있다.

만성질환을 가지고 있는 대상자의 성적 활동은 질병이 발병되기 이전의 성적 욕망과 성행위의 상태, 현재의 심장 기능 및 치료에 대한 반응에 달려 있다. 비록 피로, 권태, 그리고 관절염에서 발생하는 뻣뻣함 및 행동제한은 성 활동을 방해할 수 있지만 행위의 즐거움을 빼앗는 것은 아니다. 성적 활동은 콜티졸, 아드레날린 및 자연스럽게 통증을 감소시키는 기타 화학물질의 분비를 자극하기 때문에 증상치료에 도움이 된다. 성행위는 훌륭한 운동일 뿐 아니라 신체 및 심리적 긴장 해소에 도움을 준다.

심장 질환이나 뇌졸중으로 고생하는 사람들은 종종 자신의 상태에 대한 지식부족과 공포로 성 활동을 줄인다. 간호 제공자들은 회복기 동안에 대상자들과 성적 문제를 논의하는 것이 좋다. 성행위에 소모되는 에너지는 5-6METs(metabolic equivalents)이며 이는 두 층의 계단을 오르거나 20개의 계단을 10초에 오르는 에너지에 해당하므로 이정도의 활동이 가능한 사람들에게는 성행위를 제한할 필요가 없다. 만약 부작용 없이 이것을 할 수 있다면 성 활동도 정상적으로 할 수 있다. 의학적으로 감독을 받는 운동 프로그램에 참여한다면 성 활동 중에 소모하는 산소 요구를 감소시키고 성생활의 질을 높인다.

뇌졸중이 성적 활동을 중단하는 원인이 되는 것은 아니다. 심한 뇌손상을 일으킨 경우가 아니라면 성적 활동은 보통 영향받지 않는다. 그러나 성행위에 영향을 받는 경우가 있다(남성은 발기부전을 경험할 수 있다). 뇌졸중 대상자는 영향 받지 않은 부위를 이용하여 사랑을 할 수 있다.

당뇨는 성에 대한 흥미와 욕구는 여전히 있지만 종종 발기부전을 유발한다. 적절히 치료 및 조절을 한다면 발기부전을 극복할 수 있다.

TIP

만성질환자의 성 문제 유형

- 성에 대한 관심이 없다.
  생명이 위험할 때는 걱정, 우울 등으로 성욕이 생기기 어렵다.
- 성욕이 없거나 흥분이 되지 않는다
  - 성적 환상을 거의 안 한다.
  - 배우자가 접촉을 해도 반응이 없다.
  - 질 분비물이 없다.
- 바디 이미지(body image)손상
  - 수술 상흔, 유방 등 신체부위의 결손과 얼굴, 체형, 체중 등의 변화

1. 신체상의 변화

신체상은 개인이 자신을 보는 방법이다. 신체상이란, 사람이 자기 스스로가 갖는 내면화된 정신상으로 역동적으로 형성되며 신체에 대한 개인적인 지각을 포함한다. 개인의 신체상은 오랜 시간을 걸쳐 발달하며, 심리적·신체적인 면에 기초를 둔다. 신체상은 개인의 자아개념과 자아존중감과 성적 자아에 영향을 미친다. 또한 성기능, 성역할, 그리고 성관계에도 영향을 미친다.

만성질환은 계속적인 간호와 주의가 요구되는 상태로, 정상적이고 일상적이며, 선택적인 활동을 방해하는 건강의 손상을 의미한다. 만성질환은 급성기를 거쳐서 나타난다. 그러나 중요한 과제는 만성질환으로 오는 계속적인 변화에 대처하는 것이다. 만성질환은 신체의 내적 또는 외적인 외모와 기능을 변화시킬 수 있다. 변화는 온전성과 정상성의 이탈로 지각될 수 있으며, 안정성을 방해하며, 자아존중감을 위협할 수 있다.

만성질환에 대한 지각, 정보, 진단은 개인의 신체상에 영향을 미친다. 개인은 확립된 신체상과 신체의 기능을 보호하기 위해 정신적이고 정서적인 에너지를 사용할 것이다. 확립된 신체상을 손상시키는 질병과 관련된 신체상의 변화는 자아존중감의 상실, 자포자기와 무기력감, 성역할에서의 유능감 상실, 그리고 개인상호간의 관계를 방해할 수 있다.

신체 기능의 변화에 어떻게 대응할 것인가? 많은 경우, 심장은 생명의 상징이며, 신체 기능의 핵심이다. 심장발작을 경험한 대상자는 어떠한 활동도 하지 않으려고 한다. 너무나 두려워서 일, 여가활동, 성교를 거부하거나 죽음에 대한 불안까지 표현하는 등 다양하다. 당뇨병 대상자는 신체경험과 자신에 대해 보고, 느끼는 방식에 따라 많은 영향을 받는다. 대상자는 신체와 신체의 기능에 대해 취약감을 느끼고 통제감의 상실을 경험한다.

신체 외모와 기능의 변화는 느리게 또는 빠르게 진행된다. 만약 변화가 천천히 진행되면, 개인은 자신의 변화에 조금씩 대처하면서 적응해 갈것이다. 대처기제로 가장 먼저 '부인(부정, 거부)'의 방어기전을 사용할 것이며 개인은 부인함으로써, 상황에 빨리 적응하지 못할 것이다. 변화의 속도에 관계없이 개인은 자아에 대한 지적, 정서적 표상을 변화시켜야 한다. 개인은 질병과정을 충분히 이해하여, 신체상과 자아개념 등을 변화시키는 질병상황에 대처하도록 한다.

신체의 외모와 기능의 변화에 대한 적응은 변화의 본질, 대상자가 지각하는 변화에 대한 의미, 대처 능력, 가족의 반응과 도움에 달려있다. 간호사가 신체상 개념에 대한 지식과 정보가 있다면 만성질환 대상자에게 예상되는 신체상의 변화를 준비하도록 도와줄 수 있다.

2. 뇌손상과 뇌졸중

외상성 뇌손상은 성 재활의 중요성이 높은 장애이다. 외상성 뇌손상 후 발기부전을 호소하는 경향이 높다. 외상성 뇌손상 후에 성탈억제(sexual disinhibition)라는 성기능 장애가 발생할 수 있는데 이는 주로 안와전두(orbitofrontal) 부위의 뇌손상 후 나타난다. 증상으로는 과도하고 부적절한 성적 행동이 특징으로 나타난다. 이러한 성적 행동은 타인과의 관계에서의 성적 행동뿐 아니라 스스로 과도한 자위행위를 하는 것으로 나타난다.

또한 이러한 문제를 보이는 개인들은 사회의 관

습에 맞지 않게 부적절한 방식으로 말하고 행동하고 있다는 것을 알지 못한다. 이러한 성적 욕구의 변화는 성적 욕구와 충동을 조절하는 능력의 저하로 인하여 성적 충동을 억제하거나 지연시키는데 어려움을 갖는다. 성생활동안 쉽게 주의산만해지고 두서없이 말이 많아지고 쉽게 피로감을 느끼며 발기유지의 어려움, 파트너와의 정서적 공감을 갖지 못한다.

뇌손상 후에는 인지 능력과 성격의 변화로 대인관계의 어려움을 경험하며 성생활에 부정적인 영향을 미친다. 이러한 변화가 올 수 있다는 것을 배우자에게 미리 교육하는 것이 중요하다.

뇌졸중의 성 문제는 사회적으로 무시되고 있다. 그 이유는 이들이 신체적인 장애를 지니고 있고 노령이기 때문이다. 하지만 대상자는 대부분 발병 전 활동적인 성생활을 했던 사람들로 의료인들이 뇌졸중 대상자의 성 재활의 문제를 다루어 주기를 희망한다.

뇌졸중 발병 후 대상자는 성적 욕구의 감소, 성교 횟수의 감소, 발기 능력 및 절정감의 감소, 질 분비액의 감소, 전반적인 성적인 만족도의 감소를 보였다. 성교 횟수의 감소에 신체적인 마비의 정도는 영향을 미치지 않지만, 감각의 소실과 배우자의 과잉보호하려는 태도가 성교 횟수 감소에 중요한 영향을 미친다. 뇌졸중 후 성생활이 저하된 가장 많은 원인은 배우자의 거부, 발기부전, 그리고 성적 욕구의 감소였다.

뇌졸중 후 배우자가 성생활을 거부하는 이유로는 아픈 사람을 괴롭히는 것 같아서, 재발에 대한 두려움, 성적 매력의 감소 그리고 불구인 몸을 맞대는 것에 대한 거북스러움 등이 보고되고 있다. 특히 재발에 대한 두려움에 대해서는 적절한 상담이 필요하다. 성생활 직후에 혈압이 상승하거나 심박동의 증가로 인해 뇌출혈이 발생했다는 몇몇 증례보고는 있으나, 뇌경색이나 허혈성 심장 질환의 발생과는 유의한 관련성은 없으므로 뇌졸중 후 성생활을 일관되게 제한할 필요는 없다. 다만 고혈압이 있는 경우 혈압을 엄격하게 조절하고, 심장 질환이 동반된 경우 식사 후나 음주 후에는 성행위를 삼가하며, 피곤함이 덜한 아침에 성생활을 하거나 전희를 충분히 하여 서서히 심박동이 증가하도록 하면 안전한 성생활이 가능하다.

뇌졸중 후 편마비가 있는 경우에는 성행위체위를 마비된 쪽이 아래로 가는 체위로 하여 정상적으로 움직일 수 있는 팔과 다리를 자유롭게 사용하도록 한다. 옆으로 얼굴을 마주보고 눕는 체위는 접촉면이 넓고 대화가 용이해 친밀감을 높일 수 있으며 상호간 요구에 즉각적 반응을 할 수 있다. 여성이 뇌졸중인 경우 여성의 무릎을 구부린 체위는 남성의 체중이 실리지 않아 부담이 적다.

3. 암

성욕은 인간의 기본적인 본능이지만 암과 같은 질병의 상태가 생존과 삶을 위협할 때는 대상자는 불안, 분노, 우울 등으로 성욕이 감소한다. 불안의

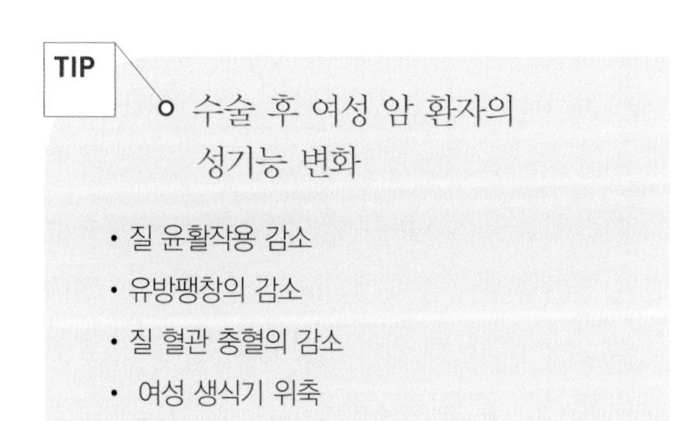

TIP

수술 후 여성 암 환자의 성기능 변화

- 질 윤활작용 감소
- 유방팽창의 감소
- 질 혈관 충혈의 감소
- 여성 생식기 위축
- 극치감 전 발한 감소
- 극치감의 강도 감소

내용은 과연 치료가 되어 살 수 있을까? 장애가 생기지 않을까? 성생활에는 어떤 영향이 있을까 등이며 분노나 우울은 왜 내게 이러한 불행이 닥쳤으며, 왜 나인가 등 이런 여러 감정이 혼합되어 우울을 느낀다.

특히 생식기 암(고환, 음경, 난소, 자궁, 유방) 수술을 받은 사람이 성건강 문제를 제기하는데 즉 신체적 결손과 결함, 심리적인 문제 배우자와의 성적 및 부부 관계의 문제를 볼 수 있다.

여성은 남성과 달리 질병에 따른 신체싱 손상이 성욕발산에 주요 영향을 미치며, 자신이 성적인 존재로 살 수 있을지는 배우자와의 상호작용에 달려있다.

수술과 항암치료

암 환자는 암 질병 자체 또는 치료 때문에 성적 쾌감을 주고 받을 수 있는 신체 및 생리적 조건이 변화하면서 성적 능력 및 반응이 달라진다.

자궁경부암은 병기를 0기부터 4기까지 나누는데 병기 IIa까지 수술을 한다. 일반적으로 IIb부터는 수술을 하지 않는다. 대신에 항암제 치료나 방사선 치료를 한다. 이때 나타나는 항암제의 부작용이나 방사선의 합병증으로 성기능 장애를 경험할 수 있으며 수술을 하는 경우에도 신체의 해부학적 변화에 따른 결과로 성적 문제가 발생할 수 있다.

자궁경부암의 수술은 광범위 자궁 절제술과 골반 임파 절제술이다.

광범위 자궁절제술을 할 경우 질과 방광으로 가는 신경에 손상을 주게되고 질의 상부 1/4 정도를 잘라내기 때문에 질이 짧아지고 질벽의 신축성이 줄어든다. 또한 자궁경부 주위를 사방으로 절제하기 때문에 성적으로 흥분이 되어도 질의 윤활작용이 안된다.

자궁 절제와 함께 난소 절제를 하는 경우에는 성기능에 변화가 쉽게 온다. 수술적 폐경은 자연 폐경보다 에스트로겐과 남성 호르몬의 저하가 급격히 일어나 갱년기 증상이 심하게 나타나며 즉 질과 외음부의 위축, 홍근, 요로 감염의 증가, 기분의 변화가 심하고 안절부절한다.

에스트로겐의 저하로 질벽의 혈관이 수축하고, 양측 난소 절제로 질벽의 부교감신경분포가 저하되어 상대적으로 교감신경분포는 늘어나서 질벽 혈관의 이완이 저하되어 수축이 오고 혈류가 감소하여 질 윤활 작용이 감소한다. 수술 후 합병증으로 오는 임파부종은 여성의 신체적, 정서적 상태를 악화시키므로 성적 변화를 유발한다.

암이 발생한 부위가 생식기관이 아니더라도 암의 상태나 치료방법에 따라서 성기능에 변화를 초래한다.

유방암의 경우도 유방절제술 뿐만 아니라 겨드랑이 임파절제술을 하게 되는데 상당수의 유방암 환자들이 성기능 장애를 경험한다. 생리적 차원의 성적흥분정도가 감소할 뿐만아니라 심리적 차원의 성적 욕구도 감소하기 때문이다.

유방암 조직에 난포호르몬과 황체호르몬의 수용체가 있는 경우에는 항호르몬 항암제를 5년동안 경구복용하게 하는데 주기적인 검진이 필요하며 월경중단 등으로 큰 심리적 손상을 경험한다. 유방암의 치료 중 수술에 의한 것보다 화학요법제를 경험한 환자가 치료 후 성기능 장애가 더 높은 편이다.

수술이나 방사선 치료는 남성에게도 발기를 비롯하여 사정, 성행위 수행 또는 절정감을 얻을 수 있는 능력을 감소시킨다.

실제로 암진단이 확정되면 치료가 생존과 관련된 암제거에 초점이 되지만 그 후에는 삶의 질이 중요하다라는 관점으로 초점이 이동된다.

암은 주요 사망원인이다. 위암, 자궁암, 폐암, 대장암, 유방암, 전립선암 등 암에 걸린 대상자들의 큰 관심은 치료 후 자신들의 성생활이다. 그들은 성적으로 건강한 생활을 할 수 있도록 상담해 주길 원한다.

암과 암의 치료는 심리적, 기능적, 해부학적 변화를 초래하기 때문에 성기능에 영향을 미친다. 자궁절제술은 여성의 질이 짧아지고 질분비액이 저하되어 성교에 부정적 영향을 미친다. 난소절제로 인한 수술적 폐경은 성욕감소, 윤활액감소, 성교통을 일으키고 성교횟수를 줄이고 성만족감을 저하시킨다.

심리적 요인도 큰데 암진단을 받으면 미래의 성생활에 대한 불안, 걱정이 생기며 암재발의 여부에 대해 염려를 한다.

대상자는 물론 배우자도 같이 걱정한다. 수술 후 겪는 신체상의 변화, 흉터, 임파부종 등은 자존감과 성 욕구를 저하시키고 심지어 혐오한다.

암치료 후에는 성행위를 준비시키고 수행을 잘 할 수 있도록 도와야 한다.

다음은 여성암 생존자들이 이야기하는 성생활 관련문제다.

요즈음은 전혀 성욕이 없고 어쩌다 관계를 해도 좋은 줄 몰라요. 남편에게는 내색을 안 하는데 언제까지 이렇게 살아야 되나요?

전처럼 섹스하고 싶습니다. 오르가슴도 느끼고 싶고요. 무슨 방법이 없을까요?

예전과 비슷하게 하기는 합니다. 그런데 친밀감도 덜하고 저절로 욕구가 일어나는 일이 전혀 없어요. 게다가 질 분비물은 거의 없고 질염은 떠나질 않습니다.

내 몸이 너무 변해선지 전혀 성적 매력이 없는 것 같습니다. 살맛이 나지 않아요. 말은 안 하지만 남편이 어떻게 생각할지 생각만 하면 미칠 것 같습니다.

나는 성생활에 아무 문제가 없어요. 뭐가 잘못될까 봐 전전긍긍하는 남편이 오히려 저한테는 환자랍니다.

이처럼 실제로 많은 여성들이 여성암에서 생존하고도 성생활에 대한 불안을 갖고 있다. 이는 비단 여성암 환자만의 문제가 아니다. 암환자들은 치료 초기에는 오직 생존에만 집중하며 성에 대해서는 크게 관심 갖지 않지만 치료 후기에 이르면 스스로 정상인지, 정상적인 성기능할 수 있을지 걱정을 한다. 성적 욕구가 암에 악영향을 미치지는 않을지, 미래에 성기능이 상실되는 것은 아닌지 불안해한다. 그리고 이때 이렇게 불안해하는 자신에게 무심한 배우자나 의료인에 대해 불만이 생기기도 한다.

환자에게 성은 나는 살아 있다, 나는 여자(남자)다 라고 느낄 수 있는 자존감과 친밀감의 표현이다. 이럴 때 자위행위나 배우자의 성행동은 위로와 안도감을 준다.

대상자는 자신의 두려움, 성적욕망, 좌절 등의 생각과 감정을 배우자와 이야기하면서 상호 공유해야한다. 어떠한 상황에서 두려움, 성적 욕망, 좌절 등의 생각과 성적 상호작용을 해야 하는지를 알아야 한다.

대상자는 파트너에게 자신이 가지고 있는 두려움 즉, 파트너가 자신을 바라보는 것에 대한 두려움, 성행위 과정에서 아픔이 있을지 모른다는 두려움, 자신이 더 이상 매력적이지 못한다는 두려움, 성기능을 제대로 발휘하지 못할 것이라는 두려움들을 표현해야 한다.

언제 준비가 되었다고 생각되는지, 다른 형태나

암 대상자와 배우자에게 필요한 건강한 성생활 지침

- 성 활동에 관한 계획을 한다.
- 휴식과 이완 상태를 추구한다.
- 성생활 2시간 전에 통증 감소약을 복용한다.
- 성행위의 다양성을 추구한다.
- 친밀감 유지를 위해 배우자와 성적 의사소통(신체적 접촉, 대화, 경청)을 증진 시킨다.
- 문제가 있을 시에는 성건강 전문가에게 도움을 청한다. (무지, 오해, 편견이 있을 때, 신체상의 변화에 대한 적응문제, 개인차, 자조집단소개 등)
- PLISSIT 상담 모형을 제공한다.
  - –허용(P)에선 성문재나 성에 대한 걱정에 대해 토의할 기회를 준다
  - –제한정보(LI)에선 암환자의 건강한 성생활에 대한 일반적 지식을 제공한다.
  - –특정제시(SI)에선 건강한 성생활을 즐길 수 있는 방법과 기술에 대한 자세한 설명과 상담을 한다.
  - –집중 치료(IT)에서는 이 분야의 전문가에서 치료 및 상담을 받도록 한다.
- 성적 민감성(안락함, 따뜻함, 쾌락추구)을 증진 시킨다.
- 긍정적이고 확신에 찬 삶을 유지한다.

방식으로 성행위를 시도해보는 것이 어떠한지, 또는 어떻게 하면 흥분이 더 쉽게 될 수 있는지 등을 배우자에게 표현해야 한다.

배우자에게도 어떠한 기분인지, 혹시라도 걱정하고 있는 것이 있는지, 있다면 무엇인지 등을 물어야한다.

성행위 시도는 접촉부터 천천히 시작하고, 느낌이 어떤지를 알려주고 알려고 해야한다.

적절한 성행위 시기 즉 통증이나 피로감이 덜 수반되는 시기를 맞추어 성행위에 대한 계획을 세워야 성적 흥분을 얻기가 더 쉽다.

성적 수행에 대한 불안이나 신체적으로 수반되는 통증 등의 부정적인 영향을 받지 않기 위해서 성적 환상 또는 시청각 자료 등을 최대한 이용한다.

성적 흥분이나 만족을 얻지 못했더라도 실망하지 않고 차기에는 어떠한 부분의 변화가 필요한가를 상의하고 새로운 계획에 따라 반복해 나가는 인내심이 필요하다.

배우자는 대상자가 매력적인 존재임을 알려준다. 대상자의 매력은 그 존재가치에 있으며 외모가 아니라 유머감각, 지적 능력, 인성 등임을 강조힌다.

대상자에게 자신의 성행위 준비상태나 성적느낌 등을 표현하며 단지 성기접촉이 아니라 접촉을 많이 함으로써 성적 의사소통과 친밀감을 표현한다.

4. 심근경색

심장발작은 관상동맥의 갑작스런 폐색과 관련된 심근경색으로 유발된다. 심장발작을 경험한 개인은 심장이 생명의 원동력임을 알 것이며 갑작스런 심장발작에 대해 대처하지 않으면 안된다는 위협감에 싸여있다. 신체적 손상이 눈에 보이지는 않지만 대상자는 심장기능을 더 이상 신뢰할 수 없다. 대상자는 심장발작이 있었던 시기에 성행위를 할 수 있는 것인지 아니면 그렇지 않은 것인지 여부에 대해 관심이 없다. 그러나 죽음의 위협이 사라지면, 개인은 심장발작으로 온 변화에 대해 대처해야 할 것이다. 직업과 일하는 습관, 성행위, 그리고 성기능의 변화 등에 대처해야 할 것이다. Cassem와 Hackett의 심장병 간호에 대한 연구에서 남성대상자집단은 발기부전에 대해 높은 관심을 가졌다고 했다. 이들은 성적 욕구와 성기능에 문제가 있음을 호소했다. 심장상태가 안정된 후

4~5일 동안, 대상자는 자신의 친밀성의 표현 정도와 빈도, 독립성 상실에 대해 우울해하고 슬퍼한다고 하였다.

Wishine 등은 초기 회복기간 동안 심근경색 대상자는 일반적으로 허약감, 불면증, 무기력감을 경험한다고 하였다. 대상자는 초기에 나타난 활동위축과 의존성 증가에 순응해 나갔다. Bruch 등은 우울, 공포, 불안을 일반적으로 나타냈으며 이것이 성행위에 대한 성욕 저하를 초래한다고 진술하였다.

여러 연구는 심근경색 후에 성행위의 감소를 보고했다. Klein은 심근경색 후 3~48개월 사이에 있는 남성 20명을 면접했는데 단지 5명의 남성만이 심근경색 전의 성행위 수준으로 회복했다고 하였다. 7명의 남성은 금욕생활을 한다고 보고했고, 8명의 남성은 성행위가 감소하였다고 말했다. Tutle 등은 심근경색을 경험했던 남성들을 면담하였는데 10%는 발기부전이었고, 약 60%는 성교횟수의 저하를 경험했고, 오직 30%만이 심근경색 이전의 수준으로 회복하였다고 하였다. 심근경색 후 이러한 성행위의 변화는 심근경색에 대한 잘못된 통념과 공포 때문이라고 하였다.

Block 등은 심근경색 전, 후의 성행위에 대해 88명의 남성과 12명의 여성을 면담하였다. 대상자들은 매달 성교의 평균 빈도가 심근경색 증상이 나타나기 전에는 5.2회/월이었으나 모든 남성과 여성이 자신의 건강상태가 정상적인 활동수준으로 회복하였음에도 불구하고, 심근경색 후에는 성행위 횟수가 2.7회/월라고 하였다. 연구 대상자의 성행위 빈도 감소 요인은 불안, 우울, 성욕의 결여, 다른 이상증상, 또는 갑작스런 죽음에 대한 공포, 그리고 성 파트너의 결정 때문이라고 하였다.

Wishnie 등은 심근경색 후에 발생하는 여러문제는 심근경색에 대한 잘못된 통념과 의사의 처방에 대한 잘못된 해석에 기인한다고 하였다. 의사가 심근경색을 경험한 대상자에게 성행위 여부와 정도에 대해 언급하지 않는다면, 대상자는 그들의 현재 신체 능력이 성교를 해서는 안되는 것으로 생각한다. 심근경색의 대상자는 금연을 할것과 안정된 신체운동에 대해 교육을 받지만 성생활에 대한 정보는 거의 받지 못한다. 심근경색의 대상자는 부적절한 정보, 두려움, 금욕과 비슷한 성행위의 저하를 경험한다. Koller 등은 대상자가 경험하는 성행위의 빈도 저하는 파트너와의 관계에서 갈등과 좌절을 일으킬 것이고 적개심을 증가시켜서 심장병의 악화를 초래하게 될 것이라고 하였다. 심근경색 후에 오는 성적 문제의 주요 원인은 지지와 간호가 부족하기 보다는 대부분 협심증 증상, 피로감, 회피, 우울, 재발에 대한 두려움, 자아존중감 저하, 통념 그리고 믿을 수 없는 부적절한 정보에 기인한다고 볼 수 있다.

1) 성행위 시 심장 활동

심장발작과 연관된 2가지 일반적인 공포가 있다. 즉, 심근경색이 성교 시 발생한다는 공포와 성교 동안 갑작스런 죽음을 당할 수 있다는 공포이다. 또한 심장 발작을 경험한 개인은 신체활동을 줄여야 한다는 통념도 있다. 성행위를 포함한 여러 활동이 점진적으로 회복하기 때문에 사망률의 증가가 없음에도 불구하고, 이런 문화적인 편견과 통념이 만연되어 있다.

Masters와 Johnson은 건강한 사람을 대상으로 성교시 나타나는 신체적 반응을 실험실에서 연구했다. 연구 결과, 성행위는 현저한 심혈관 동요(fluctuation)가 있다는 것을 발견했다. 흥분기 동안에 호흡기와 심박동률의 점진적인 증가와 혈압의 경미한 상승이 나타났다. 고조기 동안에는 심박동률은 1분당 평균 100~175회였고, 혈압은 수축기압이 20~80mmHg 정도, 이완기압은 10~50mmHg 정도 더 증가하였다. 또한, 호흡은 1분당 40회 정도로 빨라졌다. 이와같은 상승된 변화는 해소기 1~2분 내에 기본수준으로 회복하였다.

Hellerstein과 Friedman은 심장 질환 남성을 대상으로 성교가 신체에 미치는 영향을 연구하였다. 성 반응 주기의 절정기 동안에 평균 최대심박동률은 분당 117.4(90~144)/분이었음을 발견했다. 그리고 절정기 1분 후에 96.9회/분에서 절정기 2분 후에는 85.0/분으로 떨어졌다. 보통 노동이나 전문적 활동을 했을때 평균 최대의 심박동률은 120.1/분으로 성행위때보다 약간 더 높았다. 연구자들은 20년 이상 부부 생활을 해 온 중년 남성의 경우에 부부 관계는 중정도의 신체적 에너지가 소모된다고 하였다. 이것은 계단을 빠르게 오르내리는 경우와 힘차고 활발하게 걷거나, 또는 직업에서 많은 과업을 수행하는 것과 비슷하다.

Douglas와 Wikes는 심근경색 후의 성행위에 대해 보다 깊은 연구를 하였다. 휴식시 개인의 에너지 소비는 약 3.6ml/kg체중/분의 산소를 소모한다. 이러한 활동수준을 1 신진대사량 또는 1MET(metabolic equivalent, 대사적등가)라 한다. 이 수준 이상의 운동은 복합 METs로 기술할 수 있다. 또한 일반적 활동 시 평균 에너지 소모를 다음과 같이 제시하였다. 즉 수면은 0.8METs, 5% 경사의 언덕을 1시간에 3마일 정도로 걷는 것은 0.4METs, 성적 전희는 3.5METs, 절정감은 4.7~5.5METs라고 하였다. 오르가슴은 두층의 계단을 오르거나 20개의 계단을 10초에 오르는 에너지가 해당된다. Mackey는 절정기 전, 후 동안에 에너지 소모는 3.7METs라고 했다. 심박동률은 대사적등가(METs)의 점수와 연관되며, 작업시 산소 소모량을 알 수 있는 편리한 방법이다. 심근경색증에서 특별한 합병증이 없이 회복한 중년의 남성은 8~9METs를 감당할 능력이 있으며, 성교 시 필요로 하는 에너지요구량보다 높다. 그래서 성행위를 제한할 필요가 없다.

2) 자위행위 시 심장 활동

Wagner는 자위행위 시 심장 활동에 대해 연구를 하였다. 연구 대상자는 10명의 건강한 젊은 남성이었다. 자위행위를 했을 때 절정기의 심박동률은 130회/1분 이하였다. 단지 짧은 순간동안 만 110~130회/분으로 상승했다.

심근경색 후 남성에서 성적 흥분은 남성의 성적 욕구가 변하지 않았다는 것과 성생활을 계속할 수 있다는 신호이다. 부분 발기, 완전 발기, 사정 등이 단계적으로 경험하는 자위행위는 대상자에 의해 그 강도와 지속시간을 조절할 수 있다. 간호사는 분당 110~130회의 심박동률이 대상자에게 해를 주지 않을 때에는 자위행위를 허용할 수 있다. 자위행위는 추천할 만한 성행위 방법이며 성교 전에도 성파트너와 함께 시행할 수 있다.

3) 심장 발작의 재발에 대한 공포

성교 동안 갑작스럽게 사망할 수 있다는 위험성은 Ueno연구 자료에서 확인할 수 있다. 4년 6개월 동안 갑자기 사망한 5,559명의 사례를 검토한 이 연구에 의하면 34명(0.6%)이 성행위 동안 사망했다고 했다. 18명의 남성은 평균 20세의 어린 파트너와 성행위를 했고, 2명의 여성은 2세 연상의 파트너와 성관계를 가졌다. 34명의 사망자 중에 3명은 자위행위 후에 사망했다고 하였다. 사망자 중에 25%(9명)는 호텔에서 사망했으며, 77%(27명)는 혼외정사에 의해 사망했다. 사망자 중에서 6명은 술에 취한 상태였다고 한다.

이 연구는 혼외정사라는 상황이 심장에 더 큰 손상을 줄 수 있다는 것을 보여준다. 성행위 시 갑

표 14-1 합병증이 없는 심근경색 환자의 성행위 프로그램

입원~3주

- **활동 수준**
  일반적 활동수준 : 정상 걷기 속도로 하루에 2-3회 병원 내 보행. 가족방문자 맞이함. 면도함.
  성적 활동수준 : 부분 발기를 위한 자위행위
- **교육**
  심장에 관한 교육 : 심박동수가 기저선에서 20회/분을 넘지 않아야 함
  환자에게 맥박 측정하는 방법을 교육
  위험증상 : 실신, 호흡곤란, 발한, 빈맥
  성적 상담 : 퇴원하기 전 환자와 배우자 면담

퇴원 후 4~6주

- **활동 수준**
  일반 활동수준 : 병원 내 활동 유지, 매일 천천히 편평한 길을 걷도록 함
  성적 활동수준 : 부분 발기를 위해 자위행위를 함
  부부는 서로 등, 얼굴, 팔, 다리를 어루만짐으로 쾌락감을 느끼도록 함
  자기쾌락에 초점을 둠
  생식기 영역은 마사지 하지 않는다(성교나 사정을 시도하지 않음)
  두 파트너 모두 활동을 하기전에 충분한 휴식이 필요함
- **교육**
  호흡곤란, 실신, 빠른 맥박, 피로, 정서적 당황함 등은 피함
  애무하기 전, 애무하는 동안, 애무한 후의 맥박을 측정하도록 함
  1주일에 3회, 20분씩 건강상태를 체크하도록 함
  문제에 대해 간호사와 전화로 연락함
  병원 방문시에는 의사와 면담함

퇴원 후 7~9주

- **활동 수준**
  일반 활동수준 : 이전의 모든 활동을 계속함. 의사는 treadmil 검사를 하도록 처방함
  성적 활동수준 : 완전한 발기를 위해 자위행위 시도
  부부는 서로의 골반이나 다른 부위를 애무함, 서로에게 집중함
- **교육**
  위험증상 등이 나타나는지 체크함
  지지와 지침을 제공받기 위해 간호사와 면담

퇴원 후 10~12주

- **활동 수준**
  일반 활동수준 :
  매일 걷기와 적절한 운동을 계속함, 계단을 2개씩 빠르게 오르기, 인내심이 요구되는 일을 함
  성적 활동수준 :
  자위행위를 통해 사정함, 부부는 전희를 즐길 수 있음, 부부가 구강 성교를 허용한다면 할 수 있음, 부부는 편안한 체위에서 성행위 시도
- **교육**
  적절한 활동 후 맥박 체크
  갑작스런 운동이나 경쟁적인 노력은 피하도록 함
  이상 징후에 주목함
  음주, 피로, 정서적 당황 등은 피해야 함
  부부에게 「건강한 성생활」을 읽도록 제안함
  문제가 있을 시 의사나 간호사에게 전화로 연락하도록 함

작스러운 사망은 성행위 자체보다는 스트레스 인자가 원인이 될 수 있다는 연구도 있다. 성행위 시 나타나는 이러한 사인은 대부분 성 파트너가 배우자가 아닐 때, 주위환경이 친숙하지 않을 때, 성교가 과식과 음주 후에 이루어졌을 때에 많이 발생하는 경향이 있다. Wagner 등은 새로운 파트너와의 성교는 더 많은 흥분과 스트레스를 유발할 수 있다는 것을 지적했다. 10년 동안 금욕을 한 남성이 여성과 성교를 갑자기 다시 시작했다면 위험하다. 편안한 관계와 안락한 분위기는 성교 후에 올 수 있는 돌연사 발생을 줄일 수 있다. 성교 시 나타날 수 있는 심근경색의 재발과 갑작스러운 사망에 대해서 더 많은 논의가 필요하다. 심장병을 가진 남성에게 '일상적인 파트너', '성교를 하는데 편안함', '친숙한 주위환경'은 성행위의 긍정적 요인이다.

4) 성교체위

심근경색증 대상자는 무거운 물건을 들어올린다든지, 근육강화운동, 무거운 여행가방을 옮기거나, 무거운 눈을 삽질하는 것과 같은 근육을 갑자기 사용할 때는 조심해야 한다. 성행위 시 심근경

색을 경험한 남성은 체중을 팔에 지지하는 남성상위 체위를 추천하지 않는다.

남성상위 체위가 남성하위 체위보다 심장에 더 스트레스를 주는지를 확인하기 위해 24~40세의 정상 남성을 대상으로 연구했다. 절정기의 상위체위에 있는 남성의 평균 최대 심박동률은 114회, 남성하위 체위에서는 117회/분이었다. 성교 시 남성상위 체위에서 휴식 시 혈압은 112/66분mmHg, 절정기 혈압은 163/81mmHg였고 절정기 2분 후 혈압은 121/77mmHg였다. 수축기 혈압과 심박동수를 통해서 심근의 산소 소모량을 확인할 수 있다. 남성상위 체위에서 휴식기의 수축기 혈압은 67mmHg, 절정기의 혈압은 189mmHg, 절정기 2분 후의 혈압은 82mmHg이었다. 이에 대응하는, 남성하위 체위 시 수축기 혈압은 휴식기에 65mmHg, 183mmHg, 77mmHg이었다.

Nemec, Mansfield와 Kennedy의 연구에 의하면, 성교 동안 체위는 심박동수와 혈압에 영향을 미치지 않는다고 하였고 또한 심장 질환을 가진 대상자가 성교하는 동안 남성하위 체위를 취하도록 권장할 만한 근거는 없다고 하였다.

5) 성 재활 프로그램

심근경색을 경험했던 대상자에게 치료방법으로 체계적 운동 프로그램을 적용한다. 신체적으로 건강한 개인은 건강하지 않은 개인보다 더 낮은 심박동률과 수축기 혈압을 유지하면서 일상생활을 한다. 운동 프로그램의 목적은 심박동률과 혈압을 낮춤으로서 심장혈관의 활동을 향상시키는 것이다. 또한 운동 재활은 대상자를 위해 도움이 되는 정보와 성행위 시 체위뿐만 아니라 성적재활을 도와준다. Hellerstain 등은 대상자가 체계적 운동 프로그램에 참여한 결과 체력, 혈압, 정서, 성행위의 빈도와 만족도에서 향상을 가져왔다고 하였다.

Stein은 심근경색 질환이 발병한지 12~15주된 남성 16명을 대상으로 16주 동안 자전거 근력훈련 프로그램을 실시한 후에 이 훈련 프로그램을 받지 않은 6명의 남성과 비교했다. 두 남성 집단의 성행위 시 평균 최대 심박동률은 분당 127회였다(120~130회/분). 훈련을 마친 16명의 심근경색 경험이 있었던 남성은 성교 시 평균 최대 심박동률이 분당 120회로 감소했다.

훈련을 받지 않은 6명의 남성은 어떤 변화도 나타나지 않았다. Siewicki과 Mansfield는 심근경색을 가진 대상자가 어떤 징후나 불편함 없이 계단을 두 개씩 빠르게 한 번에 오를 수 있다면, 파트너는 일상적인 성행위를 시작할 수 있다고 했다. 20~39세의 정상 30명의 남성을 대상으로 두 계단씩 빠르게 올라가는 것을 시험했다. 이 검사 동안의 평균 최대 심박동률은 분당 127회였고, 평균 최대의 혈압은 145/72mmHg였다. 평균 최대의 수축기혈압은 190mmHg였다. 연구자는 두 계단을 한 번에 빠르게 오르는 검사는 심근경색 대상자가 성행위를 재개할 것인지를 확인하는 방법으로 유용하다고 하였다.

Hellerstein과 Friedman은 연구 대상자의 40%는 성교시에 빠른 심박동률을 자각했다고 했다. 빠른 심박동수의 자각은 심장 발작을 경험하지 않았던 사람에게도 발생하므로 절박한 위험증상이라고는 할 수 없다.

체계적 운동 프로그램은 신체적으로 건강한 심근경색 대상자에게 성교동안 심박동수의 상승과 숨을 헐떡거리는 현상을 적게 경험하도록 한다. 또한 교육을 통해 성행위 시 나타날 수 있는 일상적인 반응인 빠른 심박동을 심근경색 재발 증상으로 잘못 해석하지 않도록 한다.

Douglas와 Wikes는 심장 발작 후 48시간 내에 고통이 사라진 대상자는 합병증의 징후가 없으며,

50~90회/분의 맥박을 유지하는 대상자는 체계적인 운동 프로그램을 시작할 수 있다. 이 프로그램은 의사가 처방하며, 활동은 수동적인 운동부터 시작해서 일상적인 활동과 성행위를 할 수 있도록 하는 것이 최대 목표이다.

Watts는 표 14-1에 보여진 합병증이 없는 심근경색 대상자의 성행위 프로그램을 제시하였다. 이 프로그램은 일반적인 활동수준, 심장에 관한 교육, 성상담과 성행위를 포함하고 있다. 성행위는 자위행위부터 시작해서, 상호쾌락교환, 비요구적 성행위, 그리고 성교로 점진적으로 이동한다. 심근경색 환자가 성교를 재개하는 시기는 다양하다. 심근경색 후 8주 정도에서 성교를 허용하는 의사도 있다. 8주까지 성교를 제한할 필요가 있는지에 대해 의문을 제기한다. 이 프로그램을 제공하기 전에 먼저 각각의 대상자를 개별적으로 사정하고 평가하여야 한다.

6) 성행위 재개에 대한 정보

대상자가 성행위를 다시 시작하기 전에 먼저 성교 재개에 대한 정보와 상담이 필요하다. 대상자 개개인에게 적합하고 적절한 정보를 제공하기 위해서는 성건강력을 검토해야 한다. 그리고 성행위의 일상적 또는 선호되는 방법과 시간, 선호하는 횟수와 다양성, 성행위와 연관된 음주나 과식 경험, 감소된 성욕, 발기부전, 사정기능장애의 경험, 성행위 후의 흉통, 피로, 불면증의 경험 등과 같은 자료를 수집한다. 이런 자료를 통해 편안함과 정상

심근경색 대상자의 성교 재개 지침

- **외적 환경** : 방은 편안함을 줄 수 있는 온도를 유지한다. 너무 높은 습도는 일정한 온도유지를 어렵게 한다.
- **개인적 환경** : 대상자는 자신과 성 파트너에 대해 편안함을 느껴야한다. 긴장, 불안, 불확실성은 스트레스를 초래한다.
- **음식과 알코올** : 대상자는 성교를 하기 2~3시간 전에 과식이나 음주를 끝마쳐야 한다. 과식이나 알코올섭취는 추가적인 에너지를 필요로 한다.
- **피로** : 피로는 성기능을 손상시킬 수 있다. 성행위의 최적 시간은 개인이 충분히 휴식했을 때이다. 대상자는 상쾌하고, 충분히 휴식한 아침에 성교를 시도하는 것이 좋다. 전희를 충분히 하여 서서히 심박동이 증가하도록 한다. 성교 전의 낮잠도 계획할 수 있다. 성교 후의 휴식은 친밀성을 증진시키고, 성교 후에 나타날 수 있는 신체적 피로감을 회복할 수 있게 한다.
- **체위** : 체위는 편안하고, 격렬하지 않아야 한다. 체위변화에 대한 조언은 불안을 유발할 수 있다. 그리고 대상자와 성 파트너의 욕구, 선호, 기대, 일상적인 습관은 중요한 고려점이다. 정상위는 무릎과 다리에 체중을 더 지탱하도록 한다. 그리고 측와위도 사용할 수 있다. 남성은 낮고, 팔없는 의자에 앉고, 머리는 베개에 의지하고, 파트너는 그의 허벅다리에 앉아 성교하는 체위도 있다. 파트너는 상호 쾌락을 증진 시키고 신체적 접촉, 포옹, 신체 마사지를 하도록 격려한다.
- **경고 징후** : 성행위 동안 다음과 같은 증상이 나타나면 의사와 상담해야 된다.
  - 성행위 후 빠른 심박동수와 빠른 호흡이 20~30분간 지속된다.
  - 성교 후 심장 경련이 15분 계속된다.
  - 성교 동안이나 후에 흉통이 있다.
  - 성교 후에 불면증이 있다.
  - 성교한 날 극도의 피로감이 있다.
- **협심증** : 성교동안에 협심증과 연관된 경미한 흉통과 불편함을 경험하는 대상자는 성교 전에 니트로글리세린을 복용하는 것이 좋다.
- **약물** : 항고혈압제, 진정제, 항우울제, 수면제를 복용하는 대상자는 이러한 약물이 성행위에 어떤 영향을 미치는지를 알아야 된다.

적인 것이 무엇인지에 대한 정보를 제공한다. 대상자와 파트너가 선호하고 가치 있게 여기는 것을 먼저 알아야 한다.

행위의 재개에 대한 정보를 대상자 그리고 성 파트너와 함께 공유한다. 다음은 성행위 재개를 위한 정보이다.

상담은 비밀유지가 보장되어야 하며, 간호사의 편안하고 수용적인 태도와 개방적이고 허심탄회한 대화기술은 대상자와의 상호작용에 긍정적인 영향을 미친다. 상담하는 동안에 간호사가 기억해야 할 주요 원칙은 성행위를 금지시키거나 근절하는 것이 아니라 성행위를 할 수 있도록 촉진시킨다는 것이다.

7) 심근경색이 배우자에게 미치는 영향

심근경색 대상자가 성생활을 유지하기 위해서는 성 파트너가 얼마나 성적으로 잘 대응해 주느냐에 달려있다. 왜냐하면, 대상자의 두려움과 불안은 성행위에 부정적인 영향을 미치기 때문이다. 심근경색을 경험한 남성 대상자 65명의 심리상태를 연구한 결과, Dominian은 심근경색 대상자의 배우자들은 상실감, 우울, 죄책감과 같은 감정이 있다고 하였다. 회복기에 있는 심근경색 대상자들은 그들의 배우자를 매우 고통스럽게 한다. 배우자들은 남편의 심근경색 재발에 대한 두려움, 남편이 표현하는 분노심과 의존성의 증가로 인해 야기되는 부부 갈등 등으로 스트레스를 많이 받는다.

Papadapaules 등은 심근경색 환자의 배우자 100명을 대상으로 연구한 결과, 이들은 부적절한 성적 정보, 성행위의 위험성, 남편의 성적 어려움, 성적 패턴의 변화, 성교시 파트너의 증상, 그리고 부부의 정서적 관계에 관한 불안과 걱정을 확인하였다. 배우자들이 경험하는 이러한 불안들은 쉽게 사라지는 것은 아니다. 불안이 성행위를 회복시키는 그 자체를 방해하는 것은 아니지만 배우자의 불안은 대상자와 공유하는 성행위의 빈도와 만족도 등 모든 측면에 영향을 미칠 수 있다.

만약 배우자가 심근경색증의 남편을 이전부터 가정에서 가장으로 생각하여 의존하였다면 성역할과 성관계는 방해받을 수 있다. 안정된 가정생활이라 할지라도 부부의 갈등은 나타날 수 있고, 부부 문제가 이미 있었다면 상황은 더욱 악화될 수 있다.

심근경색 대상자의 배우자는 가치있고 도움이 될 수 있는 특정 정보와 지침을 필요로 한다. 또한 파트너와 개인적이고, 사적인 이야기를 할 수 있도록 충분한 시간을 주어야 한다.

심장병 환자 자조그룹은 심근경색 환자를 도와줄 수 있다. 전문가의 강연과 집단 토의는, 사회적, 직업, 성적 역할과 성관계를 회복하고 재활하는데 도움을 받을 수 있다. 다른 집단과 같이, 어떤 구성원은 참여하여 긍정적인 역할 모델을 하고, 어떤 이는 관찰자로 참여하며, 일부는 위축되기도 한다. 상호문제에 대한 논의, 유사한 문제, 좌절, 불안, 기대를 공유하고 청취하고, 인정하는 것은 성적 자아개념의 재정립과 자아존중감이 저

TIP

배우자의 만성질환에 대한 잘못된 신념

1. 암의 발병은 섹스와 관계가 있다. (자궁 경부암은 예외)
2. 격렬한 애무는 재발의 원인이 된다.
3. 섹스는 환자에게 상처를 주거나 피곤하도록 하는 것이다.
4. 대상자는 거절할 것이라 단정 짓고 포기한다.
5. 상대를 배려해야 하므로 자신의 욕구를 억제해야 한다.
6. 살아 있는 것만으로도 감사해야 한다.
7. 다른 방도도 없는데, 시도 하는 것은 잔인하다.
8. 자기가 원한다면 먼저 요구할 것이라고 생각한다.
9. 자연스럽게 시간이 해결해 줄 것이라는 추측한다.

하되는 것을 도울 수 있다.

8) 간호 및 상담

예상되는 지침과 교육을 통해 믿을만한 최신 정보를 제공하는 것은 심근경색 대상자의 성건강에 특히 중요하다. 간호사는 대상자가 신체상의 변화과정에 따른 불안, 분노, 우울 등에 대처하고, 성적 자아개념을 재정립하고, 계속적인 성생활을 유지할 수 있도록 심도깊은 상담을 해야한다. 간호사는 감정의 이입, 직접적인 정보제공, 성교에 대한 대상자의 지각을 수용함으로서, 대상자와 배우자에게 그들이 가지는 생각, 감정, 두려움 등과 같은 부정적인 감정은 극히 정상적인 반응이라고 위로한다. 또한 대상자가 심근경색이 성행위에 미치는 영향을 이해하도록 도와준다. 항상 믿을만한 정보에 기반해서 성행위에 대해 부부가 책임감 있는 의사소통을 할 수 있도록 도와준다.

간호사의 역할은 심혈관 중환자실에서부터 시작된다. 간호사는 성에 대한 개방적인 논의를 할 책임이 있으며, 예상되는 지침을 통해서, 대상자가 회복기 후에 성 활동을 포함해서 많은 활동의 변화가 있다고 할지라도, 이전의 일상생활로 회복될 수 있다고 지지해야 한다. 대상자의 건강상태가 호전되고, 심장상태가 회복함에 따라, 특정수준의 운동에 참여하도록 한다. 성 파트너가 운동프로그램에 관찰자로 참여할 때 성행위가 완전히 회복될 수 있다고 설명한다. 이 프로그램을 통해 대상자는 성행위와 다른 신체 활동의 균형을 유지할 수 있다. 심근경색을 가진 대상자와 배우자는 자위행위나 성행위 동안 산소 소모량, 심박동수, 혈압, 호흡수 등이 빠르게 증가하지만 이런 증가는 다른 운동과 매일의 일상 활동에서 경험하는 것처럼 크게 다르지 않다는 것을 이해시킨다. 그리고 노화가 성 반응 주기에 미치는 영향에 대한 정보도 제공한다.

성교에 대한 대상자의 두려움과 불안에 대해 "걱정하지 마십시오" 또는 "신경 쓰지 마십시오"와 같은 모호한 언급은 부적절하다. 간호사는 두려움과 불안을 실제적으로, 법적으로 인정하기 보다는, 이해로서 응답하고, 감정에 대해 개방적인 논의를 하며, 직접적이고 믿을 만한 정보를 제공하는 것이 필요하다.

간호사는 성교시 문제가 없거나 오히려 빈도가 증가한다고 보고하는 대상자나, 높은 쾌락의 수준에 있다고 보고하는 대상자에게 주의를 해야 한다. 왜냐하면, 이런 보고는 심장발작을 부인하거나, 자신을 자책하거나, 제공된 지침을 수행하지 않는 대상자일 수 있기 때문이다. 대상자는 슬픔, 불안, 변화된 성적 자아개념, 낮은 자아존중감에 대처할 수 있어야 한다. 간호 중재는 "아니오" 그리고 "중단"에 기반 하는 것이 아니라 변화된 성적 자아상에 대한 감정과 예상되는 지침을 이해하도록 상담해야 한다. 간호사는 대상자가 자신의 변화된 신체상을 수용할 수 있도록 지침을 제공해야하고 대상자의 이야기를 경청해야 한다.

5. 당뇨병

1) 신체상의 변화

당뇨병은 탄수화물, 단백질, 지방 대사의 변화, 말초혈관의 합병증(모세기저막의 비대), 신경증(말초감각운동신경의 결함), 탈수초화(demyelination), 대혈관의 합병증(맥관성 질환)으로 특징되는 만성적이고 복잡하며 여러 신체기관에 영향을 미치는 질환이다. 지난 10년 동안, 당뇨병 발생률은 계속 증가하고 있다.

당뇨병의 경우, 신체상의 변화는 초기에 나타나지 않는다. 그러나 협동적이고 통제된 기능적 활동의 상실, 온전성의 상실, 실패감, 그리고 부적절감을 경험할 수 있다. 어떤 경우, 당뇨병은 심장 발작보다 덜 위협적이고, 암보다 덜 비참할 수 있다. 그러나 이런 안심이나 회피의 감정은 상대적으로 우울을 수반할 수 있다. 이들은 신체 기능의 변화, 약물 치료, 입원, 간호에 포함된 다양한 개입, 그리고 가족의 반응이 사회적 부적절성과 개인적 당황감, 비참함의 느낌을 가속시킨다고 하였다.

당뇨병의 조절과 관리는 정상적인 일상활동을 크게 변화시킬 수 있다. 당뇨병 환자의 건강 교육은 정상 생활을 강조하지만, 활동계획을 세분화하여 식이요법을 처방하고, 소변 검사를 하며, 피부와 발 간호, 저혈당증과 고혈당증의 증상에 따른 주의 등에 초점을 둔다. 그리고 식이요법에 약물 투여를 한다. 당뇨병 대상자는 당뇨병이 만성질환이라는 것에 대해 당황하고, 불안하고, 우울해 할 수 있다. 어떤 사람은 건강 처방이 의례적이거나, 또는 주의를 요하는 처방이라고 생각할 수 있다. 또 다른 사람은 부인하거나 거부하기도 한다. 이들은 소변 검사나 식이요법을 잘 수행하지 않고, 처방된 약물에 대해서도 부주의할 수 있다. 청소년은 또래 친구와 다르게 보일 수 있는 식이요법에 대해 거부할 수 있다. 나이가 많은 사람은 고정된 습관과 규칙을 변화시키는 것이 어렵다고 한다. 대상자들은 현재의 행동과 상관없이 신체 기능과 신체상의 변화에 대한 개인적, 상호관계적, 사회적, 성적 중요성에 대해서 이해하여야 한다.

당뇨병 대상자의 경우 발병이전의 상태로 회복한다는 것은 매우 어려우며, 질병과 관련된 변화에 적응하는 것이 주요 과제이다. 당뇨병 대상자는 자신의 신체상 손상에 대해 슬퍼한다. 또한 성역할과 성관계의 변화에 대해 새로운 대안을 발견해야 한다. 당뇨병이 있는 개인과 배우자에게 간호사가 성건강 간호를 제공하기 위해서는 먼저 신체·심리적 요인간의 상호관계를 이해하고 균형을 유지하도록 도와주어야 한다.

2) 남성의 성기능 장애

■ 발기장애(Impotence)

발기장애는 만족스런 성교를 하는데 필요한 발기와 충분한 시간동안 발기를 유지할 수 없는 무 능력 상태를 의미한다. 당뇨병 남성은 이런 성기능 장애를 경험한다. 당뇨병으로 인해 발기부전이 일어나는 기전은 다양한 요인이 복합적으로 작용하는데 당뇨병으로 인한 혈관손상과 말초신경 손상 등이 영향을 미친다. 16~92세의 당뇨병 남성 198명을 대상으로 실시한 연구에서 Rubin과 Babbott는 1년 이하 당뇨병을 앓았던 남성 중 50%가 발기부전이 나타났고, 1~5년 동안 당뇨병을 앓았던 남성 중 43%가 발기부전이었다. 발기부전 대상자들 중에서 30%는 당뇨병이 진단 후 1년 안에 발기부전 현상이 나타났으며, 60%는 5년 안에 발기부전 현상이 나타났다.

당뇨병의 발병 연령과 질병의 심각성은 발기부전의 발생과는 어떠한 관련도 없다. 당뇨병의 다른 합병증의 유무와 발기부전간에도 어떠한 차이도 나타나지 않았다.

Kolodny는 당뇨병의 지속기간과 발기부전의 유무 사이에는 명백한 상관관계는 없었으나 발기부전은 당뇨병의 초기증상이었고 당뇨병 진단보다 먼저 발생한다고 하였다.

당뇨병으로 인한 신경손상은 말초의 체성신경과 자율신경 모두에게 영향을 미치는데 신경손상이 있는 경우에서 발기부전을 더 많이 발생하는 경향이 있다. 전형적으로, 발기부전의 증상은 점진적으로 6개월에서 1년 동안 진행된다. 즉 발기

시 탄력성은 점진적으로 감소되었으나, 전체 발기부전은 나타나지 않았다.

당뇨병 남성의 발기부전은 진행성이지만, 상대적으로 사정이나 극치감에 미치는 영향은 적다. 당뇨병이 조절되면 일시적 발기부전은 점차 사라진다. 대체로 발기부전은 당뇨병의 첫 발현을 알려주는 징후가 될 수 있다.

역행성 사정(retrograde ejaculation)

역행성 사정은 정액이 요도를 통해 외부로 배출되는 것이 아니라 방광으로 배출되는 것을 의미한다. 이것은 방광경부의 자율신경병변에 의해 발생하며, 붙임의 원인이 될 수 있다. 이 기능장애는 당뇨병 남성의 1~2%에서 발견되며 방광 내측 괄약근이 효율적으로 조여지지 않기 때문에 온다. 정액은 방광의 소변과 섞여지고, 소변과 함께 신체 밖으로 배출된다. 성교 시 사용된 콘돔에서 정액 혹은 정자가 없을 때, 그리고 성교 후에 뇨 검사물에서 수 많은 정자가 발견될 때 역행성 사정으로 진단내릴 수 있다.

발기부전을 경험하는 당뇨병 남자의 경우, 절정감과 사정을 유발하는 생리적 기전은 정상이기 때문에 절정감과 사정은 경험한다. 역행성 사정은 성교나 자위행위 동안에 발생할 수 있다. 이 때 남성은 요도말단 정액통로와 관련된 감각의 부재 혹은 사정의 부재와 감소를 경험할 수 있다.

Klebanow와 MacLeod은 12년 이상 당뇨병을 앓아온 19명의 남성에게 그들의 정액성분을 분석했다. 연구자는 이들 중 9명은 정상적인 절정감을 경험하였으나 정액은 없었다. 6명의 소변에서 정자를 발견했지만 정자의 양이 역행성 사정과는 관련이 없었다. 이들은 남성의 사정 기능장애는 당뇨병 남성의 병의 진행 현상이라고 발표하였다.

Faerman 등은 당뇨병 남성의 발기부전에 대한 원인은 자율신경병변에 있음을 부검을 통해 확인하였다.

Ellenberg는 발기부전과 말초자율신경병변 간의 연관성을 연구했는데, 배뇨와 발기를 유발하는 자율신경통로는 동일하다는 인식에 기초를 두고 있다.

객관적으로 발기부전을 측정하는 방법이 없기 때문에, 방광에 분포된 신경 연구가 수행되었다. 이 연구에서 이들 신경은 두 기능에 같은 영향을 미치기 때문에 한 기능의 문제는 다른 기능도 문제가 있음을 의미한다. Ellenberg는 발기부전을 경험하지 않은 당뇨병 남성보다 발기부전이 있는 당뇨병 남성이 방광 신경 기능장애를 더 많이 나타낸다고 보고했다. 즉 당뇨병 남성은 신경자극의 결함으로 유발된 음경동맥의 이완으로 음경해면체의 충혈이 억제되어 음경발기부전증을 초래 한다.

심리적 · 기질적 발기부전

당뇨병성 발기부전의 원인이 심리적 원인인지 기질적 원인인지를 정확하게 확인해야 한다. 왜냐하면 원인을 알아야 정확한 치료와 예후를 결정하기 때문이다. 발기부전이 있는 당뇨병 남성은 불안이나 우울과 같은 심리적 원인이 있을 수 있다. 간호사는 건강력을 정확하게 심도 깊게 수집하여 진단을 위한 다양한 정보를 제공할 수 있어야 한다.

기질적 발기부전은 점차적으로 악화되지만 성적 관심과 성적 충동은 지속된다. 발기문제는 자위행위나 성교시에 나타나며 이른 아침의 자발적인 발기의 빈도와 정도도 감소를 보인다. 심리적 원인인 경우, 발기부전의 발병은 갑작스럽게 나타나며, 문제는 특정 상황과 연관된다. 발기부전은 스트레스에 대한 반응이다. 만약 발기문제가 심리적 원인에 기인한다면, 발기는 자위행위 시에는 가능할 것이며, 이른 아침의 발기의 빈도와 정도도 감소하지 않을 것이다.

음경 발기상태를 감시할 수 있는 전자감시장치로 심리적 발기부전인지 또는 기질적 발기부전인지를 체계적, 객관적으로 진단할 수 있다. 정상적인 남성은 수면시에 빠른 눈 동작을 보이는 REM(꿈을 꾸는 수면)과 음경발기 사이에 밀접한 관계를 나타낸다. 수면시 발기의 시간은 연령이 증가함에 따라 점진적인 감소추세를 보인다. 사춘기에는 수면 시간 중 90분, 30~39세 집단에서는 45분, 더 나아가 60~69세 집단에서는 15분 이하로 발기 시간이 연령 증가와 함께 점차적으로 감소한다. REM수면과 수면중 음경 발기와 꿈이 동시에 나타난다 하더라도, 수면중 음경발기는 모두 밤의 이른 시간보다는 늦은 시간에 더 많이 나타난다. 정상적으로 남성은 아침에 깨어날려고 할 때 발기를 한다. 왜냐하면 이들은 REM과 연관된 야행성 음경 발기로부터 깨어나기 때문이다. 방광 압력이 발기를 자극하는 것이 아니다.

발기부전에 대한 원인이 무엇인지를 알아보기 위해 야행성 음경 발기 시 다음과 같은 사항을 고려한다. 즉, 발기부전은 있지만 정상적 야행성 음경 발기를 보이는 남성은 심리적 발기부전이라고 하며, 반면에 발기부전 증상을 호소하지만 그의 연령에 비해 비정상적 야행성 음경 발기를 보이는 남성은 기질적인 발기부전이라고 가정한다. 심리적 발기부전의 경우, 남성의 REM발기는 기간이나 정도 면에서 정상이지만, 깨어있는 성교 동안에는 남성의 발기 능력이 주목할만한 차이가 나타났다. 기질적 발기부전의 경우에는 야행성 발기의 최대치가 깨어있는 동안에 나타난 남성의 발기상태와 일치한다. 임상전문가는 발기부전이 있는 남성인 경우 먼저 야행성 음경 발기를 전자감시장치로 감시할 것을 추천한다.

TIP

o 당뇨병성 발기부전의 종류

당뇨병은 40세 이상 환자에게서 많이 나타나는데 이는 노화를 15년 정도 앞당긴다. 또한 당뇨병 환자의 절반 정도는 나이에 상관없이 10년 이내에 발기부전이 발생한다. 당뇨성 발기부전은 당뇨치료군 28%, 정상연령대조군 9.6%(3배) 발생하는데 그 원인으로 기질성(신경성, 혈관성, 호르몬성) 원인과 심인성 원인으로 구분한다.

기질성 발기부전

- 혈관성(동맥성, 정맥성) : 당뇨, 흡연, 동맥경화, 골반부 손상, 요도손상
- 신경성 : 당뇨, 척추손상, 척수종양, 골반수술
- 호르몬성 : 뇌하수체 종양, 고환, 갑상선 기능부전
- 기타 약물복용 : 항고혈압제, 심혈관계 약물, 항우울제, 항불안제, 항정신성 약물, 위궤양치료제, 항경련제, 항암치료제, 호르몬제(에스트로겐, 안티안드로겐, 알코올, 환각성 약물, 마약)

심인성 발기부전

- 불안 : 성취불안, 예기불안
- 정신적 스트레스(이혼, 별거, 사별, 직업상실, 사회적 지위상실, 가족문제), 우울증
- 남성갱년기
- 죄의식, 공포감, 열등감
- 여성의 매력감퇴
- 성행위 중 잡념

발기부전 치료

일시적으로 나타난 발기부전의 원인이 신진대사 질환과 연관이 있을 때, 적절한 탄수화물 섭취는 좋은 건강 상태와 정상적인 성기능을 회복시킬 수 있다. Myers는 당뇨병 남성의 발기부전의 원인이 이른 아침의 저혈당증과 연관되어 있음을 확인하였다.

당뇨병과 관련된 발기부전은 잘 조절할 수도 있고 또는 영구적일 수도 있다. 만약 발기부전이 심각하다면, 성기능의 회복에 대한 예후는 좋지 않다. 현재까지 당뇨병과 관련된 발기부전의 치료는

잘 알려져 있지 않다. 기질적인 정도와 상관없이, 당뇨병 남성을 위한 성상담은 아주 중요하며, 성 파트너도 상담에 포함시켜야 한다.

당뇨병 남성과 성 파트너는 당뇨병과 연관된 발기부전의 정도가 다양하다는 것을 이해할 필요가 있다. 상담은 두 파트너 모두를 포함하여야 하며 낮은 자아존중감, 분노, 죄책감을 다루어야 한다. 상담은 질-음경 성교에 대한 대안책을 탐색하고 경험하도록 격려한다. 발기부전 당뇨병 남성 95% 이상이 사정을 할 수 있다. 사정기능이 어려움이 있다 할지라도 안아주고, 애무해 주는 행위로 정상적인 친밀감과 신체적인 만족감을 제공할 수 있다. Renshaw는 당뇨병성 발기부전은 대부분 기질적이라기보다는 기능적인 것이라고 강조하면서 성행위에 대한 치료가 있어야 한다고 하였다.

성행위 치료를 해도 모든 당뇨병 남성의 발기부전을 치료할 수 없기 때문에, 치료의 효과를 거두기 위해서는 대상자와 파트너의 성적 상호관계와 성행위에 대한 욕구를 사정하고 평가하여야 한다.

지난 20년 동안 기질적 발기부전 치료에, 음경 인공보조장치를 삽입하는 수술과정을 시행해 왔다. 2가지 유형의 음경 보조물이 이용된다. 2개의 플라스틱 막대로 구성된 Small-Carrion 인공보조물을 회음으로부터 음경해면체로 삽입한다. 간단한 수술적 조작이지만 이 기구의 삽입은 영구적인 발기를 유지한다. 탄력성 있는 운동복, 조깅용 반바지, 탄탄하고 꽉 조이는 코르셋을 통해, 남성은 옷을 입은 상태에서도 발기를 유지할 수 있다. 그러나 이러한 영구적인 발기상태가 사회적으로 대상자나 파트너에게 불편감을 줄 수 있다. Scott, Bradley와 Temm은 액체를 주입함으로써 발기를 자극하는 수압 장치를 개발했다. 외과적 절차에서 시간이 걸리고, 이런 기구가 비용이 비싸지만 음경의 자연스러운 외모 면에서 장점이 많다.

당뇨병 남성의 경우 수술과 수술 후의 위험이 높다. 특히 감염의 위험이 높다. 보조물은 외과적으로 주입하기 전에 주의 깊은 사정이 필요하다. 발기부전의 기질적 원인이 무엇인지, 전립선이나 다른 비뇨생식기에 문제가 있는지를 확인해야 한다. 남성은 당뇨병이 발병되기 전부터 그의 건강상태와 성적 충동, 성적 욕구, 절정감의 능력 등의 적절한 건강력을 가져야 한다. 파트너를 만족시키고자하는 욕구는 자신에 대한 통합성과 자아만족감의 욕구처럼 강할 수 있다. 당뇨병 남성은 인공보조물이 성적 흥분, 사정, 절정감과는 관련이 없다는 것을 이해할 필요가 있다. 자아개념과 신체상에 대한 사정과 평가는 대상자를 이해하는데 필요하며, 대상자의 성건강을 증진시킬 수 있는 보조물, 수술 전·후의 간호에 기여할 수 있다. 파트너가 성적으로 흥분했을 때 만족감을 성취할 수 있는 남성은 파트너의 절정감을 상호 공유함으로써 자신도 성적으로 충분할 수 있음을 안다.

파트너의 참여는 중요하다. 수술 전후의 교육과 상담에 파트너를 포함시켜야한다. Maddock은 수술을 통해 발기 능력이 회복되었을 때 파트너에게 미치는 영향과 보조물이 커플의 성행위 패턴에 미치는 잠재적인 영향에 대해 조사하고 평가할 것을 주장한다. Maddock은 남성의 수술의 성공여부는 대상자의 파트너가 수술에 대해 어떻게 반응하는지에 달려있다고 하였다.

3) 여성의 성기능 장애

Kolodny는 당뇨병이 여성의 성기능에 미치는 영향을 연구했다. 그는 성기능부전의 영향 요인을 확인하기 위해 18~42세인 성적으로 활발한 당뇨병 여성 125명과 건강한 여성 100명을 비교 연구했다. 두 집단을 연령, 종교, 교육, 출산율, 성교의 빈도, 성적 관심 등에 대해 자가평가를 토대로 비교하였다. 성기능에서 중요한 차이가 나타났다. 당뇨병 여성 중 44명(35.2%)과 건강한 여성 중 6명(6%)은 절정감을 경험하지 못했다. 절정감을 경험하지 못하는 당뇨병 여성 44명은 이전에는 절정감을 경험했으나, 당뇨병에 걸린 6~12개월부터 점진적으로 절정감을 경험하지 못하였다. 대부분 당뇨병 여성들은 높은 수준의 흥분에 도달하는데 오랜 시간이 걸렸다. 당뇨병 남성의 연구와는 대조적으로, 여성의 당뇨병의 지속기간은 성기능에 직접적인 상관관계를 나타냈다. 절정감을 느끼지 못하는 당뇨병 여성들은 질의 윤활액 분비가 감소하였고, 감각의 저하, 만성 캔디다 질염을 볼 수 있었다. 또한 질감염과 관련된 성교통, 성욕의 변화 등을 나타내며 성 반응 주기중 흥분기 유지에 문제가 있었다. 당뇨병의 합병증으로 나타나는 신경병변, 감염에 대한 취약성, 말초혈관의 변화, 만성질환에 대한 심리사회적 변화 등은 성적 기능 장애를 초래할 수 있다.

당뇨병성 신경병변, 또는 혈관 질환과 연관된 성기능 장애의 치료는 거의 효과적이지 않다. 성기능 장애를 당뇨병의 필수불가결한 합병증으로 간주해서는 안된다. 그러나 약물, 감염, 그리고 다른 신체장애 같은 가능한 원인에 대한 주의 깊은 사정이 수행되어야 한다. 그리고 심리적인 문제와 기질적인 문제를 구별하기 위해 완전한 성건강력이 수집되어야 한다. 당뇨병에 대한 식이요법과 치료책은 건강상태와 성적 관심과 성적 기능을 회복시키는데 기여한다. 캔디다 질염은 당뇨병 조절이 되면 항진균제 사용으로 경감될 수 있다. 질의 윤활작용은 성행위 전의 많은 성적 자극과 수용성 윤활제, KY 젤리 등을 사용함으로써 호전 될 수 있다. 당뇨병 여성과 파트너는 당뇨병 발병 후에 점진적으로 성기능 장애가 나타날 수 있으며 강도도 다양하다는 것을 이해해야 한다.

당뇨병 여성과 성적 파트너를 위한 상담에서 성기능 장애가 있다 할 지라도 건강과 성적 매력에 영향을 미치지 않는다는 것을 설명하고 성적 상호관계에서 절정감이 없다 할지라도 정서적 따뜻함과 친밀감, 신체적 만족감이 가능하다는 것을 강조해야 한다.

4) 임신, 난임, 유전상담

당뇨병 남성과 여성이 경험하는 임신의 어려움과 난임은 그들의 성적 자아개념, 성역할, 성적 상호관계에 영향을 미칠 수 있다. 임신에 대한 불안과 임신의 유지 및 결과에 대한 불확실성에 대처하도록 정보를 제공하여야 한다.

당뇨병 여성은 불규칙한 월경, 유산, 사산, 기형아 출산, 과다체중의 신생아 출산 등의 위험에 노출될 수 있다. 그러나 당뇨병 여성 중 80%는 성공적으로 임신을 한다. 당뇨병 여성의 주산기 사망률은 통제집단과 비교해서 5~7배가 더 높다. 당뇨병 남성의 경우, 정자감소, 무정자증(정액과 정자의 부재), 그리고 비정상적인 정자가 나타날 수 있다.

당뇨병이 있는 대상자와 파트너를 위한 유전 상담은 질병의 유전적인 성향을 이해하도록 도움을 주어야 한다. 만약 가족력에서 현재 당뇨병이 있는 개인이 결혼하여 임신을 한다면, 출산한 아이들은 당뇨병의 위험성이 높은 보유자라고 할 것이다. 특히 두 파트너가 모두 당뇨병 대상자라면 아이에게 당뇨병이 유전될 비율은 70%이고 한 파트너가 당뇨병을 가지고 있고, 다른 파트너가 보유자라면, 아이에게 당뇨병이 나타날 비율은 50%이다. 한 파트너만이 당뇨병을 가졌다면 자녀의 당뇨병 발생률은 25%이다.

5) 간호 및 상담

당뇨병이 있는 대상자에게 성건강 간호를 통합한

당뇨병 대상자 성건강 간호

- 매일 당뇨병 조절과 감염의 예방에 관한 정보를 제공하고, 대상자에게 건강관리에 대한 장기적인 목표를 확립하도록 도움을 준다.
- 질병의 가능한 합병증과 성적 문제의 가능성에 대한 정보를 제공한다.
- 청소년의 경우, 당뇨병 10대 클럽이나 당뇨병 캠프를 제안하며, 일상생활에 대한 정보를 제공해 주고, 긍정적인 자아개념 발달을 지원한다.
- 대상자가 당뇨병의 만성적 신체적 어려움에 대해 적응을 할 수 있도록 관심과 공감을 제공하며 수용해야 한다.
- 대상자가 당뇨병의 합병증이 일어날 수 있으며, 합병증의 발생이 치료의 실패가 아니라는 것을 학습하도록 한다.
- 신체상의 변화와 관련된 불안, 분노, 우울, 위축, 의존성 같은 정서적 반응에 민감해야 한다.
- 수용적, 지지적 또는 공감적이어야 하며 당뇨병 때문에 성적 어려움에 직면한 대상자와 파트너가 성에 대한 감정을 표현하고, 서로 개방적인 논의를 할 수 있도록 격려해야 한다.
- 당뇨병 환자와 파트너가 서로 쾌락을 주고받고, 그들의 대안을 탐색하고, 결과를 논의하고, 성적 가치체계에 부응하는 의사결정에 전념하도록 교육과 상담을 할 수 있어야 한다.

다. 간호사는 대상자가 당뇨병에 대한 올바른 지식을 가질 수 있도록 도와주며, 신뢰할만한 정보를 갖도록 교육해야 한다. 항상 분명하고, 명확한 정보를 제공한다.

6. 만성질환대상자 성건강 간호

- 만성질환과 질환의 치료가 성에 미치는 영향을 교육한다.
- 성에 대해 긍정적인 태도를 갖도록 한다.
  - 성은 인간에 꼭 필요한 부분이다.
  - 인간은 자신의 성에 대해 약점이 있다.
  - 질환이나 치료 후 성 문제가 있는 것은 당연하다.
- 자신의 자존심을 높이도록 한다.
- 접촉에 의한 즐거움을 느끼도록 훈련한다.
  - 이완법을 시행한다.
  - 비성교적 성 표현(애무, 구강, 자위행위, 키스, 성적 환상), 오감사용하기, 언어적, 비언어적 소통
  - 시도하라, 항상 기회를 만들도록 한다.
  - 하고 싶을 때까지 기다리지 말고 원하도록 자신을 만든다.
  - 수술 받지 않은 다른 부위를 사용하라.
- 친밀감과 성적 만족감을 유지하고 향상시키기 위해 노력한다.
  - 항상 새로운 방식을 시도한다.
  - 윤활제는 필수품이다.
  - 실크 등 보조용품을 사용한다.
  - 새로운 체위를 개발한다.
  - 매우 천천히 한다.
  - 충분한 전희를 즐긴다.
  - 부드러운 포옹은 항상 도움이 된다 .
- 질분비물저하, 성교통이 있을 때는
  - 극도로 흥분될 때까지 삽입 안 하기
  - 골반 근육의 수축과 이완 훈련
  - 윤활제 충분히 바르고 다리 오므리기
  - 삽입 깊이를 얕게하는 체위를 취하고 여자가

주도하도록 한다.
- 질 확장 기구 사용
- 질 입구에 손가락으로 컵 만들기(도너츠)

• 과거로 돌아가 보기(회상)를 시도 한다
  - 친밀감을 위한 계획을 세운다.
  - 꼭 성교를 의식하지 않는다.
  - '애무'의 '즐거움 ' 을 만끽한다.
  - 샤워나 탕 내에서의 섹스를 시도한다.
  - 춤을 추면서 무드에 젖는다.
  - 혼자서 다 해보기
  - '미니-휴가' 즐기기
  - 촛불, 조명, 음악 등을 사용하여 다른 분위기를 시도한다.
• 거울훈련을 시도한다.
  - 자신을 사랑하도록 한다. 편안하게 한다.
  - 옷을 입고 거울 앞에 서 보도록 권한다. 자신의 나체모습을 거울로 자주 보면서 그 소중함을 깨닫도록 한다. 치료 후의 부정적인 측면도 익숙하도록 한다. 즉, 수술자국, 빠진 머리털, 창백한 피부, 수척한 다리 등만 생각해서는 안 된다. 당신은 몸의 어느 부분을 자주 보며 어느 부분을 안 보거나 안 보고 싶은가? 그 이유를 잘 생각해 본다. 거울훈련은 배우자 앞에서 편안하게 만든다.
• 긍정적, 활동적으로 살도록 한다
  - 우울증이나 통증, 구토 등으로부터도 해방될 수 있다. 우울증은 성욕을 저하시킨다. 의욕이 저하되고, 잠이 잘 안오고, 심하게 피로감을 느낀다. 식습관이 바뀌고 집중력이 떨어진다.

간호·상담 과정(심근경색 대상자)

대상자 최OO. 39세 남성, 심근경색으로 퇴원한지 6주가 지남
간호사 김OO. 심장재활 프로그램 간호사

사정

주관적 자료

내 아내는 내가 아직 성교를 하기에 충분하지 않다고 생각해요. 나는 발기를 하거든요. 그녀도 이 사실을 알아요. 그러나 아내는 성교는 아직 너무 위험하다고 해요. 내가 침대에서 또 심장발작이 재발하면 어떻게 할려고 그러냐고 걱정해요. 나는 성교를 할 수 있다고 생각하고, 또 원해요. 전에 우리는 일주일에 4~5번 성교를 했었어요. 우리는 둘 다 성교를 즐겼어요. 나는 그녀를 안고 이전처럼 사랑하려고 하는데, 그녀는 나를 피하고, 다른 일을 하곤 해요. 의사는 우리가 성교해도 좋다고 하지만, 아내는 성교에 대해 여전히 두려워해요. 아내가 신체 접촉조차도 거부할 때는 나도 어쩔 수가 없어요. 나는 정말 내 심장상태가 그 정도로 안 좋은지 불안해요. 나는 지금 무엇을 해야 할지 모르겠어요. 요즘은 농장 일을 거의 하지 않아도 몹시 피곤합니다. 식욕도 없고요. 잠도 잘 잘 수가 없어요.

객관적 자료

- 39세, 결혼한지 18년 됨, 부인은 37세
- 농장경영-1,000평
- 4명의 딸을 둠, 딸의 연령은 16세, 14세, 11세, 3세
- 심근경색으로 퇴원한지 6주됨
- 심장 재활 프로그램에 참여
- 운동인내기준을 통과
- 피로, 식욕부진, 불면증
- 눈꺼풀이 느려지고, 낮은 음량의 목소리
- 낮은 자아존중감
- 무기력

간호진단

- 성행위 동안 심장발작의 재발과 관련된 파트너의 불안
- 성교 재개 지연과 관련된 무기력감

계획

- 공감을 표현하고, 감정의 표현을 격려한다.
- 감정을 수용하고 피드백을 제공한다.
- 현명하고 적절하게 신체적인 접촉을 한다.
- 정서적인 반응은 적절하며 타인도 일반적으로 경험하는 것이라고 설명한다.
- 성교를 재개하기 위해 심장 재활 프로그램과 심장의 준비도에 관해 검토한다.
- 성행위 동안 심근경색의 위험에 대한 정보를 검토한다.
- 자위행위와 성교 시 에너지 소모에 대해 검토한다.
- 성교 재개의 지침에 대해 검토한다.
- 파트너와 정보를 공유하도록 격려한다.
- 성교의 중요성과 성교재개의 지연에 대한 감정을 표현하도록 격려한다.
- 파트너의 불안과 성적문제를 경청하도록 격려한다.
- 파트너에게 상호 수용감을 표현하도록 조언한다.
- 계획된 운동 시간에 파트너가 관찰자로서 참여할 것을 제안한다.
- 유사한 경험을 가진 사람과 상호작용하기 위해 심장 자조그룹에 참석하도록 제안한다.
- 개인상담이나 부부 상담의 유용성을 교육한다.

수행

- 파트너와 논의한다.
- 성교를 재개하기 위해 심장 재활과 신체와 심장 준비에 대한 정보를 논의한다.
- 성행위동안 또 다른 심장발작의 위험에 대한 정보를 논의한다.
- 성교재개에 대한 지침을 논의한다.
- 성교재개의 지연에 대한 감정을 공유한다.
- 건강의 통합성, 그리고 사랑의 수용과 사랑의 표현인 성교의 중요성에 대한 감정들을 공유한다.
- 파트너가 표현한 실제적이고 중요한 감정을 수용한다.
- 심장 자조그룹에 참석할 것을 제안한다.
- 개인 또는 부부 상담을 제안한다

평가

- 논의한 정보에 대해 이야기한다.
- 감정의 공유를 시도했다고 한다.
- 파트너와 함께 운동시간에 참석했다고 한다.
- 심장병 환자의 모임에 2번 참석했다고 한다.
- 부부 상담 시간이 도움이 된다고 한다.
- 성교를 다시 시작했다고 한다.

No.

NAME
NOM

간호·상담 과정(당뇨병 대상자)

대상자 최박OO, 당뇨병 대상자로 정기적으로 당뇨 검사를 함
간호사 최OO, 가족 클리닉에서 일하는 간호사

사정

주관적 자료

성기부분이 다시 붉어지고 염증이 생기기 시작했어요, 이런 증상이 나타날 때는 정말 성교를 하고 싶지 않아요. 이럴 때, 성교를 하면 느낌도 좋지 않고 상처가 나요. 처음에 매일 인슐린 치료를 했을 때는 붉고 염증반응이 사라졌어요. 그러나 지금은 이 증상이 재발되었고 예전보다 더 악화된 것 같아요. 남편은 내가 식이요법을 수행하지 않았기 때문이라고 말해요. 그는 너무 쉽게 말해요. 그는 당뇨병이 없기 때문에 날 이해하지 못해요. 당뇨병은 그와의 성교 이외에도 많은 문제를 가져 왔어요. 우린 지난 2년 동안 아이를 가지지 않으려고 했지만, 지금은… 그 때와 달라요. 소변검사는 지난 2주 동안 2번만 양성 반응이 나타났어요. 오늘의 혈당수준은? 요리하는 것도 예전처럼 재미있지가 않아요. 일에서도 의욕이 없어요. 요즘 나에 대해… 낮은… 가치감이 느껴져요.

객관적 자료

- 22세, 결혼한지 1년 됨
- 6개월 전에 당뇨병 진단 받음
- 다이아프램과 콘돔의 피임법 선택
- NPH 인슐린 사용
- 1800칼로리 식이요법
- 뇨검사 : 당++, acetone은 나타나지 않음
- 혈당 : 180mg
- 질검사 : 짙은 백색의 빛깔을 띠며, 치즈냄새의 점액질 분비. 회음은 붉고 부어있음
- 개인적 외모 : 이전 방문 때보다는 단정치 못함
- 파트너의 언급에 민감해 함
- 늘어진 눈꺼풀, 낮은 목소리 톤
- 무기력
- 우울

- 낮은 자아존중감

간호진단

- 질감염과 관련된 성욕과 성 반응의 패턴 변화
- 식이요법과 관련된 영양의 변화
- 신체상의 변화와 관련된 낮은 자아존중감

계획

- 수용적인 분위기를 제공한다.
- 공감을 표현한다.
- 언어로 위안을 준다.
- 대상자의 정서적인 반응은 적절하며, 일반적으로 경험하는 것이라고 설명한다.
- 개별적인 개인의 가치를 강조한다.
- 개인의 정상적인 특징을 강조한다.
- 일상 생활의 활동 변화에 대해 적응할 것이라는 희망을 설명한다.
- 일상 생활의 활동 변화를 수용하도록 격려한다.
- 상황에 대한 현실적 사정을 하도록 격려한다.
- 부정적인 비판을 삼가 한다.
- 남편이나 가족과 서로 애정을 표현하도록 조언한다.
- 정서적인 지지의 중요성을 설명한다.
- 정서적 친밀감과 신체적 따뜻함, 편안함을 주는 신체적 접촉, 포옹, 애무를 하도록 격려한다.
- 상호 문제를 해결하도록 격려한다.
- 감염의 예방과 최적의 건강을 위해 당뇨 조절의 중요성을 검토한다.
- 식이요법의 중요성을 확인한다.
- 탄수화물 관리를 검토한다.
- 낮은 탄수화물 디저트에 대한 정보를 제공한다.
- 질 감염의 원인을 설명한다.
- 질 감염을 줄이는 위생적인 방법을 검토한다.
- 마이코스타틴 질약이나 니스타틴 연고 등 처방된 약물 사용에 대해 설명한다.
- 치료가 미치는 영향에 대한 근거를 설명한다.
- 질 감염이 성욕과 성적 반응에 미치는 영향에 대한 감정을 표현하도록 격려한다.
- 임신, 출산, 부모 역할의 중요성을 확인하도록 격려한다.
- 임신에 대한 당뇨병의 영향을 검토하고, 유전적 요소를 확인한다.

No.

NAME
NOM

- 깊은 개인적 상담의 유용성을 가르친다.
- 상담에 파트너도 참여하도록 조언한다.

수행

- 질 부위를 청결히 한다.
- 질과 회음 부위에 처방된 약을 사용한다.
- 파트너와 논의를 시작한다.
- 애정과 수용의 감정을 공유한다.
- 신체적 접촉, 애무에 참여한다.
- 처방된 약물의 사용에 대해 논의한다.
- 질감염이 성욕과 성적 반응에 미치는 영향에 대한 감정을 공유한다.
- 식이요법의 의미에 대해 논의한다.
- 낮은 탄수화물의 디저트 계획에 대해 논의한다.
- 당뇨병 디저트를 공유하도록 파트너에게 요청한다.
- 파트너와 같이 상담에 참여하도록 촉구한다.
- 개인적 시간에 대해 계획을 세워 관리한다.
- 남편과의 상담 약속을 잡는다.

평가(6주 후)

- 감염증상과 염증이 치료되었다고 한다.
- 질검사 : 질과 회음 조직이 정상이다.
- 성욕과 성적 반응이 정상적 패턴으로 회복되었다고 한다.
- 낮은 탄수화물 디저트를 남편과 함께 공유하며, 식이요법에 대해 만족한다고 한다.
- 임신, 출산, 부모 역할에 대해 남편과 함께 논의하기 시작했다고 한다.
- 더 정도 깊은 부부 상담을 요청한다.

memo

No.

NAME
NOM

*
SEXUAL HEALTH CARE

약물사용과 **성건강**

Drugs and Sexual Health

가치 명료화
훈련

약물이 성기능에 어떻게 영향을 미치는지에 대해 이해함으로써 당신은 성건강 간호 상황에 잘 대처할 수 있다.

성건강 전문가는 치료적 또는 향락적 약물에 대한 대상자의 신념과 약물이 미치는 대상자의 성적지각에 민감해야 한다. 다음의 질문을 통해 상호논의해 보자.

김호영씨는 56세의 기혼 남성이다. 그는 본태성 고혈압환자로 항고혈압제를 복용하고 있으며 3개월에 한 번씩 정기검진을 받는다. 그는 새로운 생활양식에 잘 적응하며, 운동과 식이요법, 혈압약 복용도 규칙적으로 잘 하고 있다. 최근 그는 발기부전과 성교 시 발기유지에 어려움이 있다고 한다. 이런 증상은 자신과 배우자를 좌절시킨다고 한다. 최근 가게를 신장개업하느라 피곤해서인지 발기부전이 더 악화되었다고 한다. 그는 이런 발기부전 현상이 혈압약 때문이라고 믿는다. 당황한 그는 혈압약을 끊기를 원한다. 지금 그의 혈압은 정상범위에 있다.

이 상황에서 당신은 호영씨에게 무엇을 말할 수 있는가?

이 상황에서 느끼는 당신의 감정, 태도들과 신념들은 어떤 것인가?

이와 같은 태도와 신념들은 어떻게 형성되었는가? 당신의 태도와 신념 중에서 어떤 것이 대상자의 성적 욕구를 수용하는 당신의 능력을 방해하는가? 당신의 태도와 신념은 대상자의 성적 욕구에 대해 긍정적인가?

다음을 읽고 당신의 생각과 비교해 보자.

- 성행위를 한다는 것은 여전히 그에게 중요한 일이다.
- 그는 혈압에 대해 계속 치료를 받아야 한다.
- 성행위는 그의 부인에게도 여전히 중요하다.
- 그의 부인은 그에 대해 더 많은 이해를 해야 한다.

- 그의 부인은 요즘 그를 성적으로 자극하지 않았을 것이다.
- 그는 중년의 위기에 있다.
- 정기적 검진은 건강을 유지하는데 필수적이다.
- 그는 약 복용을 계속해야 한다.
- 그는 그의 부인의 좌절에 대해 염려한다.
- 그는 부인 이외의 다른 여성과 성행위를 한다면 발기를 할 수 있을지도 모른다.
- 그는 너무 열심히 일을 하며, 일에 대해 너무 신경을 쓴다.
- 그는 무언가에 핑계를 대고 싶어 한다.
- 그는 약 복용을 하지 않을 수 있다.

당신의 생각도 이와 비슷한가? 다르다면 어떻게 다른가? 그의 약물 치료가 성기능과 성생활에 어떠한 영향을 미치는가?

이런 주제에 대해 당신이 생각하고 느끼는 것은 대상자와 의사소통을 할 때 영향을 미칠 것이다. 당신은 김씨의 문제에 대한 통찰력을 얻기 위해, 동료와 역할 바꾸기를 시도할 수 있다. 당신의 반응이 동료의 반응과 어떻게 유사한가? 어떻게 다른가?

행동 **목표**

이 장을 끝 마친 후

- 남성과 여성의 성기능에 영향을 미치는 향락용 약물(recreational drug)을 열거 할 수 있다.
- 남성과 여성의 성기능에 영향을 미치는 치료용 약물을 열거 할 수 있다.
- 성건가전문가는 치료적 약물이 성행위에 미치는 정보를 제공할 수 있다.
- 치료적 약물과 성교에 대해 상담자의 역할을 기술할 수 있다.
- 향락용 약물과 성교에 대해서 교육자의 역할을 기술할 수 있다.

1. 성기능과 약물

약물은 신체의 세포기능을 변화시키는 화학 물질이다. 약물은 신체 기능과 성기능에 영향을 미친다. 약물은 성기능에 직접적으로 영향을 미치기도 하고 생리적, 심리적 반응을 변화시킴으로써 성기능에 간접적으로 영향을 미친다. 실제로 나타나는 영향의 정도는 개인의 생물학적 구조, 운동, 경험, 신념, 기대에 따라 다르다. 성건강 전문가는 약물이 어떻게 영향을 미치는지에 대한 정보를 가져야 한다. 약물이 인간의 성 반응에 어떻게 영향을 미치는지에 대한 연구는 많지 않다. 약물이 성기능에 미치는 영향에 관한 연구는 대체로 부족하다. 왜냐하면, 변수들을 통제하기가 어렵고, 연구를 하는데 법적 승인을 얻기가 힘들기 때문이다. 성건강 전문가는 약물이 성기능에 미치는 영향에 대한 정보에 민감해야 하며, 대상자의 교육과 상담에서 이와 같은 정보를 제공할 때 주의 깊은 고려가 필요하다.

간호사는 대상자의 약물에 대한 반응을 평가할 책임이 있다. 약물의 예상되는 효과와 부작용, 그리고 약물이 어떻게 성기능에 영향을 미치는지에 대한 정보가 필요하다. 간호사는 약물을 복용하는 대상자가 자신의 성적 기능의 변화에 대처할 수 있도록 긍정적인 태도를 가져야 한다.

Maslow에 의하면 약물은 인간 욕구의 단계에 영향을 미친다고 한다. 약물은 적절히 사용했을 때만 그 효과를 볼 수 있으며 적절히 사용하지 않았을 때에는 모든 욕구 단계에 위협을 준다. 약물은 적절하게 사용 되었을 때에도 성건강에 영향을 미칠 수 있다. 그림 15-1은 욕구 단계별로 미칠 수 있는 약물의 부정적인 영향을 나타낸 것이다.

2. 성기능과 향락용 약물

향락용 약물은 대부분 자가 처방 약물이다. 기분을 전환시키고, 즐기고, 쾌락적 행위를 자극하고,

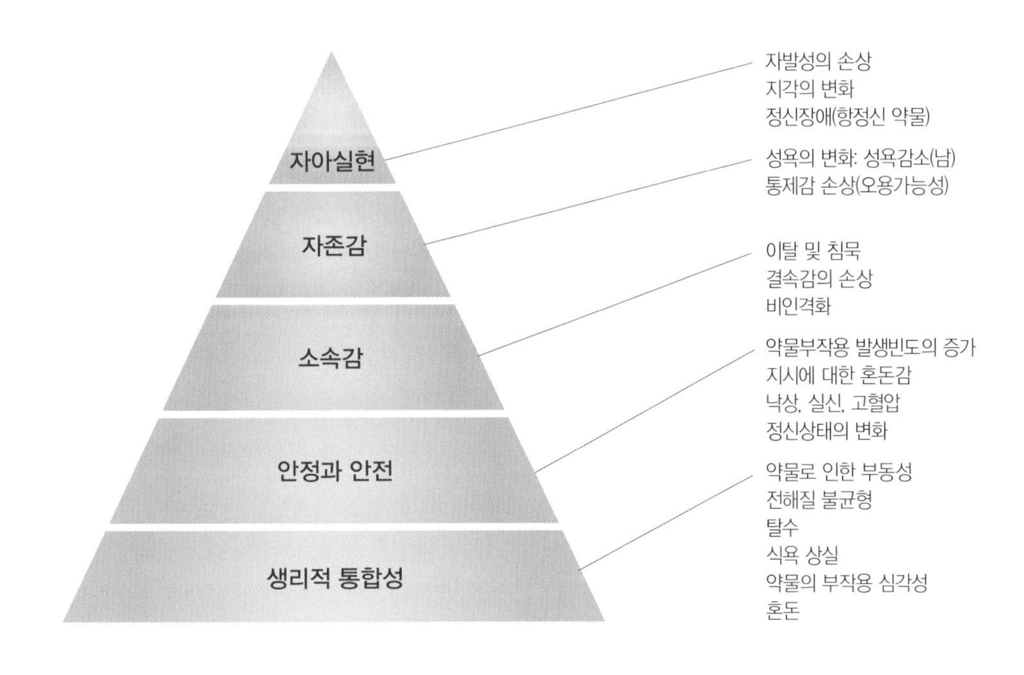

그림 15-1 마슬로우의 욕구 단계별 약물이 미치는 위험성

행복감을 만끽하기 위해 약물을 복용한다. 마약은 사회적 허가와 법적 승인이 있어야 한다. 반면에 법적·사회적으로 승인된 약물도 있다. 또한 소유하거나 복용하는 것이 불법적인 경우도 있다.

1) 승인 약물

카페인

카페인은 커피, 콜라, 초코렛, 홍차, 청량음료 등에 포함되어 있으며 우리가 일상생활에서 흔히 접하는 진통제, 감기약, 두통약, 각성제, 살빼는 약에도 들어 있다. 중추신경계 자극제이다. 카페인은 성관계를 할 수 있도록 피로를 극복하는데 도움이 될 수 있다. 카페인의 남용은 과잉 신경반응을 유발할 수 있다. 카페인으로 인한 내성과 금단증상은 현저하지 않다. 카페인은 신체나 성행위에 간접적으로 일시적 영향을 미친다.

니코틴

담배에 포함된 니코틴은 혈관을 수축시키고, 혈액 내 산소함유량을 감소시킨다. 성 기관에 분포된 혈관이 수축되면 발기조직은 자극에 민감하게 반응하지 못하여 발기부전을 일으킨다. 또한 산소수준의 저하와 폐기능의 저하는 건강과 성 반응에 심각한 영향을 미친다.

애연가(하루에 한 갑 이상 흡연)의 경우, 남성들은 정자의 수와 정자의 운동력이 감소되며, 여성들은 낙태, 사산, 미숙아 출산의 가능성을 증가시킨다. 그러나 금연을 하면 일반적 건강이나 성기능은 거의 향상된다.

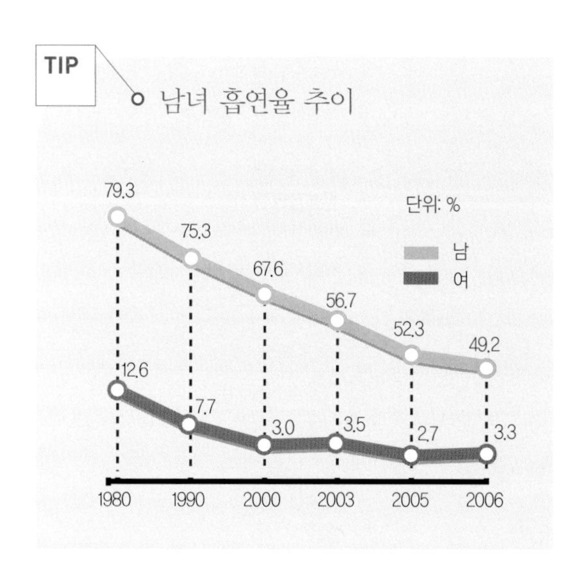

알코올

성 욕구는 높여주지만 성 능력은 뺏어 가는 것이 알코올이다. 알코올은 중추신경계를 억제하는 물질이다. 알코올은 기본적으로 들뜨게 하고 흥분시키는 것처럼 보이지만 정신적, 신체적 기능을 억제시킨다. 면허취소 기준인 혈중농도 0.1%에 달하면 음경 발기가 잘 되지 않는다. 젊은 사람들은 알코올이 성욕과 발기력을 향상시키는 것처럼 보이지만 성적 반응을 방해할 수도 있다. 또한 알코올은 남성 호르몬의 혈중농도를 감소시키므로 발기력을 저하시킨다. 많은 양의 알코올은 발기부전, 조루증, 고환위축, 난임과 성기능 장애, 질경련을 유발시키고 절정감을 방해하거나 절정감의 질을 저하시킨다. 알코올은 발기를 자극시키는 신경반사에 영향을 미친다. 특히 만성 알코올은 2차적 발기부전의 가장 흔한 원인 중 하나이다.

우리사회의 알코올에 대한 일반적인 통념은 음주가 성관계시 쾌락을 증진시키는 정신적, 신체적 이완을 보장한다는 것이다. 성행위 시 알코올이나 다른 향락용 약물을 계속 사용하면 알코올이나 이들 약물없이는 성적 능력이 부적절 하다고 믿게 된다.

알코올의 가장 큰 문제는 그들의 심리·성적, 사회경제적 기능을 파괴한다는 데 있다. 성적 파트너는 알코올을 남용하는 대상자와 성행위하는 것을 꺼리며 거부감을 나타낸다. 이러한 부정적인

TIP

알코올이 성에 미치는 영향

- 알코올은 성적환각제로 욕구와 흥분을 유발할 수 있으며, 성적 억제를 경감시킬 수 있다. 수줍거나 긴장된 사람에게도 안정제 역할을 하기 때문에 섹스와 같은 어색한 분위기에는 효과적일 수 있다. 수행불안(performance anxiety)을 줄여, 조루 등에 도움이된다. 지루현상때문에 성행위 시 여자를 매우 피곤하게 만들 수 있다.
- 알코올은 혈관을 이완시킨다.
  - 음경혈관을 확장. 혈액이 들어가 발기가 되지만 곧 빠져나가 발기가 소실되며 대표적 발기부전을 일으킨다.
  - 여성도 혈관확장으로 혈액이 들어가지만 곧 빠져 나오며 질 윤활액 분비가 저하된다.
- Orgasm과 성행위 시 남녀 모두에게 부정적 영향을 미친다.
- 여성은 술의 해독 작용이 늦고 남성보다 빠른 속도로 지방간 현상이 오기 때문에 피로, 권태, 식욕 저하, 월경불순, 난소 위축 등으로 인한 생식 기능 저하가 나타날 수 있다.
- 무월경, 난소의 위축. 난임이나 자연유산 원인이 되기도 하며, 임신부의 음주는 저체중아, 태아알코올증후군을 초래할 수 있다.
- HDL cholesterol의 증가, 오랜 기간의 과음은 뇌의 위축과 결손을 가져옴.
- 40%의 강간 등 성폭행범죄가 음주 후에 이루어지며, 남편의 폭행사건의 2/3도 음주 후에 일어난다.
- 많은 젊은 여성들의 첫 성 경험이 음주 후에 이루어졌고 그래서 피임을 하지 못했다고 함.
- 계획 안 한 임신, 성병감염자도 음주와 관계가 있다.

음주 후의 변화

이완 무드가 좋아짐 억제력의 상실 사고와 판단력 상실 시력/운동성 저하	→	성에 관대해짐 피임소홀 상대를 가리지 않음 성병 가능성 친밀감 소실 성폭행 가능성 증가

음주가 성행동을 결정하는데 영향을 미친다고 생각합니까?

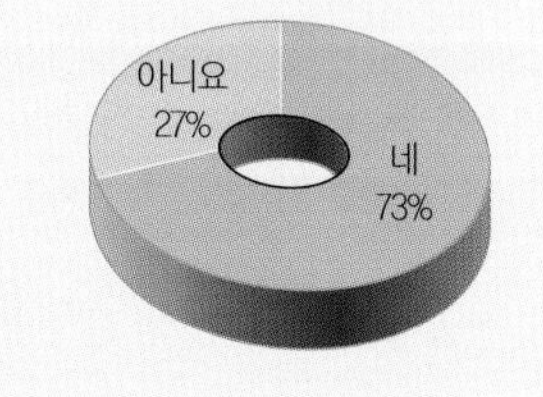

음주 때문에 피임을 소홀이 하게 됩니까?

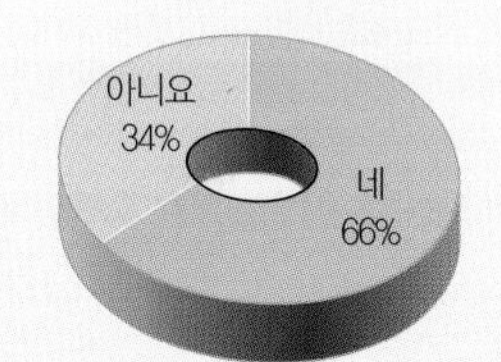

감정은 모두의 성기능에 장애를 초래한다. 최근 알코올 중독자들이 동성애자, 가정주부, 10대들에게서 더욱 증가하고 있다. 사회는 알코올 중독자들에 대해 더 많은 관심을 가져야 한다.

소량의 알코올이 성기능에 미치는 영향은 일시적이다. 초기에는 성욕을 증가시키지만 많은 양의 알코올을 계속해서 장기간 복용하는 남성들의 경우에는 발기조절 신경반사를 파괴하는 다중적 신경독성 증상이 나타난다.

알코올에 의한 성기능의 문제는 음주횟수와 음주량·알코올 중독여부와 밀접한 관계가 있다. 알코올은 성적 성취감을 저해하는 요소다. 또한 여성의 알코올 섭취도 성기능에 부정적인 영향을 미친다.

알코올중독치료제

알코올중독치료제(antabuse)인 디설프란(disulfiran)은 알코올중독을 치료하기 위해 사용되는 항산화제이다. 알코올과 이것을 같이 복용하면, 두통, 구역질, 메시꺼움, 빈맥 같은 불유쾌한 증상들이 나타난다. 알코올중독치료제는 일시적 발기부전을 일으키며, 사용하는 동안 알코올을 싫어하도록 한다.

2) 불법 약물

■ 아편제(Opiates)

heroin, methadone, morphine, opium, 그리고 codein 같은 아편제는 중추신경계를 억압시키는 약물이다. 아편제의 전반적 영향은 신진대사율, 혈압, 호흡, 소화액분비, 위장운동을 감소시킨다. 아편제는 식욕과 체중감소를 초래한다. 이 약물을 복용하는 동안, 개인들은 혼외 성관계, 증가된 성교 빈도와 성적 파트너의 수, 집단 성행위 같은 비전형적인 성행위에 탐닉한다. 매춘은 아편 중독의 결과로 초래된다. 아편제제는 자기비난과 자아비하감의 원인이 되며, 아편 중독은 성기능부전을 야기시킬 수 있다.

아편제의 만성적 남용은 남성의 발기부전의 원인이 되는 테스토스테론의 감소를 초래한다. 여성들은 무월경, 월경통, 난임, 감소된 감각 능력, 그리고 자연유산을 경험할 수 있다. 아편제 남용으로 초래하는 심리적 부작용은 집중적 재활 치료를 받아야 한다.

■ 나이트로글리세린(Nitroglyerine: 아질산아밀)

나이트로글리세린은 강력한 혈관이완 작용과 근육억제 작용을 발생시켜 혈압을 하강 시키고 심장에 대한 지나친 운동부하를 감소시키므로 협심증이나 심근경색증 등에서 급성발작 시에 사용한다. Nitrate는 이런 작용을 하는 여러 약을 통칭하여 사용하는 것으로 나이트로글리세린은 대표적 약제이다. 이 약을 향락용으로 사용할 경우 영어로 popper라고도 하는 아질산아밀이다. 사람들은 아질산아밀이 담긴 병뚜껑을 '뻥 터트려' 따서 그 수증기를 들이마심으로써 오르가슴을 강화시키려 한다. 또한 음경의 혈관을 강화시킨다. 이 약물은 정신적 반응들을 고양시키고, 신체적 감각들을 강렬하게 하기 때문에, 성교를 시작할 때나 절정감을 성취하기 바로 전에 복용한다. 또한 이 약물은 항문 성교 시 직장괄약근을 이완해 주기 때문에 동성애를 하는 남성들에게 인기가 있다. 부작용은 현기증, 두통 등이 나타난다. 심장혈관계 질병을 가진 사람은 이 약물을 성행위 목적으로 사용해서는 안된다. 어떤 여성들은 이 약물이 그들의 성욕과 성적 감각에 영향을 미치지 않았다고 하였다. 나이트로글리세린으로 나타나는 지속적인 성적 부작용은 아직 없으나 혈압이 하강되어 어지러움증, 중증의 두통과 실신, 피부에 약물이 닿으면 화상을 입을 수 있다.

■ 암페타민(Amphetamines)

암페타민은 중추신경 흥분제로서 각성과 흥분의 효과를 지니고 있다. 또 적은 양의 암페타민은 각성 수준과 심장박동을 증가시키며 식욕을 감퇴시키고 유쾌감과 자신감을 높여준다. 많이 사용한 경우 예민함이 높아지고 안절부절하며 두통, 현기증, 불면증, 적대적이 된다. 우리나라에서는 히로뽕(필로폰)이라 불리우고 서구에서는 스피드 또는 아이스(메타암페타민)라 불리운다. 약물의 각성효과 때문에 암페타민은 운동활동과 정신적 민첩성, 피로극복과 고양된 기분을 증진시키고 경증의 쾌감을 생산한다. 성에 미치는 영향으로, 남성들의 경우 빠르고, 길게 지속되는 발기 능력과 여성들의 경우 절정감의 강도가 상승된다. 성교 시 약물 효과로 나타나는 열감을 느낄 수 있다. 남성들의 경우, 만성적인 남용은 성적 흥미의 결여와 발기부전을 초래할 수 있다. 이것은 약물을 중단하면 회복할 수 있다. 여성들은 성교동안 질 분비물의 감소로 불편함과 고통을 느낀다. 이 약물은 중독성이 강하고 정신병과 같은 증상, 혈압상승, 안절부절등의 증상이 나타나고 지속적으로 복용하던 사람이 약을 끊었을 경우 금단증상이 나타난다.

환각제(Hallucinogens)

환각제는 환각의 효과를 나타내는 다양한 물질을 말한다. 이러한 환각제에는 Lysergic acid diethylamide(LSD), mescaline, phencyclidine(PCP: 천사의가루), 항콜린성 약물, 암페타민 등이 포함된다. 이들 환각제를 사용하면 시각이나 촉각이 예민해지는 등 감각기관이 고양되고 신체상과 시공간지각이 변화되어 다행감, 현실감각의 상실, 감정의 격변, 공감각(syneschesia: 음악소리가 색깔로 보이는 등의 감각변형 현상)등을 경험한다.

이 약물들은 신체로부터 이탈되는 경험이나 황홀경을 경험하기 때문에 성적 감각뿐만 아니라 모든 지각이 변화된다. 사용자들은 성적 쾌락이 증가되는 요인인 성적 환상, 연장된 절정감, 강력해진 친밀감이 나타나고 억제감 상실 등에 의해 성능력이 향상되었다고 보고한다. Hollister와 Piemme는 환각제(hallucinogens)가 성행위를 시작하거나 끝내는데 필요한 생각과 에너지를 억압시키기 때문에 이를 복용 시에는 판단력 장애가 나타난다. 어떤 사용자들은 심각하게 방해를 주는 "bad trip(급성으로 오는 패닉 반응)"을 보고했고, 이것은 성에 부정적으로 영향을 미친다. "Flashbacks (과거회상, 약물경험으로 오는 일시적 재발현상)"는 약 복용자들에게 불쾌한 경험을 유발하는 주요 문제로 보고되었다.

중추신경자극제인 코카인은 자제력을 떨어뜨리고 안녕감을 증대 시킨다. 그러나 정기적으로 사용하면 거의 발기나 오르가슴을 겪을 수 없다.코카인 사용 남성은 정자의 수가 감소하고 비정상적인 정자의 수가 높아 난임을 유발한다. 코카인은 피우는 사람에 비해 주사하는 사람들이 가장 큰 기능 장애를 나타낸다. 엑스터시는 환각성 암페타민으로 흥분을 고조시키고 연화작용을 보이며 자아감을 증대시킨다. 1970년대에 가장 많이 상승되었고 지금까지 꾸준히 상승되고 있는 약물이다.

엑스터시를 사용하면 몸을 과도하게 심하게 움직이므로 탈수가 생기게 된다. 많이 사용하면 편집증. 간 손상, 심장발작이 나타난다.

엑스터시 사용자는 성적 자제력이 떨어지고, 약에 취했을 때 발기를 할 수 없지만 약물의 효과가 사라지면 오히려 성욕이 상당히 높아진다. 이들은 피임을 안할 확률이 상대적으로 더 높다.

젊은 남성들 중에서 성기능을 더욱 증대시키고자 코카인, 아질산아밀(나이트로글리세린), 엑스터시(환각성 암페타민)와 같은 향락성 약물과 처방용 발기부전 약품인 비아그라를 섞어서 사용하기도 한다.

엑스터시와 비아그라를 혼합한 것은 종종 섹스터시, 트레일믹스, 해머해딩이라고 부른다. 이러한 경우 심장문제를 일으킬 수 있고 발기를 4시간 이상 지속시켜 음경의 해부학적 손상을 입을 수 있다. 이 약물이 성적 영향에 미치는 체계적 연구가 필요하다.

마리화나(Marijuana)

마리화나는 진정, 수면제로 분류된다. 이 약물의 한국어 용어로는 대마초이다. 마리화나 사용자들은 증가된 성욕을 보고했다. 그리고 남성들은 절정감의 지속시간이 길어졌다고 하였고 여성들은 절정감이 강력해졌다고 보고했다. 그러나 이런 결과는 연구에 의해 밝혀진 것은 아니다. 마리화나는 분위기를 고조시키고 자제력을 떨어트린다. 접촉감각의 증가, 높은 수준의 긴장해소, 그리고 파트너와의 강도 높은 신체적 친밀감은 이 약물에 의해 실제로 향상되는 감정들이다. 마리화나를 장기간 사용하면 성취동기가 낮아지고 성욕도 저하된다.

임신에 대한 마리화나의 부작용도 보고되었다.

그러나 더 많은 연구가 필요하다. 마리화나를 복용한 사람들은 한 가지 이상의 다른 약물과 동시에 복용하기 때문에 마리화나만의 영향이라고 하기에는 어려움이 있다.

마리화나는 중정도의 심리적 의존성을 나타낸다. 그러나, 내성이나 신체적 의존성을 나타내지는 않는다. 정신적 영향은 복용량의 강도와 복용 습관에 달려있다. 성행위에 대한 이 약물의 영향은 일시적이다.

3. 치료용 약물

치료용 약물이란 신체적 또는 정신적 상태를 진단하고 치료 하기위해 의사가 처방하는 약물을 의미한다. 약물의 영향은 대상자에 따라 다양하다. 각각의 약물은 복용양의 한계, 투여방법, 흡수속도, 지속기간, 배설작용이 다르다. 대상자 각자는 연령, 체중, 신진대사의 속도, 사회적 환경, 적용목적이 다르다. 일반적으로 법적문제 때문에 중독성이 높은 약물이나 불법적인 약물이 성기능에 미치는 연구보다 치료용 약물이 성기능에 미치는 연구들이 더 널리 수행되고 있다.

약물 치료가 시작되기 전에, 대상자 각자의 성적 상태를 문진해야 한다. 약물치료 시 대상자에게 성기능 장애가 발생한다면, 약물치료가 원인이 될 수 있다. 그러나 더 정도 깊은 문진을 통해 사회적 관계에서 초래될 수 있는 다른 가능한 원인들도 고려해야 한다.

중독 약물이나 알코올을 동시에 복용할 경우 성기능부전을 유발할 수 있다. 보건간호사는 가정방문 시 성적 문제에 대해 질문을 함으로써 문제를 조기발견 할 수 있고, 성기능 문제가 약물인지, 질병인지, 또는 관계에서 오는 것 인지를 확인하고 원인을 경감시킴으로서 성기능부전에 따른 만성적 실망감을 예방할 수 있다. 예를 들면, 대상자가 아침에 일어날 때 발기를 했다면, 발기부전은 약물에 의한 것이 아니다. 만약 성기능부전이 약물로 유도된 것이라면 회복할 수 있다는 확신을 줄 필요가 있다. 약물의 복용량은 성적상태를 고려한 대상자 개개인의 요구에 맞추어야 한다.

치료용 약물은 중추신경계와 자율신경계에 영향을 미칠 수 있다. 신경학적으로, 분비선과 혈관으로 되어있는 성 기관은 2개의 자율신경계 즉, 교감신경(adrenergic)계와 부교감신경(cholinergic)계에 의해 지배를 받는다. 이 두 신경계의 작용들은 성 반응 주기에 영향을 미친다. 남성들의 경우, 교감신경계는 전립선, 정관, 구해면체, 좌골해면체 등의 수축을 자극하여 사정을 초래한다. 부교감신경계의 작용은 혈관의 충혈을 유도하여 음경의 발기를 조절한다. 약물투여는 이들 신경체계를 교란시키기 때문에 성기능의 장해를 초래할 수 있다. 신경절(ganglionic)차단물질은 교감신경계와 부교감신경계를 억제하여, 발기부전을 초래할 수 있다. 교감 또는 부교감 신경계에 영향을 주는 다양한 약물은 음경 발기 또는 사정하는 능력을 방해한다. 교감신경계 제제는 전립선과 정액낭의 수축력에 영향을 주는 자극을 방해하고 사정을 억압 또는 방해한다. Anticholinergic preparations은 정맥 관문에서 혈액울혈에 의한 음경 발기에 영향을 준다. 신경절차단물질은 교감신경계 및 anti-cholinergic preparations 양쪽의 장점을 다 가지고 있으며 음경발기와 사정 양쪽에 영향을 준다.

성적 욕망을 증가시키는 것으로 알려진 약물은 매우 적다. phenothazine, testosterone은 여성에게서 성욕을 증가시키며, L-dopa는 남성에게서 성적 욕망을 높인다.

약물치료제로 사용되는 성 호르몬은 혈중 호르몬 수준을 변화시키기 때문에 성욕뿐만 아니라 임신과 2차 성징발달에도 영향을 미친다.

1) 진정제와 최면제

barbiturates, diazepam, chlordiazepoxide, methaqualone 등의 진정제와 수면제는 널리 사용되는 약물들이다. 중추신경억압제인 이 약물은 소량을 복용 시에도 경미한 우울증상과 진정을 초래한다. 다량을 복용할 때는 더 심한 우울증상과 수면의 효과가 나타난다. 일반적으로 다량을 복용 시에는 약물의 효과가 다양하게 나타나지만 적정량을 복용할 시에는 불안이 감소한다. 이 약물은 성적 행동에 영향을 미치며. 성욕을 증가 또는 감소시킨다. 성적 파트너를 선택하는데 있어서 차이점을 볼 수 있다. 여성들의 경우, 수면제를 장기간 복용하면 일반적으로 월경불순, 성행위에서의 쾌락상실, 절정감의 도달에 어려움을 경험한다.

2) 항정신약

항정신약은 남성들의 경우, 발기부전과 사정장애를 나타낼 수 있다. 여성들은 남성들보다 더 많은 성기능 장애를 경험한다. 이와는 대조적으로, 수면제를 치료목적으로 장기간 복용하는 사람들은 성기능에 어떠한 변화도 일어나지 않는다.

항정신약(Antipsychotics; chlorpromazine, thioridazine)은 공격성, 과잉행동, 교란된 행동을 경감시키며, 부동성과 위축을 활성화시키고, 대상자가 심리치료에 접근할 수 있도록 도와준다.

항정신약은 성선에 미치는 말초적 콜린효과(cholinergic effect)를 차단함으로써 성기능을 저하시킬 수 있다. 즉 건성사정(dry ejaculation)과 발기부전을 초래한다. 유즙누출증(galactorrhea)과 여성형유방(gynecomastia)현상이 나타난다. 질의 윤활작용이 저하될 수 있고, 무월경, 성적 반응의 감소가 여성들에게 나타난다. Thorazine의 성적 부작용은 모든 연령층에서 주목되고 있다. 일반적으로 부작용은 약물을 중단하면 사라진다.

3) 항우울제

항우울제는 MAO(monoamine oxidase)억제제 pargyline과 tranylcypromine를 포함한다. 3개의 항우울제는 imipramine, desipramine 그리고 lithium이다. MAO억제제의 주요 작용은 뇌의 효소인 MAO를 방해하여, 신경자극전달에 관여하는 norepinephrine과 다른 화학물질을 파괴하는 것이다. 이 약물은 우울증 대상자의 기분을 고양시키는데 사용된다.

3개의 항우울제는 신경전달물질(norepinephrine)의 수준을 증가시키고 우울을 완화시키기 위해 중추신경계에 작용한다. Lithium의 작용은 알려지지 않았다. 그리고 이 약물은 조울증 환자들에게도 사용된다. 저하된 성욕과 손상된 성기능의 징후는 우울과 관련되어 있다. 우울이 성공적으로 치료되는 것처럼 대상자는 정서적으로나 성적으로 기능이 더욱 더 원활해진다.

MAO억제제는 남성들의 경우, 발기부전과 억압된 사정과 연관이 있으며 여성들의 경우는 절정감의 성취에 어려움을 초래한다. 3개의 항우울제는 발기부전과 사정장애 뿐만 아니라 남녀 모두에게 절정감을 지연시키는 작용을 한다. 낮은 수준의 테스토스테론이 나타난다.

Lithium이 성기능에 미치는 영향에 대해서는 아직 체계적으로 연구된 것이 없다. Hollister는 치료제로 사용했던 탄산리튬(lithium carbonate)이 대상자의 성기능을 교란시켰다고 보고하였다. 일반적으로, 성기능에 문제를 초래한 경우 약물의 복용량을 줄이거나 약물을 중단하면 사라진다.

4) 항고혈압제

항고혈압제(guanethidine, reserpine, methyldopa)는 혈압을 저하시키고 심박출량을 감소 시킨다. 또한 동맥의 저항을 감소시키고, 말초혈관을 이완시킨다. 항고혈압제는 교감신경계의 반응을 변화시켜 발기부전, 역행성 사정, 성욕의 저하를 초래한다. 이 약물을 중단하거나 복용량을 감소 또는 다른 약물로 대체해서 사용한다면 위의 징후들은 완화되며, 혈압도 정상으로 유지될 수 있다. 약물 복용에 대한 적응은 1~2주 정도의 시간이 항상 요구된다. 어떤 대상자는 특히 성기능을 회복하기 위해 약물복용을 갑자기 중단하는 경우도 있다. 이러한 경우 혈압이 빠르게 상승할 가능성이 있다는 것을 명심해야 된다.

5) 이뇨제

이뇨제(diuretics: thiazides와 spironolactone)의 기본작용은 소변의 배설을 증가시키는 신장의 나트륨과 염화물의 배설작용을 증가시키는 것이다. 이 약물을 복용하는 남성의 약 5%는 이뇨제에 의한 발기부전과 여성형 유방이 나타날 수 있다. 여성의 경우 무월경과 유방통증이 나타난다. 이 약물을 중단하면 2개월 내에 정상적 기능으로 회복한다.

6) 항히스타민제

항히스타민제(diphenhydramine, hydrochloride, promethazine, hydrochloride, chlorpheniramine maleate)는 히스타민의 작용을 방해한다. 항히스타민제는 부종, 가려움, 평활근 수축을 유도하는 모세혈관의 투과성 증가를 차단한다. 그리고 이 약물은 졸리움을 야기시키는 중추신경 억제제이다. 항히스타민제의 진정효과로 성욕이 감퇴할 수 있다. 질의 윤활작용은 항콜린성 작용 때문에 감소된다. 약물을 중단하면 항히스타민제의 영향으로 나타난 질분비물 감소 증상은 완화된다.

7) 항경련제

항경련제(methantheline, glycopyrolate)의 주요 효과는 위장계, 담즙관, 수뇨관 및 자궁을 구성하고 있는 평할근을 이완시킨다. 항경련제는 부교감신경계 기능을 억제하며, 성 기관의 혈관을 수축시켜 발기부전과 질의 윤활작용을 감소 시킨다.

8) Cytoxic 약물

cytoxic 약물(cyclophosphamide)은 세포들을 파괴시키고, 세포증식을 억제하여 질병진행속도를 지연시키는 화학물질이다. cytoxic약물은 종양세포뿐만 아니라 정상세포의 증식도 억제한다. 그러나 종양세포는 정상세포보다 더 활동적이고 성장 속도도 배가 빠르다. 그래서 종양세포들은 cytoxic의 작용에 영향을 받는다.

이 약물을 계속해서 사용할 경우 무월경과 정자의 감소가 발생할 수 있다. 정자발생의 감소 증상은 약물치료를 중단하면 점진적으로 회복된다.

cytoxic 약물은 암의 화학요법제로 사용된다. 그리고 이 약물은 성욕과 성적 능력을 감퇴시킨다.

9) 부신피질호르몬제제

부신피질호르몬제제(prednisone, hydrocortisone acetate, prednisolone)는 신진대사체계와 모든 기관에 영향을 미치는 부신피질에서 생산되는 호르몬 물질이다. 복용량이 많거나 장기간에 걸쳐 복용하였다면 부신피질호르몬제제는 정자를 감소시킬 수 있고, 잠재적 당뇨병을 발현시킬 수 있다. 또한 질과 기타 생식기부위의 감염 가능성을 증진시킨다.

10) 발기부전 치료제

비아그라 50-100mg, 레비트라 10-20mg, 시알리스

10-20mg, 자이데나 100-200mg, 엠빅스 50-100mg 이 모두 같은 효과를 나타낸다.

▬ 비아그라, 레비트라, 엠빅스

모두 성관계 30분전에 복용하고 보통 복용후 4시간까지 효과가 있다.비아그라와 레비트라는 기름진 음식 섭취시 흡수가 덜 되어 효과가 저하될 수 있다. 비아그라는 적록생맹의 부작용이 있고, 레비트라는 부정맥이 있는 경우 주의해야 한다.

▬ 자이데나, 시알리스

모두 성관계 30분전에 복용한다. 1시간에 효과가 나타나는 경우가 있고, 자이데나는 보통 10시간에서 하루, 시알리스는 24시간에서 36시간까지 효과가 있다.작용시간이 길기 때문에 낮에 복용하고 밤에 성관계를 할 수 있으며, 성관계 직전에 복용한다면 성관계 후에 잠자고 나서 아침에 다시 성관계할 때 효과를 볼수 있다. 시알리스는 기름진음식과 같이 복용해도 괜찮으며, 부작용으로는 근육통이 좀 더 많이 있다.

▬ Avanafil

약효과는 레비트라처럼 30분 이내에, 작용시간도 6시간까지 효과가있다. 또한 기름진 음식과 복용해도 별상관이 없는것으로 확인되었다. 다른 발기부전치료제와 비슷한 부작용으로 두통, 안면홍조, 비충혈 등이 나타난다.

▬ 부작용

두통, 소화불량, 얼굴홍조, 근유통, 코충혈, 적록생맹등이다.

4. 성건강 전문가의 역할

간호사는 약물치료가 성공적이 되도록 중요한 역할을 해야 한다. 교육자-상담자로서 간호사는 대상자에게 사용되는 치료용 약물의 효과와 부작용에 대해 신뢰할 수 있는 정보와 지침을 제공하여야 한다. 간호사는 대상자의 건강 증진과 성기능의 회복에 대한 책임이 있다.

간호사는 약물의 작용, 사용방법, 약물의 효과, 금기증, 부작용에 대해 알아야 한다. 또한 약물이 성적 욕구, 성적 반응, 성적 행위에 미치는 직·간접적 부작용에 대해 정확한 정보를 가져야 한다. 이런 정보는 대상자와 성적 파트너가 함께 공유하도록 한다. 약물로 인한 성기능의 변화에 대한 정보는 긍정적으로 제시하고, 질문을 할 수 있도록 격려하며, 개인적인 주의도 제공하여야 한다. 즉 "이 약물을 복용하는 사람의 80%는 어떠한 성적 부작용도 경험하지 않았습니다. 만약 문제가 발생하더라도, 정상적으로 회복할 수 있습니다." 등이다.

대상자와 함께 성기능에 미치는 약물의 영향들을 논의할 때, 간호사는 성행위 패턴에 실제 문제가 될 수 있는 사회적 상황들에 대해서 또는 최근 경험하는 정서적 스트레스에 대해서도 민감할 필요가 있다. 대상자에게 약물의 부작용은 회복할 수 있다고 위안을 주고 대상자가 치료 계획에 더 협조할 수 있도록 한다.

약물이 성적 기능에 미치는 영향에 대한 정보가 풍부하거나 자신의 성에 대해 편안감을 갖는 간호사는 대상자가 성적 반응을 변화시킨 약물을 중단하거나 다른 약물로 잘 대처하도록 도와줄 수 있다. 간호사는 약물에 적응을 잘 하지 못하는 대상자를 수용하고 이해해야 한다. 성기능에 영향을 미치는 약물의 상호작용에 대해 대상자와 의사가 서로 신념과 태도가 다를 때, 간호사는 약물치료에 대한 의사와 대상자의 논의를 격려하며, 상호의사결정을 촉진할 수 있도록 도와야 할 의무가 있다.

교육자-상담자로서의 간호사는 개인, 가족, 지역사회에 향락용 약물에 대한 정보와 지침들을 제공해야 한다. 정보는 사실적이고, 신뢰감이 있고, 관찰가능하고, 연구된 것에 기초해야 한다. 그리고 이런 약물에 대한 연구는 계속되어야 한다. 간호사는 대상자에게 성행위란 자신의 인격을 개인상호관계에서 자연스럽게 자신의 파트너에게 표현하는 것임으로 건강하고 즐거움을 주는 성행위를 상호공유하기 위해서는 성적 능력을 자극하고 고양시키는 약물의 사용 없이 수행해야 하는 자연스런 행위라는 사실을 정보로 제공해야 한다.

향락용 약물을 사용하는 사람은 약물의 생리적, 심리적, 법적 영향에 대해 신뢰감있는 정보가 필요하다. 약물 복용자는 잠재적 문제를 가지고 있다. 자녀의 약물 복용에 대해 걱정하는 부모들은 지역사회의 프로그램에 의뢰해야 한다. 향락용 약물의 사용으로 심리적 문제를 보이는 대상자는 적절한 지역사회의 상담센터나 자조집단에 의뢰해야한다. 향락용 약물의 남용문제와 중독 문제를 가신 대상사는 개인 상딤, 집딘싱담, 입원 간호 프로그램, 집중적이고 확장된 재활 간호가 필요하다. 국가, 지역 건강 부서, 정신-건강 협회, 병원, 경찰청, 의사, 간호협회, 종교센터, 그리고 다른 도시의 정보 서비스들은 특정 영역의 유용한 프로그램들을 대상자에게 정보를 제공하여야 한다.

간호·상담 과정

대상자 김OO. 56세. 고혈압으로 3개월 전부터 약물치료를 받고 있음
간호사 김OO. 내과 외래진료실 간호사

No.
NAME NOM

사정

주관적 자료

김씨는 본태성 고혈압환자로 항고혈압제를 복용하고 있으며 3개월에 한 번씩 정기검진을 받는다. 그는 새로운 생활양식에 잘 적응하며, 운동과 식이요법, 혈압약 복용도 규칙적으로 잘 하고 있다. 최근 그는 성교 시 발기와 유지에 어려움이 있다고 한다. 이런 증상은 자신과 배우자를 좌절시키며 최근 새로운 가게를 개업하느라 피곤해서인지 발기부전이 더 악화되었다고 한다. 그는 이런 발기부전 현상이 혈압약 때문이라고 믿는다. 당황한 그는 혈압약을 끊기를 원한다. 지금 그의 혈압은 정상범위에 있다.

"나는 저염식이 요법을 하고 있다."
"나는 매일 운동을 한다."
"때때로 나는 뭔가가 잘못되었다는 느낌이 든다."
"나는 예전처럼 일을 한다."
"그러나 나는 아내와 성교를 할 때 힘들다."
"아내와 나는 발기를 유지하지 못하는 것에 대해 괴로워하고 있다."
"지난 달에 아주 상태가 나빴다."
"나는 새로운 상점을 열었다."
"내가 복용하고 있는 이 약이 나에게 어떤 영향을 미치고 있는가?"

객관적 자료

- 남성, 56세, 결혼한지 30년 됨
- 3개월 전부터 항고혈압제 약물로 치료를 받고 있음
- 혈압은 현재 정상 기준 내에 있음

간호진단

발기 유지 감소와 관련된 성기능의 변화

계획

- 성기능에 대한 감정을 표현하도록 격려한다.
- 성기능의 변화에 따른 감정을 수용한다.
- 성적 파트너의 반응은 정상적으로 경험할 수 있는 반응임을 수용한다.
- 변화에 대한 원인을 사정한다.
  - 약물에 기인한 것인지 성 접촉 없이 아침에 발기를 하는지, 자위하는 동안 발기를 하는지?
  - 고혈압 진단 때문에 자아에 대한 태도 변화가 있었는지?
  - 지난 3개월 동안 의미 있는 타인들과의 관계에서 변화가 있었는지?
- 부인 이외에 다른 사람들과 성교를 한 적이 있는지?
- 다른 약물이나 알코올을 복용하는지?
- 약물복용에 따른 변화에 대한 정보를 제공하는지?
- 약물복용량에 적응한다.
- 성적 감각(신체적 접촉, 안아 주기, 신체 마사지, 자기자극)을 실험해보도록 격려한다.
- 대안적 체위를 사용토록 격려한다.
- 더 정도 깊은 상담을 제시한다.
- 부부 상담의 필요성을 제시한다.

수행

- 부인과 대화를 시도하도록 시간을 준비한다.
- 부인과 함께 감정들을 표현한다.
- 부인과 함께 성행위와 성기능에 대한 기대들을 공유한다.
- 부부 상담의 예약을 한다.
- 적응할 수 있는 범위에서 처방된 약물의 용량을 복용한다.

평가

- 새롭게 처방된 약물의 용량을 복용하고 있다고 한다.
- 성 기능이 향상되었다고 한다.
- 감각집중훈련, 다른 체위경험들은 만족스러웠다고 한다.
- 아내와 함께 지속적인 부부 상담을 하기로 계획했다고 한다.

No.

NAME
NOM

*SEXUAL HEALTH CARE

수술과 **성건강**

Sugery and Sexual Health

가치 명료화 **훈련**

병원은 매주 월요일에서 금요일까지 수술을 준비하고, 수술을 시행한다. 수술 대상자를 준비시킬 때 최우선적으로 준비시키는 것은 신체적인 문제이다. 대상자의 심리사회적 문제도 큰 비중을 차지 하지만, 성적 문제는 보통 개인적인 문제로 간과한다. 성건강 전문가는 수술을 하는 대상자의 문제를 총체적으로 지각해야 하며 이에 따른 정보와 상담을 제공해야한다.

다음 훈련은 대상자의 수술에 대한 당신의 감정과 태도를 인지하도록 한다. 수술이 성행위에 어떻게 영향을 미치는지에 대해 설명할 수 있도록 도와줄 것이다. 다음 상황을 읽고, 생각해 보자. 당신의 감정에 주목해서 반응을 적어보자.

- 친구인 그녀는 당신에게 지난 밤 샤워하는 동안 유방에서 혹이 만져졌다고 말한다. 그녀는 죽음을 대비하여 당분간 혼자 마지막으로 여행할 예정이라고 한다. 당신은 이 상황에서 어떻게 반응하는가? 대상자의 반응에 대해 당신은 어떻게 느끼는가? 만약 당신의 유방에서 혹이 발견된다면 당신은 어떻게 반응하며 어떤 감정이 느껴지겠는가?

- 오후 4시 30분에 퇴근하여 집에 도착했을 때, 전화벨이 울리고 목소리는 어머니였다. 어머니는 울면서 경관도말 암검사가 양성 반응으로 나타났다고 말한다. 당신의 반응은 어떤가? 당황스럽거나 수치스러운가? 화가 나거나 불쾌한가? 혹은 근심스러운가? 어머니에게 무슨 말을 해야 할 것인가? 만약 당신의 미혼 여동생이 이런 상황에 있다면, 당신은 어떻게 느낄 것인가? 만약 당신이 암검사가 양성 반응으로 나타났다면 당신은 어떤 감정을 느낄 것 같은가?

- 당신은 외과 간호사이다. 전립선 절제술의 결과에 대해 김OO씨와 면담할 예정이다. 김OO씨는 68세로 수술한지 3일 되었다. 외과의사는 김OO씨가 적어도 6개월 동안은 발기장애가 있을 것이라고 하였다. 김OO 씨와 면담하는 동안, 그는 당신의 말을 중단하면서 다음과 같이 말했다. "나는 보수적인 사람입니다. 이런 내용의 면담을 원하지 않아요."이에 대한 당신의 반응은 무엇인가? 당신은 당혹감이나 분노를 느끼는가? 무력감이나 절망감 혹은 좌절감을 느끼는가? 혹은 공감하는가? 지금 당신이 원하는 것은 무엇인가?

- 남자 친구가 당신에게 자신은 고환암에 걸렸고, 다음 주에 절제수술을 할 예정이라고 말했다. 그에게 무슨 말을 할 것인가? 당신은 어떻게 느껴지는가? 근심스럽거나 분노감을 느꼈는가? 당신은 관계를 끝내고 싶은 감정이 느껴지는가? 만약 당신의 남편이 이런 입장에 있다면 어떤 감정이 느껴질까? 만약 당신의 아버지가 이런 입장에 처한다면 어떤 감정이 느껴질까?

동료들과 함께, 각각의 상황에서 느끼는 반응과 감정을 공유해 보자. 각각의 상황에서 역할극을 해 보자. 참여자는 각각의 역할을 할 수 있다. 역할극을 하는 동안 느꼈던, 다르거나 유사한 감정과 생각을 논의해 보자.

감정을 표현하는데 사용되는 자신과 다른 사람의 행동을 기술해 보자. 이런 과정은 당신의 태도와 반응을 이해하도록 도와준다. 성과 수술에 대한 간호사-대상자의 상호작용에서 도움을 줄 수 있는 행동에 대해 기술해 보자.

행동 **목표**

이 장을 끝마친 후

- 신체상의 변화가 어떻게 성역할과 성관계에 영향을 미치는지 설명할 수 있다.
- 신체 부분에 대해 느끼는 다양한 정서적 반응을 설명할 수 있다.
- 자궁절제술, 난소절제술, 유방절제술이 여성의 자아개념과 성기능에 미치는 영향을 설명할 수 있다.
- 유방절제술을 한 여성이 회복과정에서 지역사회 자원을 이용할 수 있도록 설명할 수 있다.
- 유방절제술을 한 여성에게 수술 후 운동에 대해 설명할 수 있다.
- 신체에 누공설치술을 한 대상자가 경험하는 성역할과 성기능에 대해 설명할 수 있다.
- 누공설치술시 성행위의 준비에 대한 정보를 논의할 수 있다.
- 누공설치술 팀의 역할을 설명할 수 있다.
- 누공설치술에 대한 지역사회의 역할을 설명하고 예시를 제공할 수 있다.
- 전립선 절제술이 남성의 성기능에 미치는 영향을 설명할 수 있다.
- 암 수술 대상자가 받는 스트레스를 확인할 수 있다.
- 성 기관의 수술을 경험하고 있는 대상자를 위해 성건강 간호사로서의 역할을 설명할 수 있다.

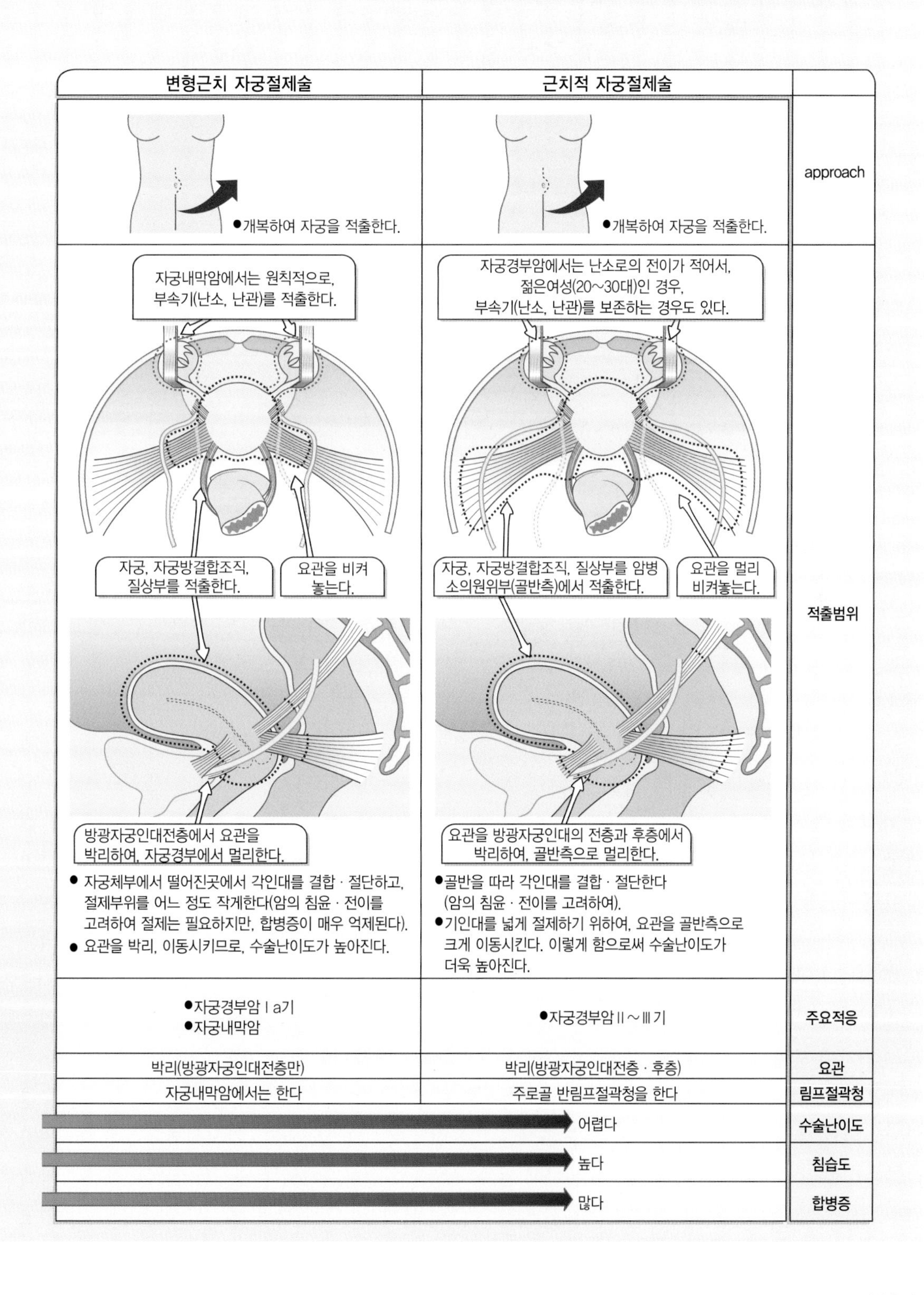
변형근치 자궁절제술
근치적 자궁절제술
approach
●개복하여 자궁을 적출한다.
●개복하여 자궁을 적출한다.
자궁내막암에서는 원칙적으로, 부속기(난소, 난관)를 적출한다.
자궁경부암에서는 난소로의 전이가 적어서, 젊은여성(20~30대)인 경우, 부속기(난소, 난관)를 보존하는 경우도 있다.
자궁, 자궁방결합조직, 질상부를 적출한다.
요관을 비켜 놓는다.
자궁, 자궁방결합조직, 질상부를 암병소의원위부(골반측)에서 적출한다.
요관을 멀리 비켜놓는다.
적출범위
방광자궁인대전층에서 요관을 박리하여, 자궁경부에서 멀리한다.
요관을 방광자궁인대의 전층과 후층에서 박리하여, 골반측으로 멀리한다.
● 자궁체부에서 떨어진곳에서 각인대를 결합 · 절단하고, 절제부위를 어느 정도 작게한다(암의 침윤 · 전이를 고려하여 절제는 필요하지만, 합병증이 매우 억제된다).
● 요관을 박리, 이동시키므로, 수술난이도가 높아진다.
●골반을 따라 각인대를 결합 · 절단한다 (암의 침윤 · 전이를 고려하여).
●기인대를 넓게 절제하기 위하여, 요관을 골반측으로 크게 이동시킨다. 이렇게 함으로써 수술난이도가 더욱 높아진다.
●자궁경부암 I a기
●자궁내막암
●자궁경부암 II ~ III 기
주요적응
박리(방광자궁인대전층만)
박리(방광자궁인대전층 · 후층)
요관
자궁내막암에서는 한다
주로골 반림프절곽청을 한다
림프절곽청
어렵다
수술난이도
높다
침습도
많다
합병증

자궁절제술, 난소절제술 대상자 성건강 증진 전략

- 잘못된 정보를 수정한다.
  - 자궁이나 난소가 없으면 오르가슴을 느낄 수 없다.
  - 성행위를 하면 암세포가 전염될 수 있다. 암이 재발되거나 악화된다.
  - 성행위 때문에 암이 걸렸다.
  - 암치료 중에 성생활은 불가능하다.
  - 배우자를 만족시킬 수 없다.
  - 몸이 중요하지 암환자가 무슨 성생활이냐
  - 수술은 질과 외음이 단축되고 방사선요법은 질이 협착될 수 있다. 빠른 성관계를 수술 후 6주 후부터, 방사선 치료 후 6주 후부터 재개하거나 질내에 보형물을 삽입하여 협착을 예방할 수 있다.
- 질분비물 저하에 대해 수용성 젤리(KY 젤리)를 사용하고 질내 산도를 유지하기 위해 질염 예방을 위한 첨가물이 포함된 젤리를 사용한다. 또는 유방암을 제외하고 여성 호르몬 경구용이나 젤이나 질정을 사용한다.
- 골반근육 강화운동을 한다. 케겔 운동으로 골반근육 혈액순환을 증진시키고 방광조절 능력을 강화시키므로 요실금을 예방하고 성적 반응을 증가시킨다.
- 배우자는 적극적·개방적 사랑의 표현과 대화를 한다. 체력과 자존심을 고려해서 정상적 성생활을 회복하도록 한다. 배우자와 함께 교육하는 것이 가장 효과적이다.
- 건강한 성생활을 위해서 대상자에게 포기하지 말 것, 자신을 사랑할 것, 남편과 사랑하고 대화를 많이 할 것, 성행위는 성기삽입만이 전부가 아니라고 설명하고 성행위 시 심한 통증이나 다량의 출혈, 원만한 의사소통이 어렵거나 의문점이 있으면 의료진과 상담하라고 교육한다.

■ 자궁절제술 후의 성 반응 주기

자궁절제술은 여성의 성적 쾌감을 느끼는 기능을 변화시키지 않는다. 오르가슴은 자궁이나 자궁경부가 필요하지 않다. 자궁절제술을 한 대상자의 연구에서 여성들은 성욕을 비롯해서 성적 활동과 즐거움 및 오르가슴이 증가했고 성교 시의 통증도 완화되었다고 하였다. 자궁절제술을 받은 적이 있는 대상자 대부분은 수술결과에 만족해하고 수술 전에 겪었던 문제나 증상이 사라져 수술 전보다 건강이 좋아졌다고 하였다. 자궁절제술 후의 성 반응 주기에서 Morgan은 자궁을 상실한 여성은 성적 흥분기 동안 골반의 혈관충혈이 저하되는 변화가 온다고 하였다. 자궁이 없기 때문에 자궁의 상승감을 느끼지 못하며, 질의 탄력성도 절제 수술의 상처 때문에 저하될 것이라고 했다. 성적 고조기에 발생하는 성적 흥분 이외의 반응은 수술 후에는 나타나지 않을 수 있다. 수술 전 절정기 동안에 자궁수축을 자각했던 여성은 이런 감각을 느낄 수가 없다.

Morgan은 질식자궁절제술을 한 대상자는 성교 시에 질 상부에 있는 상흔 부위에 음경이 접촉하면 불편함을 느낀다고 하였다. 자궁절제술 후에도 난소가 존재하는 여성은 에스트로겐의 감소를 경험하지 않는다. 그러나 자궁절제술은 난소의 혈액 공급을 점차적으로 저하시키고, 에스트로겐의 생산을 감소시키기 때문에 대상자는 열감과 질 건조증을 호소할 수 있다. 그러나 에스트로겐 분비의 감소가 성적 능력이나 성적 쾌락에 영향을 미치지는 않는다. 왜냐하면, 부신선에서 생산되는 안드로겐이 성충동의 중요한 요소이기 때문이다.

■ 자궁절제술 후의 가족의 반응

친구나 가족의 반응은 여성의 심리성적 적응에 영향을 미친다. Melody는 자궁절제술 후에 대상자가 우울한 반응을 보였는데 그 이유는 친구나 가족의 불신감이나 거부의 행동이 원인이라고 하였고

Roeske는 성 파트너의 부정적인 태도라고 하였다. 그들은 "자궁이 없는 여성이 과연 그녀가 진정한 여성일까, 그녀와 내가 성교를 한다면?"과 같은 생각을 한다고 했다. Roeske에 따르면 자궁절제술을 한 대상자가 심리성적으로 가장 수월하게 적응할 수 있는 요인은 성파트너의 긍정적인 성적 자아개념과 자궁의 상실에 대한 정서적 배려라고 하였다.

2) 난소절제술(Oophorectomy)

여성이 자궁절제술을 할 때, 난소 절제술을 함께 할수있다. 난소제거는 자궁내막증, 난소낭종, 난소종양, 난소암 등이 있을 때 한쪽 또는 양쪽을 제거한다. 난소를 제거하면 테스토스테론이 난소에서 생성되기 대문에 성욕이 감소할 것이고 에스트로겐 분비저하로 대상자는 신체상의 변화를 경험하므로 이에 따른 적응이 필요하다.

난소가 제거되어도 부신에서 에스트로겐 분비는 지속되지만 신체의 에스트로겐 양은 현저하게 감소한다. 수술 후 에스트로겐 분비가 저하된다 할지라도 환자의 성적 기능에 크게 영향을 미치지는 않는다. 수술 후의 성행위는 난소의 존재유무보다는 수술 이전의 성행위에 더 많이 영향을 받는다. 에스트로겐 분비의 저하는 얇은 질벽과 탄력부족으로 성교 시 질 출혈과 질의 감염을 잘 유발하며 질분비물 감소로 인해 윤활작용이 저하된다.

자궁수술은 질을 단축시키고 방사선요법은 질을 협착시킬 수 있다. 이를 예방하기 위해서는 빠른 성관계를 수술 후 6주 후부터, 방사선 치료 후 6주 후부터 재개한다. 질내에 보형물을 삽입하여 협착을 예방할 수 있다.

3) 수술 후 성교의 재개

여성은 치유과정과 관련해서 골반 수술 후에 성교 재개시기를 조정할 필요가 있다. 많은 여성의 경우에서 이 기간은 4~6주 정도 걸린다. 질 내 삽입을 하는 성교는 치료가 끝난 후에 질내 삽입이 편안하게 고통 없이 이루어질 때까지는 피해야 한다. 성기의 삽입 성교를 피한다는 것이지 애무나 자위행위, 구강-성기 접촉을 제한하는 것은 아니다. 대상자에게 이러한 신체적 접촉과 행동은 아무런 해를 주지않는다는 안심과 확신을 주어야 한다.

여성은 정서적으로 도움을 줄 수 있는 개인이나 배우자와 함께 수술에 관한 자신의 감정과 반응을 공유할 필요가 있다. 간호사는 대상자의 우울한 증상을 변화시키고, 문제를 도와줄 수 있는 사람을 찾을 수 있도록 지지한다.

4) 유방절제술(Mastectomy)

유방암은 오늘날 가장 흔한 여성암으로, 진단받을 때 충격으로 초기 외상을 경험하며 유방암 수술로 인해 유방상실에 대한 신체상의 변화, 정서적 취약성, 친밀감에 크게 영향을 미친다. 여성에게 성이란 성교를 넘어 신체상, 여성성 및 생식 능력을 포함하는 정서적, 지적, 사회 문화적 요소를 강하게 띤다. 암과 치료 및 합병증은 성기능을 변화시킬 수 있으며 결국 성기능 장애가 초래되거나 개인이 선호하는 성적 표현을 할 수 없게 된다.

유방암 생존자는 그 진단 및 치료 과정을 통하여 성생활에 큰 변화가 생긴다. 암 진단의 충격과 치료 과정에서 받는 육체적, 정신적, 경제적 스트레스로 인해 성생활의 관심이 저하될 수 있으며, 치료과정상 생기는 육체적 변화로 인해 성 반응 과정에 방해를 받게 됨으로써 성생활이 더욱 위축될 수 있다. 그 외 치료 중에 겪게 되는 체중 증가나 탈모증에 의해 신체상과 성생활에 부정적인 영향을 미치게 된다. 또한 암환자와 배우자는 성활동의 빈도와 만족감의 저하를 경험한다. 특히 유방에 대한 외모와 감각에 중요한 의미를 부여한

TIP

유방암 I

분류와 진행

유방암은 그 범위에 따라서 비침윤암과 침윤암으로 나뉘며, 발생부위의 시점에 따라서 젖샘관상피에서 발생하는 젖샘관암과 소엽상피에서 발생하는 소엽암으로 나누어진다.

• 유방암의 진행

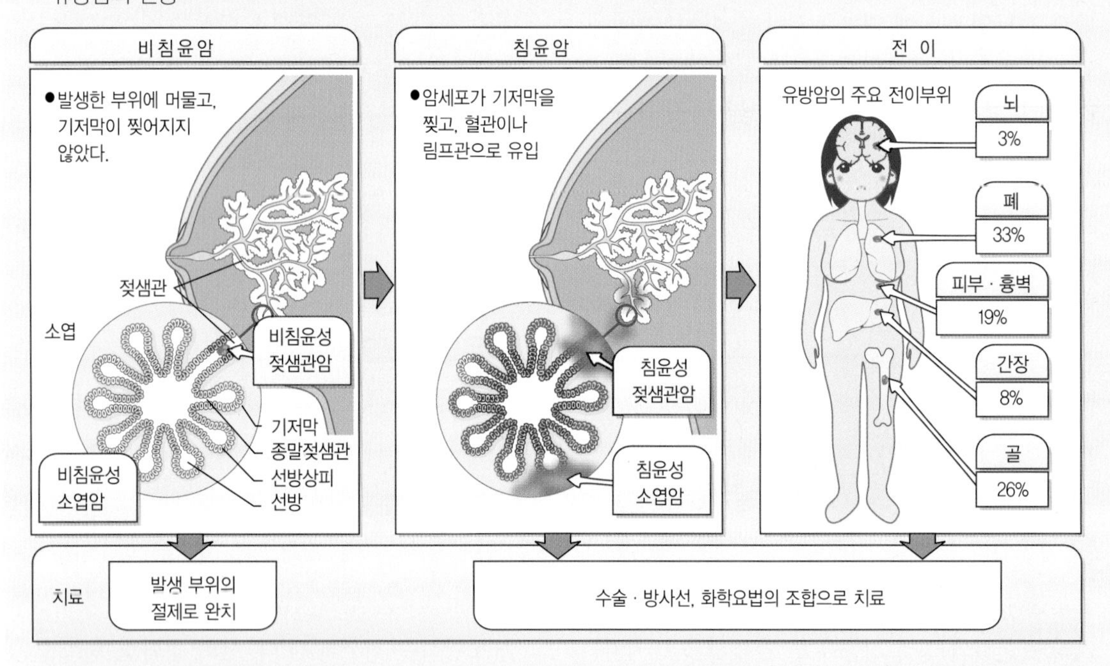

시진과 신체 소견

1차로 나타나는 유두함요, 피부함요, 혈성분비물, 피부발적을 볼 수 있다.

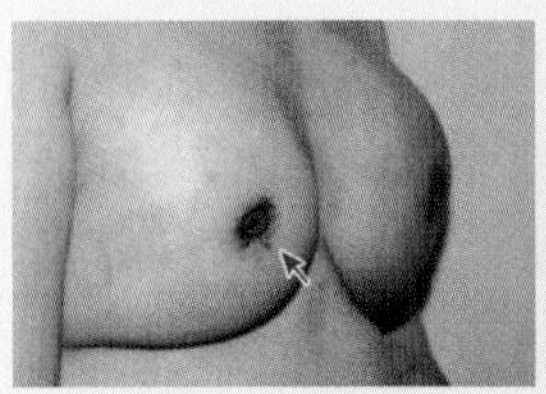

• 유두함요: 암의 침윤으로 유두 바로 아래에 수축, 견인이 일어나서 유두가 함몰된다.

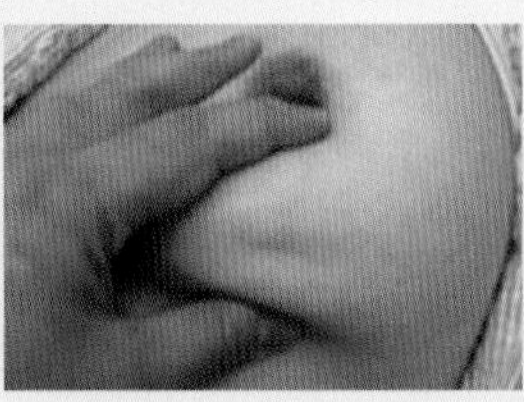

• 피부함요: 침윤암이 주위 조직을 잡아당겨서 수축견인., 함몰 된다. 시진 확인이 가능하다.

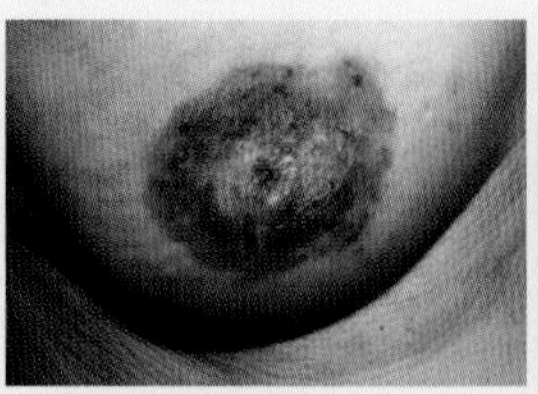

• 혈성분비물: 젖샘관내에 암이 발생하여 혈성의 분비물이 생긴다.

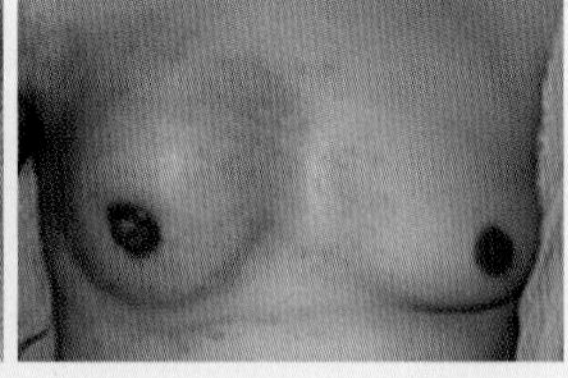

• 피부발적 및 주로 염증성 유암이 생긴다. 피부림프관의 폐색으로 인해, 유두유륜을 중심으로 유방 전체로 확대되는 발적과 부종이 확인되고, 국소열이 있다.

유방암 촉진과 신체 부위별 암발생률

1. 멍울의 유무를 확인한다.
2. 반듯하게 누운 상태에서 팔을 올린채 내린채 모두 검사한다.

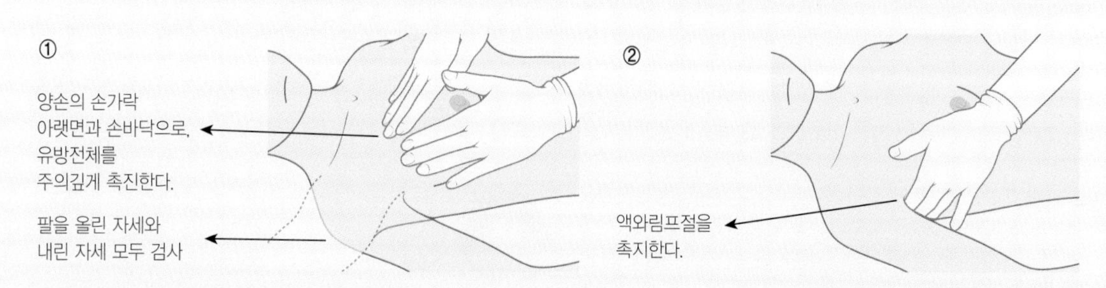

• 신체부위별 암발생률

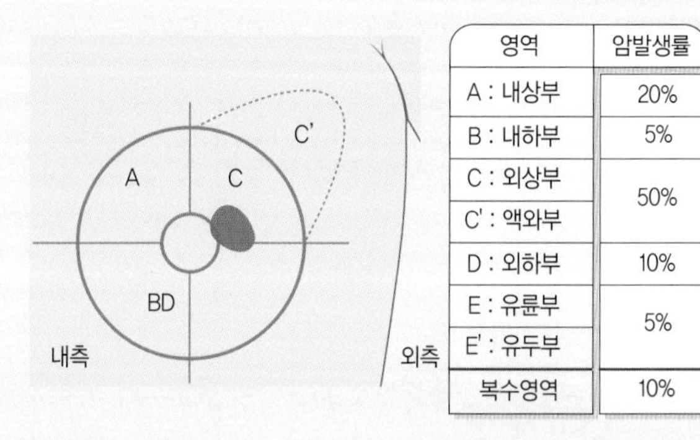

영역	암발생률
A : 내상부	20%
B : 내하부	5%
C : 외상부	50%
C' : 액와부	
D : 외하부	10%
E : 유륜부	5%
E' : 유두부	
복수영역	10%

보조개 현상(dimplinf sign)

촉진으로 종류가 촉지되는 부위의 피부를 잡아서 비틀었을 때에 그 중앙이 함몰되어 보조개상을 나타내는 것이다. dimpling sign은 암이 Cooper인태에 침윤되어 피부에 고정되기 때문에 생긴다. 유방암의 약 50~60%에서 볼 수 있다.

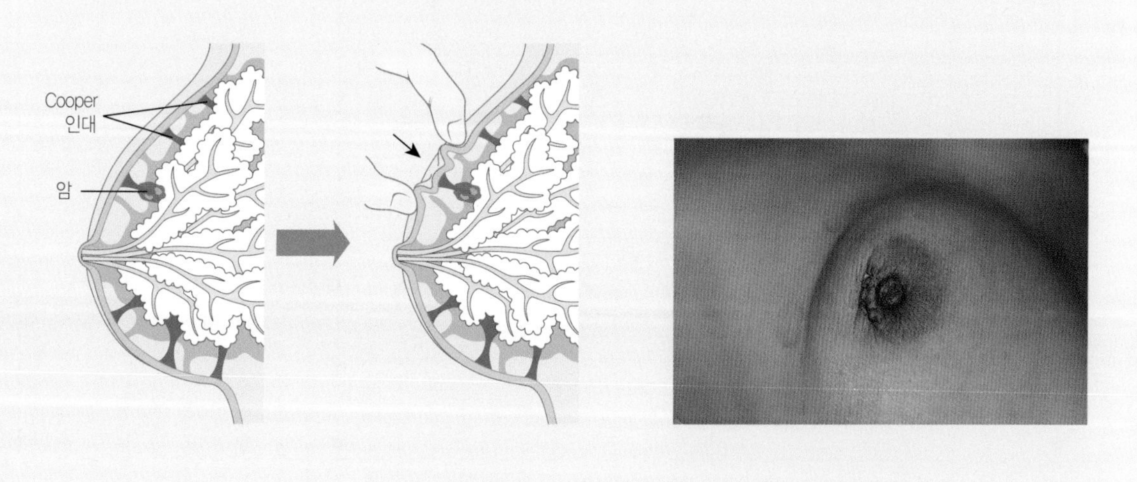

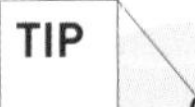

유방암 II

치료 방향

유방암 치료는 유방암의 발생부위나 그 주위를 치료하는 국소요법과 전이병소를 치료하는 전신요법으로 나누어진다. 임상에서는 국소요법과 전신요법을 조합한 치료를 한다. 개개 치료법의 선택은 환자의 상태, risk factor, 유방암의 임상병기 등에 따라서 결정된다. 예후를 좌우하는 것은 원격장기전이이며, 가장 유효한 치료요법은 전신요법(화학요법, 호르몬 요법)이다.

치료 과정

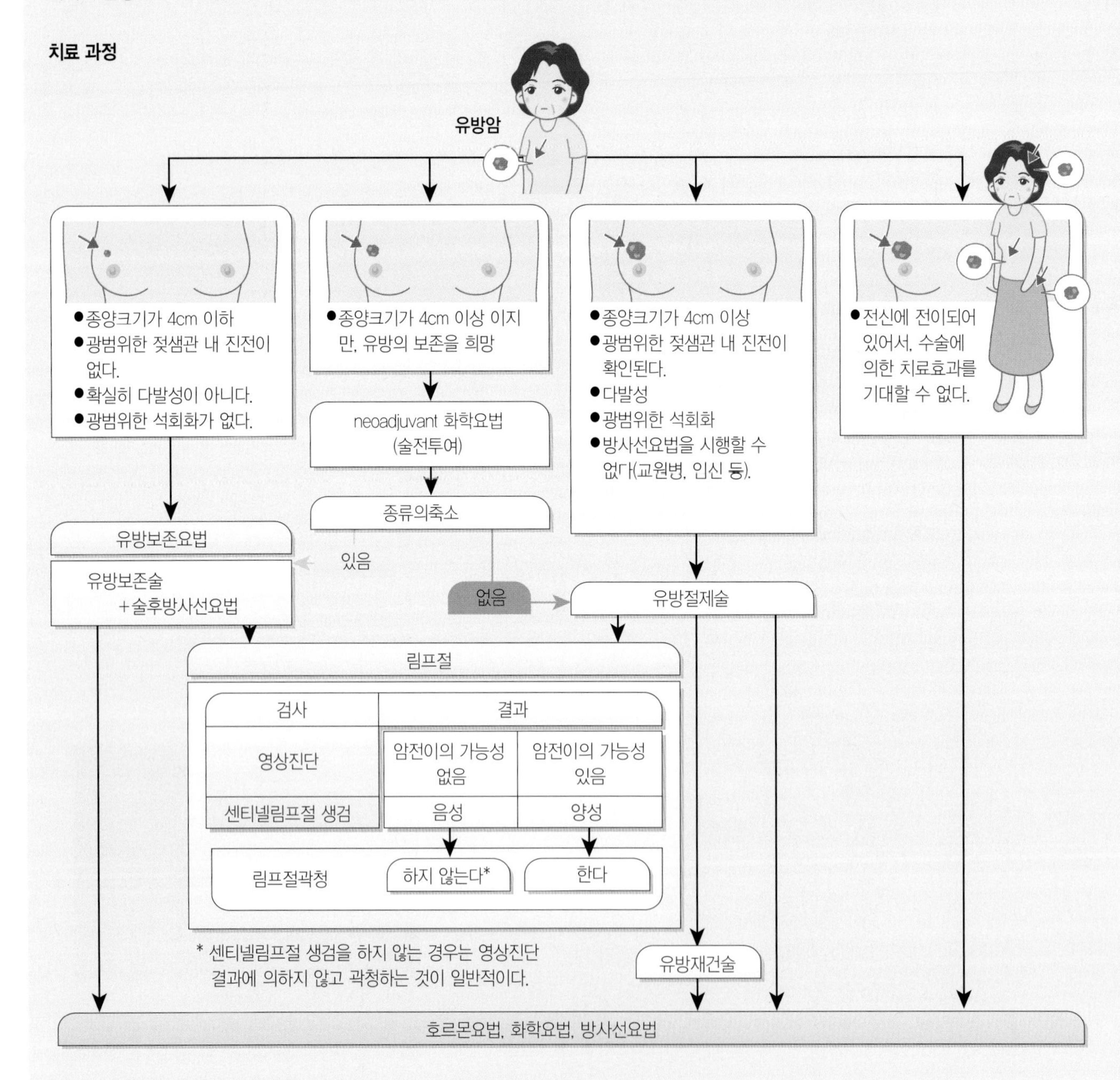

수술법

- 유방보존방법 : 유방보존술과 그 후의 방사선요법으로 이루어지는 치료법이다. 유두, 유륜을 보존하고, 종양을 중심으로 한 유선을 부분적으로 절제하는 술식이다(액와림프절 곽청은 필요에 따라서 한다).

유방보존술

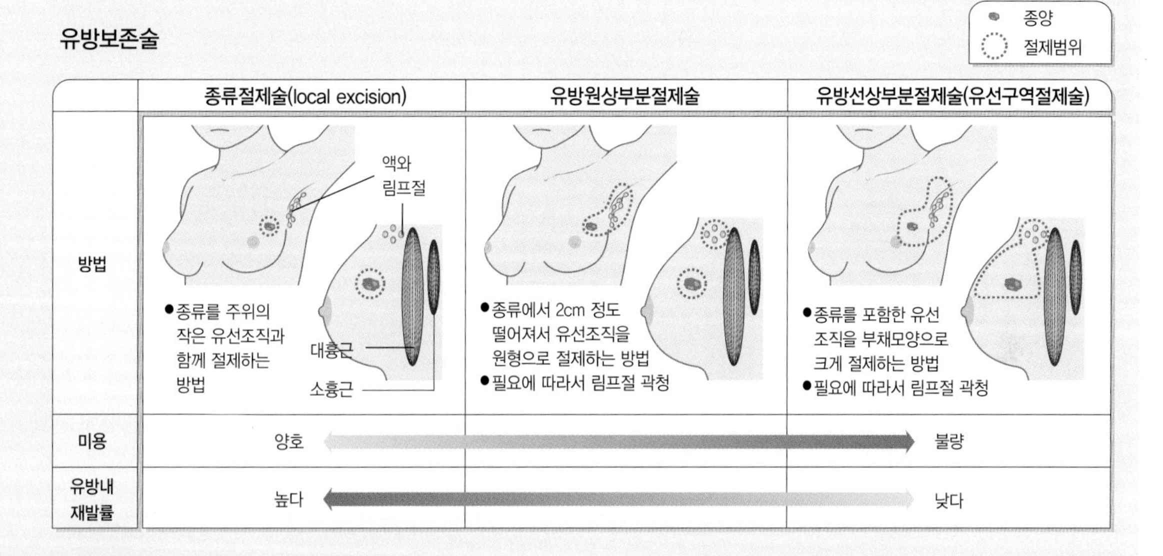

	종류절제술(local excision)	유방원상부분절제술	유방선상부분절제술(유선구역절제술)
방법	●종류를 주위의 작은 유선조직과 함께 절제하는 방법	●종류에서 2cm 정도 떨어져서 유선조직을 원형으로 절제하는 방법 ●필요에 따라서 림프절 곽청	●종류를 포함한 유선 조직을 부채모양으로 크게 절제하는 방법 ●필요에 따라서 림프절 곽청
미용	양호 →		불량
유방내 재발률	높다 ←		낮다

- 유방절제술 : 유방절제와 액와림프절 곽정을 하는 술식이다. 광버위한 젖샘관내진전을 초래한 경우나 다수의 종양이 있는 경우에 적응이 된다.

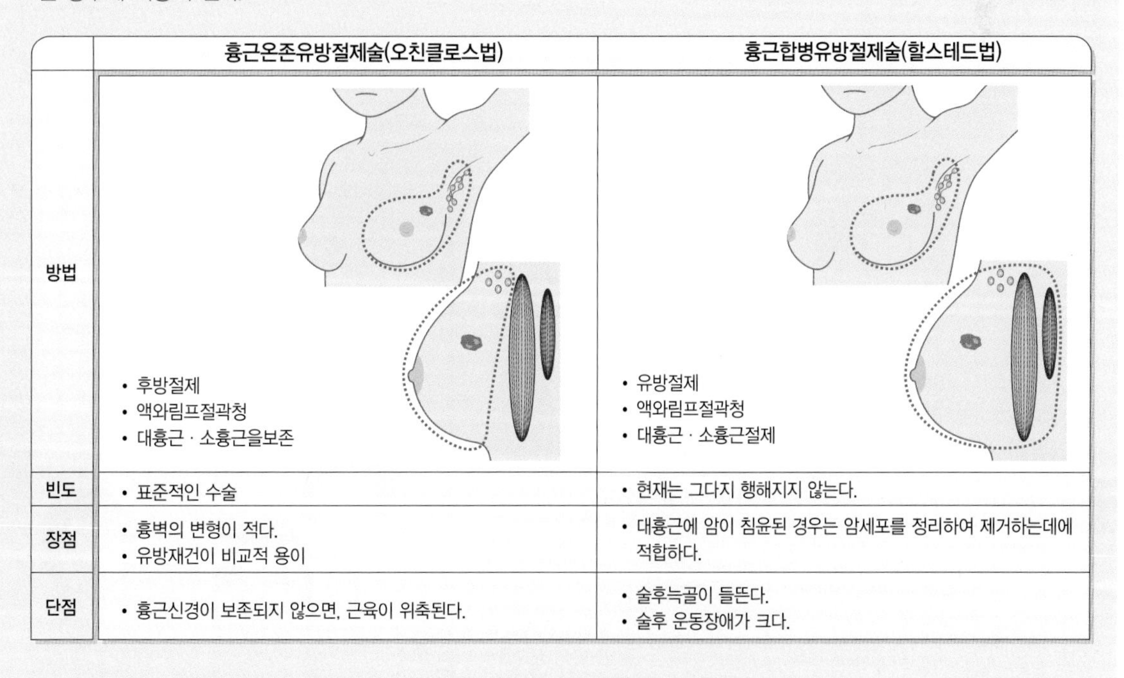

	흉근온존유방절제술(오친클로스법)	흉근합병유방절제술(할스테드법)
방법	• 후방절제 • 액와림프절곽청 • 대흉근 · 소흉근을보존	• 유방절제 • 액와림프절곽청 • 대흉근 · 소흉근절제
빈도	• 표준적인 수술	• 현재는 그다지 행해지지 않는다.
장점	• 흉벽의 변형이 적다. • 유방재건이 비교적 용이	• 대흉근에 암이 침윤된 경우는 암세포를 정리하여 제거하는데에 적합하다.
단점	• 흉근신경이 보존되지 않으면, 근육이 위축된다.	• 술후늑골이 들뜬다. • 술후 운동장애가 크다.

유방암 III

유방암에 대한 방사선 치료법 및 항암 화학 요법

- 방사선요법 : 방사선요법에는 술전에 하는 술전조사와 술후에 하는 술후조사가 있다. 특히 유방보존요법에서는 보존술 후에 반드시 방사선을 조사한다. 보통 선암은 일반적으로 방사선이 효과가 없다. 그러나 유방암은 대부분이 선암임에도 불구하고 방사선이 효과적이다.

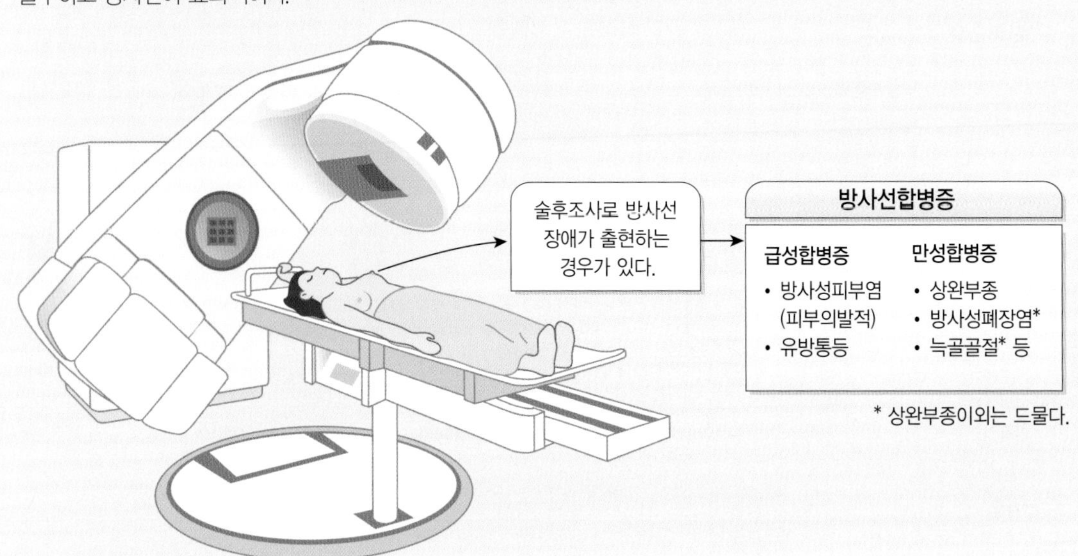

- 항암화학요법 : 유방암은 발암과 동시에 전신에 미소전이를 일으킬 가능성이 높다. 이 때문에, 수술로 눈에 보이는 암을 적출할 뿐 아니라, 약물로 전이된 암을 소실시키거나, 전이를 예방하는 전신치료의 중요도가 높아지고 있다. 특히 neo-adjuvant 화학요법은 술전에 투여함으로써, 수술불능인 유방암을 수술 가능케 하거나 유방 보존술에 대한 적응을 확대시킨다. 화학요법에는 다양한 항암제의 투여패턴이 있다. 항암제 사용은 정상세포의 장애가 회복 가능한 범위내로 한정된다.

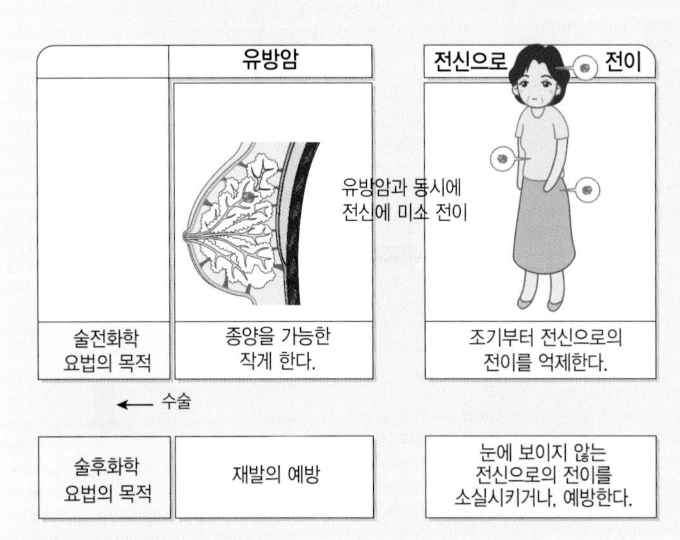

항암제의 부작용

골수세포	소화관상피세포	모근세포
• 백혈구 감소 (감염이 쉽게 된다.) • 혈소판 감소 (출혈 경향)	• 구내염 • 오심 · 구토 • 설사	• 탈모

• 호르몬 요법 : 유방암증식의 원인이 되는 에스트로겐을 억제한다. 유선은 에스트로겐작용으로 증식되므로 유선세포에서 발생하는 암의 대부분(약 60%)이 호르몬수용체가 있고 에스트로겐에 노출됨으로써 증식된다. 이 때문에 호르몬수용체가 양성인 유방암에는 에스트로겐의 작용을 억제하는 호르몬요법을 한다.

항에스트로겐 호르몬요법에 에스트로게 저하로 인한 갱년기 장애 같은 증상이 보이기도 한다. 추가로 Tamoxifen은 유선에는 항에스트로겐 작용이 있지만 자궁에는 에스트로겐 작용이 있어서 에스트로겐 의존성 질환인 자궁 내막암의 리스크를 약간 상승시킨다. 그러나 자궁내막암의 리스크 상승보다도 유방암의 억제효과가 훨씬 크다.

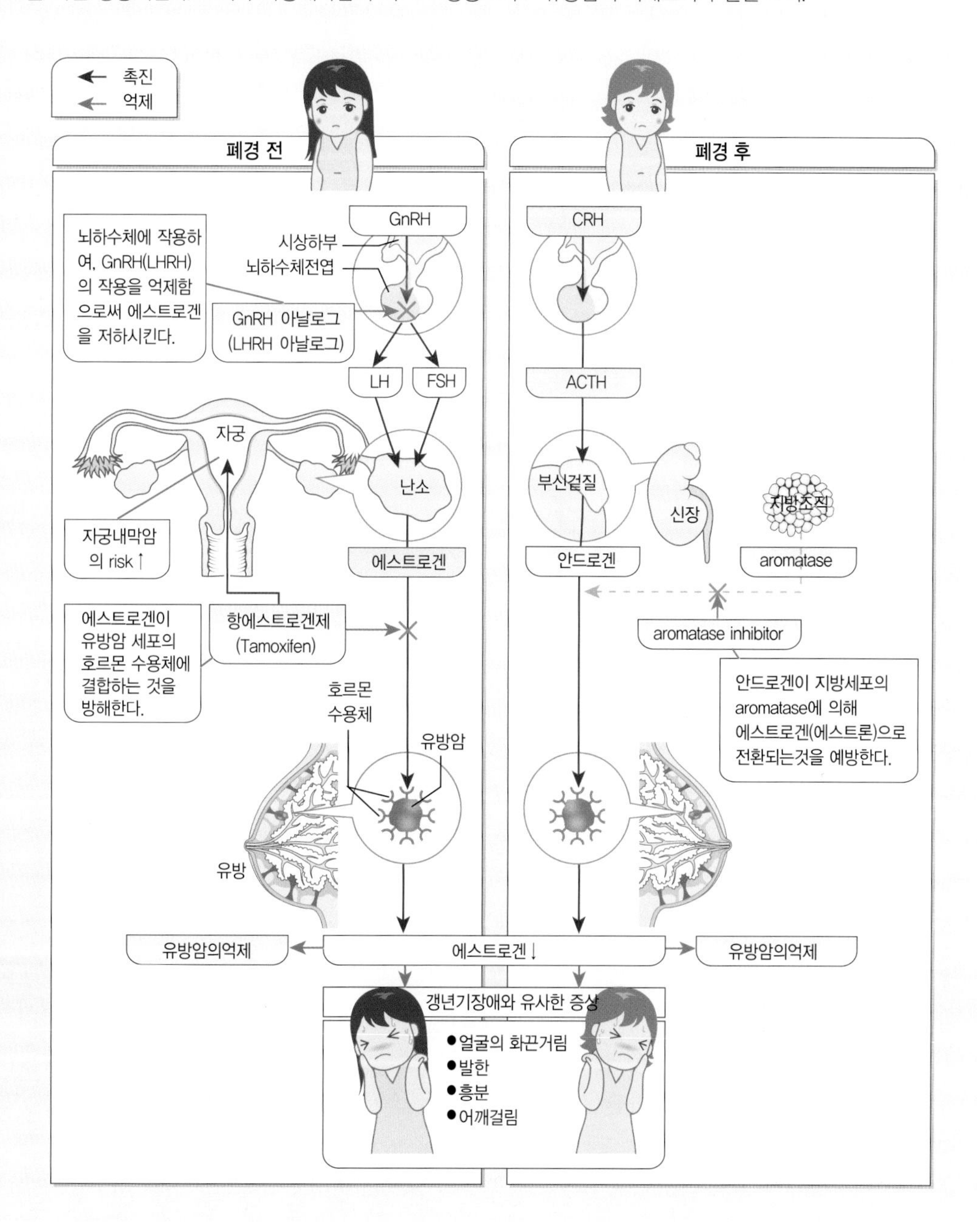

여성이나 배우자는 성 문제가 더 크다. 다음의 인용문은 유방절제술 후에 경험하는 상실감을 나타내고 있다.

> 나는 3주만에 퇴원해서 집에 왔다. 남편은 성교하기를 원했다…. 나는 그가 사랑 나누기를 원한다는 것을 알고 있다…. 그러나 나는 성교를 할 수 없었다. 그는 미소를 지으며, 손으로 나의 유방을 만졌다…. 나는 그 순간 방으로 도망가서 문을 잠궜다. 단지 내가 생각할 수 있는 것은 유방이 없다는 것이다.

유방절제술을 한 대상자는 상담이 필요하다. 또한 유방절제술을 받은 대상자의 배우자에게도 상담이 필요하다. 수술 후 대상자와 남편은 예전처럼 생활하며 그들의 관계에서도 별다른 일은 발생하지 않는다. 그렇지만 두 파트너 모두에게 새로운 적응이 요구된다. 왜냐하면 그들은 실제적 감정이 실린 의사소통을 거의 할수없기 때문에, 결혼생활은 서의 붕괴될 위기에 있었다.

유방암 진단을 받은 후에 여성들은 죽음, 재발, 통증, 진단, 수술문제로 걱정을 한다. 특히 젊은 여성은 남편과의 관계에 대해 걱정을 한다. 성적 행위에 대한 부정적 영향은 성관계 실패에 대한 두려움과 예기된 성교통증에 대한 두려움 때문에 더욱 가중된다. 이 모든 걱정 요인이 성적 욕구, 흥분 및 오르가슴을 방해한다.

특히 심리적 고통은 암치료 시작부터 나타난다. 유방 근치절제술 후에 상당히 많은 여성이 외모의 변화 때문에 깊은 사회심리적 그리고 성적 어려움을 먼저 경험한다. 유방을 잃는 것은 심리적으로 자신의 성을 상실한 것 같은 느낌일 수 있다. 이런 문제는 성교횟수 감소와 오르가슴 실패 등을 가져온다. 유방암으로 자신의 성적 능력이 손상된 여성이 두려워하는 것은 남편을 잃지않을까 그리고 남편이 부인의 건강을 위해 성적 능력을 포기하지 않을까 하는 것이다. 다른 여성은 자신의 음핵이 죽어버린 느낌이며 위축되었다고 호소한다. 항암제 투여 전에 그녀는 쉽게 오르가슴을 느꼈는데 이제는 오르가슴에 도달하기가 매우 어렵다고 한다. 유방절제술이 자신과 남편의 성 만족감에 미친 영향 때문에 분노하고 낙담한다. 대상자는 남편에게 있어서 섹스는 매우 중요한 것이기에 남편이 자신을 결점이 있고 혐오감이 드는 여성으로 인지할 것에 대해 염려한다.

많은 여성에게 유방은 여성의 상징이다. 유방은 그들의 성적 정체감에 중요한 의미를 가지며 성역할에 중요하다. 유방은 그들의 개인상호간의 의사소통에 영향을 주며, 성 능력을 표현하는 부위이다. 유방절제술 이후에 여성은 자신이 장애가 있다고 지각하고, 상처를 받고 거부당하는 것을 두려워 할 수 있다. 또한 성적 욕구가 떨어지는 것을 경험할 수 있다. 많은 여성에서 유방은 성적흥분과 전희에 중요한 부분이기 때문에 유방상실은 성적으로 흥분하지 못할 수 있다. 결과적으로 성생활에 장애가 있는 사람처럼 반응할 것이다. 이런 반응은 부모 역할, 직업 역할, 그리고 사라져가는 여성의 총체적인 자아상에 부정적인 영향을 미친다. 유방절제술을 받은 여성은 암의 재발 가능성, 수술이 친구나 가족에게 미치는 영향, 한쪽 유방을 가진 낯선 신체에 대한 적응, 그리고 자신의 변화된 성생활 등과 같은 복합적인 문제에 대처해야 한다.

유방암은 남성보다 여성에게서 100배 이상 더 많은 빈도로 발병하고 60세 이상의 여성에서 발병할 빈도가 높다. 가족력은 유방암의 발생에 영향을 미친다. 어머니나 자매가 유방암을 앓았던 병력이 있는 여성은 유방암에 걸릴 확률이 유방암의 가족력이 없는 여성보다 2배나 더 높다. 월경을

TIP

유방암 자가검진

유방암의 조기발견을 위해서 자가검진을 권장한다. 자가검진을 통해 이상한 점을 자각하게 되면 반드시 검사를 받는 것이 중요하다. 자가검진을 하는 것은 월경 종료 후 1주일 이내 유방의 긴장이나 부종이 없어졌을 때가 최적이다. 폐경 후 여성은 한 달에 1번 자가검진을 정해서 한다.

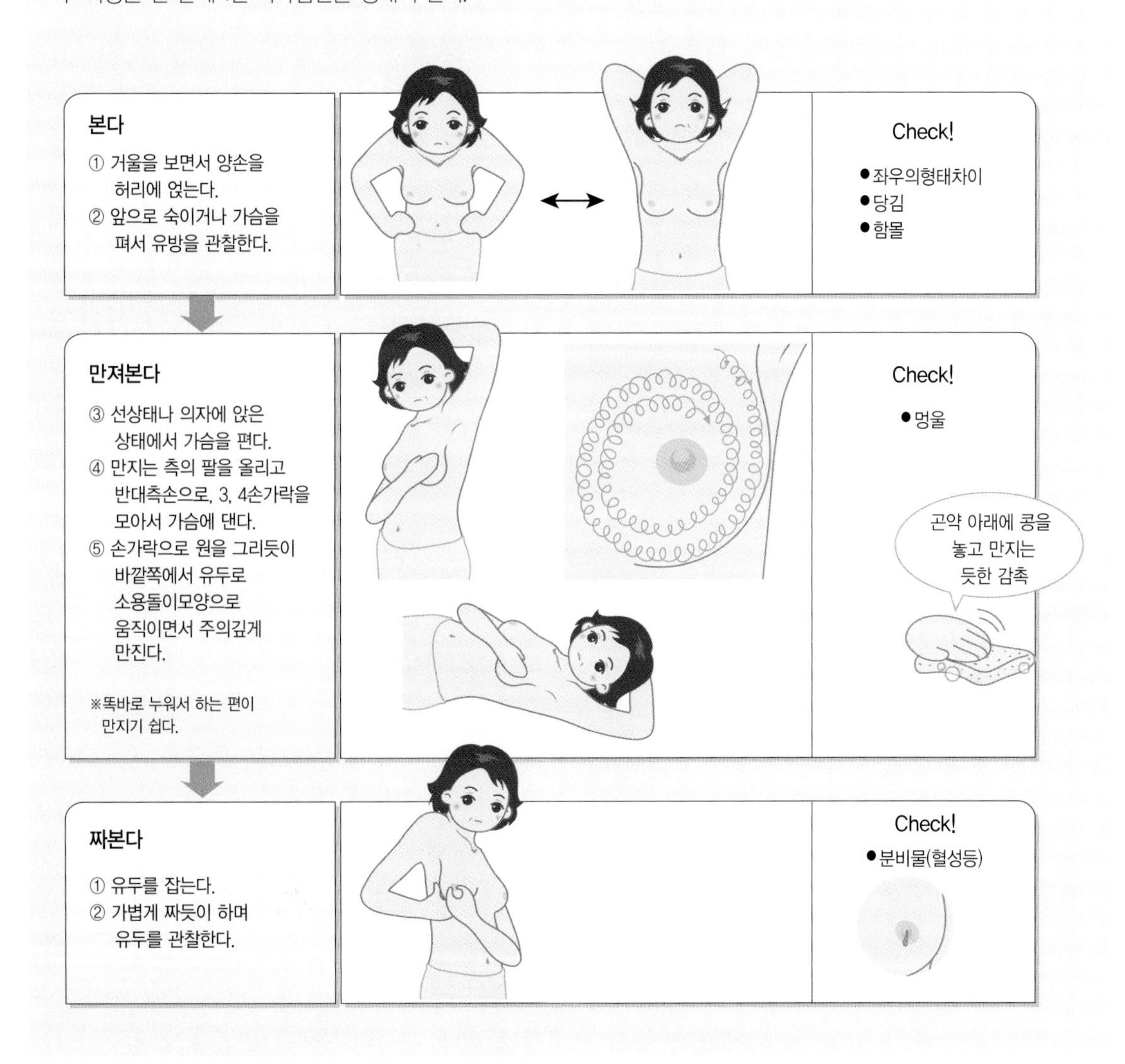

일찍 시작한 여성이나 폐경이 늦은 여성, 즉 에스트로겐에 노출된 시간이 길면 유방암에 걸릴 확률이 높다. 유방절제술 후 여성은 변화된 신체상에 적응해야 하는 고통스러운 경험을 한다. 상실된 유방에 대한 애착의 정도도 적응에 중요한 역할을 한다.

유방 절제술 후 대상자 및 배우자의 반응

유방암에 대한 배우자의 반응으로 부인, 불안, 우울, 변화된 신체에 대한 자신의 성적 요구를 철회하기도 하며, 어떤 경우는 수술 후 대상자의 상실된 신체적 외모에 충격을 받기도 한다. 이러한 신체상 변화는 배우자의 성적 욕구와 흥분을 방해하기도 하며 남편은 자기보호로써 애정과 성 에너지를 억제하기도 한다.

유방암으로 유방이 상실된 여성은 성 파트너로서의 자격을 거부당하지는 않을까 하는 두려움과 배우자가 자기를 포기하고 어떤 누군가를 취하리라는 두려움을 갖기도 한다. 그러나 배우자가 대상자의 치료과정에 배우자가 참여한 경우에는 그들의 성생활이 더욱 만족하였다고 한다. 배우자가 자신의 관계를 좋게 느낄수록 성적 상호작용은 증진한다. 이러한 결과는 대상자의 치료결정과정에 남편을 포함시켜야 할 필요성이 있음을 나타낸다.

성은 암치료 동안 그리고 치료 후 시간이 지나갈 수록 삶의 질에 중요한 요소가 될 수 있다. 유방암 환자가 먼저 성적 문제와 임종의 두려움을 말한다는 것은 매우 어렵다. 슬픔을 동반하는 유방의 상실은 여성의 성역할과 성적 상호관계에 영향을 미친다. 간호사, 가족, 친구의 적절한 지지가 없다면 대상자의 적응은 더 어려울 수 있다. 유방절제술 후 여성은 성적 자아상, 성적 태도, 성적 행위등의 변화를 경험한다. 여성의 이런 변화는 "유방절제술과 관련된 성적 문제에 대해 솔직하고 지지적인 상담"을 받았을 때, 더 쉽게 긍정적인 결과를 보인다. 유방절제술을 받은 여성은 일반적으로 성행위에 대한 이야기를 회피한다. 수술 후 회복 기간동안 대상자들은 정상적인 신체상을 갖기를 원한다. 빠른 적응과 정상 회복을 촉진하기 위해서 건강 전문가와 가족은 유방절제술을 받은 대상자의 문제와 변화를 최소화 할 수 있어야 한다.

여성이 유방절제술을 받는다는 것은 그녀의 일생에서 위기 상황이다. 대상자는 새로운 상황에 적응하기 위해 대처 전략을 이용할 것이다. 대상자는 과거의 대처기술을 사용할 것이고 환경으로부터 많은 지지를 받고자 할 것이다. 적응에 필요한 중요한 변수는 대상자와 대상자의 가족, 특히 그녀의 성 파트너 등이 적응을 도와줄 수 있는 지침과 상담여부에 달려있다. 또한 대상자가 상실부분에 대한 비탄과정에서 어떤 단계에 있는지도 영향을 미친다.

유방절제술을 한 여성은 신체, 미용 및 정서라는 3가지 문제를 해결해야 한다. 신체적 문제는 임파선부종을 경감하고, 체위기형을 예방하기 위해 어깨 운동을 해야한다. 미용적 문제는 수술 후 복원 수술을 통해 보조물을 삽입해야 한다. 수술 후 2~3일 내에 하면 좋다. 최근에는 유방 복원기술이 많이 발전되었다. 수술에 대한 정서적 측면은 두 파트너 모두에게 영향을 미친다. 여성은 유방암을 자신의 잘못에 대한 댓가로 생각하기 때문에 죄책감을 느낄 수 있다. 남성도 또한 죄책감을 느낄 수 있다. 이러한 경우 여성, 남성 각기따로 상담을 받을 수 있고, 또한 부부가 함께 상담을 받을 수도 있다.

Wabrek 등은 여성과 성 파트너가 항상 함께 상담을 받을 것을 격려했다. 또한 유방절제술을 받은 후, 화학요법과 검사를 받으러 병원에 온 여성들을 면담한 결과, 성상담이 회복을 도와주었다고 하였다. 여성이 암이라는 죽음의 공포로부터 벗어나면 심리성적 문제가 그녀의 사고를 지배한다. 또한 대상자가 위기에 쉽게 적응할 수있는 능력은 파트너의 수용성에 의해 영향을 받는다.

Winkin은 성 파트너가 상담의 전과정에 참여하는 것이 중요하다고 하였다. 만약 수술 이전에 부부 문제나 가족의 불화가 있었다면, 상담자에게 미리 적절한 의뢰를 하여야 한다. 입원기간 동안, 간호사는 대상자가 자신의 절개된 부위를 가능한 빨리 볼 수 있도록 하며, 상처붕대를 교환하는데도 참여하도록 한다. 파트너나 또는 의미 있는 타인도 이런 과정에 참여하도록 한다. 간호사가 대상자에게 필요한 지침을 줄 수 있는 최적의 시기는 입원하고 있는 동안 대상자를 직접적으로 간호할 때이다. 성 파트너의 신체적 접촉과 애무, 배려는 대상자의 회복에 도움을 주며 활기를 갖게 한다.

여성의 성 파트너와 가족, 친구의 반응도 매우 중요하지만 가장 중요한 것은 여성 자신의 이러한 반응에 대한 지각이다. 어떤 파트너는 절개한 부위에 상처를 줄까봐 두려워서 대상자인 여성을 안아주는 것을 꺼려한다. 이러한 경우 대상자인 이 여성은 남편이 자신의 몸을 거부한다고 지각하여 자아존중감에 상처를 받을 수 있다.

질병의 결과가 죽음, 성행위와 같은 복합된 문제와 연관되었을 때 적응을 위한 문제는 대체로 심각하다. 유방절제술을 받은 대상자는 이러한 문제들을 가지고 있다. 일반적으로 암은 고통 및 죽음과 연관되어 있다. 이러한 문제가 먼저 해결되어야 한다.

독신 여성도 역시 잠재적인 자아상의 문제들을 경험한다. 유방절제술을 받았던 독신 여성들은 대부분 성적 상호관계를 하지 않았지만 다른 여성은 많은 성 파트너와 성관계를 맺을 수도 있다. "나는 여전히 남자에게 매력이 있기 때문에 지금도 성적 파트너가 있다"고 진술했다. 유방절제술을 받은 독신 여성들은 유방을 절제한 사실을 밝혀야 될 시기, 밝히는방법, 그리고 밝혀야 되는 사람 등 이러한 문제에 직면하게 된다. 유방절제술 후, 독신 여성은 다음과 같이 말한다. "남자 친구에게 무엇을 말해야 할지 모르겠다. 그는 내가 성행위 때문에 이 말을 한다고 생각할 수 있다. 그렇지만 나는 그에게만은 이 사실을 알리고 싶다."

청소년기 소녀의 어머니는 또 다른 문제에 직면한다. 어머니는 유방암의 유전적 요소에 대해 걱정할 수 있다. 그리고 그녀의 딸이 유방암에 취약한 것에 대해 죄책감을 느낄 수 있다. 유방절제술을 받은 여성은 딸이 유방암에 걸릴 확률에 대해 질문했다. 그녀는 여러 달 동안 이 문제 때문에 근심하였다.

유방재건술

많은 여성이 신체적 온전성과 균형감을 회복하기 위해 유방재건술을 선택할 수 있으며 이러한 재건술은 이 여성에서 유방암에서 회복하는 중요한 단계이다. 여성의 연령, 건강, 종양의 종류, 개인적인 선호도에 따라 유방절제술과 동시에 또는 수술후 몇달 뒤에 유방재건술을 실시할 수 있다.

유방암 수술에 따른 성생활 변화는 치료가 완료되면서 점차 회복이 되며, 유방재건술 환자인 경우 치료 종료 후 3~6개월이면 수술 전 성생활 수준과 거의 동일하게 회복된다. 그러나 몇몇의 국내외 연구에서는 유방절제술 1년 후에도 부부관계가 회복되지 못했거나, 성기능과 관련된 문제가 치료 종료된 후에 더욱 심각해졌다고 하였다.

유방재건술은 유방절제술에 비해 심리사회적 장애가 덜하다. 그 이유는 긍정적 신체상과 자존감을 보존하면서 심리성적 기능을 유지하는 것이 중요하다고 보기 때문이다.

Gerad(1982)는 유방재건술을 하는 여성이 하지 않는 여성에 비해 성적 흥분과 반응이 더 빠르다고 하였다. 유방재건술은 유방절제술 후 늦게 하는 경우보다 빨리 하는 경우에 불안과 우울이 감소되고 신체상 변화와 자존감 저하, 매력적인 성적 느낌과 만족도가 더 우세하다. 유방재건술을 받은 환자는 유방절제술만을 받은 여성에 비해 젊고, 교육수준이 높고, 재정이 풍부하였고 배우자와도 친밀한 관계성을 보였다.

유방재건술 후에도 여성의 심리적 변화는 재건된 유방의 성 파트너와 무감각, 유두 결여, 촉감의 차이, 크기의 비대칭 등으로 자신의 유방과는 다르기 때문에 나타난다. 일반적으로 유방재건술이 암 환자의 성 문제를 예방하거나 경감시키는 효과

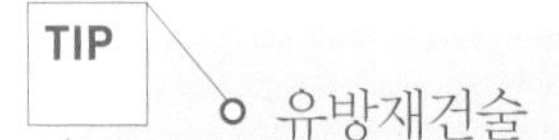

유방재건술

유방재건술에는 유방절제술과 재건을 동시에 하는 1기 유방재건과 유방절제 후 일정기간이 지나서 개건하는 2기 유방재건이 있다. 재건에는 자신의 신체조직을 이식하는 광배근이식과 복직근피이식 두 가지와 인공유방을 삽입하는 조직확장기(tissue·expander)를 사용하는 방법이 있다.

자기조직을 이식하는 방법인 광배근이식은 광배근을 등에서 전흉부로 이식시키는 방법이며 복지근피이식은 복지근을 흉부로 이식시키는 방법이다. 조직확장법은 조직확장기로 가슴의 피부를 늘려 인공유방으로 바꿔 넣는 방법으로 대흉근이 남아 있는 경우 적용 된다.

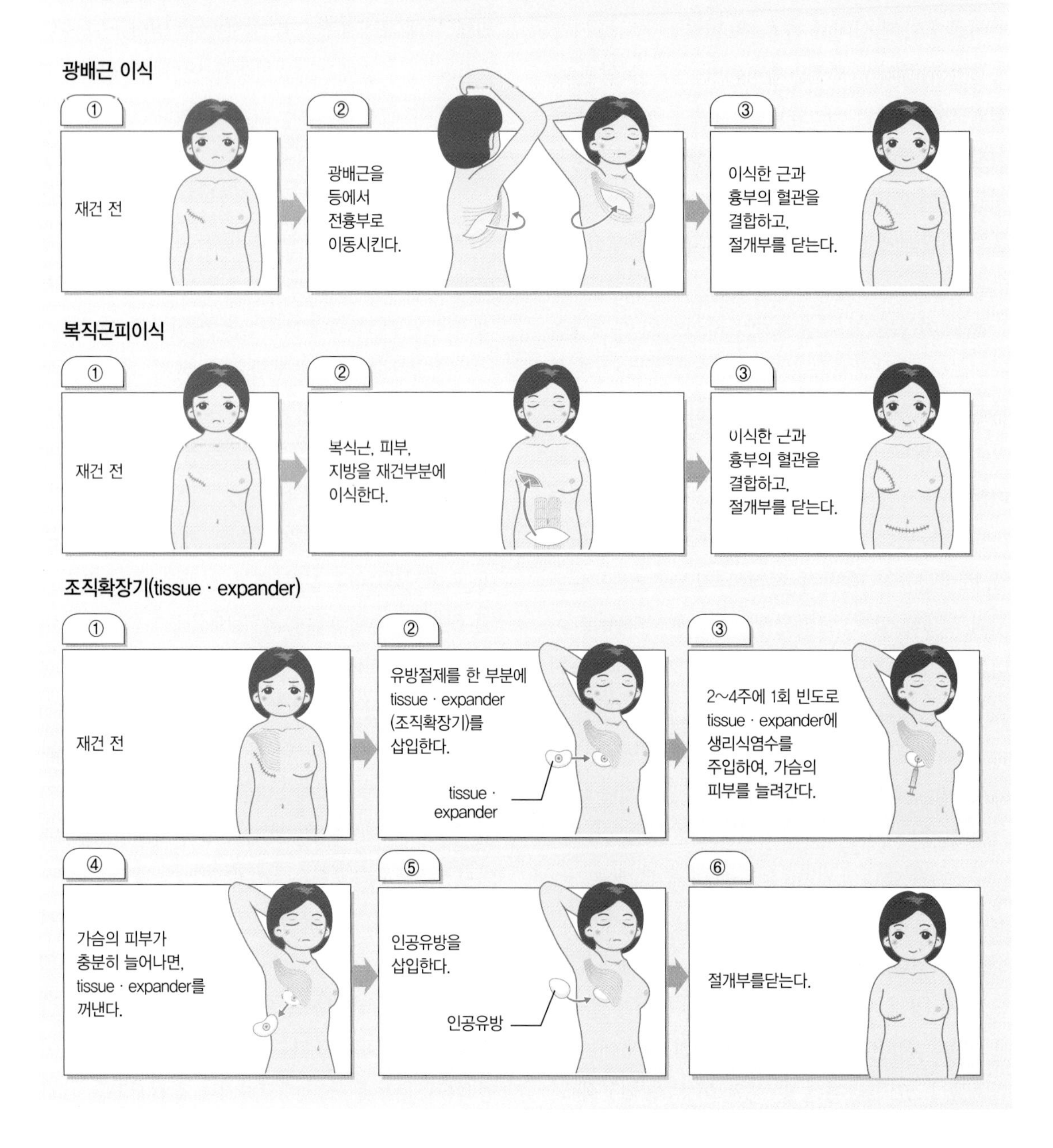

에 대해서는 아직 확실하지 않다.

간호

- 교육프로그램 활용

간호사는 유방종양이 발견된 여성에게 유용한 교육 프로그램을 제공해야 한다. 또는 자원봉사 프로그램을 개설해야 한다. 이 프로그램은 유방암의 진행에 따른 증상을 발견하도록 고안되어 있다. 간호사는 대상자의 불안을 경청함으로 정서적 지지를 제공하고, 질문에 답해 주고, 의사에게 의뢰하며, 심지어 대상자가 원한다면 검사실까지도 같이 갈 수도 있다. 질병의 단계에 따른 유방암의 치료, 재활, 유방재건술 선택 등 유방암에 대한 다양한 정보와 지침이 있다.

이 프로그램은 병원에서도 적용할 수 있다. 간호사는 유방절제술 대상자를 도와 주기 위해 이 프로그램의 개설을 촉진시키고, 지지할 수 있어야 한다.

입원기간 동안 유방절제술을 한 여성을 방문하는 자원봉사자도 있다. 자원봉사자는 일반적으로 유방절제수술을 받은 지 3년이 지난 여성으로, 신체적으로 치료가 되었고, 심리적으로 적응된 여성이다. 최근에 많은 종합병원에서는 유방절제술을 받은 여성을 대상으로 성역할과 성행위, 그리고 생활의 실제적 측면에 대한 상담을 제공한다. 이런 재활프로그램은 한국 암협회의 프로그램으로 암 대상자들에게 가치있는 자원이다.

- 성교육과 상담

간호사는 입원한 대상자와 성 파트너에게 상담을 제공할 수 있다. 만약 성행위가 대상자에게 남편의 사랑과 수용성, 친밀성을 의미하는 것으로 느낀다면 빠른 성교를 할 수록 정서적 회복을 촉진한다. 대상자가 빠른 성행위를 하기를 원한다면 성행위할 수 있도록 격려해야 한다.

여성이 불만족스러운 성적 상호관계를 한다면, 간호사는 자위행위의 가능성에 대해 그녀와 논의할 수 있다. 여성은 자위행위를 수용하고 긍정적으로 자각하고 선택할 수 있는 자유가 있다. 대상자가 집으로 퇴원하면, 거울로 자신의 나체를 보고 간호-상담자에게 자신의 감정을 말하도록 격려해야 한다. 이런 행동은 대상자가 자신의 변화된 신체상에 긍정적으로 대처할 수 있도록 도와줄 수 있다.

성교 시에는 여성의 가슴이 압박을 받지 않도록 한다. 간호사는 파트너에게 수술 이전에 선호하였던 체위가 무엇인지를 확인하고, 가슴에 불필요한 압박을 피할 수 있는 적절한 체위로 변화하도록 제안한다. 어떤 여성은 성파트너에게 성교 시 느끼는 통증을 알리고 싶어하지 않는다. 왜냐하면 대상자는 유방절제술을 하기 전과 똑같다는 것을 보여주고 싶기 때문에 파트너에게 통증이 있어도 말하지 않는다고 했다. 하지만 대부분의 여성은 성교 시 자신의 체위를 변화시키고자 한다.

대상자는 상실된 유방 때문에, 수면자세도 변화시켜야 한다. 수면자세의 변화는 긍정적으로, 또는 부정적으로 파트너의 성적 감정을 변화시킬 수 있다. 간호사는 만약 파트너가 수면자세의 변화에 대해 문제를 삼는다고 하면 이런 파트너의 감정을 해소시켜 주어야 한다. 대부분의 부부는 침대에서 변화된 위치와 자세를 취한다.

유방절제술을 한 대상자를 위해 Green과 Mantell이 개발한 성건강 증진운동을 참여하도록 한다.

성건강 증진운동(Green과 Mantell)

개인운동

1 **물놀이(Water play)**: 물놀이는 감각을 증가시키고, 성적 흥분을 자극시키고, 성적 긴장을 이완시킨다. 따뜻한 거품 목욕, 또는 샤워대에 서 있거나, 몸 전체를 부드럽게 비누로 문지르는 것은 여성이 자신의 신체를 탐색하면서 느낄 수 있다. 자기쾌락에 익숙하지 않은 여성은 덜 친밀할 수도 있다. 상처나 긴장된 부위에 샤워로 마사지를 하는 것은 쾌락이나 안락감을 줄 수 있다. 다양한 근육들(허벅지, 골반, 복부)의 반복적인 수축과 이완은 여성을 성적으로 흥분시킬 수도 있다.

2 **거울-상(Mirror-image)**: 첫번째 단계는 어두운 데서부터 밝은 햇볕까지 최적의 안위수준을 주는 빛의 정도를 조절하면서, 다양한 조명 아래 거울 앞에 자세를 취해 본다. 여성은 변화된 신체상에 대해 점진적으로 자신의 반응을 탈감작화하며, 감정을 탐색할 수 있다. 두번째 단계로 전신을 볼 수 있는 거울 앞에 서서 여성은 신체 부위의 아름다운 감각과 기능에 대해 감정을 느낀다. 이 방법으로 여성은 자신에 대한 부정적 감정뿐만 아니라 긍정적 감정을 자각하게 된다. 신체 부위의 노출로 인해, 각부위에 대한 자신의 기대들과 실제 사이의 격차를 감소시킬 수 있다.

3 **역할극(Role Playing)**: 역할극을 통해 이상적인 여성상에 대한 개념을 반복적으로 표현함으로써, 여성은 점진적으로 자신의 신체를 새로운 자아개념의 부분으로 통합시킬 수 있다.

4 **구현화(Personification/게스탈트 치료)**: 상실된 유방에 대해 대화를 함으로써, 삶에서 유방의 의미 있는 역할에 대해 회상(처음으로 브래지어 입기, 성적 유희의 첫 경험, 그리고 모유수유하기)을 하고, 상실에 대해 애도과정을 촉진한다.

집단운동

1 **신체 명상(Body meditation)**: 옷을 입고 눈은 감은 채로 편안한 자세로 옆으로 누워서, 여성은 부정적 감정이 가는 신체 부위를 접촉하고, 마사지하고, 어루만진다. 이 운동을 마친 후에, 집단 피드백에 의해 제공되는 지지는 부정적 감정을 없애는데 도움이 된다.

2 **자화상 그리기(Human-figure drawing)**: 여성에게 판자와 색깔 있는 펜과 종이를 준다. 여성 각자에게 자신의 상을 그리도록 지시한다. 그린 그림을 집단의 다른 구성원에게 전달한다. 여성 각자는 그림의 모습에 표현된 감정에 대해 해석을 쓰고 그림을 그린 사람에게 되돌린다. 그림을 그린 의도를 구성원 앞에서 얘기하고 서로 논의한다. 이런 활동은 특히 자신의 감정을 표현하기를 꺼리는 여성에게 효과적이다.

3 **거울-상(Mirror image)**: 3차원 거울 앞에서 개인적으로 행해지는 신체상 훈련을 집단에서 개별적으로 수행될 때도 거의 같은 효과를 나타낸다. 이 훈련은 처음으로 나체 경험을 갖는 여성들에게 제공되며, 다른 유방절제술을 받은 여성들을 볼 수 있는 기회가 된다. 안전하고 구조화된 환경에서 다른 유방절제술을 받은 여성들을 본다는 것은 자신의 신체 외형에 대한 관점을 긍정적으로 하는데 도움이 될 수 있다. 왜냐하면 다른 사람들을 볼 기회가 없기 때문에 여성은 자신의 유방절제가 독특하며, 같은 수술을 받은 다른 사람보다 자신의 상태가 안 좋은 것으로 상상하기 때문이다.

3. 누공설치술

1) 신체상

대상자가 신체의 누공설치술로 인해 배설 기능이 변화를 경험할 때, 그들은 과거 아동기의 배설기관에 대한 갈등을 다시 체험할 수 있다. 배설기관과 관련된 신체 부분은 자주 "더러운", 그리고 "나쁜" 것과 같은 용어로 명칭화되며, 사회에서도 배설기관은 사적인 영역으로 여긴다. 화장실은 개인의 비밀보장이 요구되는 장소이며, 욕실은 잠금장치가 자주 사용된다.

누공설치술을 한 대상자는 그들의 성에 대해 의문을 많이 갖는다. 그들은 다음과 같은 질문을 할 수 있다. "나는 여전히 매력적일까?", "나는 성교를 할 수 있을까" 누공설치술이 암의 가능성과 연관될 때, 죽음의 두려움도 있다. 가장 일반적인 누공설치술의 유형은 결장누공술(colostomy), 회장누공술(ileostomy), 비뇨기 누공술(urinary ostomy)이다. 신체누공 설치는 신체상을 변화시킨다. 궤양성 대장염이나 Crohn's 질병에 대한 회장누공설치술(ileosotomy)은 회음을 광범위하게 절개를 하지 않기 때문에 신경 손상은 거의 없다. 2~4척추신경은 음경의 발기신경이다. 이 신경이 손상되었을 때, 남성은 발기부전이 된다.

누공설치술은 다른 수술과 같이 대상자의 신체상에 영향을 미친다. 대상자의 배설기관에 대한 성장기의 경험은 의미 있는 요소가 된다. 그러나 배설기관에 대한 부모와 사회적 태도는 자주 개인의 성과 상호연관이 있다. 대상자가 그들의 생리적 배설 기능을 다루는 방법은 가족의 규칙, 사회적 규범, 집단의 허용에 의해 조절된다. 문화는 배설이 처리되는 방법, 배설이 일어나는 신체 부위, 그리고 배설기능이 허용되는 장소를 결정한다.

정상이었던 배설 습관에 대한 기능의 변화는 개인을 당혹스럽게 한다. 즉 대상자는 낮은 자아존중감을 느낀다. 성적 자아개념은 취약해지며, 그들의 성역할과 성관계는 심각하게 갈등을 맞이할 수 있다. 누공절제팩과 같은 새로운 기구와 몸에 생긴 누공설치술 모두를 긍정적 신체상으로 통합해야 하는 과제에 직면한다.

개인의 신체 부분은 아니나 신체에 부착된 장치에 새로운 부분의 이름으로 "뽀롱이"라고 명명을 할 수 있다. 새로운 신체 부분에 대해 이런 명명화는 신체상의 변화가 개인의 자아에 대한 지각에 영향을 주지 않도록 하기 위함이다. 이런 이름을 통해서, 대상자는 자아로부터 수술과 관련된 외상을 분리하며 이전과 다른 것을 부인하고 자아나 타인에 대한 같은 성적 기대감을 유지하려고 한다.

비뇨기계 전환술은 방광암이 있을 때에 자주 수행된다. 그리고 성 기관의 기능부전은 신경 손상 때문에 발생할 수 있다. 발기부전, 절정감 장애, 그리고 불임은 자주 발생할 수 있다. 이런 문제는 신경손상의 정도에 달려 있다. 아동기에 선천성 기형으로 비뇨기계 전환술을 시행하였다면 남성대상자의 경우 발기는 할 수 있지만 불임과 사정곤란을 경험할 것이다.

2) 성역할과 성기능

누공설치술이 성역할과 성기능에 미치는 영향은 사회적, 심리적, 신체적 요인 등 다차원적 요인을 포함해야 한다. 남성의 경우, 신체적 그리고 심리적 요소는 특히 발기를 시작하고 유지하는데 영향을 미친다. 외상이나 실제적인 신경 손상이 있을 때 대상자가 자신의 발기 능력을 남성성의 상징이라고 믿는다면, 발기부전과 불임은 잠재적인 문제가 될 수 있다. 비뇨기계의 전환술 또는 장누공설치술과 같이 천골 신경 2, 3, 4번이 손상되는 경우, 남성은 초기 발기부전이 될 가능성이 높을 것이다. 대장염으로 회장누공술(ileostomy)을 경험했던 남성에서 성기능부전이 다양한 정도로 나타났는데 즉, 성적 기능에 전혀 문제가 없는 것에서부터 기능장애를 초래하는 것까지, 또는 발기나 사정장애까지 다양하게 나타났다. 만약 직장이 제거된다면, 대상자는 일시적으로 발기부전을 경험할 수 있다. 대상자의 연령과 정신상태는 어떤 다른 변수보다 성적 기능부전에 중요한 요소이다.

Fasth 등은 회장누공설치술 후에 대다수 사람들은 성적 상호관계가 변화되지 않았다고 했고 오히려 향상된 성관계를 경험했다고 보고했다. 남성의 70%와 여성의 87%는 성생활이 향상되었다고 말했다. 122명의 사람 중에 오직 19명(29%)의 남성과 7명(12%)의 여성만이 성적 기능에 손상을 경험했다고 했다. 남성에게 나타난 성 문제는 발기부전과 사정장애라고 하였다. 여성의 성적문제로는 성교통, 또는 절정감 성취를 잘할 수 없다고 하였다. 회장누공수술을 경험한 남성의 성기능 장애는 아직도 논쟁점이 많다. 남성의 발기부전은 골반

신경의 외상에 의해 유발되기보다는 오히려 실패에 대한 공포와 관계가 더 깊게 나타났다.

누공설치술을 경험한 남성은 완전한 발기 능력에서부터 절정감의 상실까지 다양한 성적 반응들을 나타낼 수 있다. 절정감의 문제는 일반적으로 역행성 사정장애가 있을 때 나타난다. 역행성사정은 우유빛깔의 소변으로 나타난다. 흔히 나타나는 다른 문제는 발기부전, 불임, 사정장애이다.

간호사는 수술에 대한 대상자의 반응과 가족이나 친구의 반응에 특히 주의를 기울여야 한다. 일시적 또는 영구적 발기부전은 실패에 대한 두려움, 성 파트너가 느끼는 불쾌감에 대한 두려움, 또는 상실 경험에 대한 우울등으로 초래할 수 있다. 심각한 성적 기능부전이 영구적으로 되기 전에, 대상자-파트너간의 의사소통에 대해 사정과 평가를 하여야 한다. 신체적 상해, 수술의 이유, 수술에 대한 성 파트너의 태도, 그리고 이전의 성건강력을 사정하고 평가해야 한다. 대상자의 일반적인 건강 상태도 고려해야 한다. 왜냐하면, 혈액 손실과 수술의 위험이 대상자를 허약하게 할 수 있기 때문이다. 그래서 성적 기능에 영향을 미칠 수 있다.

누공설치술을 받은 개인은 자신의 성적 발기부전이 일시적인 것인지 아니면 영구적인 것인지를 확인해야 한다. 이를 알기 위해서는 수술 이후 적어도 12~18개월 동안은 기다려야 한다. 발기부전이 일시적이고, 인공기관의 상태가 만족한다면, 인공기관을 사용할 수 있다.

누공설치술을 경험한 여성은 남성보다 성기능면에서 더 잘 적응한다. 여성은 일반적으로 성교를 할 수 있고, 절정감을 경험할 수 있으며, 임신도 할 수 있다. 때때로 여성의 성적 반응들이 향상될 수 있다. 왜냐하면 누공설치술이 질병 부위나 신체적 문제를 해결해 주기 때문이다. 만약 누공설치술이 암종양 때문에 시행되었거나 난소절제술, 자궁절제술 같은 수술이 동시에 광범위하게 시행되었다면 불임이 수반된다.

수술 후 여성에게 성기능부전의 증상이 없다하더라도 여성들은 여전히 변화된 신체상에 대한 정서적 반응을 나타낼 것이다. 여성은 자신이 사랑받지 못하고, 신체적 접촉도 받지 못하는 존재라고 생각하며, 성관계가 상실될 것이라는 두려움을 가질 수 있다. 누공설치술 대상자와 성 파트너에게 강조해야 할 중요한 사항은 성행위를 중지할 필요가 없다는 점이다. 성행위는 절개부위가 치유되고, 여성이 강한 욕구를 느낄 때 할 수 있다. 직장이 제거되었을 때, 사람마다 다양하지만, 회음부위에서 직장 통증이 수 개월 동안 발생할 수도 있다. 이러한 통증은 항상 성교를 방해하는 것은 아니지만 어떤 여성은 성교통을 호소한다.

누공이 있는 여성도 임신은 가능하며, 일반적으

누공설치술 대상자의 성행위 지침

- 신체의 청결과 매력은 중요하다. 목욕과 향수의 사용은 사랑을 나누도록 준비하는데 도움이 된다. 아름다운 의복, 부드러운 조명, 음악은 관능성과 성욕을 촉진시킬 수 있다.
- 누공설치술 기구를 성행위 시 착용하였다면 안전에 특별한 주의가 요구된다. 대상자는 훌륭한 유머감각을 발달시켜야 한다. 왜냐하면 성교 시 이런 누공설치가 소음을 내는 것이 일반적이기 때문이다. 그리고 예상치 못한 소음과 가스를 낼 수 있는 음식은 피하는 것이 최상이다.
- 대상자들은 누공설치 협회에 의뢰할 수 있으며, 이러한 협회는 대상자들에게 도움을 줄 수 있는 소책자들이 있다. 소책자로 "독신 누공설치자의 성교", " 여성 누공 설치자의 성교와 임신", " 남성 누공설치자의 성교"를 포함한다. 협회에는 자원봉사자가 있으며, 누공설치자에게 직접적인 정보를 제공한다.

로 수술 후 2년 이내에 임신할 수 있다. 또한 임신, 분만이 어려울 수도 있다. 여성의 신체적 조건과 의사의 신념이 결정적인 요소이다. 누공이 있는 임산부의 일반적인 문제는 복부가 비대해짐에 따라 누공(stoma)이 확대된다는 것이다.

3) 성행위

성건강 전문가는 누공설치술을 한 대상자가 사랑을 나누고, 절정감을 성취할 수 있도록 여러 가지 방법을 제공해야 한다. 또한 절정감을 성취하지 않고도 사랑을 나누는 다양한 방법과 만족감에 대한 정보를 주어야 한다.

누공설치술은 개인의 생활양식을 변화시키고, 성적파트너에게도 영향을 미친다. 이전의 자기자신과 타인에 대한 기대는 새로운 생활방식으로 대체되어야 한다. 다음의 조언은 성적 행위를 준비하는데 도움이 될 것이다.

"누공설치는 질병이 아니며 또한 장애도, 무능력도 아니다. 그것은 비정상이지만, 자연적이고 정상적인 기능을 성취하도록 하는 대안적 방법이다. 누공설치는 안경, 의치, 보청기 같이 수용하고, 다룰 수 있어야 한다."

4) 누공설치 의료팀

누공설치 의료팀(누공설치술 대상자의 간호에 대해 특별훈련을 이수한 의료팀)은 수술 전·후 대상자에게 유용하다. 이들은 대상자에게 수술 전·후에 받아야 할 간호와 예비지침을 제공한다. 대상자에게 수술이 신체기능과 신체상을 어떻게 변화시키는지에 대한 중요한 정보와 새로운 신체 누공에 사용되는 기구나 재료에 대한 정보를 제공한다. 대상자는 신체부분의 변화에 대한 감정들과 이런 감정이 그들의 자아가치감과 수용성에 어떻게 영향을 미치는지에 대해 표현하도록 격려한다. 대상자와 함께 있는 것은 중요하다. 수술 이전에 대상자와 함께 수술에 대해 이야기하고 알고싶은 것이 무엇인지를 아는 것이 중요하다. 대상자가 자신의 성욕에 대해 논의할 준비가 되어있는지도 파악해야 한다. 즉 대상자는 다음과 같이 말할 수 있다. "나는 음경을 이제 더 이상 사용할 필요가 없다." 또는 "나는 더 이상 가치가 없는 사람이다."

성 파트너와 가족 그리고 의미있는 사람들은 중요한 자원이다. 누공설치 의료팀은 대상자의 의복의 변화나 다른 변화에 대해 적응을 잘 할 수 있도록 지지한다. 성파트너와 가족들이 대상자와 함께 하며 상호 친밀감을 가지도록 격려한다. 이들은 대상자가 변화된 신체상에 적응하도록 도움을 줄 수 있다. 모든 질문은 대상자에게 중요하다는 것을 명심해야 한다. 질문에 대해 직접적으로 또는 민감하게 응답하도록 하며 부정적인 질문은 피한다. 누공설치술에 대해 신뢰할 수 있는 정보를 교환하고 감정과 문제를 잘 표현할 수 있도록 대상자 그리고 가족과 함께 계획을 세워야 한다.

4. 남성의 성 기관 수술

남성은 수술이 그들의 성 기관과 관련될 때 신체상의 변화를 경험한다. 남성 정체성의 상징인 고환과 음경은 매우 중요한 부위이다. 수술은 발기 및 임신 능력, 배설조절을 위협할 수 있다. "수술은 대상의 성적 자아상과 남성세계에서 부과하는 남성 이미지에 영향을 미칠 수 있다. 의심, 죄책감, 책망, 심리적 영역으로 분노와 우울의 감정도 나타날 수 있다." 이러한 감정은 고환절제술, 정관절제술, 전립선 절제술 후에 유발되는 흔한 감정이다.

성기 부위에 암이 있을때 시도되는 음경절제술

은 수용하기가 매우 어렵다. 음경을 상실한 남성은 불안하며, 변화된 신체상에 대해 극도로 수치스러워하며, 사회적 체면손상과 남성성의 상실감을 느낀다. 이런 집단에서 높은 자살률을 볼 수 있다. 음경암은 흔하지 않다. 음경암을 예방하는 방법으로 포경수술을 해서는 안된다고 한다. 음경암의 위험인자는 인유두종바이러스 감염, 흡연, 에이즈 감염, 자외선 치료, 연령 증가 등이다.

1) 전립선 절제술

최근 노인 남성 중에서 전립선 절제술을 많이 하고 있다. 이것은 노년인구의 증가로 수술의 기회가 증가하였기 때문이다. 전립선의 비대는 노년기 남성에서 일반적으로 나타난다.

Hargreave와 Stephenson은 전립선 절제술을 받은 252명의 남성을 면담하였다. 이들 남성 중에 98명은 전립선 수술 이전에는 완전한 발기를 했다고 보고했다. 44명의 남성은 부분적 발기를 했다고 보고했다. 수술 이후, 전체 발기부전의 발생률은 수술이전에 완전한 발기를 한 남성의 경우 4%였다. 전립선 절제술 이전에 이미 발기의 능력이 저하된 경우는 발기부전의 비율은 더 높게 나타났다.

대상자는 성교를 시도하는데 두려움을 느끼며, 이러한 두려움이 전체적, 또는 부분적 발기부전을 초래한다고 하였다. Zohar은 "수술이전에 성기능에 문제가 없거나 발기를 경험한 모든 환자는 여전히 수술 이후에도 발기를 경험했다"고 보고했다.

최근 전립선 절제술은 3가지 유형으로 시행되는데 회음부(perineal), 치골상부(suprapubuc) 또는 치골 후부(retropubia), 그리고 횡요도(transurethra)를 통해 수행된다. 횡요도(transurethra) 수술은 일반적으로 횡요도 방법(TUR)으로 불려지고 널리 사용된다. 횡요도 방법은 발기부전의 문제를 약 9~10%만 초래하지만 사정을 방해한다. 종양이나 수술로 음경의 신경과 주위 조직이 손상되었다면 그 정도에 따라 발기부전의 발생률은 비례한다. 이런 자료는 대다수의 남성에서 전립선 절제술이 발기를 방해하지 않는다는 것을 규명하고 있다.

수술 후 문제는 신체적, 심리적, 사회적 영역에 영향을 미친다. 어떤 대상자는 신체적 영역으로 발기문제와 함께 우유빛깔의 소변을 걱정하는 경향이 있다. 대상자에게 이런 현상은 단지 방광 괄약근의 손상으로 사정할 때 정액이 방광 내로 유입이 되었기 때문이라고 설명하는 것이 필요하다. 회음 부분까지 포함한 좀더 광범위한 전립선 절제술을 받은 대상자는 요실금을 경험한다. 이 방법은 거의 사용하지 않는다. 발기와 절정감은 대상자가 신경이나 혈액순환에 방해가 없다면 문제가 되지 않는다.

Windle과 Robert는 전립선 절제술 이전에 환자의 성생활을 확인하는 것이 중요하다고 하였다. 전립선 절제술 이후에 성적으로 어려움을 경험했던 대상자는 수술 이전과 유사한 문제를 가질 가

전립선절제 수술 후의 성적 기능

1 성적 능력은 회음부 혹은 근치전립선절제술을 받지 않았다면 수술전과 같은 상태를 유지할 것이다.
2 사정장애, 우유빛깔의 소변은 나타날 수 있지만 발기, 절정감, 성적만족감은 손상받지 않는다. 특히 수술 후 4~6주 후에는 회복된다.
3 대상자와 성 파트너 사이의 의사소통은 성 파트너가 가지고 있는 불안과 신념을 완화 시키는데 도움이 될 수 있다. 질병 발병 전의 성적 기능에 영향을 미친다는 것을 명심 해야 한다.
4 발생된 병태생리적 변화는 발기에 영향을 주는 변수이다. 감염이나 많은 혈액 손실과 같은 2차적 영향은 수술 후에 피곤 등으로 나타날 수 있다.
5 질병에 대한 정서적 반응은 흔히 경험되는 것이다.

능성이 높다. Boyarsky는 대상자의 이전의 성습관과 성교횟수의 정도는 수술 이전에 조사하고 평가해야 하며, 수술 이후의 성적 문제는 신체적 어려움보다는 심리적 어려움이 더 많다고 강조했다.

심리적인 영역으로 대상자는 일반적으로 성영역이나 생활에서 두려움을 경험할 수 있다. 특히 대상자가 전립선 절제술로 어려움을 겪었던 친구가 있거나, 과거에 이러한 전립선 절제술로 어떤 문제를 경험했다면, 대상자는 심리적으로 힘들 수 있다. 과거에는 대상자가 과도한 혈액 손실, 심각한 감염, 그리고 발기부전의 문제로 고통받았으며 사망률도 40% 이상이였다. 대상자가 대부분 50세 이상으로 젊은 사람에 비해 성행위에 대한 관심의 감소, 죽음에 대한 공포 등과 같은 문제가 생길 수 있다.

정보의 부족으로 다른 심리적 어려움이 수술 후에 발생할 수 있다. 대상자는 자신에게 어떤 일이 발생할지 걱정하며, 질병 과정 자체가 근심을 초래할 수도 있다. 문제에 대한 공포를 표현하지 않을 때, 상황은 더 악화되는 경향이 있다. 전립선 절제술 이후에는 우울이 잘 초래된다.

간호사는 대상자에게 전립선 절제술이 성기능에 미치는 영향에 대해 교육해야 한다.

5. 성건강 전문가의 역할

신체상은 오랜 시간에 걸쳐 발달한다. 신체의 변화에 대한 적응도 시간을 요구한다. 각각의 대상자는 개별적인 대처 기술과 반응, 타인과의 독특한 상호작용 등 문화적 가치가 포함된 자신만의 독특한 적응 패턴을 타나낸다.

간호사는 수술 후 회복기 동안에 나타나는 대상자의 행동을 상실에 대한 애도 과정, 또는 새로운 신체 부위에 대한 적응과정과 연관되어 있음을 알아야 한다. 어떤 대상자는 타인이 그들을 거부할 것이라고 느낀다. 결과적으로 대상자는 주변 사람에게 전반적인 무기력감 때문에 적개감을 나타낼 것이다.

간호사는 위협적인 변화에 대해 대상자와 논의하고, 스트레스에 대한 이전의 반응들을 수집하고, 능동적, 수동적 대처 반응을 평가한다.

능동적 대처란 대상자가 새로운 누공설치술을 다루는 방법을 이해하기 위해 수술이전에 장누공설치술(colostomy)을 받은 다른 개인과 기꺼이 대화하는 것을 의미한다.

수동적인 대처란 대상자가 "수술이 끝날 때까지 모든 것을 잊자." 라고 말하는 경우이다.

간호사는 대상자가 변화된 신체상에 잘 대처할 수 있도록 신뢰할 수 있는 정보와 상담을 제공하고 대상자의 가족이나 친구와 함께 협력할 수 있다. 간호사는 애도과정시 예상되는 지침을 제공할 필요가 있다.

대상자와 상호작용하는 동안, 간호사는 대상자의 신체 부위에 대한 개인적 의미와 중요성, 그리고 신체 부위의 상실과 새로운 기관의 설치에 대

간호사의 유의사항

- 신체 내부 변화는 일반적으로 타인에게 보여지는 외부 변화보다 고통을 덜 경험한다.
- 특정신체는 다른 신체 부위보다 정서적으로 중요성을 더 많이 갖는다.
- 특정신체 부위에 대한 문제는 이전의 갈등들이 수술 이후에 다시 재발할 수 있다.
- 신체 부위의 상실과 누공설치 시 수반되는 자아존중감의 저하는 이전의 성역할과 성 태도를 재개하는 대상자의 능력에 영향을 미칠 수 있다.

해 대상자가 어떻게 지각하는지, 이런 신체의 변화가 성역할과 성관계에 어떤 영향을 미치는지, 대상자에게 질문하고 응답을 경청한다.

간호사는 이전의 상실에 대한 대처 능력이 현재의 반응에 영향을 미친다는 것을 상기하면서 다른 상실에 대한 신념과 감정을 탐색한다. 간호사는 대상자의 불안을 경감시키며 현재의 상황을 얼마나 실제적으로 평가하는지를 사정해야 한다. 간호 중재는 대상자의 불안을 경감시키며, 신체상의 변화에 대해 대상자를 도와주는 필수적인 과정이다.

간호사가 대상자와 상호작용을 하는 동안, 대상자가 현실적으로 자신의 강점과 기능을 확인하고, 발달시키고, 자가간호를 강화할 수 있도록 도울 수 있다. 간호사는 더 나아가 신체상의 변화를 증진시키고, 지지하기 위해 다른 건강 전문가와 협력한다. 그리고 대상자가 가정과 지역사회로 복귀되었을 때도 계속적인 간호를 제공해야 한다.

간호·상담 과정

대상자 박OO. 아침에 자궁절제술과 난소절제술을 받을 예정
간호사 김OO. 산부인과 병동 간호사

사정

주관적 자료

나는 항상 너무나 바빠요, 강의도 해야 하고, 가족을 돌보기 때문에 굉장히 바빴어요. 그리고 지금은 내일 아침에 있을 수술에 관해 들었어요. 나는 할 일이 많고, 많은 책임이 있어요. 세 아이가 있는데, 두 명은 대학생으로 집을 떠나 있고, 막내만 집에서 학교를 다니죠. 그 애는 나의 관심과 돌봄이 필요해요. 오랫동안 나는 더 이상 아이를 원하지 않는다고 생각해 왔어요. 그러나 지금은 인생에서 아이들이 가장 소중하다고 느끼고 있고 아이가 더 있는 것도 좋다는 생각이 들어요. 내 인생은 즐거웠다는 생각이 들어요. 남편은 나에게 걱정하지 말라고 말해요. 그는 내가 아이의 어머니이며, 내게 문제가 생기면 나를 간호해 줄 것이며, 나는 그의 영원한 아내라고 말해요. 그러나 지금은 신뢰보다는 의심이 가요. 남편과 나, 앞으로 침실에서 예전과 비교해서 변화가 생길까요? 아이들이 나를 어떻게 볼 건지 궁금해요. 사실 지금 불안하고, 걱정 돼요. 만약 자궁과 난소를 제거한다면 아마도 예전과 다르게 보이겠죠? 아마, 더 빨리 늙을 지도 몰라요. 어떻게 해야 할지 모르겠어요.

객관적 자료

- 체온: 36.7℃, 맥박: 80회/분, 호흡: 18회/분, 혈압: 130/80mmHg
- 45세, 기혼자, 대학 교수
- 세 자녀를 두고 있음. 자녀의 연령은 20세, 18세, 15세(두 아이는 대학생임)
- 의학적 병력과 신체 상태 : 초경 연령은 12세, 29일의 월경 주기, 4~5일간 중간량의 월경, 마지막 월경은 7일 전에 끝남. 지난 18개월 동안 월경통이 나타났으며, 지난 4개월 동안 많은 양의 중간출혈을 경험, 피로감과 전신쇠약, 고정된 우측하복부에 자궁내 종양이 있다.
- 아침 8:30에 자궁절제술과 양측난소절제술 계획
- 눈꺼풀이 늘어지고 낮은 목소리 톤
- 성 기관의 상실은 무섭다고 말로 표현함

NAME
NOM
No.

간호진단

성 기관(자궁, 난소)의 상실과 관련된 변화된 신체상으로 오는 슬픔

계획

- 공감을 표현하고, 집중하면서 경청한다.
- 사려 깊고 적절한 신체 접촉을 한다.
- 정서적 반응은 적절하며, 일반적으로 경험되는 것이라고 설명한다.
- 자궁과 난소 그리고 호르몬기능의 상실에 대한 감정을 표현하도록 격려한다.
- 상실에 대해 편안한 감정으로 의사소통한다.
- 표현된 감정에 대해 피드백을 제공한다.
- 성 기관과 연관된 여성성에 대한 상징적 의미를 확인한다.
- 애도의 정상적인 단계를 진술한다.
- 개인과 진정한 여성의 가치를 강조한다.
- 개인과 여성의 온전성에 대한 확신을 제공한다.
- 파트너나 가족이 서로 애정과 수용감을 표현하도록 조언한다.
- 성 파트너와 함께 상실감에 대한 감정을 표현하도록 격려한다.
- 가정과 가정 밖에서, 친구나 동료와 함께 상실감에 대한 감정을 표현하도록 격려한다.
- 서로에게 정서적 지지의 중요성을 설명한다.
- 자아에 대한 요구사항을 줄이도록 격려한다.
- 정상적인 대처 기제의 사용을 격려한다.
- 상황에 대한 현실적인 사정을 지지한다.
- 하루에 한 번 계획을 세우도록 격려한다.
- 계획된 수술 절차에 대해 논의한다.
- 점진적인 변화를 제시한다.
- 회복기 동안 실제로 예상한 것과 같이 수술이전의 수준으로 회복되는 일상생활 활동과 성행위의 점진적인 재개를 설명한다.
- 대상자가 수용한다면, 다음과 같은 정보를 제공할 수 있다.
  - 성 반응 주기와 자궁의 기능
  - 에스트로겐 대체 요법
  - 수술 후의 대안적 성교 체위
- 이해할 수 있는 충분한 시간을 허용한다.
- 성 파트너와 가족이 함께 교육과 상담을 받을 수 있도록 안내한다.
- 의사소통을 한 메시지에 대해 피드백을 준다.

수행

- 가족에게 전화해서 감정을 공유하고, 수술 전후에 같이 있을 것을 요청한다.
- 수술 후에 전화를 하거나 회복기 동안 가정방문을 할 것을 계획한다.
- 면회시간 동안 성 파트너와 논의한다.
- 애정과 수용에 대한 감정을 공유한다.
- 상실에 대한 감정을 공유한다.
- 회복기 동안, 매일 매일의 활동과 성행위의 점진적인 재개에 대한 정보를 제공한다.

평가(수술 3주 후)

- 수술 전·후 "가족"의 존재가 긍정적으로 느껴졌다고 한다.
- 전화로 "집에서 떨어져 있는 아이들에게 보고싶다"고 연락했다고 한다.
- "모든 아이들은 공휴일에 집에 왔다"고 한다.
- 남편과의 "수술 후의 섹스"에 관한 논의는 "생각했던 것보다 쉬웠으며… 그는 나의 말을 경청하고, 이런 대화가 다시 시작하는데 도움이 되었다"고 한다.
- 자신에 대한 신체상은 "외부적으로 볼 때는 예전과 거의 같지만, 내부적으로는 예전과 다르다"는 생각이 든다고 표현한다.
- 계획표에 따라 일상생활 활동으로 점진적인 회복을 하고 있음을 말한다.

No.

NAME
NOM

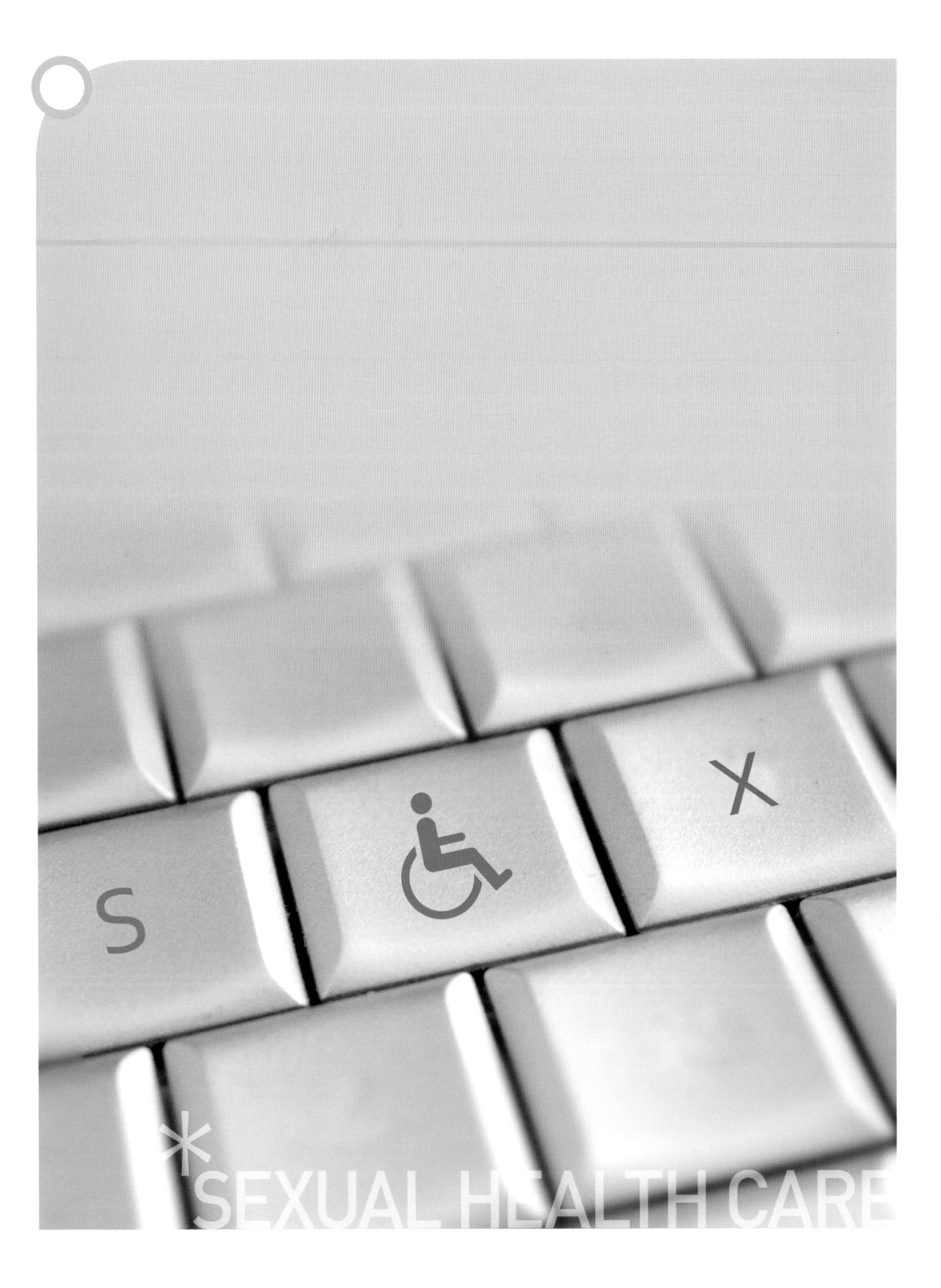
S
X
*SEXUAL HEALTH CARE

장애인의 **성건강**

Impaired People & Sexual Health

가치 명료화
훈련

해마다 봄과 여름이 되면, 사람은 신선한 공기와 햇빛을 즐긴다. 자전거 여행, 자동차 경주, 수영 등의 여가활동은 일상생활의 스트레스로부터 탈피하는 주요한 수단이다. 하지만 이런 활동이 즐겁고 유용하더라도 위험할 수 있다. 이러한 여가활동을 즐기는 동안 우연한 사고는 두뇌와 척수에 심각한 손상을 초래할 수 있다. 척수장애의 경우, 사고로 척수손상을 입으면 하반신이나 사지가 마비될 수 있고 그 개인은 물론 가족들에게 엄청난 충격과 혼란의 시기를 경험하게 된다. 평생을 휠체어에서 벗어나지 못하고 심각한 장애를 지니고 산다는 것은 받아들이기가 쉽지 않다.

다음의 훈련은 척수장애가 있는 사람의 성행위에 대한 당신의 생각과 감정을 검토하도록 도와준다. 이런 질문에 대한 당신의 첫 반응을 적어보자.

당신이 밤중에 깨어났는데, 당신의 다리를 움직일 수 없다고 상상해 보자. 당신은 어떤 심정이겠는가? 당신은 당신 자신에게 '이것은 일시적인 현상일 뿐이야' 라고 말하겠는가? 당신은 당신 자신에게 기능과 감각의 손상은 일시적이라고 어떻게 안심시키겠는가? 당신은 당신 자신이 '몇 분 후에는 괜찮아 질거야' 라고 속으로 말하는 것이 들리는가?

당신은 당신의 친구가 자동차 사고로 목에 손상을 입은 것을 전화로 연락을 받았다고 상상해 보자. 당신의 첫 반응은? 당신이 그 차에 같이 있지 않은 것에 대해 안도감이 드는가? 혹은 슬픔이나 미안한 감정이 느껴지나? 불안한? 걱정되는? 냉담한? 끔직하다는 느낌? 죄책감이 드는가? 두려운 감정이 드는가?

당신은 오토바이 사고로 하반신이 마비된 30세 기혼 남성을 간호해야 한다. 그의 간호에 대한 당신의 느낌은? 동정심이 느껴지나? 슬픈 감정이 느껴지나? 호기심이 느껴지나? 불안한가? 걱정되는가? 냉담한가? 끔직하다는 느낌인가? 죄책감이 드는가? 수치스러운가?

당신은 동성애를 하는 중년 여성을 간호하도록 요청받았다. 그녀는 전신이 마비되었다. 당신의 첫반응은? 동정심이 느껴지나? 미안한 감정이 느껴지나? 슬픈가? 호기심의 감정인가? 불안한가? 걱정되는가? 냉담한가? 끔찍하다는 느낌인가? 죄책감이 드는가? 수치스러운가?

당신의 반응을 살펴보자. 반응은 각각의 상황에서 같은가? 개인의 상황은 당신의 반응에 영향을 미치는가? 어떤상황이 당신에게 더 위협적으로 느껴지는가? 친구나 동료집단과 함께 당신의 반응을 공유해 보자. 당신의 반응은 집단의 구성원과 어떻게 비슷한가? 어떻게 다른가? 다른 사람보다 자주 발생하는 반응이 있는가? 당신의 반응과 집단의 반응이 어떻게 간호행위에 영향을 주는지 논의해 보자.

행동 **목표**

이 장을 마친 후

- 척수장애가 성적 자아개념과 성기능에 미치는 영향을 설명할 수 있다.
- 척수손상을 입은 사람이 보이는 대처행동을 설명할 수 있다.
- 척수장애인의 성에 대한 잘못된 통념과 오해가 대상자의 성기능에 어떻게 영향을 미치는지를 논의할 수 있다.
- 척수장애의 다양한 정도가 남성과 여성의 생식 능력에 어떻게 영향을 미치는지를 설명할 수 있다.
- 척수장애인의 성행위에 대한 심리적·신체적 준비를 설명할 수 있다.
- 척수장애인이 이용할 수 있는 성교의 기술을 설명할 수 있다.
- 척수장애인의 성건강에 대한 간호사의 역할을 설명할 수 있다.

1. 척수장애인의 신체상

우리나라 장애인 중 89%가 후천적 장애인이다. 즉, 태어나서 아무 문제 없이 잘 살다가 어느 순간 갑자기 찾아온 질병이나 사고로 장애인이 되는 것이다. 후천적 원인 중 질환이 52.4%, 사고가 36.6%이다.

TIP

주된 장애 유형별 장애인 수

우리는 장애인의 성적 능력을 부정하거나 믿지 않는 경향이 있다. 또한 장애 여성이나 남성은 외면상의 장애로 인해 비정상인으로 분류되어 각각의 여성과 남성의 범주에서 제외되어 무성적 내지 비성적인 존재로 간주된다.

그러나 장애인들도 자신의 사랑의 감정을 표현하고 성적 관계를 가지며, 친밀한 관계를 할 권리가 있다. 단지 장애인이라는 이유로 성적 관계가 부정되어서는 안 되며 장애인들도 장애인이기 전에 인간으로서 추구할 당연한 성생활을 누릴 권리가 있다.

장애 유형별 장애인 수(2005년 기준)

구분		실태조사
계		2,148,686
주된 장애 유형별 장애인 수	지체장애	1,005,618
	뇌병변장애	270,853
	시각장애	221,166
	청각장애	229,159
	언어장애	20,947
	정신지체	125,563
	발달 장애	23,478
	정신장애	91,253
	신장장애	40,355
	심장장애	42,007
	호흡기장애	30,186
	간장애	13,443
	안면장애	4,394
	장루·요루장애	15,508
	간질장애	14,756

그 중 척수 손상은 다른 장애보다 성기능 장애 정도가 심하여 성기능에 극적인 변화를 보인다. 그래서 척수 장애인들은 사회 통념상 받아들여지는, 장애인에 대한 부정적 이미지를 더 많이 갖는다. 즉, 장애인은 측은하고, 불행하고, 비생산적이고, 성적으로 무능하다는 것이다. 척수가 완전히 손상된 경우 성기의 감각은 없지만 이 때문에 성적 욕구가 사라지거나 다른 가능한 성적 행동을 못하게 되는 것은 아니다. 의료인들은 대상자들이 장애인에 대한 이러한 부정적인 이미지를 벗어버리고 바람직한 성적 정체성(sexual identity)을 확립하도록 도와주어야 한다. 성적 정체성에 영향을 미치는 요인은 단순히 생물학적 요인뿐만 아니라 심리적 요인도 중요하게 관여한다. 여기에는 신체상(body image), 자아존중감(self-esteem), 성 정체성(gender identity) 등이 포함된다.

"내가 건강을 회복할 수 없다고 처음으로 인정했을 때, 나는 더 이상 나에게서 남성다움을 느낄 수 없었다." 이는 26세의 전신마비 남성이 한 말이다. 그는 예전과 다른 자기자신을 인정하고, 그의 남성성이 상실되었다고 생각했다. 오토바이 사고로 인한 손상은 자기자신을 한 개인으로서, 그리고 성적 존재로서 예전에 느꼈던 지각을 변화시켰다. 성적으로 민감한 사회에서는, 이런 신체상의 변화가 개인에게 우울감, 실패감, 탈 인간화의 감정을 느끼게 할 수 있다. 다른 사람과 같이 행동할 수 없다는 것은 개인의 자아존중감을 저하시키며 개인의 자아개념을 변화시킬 것이다.

자아개념과 자아존중감은 개인이 환경에 적응을 잘 할 수 있는지 여부를 반영한다. 가족의 반응과 평가는 척수장애 개인의 자아개념에 강하게 영향을 미친다. 자아개념과 자아존중감의 상호관련성은 척수장애인가 자신을 지각하는 방법에 영향을 미친다. 그들의 변화된 신체상에는 신체 이동을 위해 사용되는 휠체어를 포함시켜야 한다. 그리고 그들은 장과 방광기능 그리고 성기능의 변화에 적응해야 한다.

척수장애인들은 11개의 일상생활 중에서 성생활의 중요성을 세 번째로 중요하다고 하였으나, 성생활의 만족도는 최하위로 나타났다. 즉 장애 후 성생활의 중요성을 인식하고 있으나, 실제적인 만족도는 매우 낮다는 것을 의미한다. 따라서 장애인 간호 시 성 문제를 확인하고 해결해 주는 간호과정은 장애인의 삶의 질을 높이는데 중요하다.

1) 척수장애인의 대처 및 적응 행동

척수장애인이 위기적 상황에 잘 대처할 수 있도록 도와야 한다. 그들은 장애에 따라 다양한 반응들을 나타낸다. 쇼크는 기능의 상실에 대한 즉각적인 반응이다. 매일의 일상활동 수행에 대한 무능력은 그들에게 당혹감과 무기력을 초래한다. 이러한 통제 상실은 위로와 믿음을 필요로 한다. 극도의 무기력감과 의존성이 나타난다. 대상자는 의료팀이나 가족들에게 정서적 폭발, 또는 무리한 요구를 통해 불편함을 표현한다. 대상자가 이러한 행동을 나타낼 때에는 간호사나 가족들은 극심한 당혹감을 경험한다.

Weller와 Miler는 대상자의 적응의 단계를 제시하였다. 초기 단계는 장애에 대한 부인이다. 즉 "실제로 나에게 일어난 일이 아니야"라고 부인하는 것이다. 이러한 부인은 대상자에게 이점을 주고, 편안함을 주는 방어기제이다. Lazarus(1979)는 "환상과 자기기만은 개인의 심리적 경제(psychological economy)에 긍정적인 가치를 줄 수 있다"고 했다. 척수장애인이 움직일 수 있다는 희망을 가질 때에 많은 유용한 결과를 얻을 수 있다. 왜냐하면, 개인의 재활은 개인이 움직이기 위해 노력하는 정도에 달려있기 때문이다. 그러므로 장애에 적응할 수 있는 시간을 주는 것이 중요하다. 초기 단계의 부인은 대상자들에게 심리적 편안함을 제공한다. 그러나 계속해서 이런 방어기제를 사용하는 것은 적응을 방해하며, 대상자가 자신의 위기적 상황을 준비할 수 없기 때문에 잘 대처할 수 없도록 한다.

두 번째 단계는 분노 단계이다. 척추가 손상된 대상자가 회복과정에 들어서면서 그들의 손상의 정도를 알기 시작할 때 나타낸다. 손상이 영구적이라는 것을 알 때에 그들은 더 심한 무기력과 절망을 느낀다. 이런 감정들은 그들을 압도하고 분노의 폭발로 나타날 수도 있다. 개인은 냉담을 유지할 것이고 미묘한 방법으로 분노를 나타낼 것이다. 예를 들면, 다른 사람들에게 지나친 요구를 하거나, 소리를 지르거나, 간접적으로 식사를 거부하거나, 물리치료를 받아야 하는 시간에 수면을 취하는 행동 등을 보일 것이다.

세 번째 단계는, 슬픔과 우울의 단계이다. 대상자들은 깊은 슬픔에 빠질 것이고 자신이 무능력하다는 절망감은 우울로 나타나는 것이다. 이런 감정들은 식욕상실, 불면증, 변덕스러운 기분, 울부짖음, 그리고 주위에 대한 무관심 등을 포함한다. 대상자들은 이 단계가 오랜동안 지속될 수 있다. 그들은 약물과 알코올 남용을 할 수 있다. 성적 관심은 이 기간동안 나타나지 않으며 개인적으로 나태한 일상생활이 나타난다. 성적 상호관계는 손상될 수 있으며 성 파트너 간에 문제가 있을 수 있다. 특히 척수손상을 입은 대상자가 성적 상호관계를 거절한다. 성적 상호관계의 불일치나 상실에 따른 다른 문제들이 입원기간 동안에도 발생하지만 퇴원 후에 재활의 과정에서 문제들이 더 많이 나타날 수 있다.

마지막 단계는 재활과정이다. 즉 손상을 입은 후 약 1~2년 내에 적응이 되거나 아니면 적응하는데 시간이 더 요구될 수도 있다. 재활의 단계는 장애를 인식하고 대상자가 자신에게 발생한 것을 통제하면서 자신의 고유한 개인적 가치를 인정하는 단계이다. 이 단계에서 대상자들은 일상활동을 수행할 수 있는 능력을 습득할 것이며 성적 활동들을 포함해서 의미 있는 관계들을 확립하고 유지할 것이다.

2) 척수장애인의 성에 대한 잘못된 통념과 오해

Conine 등(1979)은 척수장애인의 성에 대한 잘못된 통념과 오해 등을 발표하였다(표 17-1). 척수장애인들의 성적 기능을 명확히 이해하기 위해서는 먼저 잘못된 통념과 오해가 무엇인지를 알아야 한다.

2. 성기능의 신경학적 측면

간호사는 척수손상 후에 발생하는 성적 반응에 대한 신경학적 측면을 이해해야 한다. 성기능은 대뇌피질의 운동성과 상행성 신경경로 뿐만 아니라 구심성, 원심성 신경경로를 포함하는 척수 반사궁의 복합적 작용이다. 남성들의 경우, 음경의 발기는 부교감신경의 자극에 의해 발생한다. 즉 자극은 2~4천추(S2~S4)척수에서 야기되어서 내장골반신경(splanchni pelvini nerve)을 통해 발기신경까지 전달된다. 발기는 심인성(psychogenic)적으로 또는 반사적(reflexogenic)으로 유도된다. 또는 심인성 발기는 흉수 및 요수부(제 10흉수에서 제 2요수)에 위치한 교감신경에 의해 일어나며 성적인 공상을 하거나 자극적인 영화 등을 볼 때 일어난다. 반사성 발기는 천수부(제 2~4천수)에 위치한 부교감신경에 의해 일어나며 성기를 자극하거나 음모를 만지거나 방광이 팽만됐을 때 일어난다. 이는 병실에서 환자의 방광을 비우기 위해서 도뇨를 실시할 때 종종 관찰될 수 있다. 따라서 여성 간병인이나 간호사, 그리고 대상자 자신이 당황하지 않도록 사전에 반사성 발기에 대한 충분한 교육이 필요하다.

특히 시상과 변연(limbus)체계로부터 나온 피질 구심성 자극은 성 반응 주기의 심인성 자극을 촉진시킨다. 남성들과 여성들의 성적 흥분기를 주도하는 가벼운 접촉과 압박은 음부의 신경과 천골망을 자극하기 때문이다.

표 17-1 척수장애인의 성에 대한 잘못된 통념

- 척수손상자에게 성기능의 상실은 매우 흔하다.
- 척수손상자에게 성기능은 중요하지 않다.
- 성행위는 전신마비자에게 전혀 중요하지 않다.
- 척수손상 여성이 출산한 아이는 기형아 가능성이 높다.
- 손상 후, 3개월 동안 발기나 사정을 할 수 없다면 발기와 사정 능력은 영원히 회복되지 않을 것이다.
- 척수손상 여성의 월경 주기는 외상 후 결코 회복되지 않을 것이며 중단될 것이다.
- 여성의 성적 신경생리는 일련의 발기와 사정과는 관련이 없다.
- 척수손상자가 절정감의 경험이 없더라도 좌절감이나 불행함을 느끼지 않는다.
- 전신마비자보다 하반신마비자가 더 자주 발기를 한다.
- 척수손상 남성들의 경우, 진동기는 삽입을 위한 충분한 발기의 탄력성을 유발하는데 도움이 되지 못한다.
- 치골상부에 도뇨관을 삽입한 척수손상 남성들은 음경·질 성교를 할 수 없는데 그 이유는 도뇨관이 빠질 수 있기 때문이다.
- 사지마비 척수손상 여성들은 음경·질 성교시 질의 윤활제가 필요 없다.
- 음경·질 성교 동안, 정상인이 능동적인 체위를 취하는 것은 필수적이다.
- 남성의 발기되지 않은 음경을 여성자신이 질내에 삽입하게 하고, 발기를 조작 하는 기술은 "정액을 짜내는 것"이다.
- 척수손상 남성은 사정을 할 때만 절정감을 경험할 것이다.
- 척수손상 남성이 사정을 할 수 있을 때만 임신 능력이 있을 것이다.
- 제왕절개수술은 척수손상 여성들에게 필수적이다. 왜냐하면, 자궁 근육이 더 이상 수축하지 않기 때문이다.

척수장애는 사지마비(quadriplegia)와 하지마비(paraplegia) 2가지 범주로 나눈다. 사지마비는 척수의 4흉추(T4)수준 상부의 손상을 의미하며, 사지 말단부위의 마비를 초래한다. 하지마비는 척수의 4흉추(T4)수준 하부의 손상을 의미하며 마비를 초래한다. 손상은 상부, 하부의 운동 신경부위로 나누어진다. 이런 분류는 완전마비, 불완전마비로 나눈다. 척수에 있는 수많은 신경들은 손상이 전체적인지, 부분적인지를 결정할 때 중요하다. 손상의 위치는 상부의 운동 신경의 손상인지, 하부의 운동 신경 손상인지에 따라 결정한다.

상부 운동신경손상은 수의적 기능의 손상과 척수 자체의 손상으로 오는 근육경련과 과다반사의 증가가 나타나는 것이 특징이다. 반사는 손상되지 않지만 더 이상 두뇌와 척수의 중앙통제와 연결되어 있지 않다. 이런 손상은 1요추(L1)수준 상부에서 발견된다. 주로 경추 및 흉추를 다친 사람들이 해당된다. 대개 다리가 경직되어 있고 덜덜 떨리는 현상을 볼 수 있다.

하부의 운동신경 손상은 12흉추(T12) 하부수준에서 발생하며 특히 2~4천추(S2~S4)와 관련된다. 그리고 장, 방광, 성기능에 영향을 미친다. 하부운동신경장애는 근육의 탄력성 저하와 반사저하가 특징으로 나타난다.

3. 남성 척수장애인의 성

남성 척수장애인들이 고민하는 가장 큰 성 문제는 발기의 문제이다. 남성 척수손상 장애인의 발기 능력을 대략적으로 살펴보면, 약 1/4에서는 전혀 발기가 일어나지 않고, 약 2/4에서는 불완전한 발기가 일어나며, 약 3/4에서는 삽입 성교가 가능할 정도의 충분한 발기가 일어나는 것으로 보고된다. 발기 능력의 회복은 25%가 1개월 내에, 60%가 6개월 내에 일어나며, 80%가 1년 이내에 일어난다.

일반적으로 척수의 상부가 손상될수록 하부 손상자보다, 완전 손상보다는 불완전 손상에서 대상자는 반사적으로 심인성 발기가 더 잘 일어난다(그림 17-1). 반사성 발기의 경우, 남성은 음경 귀두에 직접적이고 국소적인 자극을 하여야 한다. 상부 운동신경손상 있는 남성은 낮과 밤 동안 언제든지 반사성 발기를 경험할 수 있다. 그러나 발기가 너무 짧은 시간동안 지속되므로 성교를 하기에는 충분하지 않다. 심인성 발기 시에는 환상과 상상 같은 정신적 각성이 일어날 수도 있다. 척수장애 대상자는 음경의 발기가 자율신경계를 통해 전달된 대뇌자극의 반응으로 발생할 수 있다. 성기·골반(genitopelvic) 성욕과 대뇌인지적(cerebrocognition) 성욕은 서로 독립적으로 기능한다. 남성 척수장애인의 발기 및 사정 능력이다(표 17-2).

음부신경의 감각적 요소와 천추부위의 신경손상의 가능성을 평가하기 위해서는 여러 가지 검사가 수행된다. 항문의 강도, 망울해면체 반사뿐만 아니라 음낭, 음경, 음경의 피부 만지기, 압력 주기, 핀으로 찌르기 등의 검사가 시행된다. 만약 모든 것이 정상이라면 반사적 발기를 암시하는 천추(S2~S4) 부위는 손상되지 않은 것으로 본다. 천수장애 여부는 손상 후, 적어도 6개월이 지났을 때 확실하게 결정할 수 있다.

정액 배출과 사정은 흉추(T11~12)의 교감신경체계가 손상되지 않았을 때 가능하며, 감각의 통로인 천추(S2~3) 신경근도 정상이어야 한다. 정액 사출과정은 수정관, 정낭, 전립선의 평활근의 연동작용을 포함한다. 전립선은 정자와 정액을 축척하고 있으며 요도 후부로 배출한다. 사정은 특히 골반하부의 근육, 요도, 음경의 골격근육의 수축에

그림 17-1
반사 발생과 심인성

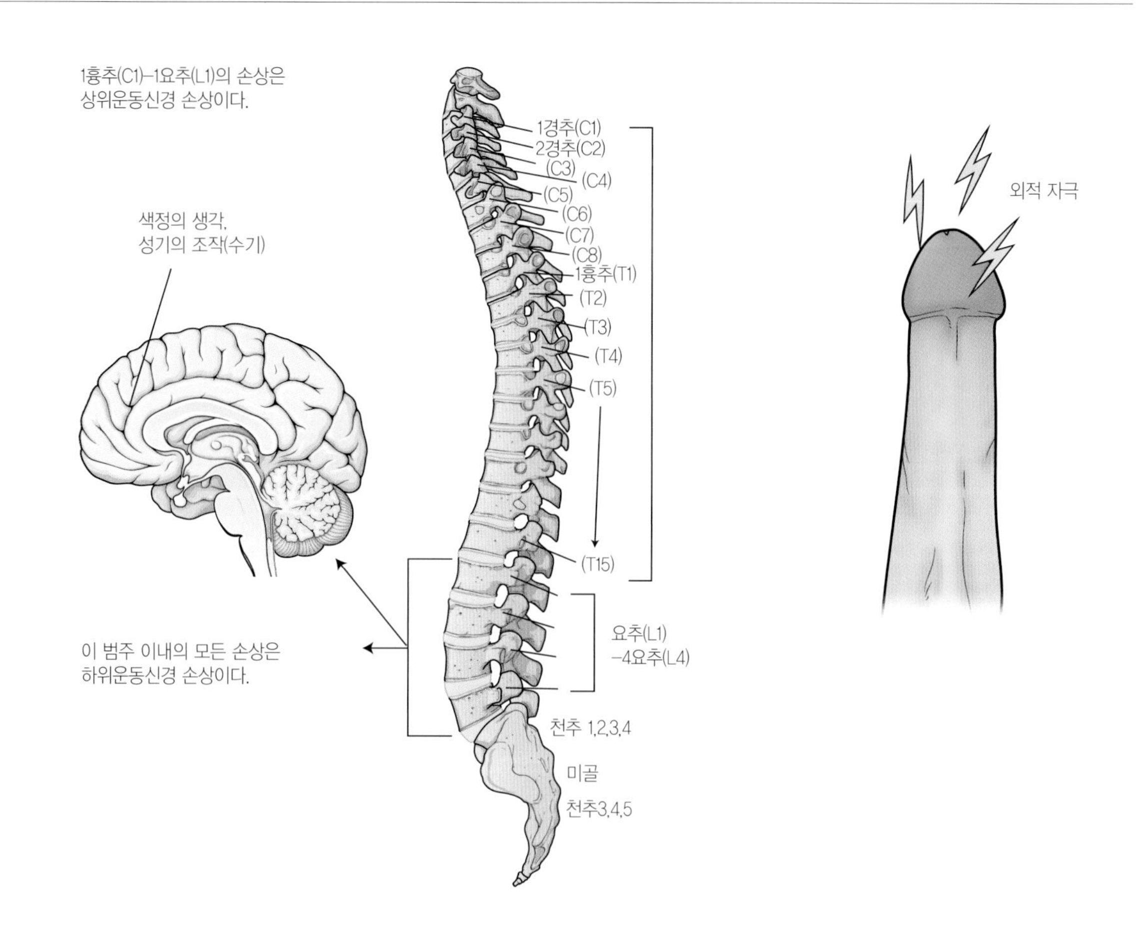

의해 정액과 정자가 배출되는 것이다. 흥분기에 분비되는 점액질은 성교 동안 편안감을 향상시키며 정자의 생명과 운동성에 필수적이다.

극치감의 경험은 대뇌의 작용이 중요하다. 따라서 성기에 적절한 자극이 없이도 극치감을 느낄 수 있다. 완전 마비인 남성 척수손상 환자의 38%에서 극치감을 느낄 수 있는 것으로 보고된다. 척수손상 후 느끼는 극치감은 손상 전과는 다르게 느껴지는 경우가 많다. 예를 들어, 몸이 따뜻해지는 느낌, 경직이 증가했다가 풀리는 느낌, 성적인 흥분 등이다.

천추(S2~3)의 신경근은 부교감신경의 통로로 남성과 여성의 성공적인 점액 분비를 위해 필수적이다(표 17-2). 신경손상이 어느 부위에 있느냐에 따라 사출과정, 사정, 점액 생산을 방해할 수 있다. 자율 신경지배(autonomic denervation) 때문에, 사

표 17-2 남성 척수장애인의 발기 및 사정 능력

	상부 운동 신경 손상		하부 운동 신경 손상	
	완전	불완전	완전	불완전
심인성 발기	10% 이하	50%	25%	80~85%
반사성 발기	90% 이하	90% 이상	12%	90%
사정	5%	32%	18%	70%

표 17-3 하지마비와 사지마비 장애인의 성기능

장애	성기능에 미치는 영향	병리적 기전	일반적 문제
장애의분류 : 완전한 상부 운동신경장애 불완전한 상부 운동신경장애 완전한 하부 운동신경장애 불완전한 하부 운동신경장애	• 발기(반사적). 하부 척수장애에 적용되는 외적자극의 결과로써 발생한다(일반적으로 골반영역이나 골반기관부위). • 반사적 발기는 완전한 상부운동신경장애인에서 더 자주 발생한다. 경추부위장애에서 가장 명백하다. • 발기(심인성). 발기는 색정적 생각이나 직접적인 신체, 성기의 접촉으로 나타나며 심인성 발기는 불완전한 장애에서 발생할 수 있다. • 사정곤란증(7~27%는 사정할 수 있으나 하복부장애에서 사정율이 높다) • 난임(남성) • 임신(여성은 변함없다) • 절정감 반응은 보통 변화된다.	• 천추척수기능부재에서 반사적 발기는 척수의 흉추, 요추부분에서 발생된다. 심인성발기는 장애가 12흉추 이하에서 발생했을 때 경험된다. 장애가 5-6흉추 이하일 때 발기는 일어나지 않으며 이것은 척수의 불충분한 사정을 위해서는 혈관과 관련되어 있다. • 천추척수기능, 음부신경, 천추신경총이 필요하다. • 반사적 사정은 일어날 수 있지만 임신을 시키기에는 소량이고 사출의 힘이 약하다. 정장를 생산하는 고환의 온도조절 능력저하(정자가 정상이라면, 인공적인 방법으로 정액을 얻을 수 있다). • 골반신경지배가 남아있거나 대상자가 신경학적으로 신체의 정상부분으로부터 성기의 신경에까지 자극이 전달된다면 그리고 환상에서 절정감을 경험한다면 절정감을 성취할 수 있다. 이런 종류의 절정감이 만족스럽고, 성적 긴장을 이완시킨다고 보고한다.	• 낮은수준의 근육 경련 • 근육수축 • 뇨실금 • 만성고환염 • 역행성사정 • 사회적격리 • 우울(안드로젠공급의 저하) • 자아존중감상실 • 변화된 신체상 • 불안행동 • 4흉추장애는 성관계 시 혈압의 상승으로 야기되는 과도반사, 두통을 유발한다.

정을 위한 반사적인 사출이 소량 일어날 수 있으나 진성 사정은 근육의 탄력성의 결여 때문에 발생하지 않는다. 또한 역행성 사정장애가 나타날 수 있다.

대부분의 남성 척수장애인은 아이를 임신시킬 수 있는 능력은 감소되어 있다. 이는 주로 사정 능력의 감소와 정액의 질 저하가 원인이다. 2,257명의 남성 척수손상 장애인의 연구 자료들을 종합분석하면, 연구 대상자의 15%에서 성적 자극이나 자위행위로 사정이 가능하다. 따라서 남성 척수장애인이 자연스러운 성생활을 통하여 자녀를 가질 수 있는 경우는 10% 미만으로 낮은 편이다. 또한, 남성 척수 장애인에서 정액의 질이 저하되는데, 그 원인으로는 반복적인 요로 감염, 고환의 온도 상승, 장기간 사정하지 않아서 생기는 정자의 정체 등이다. 교감신경자극제(슈도에페드린)를 복용하면서 반복적인 직장 내 전기자극을 시행하면

그림 17-2 음경진동자극기(좌)와 직장전기자극기(우)

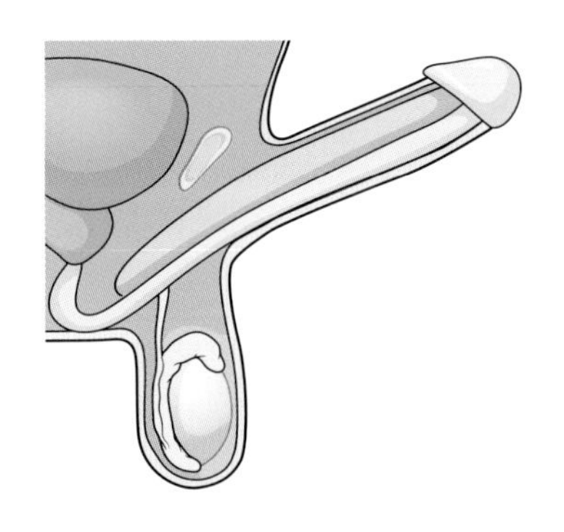
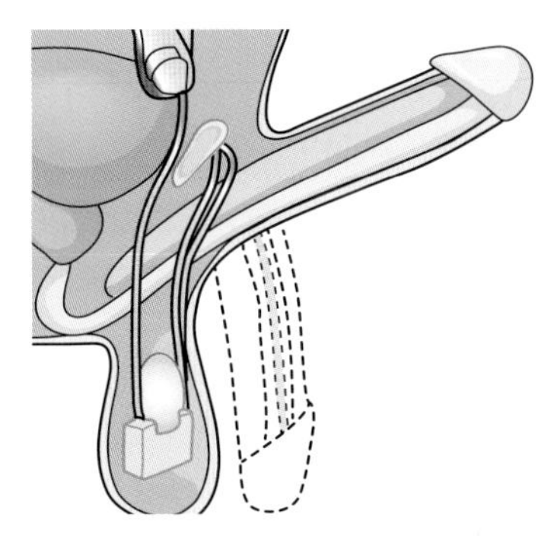

그림 17-3 굴곡형 음경보형물(좌)과 팽창형 음경보형물(우)

정액의 질이 향상되는 것으로 보고되고 있다.

남성이 임신 능력은 있지만 효과적으로 정액 사정을 할 수 없다면, 전립선 마사지나 전기자극으로 정액을 채취하여 인공수정에 사용할 수 있다. 남성들의 난임은 고환온도를 조절할 수 없을 때도 발생한다. 자율신경계와 호르몬장애가 원인이다. 만약 발기부전이 부교감신경의 이상으로 이차적으로 나타난다면, 척수장애를 입는 남성에게 성적 행위를 도울 수 있는 다른 방법을 적용한다. 치료의 새로운 방법은 음경 보형물을 삽입하는 것이다. 굴곡형 음경보형물과 팽창한 음경보형물이 있다(그림 17-3).

4. 여성 척수장애인의 성

여성 척수장애인의 경우 약 58%가 손상 후 일시적인 무월경이 나타나며, 손상 6개월 후에는 50%가 월경이 돌아오고, 1년 후에는 90%가 정상적인 월경 주기로 돌아온다. 월경이 다시 정상적인 주기로 돌아오는데 걸리는 기간은 평균 4.3개월이다.

여성의 질 윤활액 분비는 남성의 발기기능과 같이 반사성 분비와 심인성 분비로 나누어진다. 제11흉수에서 제2요수 신경절에 감각이 보존된 경우는 심인성 윤활액 분비가 가능하다. 척수손상 여성대상자의 경우에도 극치감을 느낄 수 있는데, 완전 하부운동신경 손상이 동반된 경우에는 17%만 극치감을 느낄 수 있다. 기타 유형의 척수손상에서는 59%가 극치감을 느낄 수 있다. 제11흉수에서 제2요수 신경절에 감각이 남아있는 경우에는 훈련을 통하여 극치감에 도달할 수 있다. 그러나 비장애인에 비해 극치감에 도달하는 시간이 많이 걸린다.

질 분비물이 감소된 경우에 무리한 삽입성교는 출혈을 유발할 수 있으므로 KY 젤리 등을 이용하여 윤활작용을 돕는다.

임신할 수 있는 여성은 피임법을 사용해야 한다. 그러나 경구피임약의 복용은 금기사항이다. 왜냐하면 혈전 형성 촉진으로 혈액순환장애를 초래할 수 있고 다른 신경학적 후유증의 위험이 있기 때문이다. 또한 척수장애 여성은 고통을 느끼지 못하기 때문에 자궁 내 장치도 추천하지 않는다. 피임법은 주로 파트너가 하는 것이 좋다.

골반 내에 신경지배가 정상인 척수장애 여성은 절정감을 경험 할 수 있다. 그들은 신체 감각의 결핍 때문에 좌절감을 경험할 수 있으나 대부분 여성들은 특히 성적 민감대인 유방, 목, 귀 부위 등 신체를 접촉해 주는 것을 선호한다. 근육경련은 성적 흥분기동안 문제를 초래할 수도 있지만 약물, 체위, 또는 시각적 방법으로 경감할 수 있다.

골반 구조를 지배하는 신경에 손상이 없는 여성은 성적 환상을 이용하여 절정감을 경험할 수 있도록 한다. 실제로 많은 척추 손상 여성들은 성적 흥분을 증진시키기 위해 성적 환상을 사용한다.

척수장애 여성들은 사지마비와 하지마비에 상관없이 임신을 할 수 있다. 대부분 여성들은 자연분만을 할 수 있다. 또한 해부학적 이상이나 또는 생리적 문제가 없다면, 제왕절개를 할 필요가 없다. 흉추10(T10) 상부에 손상을 입은 여성은 무통

분만을 경험할 것이다. 그러나 분만 동안 자궁근육의 수축은 정상적이다. 흉추10(T10) 하부에 손상을 입은 여성은 분만 동안 정상적인 진통 감각을 경험하며, 분만 동안 근육경련과 발목경련(ankleclonus)이 증가할 것이다.

흉추4(T4)에 손상을 입은 여성들의 경우, 자율적 반사장애 문제가 분만 말기에 발생할 가능성이 있다. 이 문제는 베타 통각수용체(beta adrenergic receptor) 억제약물을 투여함으로서 극복할 수 있다. 그러나 이런 합병증은 심부정맥, 두 개내 출혈, 극도의 과다긴장을 초래하는 것을 막기 위해 주의깊게 검토해야 한다.

모든 척수장애 여성들은 모유수유를 성공적으로 할 수 있고, 아기를 모유수유할 때 정상적인 모유사출반사를 경험한다. 모유수유에 대한 특별한 즐거움, 쾌감, 불안 등을 척수장애 여성도 경험할 것이다.

5. 척수장애인의 성 활동

척수 손상 장애인도 삽입 성교가 가능하며 체위는 남성이 경수손상인 경우에는 여성 상위의 체위를 이용하고, 몸통의 근력이 보존된 흉수손상 남성들은 남성 상위 체위를 이용할 수 있다. 휠체어를 이용하는 체위도 권장되고 있다. '발기부전', '극치감에 도달하지 못함', '체위의 어려움' 등을 주로 호소한다.

하지의 경직으로 인해 성교에 어려움이 있을 때에는 항경직약을 미리 복용한다. 성행위 도중 발생할 수 있는 실금에 대한 걱정은 척수장애인의 가장 큰 고민 중의 하나이다. 이를 예방하기 위해서는 성교 2시간 전부터 수분섭취를 제한하고, 성교 전 방광과 항문을 비우는 것이 도움이 되며, 침대에 타올이나 시트를 깔아놓아 만일 실금이 발생하더라도 배우자가 자연스럽게 치워주는 것이 필요하다.

흉수6번 손상 이상의 경우에는 성행위 중 자율신경반사이상이 나타날 수 있다. 자율신경반사이상증은 두통, 얼굴과 목이 달아오르고 코가 멍멍해지고 혈압상승, 다친 부위 혹은 이상 부위에서 땀이 나고 소름이 끼친다. 자율신경반사증은 소변으로 방광이 과도하게 팽창된 경우나 몸의 어느 특정부위에 과도한 자각이 있는 경우에 나타난다. 성교 시 자율신경반사이상이 나타날 때에는 성행위를 멈추고, 앉는 자세를 취하여 머리를 높여 주어야 한다. 만약 두통이 계속되는 경우에는 의사를 찾도록 하고, 필요한 경우 자율신경반사 이상을 예방하기 위해 방광이 팽만하면 소변을 배출시키고 대변이 차 있을 경우에는 증상이 완화된 후에 배출하도록 도와야 한다. 혈압을 저하시키는 약을 복용하거나 증상이 완화되지 않으면 응급실

척수장애인도 철저한 준비와 파트너의 사랑과 배려가 있다면 얼마든지 성생활을 즐길 수 있다.

로 가야 한다. 성기 부위에 감각이 없어서 성적 만족감을 느끼지 못할 때는 성기나 회음부에 초점을 두지 말고 다른 곳의 성감대를 찾아서 오랄섹스가 도움이 된다.

우리 몸에 감각이 있는 부분과 없는 부분의 경계 부위가 새로운 성감대로 변할 수 있으므로 그 부위를 잘 자극해 보고 부끄러워 하지 말고 대담하게 솔직한 대화를 하는 것이 도움이 된다.

1) 준비 단계

장애인이 성행위를 하고자 할 때는 미리 계획하여야 한다. 준비는 장과 방광의 조절기능에 관한 것이다. 만약 장애인이 치골상부 도뇨관을 사용한다면 도뇨관은 안전하게 복부에 연결해야한다. 만약 회장전환술이 비뇨기계 조절기능으로 사용된다면 회장누공설치술 기구가 피부에 안전하게 부착되어 있는지를 검토하는 것이 필요하다. 이 기구로부터 나온 배액 튜브는 기구에서 빠지지 않도록 복부에 테이프로 감아야 한다. 간헐적으로 도뇨를 하거나 크레데의 방광(방광부분이 있는 하복부에 압력을 가함으로써 방광을 비우게 함)을 사용하는 대상자는 성행위 전에 방광을 비우는 것이 중요하다.

유치 도뇨관을 사용한다면 성교 이전에 도뇨관을 그대로 두거나 제거할 수 있다. 남성의 경우, 도뇨관은 음경의 이동에 따라 접혀지거나 구부릴 수 있다. 파트너에게는 아무런 해를 초래하지 않는다. 도뇨관이 접혀짐에도 질은 도뇨관이 있는 음경에 쉽게 적응한다. 도뇨관이 있을 때는 수용성 윤활제를 사용할 수 있다. 주의점은 성교동안 방광에 삽입된 도뇨관을 뽑아서는 안된다는 점이다.

대장간호는 많은 문제를 예방할 수 있다. 대장이 완전히 또는 부분적으로 채워졌다면, 우연한 사고가 일어날 수 있다. 성교 전에 이런 사고를 예

그림 17-4
여성이 사지마비인 경우의 체위(1~3)와 남성이 사지마비인 경우의 체위(4, 5)

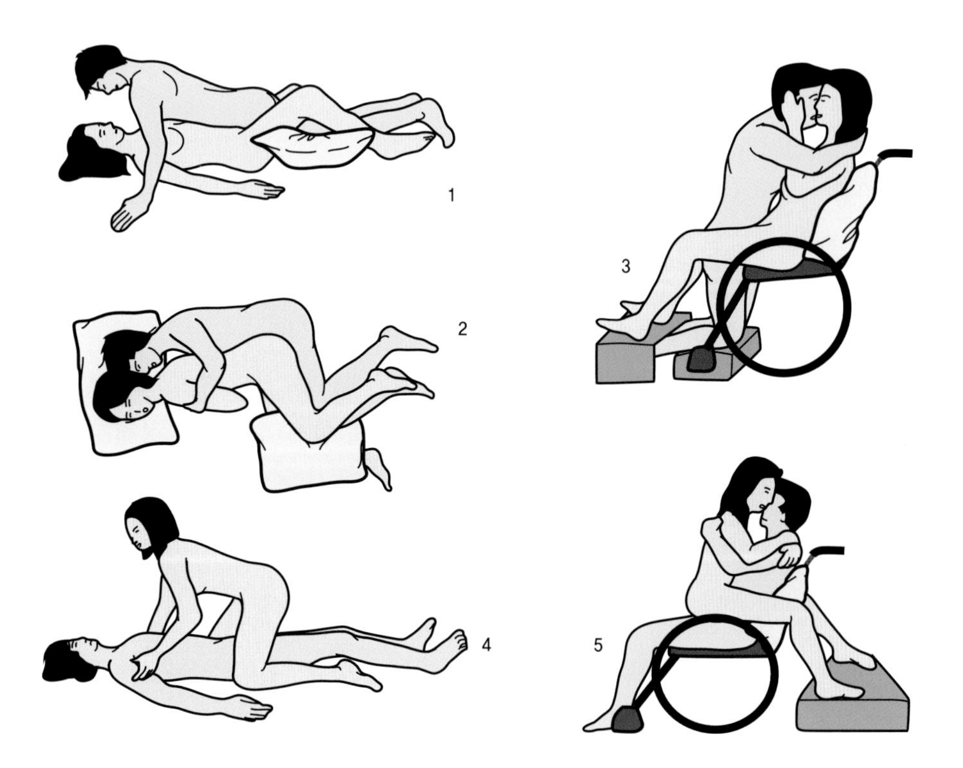

비하여 준비 하는 것이 적절하다. 이때는 충분한 감정표현을 하고 파트너들이 이러한 사고에 대처할 방법들을 결정하도록 한다. 의사소통 과정을 통해 성행위가 방해받는 것을 예방할 수 있다. 만약 경련이 문제라면 경련을 진정시킬 수 있는 약물을 미리 복용할 수 있다. 이것은 필요시 약효과를 높이기 위함이다. 어떤 남성들의 경우에는 경련자체가 음경의 발기를 유도하기 때문에 선호한다. 이때는 경련을 감소시키는 약물을 복용할 필요가 없다.

척수장애는 대상자들이 성교 체위를 선택하는데 영향을 미칠 수 있다. 성 파트너들은 최상의 체위 즉 경련을 감소시키고, 문제를 감소시키는 체위를 사용하도록 한다. 척수장애 대상자들은 성행위 전에 적절한 운동을 하면 경련이 감소된다는 것을 안다. 어던 척수장애 대상자들은 물침대 사용을 권유한다. 왜냐하면 이런 물침대의 사용은 신체운동을 증대시키고 경련을 감소 시킬수 있기 때문이다.

2) 일반적 기술

성 파트너가 정신적으로나 신체적으로 이완됐을 때 성행위는 가장 즐길만 하다. 양 파트너들은 가장 편안하고, 이완된 시기를 성행위의 시간으로 선택하는 것이 중요하다. 척수장애 대상자의 파트너는 대상자의 장과 방광을 간호해야 하고 성적 파트너로서 사랑나누기 역할 등을 감당해야 하는데 이것을 혼자 감당하기에는 어려움이 많기 때문에 방문간호사, 자원 봉사자, 가족 구성원들은 간호요구별로 돌봄을 주어야 한다.

함께 음악을 감상하거나, 부드러운 조명 사용, 성교에 관한 책들을 읽는 것은 성행위의 분위기를 준비하는 방법들이다. 또한 함께 샤워하는 것도 척수장애인들을 이완시키는데 도움을 줄 뿐만 아니라 청결함을 갖기 때문에 상대방의 수용감을 더 높일 수 있다.

척수장애인가 혼자서 옷을 벗을 수 없거나 기구를 제거할 수 없다면 건강한 파트너에게 준비를 하도록 요청하는 것이 필요하다. 옷을 벗는 동안 함께 이야기하고 관능적인 신체적 접촉을 하는 것은 성행위에 대한 편안함과 즐거움을 증진시킬 수 있다.

건강한 파트너는 척수장애가 있는 파트너가 쾌락과 접촉의 감정을 경험할 수 있는 체위를 취해주어야 한다. 파트너의 유방, 질, 음경을 자극적으로 어루만지는 것은 자극을 주는 마사지일 수 있다. 마사지는 손이나 배터리를 이용한 진동기 등을 사용할 수 있다. 많은 성 파트너들은 다양한 신체 오일들을 사용하는 것이 재미와 즐거움을 준다고 하였다. 만약 파트너들이 구강-성기 자극을 원한다면, 다양한 신체 부위들을 서로 빨거나 핥는 행동 등으로 자극하도록 한다. 척수장애인들은 새로운 성감대 부위를 발달시키도록 하며 손상된 척수 부위 이외의 감각을 찾아주고 자극을 한다. 이런 부위는 유두(남성, 여성), 목, 귀, 어깨, 또는 직장 부위를 포함한다. 이런 변화된 성행위는 두 파트너 모두에게 다양한 흥미를 갖게 하며 보상적일 수 있다.

3) 남성의 기술

남성은 성 능력의 신호로 오는 발기를 선호하며, 성행위를 할 수 없는 척수장애 남성이라 할지라도 발기가 되기를 원한다. 파트너의 손으로 음경을 자극하거나 서로 편안해하는 방법으로 발기를 성취하도록 도울 수 있다. 어떤 남성들은 발기를 위해 진동기를 사용한다. 그리고 어떤 이들은 진동기를 사용할 때, 직장부위를 자극함으로써 발기를 유발한다. 발기를 유지하기 위해서는 성행위

그림 17-5

여성이 뇌졸중인 경우(1, 3)와 남성이 뇌졸중인 경우(2)

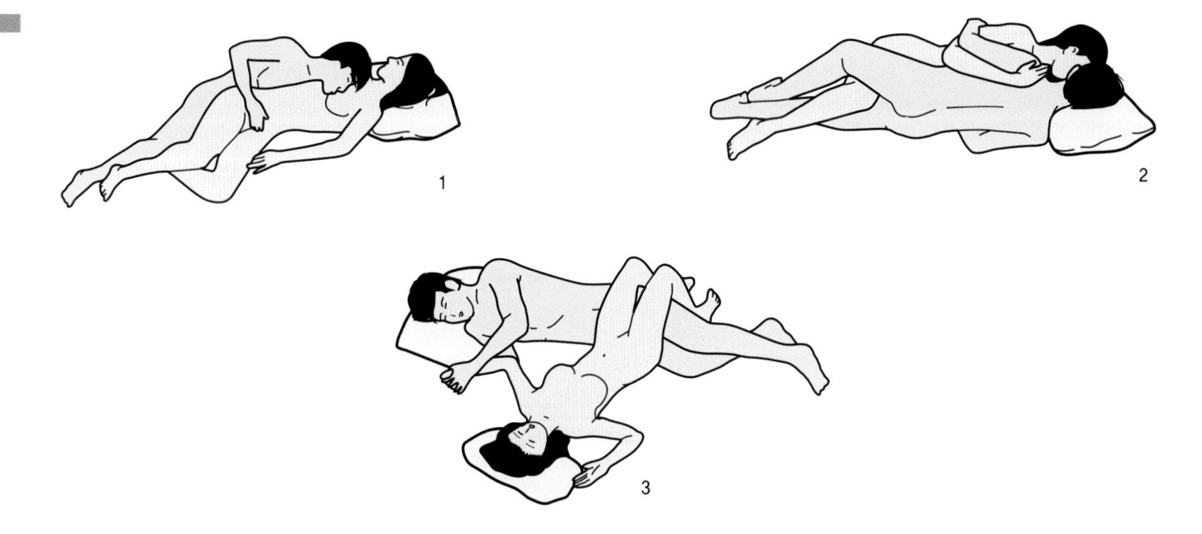

동안 리듬 있는 패턴의 자극들과 압력을 지속하는 것이 필요하다. 어떤 남성들은 경련의 발생과 체위의 변화가 발기의 상실을 초래할 수 있다고 하였다. 그래서 성행위동안 이런 점을 주의해야 한다. 또한 발기를 유지하지 못하는 남성들은 콘돔을 음경 기저부의 주변에 팽팽하게 펴지게 하거나 팽팽한 테이프로 지탱할 수 있도록 하여 삽입을 시도한다. 이것은 충혈을 유지시킬 수 있고 발기감퇴를 예방할 수 있다. 척수장애 남성들의 자위행위 또는 그의 파트너들과 함께 하는 상호 자위행위는 발기를 유지하지 않고도 성적 표현을 할 수 있는 새로운 방법일 수 있다.

음경-질 성교를 원하는 남성들의 경우, 'stuffing' 기술이 사용될 수 있다. 이 기술은 남성이 발기되지 않은 음경을 파트너의 질에 삽입하는 것이다. 여성은 수의적으로 치골미골 근육을 수축하여 질내의 음경을 자극시킬 수 있다. 그리고 둔부의 동작과 질근육의 수축으로 반사발기를 유발할 수 있다.

남성은 특정 부위의 감각으로부터 성적부분의 감각까지 느끼도록 하며 정신적 환상으로 절정감을 느낄 수 있도록 한다. 손상 이전의 성기능에 대한 환상과 상상을 해보도록 지도함으로서 절정감을 성취하도록 한다.

하지마비 남성은 팔을 위·아래로 움직일 수 있고, 자신의 체중을 앞과 뒤로 흔들거나 전환함으로서 하방으로 삽입하는 동작을 할 수 있다. 그러나 그의 파트너가 상위체위라면, 그녀는 둔부와 골반 동작을 더 자유로이 취할 수 있다. 건강한 파트너가 손상을 입은 파트너의 체중을 받지 않기 때문에 더 편안하게 성행위를 리드할 수 있다.

구강 성교는 침대나 휠체어에서 효과적으로 수행할 수 있다. 이 기술은 척수장애 남성이 그의 파트너에게 절정감을 느끼도록 할 수 있는 유일한 방법이라는 것을 파트너는 알아야 한다.

4) 여성의 기술

척수장애 여성은 성기를 손이나 진동기로 자극을 하면 만족스럽다는 것을 알 수 있다. 파트너와의 상호 자위행위는 그녀에게 가장 만족감을 줄 것이다. 질의 감각은 없지만 유방, 목, 귀의 감각을 느낄 수 있는 여성의 경우, 환상과 상상은 질의 윤활작용과 절정감을 성취하는데 도움이 된다.

많은 여성들은 자신의 성적 매력과 성행위 능력

에 대해 걱정한다. 그녀들은 성행위에서 적극적인 태도를 취할 수 있으며 상위 또는 하위체위(on-top, on-bottom position)를 취할 수 있다. 만족감을 성취하기 위해서는 척수손상을 입기 전보다 더 많은 시간이 필요하나 그들은 건강한 여성과 마찬가지로 만족감을 성취할 수 있다. 많은 여성들은 안거나, 신체적으로 접촉하는 것을 즐긴다. 그들이 감각적 자극을 충분히 느낄 수 있도록 시간이 허용되어야 한다. 척수장애 여성들은 그들의 파트너와 함께 성적으로 자극적인 것과 고통스러운 것이 무엇인지를 의사소통을 할 필요가 있다. 자위행위나 자기탐색은 자신을 이해하는 데 도움이 될 것이다.

여성들은 골반감각을 느낄 수 있으며 음경삽입 시 유방, 목, 신체상부를 자극함으로써 더 흥분할 수 있다. 적절한 음핵자극을 할 수 있는 필요한 체위변화를 한다. 체위의 변화와 더불어 유방자극을 하면 절정감을 쉽게 느낄 수 있다.

유치도뇨관이 있는 채로, 음경을 질에 삽입할 수 있다. 만약 여성이 자신의 도뇨관을 깨끗이 씻고 적절하게 다룬다면, 파트너는 어떤 감염에도 노출될 염려는 없다. 어떤 여성들은 월경이 시작되기 바로 직전이나 월경이 있는 동안에 성충동이 증가되는 것을 경험한다. 파트너들이 월경이 있는 동안 성행위를 할 때에는 대상자의 감정들이 편안하도록 지지한다. 어떤 여성들은 구강 성교를 선호할 수 있다. 왜냐하면 구강 성교가 그들에게 만족을 더 주고 절정감을 성취할 기회를 더 많이 주기 때문이다. 어떤 동성애 여성은 상호자위행위보다는 구강 성교를 더 선호한다. 왜냐하면 구강 성교는 두 파트너 모두가 참여할 수 있기 때문이다.

척수장애 여성도 다중 절정감과 높은 성적 만족감을 성취할 수 있다. 척수장애를 받은 여성은 성행위에 대해 긍정적 태도를 가져야 하며 파트너와 함께 성건강 증진과 성쾌락을 느끼기 위한 방법을 개발해야 한다.

5) 상담자의 기술

성상담자는 성에 대해서 편안한 마음을 가져야 한다. 또한 성 관련 용어들 발기, 사정, 음경, 오르가슴 등의 전문용어들을 쉽게 사용할 수 있어야 한다. 상담자 스스로 자기부부의 성생활을 편안히 노출시킬 수 있어야 한다. 다음은 성상담을 위한 구체적 상담기술이다.

성상담 기술전략

- 상대방의 감정을 이해하며 열심히 들어준다. 열심히 들어 주거나 단순히 옆에 있어 주는 것만으로도 문제점들의 해결을 도울 수 있다.
- 성적 문제에 대해 대화할 때는 개방형 질문이 좋다. 처음에는 대답하기 쉬우며 덜 금기시되는 질문부터 시작한다.
- 성기능을 잃은 것에 대해 분노와 슬픔을 표현하도록 한다.
- 적절한 유머를 사용하여 불안을 줄이고, 성기능 변화와 관련된 긴장을 풀도록 한다.
- 배우자에게 정보를 주고, 배우자가 장애인 대상자에게 신체 변화에 대처하는 방법, 성교 중 발생하는 문제를 예방할 수 있는 방법, 투약의 효과, 성기능 장애를 보완하는 방법에 대해 충분히 설명하여 성행위를 할 때 불안을 줄여준다.
- 성생활은 부부가 서로 솔직하게 이야기하며 함께 그들 나름의 방법을 발견하고 해결해 가도록 한다. 상담자는 부부가 서로 이야기 할 수 있도록 중개역할을 하며 잘 되지 않을 때 무엇이 저해 요인인지를 확인하고 밝혀 도움을 준다.
- 성생활에 대하여 긍정적인 마음과 자신감을 갖게 한다.

TIP

장애인의 성적 권리

- 장애인이 사회적 성적 행동을 훈련받을 권리.
- 장애인이 그 사람의 능력에 맞게 이해할 수 있는 모든 성에 대한 지식을 얻을 권리.
- 성적 만족감을 포함해 이성을 사랑하고 또 사랑받는 기쁨을 가질 권리.
- 비장애인이 사회적으로 인정되는 것과 같은 방식으로 장애인에게도 자신의 성적 욕구를 표현할 권리.
- 장애인도 결혼할 권리.
- 장애인이 임신을 할 것인지를 결정하는 데 있어 자신의 입장을 설명할 권리.

6. 기타 장애인의 성

신체장애에는 척수장애, 청각·시각장애, 정신발육지체, 질병 등 다양한 장애 등이 있다.

장애의 발생시기도 선천적인 것과 후천적인 것이 있다. 각각의 장애는 복잡한 사회, 심리, 생리적, 성적 문제를 나타낸다.

장애의 발생시기가 초기(선천적 장애 혹은 3세 이전의 후천적 장애)인 장애인들은 후기에(18세 이후 장애)에 비해 성 활동을 덜 원하는 것으로 보고된다.

눈과 귀의 장애인

그 자체는 육체적인 성기능에 전혀 결함을 가져오지는 않는다. 그러나 선천적으로 기능이 소실된 경우에는 성을 이론적으로 또 실제적으로 이해하는 데 많은 어려움이 있다. 성에 대한 지도와 교육을 받지 못하고 친밀함과 같은 성에 대한 추상적인 개념도 잘 이해하지 못한다. 이들은 우울증에 걸릴 수 있고 낮은 자존감, 성적 의사소통의 어려움 등을 경험한다. 이들의 사회적 의사소통의 결여가 이차적 성기능 장애를 유발시킨다. 또한 이들이 피할 수 없는 것은 신체에 대한 해부학적인 지식의 부족, 스스로에게 갖는 열등감에 의한 자신감의 결여가 성기능 장애를 가져온다.

미국에서는 시각과 청각장애인들을 위한 성교육 프로그램이 따로 마련되어 있다. 즉, 시각장애인에게는 성행위와 관련된 물건들, 즉 콘돔, 피임도구, 자위행위기구들을 손으로 만지게 하여 익숙하도록 한다.

지적장애인

지적장애인들은 성기능이 없거나 또는 반대로 자신의 성충동을 통제할 수 없는 것으로 믿어왔다. 지적장애인들은 그들의 학습 능력, 심리적 안정성, 사회적응 능력, 자립 능력 등에 있어서 개인차가 많다. 사실 지적장애인들은 성욕과 성적 욕망의 표현방법 등을 정상인처럼 자연적으로 학습할 수가 없다. 따라서 존엄성을 가진 인간의 당연한 권리인 성교육을 통해 실제로 올바른 성행동이나 성관계, 결혼생활까지 할 수 있도록 교육해야하며 그들의 삶의 방식에 대해 지속적인 관심이 요구된다.

이들은 친구들이나 책 또는 다른 사람들의 행동으로부터 자연스럽게 성행위에 대해서 배울 능력이 없다. 더욱이 지적장애인들은 원인과 결과의 연관성, 즉 인과응보에 대한 개념이 희박하다. 즉, 그들은 성교가 임신을 가져온다는 사실조차도 이해하지 못한다. 그래서 책임감 없는 무질서한 성행위를 할 수도 있다. 이런 점에서 반드시 성교육은 필요 한 것인데도 때로는 부모들이 성교육은 오히려 성충동만 불러일으키기만 하고 책임감 없는 충동적인 성행위를 유발할 것이라고 우려해서 주저한다. 그러나 사실은 그 반대의 효과를 가져오는 것이며 성교육은 다른 교육처럼 필요하다.

7. 성건강 전문가의 역할

장애가 있는 대상자를 치료하는 성건강 전문가의 역할은 대상자에게 그들의 능력에 적합한 성적 활동을 할 수 있게 허용해 주는 것과 새로운 활동이나 기법을 제공하는 것이다. 예를 들어 신체장애를 가진 남성은 구강 성교나 나체로 서로 접촉하는 것과 같은 성기에 초점을 맞춘 성 활동에 더 강한 욕구를 느끼는 반면 여성은 딥키스에 더 강한 욕구를 가질 수 있다 등과 같은 내용을 제공한다. 또한 음경을 삽입하지 않는 성적 행위를 건강하게 표현할 수 있다는 확신을 갖고 대상자들을 대해야한다.

또한 대상자들에게 진동기, 인공음경과 질, 성적 흥분을 유발할 수 있는 다른 보조도구를 사용할 수 있도록 정보를 제공해야 한다. 성건강 전문가는 대상자에게 적절한 정보와 성적 자긍심을 갖도록 하여 충만하고 만족스런 성생활을 즐길 수 있도록 한다.

인간은 성교를 통해 남녀상호간의 친밀감, 심리적 만족감, 자기해방의 기쁨, 상호 의존 등을 얻을 수 있고 더욱이 인간의 자기정체성도 학인할 수 있다. 그러나 장애인의 성 문제는 많은 관심에도 불구하고 대부분 개인적 문제로 치부되거나 사회적으로 터부시되어서 문제의 심각성에 비해 자유롭게 논의하지 못한다.

장애인들의 성은 적응 능력과 대처 능력에 있어서 비장애인과 다소 차이가 있을 뿐이지, 성적인 부분에 있어서는 동일하다. 다소 자신의 장애로 인하여 성에 대한 생각이 부정적으로 변하기도 하지만 장애인들도 자신의 감정을 표현하고 성적 관계를 갖고, 사랑을 하고 성취할 권리가 있다. 단지 장애인이기 때문에 성적 관계가 부정이 되어서는 안 되는 것이다.

특별히 지적장애인의 경우에는 성적인 욕구가 존재하나 그것을 표현만 할 수 있을 뿐 자신의 권리로 생각하거나 주장하기 힘들고 사회적으로도 성을 표현하면 부정적인 시각으로 받아들였기 때문에 다른 장애인보다 더 많은 문제를 야기하고 있는 심정이다.

장애 여성의 성은 지금까지 장애인이기 때문에 모든 형태의 방식으로 금지되었다. 어떤 경우에는 장애인이라는 이유로 비장애인과 같이 성생활을 경험하는 일을 법적으로 금지하였고 더욱더 사회적으로 억압을 하였다. 결혼도 경제적 자립과 가정생활 운영, 아기 양육 등의 능력부족을 이유로 허락되지 않았다. 물론 장애인 전부가 성 경험을 가졌다고 해서 반드시 결혼을 해야하는 것은 아니다.

장애인에게도 비장애인과 같은 선택의 자유가 주어져야 한다. 다음은 장애인의 성적 권리이다.

성건강 전문가는 장애인의 사회통합화를 도모하고 차별이 없는 사회를 조성하고 장애인의 삶의 질을 신장시키기 위해 성적 권리가 실천될 수 있도록 보장해 주어야 한다.

갑자기 일어난 사고로 척수손상을 입은 경우 그 장애가 그 사람의 전 인격에 무서운 충격을 준

TIP

척수장애인를 위한 check list

1. 성적 상호관계의 유무
2. 대안적 성적 표현에 대한 수용여부
3. 자위행위에 대한 수용 여부
4. 절정감 성취에 대한 책임감
5. 인공수정에 대한 수용 여부
6. 유산에 대한 수용 여부
7. 동성애적 행위에 대한 태도
8. 성적 표현을 항상하기 위한 기계 및 도구사용

다. 대부분 남성 척추장애인는 성교행위가 자신을 남성다운 남자로 느끼게 해준다고 말하고 있고, 여성 척추장애인는 성교가 여성으로서 자각을 확실하게 해준다고 지적한다. 여성 척추장애인는 성교를 할 수 있기 때문에 남성 척수장애인보다는 피해감이 적다고 말한다. 이런 해석은 성행위의 복잡성을 지나치게 단순하게 본 데서 오는 생각이며, 또한 여성의 성행위는 수동적인 것이라고 보는 데서 오는 오류이다. 실제로 많은 척수장애 여성들은 성행위에 한계를 느낀다. 여성의 불완전한 성행위를 재활시키기 위해서는 자신의 노력과 전문가의 상담이 필요하다. 그러나 불행히도 대부분 재활프로그램에는 성행위 상담 프로그램이 포함되어 있지 않다. 여성 신체장애인의 성적 재활은 남자보다 쉽다고 일반적으로 생각한다. 그러나 어떠한 성적 재활을 필요로 하는가에 대한 이해는 아직도 부족한 실정이다.

신체장애 여성은 부정적인 신체상을 형성한다. 사회는 장애 여성도 노년기 여성처럼 성적이지 않은 것으로 인식한다. 사회는 이들이 친구나 친숙한 사람은 될 수 있어도 성적 배우자나 어머니로서는 적합하지 않다고 생각 할 수 있다. 대부분 장애가 있는 많은 여성들은 독신으로 산다.

신체상은 장애가 있는 여성의 심각한 고민거리가 된다. 여성미가 아무래도 외모에 의해 평가되고 그 외모에 의해 여성의 성적 가치가 판단되기 때문이다. 사지 절단이나 마비와 같은 신체장애로 지팡이나 휠체어 같은 보조기구를 사용할 경우 여성은 자신의 몸을 부정적으로 생각하고 때로는 자기신체에 혐오감을 느낄 수 있다. 신체상은 성 표현에 있어서 중요한 요소이다. 장애인는 이같은 자기혐오의 감정을 개선하고, 장애에 의한 신체적 한계, 사회적 기능의 새로운 유형을 습득하고 타인에 대한 의존의 증가, 새로운 자기신체상, 자기평가의 변화와 성 활동의 변화를 수용할 수 있도록 교육과 상담을 제공해야 한다.

신체장애인은 지금까지 자유로웠던 신체동작에 제한이 생긴다. 이것은 장애인 자신과 배우자가 만족할 수 있는 새로운 성행위 방법을 모색하고자 하는 노력을 요구한다. 일례로, 인공항문을 달고

척수장애인의 성공적인 성생활(국립재활병원)

첫째, 포기하지 말라

척수손상 후 부부간의 성생활도 자연히 포기해야 하는 것으로 생각하는 대상자들이 많다. 팔다리를 전혀 못 움직이는 경수손상 장애인도 부부간에 성생활을 만족하게 하는 예들이 많이 있다.

둘째, 자신을 사랑하라

장애를 입고 스스로에 대해 자신이 없고 우울해 하며, 다른 사람과 관계 형성을 어려워하는 사람들보다 자신감 있고 명랑하며 다른 사람을 즐겁게 해 주는 사람들, 휠체어에 탄 자신의 모습까지도 사랑할 수 있는 사람이 되는 것이다. 이렇게 긍정적이고 적극적인 사람이 성생활도 성공적으로 할 수 있다.

셋째, 배우자를 사랑하고 대화를 많이 하라

배우자에 대한 사랑없이 성생활에 대한 지식과 테크닉만 배우는 것은 아무 필요가 없다. 부부가 서로 사랑하고 깊이 대화를 나눌 때, 어려움을 극복하려는 마음이 생기고 성생활로 서로의 사랑을 나누겠다는 의지가 생기는 것이다. 서로 깊이 사랑하는 부부에서 성적인 만족도가 높다는 것은 잘 알려진 사실이다.

넷째, 성생활에서 성교만이 전부가 아니다

꼭 성교가 아니더라도 포옹이나 입맞춤만으로도 얼마든지 깊은 사랑을 나타낼 수 있다. 발기 등의 문제로 직접적인 성교가 어려운 경우 애무나 오랄 섹스로도 충분히 만족할만한 성생활이 가능하다. 개인에게 맞는 창조적인 성생활을 개발해야 할 것이다.

있는 여성은 성교 시 남성 상위 체위보다 여성 상위 체위 쪽이 보다 적절하다. 또 양다리 절단 장애인이 남편인 경우, 여성은 남성 위에서 말타기 식의 체위를 사용하면 좋다. 왜냐하면 양다리 절단 장애인은 파트너의 무게가 절단된 부위에 놓이면 불쾌감을 느끼기 때문이다.

척수장애인으로 발기불능인 사람들은 일반적으로 입과 혀를 사용한 구강 성행위 활동을 한다.

류마티스관절 장애인은 관절에 압력이 가해지지 않도록 여러 체위를 시도해보고 선택할 수 있다.

척수장애인이 종종 척수장애로 인한 감각결여로 성적 만족감을 경험할 수 없거나 혹은 이전과 같은 성적 만족감을 얻을 수 없다 하더라도 배우자의 성적 만족감을 통해 자신도 성을 즐기는 만족감을 얻을 수도 있다. 성행위란 단순한 생리적, 물리적 반응이 아니라 뇌의 반응이며 주로 만족감을 지배하는 것은 그 사람의 심리적 반응이다.

척수장애, 뇌성마비, 류마티스, 당뇨병, 그 밖의 만성적인 질병과 장애가 함께 있는 사람들은 자신의 장애와 만성질병, 그리고 성생활상의 문제가 연관되어 있다고 자각하고 있어도 노출하기를 꺼린다.

최근 들어 장애인의 건강한 삶을 위해서 성생활의 중요한 의미가 인식되어 단순히 생리, 신체적 기능의 회복만이 아닌 인간 총체적 기능에 초점을 두고 있다. 간호사는 장애인에게 건강한 성생활이 삶의 질에 미치는 중요한 요인 임을 인식시키고 재활센터, 병원, 복지시설 등에서 장애인의 삶의 질을 향상시킬 수 있는 성상담 및 성교육 프로그램이 일상 프로그램으로 실시될 수 있도록 간호과정을 적용해야 한다.

간호사는 장애인의 교육 및 상담 시 다음의 영역을 강조해야 한다. 즉, 성 재활교육, 장애로 인해 부적응적인 성 태도의 수정, 부부가 다시 성생활을 시작하도록 돕기, 신체적 장애를 극복하기, 결혼생활의 갈등 경감시키기 등이다.

다음은 간호사가 성상담에 강조 해야 하는 성공적인 성생활을 위한 안내이다.

- 배우자에게 정보를 주고, 배우자가 장애인 배우자에게 신체 변화에 대처하는 방법, 성교 중 발생하는 문제를 예방할 수 있는 방법, 투약의 효과, 성기능 장애를 보완하는 방법에 대해 충분히 설명하여 성행위를 할 때 불안을 줄여준다.
- 성생활은 부부가 서로 솔직하게 이야기하며 함께 그들 나름의 방법을 발견하고 해결해 가도록 한다. 상담자는 부부가 서로 이야기 할 수 있도록 중개역할을 하며 잘 되지 않을 때 무엇이 저해 요인인지를 밝혀 도움을 준다.
- 성생활에 대하여 긍정적인 마음과 자신감을 갖게 한다.

간호사는 척수장애 대상자에게 자주 목욕하기, 일상생활을 보조하기, 또는 장과 방광에 대한 간호 등을 제공해야 한다. 이런 간호는 척수장애인 개인을 신체적으로 접촉해야하고 직접적으로 보살펴 주는 것이다. 이러한 상호작용을 하는 동안, 척수장애 대상자들은 성과 성기능에 대해 불안함과 다양한 문제를 의논할 것이다. 척수장애 남성들은 여성 간호사에게 성적인 농담을 할 수 있고 간호사의 개인적인 성생활에 대해 질문을 할 수 있다. 그는 다음과 같은 말을 할 수 있다. "나는 결코 예전과 같은 남성이 될 수 없을 것이다", "나의 잘생긴 외모는 더 이상 의미가 없다고 생각한다", "나는 여자는 여우같다고 생각한다", "당신은 남자 친구와 같이 침대에서 자는가? " 이처럼 성에 관한 개방적인 논의를 할 때에 간호사는 성건강 간호를 제공할 수 있다.

간호사는 척수장애 대상자에게 변화된 신체상

에 대처하도록 도움을 주어야 한다. 간호사는 성행위란 성적 존재로서 수행해야 할 행동이지 성적 만족감을 획득하기 위한 목표에 있는 것이 아님을 상기시킨다. 자기자신을 사랑을 받는 자, 남성이다, 여성이다, 노동자이다, 제공자이다, 수용자이다라는 인간존재로서의 의미가 척수장애대상자에게 더 중요하다.

간호사의 역할은 교육자-상담자이다. 그리고 간호사는 대상자가 만족스런 성적 기능, 성역할 그리고 성관계를 성취하여 인간이 누릴 수 있는 성적 능력을 실현할 수 있도록 간호를 제공해야 한다.

- 간호사는 성행위와 상호관계에 대한 간호계획를 논의할 때, 척수장애 대상자와 성적 파트너가 경험하고 있는 성적 문제와 특정 성적 목표를 항상 고려해야 한다.
- 간호사는 척수장애 대상자와 그들의 파트너가 의미있고 만족스런 성관계를 확립하기 위해서 긍정적 자아개념을 발달시키도록 도와주어야 한다. 특히 시청각 자료(영화)는 언제나 상호 공유하며 논의가 따라야 한다. 논의 없는 시각적 보조 자료는 비효과적이며 잘못된 이해를 초래할 수 있다.
- 척수장애 남성들을 간호하는 동안, 간호사는 반사성 발기를 관찰할 수 있다. 이런 상황을 경험할 때 간호사는 신체적 반응에 대한 통합성과 정상성을 인정해야 한다. 유머는 적절하게 사용할 수 있다. 이런 기회를 이용하면 척수장애 대상자가 편안함을 느낄 수 있고 편안하게 질문을 할 수 있다. 간호사는 성과 관련된 의사소통에서는 허용성을 제공해야 하며 대상자가 거부하거나 위축되거나 질문을 중단할 수 있기 때문에 대상자의 성적 능력에 대해 항상 긍정적인 태도를 보여주어야 한다.
- 교육자로서 간호사는 척수장애의 정도와 천골신경근육의 관여의 정도가 어떻게 생리적 성적 기능에 영향을 미치는지에 대한 정보를 제공해야 한다.
- 간호사는 근육경련과 관련된 감각 수준들, 그리고 장과 방광의 조절 능력에 대한 정보를 제공해야 한다. 척수 마비에 대한 성기능의 손상 정도를 확인할 수 있다하더라도 성기능을 평가하기 위해서는 손상을 입은 지 약 6개월 정도는 기다려야 한다는 것을 대상자에게 알려야 한다.
- 척수장애 대상자는 신체의 기능상실에 대해 슬퍼할 수 있다. 슬픔이 너무 지나치면 성교와 같은 다른 신체 기능에 사용할 에너지를 소모할 수 있다. 어떤 척수장애 대상자는 계속해서 부인을 할 것이고 성기능의 손상은 영구적인 것이 아니라고 느낄 것이다. 이와 같은 대상자인 경우에는 성기능의 변화에 대한 어떤 논의도 관심이 없을것이다. 척수장애 대상자의 관심을 확인하기 위해서는 비언어적 행위 또는 간접적인 질문과 같은 방법을 사용할 수 있다.
- 교육자로서 간호사는 남성과 여성의 성 반응 주기에 대해 논의를 할 수 있고, 성적 각성을 향상시키기 위해 성과 관련된 생각, 감정, 환상을 사용할 것을 격려할 수 있다. 또한 척수장애 대상자에게 성과 관련된 해부학과 생리학 그리고 척수가 어떻게 신체에 영향을 미치는지에 대해 정보를 제공해야 한다. 간호사는 성적 각성을 향상시키기 위해 대상자를 격려하며 성적 각성에 사용할 수 있는 기술에 대한 특정 정보를 제공한다.
- 상담자로서 간호사는 척수장애 대상자가 신체상의 변화에 잘 대처하도록 도우며 성적 표현을 하는 것을 삶의 의미 있는 한 부분이라고 위로를 제공한다. 휠체어를 탄다고 해서 성적 매력

과 성적 능력이 제한되는 것은 아니다. 신체상의 변화가 정서적 수용 능력 또는 쾌락을 주고받는 책임감을 변화시키는 것은 아니라고 강조한다.

다음은 성상담 시 적용할 수 있는 PLISSIT 모델이다. PLISSIT는 허용(permission), 제한적 정보(limited information), 특정제안(specific suggestion), 집중 치료(intensive therapy)로 구성된다. Annon은 처음 세 단계, 즉 허용, 제한적 정보, 특정제안을 "간결요법(brief therapy)"이라고 하였고 전문적 훈련 없이도 사용할 수 있다고 하였다.

1단계인 "허용"는 성 문제에 대해서 이야기하고 상담하는 것이 가능하다고 허가하는 것이다. 대개 장애인들은 스스로 성 문제를 꺼내는 경우가 거의 없기 대문에 외래 진료과정 중이나 처음 입원 사정 시 성 문제를 질문하는 것이 좋은 방법이다.

2단계인 "제한적 정보"는 간단한 교육이나 안내 팜프렛을 통해서 정보를 제공해 주는 것이다. 성상담에 대한 안내팜프렛을 만들어 쉽게 읽을 수 있도록 하고 쉽게 정보를 제공할 수 있도록 한다.

3단계인 "특정제안"은 발기부전약물의 처방, 임신과 출산에 대한 상담, 장애 후 신체와 성기능 변화에 대한 상담 등을 한다. 발기부전은 장애인들이 가장 관심있게 상담하는 부분이며, 경구용 발기부진치료제의 개발로 쉽게 접근이 가능한 부분이다.

4단계인 "집중 치료"는 성 재활을 전문으로 하는 곳에서 가능한 것으로, 경구용 발기부전치료제로 해결되지 않는 발기부전의 치료, 임신 및 출산에 대한 전문적인 상담, 집중적인 부부 소그룹 상담 등이 해당된다.

간호·상담 과정

대상자 최OO. 한 달 전에 오토바이 사고로 하지마비 상태가 되었다.
간호사 신OO. 신경외과 간호사

사정

주관적 자료

나는 사고가 난 날 밤 결혼기념 이벤트에 참석했어요. 아내는 오토바이를 타지 말라고 했었죠. 하지만 저는 멋진 저의 애마를 특별한 날인데 두고 갈 수 없었어요. 결국 아내는 오토바이를 타고 온 나를 보고 화를 내며 레스토랑을 떠나버렸었요. 그리고 저는 그 날 집으로 돌아가는 길에 사고를 당해서 이 상태가 되었죠. 우리는 최근 새 집도 샀고 직장에서도 근무조건이 더 좋아졌어요. 우리는 1년 전에 결혼했고 아내는 아기를 갖고 싶어해요. 사실 우리 둘 모두 아기를 원해요. 나는 특히 아들이 하나 있었으면 해요. 우리의 성생활은 서로 매우 좋은 상태였어요. 나는 정기적으로 헬스장에 가서 운동을 했어요. 나의 신체 상태는 매우 좋아요. 당신은 당신의 남자 친구를 무엇으로 유혹하나요?

객관적 자료

- 나이 24세
- 결혼한지 1년됨
- 척수장애를 입은지 1개월 됨
- 대학졸업자, 컴퓨터 프로그래머
- 부인도 대학졸업자, 회사의 매니저
- 척수(T10)손상
- 신체적으로 힘이 강하고 성적 능력도 만족함
- 간호사의 성적표현을 듣고자 함
- 성기능에 대한 정보를 추구함

NAME
NOM
No.

간호진단

척수 손상으로 인한 신체상의 변화와 관련된 성기능에 대한 정보 부족

계획

- 주의 깊게 경청하고 수용적인 분위기를 제공한다.
- 감정의 표현을 격려한다.
- 대상자의 표현된 감정에 관해 피드백을 제공한다.
- 성적 언급시 부정적 반응을 삼가 한다.
- 정서적 반응은 적절하며 일반적으로 경험하는 것이라고 확신시킨다.
- 성기능, 성역할, 성관계에서 변화된 신체상에 대한 대상자의 지각을 탐색한다.
- 대상자의 변화된 신체상이 직업 역할에 미치는 영향들을 탐색한다.
- 남성과 여성의 성 반응 주기에 대한 해부학적 생리적 현상을 설명한다.
- 척수(T10)손상이 성 반응 주기에 어떻게 영향을 미치는지 설명한다.
- 아내의 감정표현을 격려한다.
- 의미 있는 사람과 서로 애정을 표현하고 수용하도록 조언한다.
- 성행위의 준비와 기술에 대해 많은 정보를 이용하도록 한다.
- 아내가 성과 성교에 대해 심도 있는 논의를 할 수 있도록 격려한다.

수행

- 아내와 함께 성기능에 대해 논의를 시작한다.
- 애정과 수용감에 대한 감정을 표현한다.
- 남성과 여성의 성 반응 주기에 대한 정보를 공유한다.
- 척수(T10)손상이 성기능에 어떻게 영향을 미치는지에 대한 정보를 공유한다.
- 상호 감정표현을 하도록 격려한다.
- 상호 의사결정을 하도록 격려한다.
- 아내가 미래의 성기능, 성역할 그리고 성관계에 대한 논의를 하도록 한다.
- 아내와 함께 임신의 의미와 부모 역할에 대해 탐색한다.
- 아내와 함께 남편의 직업적 역할의 중요성에 대해 탐색한다.
- 간호사-상담자에게 예약을 한다.

평가

- 획득한 정보에 만족한다고 한다.
- 상담시간이 성역할과 직업적 역할의 변화에 대처할 수 있도록 지지적이었다고 한다.
- 남성과 여성의 성 반응 주기에 대해 진술한다.
- 척수(T10) 손상으로 인한 성 반응 주기의 변화를 확인한다.
- 성행위에 대한 준비와 기술에 대한 정보를 요청한다.

Story

척수장애인를 남편으로 둔 아내

저희 남편은 교통사고로 흉추 4,5번을 다친 후 척수장애인, 휠체어 장애인이 되었습니다. '척추'는 들어봤어도 '척수'라는 단어는 듣지도 알지도 못한 말이었습니다. 사전 지식도 없는 저희 부부, 앞으로 보나 뒤로 보나 깜깜한 세상 그 자체였습니다. 재활이라는 단어도 처음들어보는 단어이고, 우리에게는 해당되지도 않는 단어라고 생각하면서 살았었습니다. 그러나 이제는 '장애인', '하반신 마비'라는 단어를 평생 달고 살아야 하는 현실이 우리 부부에게 너무도 큰 고통이었습니다.

'이제는 남자로서의 생명이 끝났구나'하고 절망하는 그를 보면서 얼마나 가슴 아팠는지 몰래 몰래 울기를 몇일, 몇달… 아예 '성(sex)'에 대해서 포기하고 살았습니다. 당장은 '성'을 생각하는 것조차 그에게 죄를 짓는 느낌이었습니다. 저희보다 먼저 척수장애를 입고 3년씩이나 입원해 있던 옆 침대의 가족도 우리 부부를 보고 '남자는 끝났고, 여자는 청상과부로 살아야 할 텐데… 젊은 여자가 불쌍하다'고 저를 동정했습니다.

그렇게 포기하고 살기를 5개월 여, 저희 부부는 국립재활병원에 입원하게 되었습니다. 입원 첫 날 성 재활 프로그램이 있다는 말을 전해 들었습니다. 반신반의하면서 성 재활 상담을 하게 되었습니다. 첫 상담시간에 상담 선생님의 친절하고 다정하신 말씀에 눈물이 왈칵 쏟아졌습니다. '아! 이제는 희망이 생겼구나.'

남편 나이 43세, 제 나이 39세. 한참 열심히 생활하고 일할 나이입니다. 그의 얼굴이 점점 밝아졌습니다. 우리 사회의 통념으로는 상상도 못할 일입니다. 척수장애인이 아이를 가질 수 있다니… 꿈 같은 일이 국립재활병원에서는 일어나고 있었습니다. 소그룹 부부 성 재활 상담시간에 부부들이 모여서 단어 그대로 '성' 상담을 하였습니다. 처음에는 무척 쑥쓰럽기도 하고 얼굴도 들기가 부끄러웠지만 점점 횟수가 늘 수록 우리 부부도 할 수 있다는 자신감이 생겼습니다.

비아그라 검사를 받고 남편도 비아그라를 복용하기로 하였습니다. 주말에 '사랑의 쉼터'를 이용하였습니다. 걱정했었지만 결과는 성공이었습니다. '우리도 정말 성생활을 할 수 있구나', 남편의 행복한 표정을 볼 때마다 저도 너무 기뻤습니다. 척수장애인에게 이런 성 재활 프로그램은 정상처럼 부부애를 과시하면서 살 수 있도록 힘과 희망을 주는 것입니다. 서로의 아픔을 이해하고 부대끼면서 사고 전보다 더 행복하게 사는 모습을 보여주면서 살겠습니다.

(국립재활병원 자료)

*SEXUAL HEALTH CARE

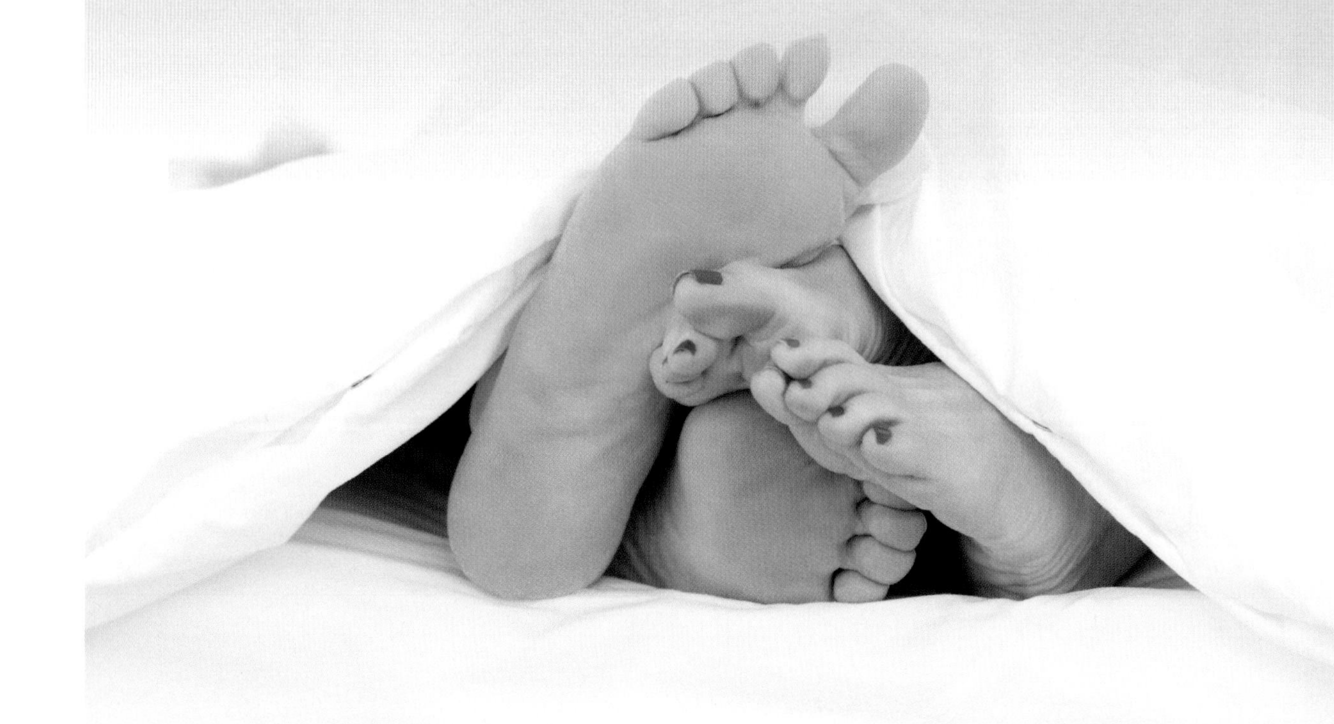

성행위의 다양성

Variation in Sexuality

가치 명료화 **훈련**

우리사회는 성행위자에 대해 다양한 명칭을 사용한다. 보통 이런 명칭은 정상적인 성행위의 기준과 연관이 있다. 이 훈련은 다양한 성행위에 대해 당신의 지식, 느낌, 태도가 무엇인지를 확인하고 이해하고 선입관을 갖거나 당황하지 않도록 하기 위함이다.

개인은 다양한 성행위들을 한다는 것과 세대들과 문화를 통해 개인의 성은 이성애만이 정상이라고 가정할 수 없다는 것이다. 이성애자가 아닌 이들이 경험하는 두려움, 편견, 무지, 차별은 그 개인을 사회적, 심리적으로 소외시킨다는 것을 이해할 수 있다. 사회로부터 받는 소외감과 차별감은 성건강에 위협을 주기 때문에 성건강 전문가는 그들을 위한 성교육과 상담을 준비해야 한다.

다음 질문을 읽고 대답해 보자. 당신의 응답을 쓰고 당신의 느낌과 생각을 구별하도록 노력해 보자.

- 정상적인 성행위가 무엇인지 정의를 적어보자. 누가 적절한 파트너인가?
- 성행위는 왜 한 파트너로 제한해야 하는가?
- 파트너의 성별과 연령은? 파트너와 어떠한 관계를 가져야 하나? 성교의 빈도는? 성행위를 하는 시간은? 성행위의 목표가 있는가?
- 다음은 다양한 성행위의 종류이다. 각각을 정의하라.
  독신생활(Singles)
  근친상간(Incest)
  금욕생활(Celibacy)
  성전환(Transsexualism)
  양성애(Bisexuality)
  가학피학애증(Sadomasochism)
  동성애(Homosexuality)
  이성복장 착용증(Transvestism)
  수간(Bestiality)
  물신숭배(Sexual perversion)

- 다양한 성행위관련 정보를 어떻게 학습했는가? 학습에 영향을 미친 사람은 누구인가? 그 정보를 학습했던 장소와 환경은 어떠했는가?
- 당신의 주위에 다양한 성행위를 하는 사람이 있는가? 그들과 상호작용을 한 적이 있는가?
- 그 사람과 상호작용을 할 때, 당신은 무엇을 느꼈나? 불편하거나 자극되거나 흥미가 있었는가? 혹은 화가 나거나 놀라거나 당황했었는가?
- 당신의 정의와 반응을 검토한 후에 동료집단과 함께 반응을 공유해 보자. 유사점과 차이점을 논의해 보자. 차이점과 유사점이 간호에 어떻게 영향을 미치는지 고려해 보자.

행동 **목표**

이 장을 끝마친 후

- 성의 연속성 개념에 대해 논의할 수 있다.
- 인간의 성에 대해 더 많은 표현들을 고려할 수 있다.
- 금욕생활을 정의할 수 있다.
- 파트너가 없는 대상자의 성생활 양식을 설명할 수 있다.
- 물신숭배행위의 특성을 열거할 수 있다.
- 동성애를 정의하고 동성애 경험을 기술할 수 있다.
- 이성복장착용증과 성전환을 비교, 구별할 수 있다.
- 가학피학애증을 정의하고 기술할 수 있다.
- 여성과 남성의 성욕이상항진증을 설명할 수 있다.
- 다양한 성적 욕구들을 가진 개인을 이해할 수 있고 성건강 증진전략을 설명할 수 있다.
- 다양한 성행위 대상자들에게 성건강 간호과정을 적용할 수 있다.

1. 성의 연속성 개념

세계는 양과 염소만 있는 것이 아니다. 모든 것이 흑이나 백으로만 구별되는 것은 결코 아니다. 자연과 인간을 이분법적인 범주로 다룰수 없다. 우리는 인간의 정신기능까지도 이분법적인 틀에서 '정상이다', '정상이 아니다'라는 틀에 집어넣으려고 노력한다. 살아 있는 세계는 각각의 연속성 안에 있다. 우리가 인간의 성행위에 대해 많은 지식을 가진다면 성의 실체에 대해 더 빨리 다양성을 수용할 것이고 편안한 이해에 도달할 것이다.

성행위의 변화는 옳고 그름이 아닌 연속성의 개념으로 성을 이해해야 함을 시사한다. 연구자들은 각 개인내에는 성적 존재인 남성과 여성의 속성 등이 같이 있다고 주장한다. 즉 한 개인에는 동성, 이성, 양성과 관련된 능력이 있다는 것이다. 성은 인간 존재의 복잡한 부분이다. 대부분의 개인들은 동성, 이성의 집단에 속해 있다. 100% 동성애자 또는 이성애자가 되는 개인은 타인과의 관계가 억제될 것이다.

인간의 성적 경험들을 나타내는 그림 18-1과 11-2가 어떻게 다양한 최종의 결과를 제시해 주는지 보자. 그림 18-1은 인간이 성적 존재로서 살아가는데 동성과 이성의 개인들과 관계를 할 수 있는 능력을 나타내준다. 개인이 척도의 한 끝부분에 고정된다면, 문제가 야기될 수 있다. Kinsey의 척도(그림 18-2)는 숫자를 제시함으로 다양한 메시지를 제공한다. 이것은 무의식적으로 0의 위치는 규준, 또는 출발점이라는 인상을 줄 수 있다. 이런 자료에 대한 오해는 건강간호에서 문제들을 초래할 수 있다. 즉 사람들을 범주화하고, 이 사람들이 무엇을 좋아하는지 선입견을 가지게 한다. 심지어, 많은 정신 분석 이론들도 완전히 성숙한 성적 존재인 성인은 완전한 이성애적인 상태를 성취해야 된다고 주장한다. 최근 많은 정신분석자들은 이 연구의 신뢰성에 대해 의문을 제시한다.

그림 18-1
성의 연속성
출처: Gergen(1974)

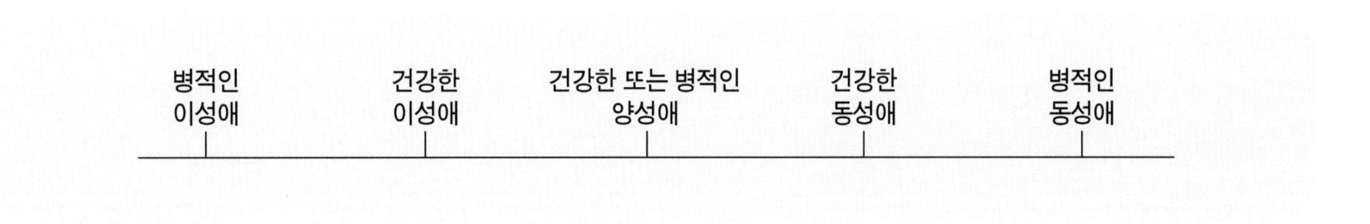

그림 18-2
Kinsey의 성분류체계

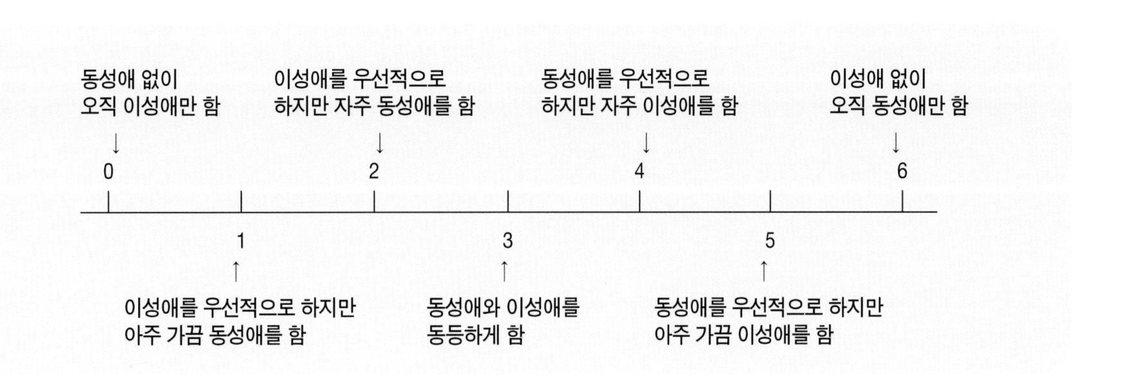

2. 성생활과 관련된 언어와 문화

문화 내에서 사용하는 언어와 용어는 성생활의 다양성을 나타내고 있다. 예를 들어, '성지향성(sexual orientation)'이란 개인의 성에 대한 애정과 성적표현을 개인의 삶에서 방향을 어느 쪽으로 지향하느냐를 언급하는 긍정적인 용어이다. '성적 지향성(sexual preference)'은 개인이 단순히 한 성향만을 선택한다는 인상을 준다. 이것은 개인이 원한다면 그들의 선택들을 바꿀 수 있다는 부정적인 암시를 줄 수 있다. 성적 일탈(sexual deviation)이란 용어는 사회적 규범으로부터 벗어나 성적탈선을 개인이 선택했다라는 의미로 동성간의 성행위와 관련해서 사용되었다. 마지막으로, 변태(perversion)나 도착(inversion)이란 용어들은 질병을 의미하며, 심리적 또는 도덕적으로 정상적, 또는 자연스럽지 못함을 의미한다.

이들과 연관된 사람들을 변태자, 일탈자, 괴상한 사람으로 불리우며 건강 간호 상황에서 다소 인간 이하의 의미를 내포한다. 많은 사회와 종교들은 동성애자와 양성애자들을 박해하는 법을 제정했다. 이런 박해는 특히 유대 기독교 문화(로마 카톨릭과 개신교)와 회교국가에서 널리 퍼져있다. 그러나 불교에서는 이런 박해가 존재하지 않는다. 이러한 종교적인 박해는 동성애자에 대한 절대적 박해를 초래했다. 직장과 가정뿐만 아니라 제도화된 법에 의해 동성애자들은 많은 개인적 고통과 고난을 겪게 되었다. 동성애자들은 인종차별주의와 성차별주의자에게서 볼 수 있는 맹목적인 증오와 차별을 받았다.

박해의 세기가 지난 후, 지금 많은 동성애자들은 편견과 차별의 사회로부터 자유로워지기 위해서 게이해방운동에 힘쓰고 있다. 게이해방운동은 인간으로서 개인은 하나의 특정 문화를 가질 수 있다는 사상에 기초한 개념이다. 그러나 게이해방운동은 동성간의 성행위의 실재를 긍정적으로 또는 부정적으로 보는 사회에서는 소외되어질 수 있다. 예를 들어, 고대의 태평양 문화들은 남성의 동성애 사회를 성숙의 개념으로 보았는데, 이는 동성애를 성적으로 능동적이고 생식적인 남성이 되는 상징으로 보기 때문이다. 하지만 어떤 회교 문화권에서는 게이해방운동의 개념을 거부하며 게이해방운동은 '서구 문화권'의 악영향에서 기원했다고 부정시한다. 여러 카톨릭 문화권에서는 피임법으로 콘돔 사용을 금지하는 것처럼 생식이 없는 성을 죄라고 생각한다. 그래서 교회에서는 동성애 사람들을 믿음의 공동체로부터 배제하였다.

대부분 동성애적 관계를 볼 때, 한 사람은 '남자의 역할', 다른 사람은 '여자의 역할'을 하는 것으로 상상한다. 이런 전형적인 관점은 남녀 사이에 존재하는 신체적 차이에서 온다. 남성과 여성 모두가 경험할 수 있는 성적 행위들의 다양성과 인간의 상상력을 고려하여, 남성/여성의 역할을 해야 된다고 생각하는 동성애자들은 거의 없다. 다양한 사회와 문화, 그리고 종교들은 항문 성교시 수동적 파트너 역할을 하는 동성애 남성에게 더 심한 처벌을 내리는 경향이 있다. 왜냐하면, 남성의 지위, 남성성을 '격하'시켰다고 생각하기 때문이다. 많은 문화들에서는 여성의 위치를 남성보다 낮은 위치로 간주한다. 이와 반대로, 여성끼리 성행위를 하는 여성들을 보는 사회문화의 태도는 여성 동성애자들이 진정으로 좋은 남성이 되기를 원하는 것으로 간주한다.

동성간의 성행위를 죄라고 비난하는 종교적 사람들은 동성애자들이 겪는 에이즈 감염을 종교적 율법을 어긴 신의 처벌의 결과라고 여긴다. 동성애자들과 양성애자들을 간호하는 건강 전문가들이 이러한 신념과 가치를 가지고 있다면 동성애자들과 양성애자들에게 그들의 생활방식을 회개하라고 할 것이며 에이즈 감염과 영원한 처벌을 받지 않도록 하기 위해서는 생활방식을 변화시켜야 함을 강조할 것이다. 모든 사람을 동등하게 존중하고 그들에게 성건강 간호를 제공하기 위해서는 대상자의 행복권을 존중하는 태도를 갖추어야 하며 이러한 종교적 관점은 객관적이지 않다. 개인의 성생활방식과 그들의 신념과 지향성이 질병에 취약하더라도 간호사는 개인의 특정 생활방식이나 신념을 전환하도록 강요해서는 안된다.

3. 성생활의 다양성

1) 금욕생활(Celibacy)

금욕생활의 사전적인 정의는 '결혼을 하지 않은 상태로 욕구나 욕망을 억제하고 금하는 생활'을 의미한다. 물론 이 정의는 비록 한 커플이 동거생활을 하더라도 이들이 성행위를 하지 않는다고 해서 금욕생활자로 간주하는 것은 아니다. 다시 말해서 금욕생활은 의식적인 선택으로 성행위를 하지 않는 생활이다. 타인과 섹스하지 않을 것을 서약한 개인이 금욕주의자이다. 성교를 하기 원하지만 발기부전이나 기회부족과 같은 여러 가지 다양한 이유 때문에 성교를 할 수 없는 개인은 금욕주의자는 아니다. 금욕생활은 2가지 관점으로 분류한다.

첫째, 모든 성행위를 절제하거나 또는 타인과의 성행위는 절제하지만 자신의 자위행위는 인정한다. 둘째, 몽정이나 무의식적인 성 반응을 포함시키느냐 여부에 따라 전체 또는 부분 금욕으로 정의한다.

금욕생활은 다양하다. 어떤 개인은 평생 모든 성행위로부터 금욕할 것을 서약한다. 이와는 달리 어떤 사람은 자신이 결정한 기간동안만 일시적으로 금욕생활을 하기로 서약한다.

금욕생활을 하기로 결정하는데는 여러 이유가 있다. 어떤 종교에서는 신자에게 금욕을 요구한다. 수녀는 금욕을 "온전한 심령으로 하나님께 나의 전부를 헌신할 수 있도록 해 주는 하나님의 은총입니다. 또한 금욕은 사랑과 진실의 성장수단으로 신성한 관점이며 삶을 조망할 수 있도록 해 주는 것이다"라고 말한다. 건강 때문에 금욕생활을 할 수도 있다. 예를 들어 중증 심장 질환을 앓고 있는 사람은 회복기동안 성적흥분을 피하도록 충고 받을 수 있다. 요가와 같은 총체적 건강신념을 실행하는 사람은 최대의 정신적, 신체적 에너지 수준을 성취하기 위해 금욕생활을 한다.

성적 대안책을 원하는 사람들은 실험적인 금욕생활을 할 수 있다. 금욕을 통해 다른 성생활 양식을 탐색할 수 있고, 다른 성 경험과 비교할 수 있다. 사회적·정치적 금욕생활은 성적 압력을 받지 않는다. 즉 여성해방운동과 같은 특별한 목적에 자신을 몰입하거나 자기탐색과 자아발견에 시간과 정열을 투자할 수 있기 때문이다. 성관계는 자신과 서로에게 보다 친밀한 신체 접촉을 지속해야 하기 때문에 불안과 당혹감을 갖게할 수 있다.

2) 독신생활(Singles)

우리사회는 이성 커플만이 자연스럽고, 본질적인 성생활이라는 신념을 지속적으로 강화하여 왔다. 대중매체 뿐만 아니라 광고 또한 하나같이 이성 커플로 있을 때만 정상이며 행복하다는 것을 강조한다. 이런 강조는 너무 강해서 독신자를 부정적인 대상자로 간주하기도 한다. 어떤 사람이 30세가 넘었는데도 결혼하지 않는다면 이 사람은 의심

받기 시작한다. 부모는 불안해하고, 친구와 주변의 아는 사람들은 독신인 이유를 궁금해 한다. 대부분 사회적 활동은 결혼한 커플이 중심이 된다. 이성애 커플은 어떠한 형태라도 독신자의 생활양식보다 더 수용적이다. 노처녀, 과부와 같이 동정심을 유발하는 생활양식도 있고, 동성애처럼 나쁜 영향을 주는 생활양식도 있다. 또한 바람둥이, 독신 남성, 괴짜 예술가들은 동성애자에 비해 더 포용적이다. 어떤 사람은 이러한 생활양식을 자신의 의지로 선택하지만 어떤 경우에는 배우자의 사망이나 이혼으로 독신생활을 하기도 한다.

건강 전문가는 기혼자에게 개인의 신체적, 정신적 안녕을 위해 오르가슴을 경험하는 성교의 중요성을 강조하지만 미혼자에게는 건전한 섹스가 건강에 기여하는 점이 무엇인가에 대해서는 거의 언급하지 않는다. 공식적으로 미혼상태의 섹스는 비난하지만 사적으로는 용납한다. 때문에 미혼의 개인은 결혼제도 안에서만 성관계를 허용하는 전통적인 윤리를 무시할 수 밖에 없다.

과거 몇 년 동안 우리사회는 독신에 대한 사회적인 인식이 변화하고 있다. 점점 더 많은 사람이 독신생활을 선택하거나 또는 커플로 지내다가 다시 독신이 되는 것을 선택한다. 독신생활에 대한 태도도 아주 다양하다. 어떤 사람은 세월이 흐름에 따라 증가하는 절망감과 외로움으로 배우자를 찾기도 하고, 독신생활을 계속 즐기기도 한다. 이들은 독신생활을 통해 생활력과 보상을 받았고 즐거운 삶의 방식이 무엇인지를 찾았기 때문에 결혼에 대한 계획을 세우지 않는다. 어떤 책은 독신생활이 만족스러운 삶의 방식이라는 메시지를 전한다. 또한 독신자에게 외로움에 대처하는 법이나 탈출하는 법, 다양한 사회생활을 유지하는 법, 예상치 못한 성생활에 대처하는 법, 자유에 대한 완전한 잠재성을 실현하는 방법에 대한 정보를 제공한다.

독신자는 동성, 이성의 친구와 같이 거주하거나 가족과 함께 살 수 있다. 독신이라는 것이 가족, 친구, 애인, 성 파트너가 전혀 없다는 것을 의미하는 것은 아니다. 독신자의 특징은 결혼하지 않았다는 점이다. 독신생활은 자발적이든, 비자발적이든 간에 수용할만한 생활양식이며 모든 사람에게 가능하다.

3) 과부 · 홀아비

남편과 부인이 동시에 경험하는 죽음을 제외하고 결혼제도 내에서 과부나 홀아비가 되는 것은 필연적인 사실이다. 남성이 여성보다 평균 8년 정도 일찍 사망한다. 그리고 과부 대 홀아비의 비율은 1900년대 초기에 2:1에서 2000년대에는 5:1 이상으로 증가했다.

과부의 성생활에 대한 현행 자료는 거의 없다. 그리고 홀아비에 대한 연구도 역시 없는 실정이다. 보통 나이가 많은 과부는 이혼한 여성보다 섹스를 더 적게 경험한다. 과부는 일반적으로 이혼한 여성보다 재정적으로 더 안정되어 있기 때문에 결혼을 위한 성행위에 큰 비중을 두지 않는다. 모든 연령에서 과부는 이혼한 여성보다 더 금욕생활을 한다고 하였다. 과부가 성교를 다시 시작할 때 성교의 빈도는 같은 연령의 이혼 여성보다 더 낮다. 그러나 재혼 후에는 과부와 이혼 여성은 거의 동등하게 오르가슴을 경험한다.

이런 수치가 유용하지 않더라도 성교의 빈도나 재혼 후 성적 활동이 재개되는 시기 등에서 홀아비가 과부보다 모든 영역에서 더 높다. 이런 결과는 노년기의 여성이 노년기 남성보다 더 많고 남성이 성적으로 능동적이고, 공격적이며, 보다 젊은 여성과 데이트하는 것을 사회적으로 수용하고 있기 때문이다.

4) 이혼 남성 · 이혼 여성

이혼율은 지난 25년 동안 거의 2배로 증가했다. 과거에는 이혼과 결혼의 비율이 1:4였으나, 현재에는 1:3으로 이혼율이 증가하고 있다. 이혼한 성인은 결혼생활의 방법을 배웠던 것처럼 독신생활에 대해서도 배워야 한다. 성생활에 대한 규칙은 결혼하기 전에 알았던 규칙과는 아주 다르다.

최근에 이혼한 개인은 성적 박탈감을 느끼고 대인관계에서의 실패감을 경험한다. 이전 배우자에 대한 분노는 이혼자로 하여금 새로운 관계를 거부하고, 한동안 성적 접촉을 회피하도록 한다. 또한 정서적인 감정을 무시한 채 오직 육체적인 성적 접촉만을 추구하기도 한다.

55세 이하의 여성 82~90%와 55세 이하의 남성 81~100%는 이혼 후에도 능동적인 성생활을 유지한다. 이혼 남성의 성교빈도는 같은 연령의 기혼 남성보다 약간 더 높다. 반면에 성적으로 활발한 이혼 여성의 성교빈도는 같은 연령의 기혼 여성의 비율과 거의 같다. 이혼한 사람은 현재의 성교가 이전의 결혼생활을 할 때의 성교보다 더 관능적이고 다양하다고 말한다. 이혼 여성의 80%가 현재의 대부분 성교에서 오르가슴을 느꼈다고 한다. 이 수치는 기혼 여성보다 높다. 이혼한 사람은 기혼자 보다 후방접근의 질성교나, 항문 성교, 구강 성교와 같은 다양한 방법을 시도한다. 연구에서 보면 이혼한 사람의 약 90%가 이전보다 현재의 성생활이 더 즐겁고 만족한다고 하였다.

많은 부부들이 성생활의 불만족을 이혼사유로 꼽는다.

5) 편부모

이혼율의 증가와 함께 이혼자는 독신으로 사는 방법뿐만 아니라 편부모로 살아가는 방법을 배워야 한다. 편부모는 이혼을 했거나 배우자의 사망으로 혼자가 되었기 때문에 자녀에게 변화된 부모 역할을 수행해야 한다. 이런 변화된 부모 역할이 성행위에 미치는 영향을 이해하기 위해서는 더 깊은 연구가 필요하다. 새로운 파트너를 사귈 때 이러한 독신자의 문제는 자녀 때문에 더 복잡해진다. 그래서 자녀를 돌봐주는 사람을 고용하거나 야간에 외출하는 등의 부수적인 문제를 경험한다. 편부모의 연구에서 Patton과 Wallace는 남성의 92%, 여성의 81%가 혼자된 후 다시 성교를 경험했다는 것을 확인했다. 이 연구에서 그들은 편부모에게 나타나는 '성적 자유는 감정의 결여'라는 일반적인 신념에 대해 이의를 제기했다. 이 연구물에서 그들은 섹스가 대부분의 사람에게 친밀한 관계의 중요성을 더 강조한다고 주장했다.

6) 미혼자

독신과 관련된 많은 정보는 독신이 된 이유보다 결혼하지 않은 이유에 대한 것이다. 일반적으로 '결혼을 하지 않은 사람은 대체로 무엇인가가 부족하거나 무책임하며, 부적절하고, 무능하기 때문에 결혼하지 않는다'라는 통념이 지배하고 있다. 어떤 개인은 단순히 독신으로 지내기를 선호하며, 실제적으로 독신생활을 선호한다. 독신생활은 기혼자가 누릴 수 없는 많은 긍적적인 측면이 있기 때문이다. 독신생활에는 많은 장점이 있다. 방해없이 사색할 수 있고 창의적인 생각과 행동을 할 수 있으며, 여행을 즐길 시간적 여유가 많으며, 개인적인 능력과 기술을 향상시키고, 휴식하고, 즐기고, 단독으로 의사결정을 할 수 있고, 원하는 시간을 사용할 수 있고, 새로운 직업과 새로운 장소로 이동할 기회를 가질 수 있다.

어떤 성인은 의존적인 편부모를 양육하기 위해서 그리고 고아가 된 형제·자매나 다른 의존적인 친척을 돌보는 등 가족 부양의 책임감 때문에 독신생활을 선택한다. 어떤 사람은 신체적인 젊음과 아름다움에 높은 가치를 두기 때문에, 또는 자신이 매력적이지 않다고 느끼거나 장애가 있고, 만성질환이 있기 때문에 독신생활을 해야 한다고 생각한다. 어떤 성인은 성적으로 부적절하다고 느끼거나, 결혼생활에서 파트너에게 불만족을 줄 수 있는 특별한 성적 문제가 있다고 생각한다. 이들은 결혼생활에서 경험해야 하는 파트너와의 밀접한 성관계와 친밀한 관계에 대해 불편함을 느낀다.

다른 독신자와 교제할 수 있는 기회는 개인의 직업, 성별, 연령, 성적 적응력, 거주환경, 개인의 매력정도에 따라 매우 다양하다. 성관계를 할 수 있는 기회는 독신자 클럽, 독신자 아파트, 데이트 장소가 있는 대도시에 거주하는 독신자에게 더 많은 기회가 있다. 이러한 면에서 작은 마을이나 시골지역에 거주하는 낮은 사회적·경제적 수준에 있는 노년기 여성은 가장 불리하다. 미혼 여성은 자신에게 각인된 냉담하거나 혹은, 난잡한 이미지에 대해 대처해야 한다. 반면에 미혼 남성은 영구적인 총각의 이미지인 성적으로 매력적이거나, 매력적이지 않는 것과 정서적으로 공허하게 보이는 것에 대해 대처해야 한다.

7) 근친상간(Incest)

근친상간은 어머니와 아들, 아버지와 딸 또는 형제자매와 같은 밀접한 친족 사이의 성적 관계를 의미한다. 사촌, 계부/계모, 삼촌, 숙모와 같은 가족구성원도 포함할 수 있고, 결혼의 법적승인이 되지 않는 사람들간의 성적 관계까지 더 확장할 수도 있다. 대체로 근친상간의 법적 정의는 직계와 형제·자매와 같은 가족구성원과의 성적 관계를 의미한다. 이 중 어머니와 아들의 근친상간은 가장 적게 발생하지만 가장 비난받는 근친상간이다.

개인의 성적 능력과 가족유대의 밀접한 정도간에는 어떠한 관련도 없으며 또한 근친상간에 대한 자연적인 충동과 억제에도 어떠한 관련성이 없다. 근친상간에 대한 금지는 사회와 문화에 의해 학습된다. 또한 사회적 비난과 법적인 금지를 통해 강화된다. 근친상간에 대한 금기는 생물학적이라기보다는 문화적인 것이다.

지금까지 근친상간의 원인을 유전적 원인설에서 연구하였지만 동종번식을 하는 동물의 실험과 근친상간관계에서 태어난 아동의 연구 결과를 기초로 하여 이러한 주장을 반박하였다. 동종번식은 좋거나 나쁜 특질 모두가 유전 가능성이 있음을 보여주었다. 그러나 열성형질과 같은 유전적인 결함이 있는 자손이 태어날 가능성은 가족 내 유전적 결함이 있을 경우에만 발생할 수 있다는 점이다.

근친상간의 가장 일반적인 형태는 아버지와 딸의 관계로 생각하기 쉽지만 실제에 있어서는 형제자매간의 근친상간이 가장 일반적이다. 어머니와 아들의 근친상간이 가장 드물다. Henderson과 Masters는 1년에 인구 100만명 당 약 2명 정도가 근친상간을 한다고 하였다. 근친상간과 관련된 범죄는 모든 성범죄의 5%를 차지한다고 보고했다.

Hunt에 의하면 표본의 약 15%가 사춘기 이전에 발생한 근친상간으로 아동의 성희롱이 차지한다고 했다. 대부분의 사례가 기록되지 않았기 때문에 정확한 근친상간의 발생률은 알기 어렵다. 그러나 실제적인 수치는 기록된 발생률보다 더 높을 것이다.

근친상간에 대한 연구는 보고된 사례가 제한되어 있기 때문에 이런 결과를 일반화하기는 어렵다. 일반적으로 인구 밀집지역, 가난, 사회적인 소외가 근친상간의 발생에 영향을 미칠것이다. Kelly는 이런 결과로 오는 근친상간은 사회경제적으로 낮은 집단에서 더 일반적이라는 것을 암시하였다. 그러나 상류층은 보다 높은 사적 비밀을 요구하고 있고, 사회적 위신을 강조하기 때문에, 이들은 근친상간에 대해 되도록 보고하지 않은 경향이 있다. 대부분의 가족은 근친상간에 대해 보고하는 것을 꺼린다. 왜냐하면 가족구성원이 외부인에게 조사 받거나, 지역사회의 웃음거리가 되거나, 사회적으로 낙인이 찍히거나, 매장되는 것보다는 사실을 은폐시켜 그들 스스로가 이러한 상황을 처리하고자 하기 때문이다.

근친상간에 대한 금기는 연속선상에서 끊임없이 변화한다. 어떤 사람은 자신과 자녀의 성을 두려워하여 결혼한 배우자를 제외하고는 심리성적 친밀감이나 신체적 친밀감을 거부한다. 이러한 부모의 혐오는 가족간의 나체를 금지하고, 자녀에게 성 기관은 감추어야 하며, 성인과 자녀 사이의 친밀감도 엄격히 제한해야 한다고 가르친다. 다른 극단적인 사람은 자녀의 성적 독립을 허용하며, 부모와 자녀의 전통적인 역할은 구 시대적인 것이어서 바꾸어야 한다고 한다. 또한 근친상간에 대한 모든 금지는 없어져야 하며, 근친상간에 대한 터부나 금기가 과학적 기반과 사회적 토대가 약하기 때문에 오히려 가족구성원간의 친밀감의 발달을 저해시킨다고 주장한다. 또한 근친상간을 가족 상호작용의 건강한 부분으로 수용하기도 한다.

대부분의 가족은 이런 두 극단 사이에서 조화를 이루려고 노력한다. 다시 말해서, 가족은 사랑, 친밀감, 유대, 신체적 밀접함이 중요하지만, 자녀에게 성인의 성행위를 행사하는 실수를 범해서는 안된다. 부모의 사랑과 착취 사이에는 명백한 차이가 있다. 사랑하는 부모는 자녀의 안전과 행복에 관심을 가지며, 착취하는 부모는 오직 자신의 쾌락에만 탐닉한다.

근친상간에 대한 영향은 심리적인 것이 크며, 단기간 뿐만 아니라 장기간에 걸쳐 오랫동안 영향을 미친다. 이런 경험은 강한 부정적인 정서를 유발한다. 근친상간행위는 사회적으로 매장이 될 수 있기 때문에 외로움을 느낄 수도 있다. 근친상간은 가족간의 성행위이기 때문에 가족관계에 불확실성과 혼란을 야기한다. 많은 희생자가 자신이 이용당한 것에 대해 분노하고, 또는 죄의식을 느끼며, 이런 행위에 대해 자기자신을 비난하고 자학한다. 가족의 구성원, 특히 아버지에 의해 성착취를 당한 소녀는 낯선 자와의 강간으로 인한 결과보다 정신적 외상이 더 심각하다.

많은 연구자는 부모와 자녀의 근친상간이 당사자 뿐만 아니라 가족 전체에 영향을 미치는 심각한 문제라고 지적한다. 전통적으로, 근친상간은 가족구조를 붕괴시킨다. 근친상간관계중에 있는 자녀는 가정 내에서 근친상간을 당하기 이전의 자신의 역할을 그대로 수행한다. 근친상간 부모의 배우자는 이 상황을 알아도 최소한의 가족의 평화와 조화를 유지하기 위한 수단으로 자녀에게 이전의 역할을 능동적으로 격려할 수 있다. 처음에 자녀는 근친상간자간에 형성된 새로운 역할과 이에 동반되는 연속적인 주의를 수용하지만 만약 자녀가 이런 관계에 염증을 느끼고 부모에게 분노를 느낀다면 이 관계는 더이상 유지되지 못하고 폭로될 것이다.

근친상간이 알려지면, 가족구조는 붕괴되고 아버지는 법적 처벌을 받을 수 있다. 자녀와 다른 형제·자매는 일시적으로 보호소에 가게 될 것이다. 부모의 별거나 이혼이 초래될 수 있다. 자녀는 이로 인해 엄청난 압박을 받을 수 있다. 수사과정을 끝마쳤을 때, 자녀는 본인이 지금까지 경험한 사건 중에서 가장 큰 경험으로 근친상간을 기억할 것이다. 자녀를 근친상간한 이유로 고소 당한 아버지는 경제적으로 궁핍하며, 술주정뱅이이며, 실업자가 대부분이다. 그리고 자신을 종교적으로 독실하고 정치적으로 보수적이라고 생각한다.

많은 연구자는 희생자에게 근친상간 경험과 근친상간이 폭로된 후에 받았던 충격 중에서 어떤 것에 더 정신적인 외상을 크게 입었는지를 확인하였다. 연구에서 그들은 결정하기가 어렵다고 대답하였다. 이 문제의 심각성을 돕기 위해서, 어떤 사법권은 근친상간 범죄자와 피해자가 포함된 가족에게 사법과정에 따른 가족구조의 붕괴의 위험성보다는 먼저 치료적인 대안책을 제안한다. 즉, 자녀, 어머니, 아버지, 그리고 관련된 다른 가족구성원에게 치료와 상담, 실제적인 보조와 정서적 지지를 제공한다. 자녀를 위한 치료는 학대 및 착취와 가족 붕괴에 대한 죄책감의 감정을 해소시키고, 부모에 대한 분노와 적개심을 경감시키는데 초점을 둔다. 근친상간을 한 부모에게는 그들의 행위에 따른 책임과 미치는 영향을 강조하는 상담을 한다. 아동이 경험하는 성적 학대의 주요 원인은 부부 문제와 가족상황에 있다는 것을 이해하고 수용하도록 한다.

8) 결혼제도

성적, 사회적, 정치적 가치의 변화는 결혼제도에 강하게 영향을 미친다. 대부분의 커플은 전통적인 결혼관계를 유지하고, 일부일처제와 부부간의 정절을 지킨다. 일부일처제는 두 사람이 부부가 되기를 언약하며, 서로를 다른 어떤 사람보다 사랑하고 가치를 두는 것을 의미한다. 부부간의 정절이란 다른 개인과는 섹스를 해서는 안된다는 것을 의미한다. 결혼 커플은 서로간의 강하고 지속적인 유대감을 가지며, 결혼생활 외에도 성행위는 금기시 한다. 또한 결혼생활을 통해서 사회적, 지적 성장과 발달을 향상시키고, 상호 지지할 뿐만 아니라 상호간의 성적 경험을 나눈다. 결혼생활 외의 성관계가 발생할 수 있다. 때로는 비밀스럽고, 어떤 때는 제2의 파트너를 두는 축첩의 풍습과 같이 문화적으로 승인되는 때도 있다. 결혼제도는 다양한 형태가 있다.

집단 결혼은 3명 이상의 사람이 섹스를 공유하거나 서로의 성장을 위해 함께 연합하는 형태로 공유하는 협약을 갖는다. 비슷한 기대를 공유하면서 개인 간에 밀접한 신체적 접촉을 한다. 이들은 다수의 자녀들에게 부모 역할을 할 수 있고 다수의 형제자매간에 상호작용을 할 수 있기 때문에 자녀나 부모들에게 이점이 많다. 또한 경제적 자원을 공유하고 협력하기 때문에 이점이 많다.

결혼제도는 전통적으로 부부간의 정절을 지키는 것을 기본으로 하고 있다.

개방적 결혼은 인간관계를 중요시 여기는 결혼 형태로 정서적 자유, 성적 자유가 있다. 개방적 결혼이란 결혼은 하되 완전히 자유로울 수 있으며, 외부와의 관계에 대해서도 어떤 제한점도 없다. 어떤 부부는 정서적 관심과 성행위를 요구하지만 다른 부부들은 전혀 정보조차도 교환하지 않는다.

개방적 결혼에는 부부 교환놀이(swapping) 형태가 있다. 이 형태는 부부가 같은 장소에서 자발적으로 성적 공유를 할 수 있는 집단에 참여하는 것을 의미한다. 부인은 다른 파트너와 열정적인 참여자가 되고, 남편도 다른 파트너와 쾌락의 모험을 즐긴다. 부부 교환놀이는 오프라인의 커뮤니티를 중심으로 이루어졌지만 최근에 와서 포털 사이트의 커뮤니티 등 온라인의 게시판을 이용한 사례와 스와핑 전문 동호회도 활성화 되고 있다.

부부 교환놀이에서 남성들 상호간에는 어떤 성적 행위도 없지만, 여성들의 경우는 상호간에 성적 접촉이 일반적이다. 부부 이외의 다른 파트너와 성적 행위를 강조하는 부부 교환놀이는 부부의 상호 정서적인 문제와 정서적 위기를 해체시킴으로서 결혼생활을 안정시킨다.

부부 교환놀이는 중·상류층, 백인계, 정치적으로 보수적인 입장을 지지하는 사람, 중류층 미국인에서 볼 수 있는 일반적인 전형이다. 한 연구에서는 커플의 오직 약 2%만이 부부 교환놀이를 시도한다고 한다.

우리나라의 경우에는 온라인 동호회를 통한 사전협의에 의해서 스와핑이 오프라인에서 이루어지는 사례가 늘어나면서 사회문제로 대두되고 있다. 그렇지만 경찰이 스와핑을 한 부부를 검거하더라도 스와핑이 풍속을 해치는 면은 있으나 합의하에 이루어진 성행위여서 처벌할 법률적 근거는 없는 실정이다.

4. 성행위와 자극의 다양성

1) 물신숭배(Fetishism)

물신숭배란 성욕 도착증은 성 욕구가 무생물의 사물이나 성 특정부위가 아닌 다른 신체부위에 의해 발생하는 상황을 의미한다(Stoller). 즉 이성의 소지품이나 이성의 성기 외의 신체 부분을 보거나 접촉하거나 생각함으로써 성적 만족을 얻는 변태 성욕의 일종이다. 일반적인 대상물은 구두, 장갑, 스타킹, 모피 또는 가죽 제품, 팬티, 브레지어 등이다. 그리고 신체부위는 둔부, 허벅지, 발목, 발, 머리를 포함한다. 일반적으로 이런 물건이나 신체부위의 자극으로 오르가슴을 느낄 수도 있다. 그러나 물신숭배가 있는 사람은 성적 흥분과 오르가슴을 얻기 위한 필수적인 요소로 사용한다.

물신숭배는 초기에 특정 의복, 신체부위, 특정 사물과 관련된 자위행위 경험과 사물이나 신체부위의 강한 동일시와 관련되어 발달한다. 물신숭배의 주요 특성은 다른 자극을 거부한다. 이것은 성행위 시 파트너의 능동적 참여를 제한하며, 성관계의 발달을 방해한다. 물신숭배가 심한 사람은 성 파트너와의 개인적인 상호작용을 거부하고 다른 사물이나 다른 신체부위를 사용한다. 이런 이유로 물신숭배 대상자는 직업 여성을 성적 파트너로 고용하기도 한다. 얼마나 많은 사람이 물신숭배행위에 연관되어 있는지는 정확히 알 수는 없으나 대부분 남성으로 알고 있다.

대부분 사람에게 경미한 물신숭배는 있다. 개인들은 시각적으로 자극적이거나 즐거운 것을 보거나, 속옷에 대한 느낌이나, 머리를 만짐으로서 성적으로 흥분할 수 있다. 어떤 사람은 자신의 물신숭배적인 욕구를 파트너가 불편해하거나 불쾌감을 호소하지 않는 상황에서 즐길 수 있는 방법으로 자신의 성관계에 통합시키기도 한다. 물신숭배는 성관계를 방해하거나, 불법적 또는 공격적 행위로 나타낼 때에만 문제가 된다. 물신숭배적인 행위 자체가 법에 위배되는 것은 아니지만, 이런 행위가 관음증, 도둑질, 강간, 폭력을 동반할 때는 범죄행위가 된다.

2) 동성애(Homosexuality)

동성애는 '남남 혹은 여여의 동성간에 성적 매력과 성직 관계와 관련된 정서직 애착'으로 정의한다. 동성애자란 동성의 파트너를 선호하는 사람을 의미한다. Bell과 Weinberg는 동성애 경험과 이것의 심리적, 사회적, 성적 상호관계가 매우 다양함에 따라, '동성애', '동성애자'의 용어를 사용하는데 어려움이 많다고 하였다. 용어의 오용은 동성애자의 본질을 곡해하고 부정확하게 한다. 동성애와 이성애는 심리적, 사회적, 그리고 인성적 측면에서 근본적으로 구별되는 것은 아니다.

동성애는 역사의 연속성 속에서 모든 문화와 시대에 존재하였다. 어떤 문화는 이성애보다 동성애를 더 높이 평가한다. 그러나 대부분의 문화는 동성간의 애정과 성적 활동을 금기시 한다. 그러나 동성간에 손을 잡거나 애정 어린 포옹 등은 정상으로 간주하기도 한다.

Kinsey는 동성애와 이성애는 분리된 것이 아니라 연속선상의 한 부분이라고 주장한다. 남성의 4~8%, 여성의 1~6%는 전적으로 동성애행위만을 한다. 남성의 10~13%, 여성의 8~20%는 그들의 행동에서 동성애적인 행동 부분이 더 많다. 남성의 18%, 여성의 1~11%는 동성애와 이성애의 행동 요소가 공존하고 있다. 남성의 63%, 여성의 75%만이 전적으로 이성애행위만 한다. Kinsey와 동료는 남성의 37%, 여성의 11~20%가 사춘기 이후에 동성애행위를 경험한다는 것을 확인했다.

동성애의 원인은 아직도 명확하지 않다. 많은 요인들을 연구하고 있지만 아직 명확한 원인을 가리기가 어렵다. 생물학적 연구로 동성애적 특성을 확인하기 위해 신체검사, 염색체, 내분비선, 신진대사와 혈당검사, 포도당내성검사, 터어키안(sella-turcica)측정을 한다. 때때로 이러한 연구는 동성애자와 이성애자 간에 경미한 생물학적 차이를 발견하기도 하지만, 결과는 아직 논쟁의 소지가 많다. 한 연구는 남성 동성애자가 남성 이성애자보다 안드로겐이 적게 분비된다고 하였지만 다른 연구는 반대 결론을 제시하거나 또는 차이가 없다고도 하였다.

동성애에 대한 심리사회적 연구도 역시 명확한 성과가 없다. 미국 정신병리학회와 심리학회는 동성애는 정신적 질환이 아니다라고 발표하였으나 아직도 많은 사람들은 여전히 동성애는 정신질환의 증상이며, 사회적 부적응의 결과라고 믿고 있다.

Freud에 의하면 인간은 이성애적 동일시를 확립하기 위해 성장발달한다고 하였다. 그는 동성애를 질병이라고 하지 않았다. 동성애는 유아기의 발달과업(구강기나 항문기)이 고착되었기 때문에 발생한다고 하였다. Freud 이후에 나타난 정신분석이론은 동성애를 정신질환으로 명명하였다. 동성애적 동일시의 발달은 아동기에 경험하는 부모와의 관계가 중요하게 영향을 미친다고 하였다. 정신분석 지지자들은 일반적으로 '성인 동성애는 정신병리적' 증상으로 주로 지배적이고 과잉 보호적인 어머니와 수동적이고 고립적인 아버지의 관계가 배경에 있다고 하였다(Bieber).

정신분석이 비판을 받는 이유는 환자나 입원 중인 집단을 추출하여 연구하였기 때문에 전체 동성애자 집단으로 일반화하기는 어렵다는 점이다. 환자나 혹은 입원 중인 사람이 아닌 표본을 사용한 Silverstein의 연구(1981)는 부모와의 관계가 자녀의 성적 적응에 영향을 미치지만, 성적 부적응의 원인이라고 하기는 어렵다고 주장한다.

Hooker는 처음으로 치료를 받지 않은 동성애자와 이성애자를 비교하는 연구에서, 정신적 또는 대인관계 능력에서 어떠한 차이도 발견할 수 없었다고 하였다. 다른 연구에서도 동성애자는 이성애자만큼 행동할 수 있다고 하였다. 동성애에 만족하는 동성애자들은 자신의 성적 지향성을 후회하지 않으며 또한, 성적·사회적기능을 효율적으로 한다고 하였다. 또한 이성애적인 남성과 여성에 비해 심리적으로 더 고통받지도 않는다고 하였다. 다른 연구자는 동성애자가 이성애자보다 심리적으로 더 우수한 대처기술과 집중력이 탁월함을 발견했다.

최근 동성애에 대한 연구에서 이제는 동성애에 대한 인간의 잠재성을 인정하고 동성애 개인에 대한 이해와 수용의 방향으로 나가야 한다고 하였다. 그러나 많은 연구와 학회의 긍정적인 지지에도 불구하고, 동성애자는 여전히 많은 문제에 직면한다. 문제의 대부분은 심리사회적이며, 다른 소수집단이 경험하는 문제와 유사하다. 일반적으로, 우리사회는 동성애를 비난한다. 동성애자는 직업에서의 차별, 친구, 가족, 동료로부터 소외 및 무시, 주거차별, 보험장애, 법적 보호 결여, 신체적 폭행, 갈취와 같은 광범위한 어려움을 경험한다. 우리사회는 동성애를 부정적으로 생각한다. 전통적인 도덕적 체계에 위협을 주기 때문에 동성애를 반대하며 사회적, 법적으로 금지 및 제한을 할 것을 주장한다.

사회는 동성애에 대해 민속적으로 전해오는 신화적이고 주술적으로 이해하며 매체나 뉴스에는 부정적인 생각이 지배적이다. 동성애에 대한 역할모델이 거의 없기 때문에 많은 동성애자는 자기정체성의 전형적 형태에 의지하거나, 또는 동성애의 전형적인 형태와 특성을 과장하는 경향이 있다. 동성애에 어느 정도 적응한 사람이라 할 지라도 자기 성적 지향성을 개방하는데는 주저한다. 심지어 의료 전문가에게도 자신을 드러내거나, 상담 받기를 꺼린다.

동성애자들은 이탈리아인이나 아일랜드인의 민족적 특성처럼 전형적인 특성이 없다. 모든 이탈리아인이 오페라 가수일 수 없고, 모든 아일랜드인이 경찰공무원일 수 없다. 마찬가지로 동성애자도 모두 미용사가 아니다. 동성애자에 대한 일반적인 고정관념은 이성과는 어떠한 상호관계도 하지 않는다는 것이다. 이것은 잘못된 고정관념이다. 남성과 여성 사이에는 얼마든지 성적 자극 없이도 따뜻하고 친밀한 관계가 가능하다. 동성애자에 대한 가장 널리 만연되고, 잘못된 고정관념 중의 하나는 동성애자가 아동을 성희롱한다는 것이다. 연구에서도 이성애 친구가 동성애 친구보다 아동을 더 많이 성희롱한다는 것을 보여주고 있다.

커밍아웃(coming out)은 긍정적이고, 자기확신적이며, 진취적인 방법으로 자기 고유의 동성애를 수용하는 것을 의미한다. 이런 시각은 남녀 동성애자(게이나 레즈비언)들이 '동성애'를 부정적이고, 품위를 떨어뜨리고, 멸시받는 것으로 생각하지 않고, 자신을 긍정적이고, 스스로 승인하고 있음을 의미한다. 커밍아웃 과정의 첫 단계는 그들 자신으로부터 나오는 것이다. 즉, 동성애를 성의 한 종류로써 받아들이며 자신이 동성애자임을 다른 사람에게 알리고 인정하는 것이다. "이것이 나의 모습이다"라고 수용하고 인정하는 것이다. 그 다음 단계는 다른 동성애자들과 함께 어느 곳에서나 자신들이 동성애자임을 나타내고 상호간의 개방성을 공유한다. 동성애자가 선언하는 커밍아웃은 그들의 삶을 결정적으로 변환시킨다. 커밍아웃을 하는 동성애자들은 가족, 친구, 동료, 취업의 기회, 종교 등을 잃어버릴 수 있다는 각오를 한다. 성 지

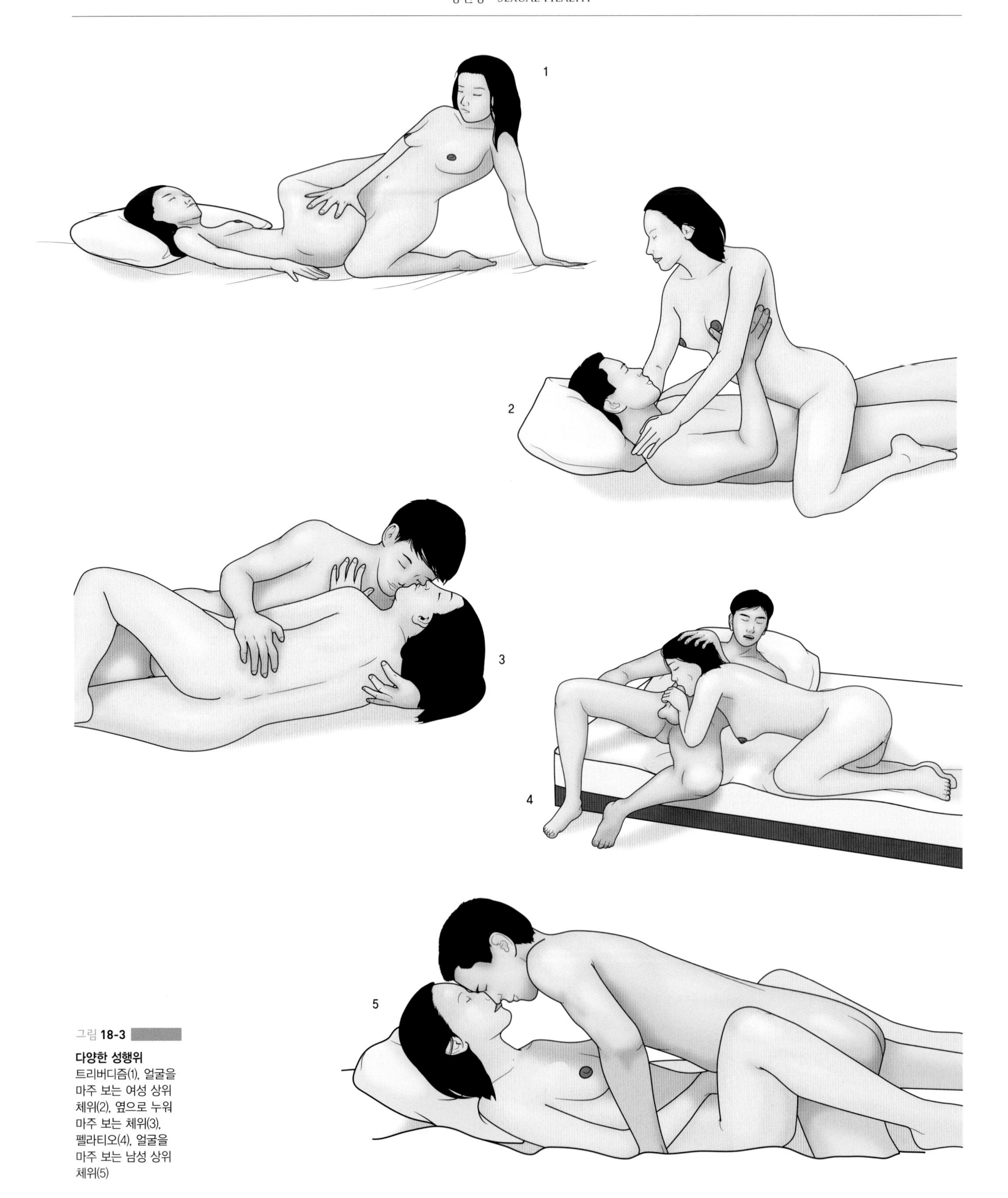

그림 18-3

다양한 성행위
트리버디즘(1), 얼굴을 마주 보는 여성 상위 체위(2), 옆으로 누워 마주 보는 체위(3), 펠라티오(4), 얼굴을 마주 보는 남성 상위 체위(5)

향성은 개인의 생활에 중요한 변화를 초래하며 특히 커밍아웃은 동성애자에게 완전한 성적 정체감과 인간의 잠재성을 실현하도록 도와준다.

일단 동성애자 개인이 커밍아웃하면 동성애는 더 이상 그들에게 정신적 외상으로 작용하지 않는다. 친구나 사회에 "나는 동성애자다"라고 말함으로써 더 이상 당혹감을 경험하지 않는다. 오히려 즐거움, 승리감, 편안함을 경험한다. 일단 커밍아웃하면 개인은 동성애자의 정체성, 자존감, 활동성을 강조하는 동성애 자유운동단체의 구성원이 될 것인지를 결정해야 한다. 이 운동은 동성애자들이 동성애를 천시하고 압박하는 전통적인 사회문화적 규범에 도전하는 것이다. 또한 이 운동은 개인에게 사회적으로 부과한 형식에 무조건 순응하는 것보다는 개인의 자아실현을 위해 더 광범위한 문화의 흐름을 인식하고 확장하는 것에 둔다.

커밍아웃의 가장 큰 어려움은 부모에게 알리는 것이다. 부모의 반응은 거부, 수용 또는 초기 쇼크 등으로 나타난다. 부모는 이해하고, 공감하며 상호 지지를 할 필요가 있다. 이들은 동성애 자녀를 점차 이해하려고 노력하고, 자녀와 부모관계뿐만 아니라 부모간의 관계를 통해 상호 성장과 이해를 하게 된다. 부모는 다른 사람과 같은 인간의 권리, 자유, 즐기는 기회를 자녀가 누릴 수 있도록 능동적으로 자신의 동성애 자녀를 돕기 위해 노력한다.

동성애자의 상호관계는 결혼에서부터 독신까지 전 범위에 걸쳐 있다. 대부분의 동성애자들은 주요한 파트너와 함께 성관계뿐만 아니라 친밀감, 인격적 교류, 우정 등을 나눌 수 있는 관계를 장기간 갖기를 원한다. 이런 상호관계는 외로움을 덜어 주고, 인간에게 필수적이라는 것을 인식한다. 어떤 동성애자는 합법적인 동성애관계를 원한다. 또한 동성애 커플은 사회적으로 인정된 결혼을 하기를 원하고 가족을 가질 수 있는 권리를 그들도 모두 인정받기를 원한다. 동성애자들은 그들 자신과 이성애자 사이에 확고한 차이점이 아직도 우리 사회에 많다는 것을 알고있다. 동성애자들은 거의 대부분 결혼의 형식을 거부한다. 일부 동성애자들은 독신생활을 하거나, 파트너를 특별히 두지 않는 자유로운 비전통적인 관계를 하기도 한다.

3) 양성애(Bisexuality)

양성애란 남녀의 두 성 모두에게 성적으로 매력을 느끼며, 두 성 모두와 성관계를 한다. 양성애자는 자신의 남성성, 여성성에 대해 어떤 의심과 관심도 없이 자신의 대상자가 남성이든 여성이든 상관없이 그들과 성적 상호작용 시 편안함을 느낀다. '양성애자'는 적어도 한 남자와 함께 성적 경험을 한 번 이상, 그리고 한 여자와 함께 한 번 이상의 성적 경험이 있었던 사람으로 정의한다면, Kinsey, Pomeroy, Martin은 남성의 60%가 이성애, 약 40%가 동성애, 약 36%가 양성애라고 하였다. Kinsey는 독신 여성의 약 17%가 양성애자라고 하였다. 양성애란 동성애에서 이성애로, 또는 이성애에서 동성애로 가는 과도기에 있는 개인을 의미하며, 소수의 사람들에게서 나타난다. 이런 전환기는 아주 짧거나 오랫동안 지속될 수 있다. 그리고 이시기 동안 정서, 사상, 행동 면에서 변화를 경험할 수 있다. 단지 소수만이 연속선상의 한쪽 끝에서 다른 한 쪽 끝으로 이동할 것이다. 역사적으로 양성애는 지배적인 이성애 또는 동성애 삶을 살아온 사람들에서 볼 수 있다. 이들은 대체로 양성애적 경험과 환상이 과거에 있었다고 한다.

자아정체감은 양성애를 확인하는 중요한 요소다. 그들은 일반적으로 한 성적 파트너와 성관계를 하더라도 그들이 양성애(두 성 모두에 대한 색정적인 꿈과 낭만적인 애착을 가짐)자라고 느낄 수 있다. 각기 다른 남녀 성적 파트너와의 다양한 성적 경험을 통해 동성애 혹은 이성애 중 자신의 성적 지향성에 맞는 삶을 능동적으로 선택할 수 있다.

양성애의 정체감과 생활양식을 수용한 양성애자들은 일반인이 나타내는 의구심과 적대감을 경험한다. 또한 동성애자와 이성애자에게 압력을 받을 것이다. 양성애자의 성적 지향성은 상황적인 것이 아니다. 이들은 인간관계, 성관계 그리고 대인관계에서도 역시 다양성이 나타날 것이다.

4) 성전환(Transsexualism)

Benjamin과 Ihlenfeld는 개인이 자신의 해부학적 성과 반대되는 심리학적 성을 느꼈을 때 성전환자의 잠재성이 있다고 하였다. 여성의 심리를 가진 남성의 신체, 또는 남성의 심리를 가진 여성의 신체를 예로 들 수 있다. 개인의 정서적 상태나 성적 적응은 심리적 성에 의존한다. 성전환자의 심리적 성은 해부학적 성과 끊임없이 갈등한다. 그러나 반음양(hermaphroditism: 자웅동체. 태아의 생식 체계 분화가 완전한 남성이나 여성으로 성숙하는데 실패)은 거의 나타나지 않는다.

'성전환자'란 용어는 최근 하리수를 통해 우리나라에서도 많이 이야기되고 있다. 많은 역사적 기록에서도 발견된다. 그리스는 성전환자인 Venus Castina가 있었다. 그리고 모든 문화와 시대에서 자신의 몸의 성을 전환하는 많은 사례들이 있다.

성전환자의 수치심은 잘 알려져 있지 않다. 성전환자의 약 75%가 남성의 신체를 가졌지만 심리적으로 여성이다라고 느낀다.

모든 성전환자가 공통적인 배경이나 감정을 갖는 것은 아니다. 그러나 임상연구에서 일반적인 특성을 확인하였다. 그들은 호르몬의 불균형이 있거나 세포의 유전학적 결함은 나타나지 않았다. 초기 아동기 경험에서 이들은 이성과 연관된 의복 바꿔입기와 장난감 놀이, 이성적인 행동에서 강하게 자신의 몸의 성이 아닌 이성을 동일시하는 것으로 나타났다. 또한 성전환자는 아동기의 이성간의 놀이에서 짝이 없이 외토리였다는 경험의 사례를 보고한 연구도 있다.

우리나라에도 성전환의 원인과 치료를 위한 병원이 있다. 성전환자들의 7% 정도는 전문병원에서 완전한 성전환 수술을 받는다. 성전환자가 성전환 수술을 받고자 할 때는 수술여부를 결정하기 전에 엄격한 확진과정을 거쳐야 한다. 즉 심리평가, 철저한 상담, 호르몬 치료, 16~18개월 동안 원하는 성으로 살아보는 것, 가족이나 친구에게 알리는 것 등을 포함해야 한다.

성건강 전문가는 대상자가 갖는 문제의 강도를 사정하여, 대상자가 삶의 다른 대안적인 방법을 탐색하도록 도와주어야 한다. 위험과 불확실한 결과를 초래할 수 있는 수술은 가능한 하지 않도록 설득하고 노력해야 한다. 대상자의 대부분은 정도의 차이는 있지만, 외과적 수술을 하기 보다는 대안적인 삶의 과정을 추구한다. 그러나 대체로 이들은 수술만이 자신의 삶을 구제한다고 확신한다. 수술비용은 약 5천만 원 이상으로 비싼 편이다. 의료보험은 이러한 수술비용에 혜택을 주지 않는다.

성전환수술을 받지 않는 성전환자는 의복을 바꿔 입거나 호르몬을 투여하거나, 유방확대나 축소 수술을 한다. 또한 이들은 심리적 성에 적절한 지역에서 거주하거나, 직업을 얻고, 새로운 성 정체감에 알맞는 이름을 사용함으로써 해부학적, 심리적 성 사이의 격차를 최소화하려고 한다.

5) 이성복장 착용증(Transvestism)

이성복장 착용증이란 남성이 여성의 의복을 착용함으로써 성적 흥분을 자극하는 상황으로 정의한다. 이성복장 착용증이란 글자 그대로 '성적으로 자극받기 위해 이성의 의복으로 바꿔입는 것'을 의미한다. 남성 성전환자나 동성애자의 여장(동성애자의 의복 바꿔입기)같은 이성의 의복을 입거나 또는 여성으로 분장하는 상황과는 다르다(표 18-1). 이성복장 착용증은 남성에게만 주로 발생한다.

이성복장 착용자는 자신을 남성으로 인정하고 있으며, 자신의 성을 변화시키기를 원하지 않는다. 이들은 자신의 음경을 남성의 상징으로 여긴다. 이성복장 착용자의 사랑과 성욕의 대상자는 대부분 여성이다. 이성복장 착용자는 대부분 이성애자이며, 결혼도 하고, 자녀도 있다.

이성복장 착용증은 부분적으로 입거나 완전하게 입는 두 가지 형태가 있다. 부분만 입는 이성복장 착용증은 오직 한가지 종류의 의복만으로 흥분한다. 완전하게 이성의 복장을 착용하는 사람은 한 가지 종류의 의복에서 시작해서 점차 다른 종류의 의복으로 확대되어 여성처럼 의복을 완벽하게 갖추어 입는다. 만약 성적 자극을 받기 위해 이성의 복장을 착용하지 않는 사람은 다른 행동으로 나타날 수 있는데 이러한 행동을 물품 음욕증이라 한다. 완전 이성복장 착용자의 대부분은 남성과 여성의 2가지 성격을 가진다. 그들이 여성의복을 차려입고 있을 때는 그들 스스로 자신을 전통적인 여성의 자질을 가지고 있다고 생각하며, 또한 여성으로 여겨지길 바란다. 또한 남성적 역할을 할 때는 그들의 남성적 자질이 분명히 나타낸다. 이러한 행동은 배우자에게 비밀로 한다. 이런 이성복장 착용증으로 인해 자신의 성과 다른 의복 바꿔입기는 혼자 있을 때나 집에서 멀리 떨어져 있는 장소에서 시도한다. 어떤 경우에는 부인이 남편의 이성복장 착용증행위를 인정하는 것뿐만 아니라 남편의 여성적 이미지 창조를 도와 주기 위해 적극적으로 참여하기도 한다. 이성복장 착용은 동성애자의 여장이나 여장분장처럼 타인을 위해서가 아니라 자신이 좋아서 자신의 즐거움을 위해서 한다. 여장을 하는 동성애자는 다른 사람이나 대중 앞에 서는 것을 거의 원하지 않는다. 이성복장 착용증은 자신의 분장에 많은 투자를 하며, 다른 사람의 반응에는 관심이 없다. 대부분 이성복장 착용자는 개인적으로 집에서 많이 착용하고 있으며, 여성의 의복을 비밀스럽게 입는다.

표 18-1 의복 바꿔입기를 하는 남성의 유형

유형 / 비교	성전환자	이성복장 착용증 (가장 일반적인 유형)	동성애자 (여장)
생물학적 성	남성	남성	남성
성 정체감	여성	물품음욕증이 있는 남성	물품음욕증이 없는 남성
성적 대상(선택)	남성	여성	남성
의복 바꿔입기	공적, 사적 장소	사적(언제나)장소	공적 장소
의복 바꿔입기의 목적	일상생활방식	성적 자극	오락/집중을 원할 때
의복 바꿔입기의 특성	전부갖춤 특별한 주의를 두지않음	부분적으로 갖춤 속옷강조	사치스러움 전부 또는 부분적으로 갖춤 겉옷 강조
성의 변화에 대한 욕구	강함 성전환 수술 추구	최소	최소
의복 바꿔입기에 대한 만족도	역할일치감	성적인 면에서 만족	사회적 면에서 만족

6) 성적 가학 · 피학애증(Sadomasochism)

새디즘(성적 가학애)은 성적 흥분과 만족을 성취하기 위해 성적 파트너에게 신체적, 심리적 고통을 가하거나 혹은 고통을 선호하는 것으로 정의한다. 매조키즘(성적 피학애)은 성적 파트너로부터 성적 욕구의 근원이 되는 때로는 성적 만족의 필수적인 부분이 될 수 있는 고통을 받는 것을 성적으로 선호하는 것을 의미한다. 그러나 준비되지 않은 상황에서는 가학애자나 피학애자의 고통 그 자체가 성적 자극이 될 수는 없다. 계획하지 않은 우연적인 고통은 쾌락이나 성적 자극으로 지각되지 않는다. 이런 정의는 특정 성행위에만 해당되며, 준비되지 않은 비성적이고 잔인하고 비인간적 행위는 해당되지 않는다.

성적 가학애(sadism)란 용어는 18세기 후반에 잔인한 색정적인 환상과 경험을 한 프랑스의 귀족이자 작가의 이름인 maquis de Sade에서 유래한 것이다. Sade가 가장 좋아하는 오락 중의 하나가 하인이 손으로 그의 성기를 자극하는 동안 천장에 매달린 여성을 채찍질하는 것이었다.

성적 피학애(masochism)란 용어는 19세기, 독일의 소설가 Leopold von Sacher-Masoch의 이름에서 유래한 것이다. 그는 여성에게 학대 당할 때에 가장 큰 쾌락을 느꼈다. 20세기 오스트리아 성학자인 Richard von Kraft-Ebing은 성적 가학애와 피학애를 서로 거울의 상이라고 진술하였다.

가학피학애증은 하나의 상황이 아니라 연속선상에 있다. 많은 커플은 성적 흥분과 성교동안 신체를 물거나 할퀴거나 꼬집는다. 어떤 개인은 이런 경험을 참지 못한다. 또 다른 개인은 고통을 추구하거나 성교의 부분으로 굴욕과 벌을 주고받기도 한다. 고통-쾌락의 연속선상에서 개인은 이 시간에서 저 시간으로 한 사람에서 또 다른 사람으로 고통에서 쾌락으로 넘나들며 변화를 즐긴다.

가학피학애증의 역동은 실제로 잘 알려져 있지 않다. Tripp는 가학피학적인 성행위 기술을 즐기는 사람은 타인에게 친절하며, 섹스는 죄악이라는 사회적 훈련을 강하게 받은 사람이라고 하였다. 엄격한 금기는 폭력적 행위를 쾌락적 흥분으로 전환하도록 유도한다. 사람의 활동을 구속하는 금기는 많은 사람에게 특별한 자극으로 작용한다. Hyde는 조건화가 가장 적합한 설명이라고 하였다. 억압을 경험하는 아동은 때때로 고통을 성적 흥분과 연합하여 학습한다. 그래서 평생 피학애자로 지낼 수도 있다.

역동이 무엇이든간에 여성의 3%, 남성의 10%가 가학피학애적 이야기에 자주 쾌락적인 반응을 보이고, 남성, 여성 모두의 25% 이상은 성적 전희동안 물렸을 때 쾌락적인 반응을 빈번하게 경험한다고 한다. Hunt는 남성의 5%, 여성의 2%가 고통을 가하는 것으로부터 성적 쾌락을 얻으며, 남성의 3%, 여성의 5%는 고통을 받는 것으로부터 성적 쾌락을 얻는다고 하였다. Hunt는 또한 가학피학애자들이 그들의 연령과 밀접하게 관련이 있다고 하였다. 35세 이하의 연령층에서 가학피학애증 반응자가 2/3를 차지하고 있다고 한다.

가학피학애증은 강도의 다양성을 나타낸다. 가학피학애증은 심리적 요소가 주요 영향 요인이다. 이들은 실제로 노예나 주인, 또는 특정 색정적인 경험이 자신에게 일어난다고 공상한다. 또한, 고통과 쾌락에 대한 생리적 반응의 차이가 없어지기 시작한다. 그래서 타인에게 고통인 것이 자신에게는 쾌락이 된다. Foeda와 Beach는 인간을 포함해서 다른 동물들도 관찰했다. 그 결과 성적 흥분은 강력한 다른 형태의 흥분과 밀접하게 관련되어있다고 하였다. 성교와 함께 경험하는 고통에 대한 감각은 성 반응을 억제시키고, 개인이 성행위에 집중하지 못하게 할 수도 있다. 반대로 고통에 대한 정서적 반응이 성적 쾌락을 자극하는 효과를 강화할 수도 있다. 이런 반응은 그들의 생리적 구조와 개인적 경험이 작용한다.

가학피학애증은 많은 다양한 행동을 한다. 속박과 구속, 억압을 느끼기 위해 끈으로 묶거나 수갑을 채운다. 다양한 행동에서 나타나는 통제는 한 파트너는 통제를 하고 다른 파트너는 성적 유희의 짧은 기간동안 통제에 대해 자발적으로 복종하는 것을 의미한다.

성행위에서 물품음욕증(fetish)이 자주 동반된다. 그리고 속박, 통제, 굴욕감을 주고 받기 위해 가죽제품으로 된 바지, 양말, 허리끈, 구두, 마구, 두건을 착용한 개인이 참여한다. 가학피학애증은 주인-노예, 선생-학생, 부모-자녀, 경찰-범죄자와 같은 능동적이거나 수동적인 역할을 하는 파트너와 함께, 정교한 의식에 따라 행해진다.

가학피학애증은 다음과 같이 가학과 피학을 위한 이야기를 만든다. 즉, 피학애자는 처벌에 합당한 어떤 혐의점이 있다. 그리고 처벌받기 전에 가해자와 협의를 한다. 이런 상황은 피학애자가 담당해야 하는 계획된 의식이다. 그리고 가학애자의 특별한 주의와 명령이 뒤따른다. 가학애자는 단지 피학애자를 혼내 주는 의식을 시행하는 것이다. 가학피학애증을 즐기는 사람들은 항상 성교를 할 때마다 가학피학적 행위를 하는 것은 아니다. 가학피학애증은 가끔씩 행해지며, 시간, 조건, 참여한 파트너가 가학피학애를 즐길 수 있을 때만 행해지는 주의깊고 계획된 성적 경험이다.

7) 성욕이상항진증(Nymphomania)

여성의 성욕이상항진증과 남성의 성욕이상항진증(satyriasis)은 개인이 성적으로 탐욕스러우며, 성행위가 모든 다른 문제와 관심보다 압도적이며, 성행위와 성충동시 억제할 수 없는 강박적인 행위를 표현할 때 사용하는 정신과 용어이다. 성욕이상항진증을 가진 남성과 여성의 성행동은 선택의 문제가 아니다. 이들은 자신의 이러한 행위에 대해 강한 부정적인 감정을 나타냄에도 불구하고 강한 부정적인 계속적인 성적 분출을 나타내는 충동과 행동을 하게끔 하는 내적, 병리적 욕구가 있다. 아직까지 남성과 여성에서 성욕이상항진증 발생률은 낮게 보고되고 있다.

이들이 성행위에 대한 욕구가 높은 수준인지 또는 아닌지를 측정할 수는 없다. 성교의 빈도도 매우 다양하며, 연령, 교육정도, 개인적 지향성, 파트너의 유무 등의 요소가 영향을 미친다. 국가에 따라 하루 밤에 10번의 성교행위도 특별하지 않다. Kinsey 등은 미국사회의 성교의 빈도를 연구했는데 20대는 일 주일에 4번, 30대는 일 주일에 3번, 40대는 일 주일에 2번, 60대는 일 주일에 1번으로 연령 증가에 따라감소한다고 하였다. 그러나 이 통계는 실제로 미국사회 전체 사람들의 성교 빈도를 나타내는 것은 아니다.

남성의 성욕이상항진증은 거의 주의를 받지 않는다. 왜냐하면, 남성의 성행위의 욕구가 강하다는 것은 존경할 만하고, 심지어 이상적인 것으로 생각하기 때문이다. 이와는 반대로, 여성의 성욕이상항진증은 편견, 이중기준, 남성우월주의에 근원을 둔 많은 해석이 있다. 여성의 성욕이상항진증과 남성의 성욕이상항진증의 원인에서 일치점은 없지만 일반적으로 성욕이상항진증은 깊은 정서적 갈등의 증상으로 여긴다.

성욕이상항진증은 상호관계의 문제로 표현되는데 자신의 성적 욕구와 바램보다 상대방의 성적 욕구가 기준 이상이라고 명명되는 경향이 있다. 그래서 '여성의 성욕이상항진증'과 '남성의 성욕이상항진증'이란 용어는 매우 주관적이고, 비난과 우월의 뜻이 내포되어 있다.

8) 수간(Bestiality)

수간은 인간이 아닌 동물과의 성행위를 의미한다. 인간의 역사 속에는 이런 행위를 권장하는 신화적이고 종교적인 행사가 있다. 예를 들어, Leda와 백조, Europa와 황소, Persephone과 뱀 등이다. 대부분 동물과의 성적 접촉은 실험적인 행동으로 또는 강력한 성적 흥분기에 접촉할 사람이 없었을 때 발생한다.

수간은 드물다. Linsey 등은 그들의 연구에서 남성의 약 8%가 적어도 동물과 성적 접촉을 했으며, 여성의 약 3%가 동물과의 성유희적인 경험을 한다고 하였다. 이들 여성 중에서 단지 0.05%만이 오르가슴을 경험한다고 했다. 남성은 보통 농장동물과 성적 접촉을 하며, 여성은 애완동물과 성적 접촉을 한다. 대부분의 경우 이와 같은 접촉은 20대 이전에 잘 발생한다. 동물과의 성적 접촉과 관련된 후유증은 거의 없다. 수간이 심각한 심리적 장애나 계속되는 성적 고착의 패턴을 나타내는 예는 매우 드물다.

5. 성건강 전문가의 역할

성건강 전문가는 항상 특정 질병에 대해 다양한 원인들을 발견하고자 한다. 성 관련 문제가 발견되었을 때 원인을 발견하고자 하는 것은 놀라운 일이 아니다. 동성애와 양성애도 역시 병리적으로 다루어져 왔다. 동성애에 대한 원인을 고찰하는데 있어서 다음과 같은 의문을 제시한다. 두뇌의 모양과 크기에서 차이가 있는가? 게이 유전자가 있는가? 성장발달 시기 동안 심리사회적 영향 때문인가? 동성애 또는 양성애에 대한 원인은 아직까지 밝혀지지 않고 있다. 그러나 성건강 전문가는 스스로에게 질문을 해봐야 한다. 첫째, 동성애 또는 양성애가 병리적으로 고려되어져야 하는 것인가? 만약 그렇다면, 왜 이성애의 원인은 살펴보지 않고, 동성애와 양성애의 원인에 대해서만 살펴보는가? 이성애는 왜 정상적이며, 인간의 성에 대한 자연스런 표현이라고 가정하는가? 위와 같은 심리사회적 질문들에 대한 대답을 아동기에서 경험한 생활사건에서 찾으려고 한다. 그러나 이것은 같은 부모에 의해 양육된 형제자매, 심지어 쌍둥이들도 다른 성적 지향성(한 사람은 이성애자, 또 다른 사람은 동성애자)을 가지고 성장한다는 사실이다. 이런 인과관계적 접근은 '선천적/후천적' 원인인가 하는 논쟁으로 언급되어진다.

동성애에 대한 원인을 확인하는 과정에서 어떤 대상자는 죄책감을 경험할 수도 있다: 나/우리는 어디서 잘못된 것일까? 아버지는 그들의 아이에게 너무 무관심 했었나? 어머니는 그들의 아이와 너무 친밀했나? 이런 죄책감은 또한 부모들, 아이들, 교육의 기타 등등으로 표현될 수 있다.

동성애와 양성애의 원인에 대한 질문들은 대상자에게 그들 내부에서, 가족, 사회로부터 소외되는 감정을 느끼게 한다. 동성애와 양성애의 원인에 대해 알고자 하는 것은 사람들이 예술가, 정치가, 노동자가 되는 이유를 발견하는 것 만큼 유용하다. 위험은 차별, 성적 지향성에 대한 재병리화(질병), 낙인를 초래할 수 있다는 점이다.

■ 치료적 접근

역사를 통해 많은 사회가 동성애자의 성적 지향성을 종교적 의식, 상담, 전기 자극 치료(ECT), 감옥에 투옥시키거나 추방하는 등의 노력을 했다는 것을 알 수 있다. 그러나 지금은 동성애자와 양성애자가 이성애자와 마찬가지로 병리적이지 않다는 것을 보여준다. 그러나 문제는 아직까지도 사회를 통해 차별과 모욕을 경험한다는 것이다. 상담은 대상자가 실제로 자신이 누구인지를 발견하고, 자신의 가능성을 생활에서 발휘할 수 있는 방법을 탐색하도록 도와주는 데 있다. 예를 들면, 자신이 동성애자라고 믿고 있지만 동성과의 성관계가 타인들로부터 박해를 받을 것이라고 믿는다면, 상담은 그에게 다양한 대안들을 탐색하도록 도와주고, 인간으로서 최대의 선택을 할 수 있는 최상의 방법을 찾을 수 있도록 도울 수 있다.

상담은 낮은 자아존중감을 가진 사람들, 특히 자기주장기술이 부족한 사람들에게 도움을 줄 수 있다. 특히 더 안전한 성행동을 할 수 있도록 한다. 상담을 통해 대상자가 자신에게 맞는 생활방식을 탐색하고, 관계를 개발하고, 향상시키고, 외적·내적 자극으로부터 유발된 압력들과 죄책감에 대처할 수 있도록 하며, 자기자신을 긍정적으로 평가하는 힘을 성장시키고, 타인과 원활한 관계를 긍정적으로 잘 맺을 수 있도록 도와줄 수 있다. 다음은 다양한 성행위자들이 성적 적응을 도울 수 있는 요인들이다.

상기의 적응 요인은 동성애자 또는 양성애자와 관련된 특정 주제들 중 일부이다. 성건강 전문가들이 해야 할 일은 대상자들이 원하는 개인으로 성장하고, 발달할 수 있도록 촉진시켜 주는 것이다. 그리고 그들의 성적 지향성을 유전적 또는 정신이상으로 다루어서는 안되며, 일단 이상이 있다고 진단되었다 해도 치료되고 치유될 수 있다.

다양한 성행위자의 성적 적응 요인

- 자아정체감과 타인에게 자신이 동성애자 또는 양성애자라고 알리는 개방성
- 특정관계로의 이동. 즉 기혼의 개인이 자신이 동성애자라는 것을 인정하고, 남편 또는 부인(그리고 가족)을 떠나 동성애의 생활양식으로 살 것을 결정한다. 이것은 한 지역사회에서 또다른 지역사회 또는 대도시로의 이동을 포함할 수도 있다.
- 개인이 속해있는 사회에서의 다양한 관계들을 논의 특수한 법적 문제들
- 사별 그리고 상실. 즉 부모, 형제자매, 친구, 동료와 같은 개인의 성을 수용할 수 없는 사람과의 관계에서의 변화
- 자각과 자아존중감
- 고용 문제들
- 영적 그리고 종교적 신념들과 실재들
- 문화적 규칙들과 기대들

간호 중재

성건강 전문가는 사회적으로 승인된 성파트너가 없는 대상자가 관심을 갖는 성적 주제에 대해 다양한 정보를 제공하고 자신들의 문제에 대해 해결할 수 있는 능력을 갖도록 총체적 접근을 하여야 한다. 간호사는 비판단적이어야 하며 개인에게 그와 같은 행동을 지속해도 좋다는 수용성을 보여주어야 한다. 항상 배려와 관심을 표현하고, 대상자의 통합성을 확신시키며, 표현된 주제와 문제가 실제적이며, 필요하고, 적절하다는 것을 인식시켜야 한다.

간호사가 다양한 성행위자들을 간호할 때, 머리로 알고 있는 것과 마음으로 느끼는 것에 대한 상호 충돌에 대해 특별한 주의가 필요하다. 간호사는 대상자의 문제에 대한 주관적인 진술뿐만 아니라 대상자의 성적 행위에 대한 객관적인 자료도 수집해야 한다. 간호사의 생각과 감정의 상호충돌은 정확한 자료수집을 방해할 수 있다. 간호사는 자신의 감정과 행동으로 대상자를 평가를 해서는 안된다. 성행위를 옳거나 틀린, 또는 좋거나 나쁜 것으로 판단해서도 안된다. 간호사는 대상자의 성적 가치체계가 무엇인지를 확인하고 대상자가 스스로 문제를 해결하도록 전문적으로 상담과 교육

표 18-2 성행위의 다양성과 관련된 감정, 행동, 비판적 사고를 위한 질문 유형

- 대상자의 성행위에 대해 나는 무엇을 아는가?
- 정보는 어떻게 수집되었나? 대상자나 가족, 의사나 간호사, 혹은 기록된 자료로부터?
- 성행위에서 대상자의 다양성을 누가 아는가? 간호사나 의료진, 부모, 친구?
- 대상자는 쉽게 성행위의 다양성을 보이는가? 그것에 대해 얘기해 봤나? 그것에 대한 명백한 행동은 무엇인가?
- 대상자에 대한 성건강 전문가의 태도는? 당황하거나 불편감, 불안하거나 거부, 또는 수용적이거나 무관심한가?
- 대상자에 대한 가족, 친구의 태도는? 모르는? 당황한? 수용적인? 관심어린? 거부하는? 무관심한? 불편한 것 중에서 어떤 것인가?
- 다른 대상자의 태도는? 모르는? 당황한? 관심어린? 불편한? 수용적인? 거부하는? 무관심 중에서 어떤 것인가?
- 대상자의 행위는 일반적인 성격 특성이라기 보다는 성행위의 다양성에 근거하는가?
- 성건강 전문가의 태도는 치료환경에 부정적으로 영향을 미치는가?
- 성건강 전문가는 일반적으로 성행위의 다양성에 대해 어떻게 생각하고 있는가?
- 의료진은 건강문제뿐만 아니라 성행위의 다양성에 대해서도 사정 또는 치료하는가?

을 제공할 책임이 있다.

예를 들어 한 미혼 여성이 오빠의 아이를 임신했다고 걱정할 때, 간호사는 간호사-대상자간의 상호작용에서 충격, 불신감, 또는 다른 편견적인 개념에 기반을 두어서는 안된다. 간호와 상담은 오빠와 여동생이 성적 관계를 한 그 현상에 대해서 간호사가 객과적으로 인지한 사실에 기반해야 한다. 대상자의 자료수집에서 중요한 것은 대상자가 상황을 어떻게 느끼는지, 무엇을 알기를 원하는지, 대상자가 원하는 행동과 해결책이 무엇인지에 대한 정보를 얻는 것이다. 응급실에 내원한 젊은 남자가 직장에서 출혈을 보이고, 직장이 찢어졌다고 호소할 때, 성건강 전문가는 상처를 먼저 치료하고, 미래에 반복될 수 있는 상해에 대해 예방책을 제안해야 한다. 젊은 이 대상자에게 상처간호를 먼저하고, 다음에 상해를 초래할 수 있는 이러한 행동을 삼가하라는 충고를 해야 한다. 미혼 여성이 기혼 남성과의 관계로 괴로워할 때, 간호사는 대상자가 얼마나 고통스러워하는지에 대한 고통의 감정에 대한 자료를 수집한다. 주의할 것은 대상자에게 사회적 금기를 깨트렸다고 비난해서는 안된다.

동성애 대상자는 총체적 간호, 질높은 간호를 받아야 할 권리를 가지고 있다. 표 18-2는 동성애 대상자의 권리를 보장하고, 대상자와 의료팀 사이에 일어날 수 있는 불필요한 갈등을 피하는데 도움을 줄 수 있는 지침이다. 이것은 다양한 성행위 대상자의 행위발달을 위한 질문 유형이다.

성행위의 다양성을 가진 대상자의 행동을 전문적으로 도와 주기 위해서는 배려 깊은 간호와 인간에 대한 존중, 준비성, 기꺼이 참여하는 마음, 학습하고 성장할 수 있는 능력, 그리고 성적 다양성에 대한 정보가 필요하다. 또한 인간은 변화를 추구할 수 있다는 인간 존중과 배려에 대한 태도가 선행되어야 한다.

간호사는 다양한 성행위를 하는 대상자들을 생활, 문화, 사회, 종교, 건강간호 측면을 통합하여 인간의 성 발달의 연속성 개념에서 긍정적인 관점으로 인식해야 한다. 지금까지 다양한 성행위에 대해 부정적 태도를 가졌으며 건강간호 차원에서 대상자들을 병리화시켰다. 간호의 과제는 다양한 성행위의 실재에 대해 더 개방적이고 정직한 접근을 향상시키는 데 있다.

건강 간호 상황에서 흔히 경험하는 문제

- 동성의 성파트너를 가지는 대상자에 대한 이해 부족.
- 동성애자 또는 양성애자로 동일시한 대상자에 대한 차별적 요소: 법적 체계, 종교와 문화, 의료계의 대상자에 대한 병리적 시각.
- 동성애자와 양성애자들을 인정하지 않고 수용하지 않음. 모든 사람은 특히 동생애자도 이성애자로 가정한다. 사회는 사회의 '규준'에 순응하지 못한 사람들을 권리와 치료면에서 차별을 둔다.
- 에이즈를 전파시킨다고 생각하는 동성애, 양성애 대상자는 비난의 대상이 된다. 반대로, 많은 이성애자들은 그들이 동성애자와 양성애자가 아니기 때문에 감염에 대한 위험이 없다고 믿는다.
- 차별과 박해를 경험하는 대상자들에게 다양한 상담이 필요하다.
- 대상자들에게 적의적이고 위해를 가하는 건강 간호 요원들의 태도가 있다.
- 적절한 건강 간호 서비스가 제공되지 않는다.

간호·상담 과정

대상자 최OO. 주 호소는 수면장애와 주의집중장애
간호사 김OO. 지역사회 보건소 간호사

사정

주관적 자료

최근에 심한 두통이 있어요. 어느 때는 잠을 잘 수가 없어요. 그리고 어떤 일에도 집중 할 수가 없어요. 같은 방을 쓰는 박OO 때문에 걱정이 많아요. 그는 정치 지망생이지만 지금은 정치 활동에 많이 관련되어 있다고 생각하지는 않아요. 그러나 동성애와 관련된 정치 활동은 많은 문제를 초래할 수 있어요. 사람들은 박OO를 잘 알고, 그에 대해 얘기해요. 그들은 또한 나에 대해서도 얘기해요. 내가 게이라는 사실을 다른 사람이 아는 것에 대해 나는 아직 준비가 안되어 있어요. 박OO와는 오랜 친구사이에요. 그러나 내 친구들은 내가 게이라는 것을 아직 몰라요. 만약 내 친구들이 내가 게이라는 것을 알면 매우 놀랄거예요. 사장님도 내가 게이라는걸 알게 될 거구요…….
난 아직 준비가 안되어 있어요. 어떻게 해야할 지 모르겠어요. 아직은 비밀로 하고 싶어요. 공식적으로 밝히기는… 난 박OO를 사랑하고 함께 있기를 원해요. 만약 그가 내가 게이인 줄 알면…….

객관적 자료

- 25세, 대학 졸업, 카메라 상점 점원
- 동거인의 정치적 활동에 대한 문제점을 제기한다.
- 게이라는 것이 밝혀질까봐 두렵다고 한다.
- 부드럽게 얘기하고, 한숨을 자주 내쉰다.
- 수면장애와 주의집중장애가 있다.
- 신체검사-정상
- 한숨쉬는 것, 정상으로 판명됨

간호진단

자신의 동성애자 신분 노출과 관련된 불안

계획

- 공감과 따뜻함, 다정함을 표현한다.
- 수용적인 분위기를 제공한다.
- 신체검사결과 정상이라는 것을 알려준다,
- 대상자가 표현한 감정에 대해 피드백을 제공한다.
- 긍정적인 자기-태도를 유지하도록 격려한다.
- 동거인에 대한 생각과 느낌을 표현하도록 격려한다.
- 서로에게 정서적 지지를 제공해 주는 것에 대한 중요성을 설명한다.
- 관계에 있어서 개인적 기대를 명료화하도록 격려한다.
- 게이에 대한 개인적 비밀유지의 욕구가 파트너의 정치적 활동에 어떤 영향을 미치는지에 대해 논의한다.
- 파트너의 개별성에 대해 인정하고 수용하도록 격려한다.
- 자연스러운 문제 해결을 격려한다.

수행

- 동거인에 대한 자신의 감정을 표현하기 시작한다.
- 동거인의 가치관에 대해 수용을 나타낸다.
- 관계에 대한 개인적 기대에 대해 논의한다.
- 정치적 활동에 대한 필요성과 자신의 사적 비밀 유지에 대한 요구에 대해 생각들과 감정을 논의한다.
- 파트너에 대한 사랑과 존경을 재확인한다.
- 상호 지지에 대한 중요성을 표현한다.
- 파트너 상담을 위한 게이 공동체센터에 예약한다.

평가

- 정상적인 수면 패턴을 보인다고 한다.
- 주의집중 수준도 만족하다고 한다.
- 관계가 안정 되었다고 한다.
- 상담이 상호관련성의 효과를 거두었다고 한다.

NAME
NOM

No.

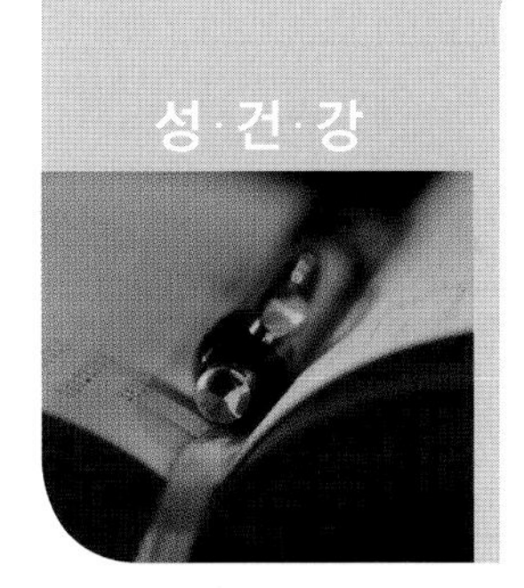

참고문헌

Biobliography

강승귀, 권병두, 1999 『성문화보고서』 지수

강희선, 2001 『한국 대학생의 콘돔사용 설명 모형』 연세대학교대학원 박사학위 논문

고민환, 2001 『여성암환자와 배우자를 위한 올바른 성생활』 2012 대한성학회 연수강좌

김탁, 2012 『폐경기 호르몬 사용에 관한 최신 가이드라인』 2012 대한성학회추계학술대회

김계숙, 2003 『한국여성의성건강』 2003 대한성학회지

김계숙, 1999 『여성의 성건강 개념 개발 연구』 이화여자대학교대학원 박사학위 청구 논문

김계숙 송영아, 2011 『여성건강간호와 비판적 사고(Ⅱ)』 군자출판사

김동일, 1997 『노인과 성』 「가족과 문화」2(여름호) : 53 -67

김성애, 2001 『한국청소년의 현실태 및 성교육에 대하여』 제2차 대한성의학회 학술대회

김세철, 2010 『성학의 과거, 현재 그리고 미래: 비뇨기과측면』 2010 대한성학회 춘계연수강좌

김세철, 김원회, 윤가현, 채규만, 2008 『성학』 군자출판사

김숙남, 장순복, 강희선 『여성의 성만족 측정을 위한 도구개발』 「대한간호학회지」27(4)

김숙남, 1998 『자궁적출부인의성생활』 「대한심신산부인과학회 제4차학술대회지」1(창간호):52-67

김용옥, 1991 『자궁경부암 환자의 방사선 치료 후 성생활 변화』 연세대학교대학원 간호학과 석사학위 논문

김원회, 2001 『한국 여성의 대표적 성기능 장애의 원인과 치료』 제2차 대한성의학회학술대회

김원회, 2006 『여성의 성 해부 및 생리에 대한 새로운 이해』 2006 대한성학회 연수강좌

김원회, 2009 『성적 쾌락과 성적 만족감』 2009 대한성학회 추계학술대회

김원회, 2011 『한국의 술문화와 성』 2011 대한성학회 춘계학술대회

김원회, 2012 『성욕구 장애의 대처방안』 2012 대한성학회 추계학술대회

김은실, 1997 『대중문화와 성적 주체의 형성 - 대중매체를 중심으로』 1997 한국여성학회 춘계학술대회

김이윤, 2000 『Happy Sex』 도서출판 이프

김정희, 1992 『청소년과 성폭력: 원인과 대책을 중심으로』 한국청소년연구

김제종, 2007『노인의 성: 진단적 접근법과 치료』2007 대한성학회 연수강좌

김지선, 1995『성교육이 국민학생의 성지식과 성태도에 미치는 효과』「여성건강간호학회지」1(2)

김혜숙, 1995『인간과 성』에드텍

노기옥, 2010『암과 부부의 성』2010 대한성학회 추계학술대회

대한가족계획협회, 1997『성상담 상담원 교육 교재』대한가족계획협회

대한간호학회 편, 1996『간호학 대사전』한국사전연구사

라이니쉬 비즐리, 2005『킨제이 보고서』이영식 옮김, 하서

레이몽 벨리오티, 1993『Good Sex』구승희 옮김, 민음사

리챠드 포스터, 1989『돈, 섹스, 권력』김영호 옮김, 두란노

마르쿠제, 1982『에로스와 문명』김종호 옮김, 양영각

미셸푸코, 1994『성의 역사; 쾌락의 활용』문경자, 신은영 옮김, 나남출판사

미셸푸코, 1996『성의 역사; 앎의 의지』이규현 옮김, 나남출판사

민권식, 2008『남성과 여성 성기관의 구조 및 생리비교』2008 대한성학회 춘계성교육연수강좌

민권식, 2012『남성갱년기』2012 대한성학회 추계학술대회

박광성, 2011『발기부전 및 조루의 최신치료』2011 대한성학회 춘계학술대회

박금자, 2001『한국여성의 피임실태 및 최신 피임법들』제2차 대한성의학회 학술대회

박문일, 2001『임신중의 성』제2차 대한성의학회 학술대회

박승미, 2010『장루 보유자의 성생활』2010 대한성학회 추계학술대회

박영주, 1998『성교육의 방향과 간호과제』「대한간호학회지」37(3)

박유정, 1992『연령, 성별, 성역할 정체감 및 상황평가가 스트레스 대처행동에 미치는 영향』이화여자 대학교대학원 간호학과 석사학위 논문

배정원, 2011『여성 성기능 장애의 사회 문화적 평가』2011 대한성학회 연수강좌

빈 성과학연구소 편, 1996『성학사전』강중위 옮김, 강천

서경용, 2011『성폭력 피해자의 응급치료』2011 대한성학회 춘계학술대회

서동진, 1996『누가 성정치학을 두려워하랴』문예마당 : 26-29

서상연, 2002『여성 성기능 평가를 위한 설문지 개발과 여성 성기능관련요인 분석 -가정의학과 외래 환자를 중심으로』서울대학교대학원 의학 박사학위 논문

선한규, 2010『여성 성클리닉 운영 경험』2010 대한성학회 추계학술대회

성경원, 2012『노인 성생활의 실태』2012 대한성학회 추계학술대회

소향숙, 2007『유방암 이후의 성기능에 영향을 미치는 요인』2007 대한성학회학술대회

송충숙, 1990『성 재활 정보 제공과 성생활 만족도에 관한 연구-척수장애자를 중심으로』연세대학교 대학원 간호학과 석사학위 논문

고바야시 데루유키, 2000『노년의 혁명』송현아 옮김, 이지북

신경림, 2009『미혼대상 성교육의 현황 및 문제점』2009 대한성학회 춘계학술대회

신의진, 2006『성폭력 피해자를 위한 정신의학적 지원』2006 대한성학회 연수강좌

심영희, 1995『몸의 권리와 성관련법의 개선안: 권력과 성의 관계를 중심으로』「한국여성학」11 : 72-75

안기훈, 2010『성행위 기법을 활용한 성건강 증진』2010 대한성학회 추계학술대회

알렉스 컴포트, 1997『More Joy of Sex』성아카데미

앤소니 기든스, 2003『현대사회의 성, 사랑, 에로티시즘』배은경, 황정미 옮김, 새물결

양정화, 2007『성폭력 피해자를 위한 상담, 어떻게 할 것인가?』2007 대한성학회 연수강좌

엘리자베스 리온, 2002『성과 건강』김계숙 옮김, 현문사

여성건강간호학회, 1998『성교육 및 성상담 전문 교육과정』수문사

오명돈, 2009『후천성면역결핍증후군』2009 대한성학회 춘계학술대회

오생근, 1995『성의 역사와 성, 권력, 주체』「사회비평」13 : 57 -76

오영근 편저, 1996『성의 과학사전』전파과학사

원철, 2010『성건강 증진을 위한 여성 성기 수술』2010 대한성학회 추계학술대회

유외숙, 2011『여성 성기능 장애의 심리학적 치료』2011 대한성학회 춘계학술대회회

윤가현, 2006『성폭력의 사회문화적 판단기준』2006 대한성학회 연수강좌

윤가현, 2007『암환자의 성 및 부부관계 문제에 대한 상담기법』2007 대한성학회 연수강좌

윤가현, 2009『성폭력의 사회 문화적 판단 기준』2009 대한성학회 연수강좌

윤가현, 이은숙, 2001『자궁절제술을 받은 환자들의 심리성적인 적응』「한국심리학회지」6,107-125

윤하나 외, 2001『한국 여성의 성생활양태 및 성기능 장애의 양상』「대한비뇨기과학회지」42, 102-111

윌리엄 야버, 바바라 사야드, 브라이언 스트롱, 크리스틴 드볼트, 2012『인간의 성』박혜성, 이진우, 이유미, 노유정 옮김, 경향신문사

이경자 외, 2002『노인 간호학 5판』영문출판사

이미경, 2003『한국의 성폭력실태와 문제점』「대한성학회지」제1권 1호, 대한성학회

이법석, 2008『장애인의 성 이해하기』2008 대한성학회 추계학술대회

이영휘, 박미라, 송미숙, 유진희, 최순남, 한유미, 황윤정, 1995『대학생의 성지식과 성교육 요구에 관한 연구-인천시 일개 대학을 중심으로』「대한간호학회지」27(1)

이인규, 2009『HIV/AIDS감염인의 성교육과 상담』2009 대한성학회 춘계학술대회

이재영, 2010『학교 현장에서의 성교육 실태와 나아갈 방향』2010 대한성학회 추계학술대회

장순복, 1998『산부인과측면에서 본 성』「대한심신산부인과학회 제4차 학술대회지」창간호:13-17

장순복, 강희선, 김숙남, 1998『기혼여성의 성만족』「대한간호학회지」28(1) : 201 -209

장순복, 최연순, 강희선, 박소미, 1997『대학생의 성교육 효과측정을 위한 기초 연구』「대한간호학회지」36(2)

장순복, 1990『자궁적출술을 받은 부인과 자궁적출술을 받지 않은 부인의 성생활 만족 요인 분석』「대한간호학회지」20(3)

장순복, 1996『기혼 여성의 성적 자율성』「간호학 탐구」5(1) : 71-88

장필화, 1996『여성, 몸, 건강에 대한 여성학적 접근』「간호학 탐구」5(1)

제프리 윅스, 1994『섹슈얼리티 : 성의 정치』 서동진, 채규형 옮김, 현실문화연구

조윤정, 1995『여성의 성적 주체성 형성에 관한 연구』 연세대학교대학원 사회학과 석사학위 논문

조인래, 2009『남성 성병환자의 진단 및 치료』 2009 대한성학회 춘계학술대회

채규만, 2006『성폭력 피해자의 노출기법 치료』 2006 대한성학회 연수강좌

채규만, 2009『부부 집단 상담과 부부 성만족도』 2009 대한성학회 추계학술대회

최명애, 홍성선, 신경림, 서옥경, 1998『발기부전 환자의 한국판 삶의 질 척도 개발』「대한남성과학회지」16(2)175-90

카플란, 1990『새로운 성치료』 이근후, 성금영, 박영숙 옮김, 하나의학사

컨스탄티나 싸필리어스, 1995『사랑, 성, 그리고 성역할』 임정희 옮김, 자유인공동체

크리스티안 노스럽, 2002 『폐경기 여성의 몸, 여성의 지혜』이상춘 옮김, 한문화멀티미디어

토마스 무어, 1998『섹스의 영혼』 정명진 옮김, 생각의나무

프로이트, 1996『성욕에 관한 세 편의 에세이 』 김정일 옮김, 열린책들

하영수 외, 2012『모성, 신생아 여성 건강간호학』 신광출판사

하재청, 류태형, 김병기, 노영복, 이경희, 1997『성의 과학』 아카데미 서적

함재봉, 1995『성해방과 정치해방 : 프로이트에서 푸코까지』「사회비평」13 : 34 -56

허라금, 1995『여성주의적 '자율성' 개념을 위한 시론』「한국여성학」11: 7-23

홍준혁, 2007『직장암, 방광암, 전립선암, 고환암, 치료후 성기능 장애』 2007 대한성학회

Adams, G. 1976.『Reorganizing the range of human sexual needs and behavior』 American Journal of Maternaland Child Nursing, January.:166-169.

Adams, G. 1976.『The sexual history as an integral part of the patient history』 American Journal of Maternal and Child Nursing,1:170.

Aggeleton, P & Tyrer P. 1994.『Sexual Health. In Learning About AIDS 2nd Ed.』; Sciantific and Social Issue Churchill Livingstone / HEA London: 71-85.

Aja, A. and D. Self. 1986.『Alternate methods of changing nursing home staff attitude toward sexual behavior of the aged』 Journal of Sex Education and Therapy, 12:37-41.

Allen, M. E. 1987. 「A holistic view of sexuality and the aged」 Holistic nurspract,1(4):76-83.

Allen, T. 1992. 「Frameworks And Questions In Australian Sexuality Research. In Rethinking Sex : Social Theory and Sexuality Research」(Connell R. W. and Dowsett G. W. eds), Melbo.

Annon, J. S. 1974. 「The behavior altreatment of sexual problems」 Honolulu : Enabling Systems.

Baggs, J. G. and A. M. Karch. 1987. 「Sexual counseling of women with coronary heart disease」 Heart & Lung,16:154-159.

Beitz, J. M. 1998. 「Sexual health Promotion in adolescent and young adults: Primary prevention strategies.」 Holistic nursing Practice,12(2):27-37.

Bem, S. L. 1993. 「The Lenses of Gender: Transforming the Debate on Sexual Inequality」 New Haven : Yale University Press.

Bernhard, L. A. 1995. 「Sexuality in Women's Lives, womens healthcare」 Sage publication : 475-492.

Birke L. 1986. 「Women, Feminism and Biology : The Feminist Challenge」 Harvester Press, Sussex.

Blakey V. 1993. 「Strategies for reaching and empowering women .In Promoting Sexual Health (CuritisH.ed.)」 British Medical Foundation for AIDS Publication, London.

Bogren, L. Y. 1991. 「Changes in sexuality in women and men during pregnancy」 Archives of Sexual Behavior, 20(1):35-45.

Brash, K. C. 1990. 「Toward a model of sexual health for nurses」 Holistic Nursing Practices, 4(4):62-69.

Brink, P. J. 1987. 「Cultural aspects of sexuality」 Holistic nurspract, 1(4):12-20.

Bullough, V. L. and Seidl. 1987. 「Attitudes on sexuality in nursing texts today and yesterday」 Holistic nurspract,. 1(4):84-92.

Burgener, S. and G. Logan. 1989. 「Sexuality concerns of the post stroke patient」 Rehabilitation Nursing, 14:178-181, 195.

Carr, G. 1996. 「Thems relating to sexuality that emerged from a discourse analysis of the nursing times during 1980 -1990」 Journal of advanced nursing, 24 : 196-212.

Catherine Ingram Fogel &Diane Lauver. 1990. 「Sexual Health Promotion」 W.B Saunders Company, Philadelphia.

Charles, D., and D. D. Glover. 1985. 「Psycho sexual problems related to pelvic pain. In M. Farver(Ed.). Human sexuality : Psychosexual effects of disease」 NewYork : Macmillan:159-168.

Connell R. W. and G. W. Dowsett. 1992. 「Rethinking Sex : Social Theory and Sexuality

Research』 MelbourneUniversityPress,Melbourne.

Coward R. 1984「Female Desire : Women's Sexuality Today』 Paladin, London.

DeHaan, C. B. and J. L. Wallander. 1988. 「Self-concept, sexual knowledge and attitudes, and parental support in the sexual adjustment of women with early-and late-onset physical disability』 Archives of Sexual Behavior, 17(2):145-161.

Dennerstein, L., C. Wood, and G. D. Burrow. 1977. 「Sexual response following hysterectomy and oophorectomy』 Obstetrics and Gynecology, 49(1):92-96.

Denney, N. W. J. K. Field, & D. Quadagno. 1984. 「Sex difference in sexual needs and desires』 Archives of Sexual Behavior, 13(3):233-245.

Diane Lauver, Kay Armstrong, Suzanne Marks, Susan Schwarz, 1995. 「HIV Risk Status and Preventive Behaviors Among 17, 619 Women』 Clinical Studies (January).

Elizabeth, M. L. 1982. 「Human sexuality in nursing process』 John wileysons, NewYork,5-16.

Ellis, D. 1980. 「Sexual needs and concerns of expectant parents』 Journal of Obestric, Gynecologic and Neonatal Nursing,9:306.

Eyre, T. L., Nance W. Read, and Susan G. Millstein. 1997. 「Adolescent sexual strategies』 Journal of adolescent health,20(4):286-293.

Few, C. 1997. 「The politics of sex research and constructions of female sexuality: What relevance to sexual health work with young women?』 Journal of advanced nursing,25:615-625.

Few, C. M. 1993. 「Safer sex, What does it mean? Community Outlook』 Nursing Times 3(9):14-19.

Finan, S. L. 1997. 「Promoting Healthy Sexuality : Guideline for the school-age child and adolescent』 The nurse practitioner, 22(11):64-72.

Finan, S. L. 1997. 「Promoting Healthy Sexuality : Guidelines for early through older adulthood』 The nurse practitioner, 22(12):56-64.

Fisher, S. and D. Levin. 1983. 「The sexual Knowledge and attitudes of professional nurses caring for oncology patients』 Cancer Nursing, 6:55-62.

Fisher, S. G. 1985. 「The sexual Knowledge and attitudes of oncology nurses: Implications for nursing education』 Seminars in Oncology Nursing, 1:63-68.

Fogel, C. L. and D. Lauver. 1990. 「Sexual health promotion』 Philadelphia : W. B. Saunders.

Foster, J. C. 1994. 「A woman's health agenda』 Holistic nurspract, 8(4):74-88.

Frank, L. and M. S. Elaine. 1981. 「Factors Influencing Safer Sexual Behaviors in Heterosexual Late Adolescent and Young Adult Collegiate Males』 27(3).

Frank. E. 1989. 「The sexual stage of marriage』 New-York, The Free Press A Division of Macmillan, Inc.

Friend, R. A. 1987. 『Sexual dentity and human diversity : implications for nursing practice』 Holistic nurspract,,1(4):21-41.

Gamel, C., Michiel W. Hengeveld., Bryn Davis, and Ingeborg Van Der Tweel. 1995. 『Factors that influence the provision of sexual health care by dutch cancer nurses』 Int.J.nurs.stud, 32(2):301-314.

Gilbert, D. N. 1981. 『Sexual choice』 Wads worth Co., montery :3-29.

Goldsmith. 1993. 『Familly Planning and Reproductive health issue, In Promoting Sexual Health, Curtis ed』 British Medical Foundation, London :121-128.

Gordon, F. and Peter Wimpenny. 1997. 『Sex, gender and research supervision in nursing』 Nurse Researcher,4(4).

Green, R. 1972. 『Homosexuality as a mental illness.』 Int. J. Psychiatry, 10:94.

Greenberg, D. B. 1987. 『The measurement of sexual dysfunction in cancer patients』 Cancer, 53:2281-2285.

Haffner, D. W. 1997. 『Sexual Health for American Adolescents』 Journal of adelescent health, 22(6):453-459.

Hale, P. J. and Susan L. Trumbetta. 1996. 『Women's self - efficacy and sexually transmitted disease preventive behaviors.』 Research in nursing & health, 19:101-110.

Hall, J. M. and Lori L. Kondora. 1997. 『Beyond True and False memories : remembering and recovery in the survival of childhood sexual abuse』 Advances in nursing science, 19(4):37-54 anson, E. U. 1978.

Hartfild, E., D. Greenberger, J. Yraupmann, & P. Lamhert. 1982. 『Equity and Sexual Satisfaction in recently married couples』 The Journal of Sex Research, 18:18

Heather Wilson & Sue McAndrew. 2000. 『Sexual Health』 Bailliere Tindall, Edinburgh

Hogan, R. M 1985. 『Human Sexuality : A Nursing Perspective』 New York : Appleton-Century-Crofts.

Hurlbert, D F., C. Apt, and Rabehl. 1993. 『Key variable to understanding female sexual satisfaction : an examination of women in non-distressed marriages』 Journal of Sex and Marital Therapy, 19(2):154-165.

Hurlbert, D. F. 1991. 『The role of assertiveness in female sexuality : A comparative study between sexuality assertive nonassertive women』 Jounal of Sex and Marital Therapy, 17:183-190.

Illman, L. 1997. 『Promoting a healthy lifestyle』 women today.

IPPF. 1995. 『IPPF Charter on sexual and Reproductive Rights, Approved』 by IPPF Center Council & Subsequently endorsed by IPPF Members' Assembly : November : 6-63.

Irwin, R. 1997. 『Sexual health promotion and nursing.』 Journal of advanced nursing, 25:170-177.

Jackson M. 1987. 『Fact of Life' or the eroticization of women's oppression? : Sexology and the social construction of hetero sexuality in the Cultural Construction of Sexuality(CaplanP. ed.)』 Tavistock, London.

Jacobson, L. 1973. 『Illlness and human sexuality』 Nursing outlook, 22(1):50-53.

Janice, M., S. L. Swanson, and W. Carole Chenitz. Dibble. 『Clinical Features and Psychological Factors in Young Adults with Genital Herpes. IMAGE』 160. Journal of Nursing Scholarship.

Johnson, R. W. 1970. 『Sex education and the nurse』 Nursing outlook,18(11).

Katzman, E. M. and L. S. Katzman. 1987. 『Outcomes of sexuality course in nursing education』 Journal of Sex Education and Therapy, 13:33-36.

Kirkpatrick, C. S. 1980. 『Sex role and sexual satisfaction in women』 phychology of women quarterly, 4:444-459.

Kitzinger, S. 1983. 『Women's experience of sex』 New York : G. P. Putnam.

Kyndely, K. 1978. 『The sexuality of women in pregnancy and postpartum : A review』 Journal of Obestric, Gynecologic and Neonatal Nursing, 7(1):28.

Laws, J. L. and P. Schwartz. 1977. 『Sexual scripts: The social construction of female sexuality』 Hinsdate,IL:Dryden.

Leidholdt D. & Raymond J,G. 1990. 『The Sexual Liberals and the Attack on Feminism. Pergamon』 NewYork.

Lewis S. & Bor R. 1994. 『Nurses Knowledge of and Attitudes toward Sexuality and the Relationship of Thesis with Nursing Practice』 Journal Advanced Nursing, 20:251-259

Lief, H. I. 1980. 『Introduction to sexuality edited by Sadock. B. J., Kaplan, H. I.and Freedman, A.M』 The sexual experience, Baltimore: William&Willkins, 1-5.

Lief, H. I. and Tyana Payne. 1975. 『Sexuality knowledge and attitudes』 American journal of nursing, 75(11):2026-2029.

Linda, K. M. and K. W. Julie. 1993. 『Current Nursing Practice Related to Sexuality』 John Wiley & Sons. Inc.

Lion, Elizabeth M. 1982. 『Human Sexuality in Nursing』 John Willey & Sons, New York

Long, R. C. 1974. 『Sexual health care』 SIECUS Report, 3:1-14.

Mac Elveen-Hoehn, P. 1985. 『Sexual assessment and counseling』 Seminars in Oncology Nursing, 1:69-75.

Maddock, J. W. 1975. 『Sexual health and sexual health care』 Postgraduate Medicine 58:52-58.

Malatesta, V. J. 1989. 『Sexuality and the older adult: An overview with guidelines for the health care professional』 Journal of Women and Aging,1(4):93-118.

Mandetta, A. F. and Nancy Fugate Woods. 1974. 『Learning about human sexuality - A course model』 Nursing outlook, 22(8):525-527.

Margaret, M. A. 1990. 『Documenting Sexual Abuse in Prepubertal Girls』 May/June15.

Maslow, A. 1981. 『The meaning of "healthy"("Normal") and of "sick"("abnormal") In Concepts of Health and Disease』 A.L. Calplan, H. T. Englehardt Jrand J. J. Mac Cartney(Eds) :38-47.Addison-Wesley, Reading, Massachusetts.

Master W. H. and V. E. Johnson. 1970. 『Human Sexual Inadequacy』 Brown : Little, Boston.

Matocha, L. K. and Julie K. Waterhouse. 1993. 『Current nursing practice related to sexuality』 Research in nursing and health,16:371-378.

McKay Amstrong E, & P., Gordon, 1992. 『Sexualities Family Planning Association』 London.

Miller. 1975. 『Human Sexuality & Nursing practice : an instructor's manual』 Costa mesa, Cal.: concep media,

Mims, F. H. and M. Swenson. 1978. 『A model to promote sexual health care.』 Nursing outlook, February:121-125.

Mims, F. H. and M. Swenson. 1978. 『A model to promote sexual health care.』 Nursing outlook, 2:492.

Mims, F. H. and M. Swenson. 1980. 『Sexuality : A nursing perspective』 New York : Mc Graw-Hill. New York.

Mims, F., R. Yeaworth, and S. Horstein. 1974. 『Effectiveness of an interdisciplinary Course in human sexuality』 Nursing Research,23:248-253.

Misener, T. R., Richard L. Sowell, Kenneth D. Phillips, and C. Harris. 1997. 『Sexual orientation: A cultural diversity issue for nursing』 Nursing outlook, 45(4):178-181.

Mueller, L. S. 1985. 『Pregnancy and sexuality』 JCGNN, 14(4):289-294.

Murry, V. M. and James. J. Ponzetti. Jr. 1997. 『American indian female adolescents' sexual behavior : A test of the life-course experience theory』 Family and consumer sciences research journal, 26(1):75-95.

Muscari, M. E. 1987. 『Obtaning the adolescent sexual history』 Pediatric nursing, 13(5):307-309.

Nagle, T. 1975. 『Sexual Perversio』 Robert Baker & Frederick Elliston, Philosophy & Sex Prometus Books.

Nass, G. D., Roger W. Libby, and Marry Pat Fisher. 1981. 『Sexual Choices』 Belmont California Wads worth, Inc : 3-26

Nelson, S. 1997. 『Women's sexuality』 Andrews,G. Women's sexual health: 3-12.

Newcomb, M. D. and P. M. Benttler. 1983. 『dimensions of subjective female orgasmlc responsiveness』 Journal of social psychology, 44:862-873.

Orem D. E, 1979. 『Concept For malization in nursing : Processand Product』 Little Brown,Boston.

Price, B. 1990. 『A model for body-image care.』 Journal of advanced nursing, 15(5):585-593.

Quinn-Krach, P. and Helen Van Hoozer. 1988. 『Sexuality of the aged and the attitudes and knowledge of nursing students』 Journal of nursing education, 27(8):359-363.

Read, D. A. 1979. 『Heathy sexuality : The key to a rich and rewarding sex life』 NewYork : Macmillan.

Reed, Richard. C. and Denise A. Blaine. 1988. 『Sexual addictions』 Holistic nursing practice, 2(4): 75-83.

Riley, A. J. and E. J. Riley. 1986. 『The effects of single dose diazepam on female sexual response induced by masturbation』 Sexual and Marital Therapy, 1(1): 49-53.

Roberts, S. J. and Helene J. Krouse. 1990. 『Negotiation as a strategy to empower self-care』 Holistic nurspract, 4(2):30-36.

Roy, J. H. 1983. 『A study of Knowledge and attitudes of selected nursing students toward human sexuality』 Issues in Health Care of Women, 4:127-137.

Rubin, 1990. 『Thinking sex: Notes for a Radical Theory of the politics of sexuality. In Pleasure & Danger: Exploring Female Sexuality 2nd ed』 Pandora, London: 267-319.

Ruth K.W estheimer & Sanford Lopater. 2002. 『Human Sexuality』 Lippincott Wilkins Co.

Selby, J. 1997. 『Psychosexual and emotional care.』 Andrews, G.Women's sexual health: 1-65.

Selekman, J. and Gail McIlvain - Simpson. 1991. 『Sex and sexuality for the adolescent with achromic condition』 Pediatric nursing,17(6):535-538.

Sharkey, V. B. 1997. 『Sexuality, sexual abuse, omission in admissions?』 Journal of advanced nursing, 25:1025-1032.

Silverman D., Bor R., Miller R & Goldman E. 1992. 『Obcvious Advice is Then to keep Safer Sex: Advice Giving Advice Reception in AIDS Counseling, in AIDS: Rights and Reason』 Aggleton P., Davies P. 7Hart G. Falmer Press London:174-179.

Strong, B., & de Vault, C. 1994. Human Sexulity. Cal.,Mayfield Publishing Co.,

Taris, T. W. and Gun R. Semin. 1997. 『Parent - child interaction during adolescence, and adolescent's sexual experience : control, closeness, and conflict』 Journal of nursing, 26(4):373-398

Usmiani, S. and Judith Daniluk. 1997. 『Mothers and their adolescent daughters ; relationship between self-esteem, gender role identity, and body image』 Journal of youth and adolescence, 26(1): 45-59.

Wall-Haas, C. L. 1991. 『Nurses' attidudes toward sexuality in adolescent patients』 Pediatric nursing, 17(6):549-554.

Webb, C. 1988. 『A study of nurses' knowledge and attitudes about sexuality in health care』 International journal of nursing student,25(3):235-244.

Weeks J. 1985. 『Sexuality and its Discontents: Meaning, Myths and Modern Sexualities. Routledge』 Kegan and Paul, London.

Wellings K., Johnson A., J. Wadsworth, and J. Field. 1994.『The National Survey of Sexuality Attitudes and Lifestyles』 Penguin and Blackwell, London.

WHO 1975. 『Education and treatment in human sexuality: The training of health professionals : Report of a WHO Meeting.』 Technical Report Series No.572). Geneva: Author.

WHO. 1995. 『Teaching modules for education in human sexuality』 WHO, Manila, 7:1-13.

WHO. 1986. 『Concepts for Sexual Health 』 EUR/ICP/MCH521, WHO, Copenhagen.

William L Yaber, Barbara W Sayad. 2008. 『Human Sexuality, Diversity in corporate 6th ed』 America, Mc Graw-Hill co., inc, Newyok.

Wilmoth, M. C. 1996. 『The middle years: Women, sexuality, and the self』 Jognn, 25(7):615-621.

Woods, N. 1984. 『Human sexuality in health and illness』 St. Louis: Mosby.

Woods, N. F. 1987. 『Toward a holistic perspective of human sexuality: Alterations in sexual health and nursing diagnoses.』 Holistic nursing practice, 1(4):1-11.

Woolf, L. and B. Jackson. 1996. 『'Coffee & condoms': the implementation of a sexual health programme in acute psychiatry in an inner city area』 Journal of advanced nursing, 23:299-304.

Wright D. 1992. 『Impediments to Safer Heterosexual Sex : a Review of Research with Young people』 AIDS, Care 4,11-23.

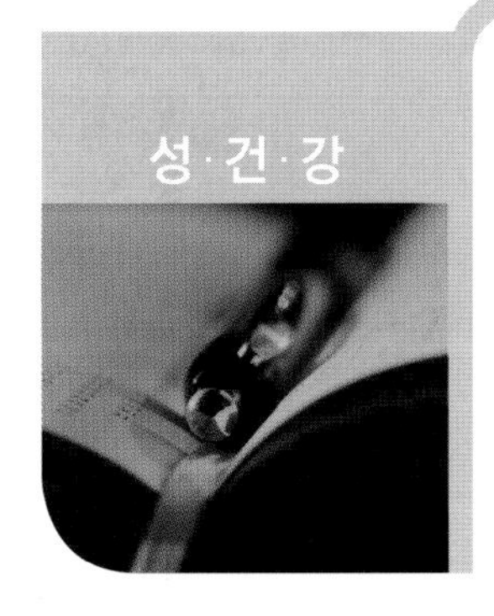

찾아보기

Index

ㄱ

ㄴ

ㄷ

ㅇ

ㅈ

ㅎ

A

B

I

J

K

L

M

N

O

P

W

Y

Z

숫자